¡Así se dice!

Experience Spanish like never before!

Everything you need to teach Spanish is at your fingertips.

Choose your approach:

- Go completely digital
- Blend print and digital
- Move between devices

ENGAGING

Students experience online learning at its best!

- Interact with online student edition which includes audio, videos, games, and more.
- Record oral responses to activities with record-and-playback tool.
- Build proficiency with carefully organized vocabulary.
- Discover culture integrated throughout program.
- Extend interactive text lessons with ConnectEd resources.

EFFECTIVE

Ensure students are mastering language and enriching their understanding of culture.

- Motivate students with self-check quizzes and games that provide instant feedback.
- View student answers and monitor progress with eBook technology.
- Create, assign, and evaluate assessment all in one place.
- Customize your instruction and assessment.
- Track student results, assess progress with benchmark tests, and remediate as needed.

EASY-TO-USE

Manage your time and resources!

- Access all of your digital resources organized at point-of-use.
- Select the perfect mix of planning and instruction, whether digital or print, to meet the needs of your students.
- Assign and manage student work online.

Go Online! **connectED.mcgraw-hill.com**

¡Así se dice!

Teacher Edition

SPANISH 4

Conrad J. Schmitt

Bothell, WA • Chicago, IL • Columbus, OH • New York, NY

Information on featured companies, organizations, and their products and services is included for educational purposes only and does not present or imply endorsement of the **¡Así se dice!** program. Permission to use all business logos has been granted by the businesses represented in this text.

mheducation.com/prek-12

Send all inquiries to:
McGraw-Hill Education
8787 Orion Place
Columbus, OH 43240-4027

ISBN: 978-0-02-138816-5
MHID: 0-02-138816-4

Printed in the United States of America.

3 4 5 6 7 8 QVS 20 19 18 17 16

Dear Spanish Teacher,

We are most pleased that your students have decided to continue with their study of Spanish. As fourth-year students, they will continue to gain confidence in using the language that will hopefully become a most useful lifelong asset.

This year your students will be exposed, in a more in-depth way, to the geography, history, and rich cultures of the vast Spanish-speaking world. They will be introduced to higher level up-to-date vocabulary necessary to communicate and function in today's ever-changing world. They will read newspaper and magazine articles from Spain and Latin America and will be introduced to the works of some of the major writers of the Spanish-speaking world. At all times, the primary focus will be to increase your students' ability to communicate in Spanish with ease and confidence.

Remind your students to be diligent in completing assignments on a daily basis. Short, frequent periods of exposure will greatly enhance their language ability. Infrequent, longer periods of cramming are generally ineffective and will not give the desired result.

Let your students know that they should not be inhibited to speak for fear of making an error. It is most natural to make errors when acquiring a new language. One will never become proficient in a language by remaining silent.

Encourage your students to work a bit each day, to speak up, and to enjoy their journey in the acquisition of an exciting, valuable language.

Atentamente,
Conrad J. Schmitt

Contenido en breve

Teacher Edition

Scope and Sequence T6

Tour of the Teacher Edition T22

Connect with Digital Natives T28

ACTFL World-Readiness Standards for Learning Languages T32

Student Edition

YOUR SPANISH IN TODAY'S WORLD SH1

THE WHAT, WHY, AND HOW OF READING SH2

TOUR OF THE STUDENT EDITION ... SH6

EL MUNDO HISPANOHABLANTE ... SH15

- El mundo
- España
- La América del Sur
- México, la América Central y el Caribe
- Estados Unidos

Andrew Payti

CAPÍTULO 1
España 1

CAPÍTULO 2
Países andinos 56

CAPÍTULO 3
El Cono Sur................................104

CAPÍTULO 4
La América Central 156

CAPÍTULO 5
México 198

CAPÍTULO 6
El Caribe 244

CAPÍTULO 7
Venezuela y Colombia 294

CAPÍTULO 8
Estados Unidos..........................342

STUDENT RESOURCES
Vocabulario temático......................SR2
Verb Charts SR10
Spanish-English Dictionary SR18
English-Spanish Dictionary SR54
Culture Index SR84
Grammar Index SR90

Scope and Sequence

LEVEL 1	Preliminary Lessons	Chapter 1	Chapter 2
TOPICS	• Greeting people • Saying good-bye • Speaking politely • Counting • Finding out the price • Days of the week • Months of the year • Finding out and giving the date • Asking and telling time • Seasons and weather	• Physical descriptions and personality traits • Nationalities • School subjects	• Families and pets • Houses and apartments • Rooms and furniture
CULTURE	• Spanish names • Formality • Currencies • Spanish calendar • 24-hour clock	• Punta Arenas, Chile • School children in Spain and Latin America • Elementary school in Saquisili, Ecuador • Independence Monument, Mexico City • Colonial plaza in Santo Domingo, Dominican Republic • Windmills in La Mancha, Spain • St. Augustine, Florida • San Juan, Puerto Rico • Spanish speakers in the United States • Characters from the novel *El Quijote*	• Families and homes in the Spanish-speaking world • Pets in the Spanish-speaking world • Tenerife, Canary Islands, Spain • Plaza de Armas in Trujillo, Peru • Quito, Ecuador • **El sato,** a Puerto Rican dog • Galapagos Islands
FUNCTIONS	• How to greet people • How to say good-bye • How to speak politely • How to count from 0–100 • How to find out and tell days of the week • How to tell time • How to find out and tell the months and seasons	• How to describe people and things • How to tell where someone is from • How to tell what subjects you take and express opinions about them	• How to talk about families and pets • How to describe a house or apartment • How to describe rooms and some furnishings
GRAMMAR		• Nouns, adjectives, and articles • The verb **ser** • **Tú** and **usted**	• The verb **tener** • Possessive adjectives

LEVEL 1	Chapter 3	Chapter 4	Chapter 5
TOPICS	• In the classroom • School clothes and school supplies • After-school activities	• Foods and beverages • Eating at a café	• Soccer • Baseball • Basketball • Tennis • Uniforms • Colors
CULTURE	• Library in Barranco, Peru • School uniforms in Spain and Latin America • Barcelona, Spain, and its languages • Plaza de Armas in Arequipa, Peru • Home in Antigua, Guatemala • School and after-school activities in Spanish-speaking countries and the United States • Working habits of young people in the Spanish-speaking world	• Eating habits in the Spanish-speaking world compared to the United States • Eating times in the Spanish-speaking world compared to the United States • Spanish tapas • **Tunos** in Spain and Mexico • Typical dishes from the Spanish-speaking world • Argentine beef • Popular beverages, such as Inca Kola and mate • Simón Bolívar, a Latin American hero	• Various soccer stadiums in Spain and Latin America • Copán, Honduras • Jai alai • San Pedro de Macoris, Dominican Republic • Nicaragua and the earthquake of 1972 • Sports in Spanish-speaking countries compared to the United States • Baseball player Roberto Clemente
FUNCTIONS	• How to talk about what you do in school • How to identify some school clothes and school supplies • How to talk about what you and your friends do after school	• How to identify food • How to describe breakfast, lunch, and dinner • How to find a table at a café • How to order in a café • How to pay the bill in a café	• How to talk about sports • How to describe a soccer uniform • How to identify colors
GRAMMAR	• Present tense of **-ar** verbs • The verbs **ir**, **dar**, and **estar** • The contractions **al** and **del**	• Present tense of **-er** and **-ir** verbs • Expressions with the infinitive—**ir a**, **tener que**, **acabar de**	• Present tense of stem-changing verbs • **Interesar**, **aburrir**, and **gustar**

Scope and Sequence

LEVEL 1	Chapter 6	Chapter 7	Chapter 8
TOPICS	• Personality, conditions, and emotions • A visit to the doctor's office • Illnesses	• Summer weather and activities • Winter weather and activities	• Celebrating a birthday • Attending concerts, movies, and museums
CULTURE	• Pharmacies in the Spanish-speaking world • Homes of the Embera people of Panama • Canary Islands • Salamanca, Spain • The Plaza Grande in Merida, Mexico • Literary genre, the picaresque novel	• El Yunque • Skiing in the Pyrenees Mountains • Beaches in Spain and Latin America • Vacationing in Argentina • Summer and winter resorts in Spanish-speaking countries	• Mexican artist, Frida Kahlo • Andean musical instrument, **la zampoña** • La Boca, an artistic neighborhood of Buenos Aires • Museums throughout the Spanish-speaking world • El Museo del Barrio and the Hispanic Institute in New York • Shakira, a Colombian singer • *Zapatistas,* by José Clemente Orozco • Hispanic art and music • Art and music in Mexico City
FUNCTIONS	• How to describe people's personality, conditions, and emotions • How to explain minor illnesses • How to talk about a doctor's appointment	• How to talk about summer and winter weather • How to talk about summer and winter activities	• How to talk about a birthday party • How to discuss concerts, movies, and museums
GRAMMAR	• **Ser** and **estar** • Indirect object pronouns	• Preterite tense of regular **-ar** verbs • Preterite of **ir** and **ser** • Direct object pronouns	• Preterite tense of **-er** and **-ir** verbs • The verbs **oír** and **leer** • Affirmative and negative expressions

LEVEL 1	Chapter 9	Chapter 10*	Chapter 11*
TOPICS	• Shopping for clothes • Shopping for food	• Packing for a trip • Getting to the airport • At the airport • On board an airplane	• Parts of the body • Daily routine • Backpacking and camping
CULTURE	• Shopping centers, markets, and food stands in Spain and Latin America • Shopping in Spanish-speaking countries compared to the United States • Indigenous open-air markets • Moorish influence in Spanish architecture	• Airports in Spain and Latin America • Plaza de Armas in Quito, Ecuador • Air travel in South America • Nazca lines in Peru • A beach in Palma de Mallorca • **Casa Rosada** in Buenos Aires • San Juan, Puerto Rico	• Backpackers in the Spanish-speaking world • Camping in the Spanish-speaking world • Nerja Beach, Spain • Petrohue Falls, Chile • Hostals in the Spanish-speaking world
FUNCTIONS	• How to talk about buying clothes • How to talk about buying foods	• How to talk about packing for a trip and getting to the airport • How to speak with a ticket agent • How to buy an airplane ticket • How to talk about being on an airplane	• How to talk about your daily routine • How to talk about camping • How to talk about the contents of your backpack
GRAMMAR	• Numbers over 100 • The present tense of **saber** and **conocer** • Comparatives and superlatives • Demonstrative adjectives and pronouns	• Verbs that have **g** in the **yo** form of the present tense • The present progressive tense	• Reflexive verbs • Commands with **favor de**

Nota * Chapters 10 and 11, Level 1, repeat as Chapters 1 and 2, Level 2.

(t)C Squared Studios/Getty Images, (c)McGraw-Hill Education, (b)David H. Brennan

Scope and Sequence

LEVEL 2	Repaso	Chapter 1*	Chapter 2*
TOPICS	• Friends, students, and relatives • At home and at school • Personality and health • Sports • Shopping for food and clothing • Summer and winter vacations and activities	• Packing for a trip • Getting to the airport • At the airport • On board an airplane	• Parts of the body • Daily routine • Backpacking and camping
CULTURE	• Plaza Mayor, Madrid, Spain • Caracas, Venezuela • Central Market in Valencia, Spain • A beach in Gijón, Asturias • Skiing in Portillo, Chile	• Airports in Spain and Latin America • Plaza de Armas in Quito, Ecudor • Air travel in South America • Nazca lines in Peru • A beach in Palma de Mallorca • Casa Rosada in Buenos Aires • San Juan, Puerto Rico	• Backpackers in the Spanish-speaking world • Camping in the Spanish-speaking world • Nerja Beach, Spain • Petrohue Falls, Chile • Hostals in the Spanish-speaking world
FUNCTIONS	• How to talk about friends, family, and home • How to talk about activities at home and at school • How to talk about personality, health, and general well-being • How to talk about sports • How to describe food and clothing • How to talk about vacations	• How to talk about packing for a trip and getting to the airport • How to speak with a ticket agent • How to buy an airplane ticket • How to talk about being on an airplane	• How to talk about your daily routine • How to talk about camping • How to talk about the contents of your backpack
GRAMMAR	• The verb **ser** • Nouns, articles, and adjectives • The verb **tener** • Possessive adjectives • The present tense of verbs • The present tense of **ir**, **dar**, **estar** • Contractions • Uses of **ser** and **estar** • The verbs **aburrir**, **interesar**, **gustar** • The verbs **saber** and **conocer** • Comparatives and superlatives • The preterite of regular verbs • The preterite of **ir** and **ser** • Direct and indirect object pronouns	• Verbs that have **g** in the **yo** form of the present tense • The present progressive tense	• Reflexive verbs • Commands with **favor de**

(t)David H. Brennan, (b)Andrew Payti

Nota * Chapters 1 and 2, Level 2, repeat Chapters 10 and 11, Level 1.

LEVEL 2	Chapter 3	Chapter 4	Chapter 5
TOPICS	• Train travel • Train trips in Peru and Mexico	• Restaurants and types of food • Utensils	• Various festivals • Traditional carnival costumes
CULTURE	• Atocha train station in Madrid • Plaza de la Independencia in Montevideo, Uruguay • Indigenous market in Peru • Cordoba and the Guadalquivir River • Plaza de Armas in Cuzco, Peru • Machu Picchu • The Barranca del Cobre • Panama Canal and the Panama Canal Railway • Atacama Desert	• Restaurants in Spain and Latin America • **Paella**, a typical Spanish dish • **El casado**, a typical Costa Rican dish • San Telmo and Recoleta, unique neighborhoods of Buenos Aires • Sidewalk cafés in the Spanish-speaking world • Fruit stand in Tepoztlan, Mexico • Famous Argentine beef • Spanish tapas	• Festivals and celebrations in the Spanish-speaking world • Patron saints • **Papel picado** • The use of the piñata in Hispanic celebrations • **El Día de San Juan** • **El Día de los Muertos** • **La Navidad** and **Hanuka** • New Year's Eve in Madrid • Parade in Mexico City
FUNCTIONS	• How to use vocabulary related to train travel • How to discuss interesting train trips in Peru and Mexico	• How to order and pay for a meal at a restaurant • How to identify more foods • How to identify eating utensils and dishes • How to discuss restaurants in Spain and Latin America	• How to talk about several Hispanic holidays • How to compare holidays in the U.S. with those in some Spanish-speaking countries
GRAMMAR	• The preterite of irregular verbs • The verb **decir** • Prepositional pronouns	• Stem-changing verbs in the present and preterite • Adjectives of nationality • The passive voice with **se**	• Regular and irregular forms of the imperfect tense

(t)Westend61/age fotostock, (b)©Stockdisc/PunchStock

LEVEL 2	Chapter 6	Chapter 7	Chapter 8
TOPICS	• Computers and e-mail • Cameras and MP3s • Making and receiving phone calls • Technology in Hispanic countries	• Checking into hotels or hostels • Hotels and hostels in Spanish-speaking countries	• City life • Transportation in the city • Country life • Farm animals
CULTURE	• Park Güell in Barcelona, Spain • Buenos Aires, Argentina • Antigua, Guatemala • An **encierro** in San Sebastian de los Reyes, Spain • Public telephones in the Spanish-speaking world	• Guadalajara, Mexico • Indigenous market in Otavalo, Ecuador • Hotel overlooking Lake Atitlan in Guatemala • The Camino de Santiago in Navarre, Spain • Santiago de Compostela in Spain • Arica, Chile • Market in Catarina, Nicaragua	• Avenida 9 de Julio in Buenos Aires, Argentina • Plaza de la Independencia in Montevideo, Uruguay • Panama City, Panama • Bosque de Chapultepec in Mexico City • A cattle ranch in Argentina • Hispanic influence in Miami, Florida • Taquile Island in Lake Titicaca, Peru
FUNCTIONS	• How to talk about computers, the Internet, and e-mail • How to talk about digital cameras and MP3 players • How to make and receive phone calls • How to discuss technology in Hispanic countries	• How to check into a hotel or hostel • How to ask for things you may need while at a hotel or hostel • How to discuss hotel stays in Latin America and Spain	• How to describe life in the city • How to describe life in the country • How to discuss the differences between the city and the country in Latin America
GRAMMAR	• The preterite and imperfect tenses	• The present perfect tense • Double object pronouns	• The future tense • Object pronouns with infinitives and gerunds

LEVEL 2	Chapter 9	Chapter 10*	Chapter 11*
TOPICS	• Driving on the highway • Driving in the city • Cars • Gas stations	• The kitchen • Cooking • Types of food • Using a recipe	• Parts of the body • Exercise and physical activity • Minor medical problems • The emergency room
CULTURE	• The **Gran Vía** in Madrid, Spain • Traffic signs • Independence Monument in Mexico City • Pan American Highway • Traffic in Spanish-speaking countries • Roller coaster in Chapultepec Park in Mexico City	• Recipe for **paella** and paella utensils • Various foods from Spanish-speaking countries • Recipe for **sopa de pollo** • The metric system • Good nutrition • Recipe for **arroz con pollo** • Recipe for **la ropa vieja**	• Hospitals in the Spanish-speaking world • Physical activity and good health • *Doctors Without Borders*
FUNCTIONS	• How to talk about cars and driving • How to give directions • How to discuss the Pan American Highway	• How to talk about foods and food preparation • How to talk about a Hispanic recipe	• How to identify more parts of the body • How to talk about exercise • How to talk about having a minor accident and a trip to the emergency room • How to discuss physical fitness
GRAMMAR	• **Tú** affirmative commands • The conditional	• The subjunctive • Formal commands • Negative informal commands	• The subjunctive with impersonal expressions • **Ojalá**, **quizás**, **tal vez** • The subjunctive of stem-changing verbs • The comparison of like things

Nota * Chapters 10 and 11, Level 2, repeat as Chapters 1 and 2, Level 4.

LEVEL 3	Repaso	Chapter 1*	Chapter 2*
TOPICS	• At home and at school • Sports and daily routine • Vacations • Shopping and celebrations • City and country • Hotels and restaurants	• The kitchen • Cooking • Types of food • Using a recipe	• Parts of the body • Exercise and physical activity • Minor medical problems • The emergency room
CULTURE	• School in Cienfuegos, Cuba • A school in San Pablo, Ecuador • Skateboarding in Barcelona, Spain • A soccer game in Valparaiso, Chile • Puerto de la Cruz, Tenerife, Canary Islands • Ushuaia, Argentina	• Recipe for **paella** and paella utensils • Various foods from Spanish-speaking countries • Recipe for **sopa de pollo** • The metric system • Good nutrition • Recipe for **arroz con pollo** • Recipe for **la ropa vieja**	• Hospitals in the Spanish-speaking world • Physical activity and good health • *Doctors Without Borders*
FUNCTIONS	• How to discuss home and school • How to discuss sports and daily routine • How to discuss vacations and summer and winter activities • How to discuss shopping and celebrations • How to discuss city and country life • How to discuss hotels and restaurants	• How to talk about foods and food preparation • How to talk about a Hispanic recipe	• How to identify more parts of the body • How to talk about exercise • How to talk about having a minor accident and a trip to the emergency room • How to discuss physical fitness
GRAMMAR	• Present tense of regular and irregular verbs • The verbs **ir, dar, estar** • Preterite and imperfect of regular and irregular verbs • The verbs **interesar, aburrir, gustar** • Indirect and direct object pronouns • Uses of the preterite and imperfect • The present perfect tense • Regular and irregular past participles • Double object pronouns	• The subjunctive • Formal commands • Negative informal commands	• The subjunctive with impersonal expressions • **Ojalá, quizás, tal vez** • The subjunctive of stem-changing verbs • The comparison of like things

Nota * Chapters 1 and 2, Level 4, repeat Chapters 10 and 11, Level 2.

LEVEL 3	Chapter 3	Chapter 4	Chapter 5
TOPICS	• Weddings • Baptisms • Birthdays • Funerals	• The hair salon • Washing clothes • Mailing letters and packages • The bank	• Courtesies • Manners
CULTURE	• **Quinceañera** celebrations • Wedding ceremonies and customs throughout the Spanish-speaking world • Recoleta cemetery in Buenos Aires, Argentina • Baptism ceremonies throughout the Spanish-speaking world • Atacama Desert • Mariachis • Madrid, Spain • *El hermano ausente en la cena de Pascua* by Abraham Valdelomar	• Palacio de Telecomunicaciones in Madrid, Spain • European currency • ATMs in Spanish-speaking countries • Police officers in Málaga, Spain • Hair salons, laundromats, and banks in Spanish-speaking countries • Baños, Ecuador • A beach in Santa Marta, Colombia • *El mensajero de San Martín* by Ada María Elflein • A statue of General José de San Martín • Santiago, Chile • Plaza de España, Seville, Spain	• Typical greetings throughout Spanish-speaking countries • Typical gestures used among many Spanish speakers • Gardens at the Royal Palace in Madrid, Spain • Toledo, Spain • Segovia, Spain • *El conde Lucanor* by Don Juan Manuel • El AVE at the train station in Madrid
FUNCTIONS	• How to talk about passages of life: weddings, baptisms, birthdays, and funerals • How to read a poem by the Peruvian writer Abraham Valdelomar	• How to talk about errands • How to discuss preparing for a trip through Andalusia • How to read a short story from Argentina	• How to discuss manners • How to compare manners in Spanish-speaking countries to manners in the U.S. • How to read an excerpt from a work by the Spanish writer Don Juan Manuel
GRAMMAR	• The subjunctive to express wishes • The subjunctive to express emotions • Possessive pronouns	• The subjunctive with expressions of doubt • The subjunctive with adverbial clauses • The pluperfect, conditional perfect, and future perfect tenses	• The imperfect subjunctive • The subjunctive vs. the infinitive • Suffixes

Scope and Sequence

LEVEL 3	Chapter 6	Chapter 7	Chapter 8
TOPICS	• Air travel • Train travel • Car travel and rental	• Art • Literature	• History of Latinos in the United States • Spanish speakers in the United States • Spanish-language television and press in the United States
CULTURE	• Various airports throughout the Spanish-speaking world • The Panama Canal Railway • Atocha train station in Madrid • Lake Titicaca in Bolivia • Quito, Ecuador • A trip to Bolivia • La Paz, Bolivia • *Temprano y con sol* by Emilia Pardo Bazán • La Coruña, Spain • Avila, Spain	• Frida Kahlo home and museum in Coyoacan, Mexico • Federico García Lorca • Mayan ruins in Copán, Honduras • *Las meninas* by Diego Velázquez • *El oso y el madroño* in Madrid, Spain • Don Quijote and Sancho Panza • La Boca, an artistic neighborhood in Buenos Aires • *La liberación del peón* by Diego Rivera • *Al partir* by Gertrudis de Avellaneda • Havana, Cuba	• Street festivals in the U.S. honoring Latino heritage and culture • César Chávez • Univisión and Telemundo • Hernando de Soto • Francisco Pizarro, conqueror of Peru • A statue of Ponce de León in St. Augustine, Florida • San Juan, Puerto Rico • *A Julia de Burgos* by Julia de Burgos • Capitolio Nacional in Havana, Cuba • A plaza in Guadalajara, Mexico • Arch of the Revolution, Mexico City
FUNCTIONS	• How to discuss several modes of travel • How to talk about a trip to Bolivia • How to read a short story by the Spanish author Emilia Pardo Bazán	• How to discuss fine art and literature • How to talk about a mural by the Mexican artist Diego Rivera • How to read a sonnet by the Spaniard Federico García Lorca • How to read a poem by the Cuban poet Gertrudis de Avellaneda	• How to talk about the history of Spanish speakers in the U.S. • How to discuss the experience of Latinos in the U.S. • How to read a poem by the Puerto Rican poet Julia de Burgos
GRAMMAR	• The subjunctive with conjunctions of time • The subjunctive to express commands and advice • Irregular nouns	• The present perfect and pluperfect subjunctive • **Si** clauses • Adverbs ending in **-mente**	• The subjunctive with **aunque** • The subjunctive with **-quiera** • Definite and indefinite articles (special uses) • Apocopated adjectives

LEVEL 3	Chapter 9	Chapter 10
TOPICS	• Food and food preparation • History of food	• Careers • Job applications and interviews • Second languages and the job market
CULTURE	• Various foods popular throughout Spain and Latin America • Olive groves in Andalusia • History of the potato and the tomato • Taco de carne • History of spices • Arabic influence in Latin cuisine • *Las aceitunas* by Lope de Rueda	• Mexico City, Mexico • Plaza de Armas in Quito, Ecuador • Mayan ruins at Chichén Itzá • Mezquita de Córdoba and other Arabic influences throughout Spain • *El hijo* by Horacio Quiroga • Panama City, Panama • A library in Barranquilla, Colombia
FUNCTIONS	• How to identify more foods • How to describe food preparation • How to discuss the history of foods from Europe and the Americas • How to read an excerpt from a work by the Spanish writer Lope de Rueda	• How to talk about professions and occupations • How to have a job interview • How to discuss the importance of learning a second language • How to read a short story by the Uruguayan writer Horacio Quiroga
GRAMMAR	• Passive voice • Relative pronouns • Expressions of time with **hace** and **hacía**	• **Por** and **para** • The subjunctive with relative clauses

Scope and Sequence

LEVEL 4	Chapter 1	Chapter 2
TOPICS	• The geography of Spain • The history of Spain • Spanish culture	• The geography of Ecuador, Peru, and Bolivia • The history of Ecuador, Peru, and Bolivia • The culture of Ecuador, Peru, and Bolivia
CULTURE	• The invasion of the Moors • Basque country • The Catholic Kings • Christopher Columbus • Roman influence and architecture • Spanish foods • Sevilla, Spain • Plaza Mayor in Trujillo, Spain • Valencia, Spain • Palma de Mallorca, Spain • *Canción del pirata* by José de Espronceda • *La primavera besaba* by Antonio Machado • *El Quijote*	• Quipu, an Incan accounting system • Geography of Peru and Ecuador • Land-locked Bolivia • The Andes Mountains • The Incas • Machu Picchu • Francisco Pizarro, conqueror of the Incan Empire • South American liberators Simón Bolívar and José de San Martín • Otavalo market in Ecuador • Food in Ecuador, Peru, and Bolivia • *¡Quién sabe!* by José Santos Chocano • *Los comentarios reales* by the Inca Garcilaso de la Vega
FUNCTIONS	• How to express past actions • How to refer to specific things	• How to describe habitual past actions • How to talk about past events • How to describe actions in progress • How to make comparisons
GRAMMAR	• Preterite of regular verbs • Preterite of stem-changing verbs • Preterite of irregular verbs • Nouns and articles	• The imperfect of regular and irregular verbs • The imperfect and the preterite to describe the past and to indicate past actions • The progressive tenses • The comparative and superlative • Comparison of equality

LEVEL 4	Chapter 3	Chapter 4
TOPICS	• The geography of Chile, Argentina, Paraguay, and Uruguay • The history of Chile, Argentina, Paraguay, and Uruguay • The culture of Chile, Argentina, Paraguay, and Uruguay	• The geography of Central American countries • The history of Central American countries • The culture of Central American countries
CULTURE	• Atacama Desert • Patagonia and Tierra del Fuego • Guarani • Argentine gauchos and the pampas • Evita and Juan Perón • Ushuaia, Argentina • Argentine beef, Chilean seafood • Casa Rosada in Buenos Aires • *Martín Fierro* by José Hernández • *Historia de dos cachorros de coatí y dos cachorros de hombre* by Horacio Quiroga	• The Central American isthmus • The Mayans • Capital cities of Central America • Tikal, Guatemala, largest ancient ruined city of the Maya civilization • Copán, Honduras, and its famous stelae • Islas de San Blas in Panama • Central American cuisine • *Lo fatal* by Rubén Darío • *Canción de otoño en primavera* by Rubén Darío • *Mis primeros versos* by Rubén Darío
FUNCTIONS	• How to describe actions in the present • How to state location and origin • How to refer to people and things already mentioned • How to express surprise, interest, and annoyance • How to express affirmative and negative ideas	• How to form the present subjunctive • How to express necessity, possibility, and doubt using the subjunctive • How to express emotion using the subjunctive • How to give commands
GRAMMAR	• The present tense of regular and irregular verbs • **Ser** and **estar** • Object pronouns • **Gustar** and verbs like **gustar** • Affirmative and negative expressions	• The present subjunctive • Uses of the subjunctive • Direct and indirect commands

LEVEL 4	Chapter 5	Chapter 6
TOPICS	• The geography of Mexico • The history of Mexico • The culture of Mexico	• The geography of Cuba, Puerto Rico, and the Dominican Republic • The history of Cuba, Puerto Rico, and the Dominican Republic • The culture of Cuba, Puerto Rico, and the Dominican Republic
CULTURE	• Indigenous civilizations • Hernán Cortés and the conquest of the Aztec Empire • September 16, Mexican Independence Day • Cinco de Mayo • Mexican Revolution of 1910 • El Zócalo • Teotihuacán • Chichén Itzá • Mexican cuisine • Bosque de Chapultepec • *Para entonces* by Manuel Gutiérrez Nájera • *Historia verdadera de la conquista de la Nueva España* by Bernal Díaz del Castillo	• Mountain ranges in Cuba, Puerto Rico, and the Dominican Republic • The climate of the Greater Antilles • The exploration of Christopher Columbus • The Taino culture • Fidel Castro • José Martí • Santo Domingo • Havana, Cuba • Caribbean food • Caves of Camuy • *Versos sencillos* by José Martí • *El ave y el nido* by Salomé Ureña • *Perico Paciencia* by Manuel A. Alonso
FUNCTIONS	• How to express what people do for themselves • How to tell what was done or what is done in general • How to express what you have done recently • How to describe actions completed prior to other actions • How to express opinions and feelings about what has happened • How to place object pronouns in a sentence	• How to express future events • How to express what you will have done and what you would have done • How to refer to specific things • How to express ownership
GRAMMAR	• Reflexive verbs • Passive voice • Present perfect • Pluperfect • Present perfect subjunctive • Object pronouns	• The future and conditional • The future perfect and conditional perfect • Demonstrative pronouns • Possessive pronouns • Relative pronouns

LEVEL 4	Chapter 7	Chapter 8
TOPICS	• The geography of Venezuela and Colombia • The history of Venezuela and Colombia • The culture of Venezuela and Colombia	• Latinos in the United States, past and present • Your own ethnicity
CULTURE	• Angel Falls in Venezuela • Orinoco River • Petroleum industry • Four geographic regions of Colombia • Simón Bolívar and the fight for independence • Typical foods of Venezuela and Colombia • Cartagena, Colombia • *Los maderos de San Juan* by José Asunción Silva • *Cien años de soledad* by Gabriel García Márquez	• Various street festivals and parades celebrating Latinos in the U.S. • History of the term **hispano** • Hispanic celebrities in the U.S. • Hispanic cuisine in the U.S. • Latin and Spanish architectural influences • San Juan, Puerto Rico • St. Augustine, Florida • San Antonio, Texas • *Desde la nieve* by Eugenio Florit • *El caballo mago* by Sabine Ulibarrí
FUNCTIONS	• How to form the imperfect subjunctive • How to use the subjunctive in adverbial clauses • How to express *although* and *perhaps* • How to use **por** and **para**	• How to form the pluperfect subjunctive • How to discuss contrary-to-fact situations • How to use definite and indefinite articles
GRAMMAR	• The imperfect subjunctive • The subjunctive with adverbs of time • The subjunctive with **aunque** • The subjunctive with **quizá(s)**, **tal vez**, **ojalá** (**que**) • **Por** and **para**	• Pluperfect subjunctive • Clauses with **si** • Subjunctive in adverbial clauses • Shortened forms of adjectives • Definite and indefinite articles

Plan for teaching the chapter.

Preview tells you the theme and content of the chapter.

Cultural Snapshot provides interesting information about the opening photograph.

CAPÍTULO 3

Preview

In this chapter, students will learn about the geography, history, and culture of Chile, Argentina, Paraguay and Uruguay. They will read and discuss newspaper articles. Students will be introduced to the literary works of the great writers José Hernández and Horacio Quiroga. Students will also continue with their complete review of Spanish grammar.

Pacing

Cultura	4-5 days
Gramática	4-5 days
Periodismo	4-5 days
Literatura	4-5 days
Videopaseo	2 days

CAPÍTULO 3

El Cono Sur

Chile, Argentina, Paraguay, Uruguay

Casas de colores brillantes en La Boca, una zona portuaria de Buenos Aires donde está viviendo mucha gente de la comunidad artística

Objetivos

You will:

- learn about the geography, history, and culture of Chile, Argentina, Paraguay, and Uruguay
- talk about yourself—your interests, likes, and dislikes
- read and discuss newspaper articles
- read a poem by José Hernández and a short story by Horacio Quiroga

You will review:

- the present of regular and irregular verbs
- **ser** and **estar**
- object pronouns
- **gustar** and verbs like **gustar**
- affirmative and negative words

Contenido

Lección 1: Cultura
Geografía e historia del Cono Sur

Lección 2: Gramática
Presente de los verbos regulares e irregulares
¿Ser o estar?
Pronombres de complemento
Verbos como gustar
Palabras negativas y afirmativas

Lección 3: Periodismo

Lección 4: Literatura
Poesía
Martín Fierro de José Hernández
Prosa
Historia de dos cachorros de coatí y dos cachorros de hombre de Horacio Quiroga

104 **Go Online!** connectED.mcgraw-hill.com Audio Video Práctica Repaso Diversiones eScape ePals

ciento cinco 105

CAPÍTULO 3

Cultural Snapshot

Las oficinas del presidente de la República argentina están en la Casa Rosada en el centro de Buenos Aires. Durante la época colonial sirvió de fortaleza y fue del balcón de este edificio que Eva Perón daba sus discursos apasionados al pueblo argentino.

Go Online!

Audio
Listen to spoken Spanish.

Video
Watch and learn about the Spanish-speaking world.

Práctica
Practice your skills.

Repaso
Review what you've learned.

Diversiones
Go beyond the classroom.

eScape
Read about current events in the Spanish-speaking world.

Assessment
Check student progress.

ePals
Connect with Spanish-speaking students around the world.

104

105

Pacing suggests daily scheduling options to help you budget your time.

Use helpful suggestions to teach the cultural readings and prepare students for the lesson and chapter tests.

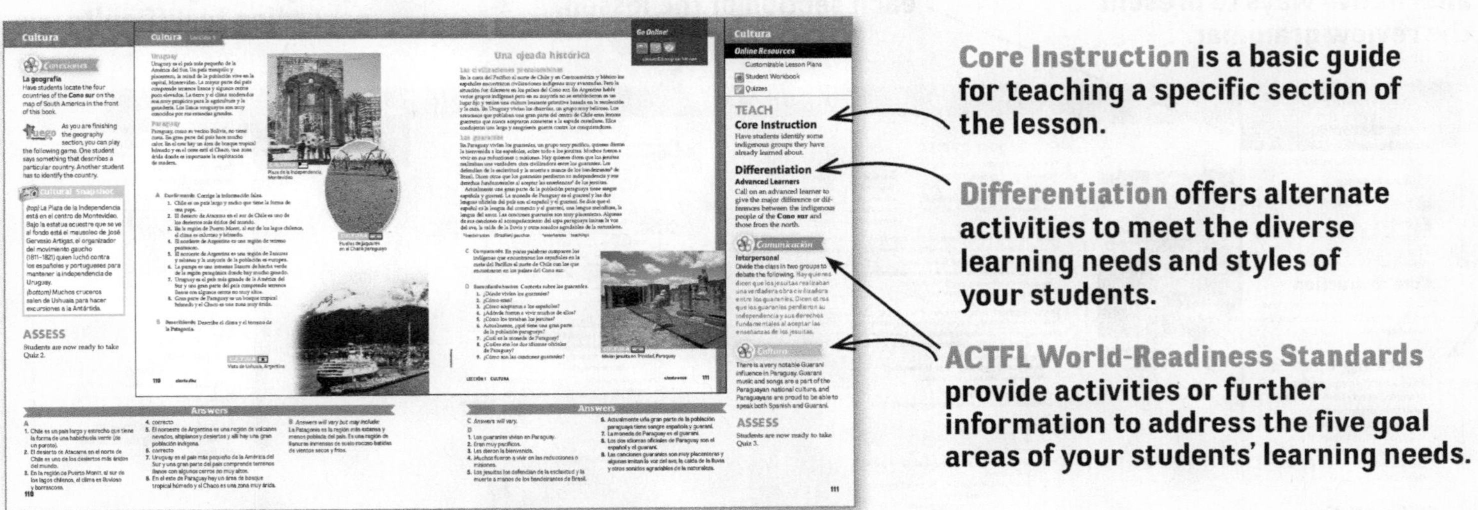

Core Instruction is a basic guide for teaching a specific section of the lesson.

Differentiation offers alternate activities to meet the diverse learning needs and styles of your students.

ACTFL World-Readiness Standards provide activities or further information to address the five goal areas of your students' learning needs.

Self-check for achievement offers suggestions for how to use the pre-test for Lessons 1 and 2 of each chapter.

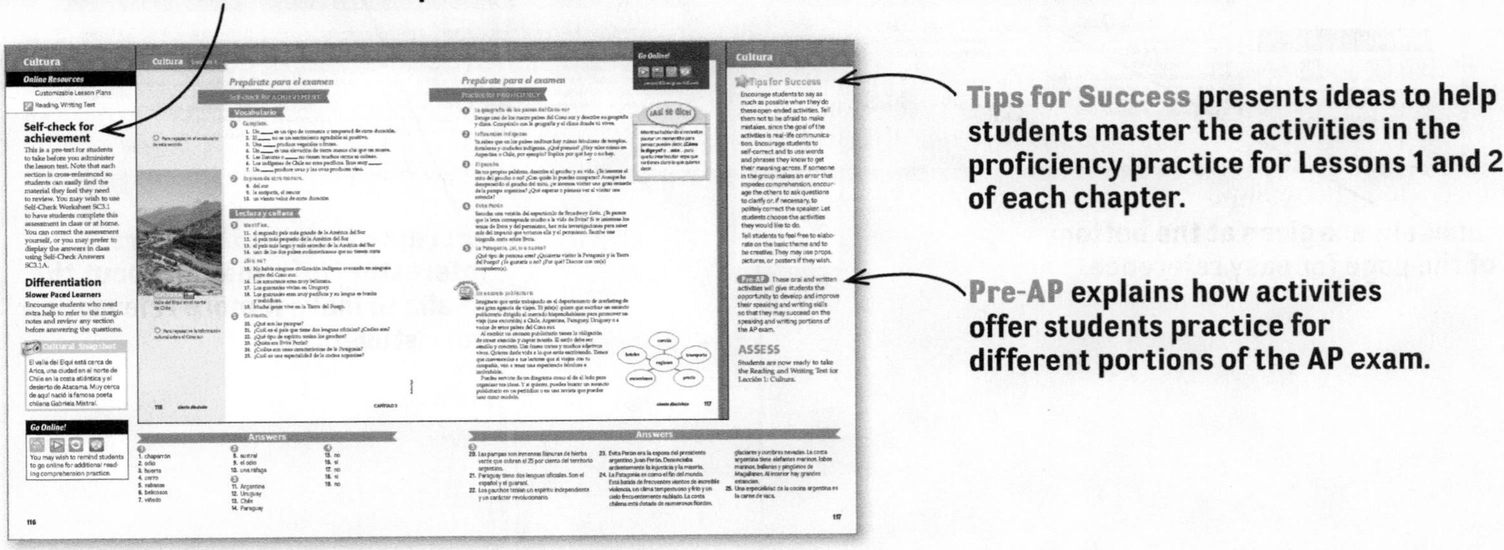

Tips for Success presents ideas to help students master the activities in the proficiency practice for Lessons 1 and 2 of each chapter.

Pre-AP explains how activities offer students practice for different portions of the AP exam.

Reach your students through clear presentation and practice of grammar.

Teaching Options suggests alternative ways to present the review grammar.

Resources lists additional tools to help you teach, practice, and assess each section of the lesson.

Leveling helps you individualize instruction by organizing activities according to difficulty.

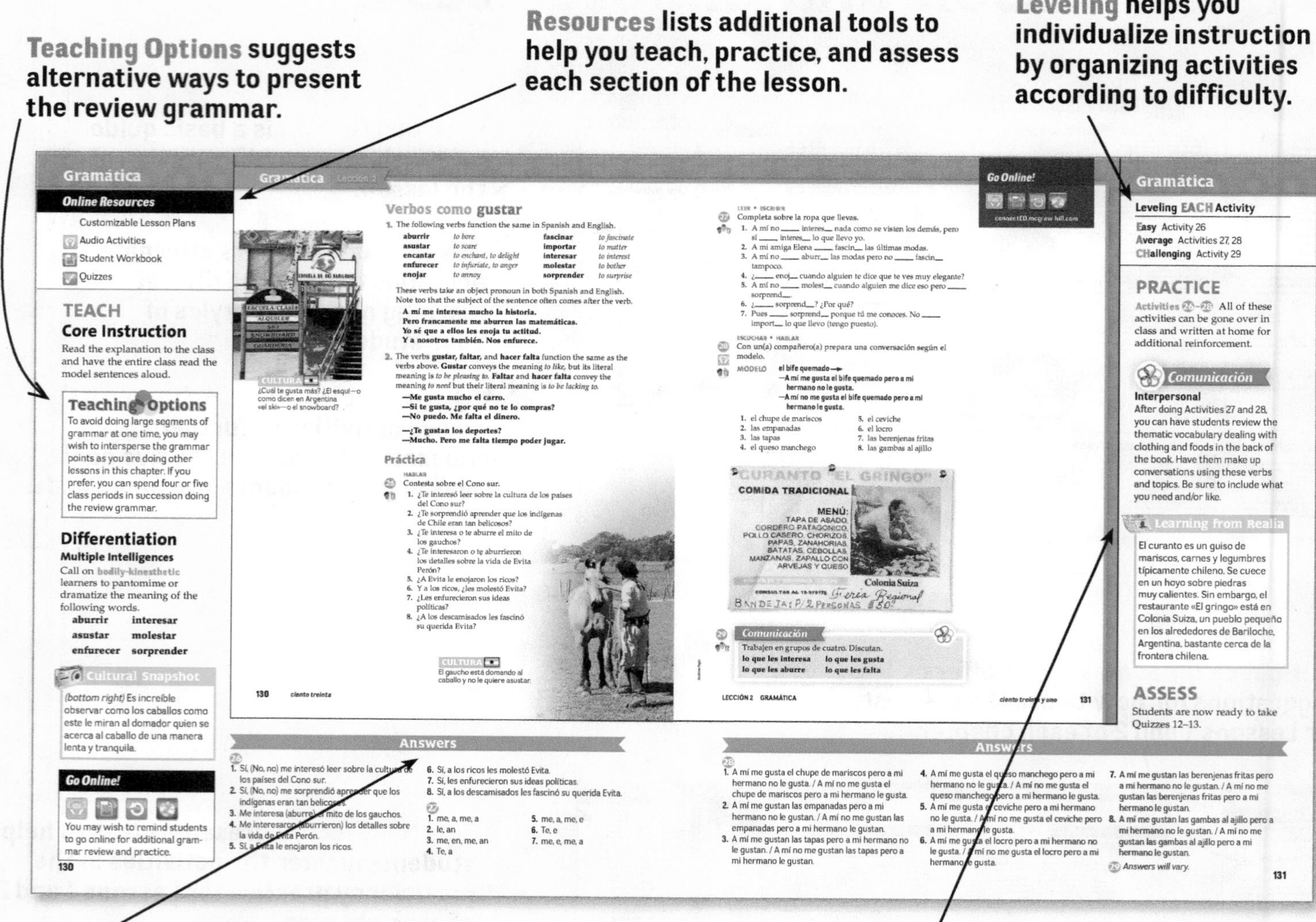

Gramática

Online Resources

Customizable Lesson Plans
Audio Activities
Student Workbook
Quizzes

TEACH

Core Instruction

Read the explanation to the class and have the entire class read the model sentences aloud.

Teaching Options

To avoid doing large segments of grammar at one time, you may wish to intersperse the grammar points as you are doing other lessons in this chapter. If you prefer, you can spend four or five class periods in succession doing the review grammar.

Differentiation

Multiple Intelligences

Call on bodily-kinesthetic learners to pantomime or dramatize the meaning of the following words.

aburrir	**interesar**
asustar	**molestar**
enfurecer	**sorprender**

Cultural Snapshot

(bottom right) Es increíble observar como los caballos como este le miran al domador quien se acerca al caballo de una manera lenta y tranquila.

Go Online!

You may wish to remind students to go online for additional grammar review and practice.

130

Gramática Lección 2

CULTURA

¿Cuál te gusta más? ¿El esquí—o como dicen en Argentina «el ski»—o el snowboard?

Verbos como gustar

1. The following verbs function the same in Spanish and English.

aburrir	*to bore*	**fascinar**	*to fascinate*
asustar	*to scare*	**importar**	*to matter*
encantar	*to enchant, to delight*	**interesar**	*to interest*
enfurecer	*to infuriate, to anger*	**molestar**	*to bother*
enojar	*to annoy*	**sorprender**	*to surprise*

These verbs take an object pronoun in both Spanish and English. Note too that the subject of the sentence often comes after the verb.

A mí me interesa mucho la historia.
Pero francamente me aburren las matemáticas.
Yo sé que a ellos les enoja tu actitud.
Y a nosotros también. Nos enfurece.

2. The verbs **gustar, faltar,** and **hacer falta** function the same as the verbs above. **Gustar** conveys the meaning *to like,* but its literal meaning is *to be pleasing to.* **Faltar** and **hacer falta** convey the meaning *to need* but their literal meaning is *to be lacking to.*

—Me gusta mucho el carro.
—Si te gusta, ¿por qué no te lo compras?
—No puedo. Me falta el dinero.

—¿Te gustan los deportes?
—Mucho. Pero me falta tiempo poder jugar.

Práctica

HABLAR

26 Contesta sobre el Cono sur.

1. ¿Te interesó leer sobre la cultura de los países del Cono sur?
2. ¿Te sorprendió aprender que los indígenas de Chile eran tan belicosos?
3. ¿Te interesa o te aburre el mito de los gauchos?
4. ¿Te interesaron o te aburrieron los detalles sobre la vida de Evita Perón?
5. ¿A Evita le enojaron los ricos?
6. Y a los ricos, ¿les molestó Evita?
7. ¿Les enfurecieron sus ideas políticas?
8. ¿A los descamisados les fascinó su querida Evita?

CULTURA

El gaucho está domando al caballo y no le quiere asustar.

130 *ciento treinta*

LEER • ESCRIBIR

27 Completa sobre la ropa que llevas.

1. A mí no ____ interes__ nada como se visten los demás, pero sí ____ interes__ lo que llevo yo.
2. A mi amiga Elena ____ fascin__ las últimas modas.
3. A mí no ____ aburr__ las modas pero no ____ fascin__ tampoco.
4. ¿____ enoj__ cuando alguien te dice que te ves muy elegante?
5. A mí no ____ molest__ cuando alguien me dice eso pero ____ sorprend__.
6. ¿____ sorprend__? ¿Por qué?
7. Pues ____ sorprend__ porque tú me conoces. No ____ import__ lo que llevo (tengo puesto).

ESCUCHAR • HABLAR

28 Con un(a) compañero(a) prepara una conversación según el modelo.

MODELO el bife quemado →
—A mí me gusta el bife quemado pero a mi hermano no le gusta.
—A mí no me gusta el bife quemado pero a mi hermano le gusta.

1. el chupe de mariscos
2. las empanadas
3. las tapas
4. el queso manchego
5. el ceviche
6. el locro
7. las berenjenas fritas
8. las gambas al ajillo

29 Comunicación

Trabajen en grupos de cuatro. Discutan.

lo que les interesa	**lo que les gusta**
lo que les aburre	**lo que les falta**

LECCIÓN 2 GRAMÁTICA *ciento treinta y uno* 131

Go Online!

connectED.mcgraw-hill.com

Gramática

Leveling EACH Activity

Easy Activity 26
Average Activities 27, 28
CHallenging Activity 29

PRACTICE

Activities 26–28 All of these activities can be gone over in class and written at home for additional reinforcement.

Comunicación

Interpersonal

After doing Activities 27 and 28, you can have students review the thematic vocabulary dealing with clothing and foods in the back of the book. Have them make up conversations using these verbs and topics. Be sure to include what you need and/or like.

Learning from Realia

El curanto es un guiso de mariscos, carnes y legumbres típicamente chileno. Se cuece en un hoyo sobre piedras muy calientes. Sin embargo, el restaurante «El gringo» está en Colonia Suiza, un pueblo pequeño en los alrededores de Bariloche, Argentina, bastante cerca de la frontera chilena.

ASSESS

Students are now ready to take Quizzes 12–13.

Answers

26
1. Sí, (No, no) me interesó leer sobre la cultura de los países del Cono sur.
2. Sí, (No, no) me sorprendió aprender que los indígenas eran tan belicosos.
3. Me interesa (aburre) el mito de los gauchos.
4. Me interesaron (aburrieron) los detalles sobre la vida de Evita Perón.
5. Sí, a Evita le enojaron los ricos.
6. Sí, a los ricos les molestó Evita.
7. Sí, les enfurecieron sus ideas políticas.
8. Sí, a los descamisados les fascinó su querida Evita.

27
1. me, a, me, a
2. le, an
3. me, en, me, an
4. Te, a
5. me, a, me, e
6. Te, e
7. me, e, me, a

Answers

28
1. A mí me gusta el chupe de mariscos pero a mi hermano no le gusta. / A mí no me gusta el chupe de mariscos pero a mi hermano le gusta.
2. A mí me gustan las empanadas pero a mi hermano no le gustan. / A mí no me gustan las empanadas pero a mi hermano le gustan.
3. A mí me gustan las tapas pero a mi hermano no le gustan. / A mí no me gustan las tapas pero a mi hermano le gustan.
4. A mí me gusta el queso manchego pero a mi hermano no le gusta. / A mí no me gusta el queso manchego pero a mi hermano le gusta.
5. A mí me gusta el ceviche pero a mi hermano no le gusta. / A mí no me gusta el ceviche pero a mi hermano le gusta.
6. A mí me gusta el locro pero a mi hermano no le gusta. / A mí no me gusta el locro pero a mi hermano le gusta.
7. A mí me gustan las berenjenas fritas pero a mi hermano no le gustan. / A mí no me gustan las berenjenas fritas pero a mi hermano le gustan.
8. A mí me gustan las gambas al ajillo pero a mi hermano no le gustan. / A mí no me gustan las gambas al ajillo pero a mi hermano le gustan.

29 *Answers will vary.*

131

Answers are given at the bottom of the page for easy reference.

Learning from Realia offers interesting information about the Realia to make it more relevant for your students.

Use helpful hints to present Spanish-language journalism to students.

Practice provides many suggestions for students to find articles of interest and to have higher-level thinking discussion in class.

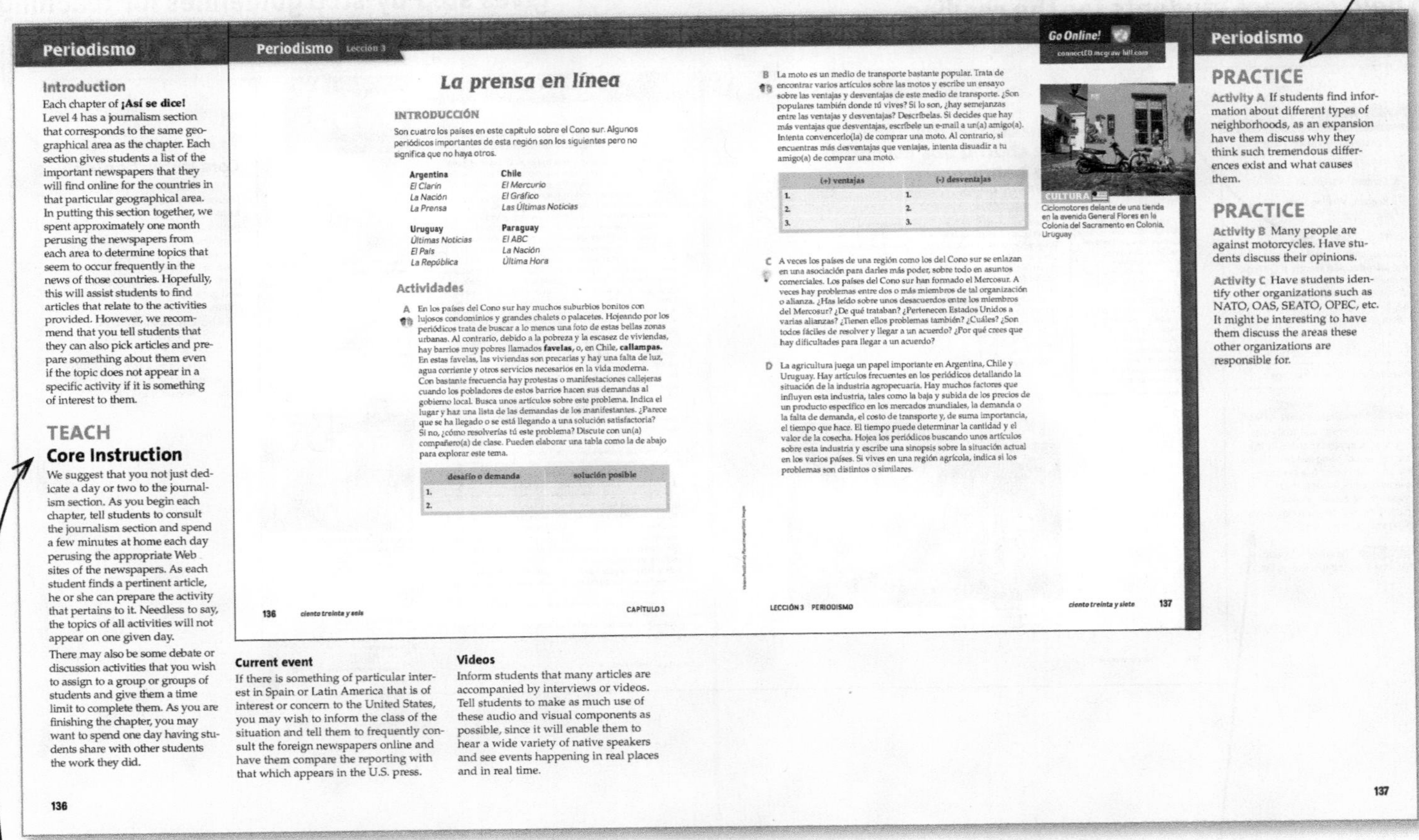

Periodismo

Introduction

Each chapter of **¡Así se dice!** Level 4 has a journalism section that corresponds to the same geographical area as the chapter. Each section gives students a list of the important newspapers that they will find online for the countries in that particular geographical area. In putting this section together, we spent approximately one month perusing the newspapers from each area to determine topics that seem to occur frequently in the news of those countries. Hopefully, this will assist students to find articles that relate to the activities provided. However, we recommend that you tell students that they can also pick articles and prepare something about them even if the topic does not appear in a specific activity if it is something of interest to them.

TEACH

Core Instruction

We suggest that you not just dedicate a day or two to the journalism section. As you begin each chapter, tell students to consult the journalism section and spend a few minutes at home each day perusing the appropriate Web sites of the newspapers. As each student finds a pertinent article, he or she can prepare the activity that pertains to it. Needless to say, the topics of all activities will not appear on one given day.

There may also be some debate or discussion activities that you wish to assign to a group or groups of students and give them a time limit to complete them. As you are finishing the chapter, you may want to spend one day having students share with other students the work they did.

Periodismo Lección 3

La prensa en línea

INTRODUCCIÓN

Son cuatro los países en este capítulo sobre el Cono sur. Algunos periódicos importantes de esta región son los siguientes pero no significa que no haya otros.

Argentina
El Clarín
La Nación
La Prensa

Chile
El Mercurio
El Gráfico
Las Últimas Noticias

Uruguay
Últimas Noticias
El País
La República

Paraguay
El ABC
La Nación
Última Hora

Actividades

A En los países del Cono sur hay muchos suburbios bonitos con lujosos condominios y grandes chalets o palacetes. Hojeando por los periódicos trata de buscar a lo menos una foto de estas bellas zonas urbanas. Al contrario, debido a la pobreza y la escasez de viviendas, hay barrios muy pobres llamados **favelas,** o, en Chile, **callampas.** En estas favelas, las viviendas son precarias y hay una falta de luz, agua corriente y otros servicios necesarios en la vida moderna. Con bastante frecuencia hay protestas o manifestaciones callejeras cuando los pobladores de estos barrios hacen sus demandas al gobierno local. Busca unos artículos sobre este problema. Indica el lugar y haz una lista de las demandas de los manifestantes. ¿Parece que se ha llegado o se está llegando a una solución satisfactoria? Si no, ¿cómo resolverías tú este problema? Discute con un(a) compañero(a) de clase. Pueden elaborar una tabla como la de abajo para explorar este tema.

desafío o demanda	solución posible
1.	
2.	

B La moto es un medio de transporte bastante popular. Trata de encontrar varios artículos sobre las motos y escribe un ensayo sobre las ventajas y desventajas de este medio de transporte. ¿Son populares también donde tú vives? Si lo son, ¿hay semejanzas entre las ventajas y desventajas? Descríbelas. Si decides que hay más ventajas que desventajas, escríbele un e-mail a un(a) amigo(a). Intenta convencerlo(la) de comprar una moto. Al contrario, si encuentras más desventajas que ventajas, intenta disuadir a tu amigo(a) de comprar una moto.

(+) ventajas	(-) desventajas
1.	1.
2.	2.
3.	3.

C A veces los países de una región como los del Cono sur se enlazan en una asociación para darles más poder, sobre todo en asuntos comerciales. Los países del Cono sur han formado el Mercosur. A veces hay problemas entre dos o más miembros de tal organización o alianza. ¿Has leído sobre unos desacuerdos entre los miembros del Mercosur? ¿De qué trataban? ¿Pertenecen Estados Unidos a varias alianzas? ¿Tienen ellos problemas también? ¿Cuáles? ¿Son todos fáciles de resolver y llegar a un acuerdo? ¿Por qué crees que hay dificultades para llegar a un acuerdo?

D La agricultura juega un papel importante en Argentina, Chile y Uruguay. Hay artículos frecuentes en los periódicos detallando la situación de la industria agropecuaria. Hay muchos factores que influyen esta industria, tales como la baja y subida de los precios de un producto específico en los mercados mundiales, la demanda o la falta de demanda, el costo de transporte y, de suma importancia, el tiempo que hace. El tiempo puede determinar la cantidad y el valor de la cosecha. Hojea los periódicos buscando unos artículos sobre esta industria y escribe una sinopsis sobre la situación actual en los varios países. Si vives en una región agrícola, indica si los problemas son distintos o similares.

Go Online!
connectED.mcgraw-hill.com

CULTURA
Ciclomotores delante de una tienda en la avenida General Flores en la Colonia del Sacramento en Colonia, Uruguay

136 ciento treinta y seis — CAPÍTULO 3

LECCIÓN 3 PERIODISMO — ciento treinta y siete 137

Periodismo

PRACTICE

Activity A If students find information about different types of neighborhoods, as an expansion have them discuss why they think such tremendous differences exist and what causes them.

PRACTICE

Activity B Many people are against motorcycles. Have students discuss their opinions.

Activity C Have students identify other organizations such as NATO, OAS, SEATO, OPEC, etc. It might be interesting to have them discuss the areas these other organizations are responsible for.

Current event

If there is something of particular interest in Spain or Latin America that is of interest or concern to the United States, you may wish to inform the class of the situation and tell them to frequently consult the foreign newspapers online and have them compare the reporting with that which appears in the U.S. press.

Videos

Inform students that many articles are accompanied by interviews or videos. Tell students to make as much use of these audio and visual components as possible, since it will enable them to hear a wide variety of native speakers and see events happening in real places and in real time.

136

137

Core Instruction offers a clear, step-by-step guide for how best to help students through this section.

Help your students feel confident about their reading skills through guided presentation of Spanish-language literature.

Introducción gives additional information about the writer or the work or suggests other activities to help prepare students for the reading.

Core Instruction in the Literatura lesson gives step-by-step guidelines for teaching small segments of the reading at a time.

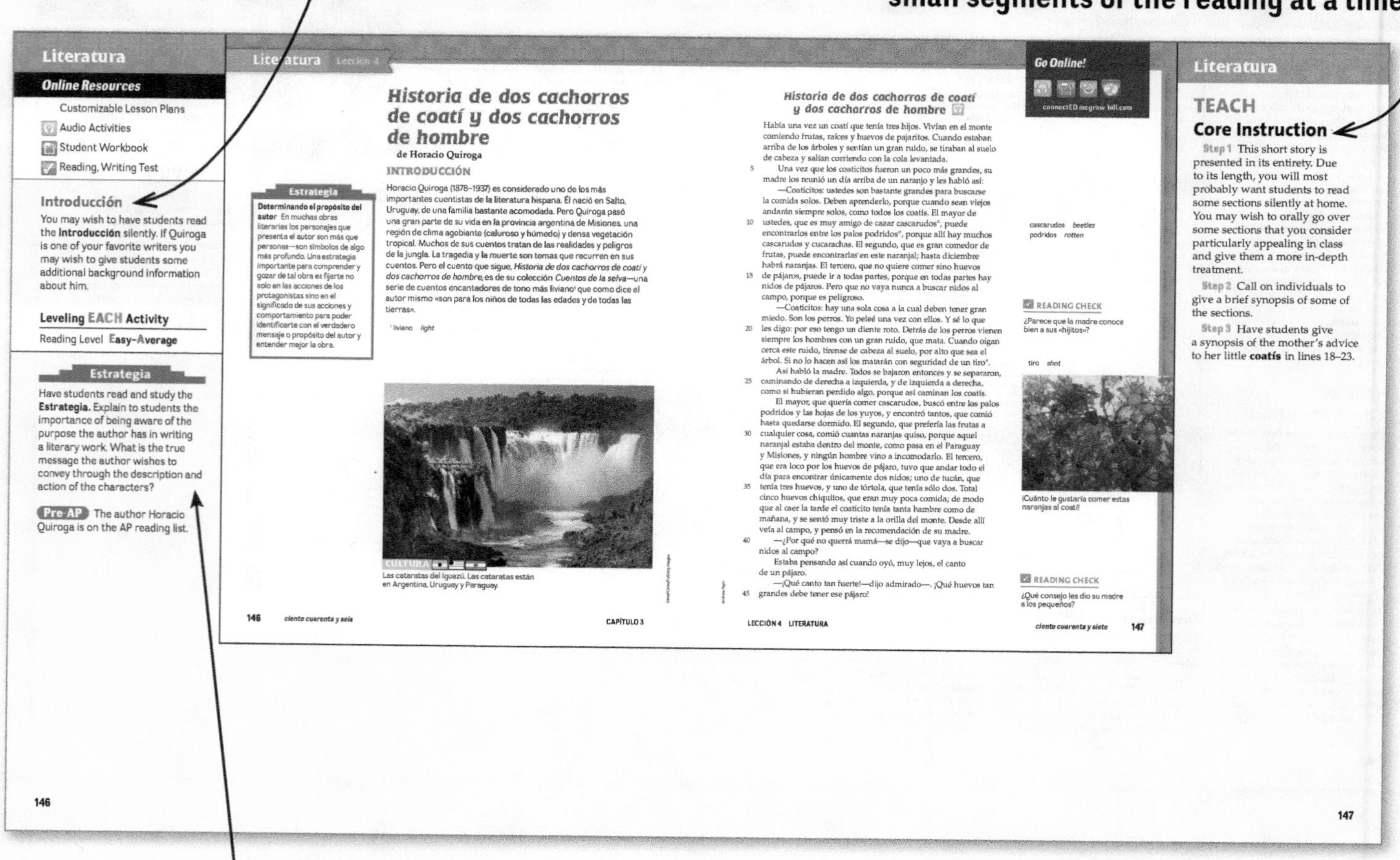

Estrategia expands upon the reading strategy. It often suggests a question to get students thinking.

Guide your students through Videopaseo.

Access the Antes de mirar and Después de mirar editable activities in ConnectED.

Help students review the chapter vocabulary.

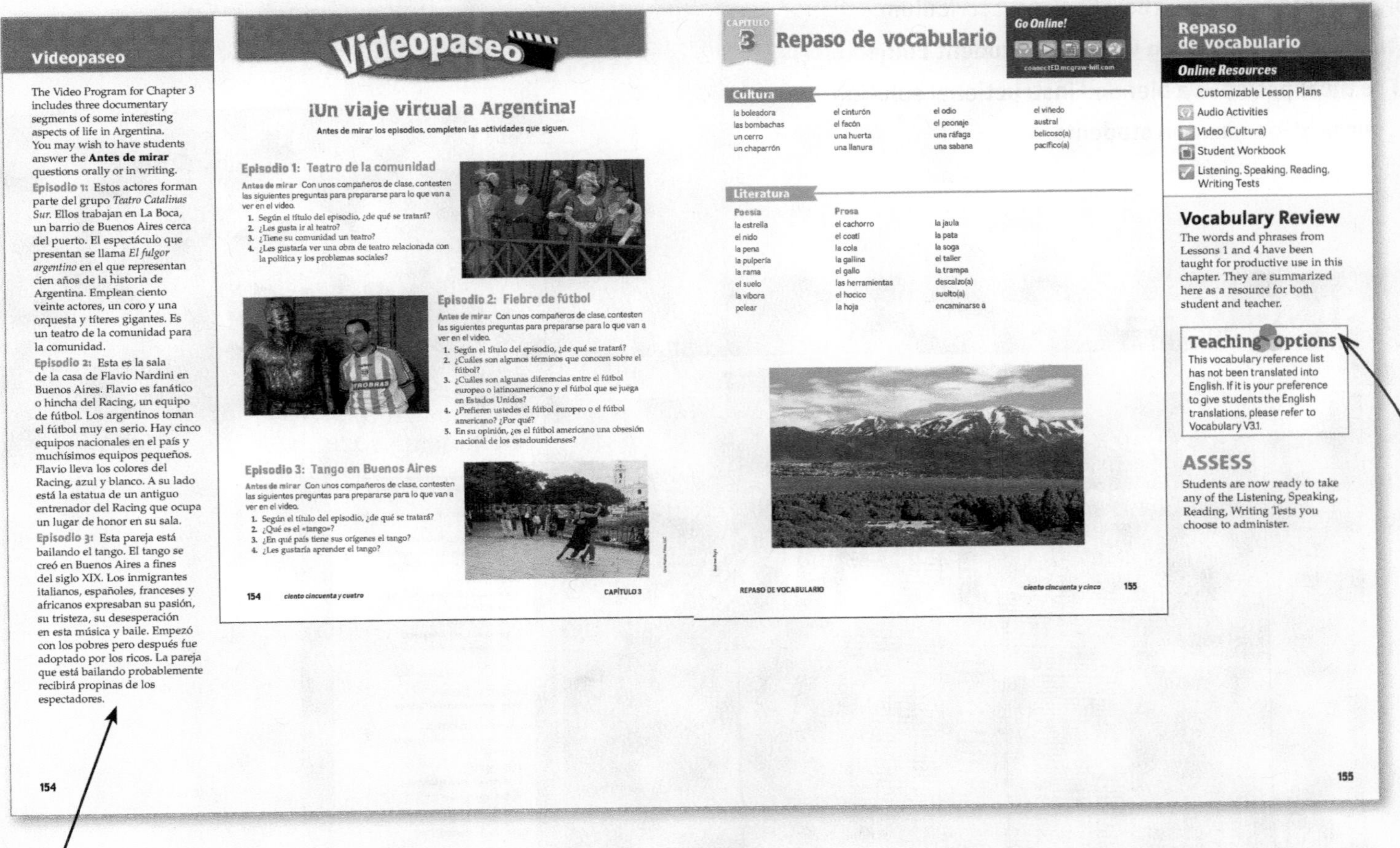

A description of each episode helps you preview the video for students.

Teaching Options refers you to the English definitions if you wish students to have them.

Connect with Digital Natives

Go Online! connectED.mcgraw-hill.com

Today's students have an unprecedented access to and appetite for technology and new media. They perceive technology as their friend and rely on it to study, work, play, relax, and communicate.

Your students are accustomed to the role that computers play in today's world. They may well be the first generation whose primary educational tool is a computer or a cell phone. The eStudent Edition allows your students to access their Spanish curriculum anytime, anywhere. Along with your Student Edition, **¡Así se dice!** provides a blended instructional solution for your next-generation students.

Present

ebook

Audio
Listen to spoken Spanish.

Video
Watch and learn about the Spanish-speaking world.

Practice

Audio
Listen to spoken Spanish.

Video
Watch and learn about the Spanish-speaking world.

Práctica
Practice your skills.

Repaso
Review what you've learned.

Diversiones
Go beyond the classroom.

Assess

Check student progress.

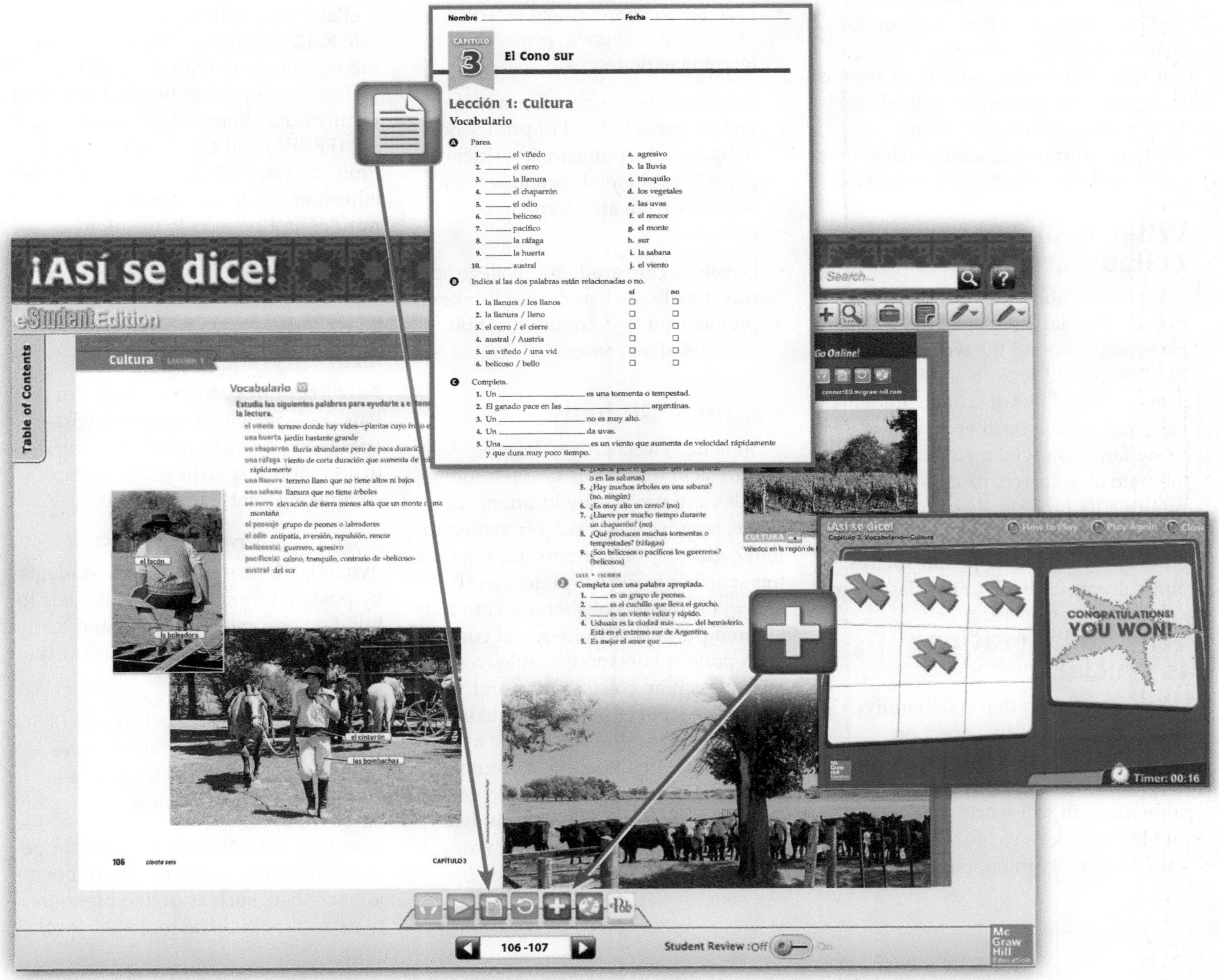

Nombre ________ Fecha ________

CAPÍTULO 3 **El Cono sur**

Lección 1: Cultura

Vocabulario

A Parea.

1. ____ el viñedo — a. agresivo
2. ____ el cerro — b. la lluvia
3. ____ la llanura — c. tranquilo
4. ____ el chaparrón — d. los vegetales
5. ____ el odio — e. las uvas
6. ____ belicoso — f. el rencor
7. ____ pacífico — g. el monte
8. ____ la ráfaga — h. sur
9. ____ la huerta — i. la sabana
10. ____ austral — j. el viento

B Indica si las dos palabras están relacionadas o no.

	sí	no
1. la llanura / los llanos	☐	☐
2. la llanura / lleno	☐	☐
3. el cerro / el cierre	☐	☐
4. austral / Austria	☐	☐
5. un viñedo / una vid	☐	☐
6. belicoso / bello	☐	☐

C Completa.

1. Un ________ es una tormenta o tempestad.
2. El ganado pace en las ________ argentinas.
3. Un ________ no es muy alto.
4. Un ________ da uvas.
5. Una ________ es un viento que aumenta de velocidad rápidamente y que dura muy poco tiempo.

Go Online! www.epals.com/learningcenter

ePals GlobalCommunity
Where learners connect™

ePals®, a global community of more than one million K-12 classrooms in 200 countries and territories, provides teachers with the opportunity to facilitate safe, authentic, and dynamic exchanges with other classrooms. McGraw-Hill Education, The Smithsonian Institution, International Baccalaureate, and leading educators around the globe have partnered with ePals® to help make learning dynamic for students, improve academic achievement, and meet multiple standards.

What Is Global Collaboration?

Global collaboration leverages the power of social media to connect classrooms around the world for real-life lessons and projects in virtual study groups, in and out of school. Students can safely work together on ePals® using familiar social media tools to collaborate on research, discussions, and multimedia projects. By connecting with peers in other parts of the world, students can discover people, places, and cultures far beyond the classroom.

Why Collaboration Is Crucial

Research shows that collaborative learning has a positive effect on student achievement. Collaborative, project-based experiences inspire students with real-world problems and bring lessons to life with dynamic, participatory learning. Students are more motivated and try harder because they're communicating with a real person, for a real purpose. ePals® collaboration benefits students and educators in a variety of ways:

- Facilitates classroom-led delivery of standards-aligned, project-based learning experiences
- Demonstrates student knowledge and progress in level of proficiency in Spanish by publishing written projects to share ideas and receive feedback from an international audience
- Develops core academic, college and career skills such as critical thinking, problem solving, communication and global awareness

Connect Globally

On ePals®, teachers can browse hundreds of thousands of classroom profiles and projects by location, age range, language, and subject matter, to find collaboration partners. Classrooms then partner in virtual project workspaces for digital collaboration around tailored projects, activities, and content. Each project workspace enables roundtable classroom collaboration and includes a suite of safe social media tools (private to that workspace and controlled by the teacher), including blogs, wikis, forums, and media galleries. ePals® also provides safe student e-mail accounts for one-on-one student exchanges that can be monitored by teachers.

ePals® is specifically designed for safe K-12 communication and collaboration, compliant with the Children's Online Privacy Protection Act (COPPA), Family Educational Rights and Privacy Act (FERPA) and Children's Internet Protection Act (CIPA). A team of ePals® educators moderates all classroom profiles and projects to maintain a robust education community safe for K-12 students.

Tips for Collaborating Globally on ePals®

Pair Students With Global Peers: Pair students within a project workspace with peers from other countries to accomplish specific goals, such as completing joint-inquiry projects.

Host Online Discussions: Host dynamic discussions between students by posting forum topics for students to build on one another's ideas and learn to express their own thoughts clearly and persuasively.

Share Student Work: Have students publish their work and ideas to the project group using media galleries and encourage peer review.

Create Collaborative Content: Use wikis to have student groups author joint content, such as digital presentations and multimedia research reports.

eScape

McGraw-Hill Education Spanish blog

Take students on a virtual journey through the Spanish-speaking world by connecting to eScape, where geography and target cultures come alive with fascinating articles, beautiful color photos and slideshows, and enrichment activities related to the readings.

At school, at home, or on the go, students can learn about a country's people, geography, traditions, food, and much more.

Newsstand Read interesting articles about current events, such as politics and sports.

History Learn about the history of the Spanish-speaking world.

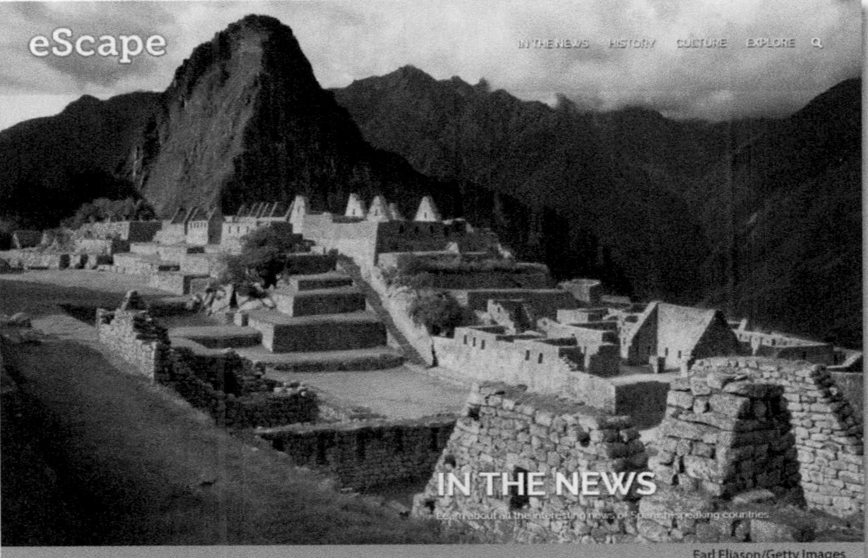

Earl Eliason/Getty Images

READ ABOUT: ALL NEWS HISTORY CULTURE

Rosemary Calvert/Getty Images

EL ESTADO DEL TURISMO A MACHU PICCHU

Machu Picchu celebró su centésimo aniversario en 2011. La ciudad fue descubierta en 1911, aunque fue construida mucho antes. El 24 de julio de 1911 Hiram Bingham, un historiador y explorador de la universidad de Yale, encontró las ruinas de Machu Picchu. Antes de que Bingham encontrara la ciudad, nadie conocía su existencia. Después del descubrimiento, tanto Machu Picchu como Bingham se hicieron muy famosos.

Algunos turistas empezaron a visitar las ruinas de Machu Picchu, pero muchas personas no podían ir porque hasta allí no había transporte. Así que se construyó un sistema de trenes para transportar a los turistas a Machu Picchu, por un camino sinuoso.

En enero de 2010, una tormenta destruyó parte de las vías del ferrocarril y más de 4 000 turistas quedaron varados, sin ningún modo de escapar. Tuvieron que quedarse por cinco días con los habitantes de las aldeas vecinas. El Gobierno tuvo que rescatarlos con helicópteros porque no había otro modo de hacerlo.

Tras ese desastre, el Gobierno se dio cuenta de que era necesario contar con otro medio de transporte. Sabía que con tantos turistas viajando a Machu Picchu, el ferrocarril no era suficiente. En la actualidad hay planes para construir un camino alrededor de las ruinas de Machu Picchu, lo que permitirá que más turistas viajen por la ciudad.

BACK TO ARTICLE LIST

McGraw-Hill Education
2 Pennsylvania Plaza, New York City, NY 10004

Culture Find out about Hispanic art, dance, food, and music.

Explore Discover fascinating facts about Spanish-speaking countries. Use a currency converter to find out the value of their currencies against the U.S. dollar.

ACTFL National Standards

¡Así se dice! has been written to help you meet the ACTFL World-Readiness Standards for Learning Languages. Elements throughout the book, identified by the National Standards icon, address all the National Standards. The text also provides students with the interpersonal, interpretive, and presentational skills they need to create language for communication. Culture is integrated throughout the text, from the basic introduction of vocabulary, to the authentic photographs, to the cultural readings. Connections to other disciplines are addressed, not only in the readings but also in the activities in the **Cultura, Periodismo,** and **Literatura** sections. Linguistic and cultural comparisons are made throughout the text. Suggestions are made for ways students may use their language skills in the immediate and more distant communities. Students who complete the **¡Así se dice!** series are prepared to participate in the Spanish-speaking world. Specific correlations to each chapter are provided in the Standards Tracker in ConnectED.

World-Readiness Standards for Learning Languages

Goal Areas	Standards		
Communication Communicate effectively in more than one language in order to function in a variety of situations and for multiple purposes	**Interpersonal Communication:** Learners interact and negotiate meaning in spoken, signed, or written conversations to share information, reactions, feelings, and opinions.	**Interpretive Communication:** Learners understand, interpret, and analyze what is heard, read, or viewed on a variety of topics.	**Presentational Communication:** Learners present information, concepts, and ideas to inform, explain, persuade, and narrate on a variety of topics using appropriate media and adapting to various audiences of listeners, readers, or viewers.
Cultures Interact with cultural competence and understanding	**Relating Cultural Practices to Perspectives:** Learners use the language to investigate, explain, and reflect on the relationship between the practices and perspectives of the cultures studies.	**Relating Cultural Products to Perspectives:** Learners use the language to investigate, explain, and reflect on the relationship between the products and perspectives of the cultures studied.	
Connections Connect with other disciplines and acquire information and diverse perspectives in order to use the language to function in academic and career-related situations	**Making Connections:** Learners build, reinforce, and expand their knowledge of other disciplines while using the language to develop critical thinking and to solve problems creatively.	**Acquiring Information and Diverse Perspectives:** Learners access and evaluate information and diverse perspectives that are available through the language and its cultures.	
Comparisons Develop insight into the nature of language and culture in order to interact with cultural competence	**Language Comparisons:** Learners use the language to investigate, explain, and reflect on the nature of language through comparisons of the language studied and their own.	**Cultural Comparisons:** Learners use the language to investigate, explain, and reflect on the concept of culture through comparisons of the cultures studied and their own.	
Communities Communicate and interact with cultural competence in order to participate in multilingual communities at home and around the world	**School and Global Communities:** Learners use the language both within and beyond the classroom to interact and collaborate in their community and the globalized world.	**Lifelong Learning:** Learners set goals and reflect on their progress in using languages for enjoyment, enrichment, and advancement.	

¡Así se dice!

SPANISH 4

Conrad J. Schmitt

Bothell, WA • Chicago, IL • Columbus, OH • New York, NY

Information on featured companies, organizations, and their products and services is included for educational purposes only and does not present or imply endorsement of the **¡Así se dice!** program. Permission to use all business logos has been granted by the businesses represented in this text.

mheducation.com/prek-12

Send all inquiries to:
McGraw-Hill Education
8787 Orion Place
Columbus, OH 43240-4027

ISBN: 978-0-02-138822-6
MHID: 0-02-138822-9

Printed in the United States of America.

4 5 6 7 8 9 QVS 19 18 17 16

About the Author

Conrad J. Schmitt

Conrad J. Schmitt received his B.A. degree magna cum laude from Montclair State University, Upper Montclair, New Jersey. He received his M.A. from Middlebury College, Middlebury, Vermont, and did additional graduate work at New York University. He also studied at the Far Eastern Institute at Seton Hall University, Newark, New Jersey.

Mr. Schmitt has taught Spanish and French at all academic levels—from elementary school to graduate courses. He served as Coordinator of Foreign Languages for the Hackensack, New Jersey, public schools. He also taught courses in Foreign Language Education as a visiting professor at the Graduate School of Education at Rutgers University, New Brunswick, New Jersey.

Mr. Schmitt has authored or co-authored more than one hundred books, all published by The McGraw-Hill Companies. He was also editor-in-chief of foreign languages, ESL, and bilingual education for The McGraw-Hill Companies.

Mr. Schmitt has traveled extensively throughout Spain and all of Latin America. He has addressed teacher groups in all fifty states and has given seminars in many countries including Japan, the People's Republic of China, Taiwan, Egypt, Germany, Spain, Portugal, Mexico, Panama, Colombia, Brazil, Jamaica, and Haiti.

Contributing Writers

Louise M. Belnay

Teacher of World Languages
Adams County School District 50
Westminster, Colorado

Reina Martínez

Coordinator/Teacher of Foreign Languages
North Rockland Central School District
Thiells, New York

Student Handbook

Your Spanish in Today's World SH1

The What, Why, and How of Reading SH2

Tour of the Student Edition SH6

El mundo hispanohablante SH15

- El mundo SH16
- España SH18
- La América del Sur SH19
- México, la América Central y el Caribe SH20
- Estados Unidos SH21

Capítulo 1 España

Objetivos

You will:

- learn about the geography, history, and culture of Spain
- discuss taking a trip to Spain
- read and discuss newspaper articles
- read poems by various Spanish authors and an excerpt of a famous work by Miguel de Cervantes Saavedra

You will review:

- the preterite of regular, irregular, and stem-changing verbs
- nouns and articles

Lección 1 Cultura

Geografía e historia de España 2

Lección 2 Gramática

Pretérito de los verbos regulares 14

Pretérito de los verbos de cambio radical **e → i, o → u** 17

Pretérito de los verbos irregulares 20

Sustantivos y artículos 22

Lección 3 Periodismo

La prensa en línea 28

Lección 4 Literatura

Parte 1: Poesía

Canción del pirata 32
de José de Espronceda

La primavera besaba 32
de Antonio Machado

Parte 2: Prosa

El ingenioso hidalgo don Quijote de la Mancha 42
de Miguel de Cervantes Saavedra

Contenido

Capítulo 2 Países andinos

Objetivos

You will:
- learn about the geography, history, and culture of the Andean region of South America—Ecuador, Peru, and Bolivia
- read and discuss newspaper articles
- read a poem by José Santos Chocano and a short story by the Inca Garcilaso de la Vega

You will review:
- the imperfect of regular and irregular verbs
- the imperfect and the preterite to describe the past and to indicate past actions
- the progressive tenses
- the comparative and superlative
- the comparison of equality

Lección 1 Cultura

Geografía e historia de la región andina 58

Lección 2 Gramática

El imperfecto 72
Imperfecto y pretérito 74
Tiempos progresivos 78
Comparativo y superlativo 80
Comparativo de igualdad 82

Lección 3 Periodismo

La prensa en línea 86

Lección 4 Literatura

Parte 1: Poesía

¡Quién sabe! 90
de José Santos Chocano

Parte 2: Prosa

Los comentarios reales 96
del Inca Garcilaso de la Vega

Capítulo 3 El Cono Sur

Objetivos

You will:
- learn about the geography, history, and culture of Chile, Argentina, Paraguay, and Uruguay
- talk about yourself—your interests, likes, and dislikes
- read and discuss newspaper articles
- read a poem by José Hernández and a short story by Horacio Quiroga

You will review:
- the present of regular and irregular verbs
- **ser** and **estar**
- object pronouns
- **gustar** and verbs like **gustar**
- affirmative and negative words

Lección 1 Cultura

Geografía e historia del Cono Sur 106

Lección 2 Gramática

Presente de los verbos regulares e irregulares 118
¿Ser o **estar**? 123
Pronombres de complemento 127
Verbos como **gustar** 130
Palabras negativas y afirmativas 132

Lección 3 Periodismo

La prensa en línea 136

Lección 4 Literatura

Parte 1: Poesía

Martín Fierro 140
de José Hernández

Parte 2: Prosa

Historia de dos cachorros de coatí y dos cachorros de hombre 144
de Horacio Quiroga

Capítulo 4 La América Central

Objetivos

You will:
- learn about the geography, history, and culture of Central America
- discuss the Mayan civilization
- read and discuss newspaper articles
- read poems and a short story by Rubén Darío

You will review:
- the present subjunctive
- direct and indirect commands

Lección 1 Cultura

Geografía e historia de la América Central 158

Lección 2 Gramática

Presente del subjuntivo 172
Usos del subjuntivo 174
Otros usos del subjuntivo 177
Mandatos directos e indirectos 178

Lección 3 Periodismo

La prensa en línea 182

Lección 4 Literatura

Parte 1: Poesía

Lo fatal de Rubén Darío 186

Canción de otoño en primavera de Rubén Darío 186

Parte 2: Prosa

Mis primeros versos de Rubén Darío 190

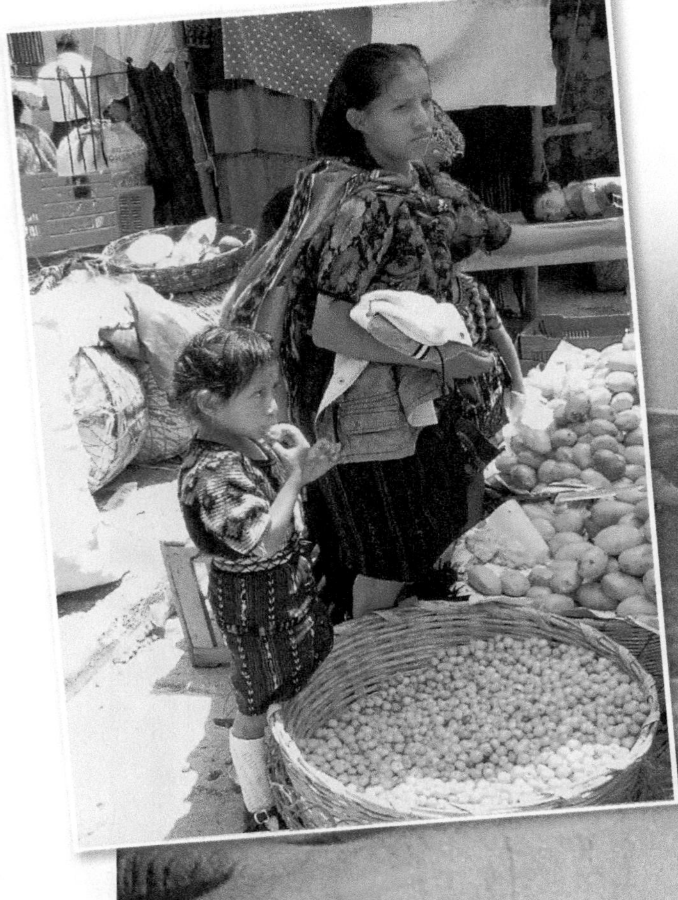

Capítulo 5 México

Objetivos

You will:
- learn about the geography, history, and culture of Mexico
- read and discuss newspaper articles
- read poems by Amado Nervo and Manuel Gutiérrez Nájera and a chapter of a chronicle by Bernal Díaz del Castillo

You will review:
- reflexive verbs
- passive voice
- present perfect and pluperfect
- present perfect subjunctive
- object pronouns

Lección 1 Cultura

Geografía e historia de México 200

Lección 2 Gramática

Verbos reflexivos 214

La voz pasiva 216

Presente perfecto y pluscuamperfecto 218

Presente perfecto del subjuntivo 220

Colocación de los pronombres de complemento 222

Lección 3 Periodismo

La prensa en línea 226

Lección 4 Literatura

Parte 1: Poesía

En paz de Amado Nervo 230

Para entonces de Manuel Gutiérrez Nájera... 230

Parte 2: Prosa

Historia verdadera de la conquista de la Nueva España 235
de Bernal Díaz del Castillo

Contenido

Capítulo 6 El Caribe

Objetivos

You will:

- learn about the geography, history, and culture of Cuba, Puerto Rico, and the Dominican Republic
- discuss and compare the current political situation in Cuba, Puerto Rico, and the Dominican Republic
- read and discuss newspaper articles
- read poems by the Cuban José Martí and the Dominican Salomé Ureña and a story by the Puerto Rican Manuel A. Alonso

You will review:

- the future and conditional
- the future perfect and conditional perfect
- demonstrative and possessive pronouns
- relative pronouns
- **y** to **e**; **o** to **u**

Lección 1 Cultura

Geografía e historia del Caribe 246

Lección 2 Gramática

Futuro y condicional...................... 260
Futuro perfecto y condicional perfecto 262
Pronombres demostrativos y posesivos 264
Pronombres relativos 267
Las conjunciones **y / e, o / u** 269

Lección 3 Periodismo

La prensa en línea........................ 272

Lección 4 Literatura

Parte 1: Poesía

Versos sencillos de José Martí............... 276
El ave y el nido de Salomé Ureña........... 276

Parte 2: Prosa

Perico Paciencia de Manuel A. Alonso....... 284

Capítulo 7 Venezuela y Colombia

Objetivos

You will:

- learn about the geography, history, and culture of Venezuela and Colombia
- discuss the life of the great Latin American hero Simón Bolívar
- read and discuss newspaper articles
- read a poem by José Asunción Silva and an excerpt of a novel by Jorge Isaacs

You will review:

- the imperfect subjunctive
- the subjunctive with adverbial clauses of time
- the subjunctive with **aunque**
- **quizá(s), tal vez, ojalá (que)**
- **por** and **para**

Lección 1 Cultura

Geografía e historia de Venezuela y Colombia 296

Lección 2 Gramática

El imperfecto del subjuntivo 308
El subjuntivo con conjunciones de tiempo 311
El subjuntivo con **aunque** 313
Quizá(s), tal vez, ojalá (que) 313
Por y **para** 314

Lección 3 Periodismo

La prensa en línea 318

Lección 4 Literatura

Parte 1: Poesía

Los maderos de San Juan 322
de José Asunción Silva

Parte 2: Prosa

María 326
de Jorge Isaacs

Contenido

Capítulo 8 Estados Unidos

Objetivos

You will:

- learn about Latinos (Hispanics) in the United States
- discuss your own ethnicity
- read and discuss newspaper articles
- read a poem by Eugenio Florit and a short story by Sabine Ulibarrí

You will review:

- the pluperfect subjunctive
- clauses with **si**
- the subjunctive in adverbial clauses
- shortened forms of adjectives
- definite and indefinite articles

Lección 1 Cultura

Los latinos o hispanos en Estados Unidos 344

Lección 2 Gramática

Pluscuamperfecto del subjuntivo 350
Cláusulas con **si** 351
El subjuntivo en cláusulas adverbiales 353
Adjetivos apocopados 354
Usos especiales de los artículos 355

Lección 3 Periodismo

La prensa en línea 360

Lección 4 Literatura

Parte 1: Poesía

Desde la nieve 364
de Eugenio Florit

Parte 2: Prosa

El caballo mago 366
de Sabine Ulibarrí

Student Resources and Guide to Symbols

Student Resources

Vocabulario temático SR2
Verb Charts SR10
Spanish-English Dictionary SR18
English-Spanish Dictionary SR54
Culture Index SR84
Grammar Index SR90

Guide to Symbols

Throughout **¡Así se dice!** you will see these symbols, or icons. They will tell you how to best use the particular part of the chapter or activity they accompany. Following is a key to help you understand these symbols.

Audio link This icon indicates material in the chapter that is recorded.

Paired activity This icon indicates activities that you can practice orally with a partner.

Group activity This icon indicates activities that you can practice together in groups.

Critical thinking This icon indicates activities that require critical thinking.

Composition This icon indicates activities that provide an opportunity for composition writing.

Your Spanish in Today's World

¡Viva el español!

Spanish is currently the fourth-most-spoken language in the world, and the United States is home to more than fifty million Hispanics or Latinos. Whether on the radio or television, in your community or school, or maybe even in your own home, Hispanics are probably part of your life in some way. Your ability to understand and speak Spanish allows you to actively experience Hispanic culture. You can sing along with Latin music on the radio, enjoy Spanish-language programming on television, or chat with Spanish speakers in your school, community, or family. Your knowledge of Spanish allows you to participate more fully in a society that is becoming increasingly diverse.

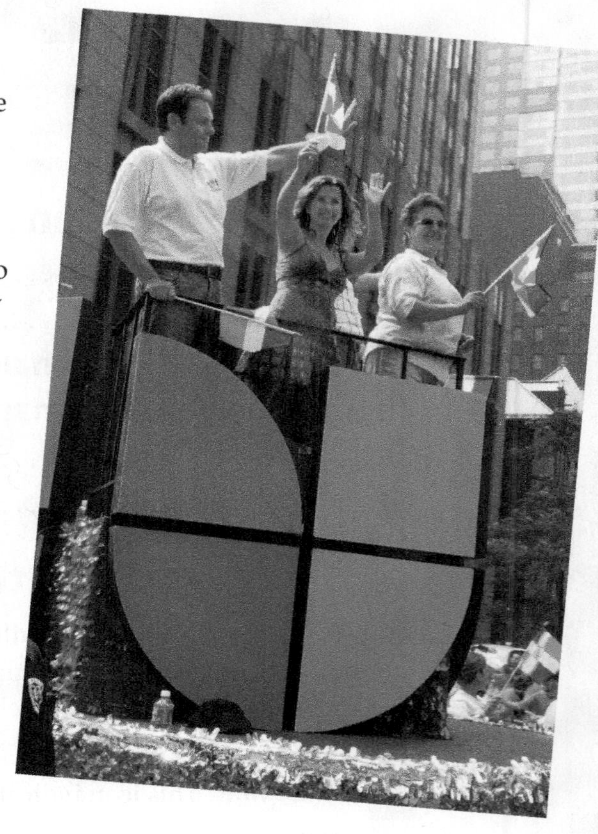

A Path to Discovery

As you've no doubt realized from your previous experience with studying Spanish, Hispanic culture is full of diverse expressions of music, art, and literature. From dancing the tango or salsa to admiring a modern painting by Salvador Dalí, your studies so far have introduced you to an array of what the culture has to offer. You've learned about the various customs, traditions, and values in Latin America and Spain. From food and family to school and sports, you've learned about life in the Hispanic world. Yet there's still so much to know! Your continued studies of Spanish will provide you with an even more in-depth look at the Hispanic world.

A Path to Growth

Of course, there is more to learning Spanish than simply learning the language and culture. When you study a language you not only learn about the language and its speakers but also about yourself. When you know about the customs and values of another culture, you are better able to reflect upon your own. Your Spanish studies can give you a new perspective on the world and open the door to a unique source of enjoyment, self-discovery, and satisfaction that comes from challenging yourself to think critically about the world.

A Path to Your Future

As you approach the end of your high school studies, you may find that your knowledge of Spanish plays an important role in your future. You may have an opportunity to study in or travel to a Spanish-speaking country. Your ability to speak and understand Spanish has prepared you well for such an adventure. If you plan to attend college, your studies thus far have laid the groundwork for success in future studies of Spanish and the opportunity to reach an even higher level of proficiency. If you plan to begin a career immediately after high school, your knowledge of Spanish will almost certainly be an important consideration to your employer. Whatever your career path, you will be open to many more opportunities because you know Spanish. After all, it's spoken by more than 16 percent of the U.S. population. Businesses, government agencies, and educational institutions are always looking for people with the ability to speak and read more than one language. Your knowledge of Spanish will show future employers that you have what it takes to compete in the global economy. As you embark on your studies of Spanish this year, remember that the sky's the limit—the world awaits you!

The What, Why, and How of Reading

Reading is a learned process. You have been reading in your first language for a long time and now your challenge is to transfer what you know to enable yourself to read fluently in Spanish. Reading will help you improve your vocabulary, cultural knowledge, and productive skills in Spanish. You are probably familiar with the reading strategies in the chart. Review these strategies and apply them as you continue to improve your Spanish reading skills.

What Is It?	Why It's Important	How To Do It
Preview Previewing is looking over a selection before you read.	Previewing lets you begin to see what you already know and what you'll need to know. It helps you set a purpose for reading.	Look at the title, illustrations, headings, captions, and graphics. Look at how ideas are organized. Ask questions about the text.
Skim Skimming is looking over an entire selection quickly to get a general idea of what the piece is about.	Skimming will tell you what a selection is about. If the selection you skim isn't what you're looking for, you won't need to read the entire piece.	Read the title of the selection and quickly look over the entire piece. Read headings and captions and maybe part of the first paragraph to get a general idea of the selection's content.
Scan Scanning is glancing quickly over a selection in order to find specific information.	Scanning helps you pinpoint information quickly. It saves you time when you have a number of selections to look at.	As you move your eyes quickly over the lines of text, look for key words or phrases that will help you locate the information you're looking for.
Predict Predicting is taking an educated guess about what will happen in a selection.	Predicting gives you a reason to read. You want to find out if your prediction and the selection events match, don't you? As you read, adjust or change your prediction if it doesn't fit what you learn.	Combine what you already know about an author or subject with what you learned in your preview to guess what will be included in the text.
Summarize Summarizing is stating the main ideas of a selection in your own words and in a logical sequence.	Summarizing shows whether you've understood something. It teaches you to rethink what you've read and to separate main ideas from supporting information.	Ask yourself: What is this selection about? Answer who, what, where, when, why, and how? Put that information in a logical order.

What Is It?	Why It's Important	How To Do It
Clarify Clarifying is looking at difficult sections of text in order to clear up what is confusing.	Authors will often build ideas one on another. If you don't clear up a confusing passage, you may not understand main ideas or information that comes later.	Go back and reread a confusing section more slowly. Look up words you don't know. Ask questions about what you don't understand. Sometimes you may want to read on to see if further information helps you.
Question Questioning is asking yourself whether information in a selection is important. Questioning is also regularly asking yourself whether you've understood what you've read.	When you ask questions as you read, you're reading strategically. As you answer your questions, you're making sure that you'll get the gist of a text.	Have a running conversation with yourself as you read. Keep asking yourself: Is this idea important? Why? Do I understand what this is about?
Visualize Visualizing is picturing a writer's ideas or descriptions in your mind's eye.	Visualizing is one of the best ways to understand and remember information in fiction, nonfiction, and informational texts.	Carefully read how a writer describes a person, place, or thing. Then ask yourself: What would this look like? Can I see the events as they unfold?
Monitor Comprehension Monitoring your comprehension means thinking about whether you're understanding what you're reading.	The whole point of reading is to understand a piece of text. When you don't understand a selection, you're not really reading it.	Keep asking yourself questions about main ideas, characters, and events. When you can't answer a question, review, read more slowly, or ask someone to help you.
Identify Sequence Identifying sequence is finding the logical order of ideas or events.	In a work of fiction, events usually happen in chronological order. With nonfiction, understanding the logical sequence of ideas in a piece helps you follow a writer's train of thought. You'll remember ideas better when you know the logical order a writer uses.	Think about what the author is trying to do. Tell a story? Explain how something works? Present how something works? Present information? Look for clues or signal words that might point to time order, steps in a process, or order of importance.

The What, Why, and How of Reading

What Is It?	Why It's Important	How To Do It
Determine the Main Idea Determining an author's main idea is finding the most important thought in a paragraph or selection.	Finding main ideas gets you ready to summarize. You also discover an author's purpose for writing when you find the main ideas in a selection.	Think about what you know about the author and the topic. Look for how the author organizes ideas. Then look for the one idea that all of the sentences in a paragraph or all the paragraphs in a selection are about.
Respond Responding is telling what you like, dislike, find surprising or interesting in a selection.	When you react in a personal way to what you read, you'll enjoy a selection more and remember it better.	As you read, think about how you feel about story elements or ideas in a selection. What's your reaction to the characters in a story? What grabs your attention as you read?
Connect Connecting means linking what you read to events in your own life or to other selections you've read.	You'll "get into" your reading and recall information and ideas better by connecting events, emotions, and characters to your own life.	Ask yourself: Do I know someone like this? Have I ever felt this way? What else have I read that is like this selection?
Review Reviewing is going back over what you've read to remember what's important and to organize ideas so you'll recall them later.	Reviewing is especially important when you have new ideas and a lot of information to remember.	Filling in a graphic organizer, such as a chart or diagram, as you read helps you organize information. These study aids will help you review later.
Interpret Interpreting is using your own understanding of the world to decide what the events or ideas in a selection mean.	Every reader constructs meaning on the basis of what he or she understands about the world. Finding meaning as you read is all about interacting with the text.	Think about what you already know about yourself and the world. Ask yourself: What is the author really trying to say here? What larger idea might these events be about?
Infer Inferring is using your reason and experience to guess what an author does not come right out and say.	Making inferences is a large part of finding meaning in a selection. Inferring helps you look more deeply at characters and points you toward the theme or message in a selection.	Look for clues the author provides. Notice descriptions, dialogue, events, and relationships that might tell you something the author wants you to know.

What Is It?	Why It's Important	How To Do It
Draw Conclusions Drawing conclusions is using a number of pieces of information to make a general statement about people, places, events, and ideas.	Drawing conclusions helps you find connections between ideas and events. It's another tool to help you see the larger picture.	Notice details about characters, ideas, and events. Then make a general statement on the basis of these details. For example, a character's actions might lead you to conclude that he or she is kind.
Analyze Analyzing is looking at separate parts of a selection in order to understand the entire selection.	Analyzing helps you look critically at a piece of writing. When you analyze a selection, you'll discover its theme or message, and you'll learn the author's purpose for writing.	To analyze a story, think about what the author is saying through the characters, setting, and plot. To analyze nonfiction, look at the organization and main ideas. What do they suggest?
Synthesize Synthesizing is combining ideas to create something new. You may synthesize to reach a new understanding or you may actually create a new ending to a story.	Synthesizing helps you move to a higher level of thinking. Creating something new of your own goes beyond remembering what you learned from someone else.	Think about the ideas or information you've learned in a selection. Ask yourself: Do I understand something more than the main ideas here? Can I create something else from what I now know?
Evaluate Evaluating is making a judgment or forming an opinion about something you read. You can evaluate a character, an author's craft, or the value of the information in a text.	Evaluating helps you become a wise reader. For example, when you judge whether an author is qualified to speak about a topic or whether the author's points make sense, you can avoid being misled by what you read.	As you read, ask yourself questions such as: Is this character realistic and believable? Is this author qualified to write on this subject? Is this author biased? Does this author present opinions as facts?

Expand your view of the Spanish-speaking world.

El mundo hispanohablante takes you around the world to all the places you can use your Spanish.

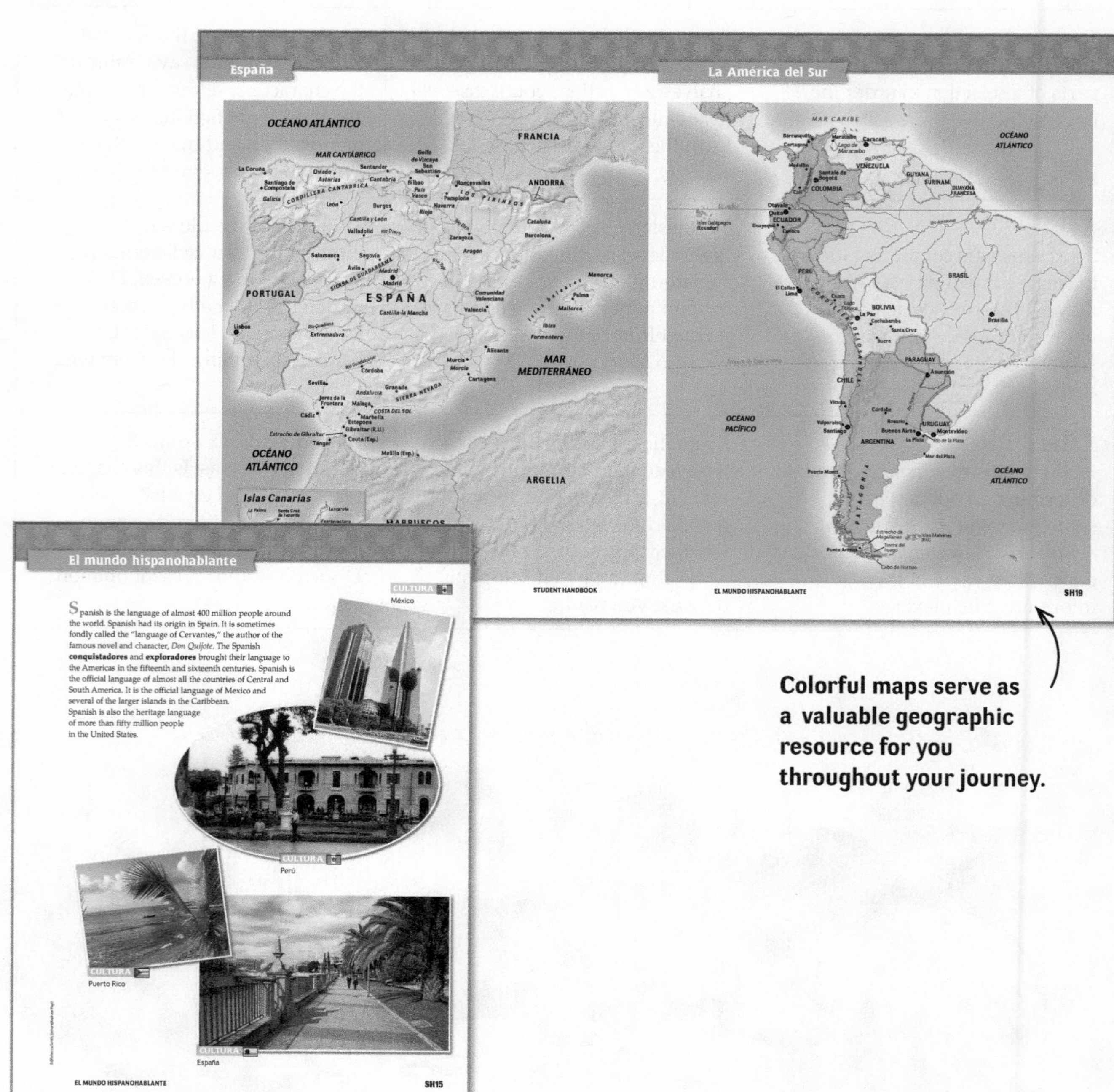

Colorful maps serve as a valuable geographic resource for you throughout your journey.

Begin with a scene of one of the many diverse regions of the Spanish-speaking world.

The opening photo provides a cultural backdrop for the country or region presented in the chapter.

Each chapter and lesson has a consistent structure to make learning easy.

Objectives give a preview of the culture, vocabulary, grammar, and readings of the chapter.

The Table of Contents lets you know specifically what is covered in each of the four lessons within the chapter.

Use your new vocabulary to discuss and understand the cultural reading.

Recorded presentation by native speakers ensures proper pronunciation.

Paired activities allow you to communicate orally.

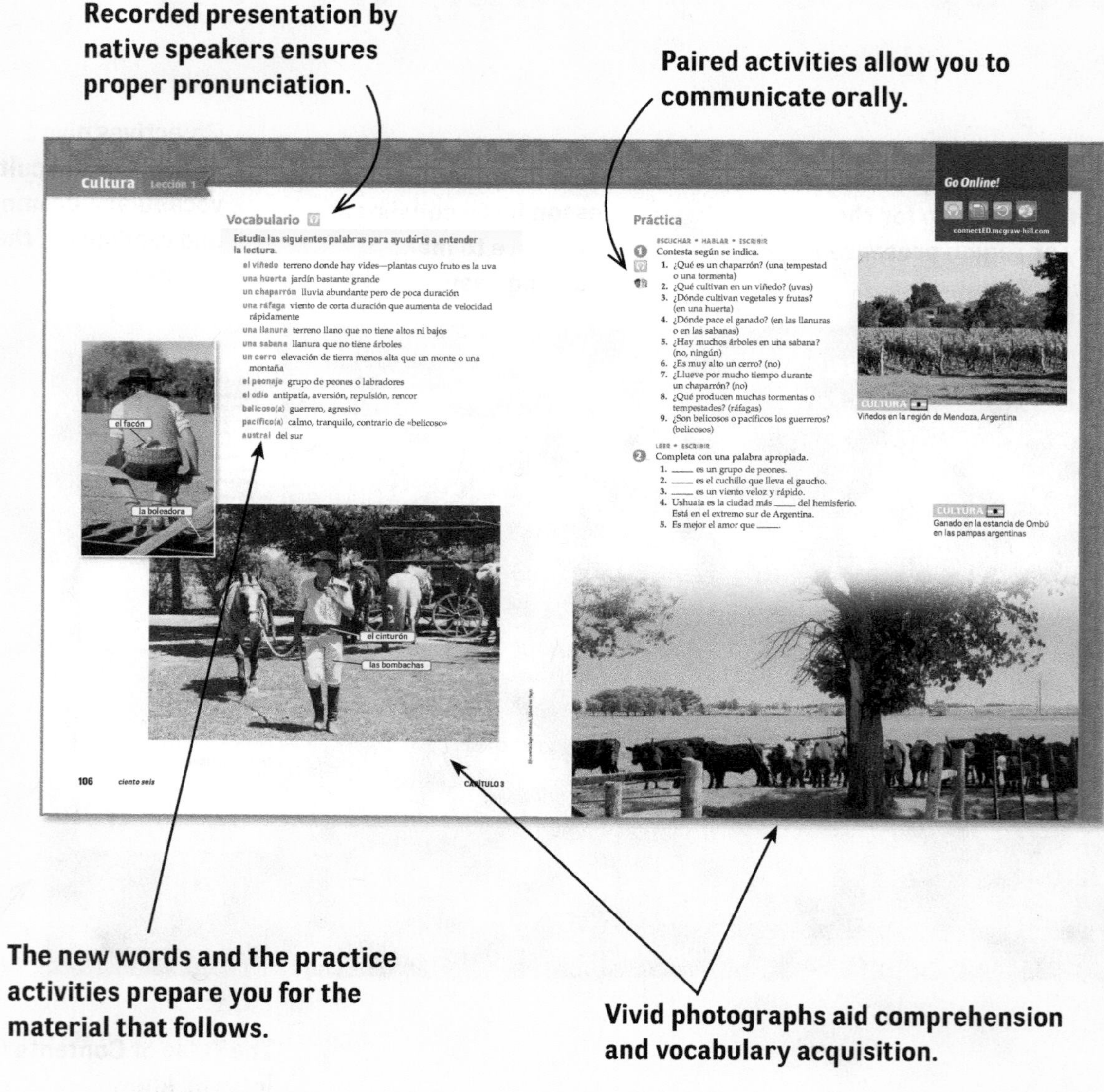

Vocabulario

Estudia las siguientes palabras para ayudarte a entender la lectura.

el viñedo terreno donde hay vides—plantas cuyo fruto es la uva
una huerta jardín bastante grande
un chaparrón lluvia abundante pero de poca duración
una ráfaga viento de corta duración que aumenta de velocidad rápidamente
una llanura terreno llano que no tiene altos ni bajos
una sabana llanura que no tiene árboles
un cerro elevación de tierra menos alta que un monte o una montaña
el peonaje grupo de peones o labradores
el odio antipatía, aversión, repulsión, rencor
belicoso(a) guerrero, agresivo
pacífico(a) calmo, tranquilo, contrario de «belicoso»
austral del sur

Práctica

ESCUCHAR • HABLAR • ESCRIBIR

1 Contesta según se indica.
1. ¿Qué es un chaparrón? (una tempestad o una tormenta)
2. ¿Qué cultivan en un viñedo? (uvas)
3. ¿Dónde cultivan vegetales y frutas? (en una huerta)
4. ¿Dónde pace el ganado? (en las llanuras o en las sabanas)
5. ¿Hay muchos árboles en una sabana? (no, ningún)
6. ¿Es muy alto un cerro? (no)
7. ¿Llueve por mucho tiempo durante un chaparrón? (no)
8. ¿Qué producen muchas tormentas o tempestades? (ráfagas)
9. ¿Son belicosos o pacíficos los guerreros? (belicosos)

LEER • ESCRIBIR

2 Completa con una palabra apropiada.
1. _____ es un grupo de peones.
2. _____ es el cuchillo que lleva el gaucho.
3. _____ es un viento veloz y rápido.
4. Ushuaia es la ciudad más _____ del hemisferio. Está en el extremo sur de Argentina.
5. Es mejor el amor que _____.

CULTURA
Viñedos en la región de Mendoza, Argentina

CULTURA
Ganado en la estancia de Ombú en las pampas argentinas

The new words and the practice activities prepare you for the material that follows.

Vivid photographs aid comprehension and vocabulary acquisition.

Become immersed in the culture of the region.

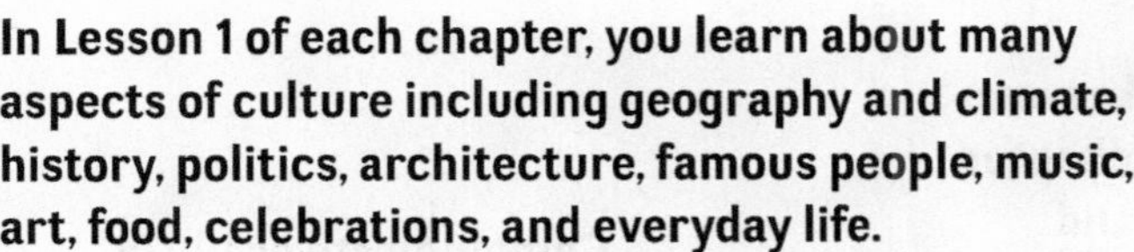

In Lesson 1 of each chapter, you learn about many aspects of culture including geography and climate, history, politics, architecture, famous people, music, art, food, celebrations, and everyday life.

Photographs enhance the reading and provide images of the region.

Cultura Lección 1

La geografía

Chile

El Cono sur comprende los países de Chile, Argentina, Uruguay y Paraguay. Chile es un país largo y estrecho que tiene la forma de una habichuela verde (un poroto). Siendo tan largo desde el norte hasta el sur, tiene un terreno extremadamente variado y variaciones climáticas extremas. El desierto de Atacama en el norte es uno de los desiertos más áridos del mundo. El centro, cerca de Santiago, la capital, disfruta de un clima templado como el del Mediterráneo. Aquí hay viñedos y huertas. La región de los bellísimos lagos goza también de un clima templado, pero un poco más hacia el sur en Puerto Montt, por ejemplo, el clima es lluvioso y borrascoso[1] incluso en el verano. La Patagonia en el sur tiene un clima casi siempre frío y lluvioso con chaparrones frecuentes y ráfagas de viento que alcanzan una velocidad increíble. La Patagonia es famosa por sus fiordos y glaciares.

[1]borrascoso *stormy*

CULTURA Una parte de la carretera panamericana en el desierto de Chile

CULTURA Un contraste entre la arquitectura moderna y tradicional en la Plaza de Armas en Santiago, la capital de Chile

Go Online! connectED.mcgraw-hill.com

Argentina

Argentina es el segundo mayor país de Sudamérica. Se puede dividir el país en cuatro grandes regiones naturales.

Las llanuras del nordeste Se caracterizan las llanuras por vastas zonas de terreno pantanoso[2] y sabanas. Es la región de los ríos Paraná y Uruguay. Una región húmeda de fértil tierra roja, es famosa por su gran ganadería y agricultura incluyendo el cultivo de la hierba mate, de la que se hace la bebida nacional.

Los Andes del noroeste Es aquí donde se encuentra el Aconcagua, la cumbre más alta de las Américas (6.959 metros). Es una región de volcanes nevados, altiplanos y desiertos. La mayoría de la población argentina es de ascendencia europea, pero en el noroeste hay una gran población indígena.

CULTURA Aconcagua, Argentina

La pampa La pampa es una inmensa llanura de hierba verde que cubre el 25 por ciento del territorio argentino. Es el centro económico del país e incluye los centros urbanos de Buenos Aires. Las ciudades de Rosario y Santa Fe tienen pocos habitantes pero en sus alrededores hay millones de bovinos y carneros. Es la región de los famosos bifes argentinos.

La Patagonia y Tierra del Fuego Es la región más extensa y menos poblada del país. El estrecho de Magallanes separa la Tierra del Fuego del continente. Es una región de llanuras inmensas de suelo rocoso batidas de vientos secos y fríos.

[2]pantanoso *swampy, marshy*

CULTURA Estrecho de Magallanes

LECCIÓN 1 CULTURA ciento nueve 109

Evita Duarte

Evita, la persona ta...
Eva Duarte en 1919. Era la hija de una costurera[8] y de un obrero. De sus raíces humildes le venía su odio a los ricos. De joven ella trabajó de actriz de cine de segunda fila. También trabajó en la radio y se hizo conocer por sus emisiones en las que denunciaba ardientemente la injusticia y la miseria.

Eva conoció a Juan Perón, un joven oficial ambicioso. Se casaron en 1945 y un poco más tarde Perón fue elegido presidente de la República argentina. Los aristócratas de Buenos Aires nunca le perdonaron a Evita sus raíces pobres pero ella se hizo la defensora de los descamisados—los que no tenían camisa—los pobres y los trabajadores de pocos recursos. Perón le dio a Evita el cargo de directora de la Fundación Social, lo que le dio la oportunidad de visitar fábricas, hospitales y barrios populares donde pronunciaba discursos a la gloria de su marido, el presidente Perón. Ella se presentó como candidata a la vicepresidencia en las elecciones de 1951 pero el ejército intervino y le puso el veto. Eva anunció en la radio que quería someterse a la voluntad del pueblo. Pero Evita sabía algo que no sabía el pueblo. Le quedaban muy pocos meses de vida porque padecía de un cáncer mortal. Murió el 27 de julio de 1952 a los treinta y tres años.

Tal fue su don[9] de hacerse amar que millones lloraron su muerte. Su figura inspiró una comedia, o mejor dicho tragedia, musical—*Evita*—la cual se ha presentado en muchos países del mundo. Además se produjo un filme del mismo título que ha sido estrenado mundialmente.

A pesar de que Perón dejó el país en una situación económica desastrosa, todavía hoy el peronismo sigue marcando de manera profunda la vida política argentina y sigue viviendo en el corazón de muchos argentinos el mito de su querida Evita.

[8]costurera *seamstress*
[9]don *gift*

CULTURA María Eva Duarte de Perón, la primera dama de Argentina

F **Recordando hechos** Contesta.

1. ¿Cuándo nació Eva Perón?
2. ¿Qué eran sus padres?
3. ¿Por qué odiaba Evita a los ricos?
4. ¿Cómo trabajó ella?
5. ¿A quién conoció? ¿Qué fue elegido él?
6. ¿Quiénes eran los descamisados?
7. ¿Qué tipo de discursos pronunciaba Evita?
8. ¿A qué edad murió Evita? ¿De qué?

CULTURA Mausoleo de la familia Duarte, cementerio de la Recoleta, Buenos Aires

LECCIÓN 1 CULTURA ciento trece 113

Authentic realia adds interest to the reading and lets you see the language in real-life contexts.

Activities ensure that you have understood each section of the reading.

Show what you know and apply your oral and written skills.

At the end of Lessons 1 and 2 of each chapter, achievement and proficiency reviews prepare you for that lesson test.

Reference notes direct you to the correct section for review.

Communicate orally in meaningful open-ended activities.

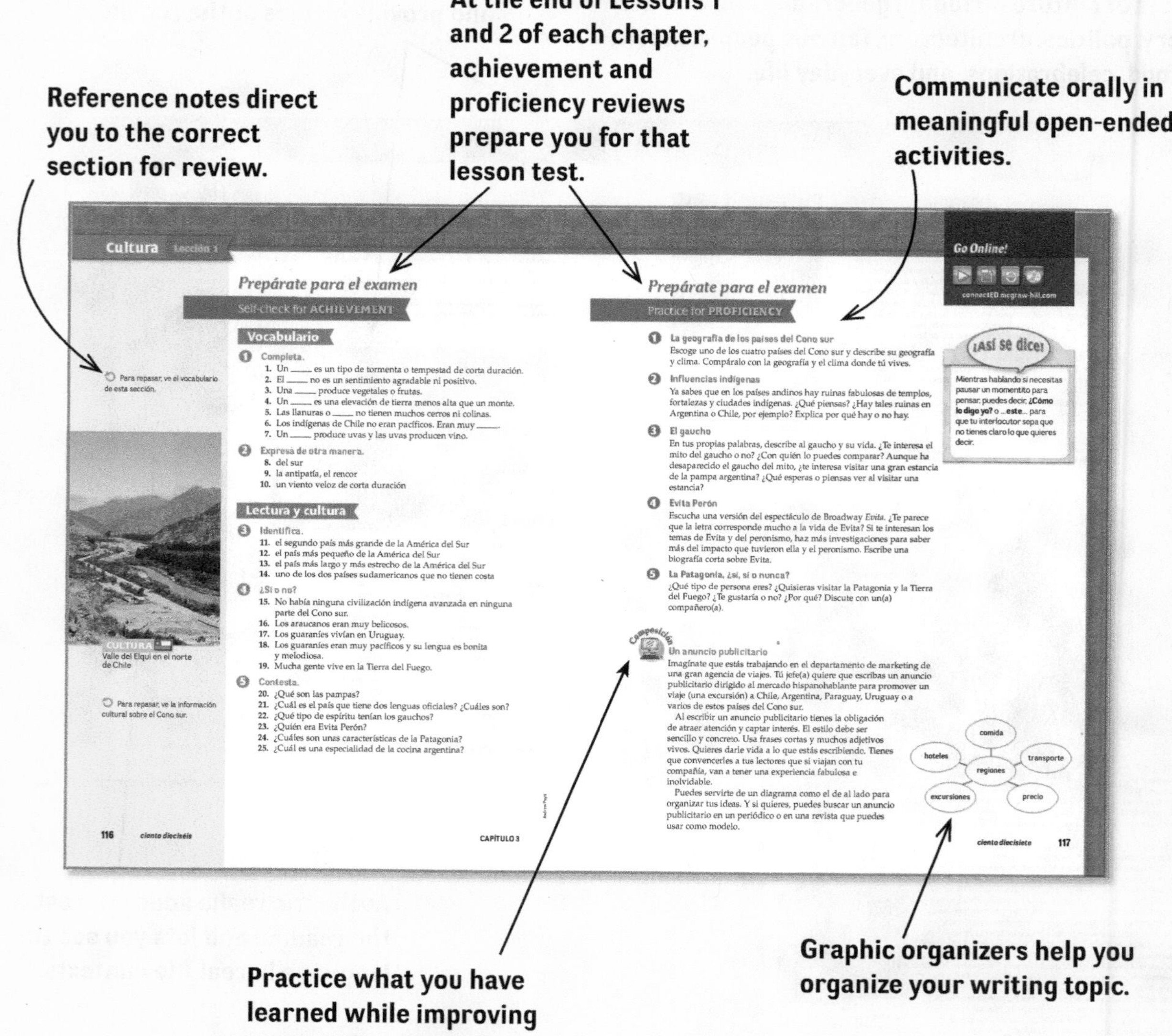

Cultura Lección 1

Prepárate para el examen

Self-check for ACHIEVEMENT

Vocabulario

1 Completa.
1. Un ____ es un tipo de tormenta o tempestad de corta duración.
2. El ____ no es un sentimiento agradable ni positivo.
3. Una ____ produce vegetales o frutas.
4. Un ____ es una elevación de tierra menos alta que un monte.
5. Las llanuras o ____ no tienen muchos cerros ni colinas.
6. Los indígenas de Chile no eran pacíficos. Eran muy ____.
7. Un ____ produce uvas y las uvas producen vino.

2 Expresa de otra manera.
8. del sur
9. la antipatía, el rencor
10. un viento veloz de corta duración

Para repasar, ve el vocabulario de esta sección.

Lectura y cultura

3 Identifica.
11. el segundo país más grande de la América del Sur
12. el país más pequeño de la América del Sur
13. el país más largo y más estrecho de la América del Sur
14. uno de los dos países sudamericanos que no tienen costa

4 ¿Sí o no?
15. No había ninguna civilización indígena avanzada en ninguna parte del Cono sur.
16. Los araucanos eran muy belicosos.
17. Los guaraníes vivían en Uruguay.
18. Los guaraníes eran muy pacíficos y su lengua es bonita y melodiosa.
19. Mucha gente vive en la Tierra del Fuego.

5 Contesta.
20. ¿Qué son las pampas?
21. ¿Cuál es el país que tiene dos lenguas oficiales? ¿Cuáles son?
22. ¿Qué tipo de espíritu tenían los gauchos?
23. ¿Quién era Evita Perón?
24. ¿Cuáles son unas características de la Patagonia?
25. ¿Cuál es una especialidad de la cocina argentina?

CULTURA

Valle del Elqui en el norte de Chile

Para repasar, ve la información cultural sobre el Cono sur.

116 ciento dieciséis

CAPÍTULO 3

Prepárate para el examen

Practice for PROFICIENCY

1 **La geografía de los países del Cono sur**
Escoge uno de los cuatro países del Cono sur y describe su geografía y clima. Compáralo con la geografía y el clima donde tú vives.

2 **Influencias indígenas**
Ya sabes que en los países andinos hay ruinas fabulosas de templos, fortalezas y ciudades indígenas. ¿Qué piensas? ¿Hay tales ruinas en Argentina o Chile, por ejemplo? Explica por qué hay o no hay.

3 **El gaucho**
En tus propias palabras, describe al gaucho y su vida. ¿Te interesa el mito del gaucho o no? ¿Con quién lo puedes comparar? Aunque ha desaparecido el gaucho del mito, ¿te interesa visitar una gran estancia de la pampa argentina? ¿Qué esperas o piensas ver al visitar una estancia?

4 **Evita Perón**
Escucha una versión del espectáculo de Broadway *Evita*. ¿Te parece que la letra corresponde mucho a la vida de Evita? Si te interesan los temas de Evita y del peronismo, haz más investigaciones para saber más del impacto que tuvieron ella y el peronismo. Escribe una biografía corta sobre Evita.

5 **La Patagonia, ¿sí, sí o nunca?**
¿Qué tipo de persona eres? ¿Quisieras visitar la Patagonia y la Tierra del Fuego? ¿Te gustaría o no? ¿Por qué? Discute con un(a) compañero(a).

Composición

Un anuncio publicitario
Imagínate que estás trabajando en el departamento de marketing de una gran agencia de viajes. Tú jefe(a) quiere que escribas un anuncio publicitario dirigido al mercado hispanohablante para promover un viaje (una excursión) a Chile, Argentina, Paraguay, Uruguay o a varios de estos países del Cono sur.

Al escribir un anuncio publicitario tienes la obligación de atraer atención y captar interés. El estilo debe ser sencillo y concreto. Usa frases cortas y muchos adjetivos vivos. Quieres darle vida a lo que estás escribiendo. Tienes que convencerles a tus lectores que si viajan con tu compañía, van a tener una experiencia fabulosa e inolvidable.

Puedes servirte de un diagrama como el de al lado para organizar tus ideas. Y si quieres, puedes buscar un anuncio publicitario en un periódico o en una revista que puedes usar como modelo.

Go Online!

connectED.mcgraw-hill.com

¡Así se dice!

Mientras hablando si necesitas pausar un momentito para pensar, puedes decir, **¿Cómo lo digo yo?** o ...**este**... para que tu interlocutor sepa que no tienes claro lo que quieres decir.

ciento diecisiete 117

Practice what you have learned while improving your written Spanish.

Graphic organizers help you organize your writing topic.

Learn grammar within the context of the chapter.

Grammar is presented in a clear and logical order, with many examples to make learning and review easy.

Fun and effective videos provide additional grammar instruction and/or review.

Numerous and varied oral and written practice activities help you master the grammar in an interesting way.

Go Online!

connectED.mcgraw-hill.com

¿Ser o estar?

1. There are two verbs to express *to be* in Spanish. They are **ser** and **estar**. Each of these verbs has specific uses. They are not interchangeable. The verb **estar** is always used to express location, both temporary and permanent.

TEMPORARY	PERMANENT
Mis primos uruguayos no están en casa ahora.	**Buenos Aires está en Argentina.**
Están aquí en Martínez.	**Martínez está en los suburbios de Buenos Aires.**
Están con nosotros.	**Nuestra casa está en Martínez.**

2. The verb **ser** is used to express origin (where someone or something is from).
   Yo soy de Estados Unidos.
   Pero mi abuelo es de Uruguay.
   El pescado es de Chile y el bife es de Argentina.
3. **Ser de** is also used to express ownership and what something is made from.
   Esta casa es de los Amaral. Es de piedra.
4. The verb **estar** is used to express a temporary state or condition.
   El agua está muy fría.
   Y el té está muy caliente.
   No sé por qué estoy tan cansado.
5. The verb **ser**, however, is used to express an inherent quality or characteristic.
   El hermano de Juan es muy simpático.
   Y él es guapo.
   Y además es muy sincero.
6. The speaker often chooses to use **ser** or **estar** depending upon the message he or she wishes to convey. Observe the following examples.
   El tiempo en la Patagonia es borrascoso.
   The weather is characteristically nasty in Patagonia.
   El tiempo hoy está muy borrascoso.
   It's nasty today (but it's not characteristically so).
   La sopa es buena.
   Soup is good for your health.
   La sopa está buena.
   The soup tastes good.

CULTURA
Ushuaia está ubicada a orillas del canal Beagle en el extremo sur de Tierra del Fuego. En los meses de verano, de noviembre a febrero, salen de su puerto barcos con destino a la Antártida.

CULTURA
Este mimo en el Parque de la Recoleta es bueno, ¿no?

LECCIÓN 2 GRAMÁTICA 123

Gramática Lección 2

7. Many words actually change meaning when used with **ser** or with **estar**. Study the following.

	WITH SER	WITH ESTAR
aburrido	*boring*	*bored*
cansado	*tiresome*	*tired*
divertido	*amusing, funny*	*amused*
enfermo	*sickly*	*sick, ill*
listo	*bright, clever, smart, shrewd*	*ready*
triste	*dull*	*sad*
vivo	*lively, alert*	*alive*

Note that the verb **estar** with **vivo** means *to be alive*. The verb **estar** is also used with **muerto** to mean *to be dead*, even though death is permanent.
Su abuelo está muerto.

8. The verb **ser** is used whenever the verb *to be* has the meaning of *to take place*.

El concierto tendrá lugar mañana.	**El concierto será mañana.**
Tendrá lugar en el teatro.	**Será en el teatro.**

CULTURA
¿Cuándo son las visitas guiadas en el Museo San Telmo?

Práctica

ESCUCHAR • HABLAR

11 Personaliza. Da respuestas personales.
1. ¿Dónde estás ahora?
2. ¿Dónde está tu casa?
3. Y tu escuela, ¿dónde está?
4. ¿Dónde están tus padres?
5. Y tus amigos, ¿dónde están?
6. ¿Dónde está tu profesor(a) de español?

LEER • ESCRIBIR

12 Completa sobre una casa en un suburbio de Montevideo.
Aquí tenemos una foto de una casa. La casa __1__ muy bonita. La casa __2__ de la familia Amaral. La casa no __3__ de madera. __4__ de piedra. __5__ en un barrio residencial.

ESCUCHAR • HABLAR

13 Personaliza. Da respuestas personales.
1. ¿Eres alto(a) o bajo(a)?
2. ¿Eres fuerte o débil?
3. ¿De qué nacionalidad eres?
4. ¿Eres simpático(a) o antipático(a)?
5. ¿Cómo estás hoy?
6. ¿Estás de buen humor o estás de mal humor?
7. ¿Estás bien o estás enfermo(a)?
8. ¿Estás contento(a) o triste?
9. ¿Estás cansado(a)?

CULTURA
Casas antiguas en el barrio del puerto de Montevideo, Uruguay

124 ciento veinticuatro CAPÍTULO 3

LEER • ESCRIBIR

14 Completa con **ser** o **estar** sobre la Recoleta.
1. Francisco y Julia ____ de Buenos Aires.
2. Su departamento ____ en la avenida Callao.
3. La avenida Callao ____ en el barrio de la Recoleta.
4. La avenida Callao no ____ muy lejos del cementerio de la Recoleta.
5. La tumba de Evita Perón ____ en este cementerio.
6. Los turistas que vienen a visitar su tumba ____ de todas partes del mundo.

EXPANSIÓN
Ahora, sin mirar las frases, cuenta la información en tus propias palabras. Si no recuerdas algo, un(a) compañero(a) te puede ayudar.

15 Comunicación
Trabajando en parejas cada uno describirá a su mejor amigo(a). Luego comparen a los amigos. ¿Son parecidos o no?

LEER • ESCRIBIR

16 Completa sobre la capital de Uruguay.
1. La ciudad de Montevideo ____ en Uruguay.
2. Montevideo ____ la capital de Uruguay.
3. La capital ____ muy bonita.
4. La ciudad de Montevideo no ____ muy grande.
5. Algunas calles en el centro de la ciudad ____ bastante anchas.
6. En el casco antiguo las calles suelen ____ estrechas.
7. El casco antiguo ____ cerca del puerto.
8. Algunas calles del casco antiguo ____ en malas condiciones porque ____ muy viejas.
9. Los barrios residenciales que ____ dentro de la ciudad ____ muy bonitos.
10. Los barrios residenciales ____ muy cerca de la playa y en el verano cuando hace mucho calor las playas ____ llenas de gente.

EXPANSIÓN
Ahora, sin mirar las frases, cuenta la información en tus propias palabras. Si no recuerdas algo, un(a) compañero(a) te puede ayudar.

CULTURA
Una vista parcial de la Plaza de la Independencia en Montevideo, Uruguay, con el Palacio Salvo

CULTURA
El barrio de la Recoleta en Buenos Aires, Argentina

125

Expansión enables you to tell and retell information in your own words.

Comunicación gives you real-life experience speaking in Spanish.

Learn about culture through journalism.

Introducción provides the names of the most widely read newspapers in each region.

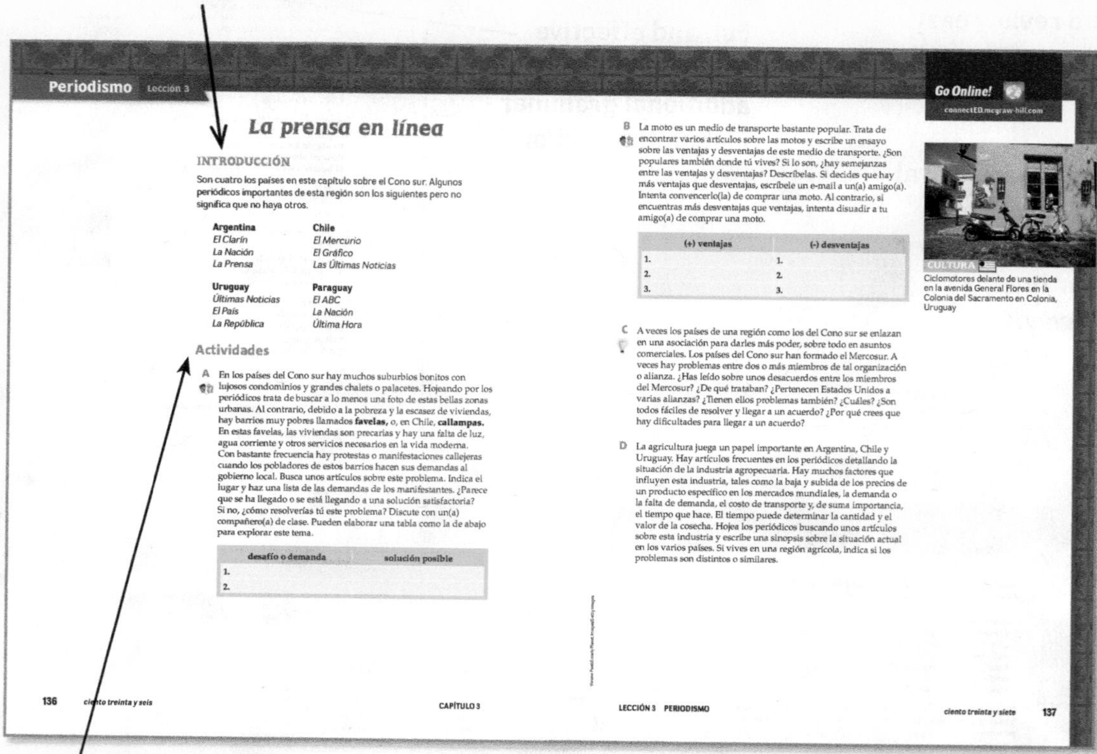

Periodismo Lección 3

Go Online! connectED.mcgraw-hill.com

La prensa en línea

INTRODUCCIÓN

Son cuatro los países en este capítulo sobre el Cono sur. Algunos periódicos importantes de esta región son los siguientes pero no significa que no haya otros.

Argentina
El Clarín
La Nación
La Prensa

Chile
El Mercurio
El Gráfico
Las Últimas Noticias

Uruguay
Últimas Noticias
El País
La República

Paraguay
El ABC
La Nación
Última Hora

Actividades

A En los países del Cono sur hay muchos suburbios bonitos con lujosos condominios y grandes chalets o palacetes. Hojeando por los periódicos trata de buscar a lo menos una foto de estas bellas zonas urbanas. Al contrario, debido a la pobreza y la escasez de viviendas, hay barrios muy pobres llamados **favelas,** o, en Chile, **callampas.** En estas favelas, las viviendas son precarias y hay una falta de luz, agua corriente y otros servicios necesarios en la vida moderna. Con bastante frecuencia hay protestas o manifestaciones callejeras cuando los pobladores de estos barrios hacen sus demandas al gobierno local. Busca unos artículos sobre este problema. Indica el lugar y haz una lista de las demandas de los manifestantes. ¿Parece que se ha llegado o se está llegando a una solución satisfactoria? Si no, ¿cómo resolverías tú este problema? Discute con un(a) compañero(a) de clase. Pueden elaborar una tabla como la de abajo para explorar este tema.

desafío o demanda	solución posible
1.	
2.	

B La moto es un medio de transporte bastante popular. Trata de encontrar varios artículos sobre las motos y escribe un ensayo sobre las ventajas y desventajas de este medio de transporte. ¿Son populares también donde tú vives? Si lo son, ¿hay semejanzas entre las ventajas y desventajas? Descríbelas. Si decides que hay más ventajas que desventajas, escríbele un e-mail a un(a) amigo(a). Intenta convencerlo(la) de comprar una moto. Al contrario, si encuentras más desventajas que ventajas, intenta disuadir a tu amigo(a) de comprar una moto.

(+) ventajas	(-) desventajas
1.	1.
2.	2.
3.	3.

CULTURA
Ciclomotores delante de una tienda en la avenida General Flores en la Colonia del Sacramento en Colonia, Uruguay

C A veces los países de una región como los del Cono sur se enlazan en una asociación para darles más poder, sobre todo en asuntos comerciales. Los países del Cono sur han formado el Mercosur. A veces hay problemas entre dos o más miembros de tal organización o alianza. ¿Has leído sobre unos desacuerdos entre los miembros del Mercosur? ¿De qué trataban? ¿Pertenecen Estados Unidos a varias alianzas? ¿Tienen ellos problemas también? ¿Cuáles? ¿Son todos fáciles de resolver y llegar a un acuerdo? ¿Por qué crees que hay dificultades para llegar a un acuerdo?

D La agricultura juega un papel importante en Argentina, Chile y Uruguay. Hay artículos frecuentes en los periódicos detallando la situación de la industria agropecuaria. Hay muchos factores que influyen esta industria, tales como la baja y subida de los precios de un producto específico en los mercados mundiales, la demanda o la falta de demanda, el costo de transporte y, de suma importancia, el tiempo que hace. El tiempo puede determinar la cantidad y el valor de la cosecha. Hojea los periódicos buscando unos artículos sobre esta industria y escribe una sinopsis sobre la situación actual en los varios países. Si vives en una región agrícola, indica si los problemas son distintos o similares.

136 ciento treinta y seis CAPÍTULO 3 LECCIÓN 3 PERIODISMO ciento treinta y siete 137

Actividades challenge students to investigate articles of interest and engage in high-level discussions.

Enrich your appreciation of literature and culture.

Poetry and prose by writers from the region of the chapter give you another opportunity to use your reading skills in Spanish.

An Introducción precedes each selection to give you more information about the writer and his or her work.

Literary selections present many views of Hispanic culture.

Estrategia presents a reading strategy to help you continue to improve your reading skills.

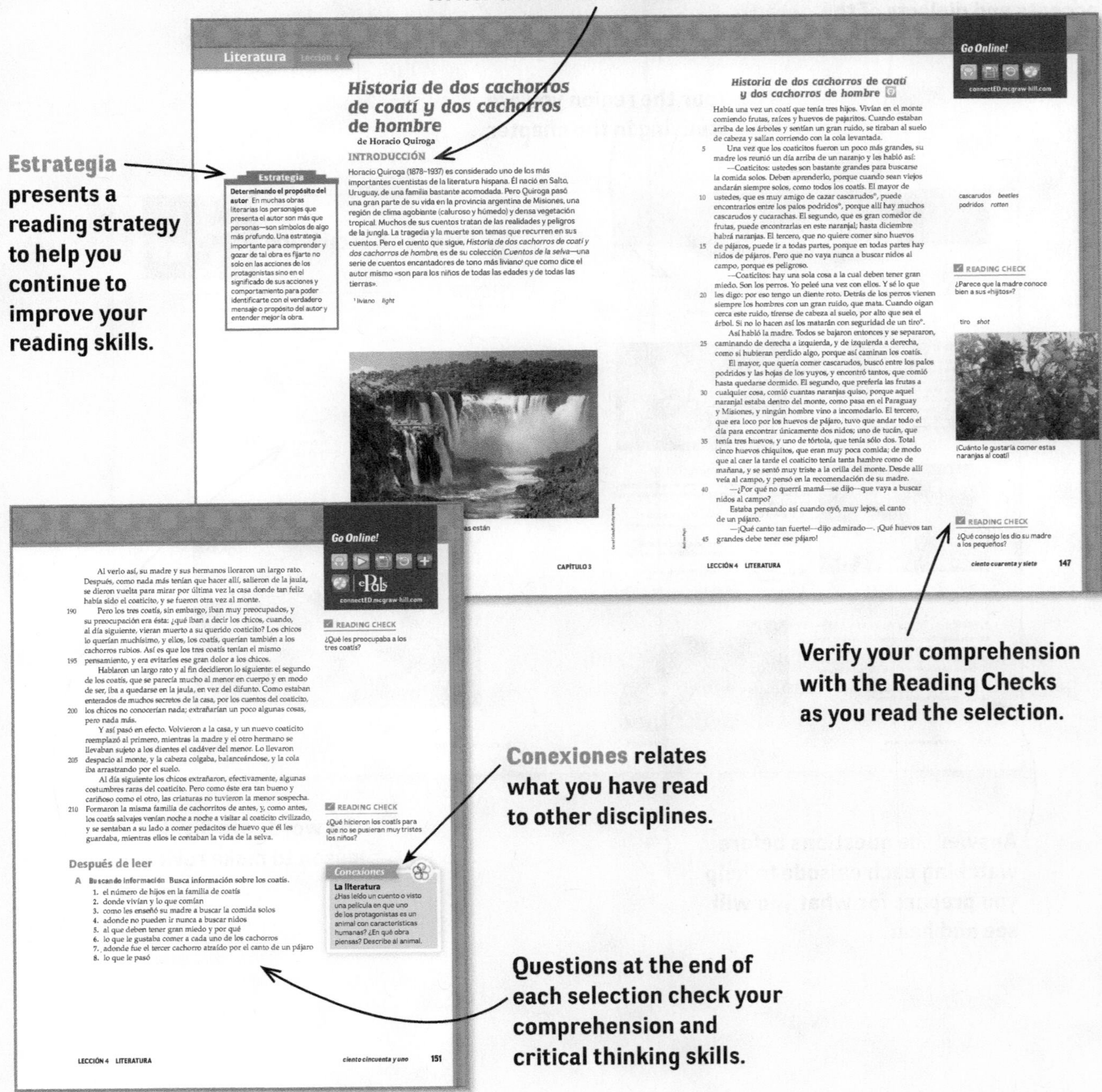

Literatura Lección 4

Historia de dos cachorros de coatí y dos cachorros de hombre

de Horacio Quiroga

INTRODUCCIÓN

Horacio Quiroga (1878–1937) es considerado uno de los más importantes cuentistas de la literatura hispana. Él nació en Salto, Uruguay, de una familia bastante acomodada. Pero Quiroga pasó una gran parte de su vida en la provincia argentina de Misiones, una región de clima agobiante (caluroso y húmedo) y densa vegetación tropical. Muchos de sus cuentos tratan de las realidades y peligros de la jungla. La tragedia y la muerte son temas que recurren en sus cuentos. Pero el cuento que sigue, *Historia de dos cachorros de coatí y dos cachorros de hombre*, es de su colección *Cuentos de la selva*—una serie de cuentos encantadores de tono más liviano[1] que como dice el autor mismo «son para los niños de todas las edades y de todas las tierras».

[1] liviano *light*

Estrategia

Determinando el propósito del autor En muchas obras literarias los personajes que presenta el autor son más que personas—son símbolos de algo más profundo. Una estrategia importante para comprender y gozar de tal obra es fijarte no solo en las acciones de los protagonistas sino en el significado de sus acciones y comportamiento para poder identificarte con el verdadero mensaje o propósito del autor y entender mejor la obra.

Historia de dos cachorros de coatí y dos cachorros de hombre

Había una vez un coatí que tenía tres hijos. Vivían en el monte comiendo frutas, raíces y huevos de pajaritos. Cuando estaban arriba de los árboles y sentían un gran ruido, se tiraban al suelo de cabeza y salían corriendo con la cola levantada.

Una vez que los coaticitos fueron un poco más grandes, su madre los reunió un día arriba de un naranjo y les habló así:

—Coaticitos: ustedes son bastante grandes para buscarse la comida solos. Deben aprenderlo, porque cuando sean viejos andarán siempre solos, como todos los coatís. El mayor de ustedes, que es muy amigo de cazar cascarudos°, puede encontrarlos entre los palos podridos°, porque allí hay muchos cascarudos y cucarachas. El segundo, que es gran comedor de frutas, puede encontrarlas en este naranjal; hasta diciembre habrá naranjas. El tercero, que no quiere comer sino huevos de pájaros, puede ir a todas partes, porque en todas partes hay nidos de pájaros. Pero que no vaya nunca a buscar nidos al campo, porque es peligroso.

—Coaticitos: hay una sola cosa a la cual deben tener gran miedo. Son los perros. Yo peleé una vez con ellos. Y sé lo que les digo: por eso tengo un diente roto. Detrás de los perros vienen siempre los hombres con un gran ruido, que mata. Cuando oigan cerca este ruido, tírense de cabeza al suelo, por alto que sea el árbol. Si no lo hacen así los matarán con seguridad de un tiro°.

Así habló la madre. Todos se bajaron entonces y se separaron, caminando de derecha a izquierda, y de izquierda a derecha, como si hubieran perdido algo, porque así caminan los coatís.

El mayor, que quería comer cascarudos, buscó entre los palos podridos y las hojas de los yuyos, y encontró tantos, que comió hasta quedarse dormido. El segundo, que prefería las frutas a cualquier cosa, comió cuantas naranjas quiso, porque aquel naranjal estaba dentro del monte, como pasa en el Paraguay y Misiones, y ningún hombre vino a incomodarlo. El tercero, que era loco por los huevos de pájaro, tuvo que andar todo el día para encontrar únicamente dos nidos; uno de tucán, que tenía tres huevos, y uno de tórtola, que tenía sólo dos. Total cinco huevos chiquitos, que eran muy poca comida; de modo que al caer la tarde el coaticito tenía tanta hambre como de mañana, y se sentó muy triste a la orilla del monte. Desde allí veía al campo, y pensó en la recomendación de su madre.

—¿Por qué no querrá mamá—se dijo—que vaya a buscar nidos al campo?

Estaba pensando así cuando oyó, muy lejos, el canto de un pájaro.

—¡Qué canto tan fuerte!—dijo admirado—. ¡Qué huevos tan grandes debe tener ese pájaro!

Go Online!

connectED.mcgraw-hill.com

cascarudos *beetles*
podridos *rotten*

READING CHECK

¿Parece que la madre conoce bien a sus «hijitos»?

tiro *shot*

¡Cuánto le gustaría comer estas naranjas al coatí!

READING CHECK

¿Qué consejo les dio su madre a los pequeños?

CAPÍTULO 3 LECCIÓN 4 LITERATURA *ciento cuarenta y siete* 147

Al verlo así, su madre y sus hermanos lloraron un largo rato. Después, como nada más tenían que hacer allí, salieron de la jaula, se dieron vuelta para mirar por última vez la casa donde tan feliz había sido el coaticito, y se fueron otra vez al monte.

Pero los tres coatís, sin embargo, iban muy preocupados, y su preocupación era ésta: ¿qué iban a decir los chicos, cuando, al día siguiente, vieran muerto a su querido coaticito? Los chicos lo querían muchísimo, y ellos, los coatís, querían también a los cachorros rubios. Así es que los tres coatís tenían el mismo pensamiento, y era evitarles ese gran dolor a los chicos.

Hablaron un largo rato y al fin decidieron lo siguiente: el segundo de los coatís, que se parecía mucho al menor en cuerpo y en modo de ser, iba a quedarse en la jaula, en vez del difunto. Como estaban enterados de muchos secretos de la casa, por los cuentos del coaticito, los chicos no conocerían nada; extrañarían un poco algunas cosas, pero nada más.

Y así pasó en efecto. Volvieron a la casa, y un nuevo coaticito reemplazó al primero, mientras la madre y el otro hermano se llevaban sujeto a los dientes el cadáver del menor. Lo llevaron despacio al monte, y la cabeza colgaba, balanceándose, y la cola iba arrastrando por el suelo.

Al día siguiente los chicos extrañaron, efectivamente, algunas costumbres raras del coaticito. Pero como éste era tan bueno y cariñoso como el otro, las criaturas no tuvieron la menor sospecha. Formaron la misma familia de cachorritos de antes, y, como antes, los coatís salvajes venían noche a noche a visitar al coaticito civilizado, y se sentaban a su lado a comer pedacitos de huevo que él les guardaba, mientras ellos le contaban la vida de la selva.

Go Online!

ePals

connectED.mcgraw-hill.com

READING CHECK

¿Qué les preocupaba a los tres coatís?

READING CHECK

¿Qué hicieron los coatís para que no se pusieran muy tristes los niños?

Después de leer

A **Buscando información** Busca información sobre los coatís.

1. el número de hijos en la familia de coatís
2. donde vivían y lo que comían
3. como les enseñó su madre a buscar la comida solos
4. adonde no pueden ir nunca a buscar nidos
5. al que deben tener gran miedo y por qué
6. lo que le gustaba comer a cada uno de los cachorros
7. adonde fue el tercer cachorro atraído por el canto de un pájaro
8. lo que le pasó

Conexiones

La literatura
¿Has leído un cuento o visto una película en que uno de los protagonistas es un animal con características humanas? ¿En qué obra piensas? Describe al animal.

LECCIÓN 4 LITERATURA *ciento cincuenta y uno* 151

Verify your comprehension with the Reading Checks as you read the selection.

Conexiones relates what you have read to other disciplines.

Questions at the end of each selection check your comprehension and critical thinking skills.

Visit the Spanish-speaking world through video.

The ¡Así se dice! Video Program, filmed in eight different countries, gives you the opportunity to hear the many accents and dialects of the Spanish-speaking world.

Review the chapter vocabulary at a glance.

Tour the region you are studying in the chapter.

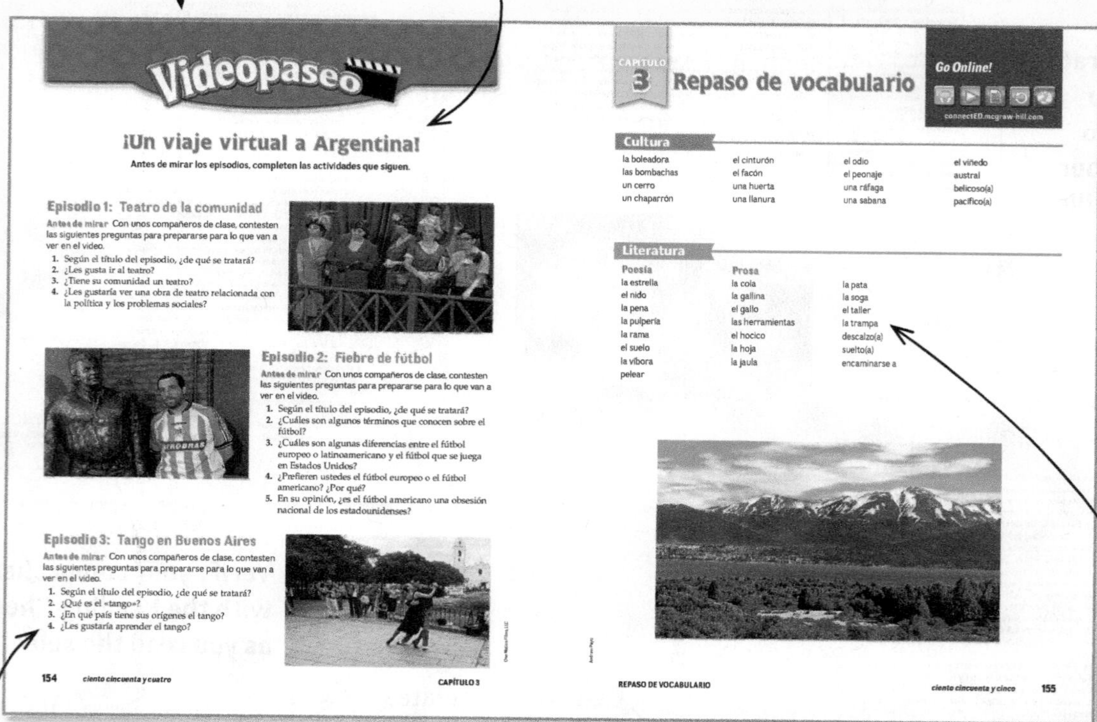

Videopaseo

¡Un viaje virtual a Argentina!

Antes de mirar los episodios, completen las actividades que siguen.

Episodio 1: Teatro de la comunidad

Antes de mirar Con unos compañeros de clase, contesten las siguientes preguntas para prepararse para lo que van a ver en el video.

1. Según el título del episodio, ¿de qué se tratará?
2. ¿Les gusta ir al teatro?
3. ¿Tiene su comunidad un teatro?
4. ¿Les gustaría ver una obra de teatro relacionada con la política y los problemas sociales?

Episodio 2: Fiebre de fútbol

Antes de mirar Con unos compañeros de clase, contesten las siguientes preguntas para prepararse para lo que van a ver en el video.

1. Según el título del episodio, ¿de qué se tratará?
2. ¿Cuáles son algunos términos que conocen sobre el fútbol?
3. ¿Cuáles son algunas diferencias entre el fútbol europeo o latinoamericano y el fútbol que se juega en Estados Unidos?
4. ¿Prefieren ustedes el fútbol europeo o el fútbol americano? ¿Por qué?
5. En su opinión, ¿es el fútbol americano una obsesión nacional de los estadounidenses?

Episodio 3: Tango en Buenos Aires

Antes de mirar Con unos compañeros de clase, contesten las siguientes preguntas para prepararse para lo que van a ver en el video.

1. Según el título del episodio, ¿de qué se tratará?
2. ¿Qué es el «tango»?
3. ¿En qué país tiene sus orígenes el tango?
4. ¿Les gustaría aprender el tango?

154 ciento cincuenta y cuatro CAPÍTULO 3

CAPÍTULO 3 Repaso de vocabulario

Go Online! connectED.mcgraw-hill.com

Cultura

la boleadora
las bombachas
un cerro
un chaparrón
el cinturón
el facón
una huerta
una llanura
el odio
el peonaje
una ráfaga
una sabana
el viñedo
austral
belicoso(a)
pacífico(a)

Literatura

Poesía
la estrella
el nido
la pena
la pulpería
la rama
el suelo
la víbora
pelear

Prosa
la cola
la gallina
el gallo
las herramientas
el hocico
la hoja
la jaula
la pata
la soga
el taller
la trampa
descalzo(a)
suelto(a)
encaminarse a

REPASO DE VOCABULARIO ciento cincuenta y cinco 155

Answer the questions before watching each episode to help you prepare for what you will see and hear.

The words are divided by lesson to make review easy.

El mundo hispanohablante

Spanish is the language of almost 400 million people around the world. Spanish had its origin in Spain. It is sometimes fondly called the "language of Cervantes," the author of the famous novel *El Quijote*. The Spanish **conquistadores** and **exploradores** brought their language to the Americas in the fifteenth and sixteenth centuries. Spanish is the official language of almost all the countries of Central and South America. It is the official language of Mexico and several of the larger islands in the Caribbean. Spanish is also the heritage language of more than fifty million people in the United States.

CULTURA
México

CULTURA
Perú

CULTURA
Puerto Rico

CULTURA
España

El mundo

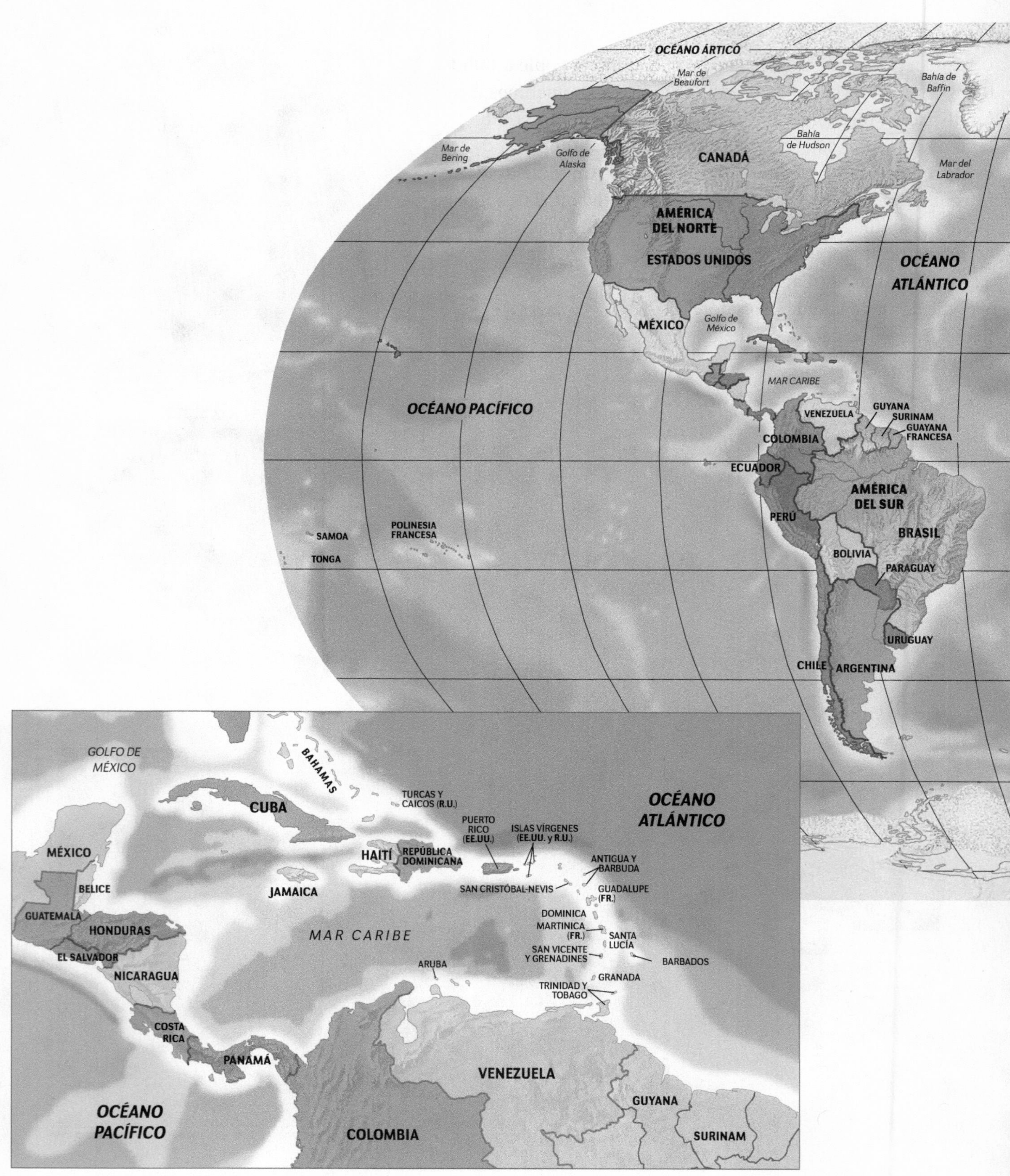

OCÉANO ÁRTICO
Mar de Beaufort
Bahía de Baffin
Bahía de Hudson
Mar de Bering
Golfo de Alaska
CANADÁ
Mar del Labrador
AMÉRICA DEL NORTE
ESTADOS UNIDOS
OCÉANO ATLÁNTICO
MÉXICO
Golfo de México
MAR CARIBE
OCÉANO PACÍFICO
GUYANA
SURINAM
GUAYANA FRANCESA
VENEZUELA
COLOMBIA
ECUADOR
AMÉRICA DEL SUR
PERÚ
BRASIL
POLINESIA FRANCESA
SAMOA
TONGA
BOLIVIA
PARAGUAY
URUGUAY
CHILE
ARGENTINA
GOLFO DE MÉXICO
BAHAMAS
TURCAS Y CAICOS (R.U.)
OCÉANO ATLÁNTICO
CUBA
PUERTO RICO (EE.UU.)
ISLAS VÍRGENES (EE.UU. y R.U.)
MÉXICO
HAITÍ
REPÚBLICA DOMINICANA
ANTIGUA Y BARBUDA
BELICE
JAMAICA
SAN CRISTÓBAL-NEVIS
GUADALUPE (FR.)
GUATEMALA
DOMINICA
HONDURAS
MARTINICA (FR.)
SANTA LUCÍA
MAR CARIBE
EL SALVADOR
SAN VICENTE Y GRENADINES
BARBADOS
ARUBA
NICARAGUA
GRANADA
TRINIDAD Y TOBAGO
COSTA RICA
PANAMÁ
VENEZUELA
OCÉANO PACÍFICO
GUYANA
COLOMBIA
SURINAM

OCÉANO ÁRTICO
Mar de Noruega
Mar de Barents
Mar de Kara
Mar de Láptiev
RUSIA
ASIA
Mar de Ojotsk
EUROPA
KAZAJSTÁN
MONGOLIA
Mar Negro
GEORGIA
ARMENIA
UZBEKISTÁN
KIRGUIZITÁN
TURQUÍA
TURKMENISTÁN
TAYIKISTÁN
CHINA
COREA DEL NORTE
Mar del Japón
JAPÓN
COREA DEL SUR
MAR MEDITERRÁNEO
LÍBANO
SIRIA
AZERBAIJÁN
TÚNEZ
ISRAEL
IRAK
IRÁN
AFGANISTÁN
JORDANIA
NEPAL
BHUTÁN
Mar de la China oriental
OCÉANO PACÍFICO
KUWAIT
BAHREIN
PAKISTÁN
LIBIA
EGIPTO
QATAR
EMIRATOS ÁRABES UNIDOS
INDIA
TAIWÁN
ARABIA SAUDITA
BANGLADESH
MYANMAR
OMÁN
LAOS
NÍGER
CHAD
SUDÁN
Golfo de Bengala
Mar de la China meridional
ERITREA
YEMEN
TAILANDIA
FILIPINAS
MARSHALL
ÁFRICA
DJIBOUTI
NIGERIA
VIETNAM
ETIOPÍA
SRI LANKA
REPÚBLICA CENTROAFRICANA
CAMBOYA
MICRONESIA
PALAU
CAMERÚN
BRUNEI
MALAYSIA
SOMALIA
UGANDA
KENYA
MALDIVAS
KIRIBATI
GABÓN
RUANDA
SINGAPUR
NAURÚ
REP. DEL CONGO
REP. DEM. DEL CONGO
BURUNDI
INDONESIA
PAPÚA NUEVA GUINEA
SEYCHELLES
OCÉANO ÍNDICO
SALOMÓN
TANZANIA
TUVALU
ISLAS COMORES
WALLIS Y FUTUNA
ANGOLA
MALAWI
ZAMBIA
MOZAMBIQUE
Mar del Coral
VANUATU
ISLAS FIJI
MADAGASCAR
MAURICIO
ZIMBABWE
NAMIBIA
REUNIÓN
BOTSWANA
AUSTRALIA
NUEVA CALEDONIA
SWAZILANDIA
SUDÁFRICA
LESOTHO
Mar de Tasmania
NUEVA ZELANDIA
NORUEGA
FINLANDIA
SUECIA
ESTONIA
RUSIA
REINO UNIDO
IRLANDA
DINAMARCA
LETONIA
LITUANIA
RUSIA
PAÍSES BAJOS
BELARÚS
BÉLGICA
ALEMANIA
POLONIA
OCÉANO ATLÁNTICO
LUXEMBURGO
REPÚBLICA CHECA
UCRANIA
FRANCIA
ESLOVAQUIA
SUIZA
AUSTRIA
MOLDOVA
HUNGRÍA
ESLOVENIA
ANDORRA
CROACIA
RUMANIA
PORTUGAL
BOSNIA-HERZEGOVINA
Mar Negro
GEORGIA
ESPAÑA
MÓNACO
YUGOSLAVIA (Fed. Rep.)
ITALIA
BULGARIA
ALBANIA
MACEDONIA
MELILLA
Mar Mediterráneo
CEUTA
GRECIA
TURQUÍA
ÁFRICA
MALTA
CHIPRE
SIRIA
LÍBANO

España

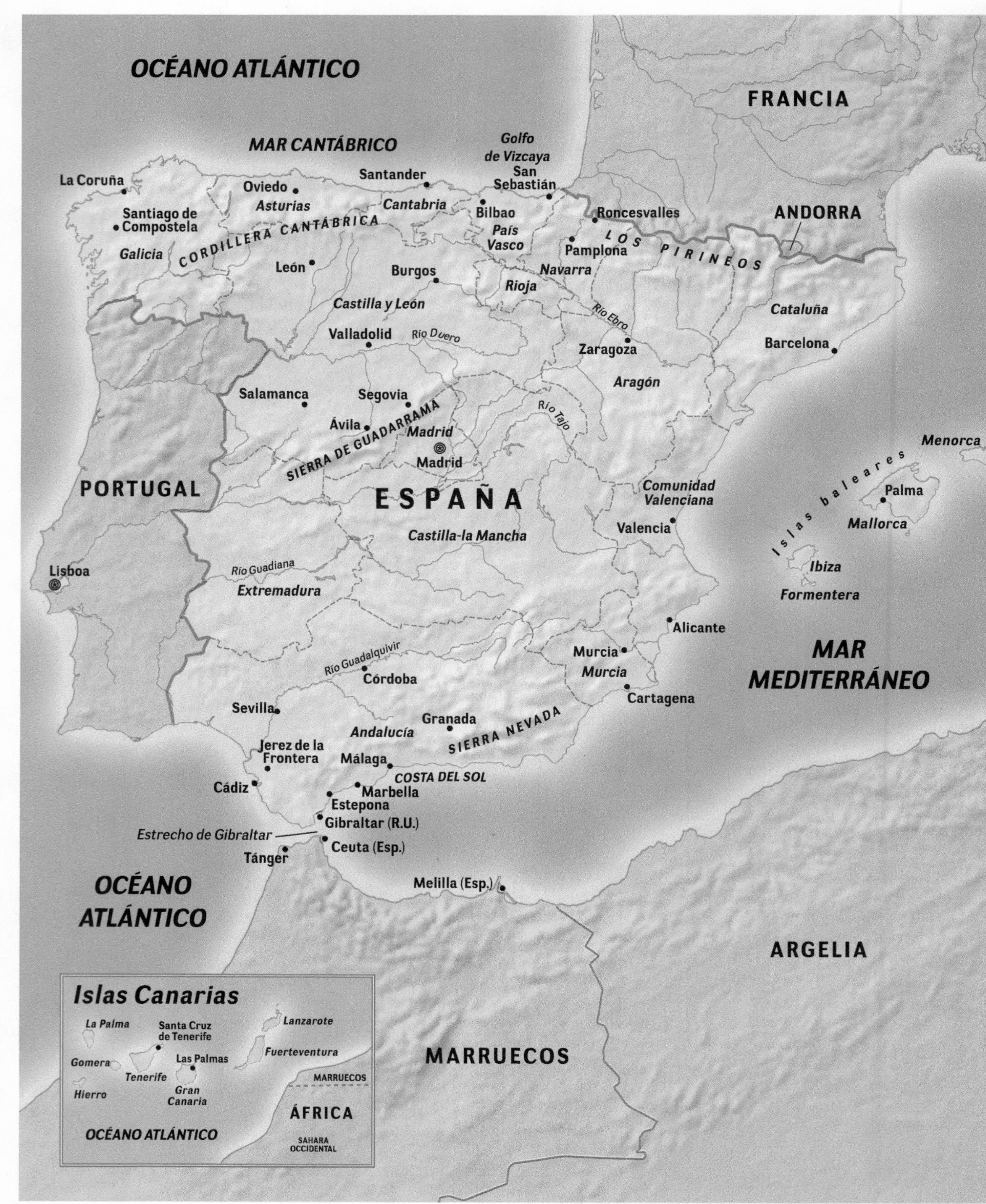

OCÉANO ATLÁNTICO
MAR CANTÁBRICO
Golfo de Vizcaya
FRANCIA
ANDORRA
La Coruña
Santiago de Compostela
Galicia
Oviedo
Asturias
Santander
Cantabria
San Sebastián
Bilbao
País Vasco
Roncesvalles
Pamplona
Navarra
LOS PIRINEOS
CORDILLERA CANTÁBRICA
León
Burgos
Rioja
Castilla y León
Río Ebro
Cataluña
Valladolid
Río Duero
Zaragoza
Barcelona
Aragón
Salamanca
Segovia
Ávila
Río Tajo
Madrid
Madrid
SIERRA DE GUADARRAMA
Menorca
Islas baleares
Palma
Mallorca
Ibiza
Formentera
PORTUGAL
ESPAÑA
Comunidad Valenciana
Valencia
Castilla-la Mancha
Lisboa
Río Guadiana
Extremadura
Alicante
Murcia
Murcia
MAR MEDITERRÁNEO
Río Guadalquivir
Córdoba
Cartagena
Sevilla
Granada
Andalucía
SIERRA NEVADA
Jerez de la Frontera
Málaga
COSTA DEL SOL
Cádiz
Marbella
Estepona
Gibraltar (R.U.)
Estrecho de Gibraltar
Ceuta (Esp.)
Tánger
Melilla (Esp.)
OCÉANO ATLÁNTICO
ARGELIA
MARRUECOS
Islas Canarias
La Palma
Santa Cruz de Tenerife
Lanzarote
Fuerteventura
Gomera
Las Palmas
Tenerife
Hierro
Gran Canaria
MARRUECOS
ÁFRICA
OCÉANO ATLÁNTICO
SAHARA OCCIDENTAL

La América del Sur

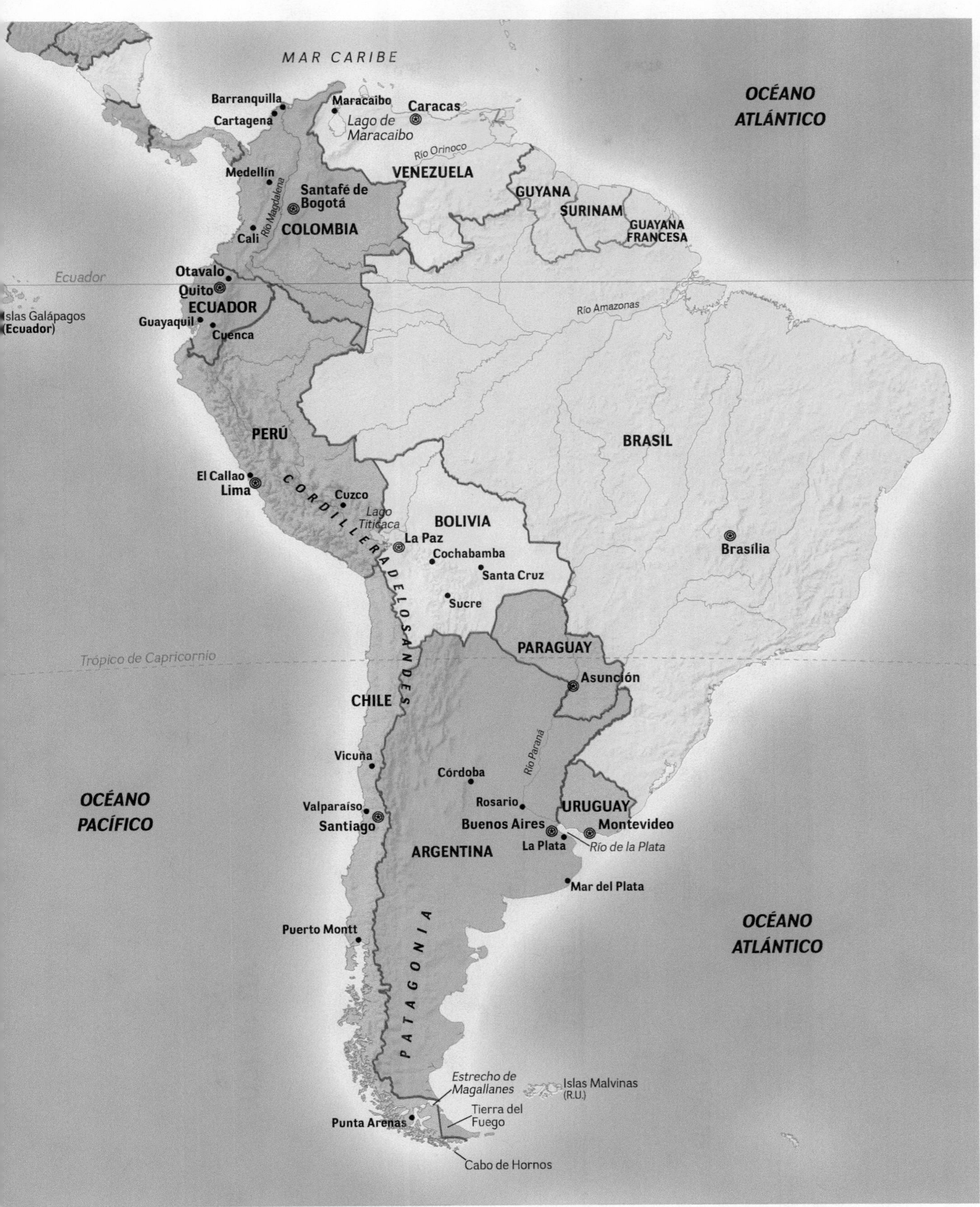

MAR CARIBE
OCÉANO ATLÁNTICO
Barranquilla
Cartagena
Maracaibo
Caracas
Lago de Maracaibo
Río Orinoco
VENEZUELA
Medellín
Santafé de Bogotá
Río Magdalena
Cali
COLOMBIA
GUYANA
SURINAM
GUAYANA FRANCESA
Ecuador
Otavalo
Quito
ECUADOR
Islas Galápagos (Ecuador)
Guayaquil
Cuenca
Río Amazonas
PERÚ
BRASIL
El Callao
Lima
Cuzco
CORDILLERA DE LOS ANDES
Lago Titicaca
BOLIVIA
La Paz
Cochabamba
Santa Cruz
Sucre
Brasília
PARAGUAY
Trópico de Capricornio
Asunción
CHILE
Río Paraná
Vicuña
Córdoba
OCÉANO PACÍFICO
Valparaíso
Santiago
Rosario
URUGUAY
Buenos Aires
Montevideo
La Plata
Río de la Plata
ARGENTINA
Mar del Plata
Puerto Montt
OCÉANO ATLÁNTICO
PATAGONIA
Estrecho de Magallanes
Islas Malvinas (R.U.)
Tierra del Fuego
Punta Arenas
Cabo de Hornos

México, la América Central y el Caribe

Estados Unidos

Chapter Overview

España

Scope and Sequence

Topics
- The geography of Spain
- The history of Spain
- Spanish culture

Culture
- The invasion of the Moors
- Basque country
- The Catholic Kings
- Christopher Columbus
- Roman influence and architecture
- Spanish foods
- Spanish Civil War, 1936–1939
- Extremadura, Spain
- Valencia, Spain
- Survivors of the Guernica bombing
- *Canción del pirata* by José de Espronceda
- *La primavera besaba* by Antonio Machado
- *El ingenioso hidalgo don Quijote de la Mancha* by Miguel de Cervantes Saavedra

Functions
- How to express past actions
- How to refer to specific things

Structure
- Preterite of regular verbs
- Preterite of stem-changing verbs
- Nouns and articles
- Feminine nouns beginning in **a** and **ha**

Andrew Payti

Leveling

The activities within each chapter are marked in the Wraparound section of the Teacher Edition according to level of difficulty.

E indicates easy
A indicates average
CH indicates challenging

The readings in **Lección 4: Literatura** are also leveled to help you individualize instruction to best meet your students' needs. Please note that the material does not become progressively more difficult. Within each chapter there are easy and challenging sections.

Correlations to ACTFL World-Readiness Standards for Learning Languages

COMMUNICATION Communicate effectively in more than one language in order to function in a variety of situations and for multiple purposes		
Interpersonal Communication	Learners interact and negotiate meaning in spoken, signed, or written conversations to share information, reactions, feelings, and opinions.	pp. 3, 19, 20, 25, 29, 30, 43, 53, 54
Interpretive Communication	Learners understand, interpret, and analyze what is heard, read, or viewed on a variety of topics.	pp. 3, 5, 7, 9, 10, 11, 13, 15, 16, 18, 21, 29, 30, 33, 35, 38, 40, 41, 43, 53
Presentational Communication	Learners present information, concepts, and ideas to inform, explain, persuade, and narrate on a variety of topics using appropriate media and adapting to various audiences of listeners, readers, or viewers.	pp. 5, 13, 27, 29, 30, 31, 38
CULTURES Interact with cultural competence and understanding		
Relating Cultural Practices to Perspectives	Learners use the language to investigate, explain, and reflect on the relationship between the practices and perspectives of the cultures studied.	pp. 6, 7, 20, 30
Relating Cultural Products to Perspectives	Learners use the language to investigate, explain, and reflect on the relationship between the products and perspectives of the cultures studied.	pp. 6, 7, 10, 11, 16, 19, 29
CONNECTIONS Connect with other disciplines and acquire information and diverse perspectives in order to use the language to function in academic and career-related situations		
Making Connections	Learners build, reinforce, and expand their knowledge of other disciplines while using the language to develop critical thinking and to solve problems creatively.	pp. 4–5, 6–7, 8–9, 13, 15, 16, 19, 27, 29, 33, 38
Acquiring Information and Diverse Perspectives	Learners access and evaluate information and diverse perspectives that are available through the language and its cultures.	pp. 22, 27, 29, 35–37, 40
COMPARISONS Develop insight into the nature of language and culture in order to interact with cultural competence		
Language Comparisons	Learners use the language to investigate, explain, and reflect on the nature of language through comparisons of the language studied and their own.	pp. 14, 16, 24
Cultural Comparisons	Learners use the language to investigate, explain, and reflect on the concept of culture through comparisons of the cultures studied and their own.	pp. 13, 54
COMMUNITIES Communicate and interact with cultural competence in order to participate in multilingual communities at home and around the world		
School and Global Communities	Learners use the language both within and beyond the classroom to interact and collaborate in their community and the globalized world.	pp. 3, 15, 18, 29
Lifelong Learning	Learners set goals and reflect on their progress in using languages for enjoyment, enrichment, and advancement.	pp. 22, 30

Preview

In this chapter, students will learn about the geography, history, and culture of Spain. They will review nouns, articles, and the preterite of regular, stem-changing, and irregular verbs. Students will also read and discuss newspaper articles, poems, and an excerpt from one of the most famous books in the world.

Pacing

Cultura	4–5 days
Gramática	4–5 days
Periodismo	4–5 days
Literatura	4–5 days
Videopaseo	2 days

CAPÍTULO 1

España

Go Online! connectED.mcgraw-hill.com

Audio Video Práctica Repaso Diversiones eScape ePals

Go Online!

Audio
Listen to spoken Spanish.

Video
Watch and learn about the Spanish-speaking world.

Práctica
Practice your skills.

Repaso
Review what you've learned.

Diversiones
Go beyond the classroom.

eScape
Read about current events in the Spanish-speaking world.

Objetivos

You will:

- learn about the geography, history, and culture of Spain
- discuss taking a trip to Spain
- read and discuss newspaper articles
- read poems by various Spanish authors and part of one of the most famous books in the world by Miguel de Cervantes Saavedra

You will review:

- the preterite of regular, irregular, and stem-changing verbs
- nouns and articles

Contenido

Lección 1: Cultura
Geografía e historia de España

Lección 2: Gramática
Pretérito de los verbos regulares
Pretérito de los verbos de cambio radical e → i, o → u
Pretérito de los verbos irregulares
Sustantivos y artículos

Lección 3: Periodismo

Lección 4: Literatura
Poesía
Canción del pirata de José de Espronceda
La primavera besaba de Antonio Machado
Prosa
El ingenioso hidalgo don Quijote de la Mancha de Miguel de Cervantes Saavedra

El interior de la Mezquita en Córdoba, Andalucía

Assessment
Check student progress.

Connect with Spanish-speaking students around the world.

Cultura

Online Resources

Customizable Lesson Plans

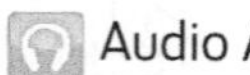 Audio Activities

 Student Workbook

 Enrichment

Quizzes

TEACH

Core Instruction

Step 1 You may wish to present vocabulary by having students listen to the recorded audio or they can follow along as they look at the pages.

Step 2 Call on students to read the new words and definitions aloud. If your class has good pronunciation, you can skip this step and have students study the new words and do the **Práctica** activities.

Conexiones

La historia

Don Felipe de Borbón y Grecia es el tercer hijo (primer varón) de sus Majestades los Reyes don Juan Carlos y Doña Sofía de Grecia. En diciembre de 2003 la Casa Real hizo público el compromiso entre su hijo Felipe y la joven periodista Letizia Rocasolano Ortiz. La boda se celebró el 22 de mayo en 2004 en la Catedral de la Almudena.

Don Felipe fue proclamado Rey de España ante las Cortes Generales con el nombre de Felipe VI el 19 de junio de 2014. Sus Majestades tienen dos hijas. Leonor, la Princesa de Asturias, nació en 2005 y Sofía, la Infanta de España, nació en 2007.

Cultural Snapshot

Aquí vemos al rey Felipe VI y a la reina Letizia de España.

Vocabulario

Estudia las siguientes palabras para ayudarte a entender la lectura.

la carabela una embarcación a velas antigua
la neblina nube muy baja que está en contacto con la tierra
la colina monte pequeño y de formas suaves
la orilla parte de la tierra inmediata al agua, a un río, al mar, etc.
el siglo período de cien años
la guerra serie de batallas o luchas
la lucha la batalla
la corona lo que lleva un rey o una reina en la cabeza
la joya una piedra preciosa tal como una esmeralda, un diamante
veraniego(a) del verano
extranjero(a) de otro país o nación
huir escapar
parecerse a ser muy parecido, similar, semejante

una alfombra

unas almendras

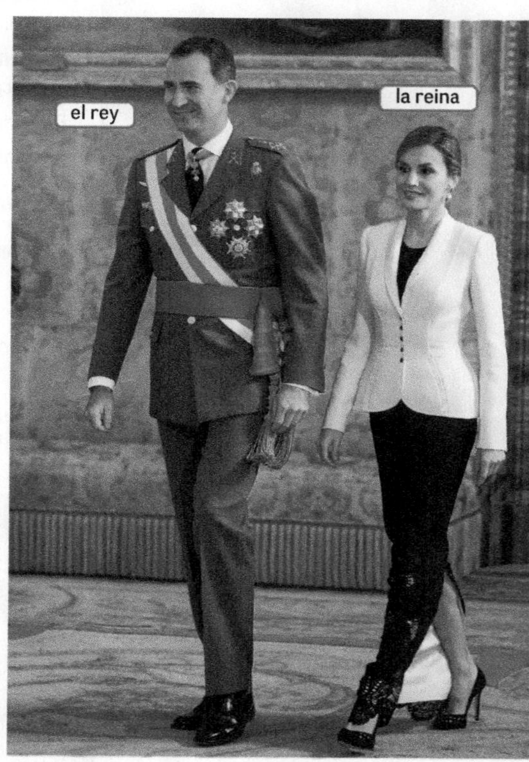

CULTURA

El rey Felipe VI y la reina Letizia van a una ceremonia en el palacio real.

Go Online!

    You may wish to remind students to go online for additional vocabulary practice. They can also download audio files of all vocabulary.

Answers

1. Sí, el rey Fernando y la reina Isabel reinaron por mucho tiempo.
2. Sí, ellos establecieron una monarquía absoluta.
3. Sí, unas tropas extranjeras invadieron España.
4. Sí, los españoles fueron a la guerra.
5. Sí, lucharon por la Corona.
6. Sí, tomaron parte en una batalla naval.
7. Sí, perdieron muchas carabelas en la batalla.

Práctica

HABLAR • ESCRIBIR

1 Contesta con **sí** sobre una época en la historia de España.

1. ¿Reinaron el rey Fernando y la reina Isabel por mucho tiempo?
2. ¿Establecieron ellos una monarquía absoluta?
3. ¿Invadieron España unas tropas extranjeras?
4. ¿Fueron a la guerra los españoles?
5. ¿Lucharon por la Corona?
6. ¿Tomaron parte en una batalla naval?
7. ¿Perdieron muchas carabelas en la batalla?

EXPANSIÓN

Ahora, sin mirar las preguntas, cuenta la información en tus propias palabras. Si no recuerdas algo, un(a) compañero(a) te puede ayudar.

HABLAR • ESCRIBIR

2 Personaliza. Da respuestas personales.

1. ¿Tienes una casa veraniega?
2. ¿Te gusta caminar o dar un paseo a lo largo de las orillas de un río?
3. Donde vives, ¿hay colinas o llanuras?
4. Si hay mucha neblina, ¿puedes ver lo que hay en la distancia?
5. ¿Hay mucha neblina donde vives? ¿Cuándo?
6. En este momento, ¿estamos en una época de paz o una época de guerra?

LEER • HABLAR • ESCRIBIR

3 Prepara un diccionario. Da la palabra cuya definición sigue.

1. una serie de batallas
2. un período de cien años
3. las esmeraldas, los rubíes, los diamantes
4. escapar
5. un barco antiguo
6. ser semejante o parecido

ESCRIBIR

4 Da una palabra relacionada.

1. el reinado
2. la joyería
3. el guerrero
4. parecido
5. la huida

CULTURA

Casas veraniegas en un puerto deportivo en Ibiza en las islas Baleares

Andrew Payti

Cultura

Leveling EACH Activity

Easy Activities 1, 2
Average Activities 3, 4
CHallenging Activity 1 **Expansión**

PRACTICE

Activities 1 and 2 You can do these activities orally, calling on students at random to respond.

Activities 3 and 4 You may wish to have students prepare these activities before going over them in class.

Differentiation

Advanced Learners

Call on an advanced learner to do the **Expansión** of Activity 1.

ASSESS

Students are now ready to take Quiz 1.

Answers

2 *Answers will vary but may include:*

1. Sí, (No, no) tengo una casa veraniega.
2. Sí, (No, no) me gusta caminar o dar un paseo a lo largo de las orillas de un río.
3. Donde vivo, hay colinas (llanuras).
4. Si hay mucha neblina, no puedo ver lo que hay en la distancia.
5. Sí, (No, no) hay mucha neblina donde vivo. Hay mucha neblina ____.
6. En este momento, estamos en una época de guerra (paz).

3

1. una guerra
2. un siglo
3. las joyas
4. huir
5. una carabela
6. parecerse a

4

1. el rey (la reina)
2. las joyas
3. la guerra
4. parecerse a
5. huir

Online Resources

Customizable Lesson Plans

 Student Workbook

 Enrichment

Quizzes

TEACH

Core Instruction

Step 1 Have students look at the photographs as they do the reading.

Step 2 You may wish to have the entire class do all of the reading or you may want to break it into sections, assigning one to each group. If you do this, each group should report what they learned to the class so every student can be familiar with all the material.

Teaching Options

- You may wish to have students read some paragraphs silently. You may also wish to go over some paragraphs orally in class, interspersing comprehension questions.
- You may wish to ask the questions in Activity A as you are going over the **Lectura.** It is suggested that you also have the students write the answers to the questions.

La geografía

España, un país de grandes contrastes y mucha diversidad, se encuentra al sudoeste de Europa. Con su vecino Portugal, forma la península ibérica. Con la excepción de Suiza, España es el país más montañoso de Europa. En el norte los Pirineos forman una frontera natural con Francia.

CULTURA

Los majestuosos Picos de Europa en Navarra en el norte de España

El norte

A lo largo de toda la costa norte las montañas suben hacia el cielo desde las orillas del Cantábrico. Los majestuosos Picos de Europa en Cantabria y Asturias alcanzan una altura de 8.600 pies. En Galicia, la pintoresca región del noroeste, hay mucha neblina y llueve con frecuencia. El verde paisaje[1] gallego se parece mucho al paisaje de Irlanda.

El centro

Las llanuras interminables de color pardo[2] naranja de Castilla y Extremadura en el centro del país contrastan mucho con las colinas verdes de Galicia. Aquí el clima es muy seco. En el invierno no cae mucha nieve pero hace un frío tremendo y los vientos fuertes son frecuentes. En el verano brilla un sol fuerte y hace mucho calor. En Madrid, la capital, hay un refrán que dice que allí hay «seis meses de invierno y seis meses de infierno[3]».

[1]paisaje *landscape*
[2]pardo *brown*
[3]infierno *hell*

CULTURA

El paisaje en el centro de España cerca de Segovia

CULTURA

Un olivar en Andalucía

Cultura

This reading familiarizes students with the different regions of Spain, with the history of Spain, and with Spanish food. You may wish to ask students to compare these cultural aspects of Spain with their own culture. How are they the same? How do they differ?

Reading Strategy

Cognates Words that look alike and have similar meanings in Spanish and English (**diversidad,** *diversity*) are called *cognates.* Look for cognates whenever you read in Spanish. Recognizing cognates can help you figure out the meaning of many words in Spanish and will help you understand what you read.

El sur

En la pintoresca región de Andalucía el invierno y la primavera son benignos[4]. Pero en el verano, con la excepción de los pueblos de la Sierra Nevada y la Sierra Morena, hace un calor tremendo. Las ciudades andaluzas como Sevilla y Córdoba son verdaderos hornos[5] en el verano. Andalucía es conocida por sus olivares que le dan al paisaje un color verde olivo.

Por toda la costa de España abundan playas bañadas de las cristalinas aguas del Mediterráneo en el este y en el sur y del Cantábrico en el norte.

También pertenecen a España las islas Baleares en el Mediterráneo, las islas Canarias al oeste de África en el Atlántico y dos ciudades en el norte de África—Ceuta y Melilla.

Antes de 1979 España se dividía en regiones pero actualmente se les llama «comunidades autónomas». Hay diecisiete comunidades autónomas que se pueden comparar más o menos con los estados de Estados Unidos. Cada una tiene su propio gobernador, congreso de diputados y elecciones.

[4] benignos *mild*
[5] hornos *ovens*

Go Online!

connectED.mcgraw-hill.com

CULTURA

Una vista de Ceuta, una ciudad autónoma de España en la costa del norte de África

A Recordando hechos Contesta sobre la geografía de España.

1. ¿Dónde está España?
2. ¿Cuáles son los dos países que forman la península ibérica?
3. ¿Qué tipo de país es España?
4. ¿Es montañosa la costa norte de España?
5. ¿Cómo es Galicia y qué tiempo hace allí?
6. ¿Qué color predomina en el centro del país?
7. ¿Cuáles son algunas características del tiempo en el centro del país?
8. ¿Qué tiempo hace en el sur de España?
9. ¿Por qué tiene el paisaje de Andalucía un color verde olivo?
10. ¿Dónde abundan las playas en España?
11. ¿Qué son Ceuta y Melilla?
12. ¿En cuántas comunidades autónomas está dividida España?

CULTURA

Una vista de Gaucín en Andalucía. Parece que el Castillo de Águila sigue protegiendo al pueblo.

PRACTICE

A You may wish to go over these questions as students are reading in class. Students may look up the answers or you may prefer that they do the activity as factual recall. Afterward, have students write the answers to the questions at home.

Tips for Success

After each section of the **Lectura**, you may wish to call on a student to give a brief summary. If you prefer, several students can collaborate on the summary.

Differentiation

Multiple Intelligences

Call on **visual-spatial** learners to give a brief synopsis of the geography of Spain by describing the photos that accompany this section.

ASSESS

Students are now ready to take Quiz 2.

Answers

A

1. España está en el sudoeste de Europa.
2. Los dos países que forman la península ibérica son España y Portugal.
3. España es un país montañoso.
4. Sí, la costa norte de España es montañosa.
5. Galicia es pintoresca. Hay mucha neblina allí y llueve con frecuencia.
6. En el centro del país el color pardo naranja predomina.
7. En el centro del país el clima es muy seco. En el invierno no nieva mucho pero hace mucho frío y hay frecuentes vientos fuertes. En el verano hay mucho sol y hace mucho calor.
8. En el sur de España el invierno y la primavera son benignos. En el verano hace un calor tremendo (excepto en la Sierra Nevada y la Sierra Morena).
9. El paisaje de Andalucía tiene un color verde olivo por sus olivares.
10. Las playas en España abundan por toda la costa en el este, el sur y el norte.
11. Ceuta y Melilla son dos ciudades en el norte de África que pertenecen a España.
12. España está dividida en diecisiete comunidades autónomas.

Online Resources

Customizable Lesson Plans
- Audio Activities
- Student Workbook
- Enrichment
- Quizzes

TEACH

Core Instruction

You may wish to call on students to read aloud. As you do you may wish to intersperse comprehension questions such as: **¿Quiénes invadieron España? ¿En qué año invadieron el país? ¿De dónde vinieron? ¿Cuánto tiempo se quedaron en la península?**

¡Así se dice!

Why It Works!

In Lesson 2 of Chapter 1 students will review the preterite tense. **¡Así se dice!** incorporates the grammar that is presented in each chapter throughout the other lessons of the chapter. For example, in this section the preterite is reintroduced twelve times.

Cultural Snapshot

Esta callecita se encuentra en el barrio de la ciudad de Córdoba conocido como la judería. En el laberinto de callejuelas con casas con tiestos de flores vivía la población judía antes de la Inquisición.

Una ojeada histórica

Los moros

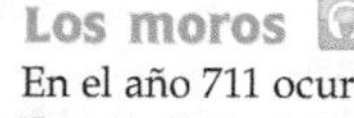

CULTURA

Una callecita típica de Córdoba

En el año 711 ocurrió algo muy importante en la historia de España. Los moros o musulmanes invadieron el país desde el norte de África y se quedaron en la península por ocho siglos. La enorme influencia de los moros hace que la civilización española sea muy diferente de la de los otros países europeos.

Córdoba, la capital de los moros, llegó a ser la ciudad más culta de Europa cuando el resto del continente vivía en la oscuridad de la Edad Media. A mediados del siglo X Córdoba tenía una población de más de trescientos mil habitantes. Se estableció una biblioteca que contaba con más de doscientos cincuenta mil tomos. Los moros trabajaban en armonía con los cristianos y los judíos e hicieron importantes descubrimientos en la medicina, las matemáticas y otras ciencias.

Más de cuatro mil palabras españolas son de origen árabe. Algunos ejemplos son los nombres de los productos introducidos por los moros, tales como el azúcar, la naranja y la berenjena. Casi todas las palabras que empiezan con **al-** son de origen árabe: el alcázar, la almohada y la alfombra. Muchas expresiones y costumbres de cortesía tienen sus raíces[6] en la cultura musulmana. Unos ejemplos son: **Esta casa es su casa—**lo que te dice un español cuando entras en su casa; **¡Buen provecho!—**lo que se dice al pasar por una persona que está comiendo; **¡Ojalá!—**una expresión que significa «si Dios quiere».

[6] raíces *roots*

CULTURA

Las famosas murallas de la ciudad amurallada de Ávila

Go Online!

You may wish to remind students to go online for additional reading and listening comprehension practice.

Cuando los moros llegaron en 711 muchos cristianos huyeron a las montañas de Asturias en el norte. Nombraron rey a don Pelayo, el primer rey de la dinastía española. En 718 los españoles ganaron su primera batalla contra los moros en Covadonga. Así empezó la Reconquista—una guerra de batallas intermitentes que duró ocho siglos. Durante este período los reyes cristianos iban recuperando terreno a los árabes. Con el terreno recuperado formaban reinos independientes y desunidos resultando en una falta de unidad política que se manifiesta aun hoy en el afán independentista y separatista de varias comunidades autónomas, sobre todo el País Vasco (Euskadi) y Cataluña.

B Describiendo y explicando Lee el trozo de nuevo y busca la información necesaria para describir los siguientes temas.

1. la importancia del año 711
2. Córdoba durante la Edad Media
3. palabras españolas de origen árabe
4. costumbres de cortesía que tienen raíces árabes
5. la batalla de Covadonga
6. la falta de unidad política en España

Go Online!

connectED.mcgraw-hill.com

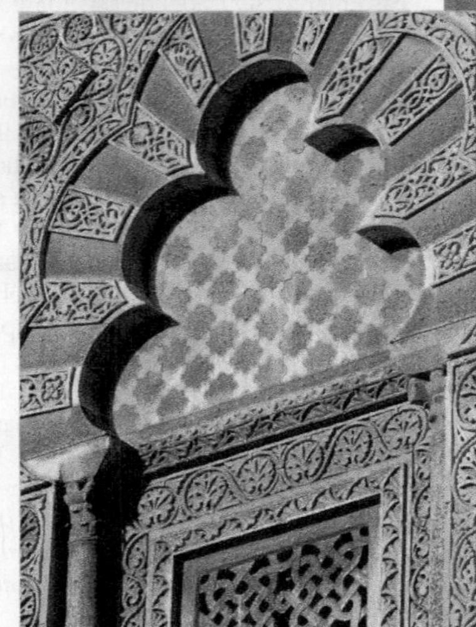

CULTURA

Ejemplo de la arquitectura árabe en la Mezquita de Córdoba

CULTURA

Un rebaño de ovejas en Guipúzcoa en el País Vasco en el norte de España

Cultura

PRACTICE

B Have students prepare this activity at home before going over it in class. Students should write the activity but it can be gone over orally in class.

Pre-AP As students read these **Lecturas,** they will develop the skills they need to be successful on the reading and writing sections of the AP exam.

ASSESS

Students are now ready to take Quiz 3.

Answers

B *Answers will vary but may include:*

1. Los moros invadieron España en el año 711.
2. Córdoba llegó a ser la ciudad más culta de Europa durante la Edad Media.
3. Unas palabras españolas de origen árabe son: el alcázar, la almohada, la alfombra y casi todas las palabras que empiezan con **al-**.
4. Cuando entras en la casa de un español te dice «Esta casa es su casa». Cuando pasas por una persona que está comiendo dices «¡Buen provecho!»
5. La Reconquista empezó con la batalla de Covadonga cuando los españoles ganaron su primera batalla contra los moros.
6. Con el terreno recuperado formaban reinos independientes y desunidos.

Online Resources

Customizable Lesson Plans
- Audio Activities
- Student Workbook
- Enrichment
- Quizzes

TEACH

Core Instruction

You may wish to intersperse comprehension questions as students read such as: **¿En qué año se realizó la unidad de España? ¿Quiénes se casaron? ¿Qué establecieron? ¿Quién me puede decir lo que es una monarquía absoluta? ¿Qué tipo de unidad querían los Reyes Católicos? ¿Qué no existía bajo ellos? ¿Quiénes son los sefardíes? ¿Adónde fueron? ¿Qué siguen hablando algunos de ellos aún hoy?**

Cultural Snapshot

La Alhambra de Granada es una de las joyas arquitectónicas musulmanas más renombradas del mundo.

Los Reyes Católicos

La «unidad» de España se realizó en 1469 con el casamiento[7] de Isabel de Castilla y Fernando de Aragón, los Reyes Católicos, quienes establecieron una monarquía absoluta. Los Reyes Católicos querían no solo la unidad territorial y política; querían también la unidad religiosa. Bajo ellos no existía la tolerancia religiosa que había existido en la España musulmana. En 1481 establecieron el Tribunal de la Inquisición y en 1492 expulsaron a los judíos no conversos. Su expulsión fue un desastre para España porque habían contribuido en muchos campos a la prosperidad del país. Los judíos expulsados, llamados sefardíes, fueron al norte de África, a Grecia y a Turquía. Algunos de ellos siguen hablando ladino, un idioma que se parece mucho al español del siglo XV.

En 1492 las tropas de Fernando e Isabel entraron en Granada, el último bastión de los moros en España. Tomaron la ciudad poniendo fin a la Reconquista. Se dice que Boabdil, el último rey moro, les dio las llaves de la ciudad y salió de Granada llorando la pérdida[8] de su querida Alhambra.

[7] casamiento *marriage*
[8] pérdida *loss*

CULTURA

Los Reyes Católicos Fernando e Isabel dando la bienvenida a Colón a su regreso a España

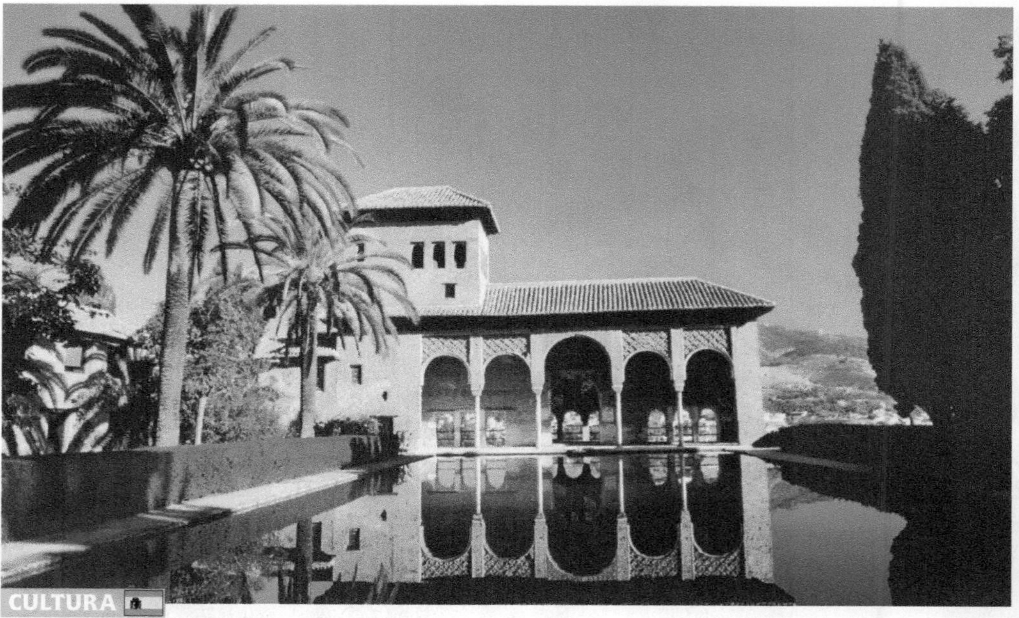

CULTURA

La Alhambra de Granada se refleja en una alberca.

Go Online!

connectED.mcgraw-hill.com

El año 1492 es una fecha importantísima en la historia de España. El mismo año en que fueron expulsados los moros, el navegador genovés, Cristóbal Colón, patrocinado[9] por la reina Isabel, salió del puerto de Palos en el sur de España con tres carabelas para descubrir una nueva ruta a las Indias. Pero cuando Colón puso pie en tierra el doce de octubre de 1492, no había llegado a la India sino a una isla de las que son hoy las Bahamas en las Américas. Ese día empezaron la conquista, la exploración y la colonización de las Américas en nombre de la corona española, convirtiendo España en el imperio más rico y más poderoso del mundo.

[9]patrocinado *sponsored*

C Buscando información Completa cada frase.

1. La «unidad» de España se realizó en 1469 con ____.
2. Los Reyes Católicos querían la unidad territorial, política y ____.
3. Ellos establecieron el Tribunal de la Inquisición en ____.
4. Los sefardíes son ____.
5. El último rey moro fue ____.
6. En 1492 ____.
7. Colón no descubrió una nueva ruta a la India. Él llegó ____.
8. Con la llegada de Colón a estas islas, empezaron ____.

CULTURA

Cristóbal Colón se despide de la reina Isabel el día 3 de agosto de 1492.

PRACTICE

C Have students write the answers to this activity at home. You can then go over it orally in class.

Conexiones

Las ciencias sociales

Ask students if they have learned information about Spain in their social studies courses. Have them share the information they have learned.

ASSESS

Students are now ready to take Quiz 4.

Answers

C

1. el casamiento de Isabel de Castilla y Fernando de Aragón
2. religiosa
3. 1481
4. los judíos expulsados de España
5. Boabdil
6. las tropas de Fernando e Isabel tomaron la ciudad de Granada, poniendo fin a la Reconquista. (Cristóbal Colón salió del puerto de Palos en el sur de España para descubrir una nueva ruta a las Indias.)
7. a las Bahamas
8. la conquista, la exploración y la colonización de las Américas en nombre de la corona española

Cultura

Online Resources

Customizable Lesson Plans
 Student Workbook
 Quizzes

Differentiation

Multiple Intelligences

Have **visual-spatial** learners look at the photographs as they read about these places.

Tips for Success

Throughout their study of Spanish, students have learned quite a bit about interesting things and places in Spain. Have them tell about some of the things they remember.

About the Spanish Language

In Mexico **la alberca** is a *swimming pool.* In Spain and other areas, *swimming pool* is **la piscina.** In this chapter, **alberca** refers to the pools created by fountains in Moorish palaces such as the Alhambra and the Generalife. You may also hear the word **pileta** for *swimming pool,* particularly in Argentina.

Comunicación

Presentational

If any students have taken a trip to Spain, have them tell something about it. Have them bring in any photos or memorabilia they may have.

PRACTICE

Differentiation

Advanced Learners

D Have advanced learners correct any of the erroneous information in these statements.

Visitas históricas

Si algún día vas a España, no puedes perder la oportunidad de visitar las dos grandes ciudades cosmopolitas de Madrid y Barcelona. Y tienes que visitar también algunos lugares de gran interés histórico. En Andalucía son imprescindibles[10] las joyas arquitectónicas de los moros—el Alcázar de Sevilla, la Mezquita de Córdoba, la Alhambra de Granada y la residencia veraniega de los reyes moros, el Generalife, con sus espléndidos jardines con numerosas fuentes y albercas.

CULTURA
Una vista de Madrid

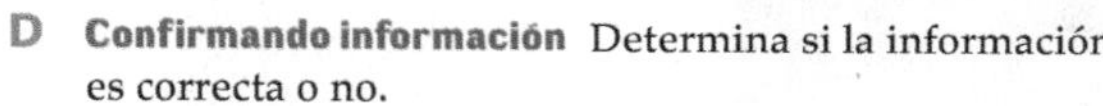
CULTURA
El famoso teatro romano en Mérida

Si vas a Mérida en Extremadura, puedes ver las ruinas de muchos monumentos romanos. Los romanos invadieron España en 218 a.C. y tardaron dos siglos en someter a los celtíberos que habitaban la península en aquel entonces. Por fin los celtíberos se mezclaron con los romanos y adoptaron su lengua, sus leyes y sus costumbres. Todavía hoy siguen dando conciertos y representaciones en las ruinas del famoso teatro romano en Mérida. Si te interesa, puedes ir también a Segovia donde verás el famoso acueducto romano hecho de piedras gigantescas sin una sola gota de argamasa[11].

[10] imprescindibles *essential (a must)*
[11] argamasa *mortar*

CULTURA
El acueducto romano de Segovia

D **Confirmando información** Determina si la información es correcta o no.

1. Los árabes fueron magníficos arquitectos.
2. Hay muchas joyas arquitectónicas de los moros en el norte de España, sobre todo en Galicia.
3. Hay muchas ruinas romanas en la ciudad de Mérida, en Extremadura.
4. Los romanos invadieron España cuando fueron expulsados los moros.
5. Los celtíberos se romanizaron. Adoptaron la lengua, las leyes y las costumbres de los romanos.
6. El famoso acueducto romano de Segovia está hecho de madera y argamasa.

Cultural Snapshot

(middle) La construcción del teatro romano en Mérida con capacidad para más de 5.000 espectadores se finalizó en 18 a.C. La reedificación del teatro le permite seguir en uso hasta hoy. *(bottom)* El acueducto de Segovia fue construido, se cree, a finales del primer siglo d.C.

Answers

D

1. correcta
2. Hay muchas joyas arquitectónicas de los moros en el sur de España, sobre todo en Andalucía.
3. correcta
4. Los romanos invadieron España en 218 a.C.
5. correcta
6. El famoso acueducto romano de Segovia está hecho de piedras gigantescas sin una sola gota de argamasa.

Comida

Si vas a Segovia tienes que comer una de las especialidades de la región—el cochinillo asado. El cochinillo se asa durante horas en un horno de ladrillo[12] o de barro[13]. Es un plato suculento.

En Andalucía se ve la influencia de los árabes en la cocina también. Un ejemplo es el ajo blanco—una sopa que se parece al gazpacho andaluz, una sopa fría hecha de agua, pan, ajo, tomates y pimientos. Pero el ajo blanco no se hace con tomates. Se hace con almendras y se sirve con unas uvas peladas y unas rebanadas de melón.

A los españoles en todas partes del país les encanta picar o comer pequeñas raciones de comida—tapas. Las tapas incluyen trocitos de tortilla a la española, jamón serrano, aceitunas, sardinas, anchoas o gambas[14] entre otros manjares. Pues, ¿qué te apetece? Y, ¡buen provecho!

[12] ladrillo *brick*
[13] barro *clay*
[14] gambas *shrimp*

E Recordando hechos Contesta sobre la cocina española.

1. ¿Cómo se prepara el cochinillo asado?
2. ¿Cuál es la diferencia entre el gazpacho andaluz y el ajo blanco?
3. ¿Qué son tapas? ¿Por qué les gustan tanto a los españoles?

CULTURA
¿Te apetecen unas tapas?

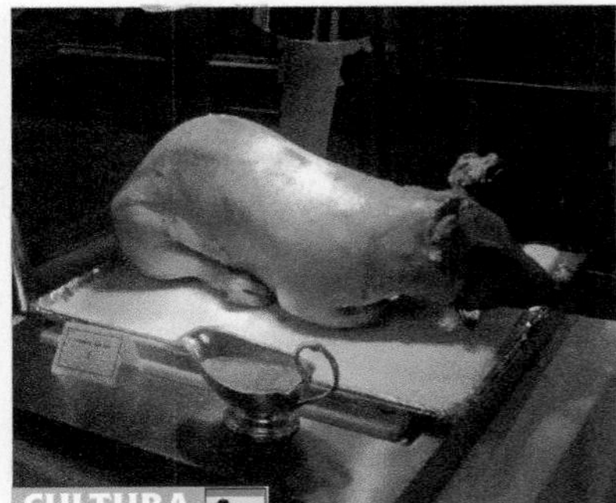
CULTURA
Un cochinillo asado

CULTURA
Una fabada asturiana, uno de los guisados renombrados de la cocina casera española

Cultura

Online Resources

Customizable Lesson Plans

 Student Workbook

 Quizzes

Comunicación

Interpersonal

Have students recall and tell about all the Spanish foods they have learned. Ask them to describe the ones they have tried and whether or not they liked them. Ask them which ones they would like to try.

Differentiation

Multiple Intelligences

You may wish to have **bodily-kinesthetic** learners prepare some Spanish food. There are several recipes in the **¡Así se dice!** Level 1 Teacher Edition and in the **¡Así se dice!** Level 2 Student and Teacher Editions.

Learning from Realia

Have students read all the items on the tapas board. The only words they may not recognize are **boquerones,** *small sardines,* and **cabra,** *goat.*

ASSESS

Students are now ready to take Quiz 5.

Answers

E *Answers will vary but may include:*

1. El cochinillo se asa durante horas en un horno de ladrillo o de barro.
2. El gazpacho andaluz se hace de agua, pan, ajo, tomates y pimientos; el ajo blanco no se hace con tomates sino con almendras y se sirve con uvas peladas y rebanadas de melón.
3. Tapas son pequeñas raciones de comida. Les gustan tanto a los españoles porque les encanta picar.

Online Resources

Customizable Lesson Plans

 Reading, Writing Test

Self-check for achievement

This is a pre-test for students to take before you administer the lesson test. Note that each section is cross-referenced so students can easily find the material they feel they need to review. You may wish to use Self-Check Worksheet SC1.1 to have students complete this assessment in class or at home. You can correct the assessment yourself, or you may prefer to display the answers in class using Self-Check Answers SC1.1A.

Differentiation

Slower Paced Learners

Encourage students who need extra help to refer to the margin notes and review any section before answering the questions.

Prepárate para el examen

Self-check for ACHIEVEMENT

Vocabulario

Para repasar, ve el vocabulario de esta sección.

1 Completa con una palabra apropiada.

1–3. El rey o la ____ lleva una ____ que tiene ____ preciosas como diamantes, rubíes y esmeraldas.
4–5. Durante una ____ hay muchas batallas y las tropas ____ valientemente.
6–7. Las montañas bajan a las ____ del mar pero hoy no se pueden ver porque hay mucha ____.
8. Un ____ es un período de cien años.

Lectura y cultura

Para repasar, ve la información cultural sobre España.

2 ¿Sí o no?

9. Hay grandes extensiones de llanuras por todo lo largo de la costa norte de España.
10. En el verano hace muchísimo calor en las ciudades de Andalucía.
11. El paisaje del centro de España se parece mucho al paisaje de Irlanda. Llueve mucho y es muy verde.
12. El Mediterráneo está al este y al sur de España, y el Cantábrico está al norte.

3 Contesta.

13. ¿Por qué es la civilización española muy diferente de la de los otros países europeos?
14. ¿Cuál fue la ciudad más culta de Europa durante la Edad Media?
15. ¿Cuándo empezó y cuándo terminó la Reconquista?
16. Hay dos eventos históricos muy importantes que ocurrieron en el año 1492. ¿Cuáles son?

4 Completa.

17. ____ y ____ son dos ejemplos de las joyas arquitectónicas de los moros en España.
18. Hay muchas ruinas de monumentos ____ en Extremadura.
19. Si entras en la casa de un español, él te dice «____».
20. Pequeñas raciones de comida como trocitos de jamón y anchoas se llaman «____».

CULTURA
Una vista de Sevilla y la Torre del Oro en las orillas del río Guadalquivir

Answers

1
1. reina
2. corona
3. joyas
4. guerra
5. luchan
6. orillas
7. neblina
8. siglo

2
9. no
10. sí
11. no
12. sí

3
13. La civilización española es muy diferente de la de los otros países europeos porque hay una enorme influencia de los moros.
14. Córdoba fue la ciudad más culta de Europa durante la Edad Media.
15. La Reconquista empezó en 718 y terminó en 1492.
16. Las tropas de Fernando e Isabel tomaron la ciudad de Granada, poniendo fin a la Reconquista; Cristóbal Colón salió del puerto de Palos en el sur de España para descubrir una nueva ruta a las Indias.

Prepárate para el examen

Practice for PROFICIENCY

1 La geografía de España

En tus propias palabras describe la geografía y el clima de España. Luego describe la geografía de la región donde tú vives. ¿Se parece mucho a la geografía de una región de España o no? Y, ¿el clima?

2 La historia de España

Trabajen en grupos de cuatro. Hablen de todo lo que aprendieron sobre la historia de España.

3 Un personaje histórico de España

Escoge a uno de los personajes famosos en la historia de España y haz unas investigaciones para dar algunos informes sobre su vida.

4 Un personaje histórico en Estados Unidos

Escoge un personaje importante en la historia de Estados Unidos y descríbelo.

5 La comida española

Trabajen en grupos pequeños. Preparen una lista de todos los platos españoles que conocen. Luego preparen una conversación en un restaurante español y preséntenla a la clase. Pueden consultar la lista de vocabulario temático sobre las comidas y el restaurante al final de este libro.

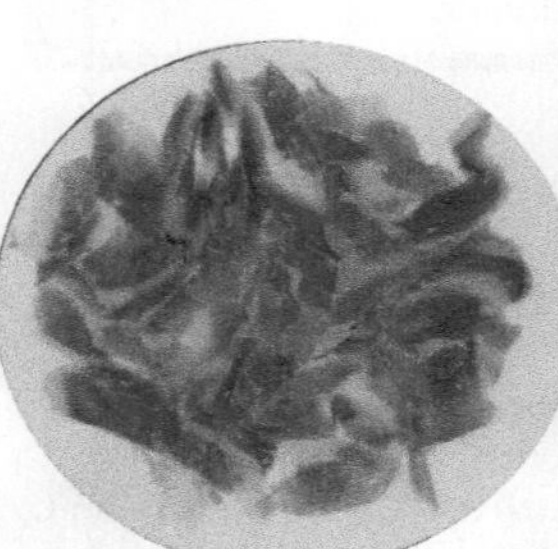

CULTURA

Un plato del delicioso jamón serrano, muy conocido y apreciado en España

La geografía de España

Ya has aprendido mucho sobre la geografía de España y las actividades en que puedes participar en las diferentes regiones del país. En tus propias palabras, describe unas áreas—su clima, su paisaje y sus actividades oportunas. Si quieres, puedes incluir unos acontecimientos históricos para que tu texto resulte aún más interesante.

Primero prepara un borrador. Revísalo y corrígelo antes de escribir tu composición final.

CULTURA

Una vista de la ciudad de Cartagena desde el teatro romano construido entre los años 5 a.C. y 1 a.C.

Answers

4

17. El Alcázar y la Mezquita
18. romanos
19. Esta casa es su casa
20. tapas

Tips for Success

Encourage students to say as much as possible when they do these open-ended activities. Tell them not to be afraid to make mistakes, since the goal of the activities is real-life communication. Encourage students to self-correct and to use words and phrases they know to get their meaning across. If someone in the group makes an error that impedes comprehension, encourage the others to ask questions to clarify or, if necessary, to politely correct the speaker. Let students choose the activities they would like to do.

Tell students to feel free to elaborate on the basic theme and to be creative. They may use props, pictures, or posters if they wish.

Pre-AP These oral and written activities will give students the opportunity to develop and improve their speaking and writing skills so that they may succeed on the speaking and writing portions of the AP exam.

Go Online!

  You may wish to remind students to go online for additional reading comprehension practice.

ASSESS

Students are now ready to take the Reading and Writing Test for Lección 1: Cultura.

Online Resources

Customizable Lesson Plans
Audio Activities
Video (Gramática)
Student Workbook
Enrichment
Quizzes

TEACH

Core Instruction

Step 1 Have students read the verb forms aloud.

Step 2 You may wish to put the verb endings on the board and contrast the **-ar** endings with **-er** and **-ir** endings.

Step 3 Call on a student to read the time expressions in Item 4 aloud.

Tips for Success

Since all of the grammar is review, you may wish to determine how thoroughly you have to review a particular point. Have students quickly complete the preterite endings in the following sentences to determine how well they remember this grammar point.

1. **Yo no com__ mucho. Solo tom __ una merienda.**
2. **Yo v__ a varios amigos en el café y nosotros habl__.**
3. **Jose sal__ del café y volv__ a casa en bus. Y tú, ¿tom__ el bus?**

¿Te acuerdas?

Remember that the **vosotros** form of the verb is used in Spain as the plural of **tú**—when addressing two or more family members or friends.

Comparaciones 

La h

Read aloud each word in the Spanish column, then say each word in the English column.

SPANISH	ENGLISH
hotel	*hotel*
hospital	*hospital*
humor	*humor*

Now read across, saying the Spanish word and then the English word. Pay particular attention to the **h** sound in each language. What is the difference in the pronunciation of each word? Think of some other examples of words in both languages that begin with **h**, and say those out loud. What problem might the **h** present when spelling in Spanish?

Pretérito de los verbos regulares

1. The preterite is used to state actions that began and ended at a definite time in the past. To form the stem for the preterite, drop the infinitive ending of the verb and add the appropriate endings to this stem.

infinitive	hablar	comer	vivir
stem	habl-	com-	viv-
yo	hablé	comí	viví
tú	hablaste	comiste	viviste
Ud., él, ella	habló	comió	vivió
nosotros(as)	hablamos	comimos	vivimos
vosotros(as)	*hablasteis*	*comisteis*	*vivisteis*
Uds., ellos, ellas	hablaron	comieron	vivieron

2. Note the similarity in the preterite forms of the verbs **dar** and **ver**.

DAR	**di**	**diste**	**dio**	**dimos**	**disteis**	**dieron**
VER	**vi**	**viste**	**vio**	**vimos**	**visteis**	**vieron**

3. Remember the spelling changes in the **yo** form with verbs that end in **-car, -gar,** and **-zar.**

buscar → busqué **jugar → jugué** **empezar → empecé**

4. Note the following frequently used time expressions that accompany past actions in the preterite.

ayer	**el año (mes) pasado**
anoche	**la semana pasada**
ayer por la tarde	**hace una semana (un año)**
ayer por la mañana	**en el siglo VIII**

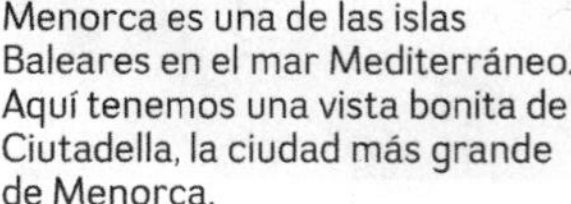

CULTURA

Menorca es una de las islas Baleares en el mar Mediterráneo. Aquí tenemos una vista bonita de Ciutadella, la ciudad más grande de Menorca.

Go Online!

You may wish to remind students to go online for additional grammar review and practice.

Go Online!
connectED.mcgraw-hill.com

Práctica

ESCUCHAR • HABLAR • ESCRIBIR

1 Contesta según se indica para aprender más sobre la historia de España.

1. ¿Quiénes fundaron la ciudad más antigua de España? (los fenicios)
2. ¿Cuánto tiempo tardaron los romanos en someter a los celtíberos? (dos siglos)
3. ¿Cuándo invadieron España los moros? (en 711)
4. ¿Cuándo y dónde empezó la Reconquista? (en 718 en Covadonga)
5. ¿Cuándo y dónde terminó la Reconquista? (en 1492 en Granada)
6. ¿Quiénes invadieron España en 1808? (las tropas francesas de Napoleón)
7. ¿A quién nombró Napoleón rey de España? (a su hermano José Bonaparte)
8. ¿Lucharon los españoles contra los invasores franceses? (Sí, valientemente)
9. ¿Cuándo salieron de España los franceses? (en 1814)

EXPANSIÓN

Ahora, sin mirar las preguntas, cuenta la información en tus propias palabras. Si no recuerdas algo, un(a) compañero(a) te puede ayudar.

LEER • ESCRIBIR

2 Cambia al pretérito para aprender más sobre la Guerra Civil española.

El 17 de julio de 1936 se levanta el ejército bajo el general Francisco Franco. Con este levantamiento empieza una desastrosa guerra civil—un verdadero conflicto fratricida. El ejército, el clero y las clases altas en su mayoría le dan su apoyo *(support)* a Franco. Los obreros o trabajadores, los campesinos y los intelectuales apoyan la República—el gobierno. Y queda una gran masa neutral.

La desastrosa Guerra Civil española dura casi tres años y deja un millón de muertos y otro millón de españoles en el exilio. Los españoles quedan divididos entre vencedores—los que ganan—y vencidos—los que pierden.

Después de la guerra el general Franco establece un régimen totalitario. No trata de unir a los españoles. Emprende una campaña de castigo *(punishment)* y represión contra los vencidos. La pobre España se ve completamente aislada y el pueblo sufre hambre y frustración. La represión continúa hasta la muerte de Franco en 1975.

CULTURA

Napoleón Bonaparte cuyas tropas invadieron España en 1808

CULTURA

El Arco de la Victoria en la Calle de la Princesa, Madrid. Lleva también el nombre de la Puerta de la Moncloa. Construida entre 1955 y 1956, conmemora la victoria de los franquistas en la batalla de la Ciudad Universitaria de Madrid.

Gramática

Leveling EACH Activity

Easy Activity 1
CHallenging Activity 2, Activity 1 **Expansión**

PRACTICE

Activity 1 You may wish to do this activity orally, calling on students at random to respond.

Activity 2 You may wish to have students prepare this activity before going over it in class.

¡Así se dice!

Why It Works!

Note that Activities 1 and 2 review the preterite tense as they reinforce and give additional information about important aspects of Spain.

Answers

1. Los fenicios fundaron la ciudad más antigua de España.
2. Los romanos tardaron dos siglos en someter a los celtíberos.
3. Los moros invadieron España en 711.
4. La Reconquista empezó en 718 en Covadonga.
5. La Reconquista terminó en 1492 en Granada.
6. Las tropas francesas de Napoleón invadieron España en 1808.
7. Napoleón nombró a su hermano José Bonaparte rey de España.
8. Sí, los españoles lucharon valientemente contra los invasores franceses.
9. Los franceses salieron de España en 1814.

2

se levantó, empezó, dieron, apoyaron, quedó, duró, dejó, quedaron, ganaron, perdieron, estableció, trató, Emprendió, vio, sufrió, continuó

Leveling EACH Activity

Average Activities 3, 5
CHallenging Activity 4, Activity 4 **Expansión**

PRACTICE *(continued)*

Activity 3 You may wish to do this activity orally, calling on students at random to respond.

Activity 4 You may wish to have students prepare this activity before going over it in class.

Differentiation

Multiple Intelligences

Activity 5 Since this activity addresses a spelling problem that students may be encountering, you may wish to have a student write the paragraph on the board. This will be especially helpful to **visual-spatial** learners.

¡Así se dice!

Why It Works!

Note that Activity 3 reviews the preterite and at the same time has students speak about a vacation.

Comunicación

Interpersonal, Presentational
You may wish to have students tell more about a vacation by having them write a story in the past tense on their own. They can refer to **Vocabulario temático** at the end of their book. When they are finished, have them present their story to the class. Encourage the class to ask questions of each presenter.

CULTURA

Una playa con un chiringuito en Estepona en la Costa del Sol

HABLAR • ESCRIBIR

3 Contesta sobre un fin de semana imaginario que pasaste en la Costa del Sol.

1. ¿Pasaste el fin de semana en una playa de la Costa del Sol?
2. ¿Nadaste?
3. ¿Esquiaste en el agua?
4. ¿Diste un paseo a lo largo de las orillas del mar?
5. ¿Almorzaste en un chiringuito?
6. ¿Comiste con unos amigos?
7. ¿Comieron ustedes mariscos o una paella?
8. ¿Quién pagó la cuenta?
9. ¿Dejaron ustedes una propina para el camarero (mesero)?
10. ¿A qué hora salieron del restaurante?
11. ¿Volvieron a la playa?

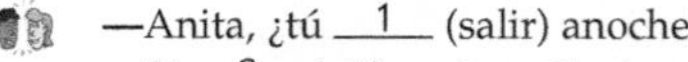

LEER • HABLAR • ESCRIBIR

4 Completa sobre un concierto que tuvo lugar en Madrid.

—Anita, ¿tú __1__ (salir) anoche?
—Sí, __2__ (oír) cantar a Enrique Iglesias.
—¿Él __3__ (dar) un concierto aquí en Madrid?
—Sí, en el Estadio Municipal.
—¿Qué tal te __4__ (gustar)?
—Mucho. Como siempre, él __5__ (cantar) muy bien.
—¿Quién más __6__ (asistir)? ¿Maripaz?
—Maripaz, no. Pilar me __7__ (acompañar).
—¿A qué hora __8__ (empezar) el concierto?
— __9__ (Empezar) a las ocho y media y nosotras no __10__ (salir) del concierto hasta las once menos cuarto.
—¿A qué hora __11__ (volver) ustedes a casa?
— __12__ (Volver) a eso de las once y cuarto.
—Dime, ¿cuánto les __13__ (costar) las entradas?
—Noventa y cinco euros cada una.
—Yo quería ir al concierto. ¿Por qué no me __14__ (invitar)?
—Yo te __15__ (llamar) la semana pasada antes de sacar (comprar) las entradas pero no __16__ (contestar) nadie.
—Entiendo. Si me __17__ (llamar) el viernes por la noche, (yo) no __18__ (contestar) porque todos nosotros __19__ (salir) por el fin de semana.

EXPANSIÓN

En tus propias palabras, cuenta la información en la conversación. Si no recuerdas algo, un(a) compañero(a) te puede ayudar. Luego, indica tu opinión sobre este cantante, el precio de las entradas, etc.

Comparaciones

La ge y la gi
Read aloud each word in the Spanish column, then say each word in the English column.

SPANISH	ENGLISH
general	*general*
álgebra	*algebra*
gigante	*giant*
alergia	*allergy*

Now read across, saying the Spanish word and then the English word. Pay particular attention to the **ge** and **gi** sound in each language. What is the difference in the pronunciation of each word? Now read aloud Activity 2 on the previous page, paying close attention to your pronunciation of consonant-vowel combinations **ge** and **gi**.

LEER • ESCRIBIR

5 Escribe el siguiente párrafo cambiando **nosotros** a **yo.** Fíjate en los cambios ortográficos.

Anoche nosotros llegamos al parque. Buscamos a unos amigos y empezamos a jugar fútbol. Jugamos bien. Lanzamos el balón y marcamos tres tantos en quince minutos.

Cultural Snapshot

Los chiringuitos como este son muy populares en todas la playas de la Costa del Sol.

Go Online!

Gramática en vivo: *The preterite of regular verbs* Enliven learning with the animated world of Professor Cruz! **Gramática en vivo** is a fun and effective tool for additional instruction and/or review.

ASSESS

Students are now ready to take Quiz 6.

Go Online!

connectED.mcgraw-hill.com

Pretérito de los verbos de cambio radical e → i, o → u

1. The verbs **sentir, preferir,** and **sugerir** have a stem change in the preterite. In the third person singular and plural forms **(usted, él, ella, ustedes, ellos, ellas),** the **e** changes to **i.** The **o** of the verbs **dormir** and **morir** changes to **u** in the third person singular and plural forms. Review the following.

infinitive	preferir	dormir
yo	preferí	dormí
tú	preferiste	dormiste
Ud., él, ella	prefirió	durmió
nosotros(as)	preferimos	dormimos
vosotros(as)	*preferisteis*	*dormisteis*
Uds., ellos, ellas	prefirieron	durmieron

2. The stem of the verbs **pedir, servir, freír, medir, repetir, seguir,** and **sonreír** also changes from **e** to **i** in the third person singular and plural forms.

infinitive	pedir	servir	seguir
yo	pedí	serví	seguí
tú	pediste	serviste	seguiste
Ud., él, ella	pidió	sirvió	siguió
nosotros(as)	pedimos	servimos	seguimos
vosotros(as)	*pedisteis*	*servisteis*	*seguisteis*
Uds., ellos, ellas	pidieron	sirvieron	siguieron

CULTURA

Los clientes le pidieron algo al camarero en la terraza de un restaurante en Cádiz.

Gramática

Online Resources

Customizable Lesson Plans

 Audio Activities

 Video (Gramática)

 Student Workbook

 Quizzes

TEACH

Core Instruction

Step 1 Have students repeat the verbs in Items 1 and 2 after you.

Step 2 Write the forms of the verbs on the board.

Teaching Options

To avoid doing large segments of grammar at one time, you may wish to intersperse the grammar points as you are doing other lessons of the chapter. If you prefer, however, you can spend four or five class periods in succession doing the review grammar.

Go Online!

You may wish to remind students to go online for additional grammar review and practice.

Answers

 3

1. Sí, pasé el fin de semana en una playa de la Costa del Sol.
2. Sí, nadé.
3. Sí, esquié en el agua.
4. Sí, di un paseo a lo largo de la orillas del mar.
5. Sí, almorcé en un chiringuito.
6. Sí, comí con unos amigos.
7. Comimos mariscos (una paella).
8. Yo pagué la cuenta. (Mi amigo pagó la cuenta.)
9. Sí, dejamos una propina para el camarero (mesero).
10. Salimos del restaurante a ____.
11. Sí, volvimos a la playa.

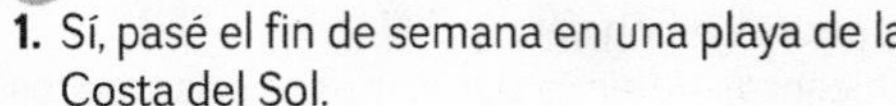

 4

1. saliste
2. oí
3. dio
4. gustó
5. cantó
6. asistió
7. acompañó
8. empezó
9. Empezó
10. salimos
11. volvieron
12. Volvimos
13. costaron
14. invitaste
15. llamé
16. contestó
17. llamaste
18. contesté
19. salimos

5 *yo llegué, Busqué, empecé, Jugué, Lancé, marqué*

Leveling EACH Activity

Easy Activity 7
Average Activity 6, Activity 6 **Expansión**
CHallenging Activities 8, 9

PRACTICE

Activity 7 This activity can be done in pairs. You may also wish to call on students to summarize the problem in the restaurant in narrative form.

Cultura

You may wish to ask students if they remember what they learned in **¡Así se dice!** Level 2 about the difference between how food is served in Spain and the United States. If they cannot recall, explain that in Spain people do not eat different foods on the same plate as is customary in the United States where meat, potatoes, and vegetables are served together on the same plate. In Spain, food is served in courses. If one orders string beans, for example, one will get **una ración de judías verdes** on a separate plate as a separate course.

About the Spanish Language

The word **ración** is heard more frequently in Spain than **porción.**

En otras partes

Camarero is used in Spain but **mesero** is used throughout Latin America. **Patatas** is used in Spain; **papas** is used in Latin America.

Práctica

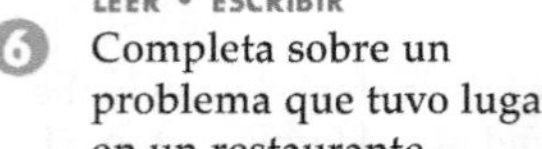

LEER • ESCRIBIR

6 Completa sobre un problema que tuvo lugar en un restaurante.

—¡Oiga, camarero!
—Sí, señor.
—Perdón, pero yo __1__ (pedir) una langosta y usted me __2__ (servir) camarones.
—Lo siento, señor. Pero la verdad es que yo le __3__ (sugerir) la langosta y usted __4__ (pedir) los camarones.
—De ninguna manera. Yo sé lo que __5__ (pedir).
—Y yo también sé lo que usted __6__ (pedir).
—Y además yo le __7__ (pedir) un puré de patatas (papas) y usted me __8__ (servir) arroz.
—Es imposible, señor. No tenemos puré de patatas. Yo sé exactamente lo que usted __9__ (pedir), señor. Además, yo le __10__ (repetir) la orden y usted no dijo nada.
—Lo siento, pero lo que usted __11__ (repetir) no es lo que me __12__ (servir).
—Señor, al fin y al cabo, no hay problema. Si usted quiere una langosta, se la puedo servir con mucho gusto. Pero el puré de patatas no se lo puedo servir, porque no lo tenemos. Lo siento.

EXPANSIÓN

En tus propias palabras, cuenta la información en la conversación. Si no recuerdas algo, un(a) compañero(a) te puede ayudar.

ESCUCHAR • HABLAR • ESCRIBIR

7 Contesta según se indica para aprender más sobre la cocina española.

1. De primer plato, ¿qué pediste? (el jamón serrano)
2. ¿Cuántos trocitos te sirvió el camarero (el mesero)? (por lo menos seis)
3. Y, ¿qué pidió tu amigo? (las gambas al ajillo)
4. ¿Le gustaron? (tanto que las repitió)
5. ¿Qué sugirió el camarero como plato principal? (el cochinillo asado)
6. ¿Lo pediste? (sí)
7. Y tu amigo, ¿qué pidió? (el pollo asado)
8. ¿Qué más sugirió el camarero? (una ración de berenjenas)
9. ¿Las pidieron ustedes? (sí)
10. De todo lo que pidieron, ¿qué prefirieron? (yo, el cochinillo, y mi amigo, las gambas al ajillo)

CULTURA 

¿Fuiste una vez a este restaurante en la Costa Brava cerca de Barcelona?

Answers

6

1. pedí
2. sirvió
3. sugerí
4. pidió
5. pedí
6. pidió
7. pedí
8. sirvió
9. pidió
10. repetí
11. repitió
12. sirvió

7

1. De primer plato, pedí el jamón serrano.
2. El camarero (El mesero) me sirvió por lo menos seis trocitos.
3. Mi amigo pidió las gambas al ajillo.
4. Sí, le gustaron tanto que las repitió.
5. El camarero sugirió el cochinillo asado como plato principal.
6. Sí, lo pedí.

(continued on next page)

Go Online!

connectED.mcgraw-hill.com

8 **Comunicación**

Trabajando en parejas preparen una conversación sobre una experiencia que tuvieron en un restaurante. Puede ser buena o mala.

LEER • ESCRIBIR

9 Completa con el pretérito para aprender más sobre la historia de España.

1. La hija de los Reyes Católicos, Juana la Loca, _____ con Felipe el Hermoso de la familia de los Habsburgos de Austria. (casarse)
2. Su esposo _____ muy joven. (morir)
3. El hijo de Juana, Carlos I de España, _____ mucho territorio. (heredar)
4. Carlos V _____ contra los protestantes de Alemania, Francia e Inglaterra. (luchar)
5. Carlos V _____ la política imperialista y religiosa de sus abuelos, los Reyes Católicos. (seguir)
6. Bajo Felipe II, el hijo de Carlos V, las guerras religiosas _____ y el gran Imperio español _____ a decaer. (continuar, empezar)
7. España se _____ en un país de segundo orden. (convertir)
8. El rey Carlos II _____ sin sucesión y las familias reales _____ por ganar la Corona de España. (morir, luchar)
9. Luis XIV de Francia _____ y él _____ a su nieto rey de España con el nombre de Felipe V. Así la Corona española _____ de los Habsburgos a los Borbones (de Francia). (ganar, nombrar, pasar)
10. Bajo el mando de los tres primeros Borbones la decadencia _____. En 1808 Napoleón _____ «prisionero» a Carlos IV y _____ a su hermano José Bonaparte rey de España. Hombres y mujeres _____ contra los invasores franceses con cuchillos y aceite hirviente. Fue la primera guerra de guerrilleros. (continuar, tomar, proclamar, luchar)

Conexiones

La historia
Carlos I de España, por razones de matrimonio, es también Carlos V de Austria.

CULTURA
Una procesión durante una función gubernamental en el Palacio Real en Madrid

Activity 8 When students do an open-ended activity with no learning prompts, they are communicating as if they were in a real-life situation. In such a situation, it is normal for some learners to make mistakes. For this reason, you may decide not to interrupt and correct each error a student makes. This is up to your discretion.

Activity 9 Although the major objective of this activity is the review of stem-changing verbs in the preterite, students also learn historical information about the kings of Spain. You may therefore wish to have students prepare this activity even if they do not need the grammar review.

Cultural Snapshot

Hoy en día el rey de España no vive en el Palacio Real. Los salones del palacio se usan solo para funciones oficiales.

Go Online!

Gramática en vivo: *The preterite of stem-changing verbs* Enliven learning with the animated world of Professor Cruz! **Gramática en vivo** is a fun and effective tool for additional instruction and/or review.

ASSESS

Students are now ready to take Quiz 7.

Answers

7. Mi amigo pidió el pollo asado.
8. El camarero sugirió una ración de berenjenas.
9. Sí, las pedimos.
10. De todo lo que pedimos, yo preferí el cochinillo y mi amigo prefirió las gambas al ajillo.

8 *Answers will vary.*

9
1. se casó
2. murió
3. heredó
4. luchó
5. siguió
6. continuaron, empezó
7. convirtió
8. murió, lucharon
9. ganó, nombró, pasó
10. continuó, tomó, proclamó, lucharon

Customizable Lesson Plans

Audio Activities

Video (Gramática)

Student Workbook

Quizzes

TEACH

Core Instruction

Step 1 Have students repeat the paradigms aloud in unison.

Step 2 Pay particular attention to pronunciation as well as spelling.

Step 3 Have students pay particular attention to the spelling of **dijeron, trajeron, condujeron,** and **fueron.**

PRACTICE

Leveling EACH Activity

Easy Activity 10
Average Activities 12, 13
CHallenging Activity 11

Activity 10 Have students retell their partner's information from Activity 10 in their own words.

Go Online!

You may wish to remind students to go online for additional grammar review and practice.

CULTURA

El joven tuvo la oportunidad de ver de cerca al mimo en la Rambla en Barcelona.

Pretérito de los verbos irregulares

1. The following verbs have an irregular stem in the preterite.

andar → anduve	**poner → puse**	**querer → quise**
tener → tuve	**poder → pude**	**venir → vine**
estar → estuve	**saber → supe**	**hacer → hice**

All the preceding verbs take the same endings.

yo	**tuve**	**nosotros(as)**	**tuvimos**
tú	**tuviste**	***vosotros(as)***	***tuvisteis***
Ud., él, ella	**tuvo**	**Uds., ellos, ellas**	**tuvieron**

2. The following verbs also have an irregular stem.

decir → dije **traer → traje** **conducir → conduje**

yo	**dije**	**nosotros(as)**	**dijimos**
tú	**dijiste**	***vosotros(as)***	***dijisteis***
Ud., él, ella	**dijo**	**Uds., ellos, ellas**	**dijeron**

Note that the ending for **ustedes, ellos,** and **ellas** is **-eron,** not **-ieron.**

3. Verbs ending in **-uir** have a **y** in place of the **i** in the third person singular and plural.

construyó **construyeron**

The verbs **leer, caer,** and **oír** follow this same pattern.

4. Study the preterite forms of the irregular verbs **ser** and **ir.** Remember that they are the same.

fui **fuiste** **fue** **fuimos** **fuisteis** **fueron**

CULTURA

¿Pasaron ustedes unos días en Estepona durante su estadía en España? ¡A propósito! ¿Cómo viajaron por el país? ¿Alquilaron un coche?

Práctica

HABLAR

10 Contesta sobre un viaje imaginario que hiciste a España.

1. ¿Hiciste un viaje el año pasado?
2. ¿Fuiste a España?
3. ¿Fuiste con algunos amigos?
4. ¿Alquilaron un coche en España?
5. ¿Condujiste tú o condujeron todos?
6. ¿Pusieron sus maletas en el baúl del coche?
7. ¿Trajeron mucho equipaje?
8. ¿Estuvieron en España por unos quince días?

11 **Comunicación**

Trabajando en grupos de tres, preparen una conversación sobre un viaje a España. Puede ser un viaje ficticio.

Answers

10

1. Sí, hice un viaje el año pasado.
2. Sí, fui a España.
3. Sí, fui con algunos amigos.
4. Sí, alquilamos un coche en España.
5. Yo conduje. (Todos condujeron.)
6. Sí, pusimos nuestras maletas en el baúl del coche.
7. Sí, trajimos mucho equipaje.
8. Sí, estuvimos en España por unos quince días.

11 *Answers will vary.*

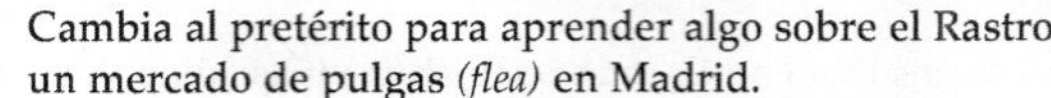

Go Online!

connectED.mcgraw-hill.com

ESCUCHAR • HABLAR

12 Cambia al pretérito para aprender algo sobre el Rastro, un mercado de pulgas *(flea)* en Madrid.

1. El domingo voy al Rastro, un mercado antiguo en el Viejo Madrid.
2. En el Rastro veo mucha chatarra *(junk)*.
3. No puedo comprar mucho.
4. En el mercado veo a algunos amigos.
5. Vamos de un puesto a otro.
6. Andamos por todo el mercado.
7. Como digo—no puedo comprar mucho.
8. Pero Antonio, él hace muchas compras.
9. Pone toda la chatarra que compra en el baúl de su coche y vuelve a casa.

LEER • ESCRIBIR

13 Completa con el pretérito para aprender más sobre Extremadura, una región de España con mucha influencia en las Américas.

Extremadura __1__ (ser) una región bastante pobre. Pero durante la época de la colonización de Latinoamérica __2__ (llegar) a ser más conocida. Se conoce como «la cuna *(cradle)* de los conquistadores». Francisco Pizarro, el conquistador de Perú, __3__ (nacer) en Trujillo en 1475. Su hermano __4__ (hacer) construir un palacio fabuloso en esta ciudad. Se dice que Cervantes, el autor del famoso *Quijote*, __5__ (pasar) tiempo en este palacio. Otro palacio de interés en Trujillo es la casa de los Toledo–Moctezuma, donde __6__ (hacer) su residencia los descendientes del conquistador Juan Cano y la hija de Moctezuma, el emperador de los aztecas.

En Guadalupe, el rey Alfonso XI __7__ (hacer) construir un monasterio en el lugar donde un pastor __8__ (descubrir) una estatua milagrosa de la Virgen. __9__ (Ser) en este monasterio donde se __10__ (firmar) los documentos que __11__ (dar) la autorización para el primer viaje de Colón.

Los primeros indígenas americanos que se __12__ (convertir) al cristianismo __13__ (venir) a este monasterio donde __14__ (ser) bautizados. Hasta dos sirvientes personales de Colón __15__ (ser) bautizados en la fuente en la plazuela delante del monasterio. Hoy la Virgen de Guadalupe es la patrona de muchos pueblos latinoamericanos.

Cuando Carlos V __16__ (abdicar) el trono en 1556, __17__ (ir) a vivir en el monasterio de Yuste en Extremadura donde __18__ (morir) dos años después de su abdicación.

CULTURA

Es en esta pila delante del monasterio de Guadalupe que los españoles bautizaron a los primeros indígenas que llevaron a España.

CULTURA

Una estatua ecuestre del conquistador Francisco Pizarro en la Plaza Mayor en Trujillo, Extremadura

Activities 12 and 13 It is suggested you have students prepare these activities before going over them in class. In the case of Activity 13, you may wish to have one student read four or five sentences as if he or she were reading an article aloud. Then, call on the next student to proceed.

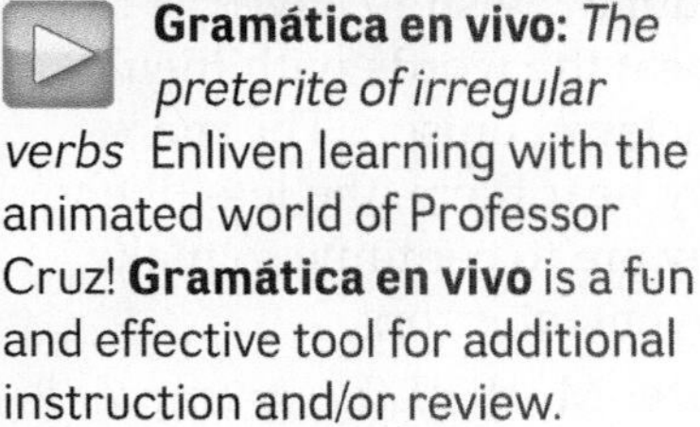

Go Online!

Gramática en vivo: *The preterite of irregular verbs* Enliven learning with the animated world of Professor Cruz! **Gramática en vivo** is a fun and effective tool for additional instruction and/or review.

ASSESS

Students are now ready to take Quiz 8.

Answers

12

1. El domingo fui al Rastro, un mercado antiguo en el Viejo Madrid.
2. En el Rastro vi mucha chatarra.
3. No pude comprar mucho.
4. En el mercado vi a algunos amigos.
5. Fuimos de un puesto a otro.
6. Anduvimos por todo el mercado.
7. Como dije—no pude comprar mucho.
8. Pero Antonio, él hizo muchas compras.
9. Puso toda la chatarra que compró en el baúl de su coche y volvió a casa.

13

1. fue
2. llegó
3. nació
4. hizo
5. pasó
6. hicieron
7. hizo
8. descubrió
9. Fue
10. firmaron
11. dieron
12. convirtieron
13. vinieron
14. fueron
15. fueron
16. abdicó
17. fue
18. murió

Online Resources

Customizable Lesson Plans

Audio Activities

Video (Gramática)

Student Workbook

Quizzes

TEACH

Core Instruction

You may wish to have the class repeat the words with their articles in unison. The more they hear them, the less likely they are to continue to make agreement errors.

Note: Much of this grammar is quite easy and many students may not need a great deal of review.

While you are reviewing some of these grammar points, you may want to interject material from other lessons in the chapter.

Cultural Snapshot

El puente de Segovia es el puente más antiguo que cruza el río Manzanares en Madrid.

Sustantivos y artículos

1. Almost all nouns that end in **-o** in Spanish are masculine. Almost all nouns that end in **-a** are feminine. The definite article **el** accompanies masculine nouns; **la** accompanies feminine nouns. The indefinite articles *(a, an)* are **un** and **una.** Study the following singular and plural forms.

el muchacho	**los muchachos**	**la muchacha**	**las muchachas**
el colegio	**los colegios**	**la escuela**	**las escuelas**

2. Nouns that end in **-dad, -tad, -tud, -umbre, -ción,** and **-sión** are feminine. Nouns that end in a consonant form the plural by adding **-es.**

la ciudad	**las ciudades**
la dificultad	**las dificultades**
la multitud	**las multitudes**
la costumbre	**las costumbres**
la nación	**las naciones**
la conclusión	**las conclusiones**

3. Most nouns that end in **-sis** are feminine.

la tesis **la dosis** **la sinopsis** **la diagnosis**

4. Nouns that end in **-ista** refer to professions or political persuasions. They are masculine or feminine depending upon the gender of the person.

el dentista	**la dentista**
el socialista	**la socialista**

5. Some nouns ending in **-e** are masculine and some are feminine. Here are some common nouns in **-e** that you have already learned.

el coche	**el bosque**	**el guisante**
el viaje	**el cacahuate**	**el café**
el postre	**el accidente**	**el pie**
el aceite	**el nombre**	**el puente**
la calle	**la leche**	**la fuente**
la llave	**la noche**	**la gente**
la clase	**la nube**	**la tarde**

CULTURA

El puente de Segovia sobre el río Manzanares en Madrid

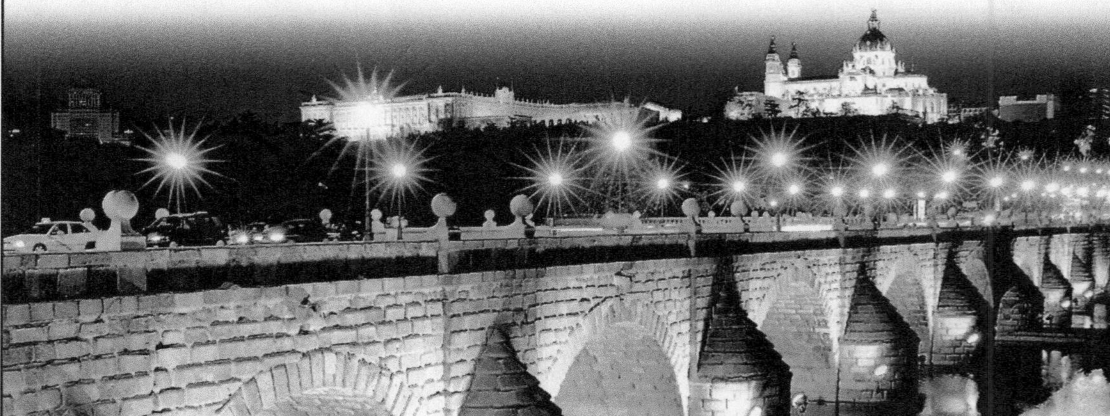

Go Online!

connectED.mcgraw-hill.com

6. Nouns that end in **-nte** most commonly refer to people and can be used for both genders.

el/la presidente
el/la asistente
el/la dependiente

However, many Spanish speakers use **-nta** for the feminine form.

la presidenta
la asistenta
la dependienta

CULTURA

Una fuente en la plaza delante del Ayuntamiento, un renovado convento que data del siglo XVI en Ibiza (Eivissa)

Práctica

LEER • ESCRIBIR

 14 Completa con el artículo definido apropiado.

1. ____ alumnos en ____ escuela primaria son menores que ____ alumnos o ____ estudiantes en ____ colegio.
2. ____ estudiantes de ____ universidad son universitarios y son ____ profesores y ____ profesoras que les enseñan.
3. ____ maestros enseñan en ____ escuela primaria.
4. ____ socialistas son de ____ izquierda y ____ conservadores son de ____ derecha.
5. ____ puente de la reina Victoria en Madrid cruza ____ río Manzanares.
6. ____ doctora García es ____ dentista de mi madre y ____ doctor Álvarez es ____ dentista de mis abuelos.

Leveling EACH Activity

Easy Activity 14

PRACTICE

Activity 14 You can go over this activity in class with or without previous preparation.

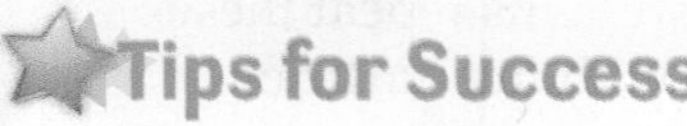

Tips for Success

Have students read the caption to the photo as it reinforces the grammatical concept.

Go Online!

Gramática en vivo: *Nouns and adjectives* Enliven learning with the animated world of Professor Cruz! **Gramática en vivo** is a fun and effective tool for additional instruction and/or review.

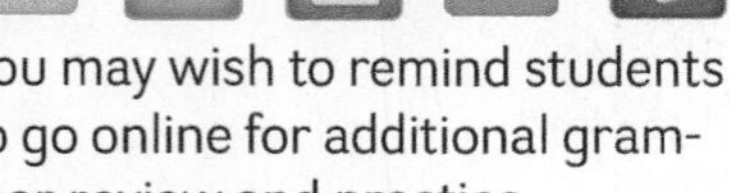

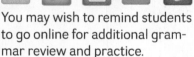

You may wish to remind students to go online for additional grammar review and practice.

Answers

14

1. Los, la, los, los, el
2. Los, la, los, las
3. Los, la
4. Los, la, los, la
5. El, el
6. La, la, el, el

Online Resources

Customizable Lesson Plans

 Quizzes

TEACH

Core Instruction

Have students repeat these nouns with their articles in unison.

Differentiation

Advanced Learners

Call on advanced learners to use the words in Items 1 and 2 in original sentences.

Sustantivos femeninos en a, ha inicial

Feminine nouns that begin with a stressed **a** or the silent **h** followed by a stressed **a** take the masculine definite article **el** or the indefinite article **un.** The reason such nouns take the articles **el** and **un** is that it would be difficult to pronounce the two vowels—**la a, una a**—together. Since the nouns are feminine, the plural articles **las** and **unas** are used and any adjective modifying the noun is in the feminine form.

el agua	**las aguas**	*water*
el (un) ave	**las aves**	*bird*
el (un) águila	**las águilas**	*eagle*
el (un) área	**las áreas**	*area*
el (un) arma	**las armas**	*weapon*
el (un) hacha	**las hachas**	*ax*
el (un) ala	**las alas**	*wing*
el hambre		*hunger*

El agua es potable.
Las aguas turbulentas del mar pueden ser peligrosas.

CULTURA

No hay duda que el hambre es un delito. Es un problema serio en muchas partes del mundo.

Sustantivos irregulares

1. There are several nouns in Spanish that end in **-a** but are masculine. These are nouns derived from Greek roots. They take the definite article **el** and the indefinite article **un.**

el clima	**el mapa**	**el programa**
el día	**el planeta**	**el sistema**
el drama	**el poema**	**el tema**

2. Note that the noun **la mano** is irregular. Even though **la mano** ends in **-o,** it is feminine—**la mano. La foto** is also used as a shortened version of **la fotografía.** The noun **radio** can be either **la radio** or **el radio.** The gender varies according to the region.

Go Online!

connectED.mcgraw-hill.com

Práctica

LEER • ESCRIBIR

15 Escoge.

1. Hay (un, una) área muy (rocoso, rocosa) en (el, la) costa cerca de Tarifa en (el, la) sur de España.
2. Por lo general (los, las) aguas del Mediterráneo no son muy (turbulentos, turbulentas) pero a veces no es el caso durante (un, una) tempestad.
3. (El, La) hambre es (un, una) problema grave en (muchos, muchas) partes del mundo.
4. (El, La) águila tiene (un, una) ala (roto, rota).
5. (Un, Una) hacha puede ser (un, una) arma (peligroso, peligrosa).

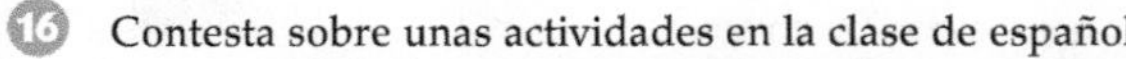

HABLAR

16 Contesta sobre unas actividades en la clase de español.

1. ¿Estudias el mapa de España en la clase de español?
2. ¿Hablan ustedes del clima del país?
3. ¿Explica el/la profesor(a) el sistema de gobierno español?
4. ¿Van ustedes a leer los poemas de Espronceda?
5. ¿Van a leer los dramas de Lope de Vega?
6. ¿Van a aprender algo sobre los idiomas autónomos como el gallego, el catalán y el euskera?
7. ¿Qué levantas cuando quieres hacerle una pregunta al/a la profesor(a)?

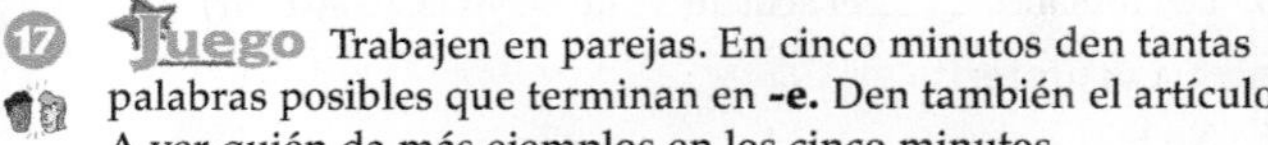

17 **Juego** Trabajen en parejas. En cinco minutos den tantas palabras posibles que terminan en **-e**. Den también el artículo. A ver quién da más ejemplos en los cinco minutos.

CULTURA

Fíjate en el ave que toma vuelo y las aves que están picando en una de las muchas plazas de Valencia.

Gramática

Leveling EACH Activity

Easy Activities 15, 16
Average Activity 17

ASSESS

Students are now ready to take Quiz 9.

Answers

15

1. un, rocosa, la, el
2. las, turbulentas, una
3. El, un, muchas
4. El, un, rota
5. Un, un, peligrosa

16

1. Sí, (No, no) estudio el mapa de España en la clase de español.
2. Sí, (No, no) hablamos del clima del país.
3. Sí (No), el/la profesor(a) (no) explica el sistema de gobierno español.
4. Sí, (No, no) vamos a leer los poemas de Espronceda.
5. Sí, (No, no) vamos a leer los dramas de Lope de Vega.
6. Sí, (No, no) vamos a aprender algo (nada) sobre los idiomas autónomos como el gallego, el catalán y el euskera.
7. Levanto la mano cuando quiero hacerle una pregunta al/a la profesor(a).

17 *Answers will vary.*

Online Resources

Customizable Lesson Plans

 Reading, Writing Test

Self-check for achievement

This is a pre-test for students to take before you administer the lesson test. Note that each section is cross-referenced so students can easily find the material they feel they need to review. You may wish to use Self-Check Worksheet SC1.2 to have students complete this assessment in class or at home. You can correct the assessment yourself, or you may prefer to display the answers in class using Self-Check Answers SC1.2A.

Differentiation

Slower Paced Learners

Encourage students who need extra help to refer to the margin notes and review any section before answering the questions.

Prepárate para el examen

Self-check for ACHIEVEMENT

Gramática

1 Completa con el pretérito.

Para repasar, ve **El pretérito.**

1. Los moros ____ España en 711. (invadir)
2. Yo ____ en el mar Mediterráneo. (nadar)
3. Y yo ____ en un chiringuito. (comer)

4–5. En el restaurante yo ____ una tortilla a la española y mi amiga ____ una sopa de ajo. (pedir, pedir)

6. ¿Tú ____ el teatro romano o no? (ver)
7. El soldado ____ valientemente. (luchar)
8. Yo ____ la cuenta. (pagar)
9. ¿____ usted bien? (dormir)
10. Ella ____ un viaje. (hacer)
11. Tú ____ mucho equipaje, ¿no? (traer)
12. Nosotros ____ juntos. (ir)
13. Yo no me ____ mover. (poder)
14. Ellos ____ que esperar el próximo vuelo. (tener)
15. Los romanos ____ el acueducto de Segovia. (construir)

CULTURA

Una deliciosa tortilla española. Lleva huevos y patatas y a veces cebollas también.

2 Cambia al pretérito.

16. No lo sé.
17. Él me lo dice.
18. Yo voy en avión.
19. Ponemos el equipaje en el baúl del coche.
20. ¿Andas por todo el país?

3 Escoge el artículo apropiado.

Para repasar, ve **Sustantivos y artículos.**

21–22. (Los, Las) alumnos tienen que llegar a (un, una) conclusión.

23–24. España es (un, una) nación en (el, la) sur de Europa.

25–26. (Los, Las) asistentas de vuelo tienen que trabajar con (los, las) turistas descontentos.

27–29. (El, La) problema es que hay demasiado tráfico en (el, la) ciudad y hay muchos peatones en las aceras de (los, las) calles.

4 Da el artículo definido apropiado.

30. ____ hacha
31. ____ mano
32. ____ tesis
33. ____ programa

Answers

1

1. invadieron
2. nadé
3. comí
4. pedí
5. pidió
6. viste
7. luchó
8. pagué
9. Durmió
10. hizo
11. trajiste
12. fuimos
13. pude
14. tuvieron
15. construyeron

2

16. No lo supe.
17. Él me lo dijo.
18. Yo fui en avión.
19. Pusimos el equipaje en el baúl del coche.
20. ¿Anduviste por todo el país?

3

21. Los
22. una
23. una
24. el
25. Las
26. los
27. El
28. la
29. las

4

30. el
31. la
32. la
33. el

Prepárate para el examen

Practice for PROFICIENCY

1 **Un fin de semana fabuloso**

Tú y varios amigos pasaron un fin de semana fabuloso. Se divirtieron mucho. Di todo lo que hicieron.

2 **¡Qué experiencia más mala!**

Fuiste a un restaurante y ¡qué experiencia más horrible! Todo salió muy mal. Describe todo lo que pasó. Explica también como reaccionaste ante esta situación. Puedes consultar la lista de vocabulario temático sobre el restaurante al final de este libro.

3 **Un viaje por España**

Imagínate que hiciste un viaje a España. Di adonde fuiste y todo lo que viste e hiciste en España.

4 **Un área de España**

Dibuja un mapa de un área de España que te gusta o que te interesa. Describe el área y su clima. ¿Quieres pasar algunos días allí? ¿Cuándo?

CULTURA

A muchos turistas les gusta ver la ciudad de un bus turístico como este en Valencia. Nota la palabra **turistic** en vez de **turístico** en valenciano, un dialecto del catalán.

Un viaje inolvidable

Imagínate que hiciste un viaje a España con un(a) amigo(a). Vas a escribirle un e-mail a un miembro de tu familia (a tu primo[a], a tus abuelos, a tus tíos, etc.) contándole(s) todo lo que hiciste y viste durante tu estadía en España. Si quieres, puedes dar opiniones sobre lo que te gustó o no te gustó, lo que más te interesó, etc. Será necesario usar la imaginación si no has visitado España. Pero no va a ser difícil porque ya has aprendido mucho sobre este país en tus estudios del español. Puedes servirte del diagrama para ayudarte a organizar tus ideas.

CULTURA

La bonita playa de Illetas en Palma de Mallorca

Tips for Success

Encourage students to say as much as possible when they do these open-ended activities. Tell them not to be afraid to make mistakes, since the goal of the activities is real-life communication. Encourage students to self-correct and to use words and phrases they know to get their meaning across. If someone in the group makes an error that impedes comprehension, encourage the others to ask questions to clarify or, if necessary, to politely correct the speaker. Let students choose the activities they would like to do.

Tell students to feel free to elaborate on the basic theme and to be creative. They may use props, pictures, or posters if they wish.

Pre-AP These oral and written activities will give students the opportunity to develop and improve their speaking and writing skills so that they may succeed on the speaking and writing portions of the AP exam.

Go Online!

  You may wish to remind students to go online for additional grammar review and practice.

ASSESS

Students are now ready to take the Reading and Writing Test for Lección 2: Gramática.

Introduction

Each chapter of **¡Así se dice!** Level 4 has a journalism section that corresponds to the same geographical area as the chapter. Each section gives students a list of the important newspapers that they will find online for the countries in that particular geographical area. In putting this section together, we spent approximately one month perusing the newspapers from each area to determine topics that seem to occur frequently in the news of those countries. Hopefully, this will assist students to find articles that relate to the activities provided. However, we recommend that you tell students that they can also pick articles and prepare something about them even if the topic does not appear in a specific activity if it is something of interest to them.

TEACH

Core Instruction

We suggest that you not just dedicate a day or two to the journalism section. As you begin each chapter, tell students to consult the journalism section and spend a few minutes at home each day perusing the appropriate Web sites of the newspapers. As each student finds a pertinent article, he or she can prepare the activity that pertains to it. Needless to say, the topics of all activities will not appear on one given day.

There may also be some debate or discussion activities that you wish to assign to a group or groups of students and give them a time limit to complete them. As you are finishing the chapter, you may want to spend one day having students share with other students the work they did.

La prensa en línea

Una estatua de Julio César durante cuyo reinado salió el primer diario titulado el *Acta Diurna* en el siglo I antes de nuestra era

INTRODUCCIÓN

La historia del periodismo comienza en el siglo I antes de nuestra era cuando Julio César hizo colocar en el Foro Romano un periódico o un diario titulado el *Acta Diurna*. Hasta nuestros días, el periodismo sigue siendo un medio importantísimo en la diseminación de información al público. Las categorías de información presentadas en un periódico específico suelen aparecer en la portada del periódico. Los temas más comunes son: actualidades (acontecimientos o eventos internacionales y nacionales), política, economía, deportes, cultura, viajes, sociedad, televisión, video y tecnología.

Debido a los muchos avances en la tecnología, el número de lectores del típico periódico matinal o vespertino se está disminuyendo. Como una gran parte de la gente tiene acceso a una computadora y recientemente a otros dispositivos electrónicos móviles, muchos se sirven del Internet para leer su periódico o periódicos favoritos. Otra ventaja de leer el periódico en línea es que muchos artículos van acompañados de videos con, por ejemplo, entrevistas, debates o películas del evento. Para el/la estudiante de español es una manera excelente de oír el español hablado por personas de todas partes del mundo hispano además de darle la oportunidad de ver y experimentar eventos en tiempo real.

Ruinas del Foro Romano donde salió el primer «periódico»

Current event

If there is something of particular interest in Spain that is of interest or concern to the United States, you may wish to inform the class of the situation and tell them to frequently consult the foreign newspapers online and have them compare the reporting with that which appears in the U.S. press.

Videos

Inform students that many articles are accompanied by interviews or videos. Tell students to make as much use of these audio and visual components as possible, since it will enable them to hear a wide variety of native speakers and see events happening in real places and in real time.

Go Online!
connectED.mcgraw-hill.com

En esta sección, *La prensa en línea*, vas a ir en línea para consultar periódicos, videos, emisiones de radio u otras presentaciones auditivas de los países de la región geográfica presentada en el capítulo. Tendrás una serie de actividades que te permitirán practicar y usar tu español en situaciones reales—a veces a solas y a veces en grupos de tu propia escuela, con estudiantes de otras escuelas y con miembros de la comunidad.

Para empezar aquí tienes una lista de los periódicos más importantes de España que podrás encontrar en Internet:

El País
El ABC
El Mundo
La Razón
La Vanguardia

CULTURA

Periódicos españoles en un quiosco

Actividades

A Para familiarizarte con la apariencia y el formato de los artículos en un periódico español, dales una ojeada a los muchos titulares que tiene cada periódico. Si el titular te pica el interés, lee por lo menos una parte del artículo. Haz una lista de cada titular o artículo que te ha interesado. En una frase da una idea de la información que introduce. Comparte la lista con un(a) compañero(a) de clase y explica por qué te interesan los artículos que escogiste.

B Toma la lista de los artículos que has hojeado y categorízalos según sus temas.

Desafíos globales
Ciencia y tecnología
Vida contemporánea
Identidades personales y públicas
Familia y comunidades
Belleza y estéticas

En una o dos frases explica como el contenido del artículo se relaciona con el tema que has escogido.

titular	tema	explicación
1.		
2.		
3.		
4.		
5.		

¡Así se dice!

Recuerda las expresiones que puedes usar si cometes un error mientras estás hablando. **Perdón, digo...** y **o sea** son expresiones muy útiles cuando quieres corregirte.

Activity C

To help students get started with this activity, you may wish to point out to students some event that is having a global impact if something of particular interest is going on.

C Trabajando en grupos, lean unos artículos de política internacional o ve unas noticias que tienen que ver con un asunto o asuntos que involucran los Estados Unidos. Tengan un panel de discusión o un debate en el que discutan las diferencias de opinión o percepción de lo que han leído o escuchado en la prensa española y la estadounidense sobre el mismo asunto. Es posible tener que leer los periódicos o ver las noticias por más de un día antes de tener bastante información para poder preparar su discusión o debate. Identifiquen como destaca el/la autor(a) su punto de vista. Para ayudarte con la discusión, puedes organizar tus ideas usando una tabla como la de abajo.

país o ciudad de publicación	titular	opinión expresada

D Hojea los periódicos y selecciona un artículo que por uno o más motivos te pica el interés más que los otros. Presenta un resumen del artículo y comenta por qué lo encuentras de mucho interés.

E Lee un artículo o escucha un reportaje de la prensa española de un evento de impacto global. Toma apuntes de la información más importante y sobresaliente. Usando tus apuntes, crea una obra de arte, una poesía, una canción, etc., que exprese la información del evento y tus opiniones sobre el asunto. Como una clase, pueden organizar una exposición de su trabajo para compartir con otras clases y/o la comunidad.

F Al leer los periódicos o ver las noticias en cualquier país, uno puede empezar a sentirse deprimido debido a las noticias negativas que siempre abundan. Ahora, busca unas noticias positivas. ¿De qué se tratan? Comparte tus noticias con la clase. Tal vez querrán crear una pizarra de anuncios donde toda la clase puede colocar sus artículos de buenas noticias a lo largo del año escolar.

Go Online!

connectED.mcgraw-hill.com

Composición

La España de hoy

El objeto de muchos escritos expositivos es el de explicar algo. Ahora vas a preparar una explicación escrita de un problema que enfrenta la España actual, la España de hoy. Puedes investigar el afán independentista de algunos estados autónomos, la inmigración ilegal o cualquier otro problema que te interese. En tu escrito tienes que:

- identificar el problema
- explicar lo que causa el problema
- dar algunas consecuencias del problema (incluso el impacto que tiene el problema en otros países)

Puedes servirte del siguiente diagrama para organizar tus ideas.

	lo que causa el problema
el problema	
	las consecuencias del problema

Después de revisar y corregir tu borrador, escribe de nuevo tu composición en forma final.

CULTURA

Aquí vemos un parque en la ciudad de San Sebastián de los Reyes el día después de un encierro. ¿Puedes imaginar el trabajo que tiene que hacer el municipio para quitar toda la basura y limpiar el parque? ¡También el costo innecesario!

Daniel Salsgiver

Composición

You may wish to collect this work from students and correct as a composition assignment.

Online Resources

Customizable Lesson Plans

 Audio

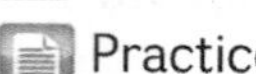 Practice

 Review

Vocabulario

TEACH

Core Instruction

Step 1 You may wish to have students merely study these words on their own.

Step 2 Have students read the captions that accompany the photographs as they contain vocabulary students will need when reading the poems.

Tips for Success

Have students look at the poem *Canción del pirata* as you go over the explanation of these terms related to poetry.

Go Online!

You may wish to remind students to go online to download audio files of all vocabulary.

Parte 1: Poesía

Canción del pirata de José de Espronceda

La primavera besaba de Antonio Machado

CULTURA

Una goleta en 1863

Vocabulario 

Estudia las siguientes palabras para ayudarte a entender los poemas.

el rumbo dirección

la popa parte posterior (trasera) de un barco

el pendón bandera, estandarte

abarcar rodear; contener, comprender

brotar nacer o salir de la tierra; nacer o salir una flor o una hoja de una planta

CULTURA

Una arboleda es un lugar donde hay muchos árboles. Cada árbol tiene un tronco, ramas y hojas verdes que en ciertas regiones cambian de color en otoño.

Una tempestad en la playa

Go Online!

connectED.mcgraw-hill.com

Para leer, analizar y apreciar la poesía hay algunos términos importantes que debes conocer.

el verso cada una de las líneas de un poema

la estrofa conjunto de versos

la rima musicalidad de un poema

la poesía lírica poesía subjetiva que comunica los sentimientos del poeta

el símbolo relación entre un elemento concreto y otro abstracto; es el elemento concreto que explica el abstracto

el símil comparación de dos cosas esencialmente distintas usando «como» **Sus ojos eran como estrellas en el cielo.**

la metáfora comparación de dos cosas distintas sin usar la palabra «como» **Sus ojos son estrellas en el cielo.**

Práctica

ESCUCHAR

1 Vas a oír una pregunta y tres respuestas posibles. En una tabla como la de abajo, indica la respuesta correcta.

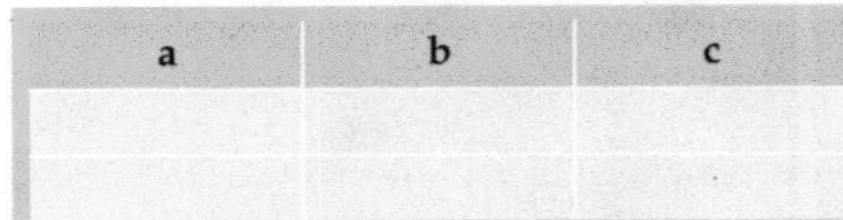

a	b	c

HABLAR • ESCRIBIR

2 Contesta.

1. ¿Qué tienen los árboles?
2. ¿En qué estación brotan las flores?
3. ¿Qué tiempo hace durante una tempestad?
4. ¿Abarca mucho territorio el estado de Texas?

LEER • ESCRIBIR

3 Completa con una palabra apropiada.

1. Una _____ es un grupo de árboles.
2. Un _____ es una bandera.
3. Un huracán es un tipo de _____ peligrosa.
4. En verano las _____ de muchos árboles son verdes y cambian de color en otoño.
5. La _____ de un barco está en la parte posterior.

CULTURA

Una embarcación a velas en alta mar

LEER

4 Indica si es una metáfora o un símil.

1. el cabello como el oro
2. dientes como perlas
3. sus dientes son perlas
4. un corazón tan grande como el mundo
5. sus ojos son chispas de fuego

Literatura

Leveling EACH Activity

Easy Activity 1
Average Activities 2, 4
Average–CHallenging Activity 3

PRACTICE

Activity 1

Audio Script

1. ¿Qué hay durante una tempestad?
   a. Hay mucho tiempo.
   b. Hay mucha lluvia y viento.
   c. Hay mal temperamento.
2. ¿Por qué está desorientado el señor?
   a. No sabe en qué rumbo va.
   b. Está buscando el oriente.
   c. No abarca nada.
3. ¿Qué es la popa?
   a. Es un pendón.
   b. Es la parte trasera de un barco.
   c. Es la parte delantera de un barco.

Activities 2, 3, and 4 Have students prepare these activities and then go over them in class.

Differentiation

Multiple Intelligences

Have **verbal-linguistic** learners make up similes and metaphors in addition to those presented in Activity 4. You may wish to have a contest to determine whose similes and metaphors are the most original.

Answers

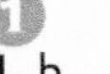

1
1. b
2. a
3. b

2
1. Los árboles tienen hojas, ramas y un tronco.
2. Las flores brotan en la primavera.
3. Durante una tempestad hace mal tiempo.
4. Sí, el estado de Texas abarca mucho territorio.

3

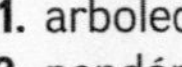

1. arboleda
2. pendón
3. tempestad
4. hojas
5. popa

4
1. símil
2. símil
3. metáfora
4. metáfora
5. metáfora

Online Resources

Customizable Lesson Plans

 Audio

 Practice

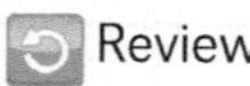 Review

Introducción

Tell students to read the **Introducción** silently and relate the information to what the poet says in the poem.

Leveling EACH Activity

Reading level
Average–CHallenging

Teaching Options

Because this poem is on the AP reading list, we have included it in its entirety. Depending on your group, however, you may wish to present only a part of the poem. Suggestions include lines 17–30 and lines 41–52.

TEACH

Core Instruction

Step 1 Have students listen to the recording of the poem. You may wish to have them listen to the entire poem or break it into parts.

Step 2 Call on an individual to read a strophe aloud with as much animation and expression as possible.

Step 3 As students read, emphasize the fact that they should think about the philosophy of life the poet is expressing.

CULTURA
Un barco a toda vela

Canción del pirata

de José de Espronceda

INTRODUCCIÓN

José de Espronceda (1808–1842) nació durante un viaje que hacían sus padres de Madrid a Badajoz en Extremadura poco antes de empezar la Guerra de la Independencia contra las tropas de Napoleón. Espronceda fue un espíritu libre y su vida siguió siendo un viaje. Durante toda su vida viajó mucho y a los dieciocho años fue a Lisboa donde se dice que arrojó al río Tajo las dos pesetas que tenía en el bolsillo para no «entrar en tan gran ciudad con tan poco dinero».

Es poeta romántico y los temas esenciales de su poesía son el amor y la libertad. Al tema de la libertad se unen los de la aventura y la rebeldía como veremos en su poema famoso *Canción del pirata.*

CULTURA
Una vista del campo en las afueras de Trujillo, una ciudad de Extremadura, la comunidad autónoma natal de José de Espronceda

Go Online!

connectED.mcgraw-hill.com

Canción del pirata

Con diez cañones por banda[1],
viento en popa, a toda vela[2],
no corta el mar, sino vuela
un velero bergantín.
Bajel[3] pirata que llaman
por su bravura el *Temido*[4],
en todo mar conocido
del uno al otro confín.

La luna en el mar rïela[5],
en la lona[6] gime[7] el viento,
y alza en blando movimiento
olas de plata y azul;
y ve el capitán pirata,
cantando alegre en la popa,
Asia a un lado, al otro Europa,
y allá a su frente Stambul.

Navega, velero[8] mío,
sin temor,
que ni enemigo navío
ni tormenta, ni bonanza[9]
tu rumbo a torcer[10] alcanza,
ni a sujetar tu valor.

Veinte presas[11]
hemos hecho
a despecho
del[12] inglés,
y han rendido
sus pendones
cien naciones
a mis pies.

[1] por banda *on each side*
[2] a toda vela *full sail*
[3] Bajel *vessel*
[4] Temido *Dreaded*
[5] rïela *sparkles*
[6] lona *canvas*
[7] gime *groans*
[8] velero *sailing ship*
[9] bonanza *calm*
[10] torcer *turn back*
[11] presas *captured ships*
[12] a despecho del *in spite of*

Antes de leer

Lee solamente el título. ¿Qué te viene a la mente al leerlo? ¿De qué te hablará el poeta? ¿Cuáles son algunas características de un pirata? ¿Dónde solían vivir los piratas? ¿Cómo se puede relacionar la vida de un pirata en alta mar con un deseo fuerte de estar libre?

CULTURA

Una vista de la magnífica e histórica mezquita Hagia Sophia en Turquía, conocida también como la Mezquita Azul de Estambul

Differentiation

Slower Paced Learners

Slower paced learners may have some problems reading and comprehending poetry. You may wish to assist them by paraphrasing. Ask students:

¿Cómo lo expresa el poeta?

A cada lado del barco hay diez cañones.

El barco va muy rápido.

En todas partes del mundo este barco se conoce.

Nada ni nadie le puede hacer daño.

Ha capturado veinte barcos.

Cien naciones se han sometido a él.

Teaching Options

You may wish to call on a student to explain the meaning of the following stanza without translating it word for word.

La luna en el mar rïela,
en la lona gime el viento,
y alza en blando movimiento
olas de plata y azul;

Pre-AP This selection is on the AP reading list.

Differentiation

Slower Paced Learners

Slower paced learners may have some problems reading and comprehending poetry. You may wish to assist them by paraphrasing. Ask students:

¿Cómo lo expresa el poeta?

Hay reyes que luchan por nada.
Yo no vivo bajo leyes.
Soy conocido en todas partes.
Todo el mundo me hace caso.
Yo divido lo que recibo.
Para mí hay solo una riqueza.

Teaching Options

You may wish to have the class read in unison.

Que es mi barco mi tesoro,
que es mi dios la libertad,
mi ley, la fuerza y el viento,
mi única patria, la mar.

CULTURA

La puesta del sol en alta mar

Que es mi barco mi tesoro,
que es mi dios la libertad,
mi ley, la fuerza y el viento,
mi única patria, la mar.

Allá mueven feroz guerra
ciegos reyes
por un palmo más de tierra;
que yo tengo aquí por mío
cuanto abarca el mar bravío,
a quien nadie impuso leyes.

Y no hay playa,
sea cualquiera,
ni bandera
de esplendor,
que no sienta
mi derecho
y dé pecho[13]
a mi valor.

Que es mi barco mi tesoro,
que es mi dios la libertad,
mi ley, la fuerza y el viento,
mi única patria, la mar.

A la voz de «¡barco viene!»,
es de ver
cómo vira y se previene[14]
a todo trapo[15] a escapar;
que yo soy el rey del mar,
y mi furia es de temer.

En las presas
yo divido
lo cogido[16]
por igual;
sólo quiero
por riqueza
la belleza
sin rival.

Que es mi barco mi tesoro,
que es mi dios la libertad,
mi ley, la fuerza y el viento,
mi única patria, la mar.

[13] dé pecho *pay tribute*
[14] vira y se previene *it veers and gets ready*
[15] a todo trapo *all sails set*
[16] lo cogido *booty*

Andrew Payti

¡Sentenciado estoy a muerte!
Yo me río;
no me abandone la suerte,
y al mismo que me condena,
colgaré de alguna entena,
quizá en su propio navío.

Y si caigo,
¿qué es la vida?
Por perdida
ya la di,
cuando el yugo[17]
del esclavo,
como un bravo,
sacudí[18].

Que es mi barco mi tesoro,
que es mi dios la libertad,
mi ley, la fuerza y el viento,
mi única patria, la mar.

Son mi música mejor
aquilones[19],
el estrépito y temblor
de los cables sacudidos,
del negro mar los bramidos[20]
y el rugir de mis cañones.

Y del trueno[21]
al son violento,
y del viento
al rebramar[22],
yo me duermo
sosegado,
arrullado[23]
por el mar.

Que es mi barco mi tesoro,
que es mi dios la libertad,
mi ley, la fuerza y el viento,
mi única patria, la mar.

[17] yugo *yoke*
[18] sacudí *I shook off*
[19] aquilones *north winds*
[20] bramidos *roars*
[21] trueno *thunder*
[22] rebramar *roar*
[23] arrullado *lulled*

Go Online!

connectED.mcgraw-hill.com

CULTURA

Un pirata

The Palma Collection/Getty Images

Literatura

TEACH

Core Instruction

Step 1 Call on a student to explain in English the meaning of lines 77–84.

Step 2 In Spanish, have a student give all the references to nature.

PRACTICE

Después de leer

A You may wish to have **visual-spatial** learners draw the vessel and then write a description of it.

C and **D** These activities can serve as group discussions.

Después de leer

A Describiendo
Describe el barco del pirata.

B Parafraseando ¿Cómo lo expresa Espronceda?

1. Anda, capitán, y no tengas miedo.
2. El barco de un enemigo
   Una tempestad o una mar calma
   nada te puede hacer cambiar de dirección
   y nada puede disminuir tu valor.
3. Hemos capturado (tomado posesión de) mucho a pesar de los ingleses.
4. Muchas naciones nos han tenido que entregar sus banderas.

Conexiones

La literatura
Hay piratas que han aparecido en unas obras literarias. ¿Has oído de Blackbeard o Captain Kidd? Si has leído una obra que trata de un pirata o si conoces una leyenda sobre un pirata, cuéntala. ¿Tiene unos elementos en común con *Canción del pirata* o no?

C Interpretando y analizando Completa el diagrama.

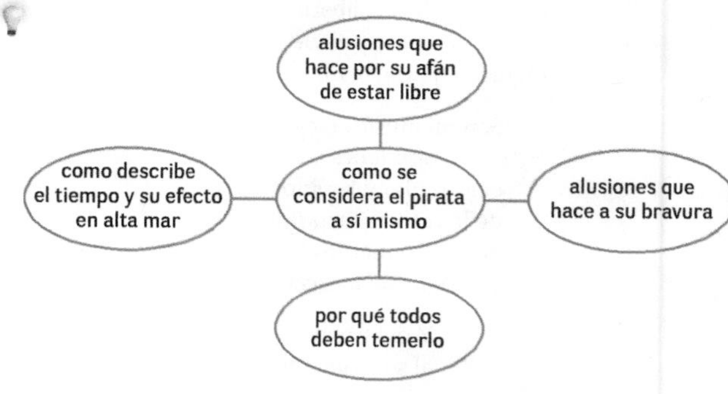

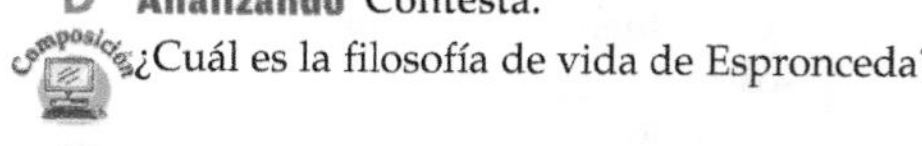

D Analizando Contesta.
¿Cuál es la filosofía de vida de Espronceda?

E Visualizando y describiendo Si tienes talento artístico, dibuja lo que ves al leer *Canción del pirata.* Luego, en forma oral o escrita, da una descripción de tu dibujo.

CULTURA
El faro en el puerto de Cartagena

Andrew Payti

Answers

A *Answers will vary but may include:*
El barco del pirata tiene diez cañones. Tiene viento en popa y está a toda vela así que parece «volar» en el mar.

B

1. Navega, velero mío, sin temor
2. ni enemigo navío
   ni tormenta, ni bonanza
   tu rumbo a torcer alcanza,
   ni a sujetar tu valor
3. Veinte presas hemos hecho a despecho del inglés
4. han rendido sus pendones cien naciones a mis pies

C *Answers will vary but may include:*
alusiones que hace por su afán de estar libre: «que es mi dios la libertad, mi ley, la fuerza y el viento, mi única patria, la mar»; «el yugo del esclavo, como un bravo, sacudí»
como describe el tiempo y su efecto en alta mar: el viento hace volar el barco; los aquilones son como música para él; el trueno y el viento cuando rebraman lo arrullan a dormir
como se considera el pirata a sí mismo: se considera alegre, libre, bravo y temido; se considera «rey del mar»; se considera justo y generoso
alusiones que hace a su bravura: «han rendido sus pendones cien naciones a mis pies», «en todo mar conocido del uno al otro confín»
por qué todos deben temerlo: piensa que todos sienten su derecho y dan pecho a su valor; su «furia es de temer»

D *Answers will vary but may include:*
Su filosofía de vida es que, para ser alegre, necesita tener libertad y belleza.

E *Answers will vary.*

Go Online!

connectED.mcgraw-hill.com

La primavera besaba

de Antonio Machado

INTRODUCCIÓN

Antonio Machado (1875–1939) nació en Sevilla y murió en un pueblecito francés poco después de haber cruzado los Pirineos al final de la Guerra Civil española. Fue profesor de francés en varios institutos en España. Se casó en 1909 y enviudó en solo tres años.

Las poesías de Antonio Machado son sobrias y profundas. Sus temas principales son la muerte y el amor, la busca de Dios y la fugacidad y la emoción del tiempo. Su poesía es íntima; viene de su alma y experiencia vivida. Recrea los momentos en que gozó y sufrió como ser humano.

El tono de su poesía es melancólico y meditativo pero algunas veces es irónico o humorístico.

CULTURA

Aquí vemos los picos nevados de los Pirineos en Navarra. Antonio Machado cruzó los Pirineos para huir de la desastrosa Guerra Civil española.

Online Resources

Customizable Lesson Plans

 Practice

 Review

Introducción

You may wish to have students read the **Introducción** silently or you may wish to read it aloud. Have students tell how the following words or phrases are expressed: **falleció, haber atravesado, a fines de, escuelas secundarias, contrajo matrimonio, se le murió la esposa, el vuelo del tiempo, disfrutó.**

Leveling EACH Activity

Reading Level **Easy–Average**

TEACH

Core Instruction

Step 1 Have students read the poem silently.

Step 2 Have the class read the poem aloud in unison.

Step 3 As students read, have them look at the photographs and think about the meaning of spring.

Step 4 You may wish to intersperse the questions from Activity B in the **Después de leer** section.

Conexiones

La literatura

Ask students if they have ever heard the Latin expression *Carpe diem!* or the English expression *Gather ye rosebuds while ye may.* Have them explain what each expression means and relate these ideas to the message conveyed by this poem.

Pre-AP This selection is on the AP reading list.

Antes de leer

El título de la poesía es *La primavera besaba.* Piensa en la primavera y reflexiona sobre lo que simboliza. ¿Qué pasa durante esta estación del año? ¿Qué simboliza el verbo «besaba»?

La primavera besaba

La primavera besaba
suavemente la arboleda,
y el verde nuevo brotaba
como una verde humareda[1].

Las nubes iban pasando
sobre el campo juvenil…
Yo vi en las hojas temblando[2]
las frescas lluvias de abril.

Bajo ese almendro florido,
todo cargado de flor
—recordé—, yo he maldecido
mi juventud sin amor.

Hoy, en mitad de la vida,
me he parado a meditar…
¡Juventud nunca vivida,
quién te volviera a soñar!

[1] humareda *cloud of smoke*
[2] temblando *shivering*

Gotitas de lluvia en una flor de almendra

CULTURA

Los almendros están brotando en Mallorca, una de las islas Baleares.

Go Online!

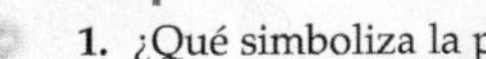

connectED.mcgraw-hill.com

Después de leer

A Analizando Escoge.

¿Cuál es el tono de esta poesía? Hay más de una respuesta.

a. humorístico
b. meditativo
c. amoroso
d. melancólico
e. feliz
f. sarcástico

B Interpretando Contesta.

1. ¿Qué simboliza la primavera?
2. ¿Qué significado tendrá el verbo «besaba» en el título?
3. ¿Por qué es juvenil el campo?
4. ¿Qué simboliza el almendro florido?
5. ¿Qué dice el poeta de su juventud? ¿Por qué lo maldice?
6. ¿Qué edad tendrá ahora?

C Analizando Explica.

Explica el significado de
«¡Juventud nunca vivida,
quién te volviera a soñar!»

D Interpretando Antonio Machado tiene fama de poder decir mucho de una manera sencilla y en pocas palabras. En los tres versos de un proverbio que él escribió hay mucha filosofía. Comenta.

El ojo que ves no es
ojo porque tú lo ves;
es ojo porque te ve.

CULTURA

Esta señorita andaluza tiene ojos bonitos. ¿Son los ojos que tú ves o los ojos que te ven?

PRACTICE

Después de leer

A and **B** These activities can be interspersed as you are going over the poem in class.
C and **D** These activities can serve as a group or class discussion.

Go Online!

You may wish to remind students to go online for additional reading comprehension practice.

Answers

A
b, d

B *Answers will vary but may include:*
1. Simboliza la juventud.
2. Querrá decir «pasaba silenciosamente», o «pasaba rápidamente», o «pasaba delicadamente».
3. El campo es juvenil porque representa los recuerdos de su niñez.
4. Simboliza su juventud (que a los otros parecería ser bonita y contenta).
5. Dice que fue una juventud sin amor. Lo maldice porque no era feliz.
6. Será mayor.

C *Answers will vary but may include:*
Significa que no le gusta recordar su juventud porque, en esa época de su vida, realmente no «vivía».

D *Answers will vary but may include:*
Lo que ve o cree una persona no es lo que vean o crean los otros. (Nuestra perspectiva es diferente de la de los otros.)

Online Resources

Customizable Lesson Plans
Audio
Practice
Review

Vocabulario

TEACH

Core Instruction

Step 1 You may wish to follow some suggestions outlined in previous sections.

Step 2 You can intersperse questions from Activity 1 as you present the vocabulary.

Parte 2: Prosa

El ingenioso hidalgo don Quijote de la Mancha **de Miguel de Cervantes Saavedra**

CULTURA
Don Quijote y su escudero, Sancho Panza

Vocabulario

Estudia las siguientes palabras para ayudarte a entender la lectura.

los agravios malos, disturbios
el arma blanca arma ofensiva de hoja de acero, como una espada
la caballeriza sitio destinado a caballos
la insolencia el tratar a otro de forma descortés o sin respeto
el madrugador el que se levanta temprano por la mañana
el rocín caballo de mala raza
la venta posada, albergue, hostal
pacífico(a) calmo, tranquilo
acrecentar (ie) aumentar
apearse bajarse de un caballo, desmontar
averiguar preguntar o acertar la verdad de una cosa
castigar penar, sancionar
enmendar (ie) corregir o quitar defectos
ensillar poner la silla a un caballo
perder el juicio (ie) volverse loco
procurar hacer esfuerzos, tratar de, intentar

Práctica

Go Online!

connectED.mcgraw-hill.com

HABLAR • ESCRIBIR

1 Contesta.

1. ¿Eres madrugador(a)?
2. ¿Es una pistola un arma blanca?
3. A los caballos perezosos, ¿les gusta regresar a la caballeriza?
4. ¿Cómo te sientes si alguien te trata con insolencia? ¿Cómo respondes?
5. ¿Eres más bien pacífico(a) o agresivo(a)?
6. ¿Es justo castigar a los maleantes?
7. ¿Es a veces difícil averiguar lo cierto de algo?
8. ¿Es el rocín un caballo de muy buena estatura?
9. ¿Siempre dicen que pueden enmendar los agravios los optimistas?
10. ¿Se apeó el señor antes de poner el caballo en la caballeriza?

LEER • ESCRIBIR

2 Completa.

1. Su fortuna no va a bajar. Va a ____.
2. Él ____ hacer mucho; y por lo general tiene éxito.
3. La ____ no es ningún atributo. Es un defecto ofensivo.
4. Hay que ____ el caballo antes de subirlo.
5. El pobre don Quijote se volvió loco—loco de remate. Perdió el ____.
6. El señor quiere ____ todos los agravios. Quiere que el mundo sea un mejor lugar.
7. El ventero es el dueño de ____.

El ingenioso hidalgo don Quijote de la Mancha

de Miguel de Cervantes Saavedra

INTRODUCCIÓN

La obra más conocida y más leída de todas las letras hispanas es la novela *El ingenioso hidalgo don Quijote de la Mancha* de Miguel de Cervantes Saavedra. La biografía de Cervantes es importante para el estudio de *El Quijote* porque el conocimiento de su biografía ilumina y explica mucho de lo que está en su obra. Los dos personajes principales son don Quijote, un caballero andante que es un idealista que muchos consideran loco por su afán de derrotar los males del mundo, y Sancho Panza, su escudero. El bajo y gordo Sancho es un realista puro que siempre trata de desviar a don Quijote de sus aventuras e ilusiones. Con muy poca frecuencia tiene éxito.

Se ha dicho muchas veces que la figura de don Quijote es símbolo de la personalidad humana de Cervantes mismo. Cervantes es a la vez manco, maltrecho y pobre después de muchas hazañas heroicas. El caballero loco de La Mancha, don Quijote, es como una imagen burlesca de su creador.

CULTURA

Estatua de don Quijote y su escudero, Sancho Panza, en la Plaza de España, Madrid

Online Resources

Customizable Lesson Plans

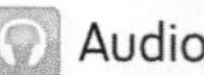

Audio

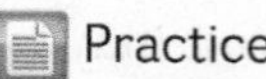

Practice

Review

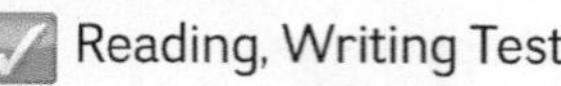

Reading, Writing Test

Leveling EACH Activity

Easy Activities 1, 2

Introducción

You may wish to call on a student to read the **Introducción** aloud as the others follow along.

Go Online!

You may wish to remind students to go online to download audio files of all vocabulary.

Answers

1

1. *Answers will vary.*
2. No, una pistola no es un arma blanca.
3. Sí, les gusta regresar a la caballeriza.
4. *Answers will vary.*
5. *Answers will vary.*
6. *Answers will vary.*
7. *Answers will vary.*
8. No, el rocín es un caballo de mala raza.
9. *Answers will vary.*
10. Sí, se apeó antes de poner el caballo en la caballeriza.

2

1. acrecentar
2. procura
3. insolencia
4. ensillar
5. juicio
6. enmendar
7. la venta

PRESENT

NOTA BIOGRÁFICA

Step 1 As you present this biographical material you may wish to ask the following types of comprehension questions.

¿Por qué es importante la biografía de Cervantes?
¿Quiénes son los dos personajes más importantes del *Quijote*?
¿Cuáles son algunas diferencias entre don Quijote y Sancho Panza?
¿Dónde nació Cervantes?
¿Qué era su padre?
¿Por qué se mudaba con frecuencia su familia?
¿Qué aprendió a apreciar Cervantes? ¿Cómo? ¿Por qué?
¿Dónde recibió su herida en la mano izquierda?
¿Cuál es su apodo?
¿Cómo pasó su vida al volver a España?

Step 2 It is suggested that you go over the **Estrategia de lectura.** Explain to students that this selection of the famous *Quijote* is not very difficult, but the sentences tend to be long, each one containing many ideas. It is often a good idea to break them into smaller segments.

Step 3 As students read each page, tell them to glance at the sidenotes that explain the meaning of "old" words, plus others.

Step 4 Some sections of the *Quijote* are more easily understood when "heard." Therefore, you may want to read certain sections aloud to students.

Step 5 Tell students before reading to look at **Actividad A** at the end of the selection. This will help them focus their attention on the information they should look for when reading.

CULTURA

Miguel de Cervantes Saavedra

NOTA BIOGRÁFICA

Cervantes nació en Alcalá de Henares, la gran ciudad universitaria, en 1547. Su padre era un modesto hidalgo. Como la mayoría de los españoles de rango inferior de la nobleza de aquella época, ejercía una profesión, la de cirujano. Se sabe que la familia se mudaba con frecuencia, probablemente por obligaciones profesionales de su padre. Vivieron en Valladolid, Sevilla y Madrid. Se sabe muy poco sobre la educación formal de Cervantes. Pero se cree que después de sus andanzas juveniles por ciudades populosas llevando una vida de escasos recursos económicos, Cervantes aprendió a apreciar su libertad y disfrutar de la vida andariega. Adquirió un conocimiento directo de la vida en diversas capas sociales.

Cuando cumplió veinte años decidió ir a Italia donde sirvió al cardenal Acquaviva. Poco después entró en el ejército. Luchó en la famosa batalla de Lepanto en 1571 donde recibió dos heridas, una de ellas en la mano izquierda de donde viene su apodo el «manco de Lepanto». Más tarde tomó parte en las expediciones contra Tunicia y la Goleta. En 1575 iba a volver a España. Se embarcó con cartas de recomendación de sus superiores. Volvía a España con la ilusión de recibir recompensa por sus servicios pero la galera en que viajaba fue presa por unos piratas y Cervantes pasó cinco años en cautiverio en Argel. En 1580 fue rescatado por unos frailes y por fin volvió a España.

Al volver a España se dio cuenta de que no iba a recibir ningún premio por sus servicios. Se instaló en Madrid y se hizo escritor. En 1584 se casó y parece que tampoco en el matrimonio encontró felicidad. Vivió de empleos humildes y pasó tiempo en Sevilla y en otros lugares de Andalucía. En sus viajes conoció a gente de toda condición. Conoció la vida de la España andariega, la vida del campo y la de la ciudad. Con las impresiones que recibió, tejió su obra.

El Quijote apareció en 1605. Su éxito fue inmediato e inmenso. Sin embargo, no produjo ningún dinero para el autor y Cervantes siguió quejándose de la pobreza hasta que murió en 1616.

Estrategia

Leyendo una obra antigua Vas a leer una obra antigua pero no debe ser muy difícil. El vocabulario es bastante sencillo y las palabras antiguas no muy corrientes están glosadas. Dales una ojeada a estas palabras glosadas.

Como en muchas obras antiguas encontrarás frases largas. Será más fácil comprenderlas si las divides en partes más cortas.

Notarás que muchas palabras que se deletreaban con **f** en los siglos XVI y XVII se escriben hoy con **h.** Ejemplos son: **fechos—hechos; fazañas—hazañas.** En aquel entonces se agregaban los pronombres al verbo. Hoy van separados. Ejemplos son: **llenósele—se le llenó; limpiólas—las limpió.**

Antes de leer

El Quijote tiene fama de ser la segunda más leída obra literaria del mundo después de la Biblia. Es un libro que puedes leer a cualquier edad. A los jóvenes les hace reír y a los viejos les hace llorar. Se puede interpretar de varias maneras el idealismo o «locura» de don Quijote. A ver si tú te pones a reír o a llorar—o reír y llorar.

Los molinos de viento en La Mancha

Primera parte

Capítulo I: Que trata de la condición y ejercicio del famoso hidalgo don Quijote de la Mancha

En un lugar de la Mancha, de cuyo nombre no quiero acordarme, no ha mucho tiempo que vivía un hidalgo de los de lanza en astillero, adarga° antigua, rocín flaco y galgo° corredor. Una olla de algo más vaca que carnero, salpicón por las noches, duelos y quebrantos° los sábados, lentejas los viernes, algún palomino de añadidura los domingos, consumían las tres partes de su hacienda. El resto della concluían sayo° de velarte, calzas de velludo° para las fiestas, con sus pantuflos de lo mesmo, y los días de entre semana se honraba con su vellorí° de lo más fino. Tenía en su casa una ama que pasaba de los cuarenta, y una sobrina que no llegaba a los veinte, y un mozo de campo y plaza, que así ensillaba el rocín como tomaba la podadera°. Frisaba la edad de nuestro hidalgo en los cincuenta años: era de complexión recia, seco de canas, enjuto° de rostro, gran madrugador y amigo de la caza. Quieren decir que tenía el sobrenombre de Quijada o Quesada, que en esto hay alguna diferencia en los autores que deste caso escriben; aunque por conjeturas verosímiles se deja entender que se llamaba Quejada. Pero esto importa poco a nuestro cuento: basta que la narración dél no se salga un punto de la verdad.

Es, pues, de saber que este sobredicho hidalgo los ratos que estaba ocioso° (que eran los más del año), se daba a leer libros de caballerías con tanta afición y gusto que olvidó casi del todo punto el ejercicio de la caza, y aun la administración de su hacienda; y llegó a tanto su curiosidad y desatino en esto, que vendió muchas hanegas de tierra de sembradura para comprar libros de caballerías en que leer, y así, llevó a su casa todos cuantos pudo hacer dellos y de todos, ningunos le parecían tan bien como los que compuso el famoso Feliciano de Silva, porque la claridad de su prosa, y aquellas entricadas razones suyas le parecían de perlas y más cuando llegaba a leer aquellos requiebros° y cartas de desafíos° donde en muchas partes hallaba escrito: «La razón de la sinrazón que a mi razón se hace, de tal manera mi razón enflaquece, que con razón me quejo de la vuestra fermosura.» Y también cuando lea: «Los altos cielos que de vuestra divinidad divinamente con las estrellas os fortifican y os hacen merecedora del merecimiento que merece la vuestra grandeza.»

adarga *escudo, lanza*
galgo *perro esbelto que corre rápido*
duelos y quebrantos *un plato típico de la época en la región de La Mancha*
sayo *casca de guerra*
velludo *de mucho pelo*
vellorí *paño muy fino*
podadera *herramienta para cortar árboles y arbustos*
enjuto *delgado, flaco*
ocioso *desocupado, inactivo*
requiebros *alabanzas*
desafíos *contiendas, confrontaciones*

Nota

We have tried to select sections of the *Quijote* that will give students a good introduction to this most famous work. It is claimed that, after the Bible, it is the second most frequently read book in the world. We have included almost all of Chapters 1, 2, and 3. Any omissions are indicated by ellipses. Most of the omissions make reference to the **libros de caballería** that Don Quijote read. They would be of no interest to the students. When necessary, a summary of omitted material appears in italics.

Note the use of **una ama** in old Spanish rather than **un ama** in the middle of the first paragraph.

Nota

Indicate to students that the quote **«La razón de la sinrazón... la vuestra fermosura»**" at the bottom of the page merely demonstrates the ridiculous language of some of these chivalric novels at which Cervantes is poking fun.

Reading Check

¿Por qué seguía comprando más libros don Quijote? ¿Qué fue lo que perdió por comprar más libros?

Note **hacerse caballero andante y irse** *(third paragraph)* in old Spanish instead of **e irse.**

Nota

Tell students to pick up on the author's humor *(third paragraph)*: **¿Qué significa «él quedó satisfecho de su *fortaleza*»?**

Reading Check

¿Qué ganaría don Quijote al ser un caballero andante? ¿Puedes enumerar las ventajas que él creía que iba a obtener por ser un caballero andante?

Reading Check

La palabra «armas» se repite dos veces en este párrafo. ¿A qué se refiere exactamente? ¿Qué quiere decir específicamente?

Reading Check

¿Qué era necesario para protegerse durante las batallas que iba a enfrentar durante sus aventuras?

Con estas razones perdía el pobre caballero el juicio y desvelábase por entenderlas y desentrañales el sentido que no se le sacara ni las entendiera el mesmo Aristóteles si resucitara para sólo ello.

• • •

En resolución, él se enfrascó tanto en su lectura que se le pasaban las noches leyendo de claro en claro, y los días de turbio en turbio; y así, del poco dormir y del mucho leer, se le secó el cerebro de manera que vino a perder el juicio. Llenósele la fantasía de todo aquello que leía en los libros, así de encantamientos como de pendencias, batallas, desafíos, heridas, requiebros, amores, tormentos y disparates imposibles: y asentósele de tal modo en la imaginación que era verdad toda aquella máquina de soñadas invenciones que leía, que para él no había otra historia más cierta en el mundo.

• • •

En efeto, rematado° ya su juicio, vino a dar en el más extraño pensamiento que jamás dio loco en el mundo, y fue que le pareció conveniente y necesario, así para el aumento de su honra como para el servicio de su república, hacerse caballero andante y irse por todo el mundo con sus armas y caballo a buscar las aventuras y a ejercitarse en todo aquello que él había leído que los caballeros andantes se ejercitaban, deshaciendo todo género de agravios, y poniéndose en ocasiones y peligros donde, acabándolos, cobrase eterno nombre y fama. Imaginábase el pobre ya coronado por el valor de su brazo, por lo menos, del Imperio de Trapisonda; y así con estos tan agradables pensamientos, llevado del extraño gusto que en ellos sentía, se dio priesa° a poner en efeto lo que deseaba. Y lo primero que hizo fue limpiar unas armas que habían sido de sus bisabuelos, que, tomadas de orín y llenas de moho°, luengos° siglos había que estaban puestas y olvidadas en un rincón. Limpiólas y aderezólas° lo mejor que pudo; pero vio que tenían una gran falta, y era que no tenían celada° de encaje, sino morrión° simple; mas a esto suplió su industria, porque de cartones, hizo un modo de media celada, que encajada en el morrión, hacía una apariencia de celada entera. Es verdad que para probar si era fuerte y podía estar al riesgo de una cuchillada, sacó su espada y le dio dos golpes, y con el primero, y en un punto, deshizo lo que había hecho en una semana y no dejó de parecerle mal la facilidad con que la había hecho pedazos, y por asegurarse deste peligro, la tornó a hacer de nuevo, poniéndole unas barras de hierro° por de dentro, de tal manera, que él quedó satisfecho de su fortaleza y sin querer nueva experiencia della, la diputó° y tuvo por celada finísima de encaje. Fue luego a ver a su rocín, y aunque tenía más cuartos que un real°, y más tachas° que el caballo de Gonela, que *«tantum pellis et ossa fuit*°», le pereció que ni el Bucéfalo de Alejandro, ni Babieca del Cid, con él se igualaban.

Cuatro días se le pasaron en imaginar qué nombre le pondría; porque (según se decía él a sí mesmo) no era razón que caballo de caballero tan famoso, y tan bueno él por sí, estuviese sin nombre conocido; y ansí procuraba acomodarse de manera que declarase quién había sido antes que fuese de caballero andante y lo que era entonces; pues estaba muy puesto en razón que, mudando su señor estado, mudase él también el nombre y le cobrase famoso y de estruendo°, como convenía a la mayor

rematado *sin remedio, por completo*
priesa *prisa*
orín y llenas de moho *urine and full of mold*
luengos *largos*
aderezólas *las preparó*
celada *pieza de armadura que cubría la cabeza*
morrión *casco de soldado*
barras de hierro *iron bars*
diputó *señaló*
real *moneda antigua*
tachas *faltas, defectos*
tantum....fuit *so much skin and bone*
de estruendo *ostentation*

orden y al nuevo ejercicio que ya profesaba; y así, después de muchos nombres que formó, borró y quitó, añadió, deshizo y tornó a hacer en su memoria e imaginación, al fin le vio a llamar Rocinante, nombre, a su parecer, alto sonoro y significativo de lo que había sido cuando fue rocín, antes de lo que ahora era, que era antes y primero de todos los rocines del mundo.

Puesto nombre y tan a su gusto, a su caballo, quiso ponérselo a sí mismo, y este pensamiento duró otros ocho días y al cabo se vino a llamar don Quijote; de donde, como queda dicho tomaron ocasión los autores desta tan verdadera historia, que sin duda se debía llamar Quijada y no Quesada, como otros quisieron decir. Pero acordándose de que el valeroso Amadís no se había contentado con sólo llamarse Amadís a secas°, sino que añadió el nombre de su reino y patria, para hacerla famosa, y se llamó Amadís de Gaula, así quiso, como buen caballero añadir a suyo el nombre de la suya, y llamarse don Quijote de la Mancha, con que, a su parecer, declaraba muy al vivo su linaje y patria, y la honraba con tomar el sobrenombre della. Limpias, pues, sus armas, hecho del morrión celada, puesto nombre a su rocín, y confirmándose a sí mismo, se dio a entender que no le faltaba otra cosa sino buscar una dama de quien enamorarse; porque el caballero andante sin amores era árbol sin hojas y sin fruto, y cuerpo sin alma.

a secas *by itself*

• • •

Don Quijote piensa mucho en quien pudiera nombrar dama de sus pensamientos. Decide que será cierta Aldonza Lorenzo de quien él había estado enamorado sin que ella lo supiera. Le da el nombre de Dulcinea del Toboso.

Capítulo II: Que trata de la primera salida que de su tierra hizo el ingenioso don Quijote

Hechas, pues, estas prevenciones no quiso aguardar más tiempo a poner en efeto su pensamiento, apretándole° a ello la falta que él pensaba que hacía en el mundo su tardanza, según eran los agravios que pensaba deshacer, tuertos° que enderezar, sinrazones que enmendar, y abusos que mejorar, y deudas que satisfacer. Y así, sin dar parte a persona alguna de su intención y sin que nadie le viese, una mañana antes del día (que era uno de los calurosos del mes de julio), se armó de todas sus armas, subió sobre Rocinante, puesta su mal compuesta celada, embrazó su adarga, tomó su lanza y por la puerta falsa de un corral salió al campo, con grandísimo contento y alborozo° de ver con cuánta facilidad había dado principio a su buen deseo. Mas apenas° se vio en el campo, cuando le asaltó un pensamiento terrible, y tal, que por poco le hiciere dejar la comenzada empresa y fue que le vino a la memoria que no era caballero armado y que conforme a la ley de caballería, ni podía ni debía tomar armas con ningún caballero; y puesto que lo fuera, había de llevar armas blancas, como novel° caballero, sin empresa en el escudo hasta que por su esfuerzo lo ganase. Estos pensamientos le hicieron titubear° en sus propósitos; mas pudiendo más su locura que otra razón alguna, propuso de hacerse armar caballero del primero que topase°, a imitación de otros muchos, que así lo hicieron, según él había leído en los libros que tal le tenían.

apretándole *adding to it*
tuertos *agravios, injusticias*
alborozo *extraordinario placer; júbilo, regocijo*
Mas apenas *Scarcely*
novel *sin experiencia*
titubear *oscilar*
topase *chocase, encontrase casualmente*

ABOUT THE SPANISH LANGUAGE

Point out to students Cervantes' ability to give so much information in so few words.

después de muchos nombres que formó, borró y quitó, añadió, deshizo y tornó a hacer en su memoria...

Ask students what all these verbs also indicate (**el estado mental turbulento de don Quijote**).

Literature Connection

Amadís de Gaula, a prose romance of chivalry, or **novela de caballerías,** is probably based on French sources and was first published in Spanish in Spain by García Rodríguez de Montalvo in 1508. It was widely imitated and translated. Explain to students that *Amadís de Gaula* was almost an idol to Don Quijote.

Nota

After reading about Don Quijote's arrival at the inn, have students discuss: **lo que pasó en realidad y lo que pasó en la imaginación de don Quijote.**

Reading Check

¿De qué se sentía muy orgulloso don Quijote?

Reading Check

¿Por qué tenía que llevar armas blancas? ¿Por qué no podría pelear contra un hombre de caballería?

Reading Check

¿Cuál es la diferencia entre un novel caballero y un caballero armado?

NOTE At the end of this reading, students will discuss if these chapters of *El Quijote* made them laugh or cry. See if they are laughing about some of these episodes.

Reading Check

¿Don Quijote llegó a un castillo acompañado de una caballeriza?

The word **talle** refers more specifically to **la cintura** and **el tamaño**, but here it appears to include his entire look. For this reason we sidenoted it—**apariencia.**

• • •

Don Quijote sigue hablando para ser convencido de lo famoso que será. Exclama que es dichoso el siglo en el cual saldrán a luz sus hazañas.

sin....fuere *telling him anything worth saying*

Casi todo aquel día caminó sin acontecerle cosa que de contar fuere°, de lo cual se desesperaba, porque quisiera topar luego con quien hacer experiencia de su fuerte brazo. Autores hay que dicen que la primera aventura que le vino fue la del Puerto Lápice, otros dicen que la de los molinos de viento. Pero lo que yo he podido averiguar en este caso, y lo que he hallado escrito en los anales de la Mancha, es que él anduvo todo aquel día, y al anochecer su rocín y él se hallaron cansados y muertos de hambre, y que mirando a todas partes por si descubrían algún castillo o alguna majada de pastores° donde recogerse, y adonde pudiese remediar su mucha hambre y necesidad, vio, no lejos del camino por donde iba, una venta que fue como si viera una estrella, que no a los portales, sino a los alcázares de su redención le encaminaba. Diose priesa a caminar, y llegó a ella a tiempo que anochecía.

majada de pastores *group of shepherds*

Estaban acaso a la puerta dos mujeres mozas, las cuales iban a Sevilla con unos arrieros° que en la venta aquella noche acertaron a hacer jornada; y como a nuestro aventurero todo cuanto pensaba veía o imaginaba le parecía ser hecho y pasar al modo de lo que había leído, luego vio que la venta se le representó un castillo con sus cuatro torres y chapiteles de luciente plata, sin faltarle su puente levadizo° y honda cava, con todos aquellos adherentes que semejantes castillos se pintan. Fuese llegando a la venta (que a él le parecía castillo), y a poco trecho° della detuvo las riendas a Rocinante, esperando que algún enano° se pusiese entre las almenas° a dar la señal con alguna trompeta de que llegaba caballeriza, se llegó a la puerta de la venta, y vio a las dos distraídas mozas que allí estaban, que a él le parecieron dos hermosas doncellas o dos graciosas damas que delante de la puerta del castillo se estaban solazando°. En esto sucedió que un porquero que andaba recogiendo de unos rastrojos una manada de puercos (que, sin perdón, así se llaman), tocó un cuerno°, a cuya señal ellos se recogen, y al instante se le presentó a don Quijote lo que deseaba que era que algún enano hacía la señal de su venida, y así, con extraño contento llegó a la venta y a las damas, las cuales, como vieron venir a un hombre de aquella suerte armado, y con lanza y adarga, llenas de miedo se iban a entrar en la venta; pero don Quijote, coligiendo por su huida su miedo, alzándose la visera de papelón y descubriendo su seco y polvoroso° rostro, con gentil talante y voz reposada les dijo: Non fuyan las vuestras mercedes, ni teman desaguisado° alguno, ca° a la orden de caballería que profeso non toca ni atañe° facerle a ninguno, cuanto más a tan altas doncellas como vuestras presencias demuestran.

arrieros *muleteers*

levadizo *que se puede levantar*

trecho *distancia*

enano *persona muy pequeña*

almenas *partes de una antigua fortaleza*

solazando *descansando*

cuerno *horn*

polvoroso *dusty*

desaguisado *agravio, insulto*

ca *porque*

atañe *toque, pertenezca*

• • •

Don Quijote les llama a las mozas «doncellas» y les dice lo bonitas que son. Las mozas no pueden contener la risa.

El lenguaje, ni entendido de las señoras, y el mal talle° de nuestro caballero acrecentaba en ellas la risa, y en él el enojo, y pasara muy adelante si a aquel punto no saliera el ventero, hombre que por ser muy gordo era muy pacífico, el cual, viendo aquella figura contrahecha, armada de armas tan desiguales como eran la brida, lanza, adarga y

talle *apariencia*

coselete°, no estuvo en nada en acompañar a las doncellas en las muestras de su contento. Mas, en efecto, temiendo la máquina de tantos pertrechos°, determinó de hablarle comedidamente y así le dijo: —Si vuestra merced, señor caballero, busca posada, amén del lecho° (porque en esta venta no hay ninguno), todo lo demás se hallará en ella en mucha abundancia.

Viendo don Quijote la humildad del alcaide° de la fortaleza (que tal le pareció a él el ventero y la venta) respondió: —Para mí, señor castellano, cualquier cosa basta porque

mis arreos° son las armas
mi descanso el pelear

Don Quijote se apea de Rocinante con mucha dificultad.

Dijo luego al huésped que le tuviese mucho cuidado a su caballo, porque era la mejor pieza que comía pan en el mundo. Miróle el ventero, y no le pareció tan bueno como don Quijote decía, ni aun la mitad; y acomodándole en la caballeriza, volvió a ver lo que su huésped mandaba, al cual estaban desarmando las doncellas, que ya se habían reconciliado con él, las cuales, aunque le habían quitado el peto° y el espaldar, jamás supieron ni pudieron desencajarle la gola° ni quitalle la contrahecha celada, que traía atada con unas cintas verdes, y era menester cortarlas por no poderse quitar los ñudos°; mas él no lo quiso consentir en ninguna manera, y así, se quedó toda aquella noche con la celada puesta, que era la más graciosa y extraña figura que se pudiera pensar; y al desarmarle (como él se imaginaba que aquellas traídas y llevadas que le desarmaban eran algunas principales señoras y damas de aquel castillo), les dijo con mucho donaire:

—Nunca fuera caballero
de damas tan bien servido
como fuera don Quijote
cuando de su aldea vino
doncellas curaban dél
princesas, del su rocino°.

O Rocinante, que éste es el nombre, señoras mías, de mi caballo, y don Quijote de la Mancha el mío; que, puesto que no quisiera descubrirme hasta que las fazañas fechas en vuestro servicio y pro me descubrieran, la fuerza de acomodar al propósito presente este romance viejo de Lanzarote ha sido causa que sepáis mi nombre antes de toda sazón; pero tiempo vendrá en que las vuestras señorías me mandan y yo obedezca, y el valor de mi brazo descubra el deseo que tengo de serviros.

Las mozas, que no estaban hechas a oír semejantes retóricas, no respondían palabra; sólo le preguntaron si quería comer alguna cosa.

—Cualquiera yantaría° yo —respondió don Quijote—, porque, a lo que entiendo, me haría mucho el caso.

A dicha acertó a ser viernes aquel día, y no había en toda la venta sino unas raciones de un pescado que en Castilla llaman abadejo, y en Andalucía bacallao, y en otras partes curadillo, y en otras truchuela, que no había otro pescado que dalle a comer.

coselete *tipo de armadura*

pertrechos *armas necesarias para la defensa*

lecho *cama*

alcaide *alcalde*

arreos *arneses (para caballos)*

peto *armadura defensiva que cubre el pecho*

gola *armadura que protege la garganta*

ñudos *knots*

rocino *caballo*

yantaría *comería*

Reading Check

¿Por qué el ventero fue amable con don Quijote?

Reading Check

¿Dónde acomodó el ventero a Rocinante?

—No esperaba yo... lo que tanto deseo...
You may wish to explain to students that the use of **vuestro, os,** and the **-éis** verb form is not old Spanish but rather peninsular Spanish. The **vosotros** form is very widely used in spoken and written Spanish today in many parts of Spain. It is not commonly used in Andalucía or the islas Canarias.

Reading Check

Don Quijote se sentía a gusto en la venta. ¿Por qué?

trújole *le trajo*
remojado *sumergido en agua*
menester *necesidad*
horadara *perforate, put an opening*
truchas *trout*
candeal *pan hecho de cierto trigo*
malicia
menesterosos *necesitados*
fazañas *hazañas—deeds*
socarrón *burlón, pero con más malicia*
barruntos *indicios*
mocedad *juventud*

• • •

Pusiéronle la mesa a la puerta de la venta, por el fresco, y trújole° el huésped una porción del mal remojado° bacallao, y un pan tan negro y mugriento como sus armas; pero era materia de grande risa verle comer, porque como tenía puesta la celada y alzada la visera, no podía poner nada en la boca con sus manos si otro no se lo daba y ponía, y ansí una de aquellas señoras servía deste menester°. Mas al darle de beber, no fue posible, ni lo fuera, si el ventero no horadara° una caña, y puesto el un cabo en la boca, por el otro le iba echando el vino; y todo esto lo recibía en paciencia, a trueco de no romper las cintas de la celada. Estando con ello, llegó a la venta un castrador de puercos, y así como llegó, sonó su silbato de caña cuatro o cinco veces con lo cual acabó de confirmar don Quijote que estaba en algún famoso castillo, y que le servían con música, y que el abadejo eran truchas°; el pan, candeal°; y las rameras, damas; y el ventero, castellano del castillo; y con esto daba por bien empleada su determinación y salida. Mas lo que más le fatigaba era el no verse armado de caballero, por parecerle que no se podría poner legítimamente en aventura alguna sin recibir la orden de caballería.

Capítulo III: Donde se cuenta la graciosa manera que tuvo don Quijote en armarse caballero

Y así, fatigado deste pensamiento, abrevió su venteril y limitada cena: la cual acabada, llamó al ventero, y encerrándose con él en la caballeriza, se hincó de rodillas ante él diciéndole: —No me levantaré jamás de donde estoy, valeroso caballero, fasta que la vuestra cortesía me otorgue un don que pedirle quiero, el cual redundará en alabanza vuestra y en pro del género humano.

El ventero, que vio a su huésped a sus pies y oyó semejantes razones, estaba confuso mirándole, sin saber qué hacerle ni decirle, y porfiaba con él que se levantase, y jamás quiso, hasta que le hubo de decir que le otorgaba el don que le pedía.

—No esperaba yo menos de la gran magnificencia vuestra, señor mío —respondió don Quijote—; y así, os digo que el don que os he pedido y de vuestra liberalidad me ha sido otorgado es que mañana en aquel día me habéis de armar caballero, y esta noche en la capilla deste vuestro castillo velaré las armas, y mañana, como tengo dicho, se cumplirá lo que tanto deseo, para poder, como se debe, ir por todas las cuatro partes del mundo buscando las aventuras en pro de los menesterosos°, como está a cargo de la caballería y de los caballeros andantes, como yo soy, cuyo deseo a semejantes fazañas° es inclinado.

El ventero, que, como está dicho, era un poco socarrón° y ya tenía algunos barruntos° de la falta de juicio de su huésped, acabó de creerlo cuando acabó de oírle semejantes razones, y, por tener que reír aquella noche, determinó de seguirle el humor; y así le dijo que andaba muy acertado en lo que deseaba y pedía, que tal propuesto era propia y natural de los caballeros tan principales como él parecía y como su gallarda presencia mostraba; y que él, ansimesmo, en los años de su mocedad°, se había dado a aquel honroso ejercicio.

• • •

Preguntóle si traía dineros, respondió don Quijote que no traía blanca, porque él nunca había leído en las historias de los caballeros andantes que ninguno los hubiese traído.

A esto dijo el ventero que se engañaba; que, puesto caso que en las historias no se escribía por hacerles parecido a los autores dellas que no era menester escribir una cosa tan clara y tan necesaria de traerse como eran dineros y camisas limpias, no por eso se había de creer que no los trujeron; y así, tuviese por cierto y averiguado que todos los caballeros andantes, de que tantos libros están llenos y atestados llevaban bien herradas las bolsas por lo que pudiese sucederles.

• • •

El ventero sigue dándole consejos a don Quijote.

Prometióle don Quijote de hacer lo que se le aconsejaba, con toda puntualidad; y así, se dio luego orden como velase las armas en un corral grande que a un lado de la venta estaba; y recogiéndolas don Quijote todas, las puso sobre una pila° que junto a un pozo estaba, y comenzó a pasear delante de la pila, y cuando comenzó el paseo comenzaba a cerrar la noche.

Contó el ventero a todos cuantos estaban en la venta la locura de su huésped, la vela de las armas y la armazón de caballería que esperaba. Admiráronse de tan extraño género de locura, y fuéronselo a mirar desde lejos, y vieron que con sosegado° ademán unas veces se paseaba, otras arrimado a su lanza ponía los ojos en las armas sin quitarlos por un buen espacio dellas. Acabó de cerrar la noche, pero con tanta claridad de la luna, que podía competir con el que se la prestaba; de manera que cuando el novel caballero hacía era bien visto de todos. Antojósele° en esto a uno de los arrieros que estaban en la venta ir a dar agua a su recua°, y fue menester quitar las armas de don Quijote, que estaban sobre la pila; el cual viéndole llegar, en voz alta dijo: —¡Oh, tú, quienquiera que seas, atrevido caballero, que llegas a tocar las armas del más valeroso andante que jamás se ciñó espada, mira lo que haces, y no las toques, si no quieres dejar la vida en pago de tu atrevimiento!

Y diciendo estas y otras semejantes razones, soltando la adarga, alzó la lanza en dos manos, dio con ella tan gran golpe al arriero en la cabeza, que le derribó en el suelo tan maltrecho, que si segundara con otro no tuviera necesidad de maestro que le curara. Hecho esto, recogió sus armas y tornó a pasearse con el mismo reposo que primero.

• • •

Don Quijote lucha con varios arrieros e hiere a uno porque quieren quitar sus armas de encima de la pila para dar agua a sus animales. Los arrieros comienzan a «llover piedras» sobre don Quijote.

El ventero daba voces que le dejasen, porque ya les había dicho como era de loco, y que por loco se libraría aunque los matase a todos. También don Quijote las daba mayores, llamándoles alevosos° y traidores y que el señor del castillo era un follón° y mal nacido caballero, pues de tal manera consentía que se tratasen a los andantes caballeros y que si él hubiera recibido la orden de caballería, que él diera a entender su alevosía°; pero de vosotros, soez y baja canalla, no hago caso alguno; tirad, llegad, venid, y ofendedme en cuanto pudiéredes, que vosotros veréis el pago que lleváis de vuestra sandez y demasía°.

pila *fuente*

sosegado *tranquilo, calmo*

Antojósele *Decidió*

recua *grupo de caballos*

alevosos *traidores*

follón *perezoso, vano, arrogante*

alevosía *treachery*

sandez y demasía *tonto (majadero) y atrevimiento (insolencia)*

Differentiation

Have some students dramatize the scene of Don Quijote standing guard over his arms and the episode with one of the **arrieros.**

Reading Check

¿Qué quiere decir el ventero cuando dice: «bien herradas las bolsas»?

You may wish to explain to students when they have finished reading **Capítulo 3** that one of the wonderful things about the *Quijote* is that it can be read and enjoyed by people of all ages. Young people tend to laugh and quite rightly so. Some older people tend to cry.

Differentiation

Multiple Intelligences

Call on **kinesthetic** learners to dramatize the scene of Don Quijote being knighted.

Answers

A

1. Don Quijote tenía como cincuenta años, era de complexión recia, un hombre seco, de canas, enjuto de rostro. Su casa era una hacienda, tenía un ama, una sobrina y un mozo de campo. Don Quijote era un hombre madrugador y le gustaba la caza. También comía ciertas comidas cada día de la semana. Y le gustaba usar un pañuelo fino.
2. En su tiempo libre se daba a leer libros de caballerías con mucha afición, por consecuencia se olvidó del ejercicio de la caza y aun de la administración de su hacienda.
3. Él decidió proclamarse caballero andante y con su nuevo «título» buscar aventuras por todo el mundo. Creía que esto era necesario para el aumento de su honra y también para el servicio de su república.
4. Lo primero que hizo fue limpiar y preparar sus armas (armaduras). Luego preparó su casco de soldado, le cambió el nombre a su caballo, se lo cambió a sí mismo y por último quería encontrar alguien de quien enamorarse.
5. En el mes de julio, muy temprano por la mañana, salió al campo sin que nadie lo viese. Solamente tuvo su caballo, su adarga, su lanza y su celada.
6. La venta se le representó un castillo con cuatro torres y chapiteles de luciente plata. También con un puente levadizo y honda cava.
7. Lo único que había en la venta eran unas raciones de pescado. Le dieron

- **denuedo** *brío, esfuerzo, intrepidez*
- **pescozada** *golpe con la mano en el pescuezo o en la cabeza*
- **medroso** *temeroso*
- **paja y cebada** *hay and barley*
- **rezaba** *prayed*
- **desenvoltura** *agilidad, gracia*
- **proezas** *hazañas, acciones valerosas*
- **lides** *combates, peleas*
- **remendón** *que arregla prendas usadas*

Decía esto con tanto brío y denuedo°, que infundió un terrible temor a los que le acometían, y así por esto como por las persuasiones del ventero, le dejaron de tirar, y él dejó retirar a los heridos, y tornó a la vela de sus armas con la misma quietud y sosiego que primero.

No le parecieron bien al ventero las burlas de su huésped, y determinó abreviar y darle la negra orden de caballería luego, antes que otra desgracia sucediese, y así, llegándose a él, se disculpó de la insolencia que aquella gente baja con él había usado, sin que él supiese cosa alguna; pero que bien castigados quedaban de su atrevimiento. Díjole, como ya le había dicho, que en aquel castillo no había capilla, y para lo que restaba de hacer tampoco era necesaria; que todo el toque de quedar armado caballero consistía en la pescozada° y en el espaldarazo, según él tenía noticia del ceremonial de la orden, y que aquello en mitad de un campo se podría hacer; y que ya había cumplido con lo que tocaba al velar las armas, que con solas dos horas de vela se cumplía, cuanto más que él había estado más de cuatro.

Todo se lo creyó don Quijote, y dijo que él estaba allí pronto para obedecerle, y que concluyese con la mayor brevedad que pudiese; porque si fuese otra vez acometido, y se viese armado caballero, no pensaba dejar persona viva en el castillo, acepto aquellas que él le mandase, a quien por su respeto dejaría.

Advertido y medroso° desto el castellano, trujo luego un libro donde asentaba la paja y cebada° que daba a los arrieros, y con un cabo de vela que le traía un muchacho, y con las dos ya dichas doncellas, se vino adonde don Quijote estaba, al cual mandó hincar de rodillas: y leyendo en su manual, como que decía alguna devota oración, en mitad de la leyenda alzó la mano y diole sobre el cuello un buen golpe, y tras él, con su mesma espada, un gentil espaldarazo, siempre murmurando entre dientes, como que rezaba°. Hecho esto, mandó a una de aquellas damas que le ciñese la espada, la cual hizo con mucha desenvoltura° y discreción, porque no fue menester poca para no reventar de risa a cada punto de las ceremonias; pero las proezas° que ya habían visto del novel caballero les tenía la risa a raya.

Al ceñirle la espada dijo la buena señora: —Dios haga a vuestra merced muy venturoso caballero y le dé ventura en lides°.

Don Quijote le preguntó cómo se llamaba, porque él supiese de allí adelante a quien quedaba obligado por la merced recibida, porque pensaba darle alguna parte de la honra que alcanzase con el valor de su brazo.

Ella respondió con mucha humildad que se llamaba la Tolosa, y que era hija de un remendón° natural de Toledo, y que vivía en las tendillas de Sancho Bienaya, y que dondequiera que ella estuviese le serviría y tendría por señor.

Don Quijote le replicó que, por su amor, le hiciese merced que de allí en adelante se pusiese don, y se llamase doña Tolosa.

Hechas, pues, de galope y apriesa las hasta allí nunca vistas ceremonias, no vio la hora don Quijote de verse a caballo y salir buscando las aventuras; y ensillando luego a Rocinante, subió en él, y abrazando a su huésped, le dijo cosas tan extrañas, agradeciéndole la merced de hacerle armado caballero, que no es posible acertar a referirlas. El ventero, por verle ya fuera de la venta, con no menos retórica, aunque con más breves palabras, respondió a las suyas, y sin pedirle la costa de la posada, le dejó ir a la buena hora.

una porción de bacalao mal remojado, y un pan tan negro y mugriento como sus armas.

8. Don Quijote no podía comer con sus propias manos. Las tenía ocupadas sosteniendo su celada. Una de las doncellas lo ayudó poniéndole la comida en la boca y para poder beber el ventero le preparó una caña para que el vino pasara por ella y de ahí a su boca. Todo esto para no romper las cintas de su celada.
9. Las veló en un corral grande que estaba alado de la venta. Las puso sobre una pila que estaba junto al pozo y comenzó a pasearse delante de la pila. Otras veces se quedaba mirándolas fijamente.
10. Don Quijote ataca al arriero porque mueve las armas de la pila para poder darle agua a sus caballos.
11. El ventero trajo un libro, una vela y a las dos doncellas que estaban en la venta para

Después de leer

A Describiendo Describe.

1. a don Quijote, su casa y algunas costumbres suyas
2. lo que hacía en su tiempo libre; lo que le pasó a él por consecuencia
3. lo que decidió proclamarse; lo que quería hacer con su nuevo «título»
4. todas las preparaciones que hizo don Quijote
5. su salida
6. la venta que tomó por castillo
7. la comida disponible en la venta; lo que le sirvieron a don Quijote
8. las dificultades que tuvo don Quijote en comer y beber
9. como don Quijote veló sus armas
10. el episodio que tuvo lugar cuando un arriero quería darles agua a sus animales
11. la ceremonia en la cual el ventero le armó caballero andante a don Quijote
12. la salida de don Quijote de la venta

B Buscando información Contesta.

1. ¿Por qué buscaba don Quijote un castillo?
2. ¿A qué llegó? ¿Un castillo?
3. ¿Qué señal esperaba don Quijote para anunciar su llegada al «castillo»?
4. ¿Quién dio la señal? ¿Qué hizo?
5. ¿Por qué se reían las mozas en la venta?
6. ¿A quién llamó don Quijote el alcalde de la fortaleza?
7. ¿Cómo desarmaron las «doncellas» a don Quijote?
8. ¿Qué no le pudieron quitar?
9. Don Quijote se puso de rodillas. Y, ¿qué le rogó al ventero que hiciera?
10. ¿Cómo le contestó el ventero?
11. ¿Cuáles son algunos consejos que le dio el ventero?
12. Después del episodio con los arrieros, ¿qué decidió hacer el ventero lo más pronto posible?

C Resumiendo Escribe un resumen de lo que leíste del *Quijote.*

D Dramatizando Trabajando en grupos preparen un *skit* sobre los siguientes episodios de don Quijote. Preséntenlos a la clase.

1. Don Quijote se acerca a la venta
2. Don Quijote come en la venta
3. Don Quijote se arma caballero andante
4. Don Quijote quiere salir de la venta

E Personalizando ¿Qué hiciste al leer estos trozos del famoso Quijote? ¿Reíste o lloraste? ¿Por qué?

Go Online!

connectED.mcgraw-hill.com

Libro-Centro Don Quijote

CULTURA

Una librería en León, Nicaragua, que lleva el nombre de don Quijote

PRACTICE

Después de leer

Activities A, B, C, D, E Students can do these activities as they are reading the selection.

Activities A, B After completing the entire reading you may wish to go over Activities A and B once again to give students a good review of these chapters of *El Quijote.*

ASSESS

Students are now ready to take the Reading and Writing Test for Lección 4: Literatura.

Answers

representar una ceremonia formal. Le dijo a don Quijote que se hincara y leyendo su manual con murmures pretendiendo estar rezando, levantó la mano, le dio un golpe en el cuello y un golpe en la espalda con su propia espada. Luego mandó a una de las doncellas a que le ciñese la espada, y ella aguantándose la risa le dijo: «Dios haga a vuestra merced muy venturoso caballero y le dé ventura en lides».

12. Inmediatamente después de la ceremonia ensilló a Rocinante, se despidió de su huésped con mucho agradecimiento por hacerlo un armado caballero y salió en busca de aventuras.

B

1. Él buscaba un castillo para descansar, comer y pasar la noche. Tanto él como su caballo habían andado todo el día.
2. No llegó a un castillo, llegó a una venta.
3. Él esperaba la señal de una trompeta porque llegaba una caballeriza.
4. La señal la dio un porquero que tocó un cuerno que servía para recoger a la manada de puercos.
5. Las mozas reían porque no entendían el lenguaje de don Quijote. También porque tenía mala apariencia y las llamaba doncellas y bonitas.
6. Don Quijote llamó al ventero el alcalde de la fortaleza.
7. Las doncellas le quitaron el peto y el espaldar.
8. No le pudieron quitar la gola ni la celada.
9. Le rogó que le otorgase el don de caballero armado.
10. El ventero le contestó que tenía mucha razón en lo que deseaba. Tenía la elegancia y el porte gallardo necesario para obtener una orden de caballero armado.
11. Le aconsejó que debía tener dinero consigo, pues aunque los libros no mencionaban esto en sus historias, el dinero era muy necesario. También debía tener ropa limpia.
12. El ventero decidió apresurar el engaño y darle su orden de caballería antes del amanecer. Él quería que don Quijote se fuese de la venta lo antes posible y no causara daño a los otros huéspedes.

C *Answers will vary.*

D *Answers will vary.*

E *Answers will vary.*

Videopaseo

The Video Program for Chapter 1 includes three documentary segments of some interesting aspects of life in Spain. You may wish to have students answer the **Antes de mirar** questions orally or in writing.

Episodio 1: La Puerta del Sol está en pleno centro del Viejo Madrid. Es el corazón de la ciudad. Aquí hay una placa que indica el centro preciso de España que también está en la Puerta del Sol. Muchos eventos históricos ocurrieron aquí. En 1808 los madrileños lucharon contra los soldados de Napoleón en la Guerra de la Independencia. Es un lugar muy vivo e impresionante.

Episodio 2: Este lugar se llama Madrid Xanadú. Es un lugar para esquiar, pero no está en una montaña, está en la ciudad. No solamente está en la ciudad, está en un edificio. Aquí se puede esquiar día y noche, en invierno o en verano. Hay pistas para principiantes y para expertos. Es uno de los sitios más populares de Madrid para la gente joven.

Episodio 3: El café es una institución en España. Es un centro social. Allí la gente no solamente toma café, allí se habla, se lee el periódico, se encuentra con los amigos. En este café de Madrid el camarero les sirve a los señores que, sin duda, son clientes habituales, clientes que van al mismo café todos los días a la misma hora.

Videopaseo

¡Un viaje virtual a España!

Antes de mirar los episodios, completen las actividades que siguen.

Episodio 1: Visita al Viejo Madrid

Antes de mirar Con unos compañeros de clase, contesten las siguientes preguntas para prepararse para lo que van a ver en el video.

1. Según el título del episodio, ¿de qué se tratará?
2. ¿Qué es Madrid? ¿En qué parte de España está Madrid?
3. ¿Por qué será importante la ubicación estratégica de España?
4. ¿Tiene la ciudad de ustedes un casco o barrio antiguo? ¿Hay edificios históricos en su ciudad?

Episodio 2: Invierno en verano

Antes de mirar Con unos compañeros de clase, contesten las siguientes preguntas para prepararse para lo que van a ver en el video.

1. Según el título del episodio, ¿de qué se tratará?
2. ¿Qué tiempo hace en Madrid en el verano? ¿En el invierno?
3. ¿Cuáles serán algunas actividades en que podrían participar si fueran a Madrid en el verano?
4. ¿Cuáles son algunos términos que conocen que tienen que ver con el esquí?

Episodio 3: La tradición del café

Antes de mirar Con unos compañeros de clase, contesten las siguientes preguntas para prepararse para lo que van a ver en el video.

1. Según el título del episodio, ¿de qué se tratará?
2. ¿Cuáles son unas cosas que asocian ustedes con los cafés?
3. ¿Hay cafés en su ciudad?
4. ¿Les gusta ir a los cafés? ¿Por qué razones van los jóvenes a un café?

Repaso de vocabulario

Go Online!

connectED.mcgraw-hill.com

Cultura

la alfombra
la almendra
la carabela
la colina
la corona
la guerra
la joya
la lucha
la neblina
la orilla
la reina
el rey
el siglo
extranjero(a)
veraniego(a)
huir
parecerse a

Literatura

Poesía

la arboleda
la estrofa
la hoja
la metáfora
el pendón
la poesía lírica
la popa
la rama
la rima
el rumbo
el símbolo
el símil
la tempestad
el tronco
el verso
abarcar
brotar

Prosa

los agravios
el arma blanca
la caballeriza
la insolencia
el madrugador
el rocín
la venta
pacífico(a)
acrecentar (ie)
apearse
averiguar
castigar
enmendar (ie)
ensillar
perder el juicio (ie)
procurar

Repaso de vocabulario

Online Resources

Customizable Lesson Plans

 Video (Cultura)

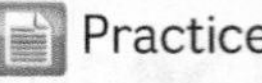 Practice

Listening, Speaking, Reading, Writing Tests

The words and phrases from Lessons 1 and 4 have been taught for productive use in this chapter. They are sumarized here as a resource for both student and teacher.

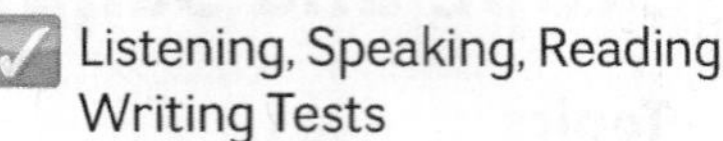

Teaching Options

This vocabulary reference list has not been translated into English. If it is your preference to give students the English translations, please refer to Vocabulary V1.1.

ASSESS

Students are now ready to take any of the Listening, Speaking, Reading, Writing Tests you choose to administer.

Chapter Overview

Países andinos

Scope and Sequence

Topics
- The geography of Ecuador, Peru, and Bolivia
- The history of Ecuador, Peru, and Bolivia
- The culture of Ecuador, Peru, and Bolivia

Culture
- Quipu, an Incan accounting system
- Geography of Peru and Ecuador
- Landlocked Bolivia
- The Andes Mountains
- The Incas
- Machu Picchu
- Francisco Pizarro, conqueror of the Inca Empire
- South American liberators Simón Bolívar and José de San Martín
- Otavalo market in Ecuador
- Food in Ecuador, Peru, and Bolivia
- *¡Quién sabe!* by José Santos Chocano
- *Los comentarios reales* by el Inca Garcilaso de la Vega

Functions
- How to describe habitual past actions
- How to talk about past actions
- How to describe actions in progress
- How to make comparisons

Structure
- The imperfect of regular and irregular verbs
- The imperfect and the preterite to describe the past and to indicate past actions
- The progressive tense
- The comparative and superlative
- Comparison of equality

Leveling

The activities within each chapter are marked in the Wraparound section of the Teacher Edition according to level of difficulty.

E indicates easy
A indicates average
CH indicates challenging

The readings in **Lección 4: Literatura** are also leveled to help you individualize instruction to best meet your students' needs. Please note that the material does not become progressively more difficult. Within each chapter there are easy and challenging sections.

Richard Brommer

Correlations to ACTFL World-Readiness Standards for Learning Languages

COMMUNICATION Communicate effectively in more than one language in order to function in a variety of situations and for multiple purposes		
Interpersonal Communication	Learners interact and negotiate meaning in spoken, signed, or written conversations to share information, reactions, feelings, and opinions.	pp. 71, 73, 79, 83, 85, 86, 87, 88, 95, 101, 102
Interpretive Communication	Learners understand, interpret, and analyze what is heard, read, or viewed on a variety of topics.	pp. 59, 61, 63, 65, 66, 67, 69, 70, 71, 73, 75, 77, 79, 82, 86, 87, 88, 90, 91, 94, 97, 98, 99, 102
Presentational Communication	Learners present information, concepts, and ideas to inform, explain, persuade, and narrate on a variety of topics using appropriate media and adapting to various audiences of listeners, readers, or viewers.	pp. 71, 75, 86, 87, 88, 89
CULTURES Interact with cultural competence and understanding		
Relating Cultural Practices to Perspectives	Learners use the language to investigate, explain, and reflect on the relationship between the practices and perspectives of the cultures studied.	pp. 75, 87, 88, 95
Relating Cultural Products to Perspectives	Learners use the language to investigate, explain, and reflect on the relationship between the products and perspectives of the cultures studied.	pp. 58, 62, 66, 68, 69, 71, 76, 88, 96, 101
CONNECTIONS Connect with other disciplines and acquire information and diverse perspectives in order to use the language to function in academic and career-related situations		
Making Connections	Learners build, reinforce, and expand their knowledge of other disciplines while using the language to develop critical thinking and to solve problems creatively.	pp. 61, 63, 64–65, 66, 67, 71, 80, 87, 88, 89, 95
Acquiring Information and Diverse Perspectives	Learners access and evaluate information and diverse perspectives that are available through the language and its cultures.	pp. 74, 76, 87, 88, 93, 98–99, 101, 102
COMPARISONS Develop insight into the nature of language and culture in order to interact with cultural competence		
Language Comparisons	Learners use the language to investigate, explain, and reflect on the nature of language through comparisons of the language studied and their own.	pp. 74, 80, 82
Cultural Comparisons	Learners use the language to investigate, explain, and reflect on the concept of culture through comparisons of the cultures studied and their own.	pp. 87, 88
COMMUNITIES Communicate and interact with cultural competence in order to participate in multilingual communities at home and around the world		
School and Global Communities	Learners use the language both within and beyond the classroom to interact and collaborate in their community and the globalized world.	pp. 73, 97, 100
Lifelong Learning	Learners set goals and reflect on their progress in using languages for enjoyment, enrichment, and advancement.	pp. 74, 76, 101, 102

Preview

In this chapter, students will learn about the geography, history, culture, and literature of Ecuador, Peru, and Bolivia. They will also read and discuss newspaper articles. They will read works by José Santos Chocano and the Inca Garcilaso de la Vega. Students will also continue with their review of Spanish grammar.

Pacing

Cultura	4–5 days
Gramática	4–5 days
Periodismo	4–5 days
Literatura	4–5 days
Videopaseo	2 days

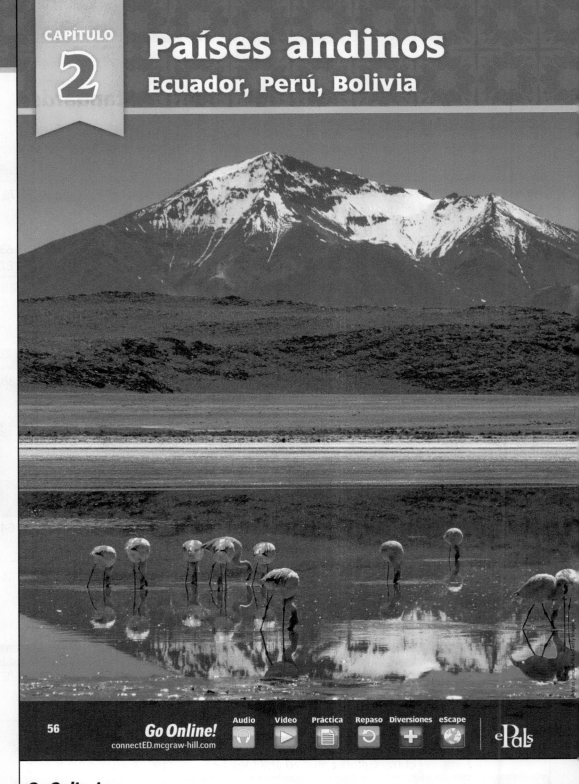

CAPÍTULO 2

Países andinos

Ecuador, Perú, Bolivia

Go Online! connectED.mcgraw-hill.com

Audio Video Práctica Repaso Diversiones eScape ePals

Go Online!

Audio
Listen to spoken Spanish.

Video
Watch and learn about the Spanish-speaking world.

Práctica
Practice your skills.

Repaso
Review what you've learned.

Diversiones
Go beyond the classroom.

eScape
Read about current events in the Spanish-speaking world.

Flamencos rosados en una laguna en el altiplano de Bolivia, Salar de Uyuni, cerca de Potosí

Objetivos

You will:

- learn about the geography, history, and culture of the Andean region of South America—Ecuador, Peru, and Bolivia
- read and discuss newspaper articles
- read a poem by José Santos Chocano and a short story by the Inca Garcilaso de la Vega

You will review:

- the imperfect of regular and irregular verbs
- the imperfect and the preterite to describe the past and to indicate past actions
- the progressive tenses
- the comparative and superlative
- the comparison of equality

Contenido

Lección 1: Cultura

Geografía e historia de la región andina

Lección 2: Gramática

El imperfecto

Imperfecto y pretérito

Tiempos progresivos

Comparativo y superlativo

Comparativo de igualdad

Lección 3: Periodismo

Lección 4: Literatura

Poesía

¡Quién sabe! de José Santos Chocano

Prosa

Los comentarios reales del Inca Garcilaso de la Vega

Assessment
Check student progress.

Connect with Spanish-speaking students around the world.

Online Resources

Customizable Lesson Plans

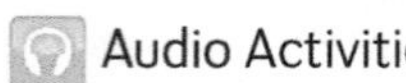 Audio Activities

 Student Workbook

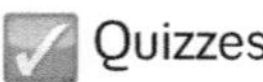 Quizzes

TEACH

Core Instruction

Step 1 You may wish to have all students repeat the new words.

Step 2 Have students do the practice activities on the next page.

Teaching Options

Call on different students to read the definitions aloud or have them study and learn them on their own.

Tips for Success

Students retain new material by hearing and using it. You may wish to ask questions to assist students in acquiring these words as an active part of their vocabulary. **¿Son el oro y la plata dos metales preciosos? Donde vives, ¿son la mayoría de las casas de madera u otro material? ¿Dónde nació el criollo? ¿De dónde eran los padres del criollo? ¿Vives en una zona de mucha precipitación?**

Differentiation

Multiple Intelligences

Call on **bodily-kinesthetic** learners to dramatize the following. **Haz un nudo en la cuerda. Soy muy acomodado. Mis fondos son muy escasos. ¡Qué agrio! ¡Qué bello! ¡Qué día más caluroso! Estoy tejiendo algo.**

Un quipu es una cuerda con nudos que usaban los incas para contar.

Vocabulario

Estudia las siguientes palabras para ayudarte a entender la lectura.

el oro metal precioso de color amarillo brillante
la plata metal precioso de color blanco/gris brillante
la madera parte sólida de los árboles que sirve para muchas obras de carpintería
un(a) criollo(a) persona de origen español nacida en las Américas
la precipitación la lluvia
acomodado(a) bastante rico, adinerado; no pobre
agrio(a) lo contrario de dulce; amargo
bello(a) bonito, hermoso, lindo
caluroso(a) donde hace mucho calor
escaso(a) poco; insuficiente
lluvioso(a) donde llueve mucho, donde hay mucha lluvia
nevado(a) cubierto de nieve
apoyar ayudar, favorecer; sostener
soler (ue) acostumbrar; ocurrir con frecuencia
subyugar someter a alguien de manera violenta

Estudio de palabras

tejer hacer (formar) mantas, prendas de vestir, etc., de telas
el/la tejedor(a) el/la que teje algo
un tejido cosa hecha o formada por el tejedor

CULTURA
La señora está tejiendo tejidos en el Valle Sagrado en la región de Cuzco, Perú.

Go Online!

    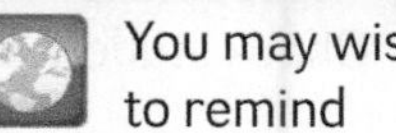

You may wish to remind students to go online for additional vocabulary practice. They can also download audio files of all vocabulary.

Práctica

HABLAR • ESCRIBIR

1 Contesta.

1. ¿Usaban los incas el quipu para contar?
2. ¿Tenía el quipu nudos?
3. En la época colonial, ¿solían ser de solo uno o dos pisos las casas?
4. ¿Solían tener balcones de madera?
5. ¿Tejían las señoras indígenas tejidos bonitos?

ESCUCHAR

2 Indica si la información es correcta o no.

correcta	incorrecta

LEER • ESCRIBIR

3 Expresa de otra manera.

1. Estos tejidos son muy *bellos*.
2. La materia prima es *insuficiente*.
3. Donde viven ellos no hay mucha *lluvia*.
4. Él *sometió* a su hermano.
5. Ellos *favorecieron y ayudaron* a su hermano en la batalla.
6. Él era bastante *rico*.

LEER • ESCRIBIR

4 Da una palabra relacionada.

1. el calor
2. la escasez
3. la subyugación
4. el tejido
5. la lluvia
6. la belleza
7. la nieve
8. el apoyo

CULTURA

Tejidos bonitos en venta en una tienda en Baños, Ecuador

CULTURA

La bella Laguna Verde y el volcán nevado Licancabur cerca de la frontera entre Bolivia y Chile

Go Online!

connectED.mcgraw-hill.com

Cultura

Leveling EACH Activity

Easy Activities 1, 2
Average Activity 4
CHallenging Activity 3

PRACTICE

Activity 1 This activity can be gone over orally in class, calling on individuals to respond.

Activity 2

Audio Script

1. El oro y la plata son metales preciosos.
2. La madera, como la esmeralda o el diamante, es una joya.
3. Se puede hacer nudos con una cuerda.
4. Nieva mucho en una región lluviosa.
5. Casi siempre hace calor en una zona calurosa.
6. El limón es una fruta bastante agria.
7. Un indígena inca es un criollo.

Activities 3 and 4 These activities can be prepared and then gone over in class.

Differentiation

Advanced Learners

Call on advanced learners to correct any false information in Activity 2 and to use the words from Activity 4 in original sentences.

ASSESS

Students are now ready to take Quiz 1.

Answers

1

1. Sí, los incas usaban el quipu para contar.
2. Sí, el quipu tenía nudos.
3. Sí, en la época colonial, las casas solían ser de solo uno o dos pisos.
4. Sí, solían tener balcones de madera.
5. Sí, las señoras indígenas tejían tejidos bonitos.

2

1. correcta
2. incorrecta
3. correcta
4. incorrecta
5. correcta
6. correcta
7. incorrecta

3

1. bonitos (hermosos, lindos)
2. escasa
3. precipitación
4. subyugó
5. apoyaron
6. acomodado

4

1. caluroso
2. escaso
3. subyugar
4. tejer (el/la tejedor[a])
5. lluvioso
6. bello
7. nevado
8. apoyar

Online Resources

Customizable Lesson Plans

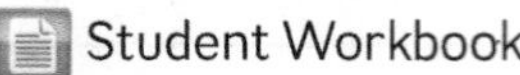

Audio Activities

Student Workbook

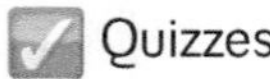

Quizzes

TEACH

Core Instruction

Step 1 Have students locate Ecuador, Peru, and Bolivia on the map in the front of this book.

Step 2 Tell students to look at the photographs that accompany this **Lectura** as they read it.

Step 3 Before students read this section, you may wish to have them look at Activity A to make them aware of the information they have to look for as they read the **Lectura.**

Comunicación

Interpersonal

Have a student say as much as he or she can about the photographs.

¡Así se dice!

Why It Works!

Students will now learn a great deal of cultural information about the Andean area. As always, in **¡Así se dice!** students can also draw on previously learned material. In **¡Así se dice!** Levels 1–3, students learned the following about the Andean region: **la importancia del transporte aéreo; las líneas de Nazca; los alrededores de La Paz y el lago Titicaca; el viaje ferroviario entre Cuzco y Machu Picchu; la importancia de la papa; los mercados indígenas de Ecuador.**

La geografía

Pensar en Ecuador o Perú es pensar en bellos paisajes andinos. Pero la verdad es que Ecuador y Perú se dividen en tres zonas geográficas muy diferentes: en el oeste la costa, llamada el litoral en Perú; en el centro la sierra o la cordillera; y en el este la zona amazónica, llamada el Oriente en Ecuador y la selva en Perú. Estas inmensas selvas tropicales de la cuenca[1] amazónica cubren la mayor parte del territorio de los dos países. Pero debido al calor, a la vegetación densa y a la inaccesibilidad, es aquí donde vive el menor número de habitantes. Más del 50 por ciento de la población de cada país vive en la sierra.

A pesar de la proximidad de la línea ecuatorial, el clima de la costa de Ecuador y Perú no es ni muy caluroso ni muy lluvioso. ¿Por qué? Pues, una corriente fría llamada la corriente del Pacífico o la corriente Humboldt baña la costa y baja la temperatura y la precipitación. Muchas partes del litoral peruano son tan áridas que son zonas desérticas.

Bolivia no tiene costa. Perdió su acceso al mar en la guerra con Chile llamada también la Guerra del Pacífico (1879–1884). En Bolivia, los Andes se dividen en dos cordilleras—la oriental y la occidental—separadas por un altiplano de vientos fuertes y una vegetación muy escasa. En el este, Bolivia, como sus vecinos, tiene una inmensa área de selvas tropicales.

[1] cuenca *basin*

CULTURA

Una cascada en Baños, Ecuador

CULTURA

Una duna grande de arena en el desierto cerca de Ica en el sur de Perú

Go Online!

connectED.mcgraw-hill.com

A Buscando información Identifica.

1. tres países andinos
2. el número de zonas geográficas que tienen Ecuador y Perú
3. el nombre que se le da a la costa de Perú
4. el nombre que se le da a la selva de Ecuador
5. donde vive la mayoría de las poblaciones ecuatoriana y peruana
6. la corriente que baja la temperatura y la precipitación a lo largo de la costa del Pacífico en Perú y Ecuador
7. cuando Bolivia perdió su acceso a la costa
8. lo que cubre la parte oriental de Bolivia

CULTURA

La Isla del Sol en el lago Titicaca en Bolivia. Los indígenas cultivan la tierra en terrazas como estas en las laderas de las montañas.

CULTURA

Paisaje ecuatoriano. Siempre están presentes los Andes.

Conexiones 

Las ciencias

El ecuador, o la línea equinoccial que pasa por Ecuador, el país que lleva su nombre, es un círculo imaginario de la esfera terrestre. Su plano es perpendicular a la línea de los polos norte y sur. En las regiones a lo largo del ecuador hay durante todo el año doce horas de día y doce de noche. Además el amanecer y la puesta del sol son las más rápidas de cualquier otra parte del mundo. Dos veces al año, el equinoccio del veinte o veintiuno de marzo y del veintidós o veintitrés de septiembre, el sol pasa directamente sobre el ecuador y durante los equinoccios los rayos del sol están perpendiculares a la superficie de la Tierra. Las temperaturas cerca del ecuador son altas durante todo el año pero pueden variar debido a una serie de factores como la altitud y la proximidad a un océano.

PRACTICE

A You may wish to allow students to look up the answers to this activity and read them in class. If, however, you prefer this to be a factual recall activity, go over the activity and have students give the answers without looking them up.

Comunicación

Interpersonal

You may wish to have students talk about the photographs.

ASSESS

Students are now ready to take Quiz 2.

Answers

A

1. Ecuador, Perú, Bolivia
2. tres
3. el litoral
4. el Oriente
5. en la sierra
6. la corriente del Pacífico (la corriente Humboldt)
7. en la guerra con Chile (la guerra del Pacífico)
8. selvas tropicales

Online Resources

Customizable Lesson Plans

Audio Activities

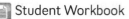

Student Workbook

Quizzes

TEACH

Core Instruction

Step 1 You may wish to call on individuals to read sections of the reading selections aloud or you may wish to read the selection (or parts of it) to the class as the students follow along. Students can also read the selection silently and then proceed to the activities.

Step 2 Intersperse the questions from Activity B as you go over this section of the **Lectura.**

Step 3 After going over two or three paragraphs, call on a student to give a summary of the information.

Interpersonal

Call on students to share what they remember about Machu Picchu from their previous study of Spanish.

La geografía

You may wish to share the following information about the Andean region with students. Encourage them to share any other information about the region that they learned in other classes.

Una ojeada histórica

La época precolombina

Desde los tiempos más remotos han poblado estas regiones andinas muchos grupos indígenas. Durante unos siglos los incas los iban subyugando, llegando a formar en el siglo XV un imperio que iba desde el sur de Colombia hasta el norte de Chile y desde los nevados picos andinos hasta las orillas del Pacífico. El imperio cubría un área de 900.000 kilómetros cuadrados.

El jefe supremo de los incas fue el Inca, un hombre-dios que llevaba el título «Hijo del Sol». La base de la sociedad la constituía la familia o el ayllu, una comunidad formada por un conjunto de familias.

Los incas creían en un dios creador, Viracocha. Viracocha creó el mundo y los seres que lo habitaban. Luego desapareció en el mar. Otros dioses tenían más importancia que Viracocha en los ritos y en los asuntos diarios. Entre los más importantes fueron Inti, el Sol, y Pachamama, la Tierra. Los incas creían en un cielo y un infierno, un lugar asociado al frío y al hambre. El destino que esperaba a los muertos dependía de sus actos en vida y de su condición social.

Los incas hablaban quechua, un idioma que sus descendientes siguen hablando hoy. No conocían la escritura pero para contar tenían un sistema ingenioso. Usaban los quipus—series de cuerdas con nudos de varios tipos. Según el color de los cordeles[2] y la posición de los nudos, los quipus servían de registro numérico siguiendo un sistema decimal.

Los incas eran excelentes arquitectos. Construían casas, templos, fortalezas y ciudades. De estas la más famosa y la más intacta es Machu Picchu.

[2] cordeles *cord, twine*

CULTURA
Estatua de una guerrera indígena en Ollantaytambo, Perú

CULTURA
Caños de agua en una fuente en la Isla del Sol, Bolivia

(t)Richard Brommer, (b)Lissa Harrison

- Machu Picchu está a 112 kilómetros de Cuzco. La única manera de llegar allí (a menos que uno vaya a pie) es por el ferrocarril. El tren sale de Cuzco por la mañana y regresa por la tarde. La salida del sol en Machu Picchu es una experiencia única. La estación lluviosa en esta región es de diciembre a marzo.
- La enfermedad que afecta a las personas en las alturas extremas de los Andes se llama «el soroche». Algunos síntomas del soroche son dolores de cabeza, falta de aliento (dificultad en respirar) y fatiga. En el aeropuerto de El Alto en La Paz, Bolivia, hay enfermeros con tanques de oxígeno para los pasajeros afectados por la altura.

También era excelente el sistema de caminos que tenían. El trazado de las carreteras era sencillo. Una vía corría a lo largo de los Andes y la otra a lo largo de la zona costera. Había numerosos tambos o posadas[3] a distancias variables. En los tambos se encontraban chasquis u hombres correos que corrían a gran velocidad de un tambo a otro llevando mensajes.

La base del sustento de los incas era la agricultura. En las regiones más altas el único cultivo practicable era la papa. Exponiendo la papa sucesivamente a las heladas nocturnas del altiplano y al radiante sol del día, deshidrataban la papa convirtiéndola en chuño. Se podía transportar el chuño fácilmente y se conservaba por mucho tiempo. Cultivaban también el choclo (el maíz) y la quinua[4] que se empleaba como cereal. El ganado domesticado, llamas y alpacas, les daba lana, pieles[5] y carne. Cortaban la carne de estos animales en tiras[6] finas que secaban al sol para hacer charqui que se podía conservar por mucho tiempo.

[3] posadas *inns*
[4] quinua (quinoa) *type of seed*
[5] pieles *skins*
[6] tiras *strips*

Go Online!

connectED.mcgraw-hill.com

CULTURA

El maíz se está secando en una calle no muy lejos de Latacunga, Ecuador.

B Recordando hechos Contesta.

1. ¿Qué grupo indígena formó un imperio grande desde el sur de Colombia hasta el norte de Chile?
2. ¿Qué constituía la base de la sociedad inca?
3. ¿Quién era el dios creador de los incas?
4. ¿Quiénes eran dos dioses que tenían mucha importancia en su vida diaria?
5. ¿De qué dependía el destino final de los incas?
6. ¿Qué lengua hablaban?
7. ¿Conocían la escritura?
8. ¿Qué usaban para contar?
9. ¿Qué construían los incas?
10. ¿Quiénes eran los chasquis y qué hacían?
11. ¿Qué comían los incas?
12. ¿Para qué usaban las llamas y las alpacas?

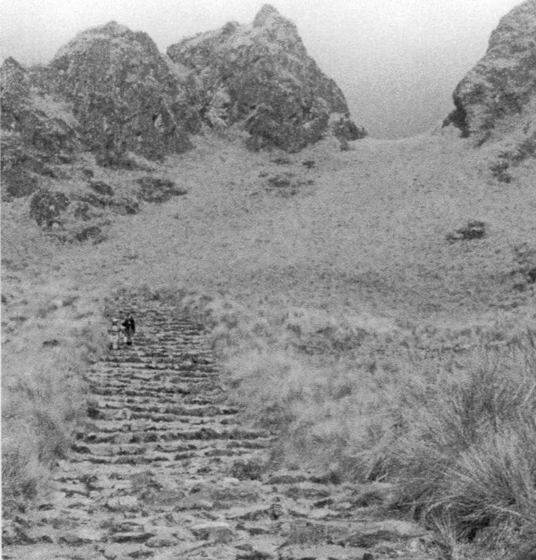

CULTURA

Una parte del Camino del Inca cerca de Machu Picchu. Esta senda corría a lo largo de los Andes.

Cultura

PRACTICE

B You may wish to do this as a factual recall activity or you may wish to allow students to look up the answers.

Cultura

- For centuries, the indigenous peoples of the Andean region have chewed the leaves of the coca plant. Today, even in the international hotels of major cities, a tea is brewed from the coca leaf (**té de coca**) and is available all day to guests. It is supposed to alleviate the effects of the high altitude. You may wish to have students who are interested in physiology do some research on the affects and remedies of altitude sickness and report back to the class.
- **Llamas, vicuñas, alpacas,** and **guanacos** are all similar, varying primarily in size, color, and texture of wool. They are ruminants (cud chewers) and are related to the camel. They are indigenous to Andean South America, but **llamas** and **alpacas** are now farmed in the United States for their wool. Ask students if they have ever seen any of these animals. If so, have them tell about it.

Go Online!

You may wish to remind students to go online for additional reading and listening comprehension practice.

ASSESS

Students are now ready to take Quiz 3.

Answers

B

1. Los incas iban formando un imperio grande desde el sur de Colombia hasta el norte de Chile.
2. La familia o el ayllu constituía la base de la sociedad inca.
3. El dios creador de los incas era Viracocha.
4. Dos dioses que tenían mucha importancia en su vida diaria eran Inti y Pachamama.
5. El destino final de los incas dependía de sus actos en vida y de su condición social.
6. Hablaban quechua.
7. No, no conocían la escritura.
8. Usaban quipus para contar.
9. Los incas construían casas, templos, fortalezas y ciudades.
10. Los chasquis eran hombres correos que corrían a gran velocidad de un tambo a otro llevando mensajes.
11. Comían papas, choclo (maíz), quinua y charqui.
12. Las usaban para lana, pieles y carne.

Online Resources

Customizable Lesson Plans

 Student Workbook

 Quizzes

TEACH

Core Instruction

Step 1 As you go over this section you may want to ask some **qué, quién, cuándo,** and **dónde** questions.

Step 2 Have a student explain the meaning of: **Los conquistadores querían servir a Dios y a su Rey.**

Step 3 Have a student explain the meaning of **«Señores de vasallos».**

Step 4 Call on an advanced learner to explain the meaning of **«la encomienda».** This is a very important concept, since it had much negative impact for generations throughout Latin America.

Cultural Snapshot

Fue Pizarro mismo quien hizo los planes para la construcción de la Plaza de Armas en 1535.

La conquista

El Inca Huayna Capac murió en 1525. Con su muerte el gran Imperio fue dividido entre sus dos hijos—Huáscar, el legítimo, y Atahualpa, el ilegítimo. Atahualpa recibió el norte (Quito) y Huáscar recibió el sur (Cuzco). Enseguida Atahualpa se sublevó contra su hermano. Lo venció y lo tomó prisionero. En este momento entró Francisco Pizarro con entre ciento treinta y doscientos cincuenta hombres y de veinticinco a ochenta caballos. Pizarro y sus hombres encontraron muy poca resistencia ya que los habitantes de la región habían apoyado al hermano muerto de Atahualpa. La conquista fue rápida y en noviembre de 1532 los españoles hicieron prisionero a Atahualpa en Cajamarca (hoy parte de Ecuador). Poco después lo ejecutaron. En noviembre de 1533 Pizarro entró en Cuzco y dos años después fundó la magnífica Ciudad de los Reyes, Lima.

Los conquistadores tenían afán de hacerse famosos realizando hazañas[7] y obteniendo riquezas de oro y plata para la Corona española. Además se consideraban los portadores de la verdadera fe y querían convertir a los indígenas. Los conquistadores querían servir a Dios y a su Rey.

Como en la Edad Media europea el señor tenía vasallos, los conquistadores y los primeros pobladores de las Américas también tenían la ambición de convertirse en «señores de vasallos». Esa ambición resultó en la institución de la encomienda. Consistía en encomendar a cierto grupo de indígenas a un español, al encomendero. El encomendero tenía el derecho de cobrar tributos[8] a los indígenas. En los primeros tiempos de la colonización no hubo control sobre las exigencias de los encomenderos quienes cometieron todo tipo de abusos contra los indígenas, sobre todo en el trabajo en las minas.

[7] hazañas *deeds* [8] tributos *taxes*

CULTURA

Estatua ecuestre de Francisco Pizarro en una plaza de Lima, Perú

CULTURA

Una vista parcial de la Plaza de Armas en Lima, llamada «la Ciudad de los Reyes»

Cultura

Go Online!

connectED.mcgraw-hill.com

Es difícil imaginar el trauma que sufrieron los incas tras la llegada de los españoles. La población indígena empezó a bajar dramáticamente debido a las epidemias de enfermedades que trajeron los españoles, los maltratos sufridos a causa de las exigencias laborales de los encomenderos y el colapso de su forma de vivir, de sus costumbres y de su religión. El rápido descenso en la población indígena resultó en otro gran horror, el tráfico[9] de africanos, de gente esclavizada.

[9] tráfico *trade*

C Buscando información Completa.

El Inca Huayna Capac murió en 1525. Después de su muerte el imperio de los incas fue dividido en dos partes entre sus dos __1__. __2__ recibió el sur y __3__ recibió el norte. Enseguida __4__ se sublevó contra su hermano, __5__. Lo venció y lo tomó __6__. Muy poco después llegó Francisco Pizarro, el conquistador español. Sus hombres no encontraron mucha __7__ de los incas porque ya habían apoyado al hermano muerto de Atahualpa. La conquista fue rápida y los españoles capturaron a __8__ en Cajamarca y poco después lo __9__.

D Confirmando Indica si la información es correcta o no.

1. Los conquistadores y los colonizadores le encomendaban a un grupo de indígenas a un español. Los indígenas tenían que trabajar para el español a quien fueron encomendados.
2. El español fue el encomendado y el indígena el encomendero.
3. Los españoles nunca abusaban de los indígenas.
4. Los españoles les exigían mucho trabajo duro a los indígenas.
5. La población de los indígenas empezó a bajar dramáticamente.
6. Los indígenas fueron reemplazados por la gente esclavizada importada de África.

CULTURA

Un mural que representa la conquista española en Cuzco, Perú

PRACTICE

C Have students prepare this activity and read it to the class.

Differentiation

Advanced Learners

D Call on advanced learners to correct the false statements in this activity.

ASSESS

Students are now ready to take Quiz 4.

Answers

C

1. hijos
2. Huáscar
3. Atahualpa
4. Atahualpa
5. Huáscar
6. prisionero
7. resistencia
8. Atahualpa
9. ejecutaron

D

1. sí
2. no
3. no
4. sí
5. sí
6. sí

Online Resources

Customizable Lesson Plans

 Student Workbook

 Quizzes

TEACH

Core Instruction

As you go over this section, you can intersperse the questions from Activity E.

Differentiation

Advanced Learners

As you read these selections, it is suggested that you call on advanced learners to provide a summary in their own words. You may also wish to have them make up questions about the content and ask other students.

Cultural Snapshot

(bottom) Fue Francisco Pizarro el que dio a la ciudad peruana el nombre de Trujillo, el mismo nombre de su ciudad natal en Extremadura. Trujillo está en el norte de Perú en el valle del Moche. Es una región rica en agricultura y durante la época colonial los españoles construyeron casonas magníficas. La Plaza de Armas de Trujillo es la más grande de todo Perú.

ASSESS

Students are now ready to take Quiz 5.

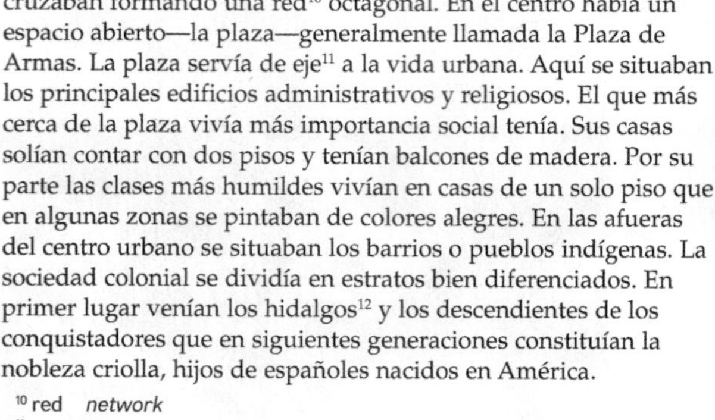

La colonización

Durante la primera parte del período colonial (siglos XVI y XVII) el Virreinato de Perú se extendía desde el estrecho de Magallanes hasta Ecuador. Lima fue la capital.

Durante la época colonial los españoles establecieron muchas ciudades. Las ciudades se parecían a las de España. Las calles se cruzaban formando una red[10] octagonal. En el centro había un espacio abierto—la plaza—generalmente llamada la Plaza de Armas. La plaza servía de eje[11] a la vida urbana. Aquí se situaban los principales edificios administrativos y religiosos. El que más cerca de la plaza vivía más importancia social tenía. Sus casas solían contar con dos pisos y tenían balcones de madera. Por su parte las clases más humildes vivían en casas de un solo piso que en algunas zonas se pintaban de colores alegres. En las afueras del centro urbano se situaban los barrios o pueblos indígenas. La sociedad colonial se dividía en estratos bien diferenciados. En primer lugar venían los hidalgos[12] y los descendientes de los conquistadores que en siguientes generaciones constituían la nobleza criolla, hijos de españoles nacidos en América.

[10] red *network*
[11] eje *axis*
[12] hidalgos *nobles*

CULTURA

Plaza de Armas, Arequipa, Perú

CULTURA

Típica casa rural en la provincia de Chimborazo, Ecuador

E Recordando hechos Contesta.

1. ¿Se parecían a las ciudades de España las ciudades que establecían los españoles en las colonias?
2. ¿Qué había en el centro de la ciudad?
3. ¿Qué nombre le daban los españoles a este espacio?
4. ¿Qué edificios se situaban en la plaza?
5. ¿Dónde vivía la gente que más importancia social tenía?
6. ¿Cómo solían ser sus casas?
7. ¿Cómo eran las casas en las que vivían las clases humildes?
8. ¿Qué había en las afueras del centro urbano?

CULTURA

Casas suntuosas de estilo colonial en la Plaza de Armas, Trujillo, Perú

Answers

E

1. Sí, las ciudades que establecían los españoles en las colonias se parecían a las ciudades de España.
2. En el centro de la ciudad había un espacio abierto.
3. Los españoles le daban el nombre «la plaza» a este espacio.
4. En la plaza se situaban los principales edificios administrativos y religiosos.
5. La gente que tenía más importancia social vivía cerca de la plaza.
6. Sus casas solían contar con dos pisos y tenían balcones de madera.
7. Las clases más humildes vivían en casas de un solo piso (a veces pintadas de colores alegres).
8. En las afueras del centro urbano había los barrios o pueblos indígenas.

Go Online!

connectED.mcgraw-hill.com

Desde la independencia hasta hoy

Después de tres siglos de dominación española, los colonos querían su independencia. La minoría culta, la mayoría de ellos criollos, pedían reformas. Una de sus quejas[13] fue contra la política intervencionista y de control económico que practicaba la monarquía española. La Corona no permitía el comercio con ningún otro país, solo con España. Les compraba la materia prima a los colonos a precios muy bajos y les vendía los productos manufacturados a precios muy altos. Otro problema fue la debilidad de la monarquía española que culminó en la invasión francesa de España en 1808 cuando Napoleón nombró a su hermano José Bonaparte rey de España.

Las rebeliones independentistas empezaron a principios del siglo XIX. Simón Bolívar luchó en el norte, en Venezuela y Colombia. El general José de San Martín luchó en Argentina y Chile y siguió la costa hasta Lima. Los dos se reunieron en Guayaquil en 1822 pero no pudieron ponerse de acuerdo sobre una política de posguerra. San Martín se retiró a Francia y Bolívar continuó la lucha. Bajo Bolívar y el mariscal Sucre el dominio español en la América del Sur terminó con las victorias de Junín y Ayacucho en 1824.

Aun antes de la independencia empezaron a surgir intereses regionalistas y separatistas. En vez de formar una gran entidad política, el sueño de Bolívar, los virreinatos se dividieron en muchas naciones diferentes. Desde la independencia las naciones andinas de Ecuador, Perú y Bolivia han tenido una historia política bastante turbulenta con enfrentamientos[14] entre conservadores y liberales, militaristas y civilistas. Cada país ha tenido gobiernos democráticos y dictaduras. Y cada uno ha gozado de períodos estables y ha sufrido de períodos inestables.

Son Ecuador, Perú y Bolivia los países que han conservado la mayor población indígena de todos los países sudamericanos. Las poblaciones indígena y mestiza alcanzan aproximadamente el 70 por ciento de la población total de cada nación. Hoy hay un fuerte renacimiento de interés en todo lo «indígena» y esta población está pidiendo una voz más fuerte en el gobierno y en el liderazgo[15] de cada país donde por lo general la élite criolla seguía ejerciendo mayor poder.

[13] quejas *complaints*
[14] enfrentamientos *confrontations*
[15] liderazgo *leadership*

CULTURA

La Batalla de Ayacucho durante la Guerra de la Independencia

CULTURA

Dos señoras con sus niños en Pisac, Perú

F Explicando Da la información correcta.

1. dos razones económicas por las cuales los colonos querían su independencia de España
2. una razón política por la cual querían su independencia
3. donde luchó Simón Bolívar
4. donde luchó San Martín
5. el gran sueño de Simón Bolívar
6. la situación política y económica de Ecuador, Perú y Bolivia desde la independencia

Heritage Speakers

If you have any students from Ecuador, Peru, or Bolivia, have them give some information and reactions about their country now or in the recent past.

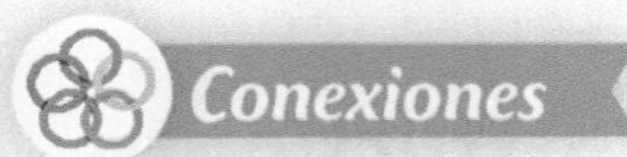

Conexiones

La música

You may wish to have students listen to some Andean music online. It is becoming quite popular around the world.

Go Online!

   You may wish to remind students to go online for additional reading comprehension practice.

ASSESS

Students are now ready to take Quiz 6.

Answers

F *Answers will vary but may include:*

1. Los colonos querían su independencia porque la monarquía practicaba control económico por no permitir el comercio con ningún otro país, solo con España y compraba la materia prima a los colonos a precios muy bajos y les vendía los productos manufacturados a precios muy altos.
2. Querían su independencia por la política intervencionalista que practicaba la monarquía española.
3. Simón Bolívar luchó en Venezuela y Colombia.
4. San Martín luchó en Argentina y Chile.
5. El gran sueño de Simón Bolívar fue que los virreinatos formaran una gran entidad política.
6. La situación ha sido bastante turbulenta desde la independencia.

Online Resources

Customizable Lesson Plans

 Audio Activities

 Student Workbook

TEACH

Core Instruction

You may wish to share with students the information about the Convento de Santa Catalina. There are still several nuns living there today.

Cultural Snapshot

(top) Los moche or mochica vivían en el valle del Moche cerca de Trujillo. Unos trescientos años después de la desaparición de su civilización nació la de los chimú. Su imperio se llamaba «Chimos» y fue el segundo más grande de la historia sudamericana precolombina. Su capital, Chan Chan, fue una ciudad grande de edificios de adobe. Chan Chan tenía bulevares, jardines, acueductos, palacios y más de diez mil viviendas. Los incas conquistaron a los chimú en 1470, poco antes de la llegada de los españoles.

(middle) El Convento de Santa Catalina es un pueblecito amurallado a solo unas cuadras de la Plaza de Armas. Fue fundada en 1579. Una vez había cuatrocientas religiosas que vivían en el convento. Las novicias tenían que pagar para entrar en el convento y fueron separadas según su «contribución»—más alta la contribución, más lujosa la celda. Muchas religiosas llegaban con sus sirvientas y cocineras.

Visitas históricas

Al visitar no importa cual de estos tres países, vas a ver unos paisajes inolvidables. Y por todas partes vas a sentir o experimentar las ricas herencias indígena y española.

La ciudad más intacta de los incas es Machu Picchu. Se discute si servía de fortaleza, de santuario religioso o de escuela para la nobleza incaica.

En 1300 la ciudad de Chan Chan de los mochica en la costa norte de Perú fue más grande en tamaño y población que cualquier ciudad europea de la época. Sus magníficas ruinas dan testimonio de su grandeza.

Una visita al mercado de Otavalo al norte de Quito en Ecuador es una experiencia inolvidable. Aquí se puede comprar de todo. A muchos les interesan los tejidos porque los tejedores otavaleños gozan de fama mundial y sus tejidos son muy apreciados.

Ejemplos de la herencia española son las bellas plazas de Lima, Quito y Sucre, todas de estilo colonial. El Convento de Santa Catalina en Arequipa es una joya arquitectónica. Es todo un pueblo cerca de la Plaza de Armas que hasta recientemente les sirvió de residencia a las señoritas acomodadas que decidieron dedicarse a la vida religiosa.

CULTURA

El Palacio Tschudi en las famosas ruinas de Chan Chan, Perú

CULTURA

Interior del Convento de Santa Catalina, Arequipa, Perú

CULTURA

La fuente y la iglesia de la Compañía en la Plaza de Armas, Cuzco, Perú

Comida

Si tienes hambre durante tu visita tienes que probar una de las muchas especialidades regionales. Hay muchas opciones pero aquí tienes una posibilidad para cada país. Vas a notar la influencia indígena en la cocina con el uso de la papa y del choclo.

Bolivia **empanadas salteñas:** empanadas con carne picada, huevos, aceitunas, papas, cebollas y pimientos

Perú **ceviche:** corvina u otro pescado, adobado[16] durante tres o cuatro horas en una salsa de limón y naranja agria

Ecuador **locro:** una sopa de papa o choclo con queso a veces acompañada de palta (aguacate)

¡Buen provecho y buen viaje!

[16] adobado *marinated*

G **Personalizando** Da respuestas personales.
Si puedes ir a uno o más de estos tres países andinos, ¿adónde quieres ir? ¿Qué quieres ver? ¿Qué vas a comer?

Go Online!

connectED.mcgraw-hill.com

CULTURA

Un plato delicioso de ceviche

CULTURA

Una vista de la maravillosa ciudad de los incas, Machu Picchu, en los Andes peruanos

Answers

G *Answers will vary.*

Cultura

Heritage Speakers

Have heritage speakers from Bolivia, Peru, or Ecuador tell about some foods from their cultures.

Comunicación

Presentational

You may wish to have students find a recipe for empanadas and prepare it. Ask them to share the food with the class and expain how they prepared the dish. If your class has a blog, students could record their presentations and post them on the blog.

Go Online!

You may wish to remind students to go online for additional reading comprehension practice.

Online Resources

Customizable Lesson Plans

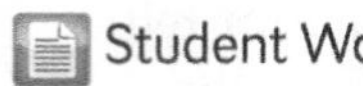
Student Workbook

Reading, Writing Test

Self-check for achievement

This is a pre-test for students to take before you administer the lesson test. Note that each section is cross-referenced so students can easily find the material they feel they need to review. You may wish to use Self-Check Worksheet SC2.1 to have students complete this assessment in class or at home. You can correct the assessment yourself, or you may prefer to display the answers in class using Self-Check Answers SC2.1A.

Differentiation

Slower Paced Learners

Encourage students who need extra help to refer to the margin notes and review any section before answering the questions.

Go Online!

You may wish to remind students to go online for additional reading comprehension practice.

Prepárate para el examen

Self-check for ACHIEVEMENT

Vocabulario

Para repasar, ve el vocabulario de esta sección.

1 Da la palabra cuya definición sigue.

1. favorecer y ayudar a alguien
2. un metal precioso
3. insuficiente
4. lo que suelen usar los carpinteros
5. lo que se puede hacer con una cuerda

CULTURA

Un puerto pesquero en Paracas en el sur de Perú

Lectura y cultura

2 Identifica el país.

6. su costa occidental se llama el litoral
7. el Oriente se refiere a las selvas tropicales del este
8. muchas partes de su costa son tan áridas que son zonas desérticas
9. no tiene costa
10. los Andes se dividen en dos cordilleras separadas por un altiplano

Para repasar, ve la información cultural sobre los países andinos.

3 Parea.

11. el Inca	a. el Hijo del Sol
12. el ayllu	b. cuerdas con nudos que usaban los incas para contar
13. quechua	c. comunidad formada de familias
14. los quipus	d. mensajeros de los incas
15. los chasquis	e. el idioma de los incas

4 Indica si la información es correcta o no.

16. La conquista de los incas fue muy larga y dura porque el Inca Huayna Capac era un líder muy fuerte.
17. Los encomenderos españoles trataban muy bien a los indígenas.
18. En los siglos XVI y XVII el Virreinato de Perú se extendía de México a Chile.
19. Las clases más humildes siempre vivían en las plazas del centro de una ciudad colonial.
20. Son Ecuador, Perú y Bolivia los países que hoy tienen la mayor población indígena de todos los países sudamericanos.

Answers

1
1. apoyar
2. el oro (la plata)
3. escaso
4. la madera
5. los nudos

2
6. Perú
7. Ecuador
8. Perú
9. Bolivia
10. Bolivia

3
11. a
12. c
13. e
14. b
15. d

4
16. no
17. no
18. no
19. no
20. sí

Prepárate para el examen

Practice for PROFICIENCY

1 La geografía de los países andinos
Muchos norteamericanos, al pensar en la América del Sur, piensan en un clima y paisaje tropicales. Pero es una idea errónea que tienen. Explícale a un(a) amigo(a) como es el clima en Ecuador, Perú y Bolivia. Descríbele también el paisaje.

2 La vida en la época de los incas
Has aprendido mucho sobre la vida de los incas. En tus propias palabras, describe algunos aspectos de su vida diaria. Puedes incluir sus creencias religiosas, como escribían, contaban o enviaban mensajes y lo que comían.

3 Un rebelde
Explícale a un(a) compañero(a) los eventos que siguieron la muerte del Inca Huayna Capac. Explica como y por qué fue tan rápida la conquista.

4 Una ciudad de la época colonial
Descríbele a un(a) amigo(a) como era una típica ciudad colonial latinoamericana. Incluye el eje central, quienes vivían donde y como eran sus casas.

Otras expresiones que puedes usar cuando has dicho algo equivocado son **Quiero decir...** o **Es decir...** .

CULTURA
Una antigua máscara ceremonial peruana

Transporte—ayer y hoy
No hay nada más importante que el transporte para mover información, productos, mercancías y gente. Aun los incas construían puentes para enlazar los Andes mientras inauguraban un sistema de transporte eficaz.

En tus estudios del español has aprendido sobre casi todos los medios de transporte en Latinoamérica. Escribe una composición en la que describas y resumas la importancia de cada medio. Este diagrama te da unas sugerencias. A ver si recuerdas unos elementos particulares para darle más interés a tu escrito.

el transporte: calles y carreteras; en zonas urbanas; a pie; en zonas aisladas; en bus; en carro; en avión; en tren

la panamericana **el avión y la geografía**
excursiones ferroviarias en México, Perú y Panamá

Puedes consultar la lista de vocabulario temático sobre el carro, los viajes en avión y los viajes en tren al final de este libro.

Después de revisar y corregir tu borrador, escribe de nuevo tu composición en forma final.

Tips for Success

Encourage students to say as much as possible when they do these open-ended activities. Tell them not to be afraid to make mistakes, since the goal of the activities is real-life communication. Encourage students to self-correct and to use words and phrases they know to get their meaning across. If someone in the group makes an error that impedes comprehension, encourage the others to ask questions to clarify or, if necessary, to politely correct the speaker. Let students choose the activities they would like to do.

Tell students to feel free to elaborate on the basic theme and to be creative. They may use props, pictures, or posters if they wish.

Pre-AP These oral and written activities will give students the opportunity to develop and improve their speaking and writing skills so that they may succeed on the speaking and writing portions of the AP exam.

ASSESS

Students are now ready to take the Reading and Writing Test for Lección 1: Cultura.

Online Resources

Customizable Lesson Plans
Audio Activities
Video (Gramática)
Student Workbook
Quizzes

TEACH

Core Instruction

Step 1 Have students repeat the verb forms aloud in Items 1, 2, and 3. Permit them to read the explanatory material silently or omit it. Most students learn the forms by hearing, seeing, and using them.

Step 2 It is recommended that you not give students English equivalents for the imperfect. *Used to* implies *it is not anymore.*

Step 3 Have students read Item 4. Explain that the important thing to keep in mind is continuity. The beginning and end times of the action are not important.

Step 4 Have students read the explanation in Item 5. Then have them read the model sentences aloud. You may wish to have students read all the sentences together to form a descriptive narrative.

El imperfecto

1. The imperfect tense is, after the preterite, the most frequently used tense to express past events. Review the forms of the imperfect. Note that the same endings are used for both **-er** and **-ir** verbs.

infinitive	hablar	leer	escribir
stem	habl-	le-	escrib-
yo	hablaba	leía	escribía
tú	hablabas	leías	escribías
Ud., él, ella	hablaba	leía	escribía
nosotros(as)	hablábamos	leíamos	escribíamos
vosotros(as)	*hablabais*	*leíais*	*escribíais*
Uds., ellos, ellas	hablaban	leían	escribían

CULTURA

Estos jóvenes tenían que atravesar el parque cuando iban a la escuela en Baños, Ecuador.

2. Note that verbs that have a stem change in either the present or the preterite do not have a stem change in the imperfect.

CERRAR	QUERER	PEDIR
cerraba	**quería**	**pedía**
cerrabas	**querías**	**pedías**
cerraba	**quería**	**pedía**
cerrábamos	**queríamos**	**pedíamos**
cerrabais	***queríais***	***pedíais***
cerraban	**querían**	**pedían**

3. The following verbs are the only irregular verbs in the imperfect tense.

IR	SER	VER
iba	**era**	**veía**
ibas	**eras**	**veías**
iba	**era**	**veía**
íbamos	**éramos**	**veíamos**
ibais	***erais***	***veíais***
iban	**eran**	**veían**

4. The imperfect tense is used to express habitual or repeated actions in the past. When the event actually began or ended is not important. Some time expressions that accompany the imperfect are:

siempre	**cada día**
a menudo	**cada viernes**
con frecuencia	**cada semana**
muchas veces	**cada año**

La profesora de español siempre nos hablaba en español en clase.
De vez en cuando ella nos leía una poesía o un refrán.
A veces nos enseñaba un baile.
Y los lunes, siempre nos daba un examen.

Andrew Payti

Go Online!

You may wish to remind students to go online for additional grammar review and practice.

5. The imperfect is used to describe persons, places, and things in the past.

APARIENCIA	**El general era alto, fuerte y valiente.**
EDAD	**Tenía solamente veinticinco años.**
ACTITUD Y DESEO	**Él siempre quería salir victorioso.**
ESTADO EMOCIONAL	**Él estaba contento cuando ganaba.**
TIEMPO	**Era invierno y hacía frío.**
COLOCACIÓN	**Era en la sierra donde luchaba el general.**
HORA	**Eran las cuatro de la mañana.**
CONDICIÓN	**Él tenía mucho frío y estaba cansado.**

Práctica

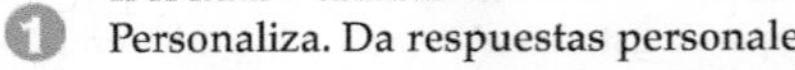

ESCUCHAR • HABLAR

1 **Personaliza. Da respuestas personales.**

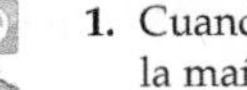

1. Cuando eras pequeño(a), ¿a qué hora te levantabas por la mañana?
2. ¿A qué escuela asistías?
3. ¿Te gustaba ir a la escuela?
4. ¿Te acuerdas? ¿Quién era tu maestro(a) en el quinto grado?
5. ¿Cómo se llamaba? ¿Qué edad tenía, más o menos? ¿Cómo era?
6. ¿Daba muchos exámenes?
7. ¿Recibías buenas notas en su clase?
8. ¿Tomabas el almuerzo en la escuela o volvías a casa para almorzar?
9. ¿A qué hora terminaban las clases?
10. ¿A qué hora salías de la escuela?

EXPANSIÓN

Ahora, sin mirar las preguntas, cuenta lo que te dijo tu compañero(a) en tus propias palabras. Si no recuerdas algo, tu compañero(a) te puede ayudar.

LEER • ESCRIBIR

2 **Completa sobre los incas usando el imperfecto.**

Durante siglos los incas __1__ (ir) subyugando a muchos grupos indígenas incluyendo a los chimú que __2__ (vivir) en la maravillosa ciudad de adobe, Chan Chan. Los incas __3__ (llamar) a su imperio Tahuantinsuyo que __4__ (significar) las cuatro regiones de la tierra. Su lengua oficial __5__ (tener) el nombre de runasimi o quechua. La base de su estructura social __6__ (ser) el ayllu, o sea, un grupo de familias que __7__ (cultivar) la tierra, __8__ (dividir) el trabajo y __9__ (hacer) labores en común. La base de su sustento __10__ (ser) la agricultura. Parte de la cosecha __11__ (ser) para el Inca y otra parte se __12__ (repartir) entre las familias del ayllu.

Go Online!

connectED.mcgraw-hill.com

¿Lo sabes?

The imperfect of **hay** is **había**. Note that **había** is also followed by a plural expression.

Había mucha gente.
Había miles de personas.

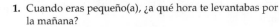

CULTURA

El centro arqueológico del Palacio Tschudi en Chan Chan, Perú

Leveling EACH Activity

Easy Activity 1
Average Activity 2, Activity 1 Expansión

PRACTICE

Activity 1 You can go over this activity orally without previous preparation. Then have students give the information for the **Expansión** in their own words.

Activity 2 Have students prepare this activity and then go over it in class.

¡Así se dice!

Why It Works!

Note that many activities whose basic purpose is to review grammar do not contain random sentences but rather develop a coherent topic to give students additional information to talk about.

Differentiation

Advanced Learners

Call on advanced learners to give a summary in their own words of each one of the activities on this page.

Answers

1. Cuando era pequeño(a), me levantaba a las ____.
2. Asistía a la escuela ____.
3. Sí, (No, no) me gustaba ir a la escuela.
4. Sí, me acuerdo de mi maestro(a) en el quinto grado.
5. Se llamaba ____. Tenía más o menos ____ años. Era ____.
6. Sí, (No, no) daba muchos exámenes.
7. Sí, (No, no) recibía buenas notas en su clase.
8. Tomaba el almuerzo en la escuela. (Volvía a casa para almorzar.)
9. La clases terminaban a las ____.
10. Salía de la escuela a las ____.

1. iban
2. vivían
3. llamaban
4. significaba
5. tenía
6. era
7. cultivaba
8. dividía
9. hacía
10. era
11. era
12. repartía

Leveling EACH Activity

CHallenging Activity 3

PRACTICE *(continued)*

Activity 3 Have students write this activity. Call on an individual to read the paragraph as students correct their own papers.

ASSESS

Students are now ready to take Quiz 7.

Online Resources

Customizable Lesson Plans
Audio Activities
Video (Gramática)
Student Workbook
Enrichment
Quizzes

TEACH

Core Instruction

Have students read the explanations and the model sentences aloud.

Tips for Success

Have students read the photo captions since they also reinforce the grammatical point being reviewed.

Go Online!

Gramática en vivo: *The imperfect* Enliven learning with the animated world of Professor Cruz! **Gramática en vivo** is a fun and effective tool for additional instruction and/or review.

CULTURA

Esta señora vendía vegetales en su puesto en Otavalo cada día del año.

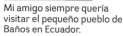

LEER • ESCRIBIR

3 Cambia al imperfecto el párrafo sobre el papel de la mujer en la época precolombina.

En la familia indígena de la época precolombina, la mujer es considerada inferior al hombre. Ella tiene un montón de ocupaciones. Ella recoge el combustible, prepara la comida, cuida de los niños y de los animales, cultiva la huerta y teje la ropa. Cuando tiene que ir de un lugar a otro y si tiene un hijo que todavía no puede caminar, lo lleva en la espalda en un repliegue *(pleat, fold)* de su capa. Si el viaje dura más de medio día, carga también el alimento de la familia y la leña para el fuego.

EXPANSIÓN

Discute con un(a) compañero(a) de clase tu opinión sobre lo que acabas de leer. Luego, comparen ustedes el papel de la mujer en la época precolombina con el de la mujer estadounidense en la época colonial.

Imperfecto y pretérito

1. You use the preterite to express actions or events that began and ended at a specific time in the past.

   Anoche fuimos a un restaurante peruano.
   Yo pedí ceviche.
   El mesero lo sirvió en un plato bonito.

2. You use the imperfect to talk about a continuous, habitual, or repeated past action. The exact moment when the action began or ended is not important. Compare the following sentences.

COMPLETED ACTIONS	REPEATED, HABITUAL ACTIONS
Él fue al cine el viernes.	**Ella iba al cine todos los viernes.**
Vio un filme policíaco.	**Siempre veía filmes policíacos.**

3. You most often use the imperfect with verbs such as **querer, saber, pensar, preferir, desear, sentir, poder,** and **creer** that describe a state of mind or a feeling.

   Él sabía donde estaba la iglesia.
   La quería visitar.
   Sentía mucho no poder verla.

CULTURA

Mi amigo siempre quería visitar el pequeño pueblo de Baños en Ecuador.

Cultural Snapshot

(bottom) Baños es un pueblo de solo unos diecisiete mil habitantes pero es uno de los enclaves más visitados por los turistas en Ecuador. Su popularidad se debe principalmente a sus balnearios de aguas termales surtidos directamente por el volcán Tungurahua.

Answers

3

era, tenía, recogía, preparaba, cuidaba, cultivaba, tejía, tenía, tenía, podía, llevaba, duraba, cargaba

Práctica

ESCUCHAR • HABLAR

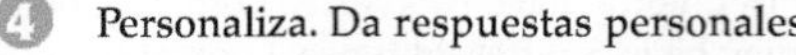

4 Personaliza. Da respuestas personales.

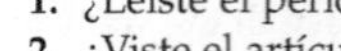

1. ¿Leíste el periódico esta mañana?
2. ¿Viste el artículo sobre el robo en el metro?
3. ¿Lo leíste?
4. ¿Te interesó el artículo?
5. ¿Leías el periódico cada día?
6. ¿Veías artículos sobre robos en la ciudad?
7. ¿Siempre los leías?
8. ¿Te interesaban estos artículos o no?

ESCUCHAR • HABLAR

5 Personaliza. Da respuestas personales y fíjate en las expresiones de tiempo.

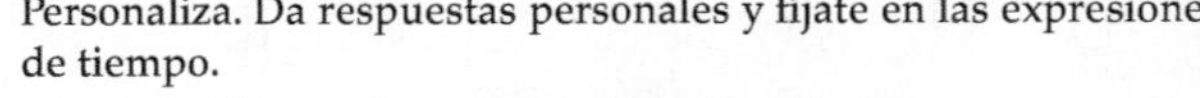

1. ¿A qué hora te levantaste esta mañana?
2. ¿A qué hora te levantabas cuando tenías seis años?
3. ¿Cómo viniste a la escuela esta mañana?
4. ¿Cómo ibas a la escuela cuando estabas en el primer grado?
5. ¿Dónde tomaste el almuerzo hoy?
6. ¿Dónde tomabas el almuerzo cuando estabas en la escuela elemental?
7. ¿Qué comiste hoy para el desayuno?
8. ¿Qué comías para el desayuno cuando eras niño(a)?

LEER • ESCRIBIR

6 Cambia **cada sábado** a **el sábado pasado** y haz los cambios necesarios.

Cada sábado yo me levantaba temprano. Me lavaba y me vestía rápido. Tomaba un chocolate caliente y corría a tomar el bus al centro. Cada sábado nuestra tienda de departamentos ofrecía gangas tremendas. Yo compraba mucho y pagaba poco. Volvía a casa por la tarde con un montón de paquetes. Yo recibía buen valor por el dinero que gastaba.

El sábado pasado...

Go Online!

connectED.mcgraw-hill.com

CULTURA

Se vendían periódicos en este quiosco de Quito.

CULTURA

Se vendía de todo en estas tiendas a lo largo de la avenida Río Amazonas, una avenida comercial en el centro de Quito, Ecuador.

Gramática

Leveling EACH Activity

Easy Activity 4

Average Activities 5, 6

PRACTICE

Activities 4 and 5 These activities can be done orally, calling on students to respond at random.

Activity 6 This activity can be prepared and then gone over in class.

Go Online!

You may wish to remind students to go online for additional grammar review and practice.

ASSESS

Students are now ready to take Quiz 8.

Answers

4

1. Sí, (No, no) leí el periódico esta mañana.
2. Sí, (No, no) vi el artículo sobre el robo en el metro.
3. Sí, (No, no) lo leí.
4. Sí, (No, no) me interesó el artículo.
5. Sí, (No, no) leía el periódico cada día.
6. Sí, (No, no) veía artículos sobre robos en la ciudad.
7. Sí, siempre las leía. (No, nunca las leía.)
8. Sí, (No, no) me interesaban estos artículos.

5

1. Me levanté a las ___ esta mañana.
2. Me levantaba a las ___ cuando tenía seis años.
3. Vine a la escuela en bus (en coche, a pie).
4. Iba a la escuela en bus (en coche, a pie) cuando estaba en el primer grado.
5. Hoy tomé el almuerzo en ___.
6. Tomaba el almuerzo en ___ cuando estaba en la escuela elemental.
7. Comí ___ hoy para el desayuno.
8. Comía ___ para el desayuno cuando era niño(a).

6

me levanté, Me lavé, me vestí, Tomé, corrí, ofreció, compré, pagué, Volví, recibí, gasté

Customizable Lesson Plans
Audio Activities
Video (Gramática)
Student Workbook
Quizzes

TEACH

Core Instruction

Step 1 Read the explanation to the class. As you do, put a time line on the board. Each time you talk about the imperfect, emphasize the wavy line. Every time you talk about a completed action, strike the vertical line.

Step 2 As you read each of the model sentences, refer to the time line.

Step 3 You may wish to give other examples and have students tell where to put each verb on the time line. **Durante la fiesta él tocaba el piano y yo cantaba cuando entraron con la comida. Sirvieron la comida y todos comieron.**

Go Online!

Gramática en vivo: *The preterite vs. the imperfect* Enliven learning with the animated world of Professor Cruz! **Gramática en vivo** is a fun and effective tool for additional instruction and/or review.

You may wish to remind students to go online for additional grammar review and practice.

Dos acciones en la misma frase

A sentence in the past will frequently have two verbs. Both may be in the same tense or each may be in a different tense. Look at the following time line. Any verbs that you can place in the wavy area describe what was going on. They describe the background or scenery and are in the imperfect. Any verbs that you can place on the slash indicate what happened, what took place. They tell the action and are in the preterite.

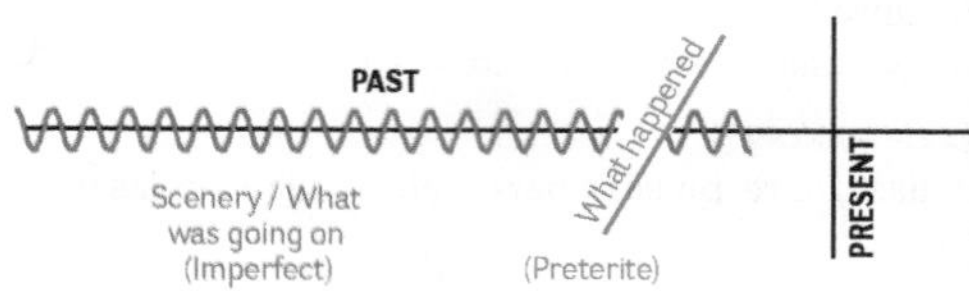

Note where on the time line each of the following verbs belongs.

Fuimos al mercado en Otavalo donde yo compré un suéter y mi amigo compró un tejido.
Both verbs in the preterite go on the slash because they indicate two completed actions or events.

Mientras yo compraba el suéter en un puesto él compraba una cerámica en otro.
Both of these imperfect verbs go in the wavy area because they describe what was going on. They set the scene.

Yo hablaba con la vendedora y mi amigo me interrumpió.
The verb in the imperfect, **hablaba,** goes in the wavy area because it describes what was going on, the scenery or background. The verb in the preterite, **interrumpió,** expresses an action or event that intervened and interrupted what was going on.

CULTURA
Fui a un puesto en el mercado de Otavalo donde se vendían cerámicas bonitas.

Mike Copeland/age fotostock

Answers

7

1. Sí. Juan miraba la televisión cuando sonó su móvil. Sí, lo contestó.
2. Sí, su madre leía el periódico cuando Juan la llamó. Sí, ella contestó.
3. Sí, su madre hablaba cuando Juan salió. Sí, Juan fue a un restaurante.
4. Sí, Juan caminaba al restaurante cuando vio a su amiga Lola. Sí, fueron juntos al restaurante.
5. Sí, en el restaurante Juan y Lola hablaban cuando llegaron dos amigos más.
6. Sí, los amigos hablaban cuando el mesero vino a la mesa.
7. Sí, ellos seguían hablando mientras el mesero les servía.

Práctica

ESCUCHAR • HABLAR

7 Contesta sobre unas interrupciones.

1. ¿Miraba Juan la televisión cuando sonó su móvil? ¿Contestó el móvil?
2. ¿Leía su madre el periódico cuando Juan la llamó? ¿Contestó ella?
3. ¿Hablaba su madre cuando Juan salió? ¿Fue Juan a un restaurante?
4. ¿Caminaba Juan al restaurante cuando vio a su amiga Lola? ¿Fueron juntos al restaurante?
5. En el restaurante, ¿hablaban Juan y Lola cuando llegaron dos amigos más?
6. ¿Hablaban los amigos cuando el mesero vino a la mesa?
7. ¿Seguían ellos hablando mientras el mesero les servía?

LEER • ESCRIBIR

8 Completa con el imperfecto o pretérito.

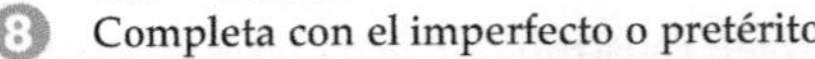

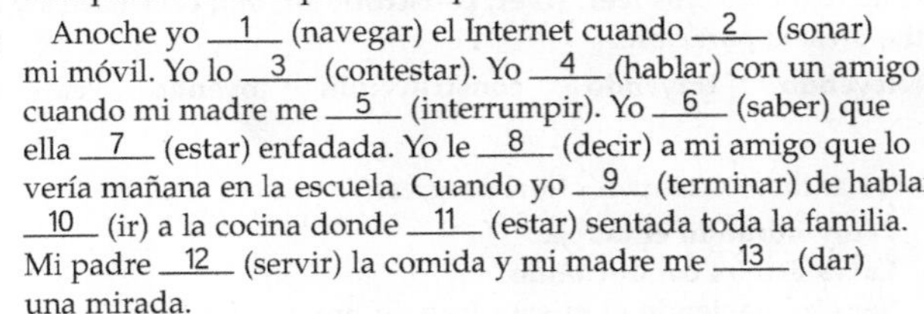

Anoche yo __1__ (navegar) el Internet cuando __2__ (sonar) mi móvil. Yo lo __3__ (contestar). Yo __4__ (hablar) con un amigo cuando mi madre me __5__ (interrumpir). Yo __6__ (saber) que ella __7__ (estar) enfadada. Yo le __8__ (decir) a mi amigo que lo vería mañana en la escuela. Cuando yo __9__ (terminar) de hablar __10__ (ir) a la cocina donde __11__ (estar) sentada toda la familia. Mi padre __12__ (servir) la comida y mi madre me __13__ (dar) una mirada.

LEER • ESCRIBIR

9 Completa con la forma apropiada del pasado del verbo indicado.

1. Unos amigos ____ mientras los otros ____ el sol. (nadar, tomar)
2. Ellos ____ algo cuando nosotros los ____. (discutir, interrumpir)
3. Repite, por favor. Yo no ____ lo que (tú) ____. (oír, decir)
4. Tú no ____ lo que (yo) ____ porque tú ____ en otra cosa mientras yo te ____. (oír, decir, pensar, hablar)
5. Yo ____ cuando ____ mi móvil. (comer, sonar)
6. Cuando yo ____ seis años ____ a la escuela en bus pero mis primos ____ a pie. (tener, ir, ir)

ESCRIBIR

10 Escribe por lo menos cuatro frases en las que indicas lo que pasaba cuando algo intervino y lo interrumpió.

lo que pasaba	lo que intervino

Go Online!

connectED.mcgraw-hill.com

CULTURA

El cliente pidió un refresco y el mesero se lo sirvió en este restaurante en Manta, Ecuador.

Andrew Payti

Gramática

Leveling EACH Activity

Easy Activity 7
Average Activity 8
CHallenging Activities 9, 10

PRACTICE

Activity 7 This activity can be done orally, calling on students to respond at random.

Activities 8, 9, and 10 These activities can be prepared and then gone over in class.

Activity 10 You can have several students read their sentences to the class.

Differentiation

Multiple Intelligences

As you do these activities with the imperfect and preterite, you may wish to have **bodily-kinesthetic** learners wave their hand in a circular motion each time they are speaking about a continuous, descriptive event.

ASSESS

Students are now ready to take Quiz 9.

Answers

8

1. navegaba
2. sonó
3. contesté
4. hablaba
5. interrumpió
6. sabía
7. estaba
8. dije
9. terminé
10. fui
11. estaba
12. sirvió (servía)
13. dio

9

1. nadaban, tomaban
2. discutían, interrumpimos
3. oí, dijiste (decías)
4. oíste, dije (decía), pensabas, hablaba
5. comía, sonó
6. tenía, iba, iban

10 *Answers will vary.*

Online Resources

Customizable Lesson Plans

 Audio Activities

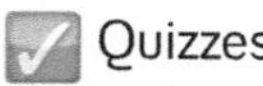 Student Workbook

Quizzes

TEACH

Core Instruction

Have students read the explanatory material and the model sentences in Items 1 and 2.

Note: You may wish to remind students that while the gerund is used as a verb functioning as a noun in English—*Skiing is my favorite sport; I don't like playing the piano*—the infinitive is used in Spanish—**El esquiar es mi deporte favorito.**

Cultural Snapshot

El mercado de Otavalo, los sábados por la mañana, tiene bastante fama. Los otavaleños se consideran los mejores tejedores del mundo. Muchos otavaleños viajan por todas partes del mundo vendiendo sus tejidos. Una parte del mercado se dedica a la venta de los textiles pero también hay puestos de comida y animales—sobre todo los muy conocidos cuyes *(guinea pigs)*. El mercado se abre cuando se levanta el sol y se cierra a la una de la tarde.

Go Online!

You may wish to remind students to go online for additional grammar review and practice.

Tiempos progresivos

1. The progressive tenses are used to express actions going on, actions viewed as in progress in the past, present, or future. The progressive tenses are all formed with the appropriate tense of the verb **estar, ir,** or **seguir** and the present participle—*speaking, writing,* etc. To form the present participle of **-ar** verbs, drop the infinitive **-ar** ending and add **-ando.** For **-er** and **-ir** verbs, drop the infinitive ending and add **-iendo.**

INFINITIVE	**hablar**	**llegar**	**comer**	**hacer**	**salir**
STEM	**habl-**	**lleg-**	**com-**	**hac-**	**sal-**
PARTICIPLE	**hablando**	**llegando**	**comiendo**	**haciendo**	**saliendo**

Note that verbs such as **preferir, pedir,** and **dormir** retain the stem change **e** to **i** and **o** to **u** in the present participle. **Decir** also has a stem change.

prefiriendo **pidiendo** **durmiendo** **diciendo**

Note that the verbs **leer, traer, construir, oír,** and **caer** have a **y** in the present participle.

leyendo **trayendo** **construyendo** **oyendo** **cayendo**

2. Look at these examples of the progressive tenses.

Estoy mirando el mapa.
Luisa estaba conduciendo.
Seguiré haciendo el mismo trabajo por mucho tiempo.

CULTURA

Mucha gente estaba esperando el bus en esta terminal de autobuses en Otavalo.

Andrew Payti

Answers

1. Sí, (No, no) estoy haciendo la tarea ahora.
2. Sí, (No, no) estoy escribiendo las respuestas.
3. Sí, (No, no) sigo estudiando mucho.
4. Sí, (No, no) sigo practicando el español.
5. Sí, (No, no) estoy escuchando al/a la profesor(a).
6. Sí, (No, no) estoy tomando apuntes.

1. Yo estoy conduciendo.
2. Todos nosotros estamos llevando un cinturón de seguridad.
3. Estamos viajando a Huanchaco en Perú.
4. Sí, el policía está controlando el tráfico.
5. Roberto está leyendo el mapa.
6. Nosotros estamos escuchando la radio.

Go Online!

connectED.mcgraw-hill.com

Práctica

ESCUCHAR • HABLAR

11 Personaliza. Da respuestas personales.

1. ¿Estás haciendo la tarea ahora?
2. ¿Estás escribiendo las respuestas?
3. ¿Sigues estudiando mucho?
4. ¿Sigues practicando el español?
5. ¿Estás escuchando al/a la profesor(a)?
6. ¿Estás tomando apuntes?

ESCUCHAR • HABLAR

12 Contesta según se indica sobre un viaje en carro a Huanchaco.

1. ¿Quién está conduciendo? (yo)
2. ¿Quiénes están llevando un cinturón de seguridad? (todos nosotros)
3. ¿Adónde están viajando ustedes? (a Huanchaco en Perú)
4. ¿Está controlando el tráfico el policía? (sí)
5. ¿Quién está leyendo el mapa? (Roberto)
6. ¿Quiénes están escuchando la radio? (nosotros)

LEER • ESCRIBIR

13 Completa con el imperfecto del progresivo para describir un vuelo.

1. El avión ____ y yo ____ por la ventana. (aterrizar, mirar)
2. La asistenta de vuelo ____ por la cabina. (pasar)
3. Ella ____ que todos los pasajeros teníamos los cinturones abrochados. (verificar)
4. Yo ____ por inmigración después de desembarcar cuando vi a mis parientes que me ____ en el hall del aeropuerto. (pasar, esperar)
5. Yo recuperé mi equipaje y dentro de poco nosotros ____ hacia la casa de mi primo. O mejor dicho mi primo ____, yo no. (conducir, conducir)

14

Comunicación

Trabajando en parejas, describan una experiencia abordo de un avión o en un aeropuerto. Incluyan unos problemas o complicaciones que pueden ocurrir y como resolverlos. Puedes consultar la lista de vocabulario temático sobre los viajes en avión al final de este libro.

CULTURA

El turista estaba viajando por Perú y tenía que hacerle una pregunta a la agente de policía.

CULTURA

Un avión en el aeropuerto de Arequipa, Perú

Andrew Payti

Gramática

Leveling EACH Activity

Easy Activities 11, 12

Average Activities 13, 14

PRACTICE

Activities 11 and 12 These activities can be done orally, calling on students to respond at random.

Activity 13 This activity can be prepared and then gone over in class.

Activity 14 This type of activity gives students the opportunity to review important conversational vocabulary they have learned in previous levels.

ASSESS

Students are now ready to take Quiz 10.

Answers

13

1. estaba aterrizando, estaba mirando
2. estaba pasando
3. estaba verificando
4. estaba pasando, estaban esperando
5. estábamos conduciendo, estaba conduciendo

14 *Answers will vary.*

Online Resources

Customizable Lesson Plans

 Student Workbook

 Quizzes

TEACH

Core Instruction

Step 1 Guide students through the explanatory material in Items 1, 2, and 3.

Step 2 Have students repeat the model sentences in unison from Items 1, 2, and 3.

Step 3 After going over the explanation for Item 4, have students repeat the forms and the model sentences.

Differentiation

Multiple Intelligences

To help **visual-spatial** learners, you may wish to draw three stick figures on the board in ascending order. Give each one a name. Have students give adjectives. Then have them use the adjectives to describe the stick figures with the comparative and superlative.

Go Online!

   You may wish to remind students to go online for additional grammar review and practice.

Comparaciones

El inglés

To form the comparative in English, you add *-er* to short adjectives or adverbs. You put *more* before longer adjectives or adverbs.

This class is bigger than the other one.
It is also more interesting.

To form the superlative in English, you add *-est* to short adjectives or adverbs and you put *most* before longer ones.

She is the tallest student.
She is also the most intelligent.

Comparativo y superlativo

1. The comparative construction is used to compare one item or person with another. In Spanish, you place the word **más** before the word you are comparing and the word **que** after.

   Elena es más lista que Antonio.
   Ella conoce más restaurantes que nadie.
   Ella come fuera más que yo.

2. When a pronoun follows the comparative construction, either the subject pronoun **(yo, tú, usted, él, ella, nosotros[as], ustedes, ellos, ellas)** or a negative word **(nadie)** is used.

   Él dice que come más que yo.
   La verdad es que come más que nadie.

3. To form the superlative in Spanish, you use the definite article **(el, la, los, las)** plus **más** before the adjective. The adjective is usually followed by **de.**

   La piña es la (fruta) más rica de todas.
   El helado de coco es el más sabroso de todos.

   The opposite of **más** is **menos** *(less)*, **el menos** *(least)*.

   El pescado tiene menos grasa que la carne.
   Para mí, el helado de vainilla es el menos interesante de todos.

4. The following adjectives have irregular comparative and superlative forms.

bueno	**mejor**	**el / la mejor**	**malo**	**peor**	**el / la peor**
grande	**mayor**	**el / la mayor**	**pequeño**	**menor**	**el / la menor**

   Menor and **mayor** refer to age and quantity. For size, use **más grande** or **más pequeño.**

   Ella es mayor que su hermano. (Tiene más años.)
   Ella es más grande que su hermano. (Es más alta.)

5. **Mejor** and **peor** are also used as adverbs.

bien	**mejor**	**el mejor**	**mal**	**peor**	**el peor**

   José cocina mejor que yo.
   De todos es él que cocina el mejor.

CULTURA

La mejor vista del Monte Illimani y la ciudad de La Paz se captura al atardecer, cuando se pone el sol.

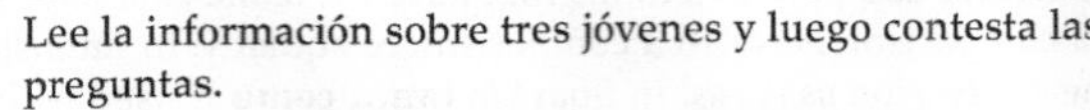

Gramática

Práctica

LEER • HABLAR

15 Lee la información sobre tres jóvenes y luego contesta las preguntas.

José mide 135 centímetros y tiene ocho años. Tomás mide 172 centímetros y tiene dieciséis años y Carlos mide 180 centímetros y tiene dieciocho años. José recibe muy buenas notas en la escuela. Pero Tomás recibe notas malas y Carlos recibe notas mediocres.

1. ¿Quién es más alto que Tomás?
2. ¿Quién es el menos alto de los tres?
3. ¿Quién es el más alto de los tres?
4. ¿Quién saca notas más altas que Carlos?
5. ¿Quien recibe las notas más altas de los tres?
6. ¿Quién es el mejor alumno de los tres?
7. ¿Quién es el peor?
8. ¿Quién es mayor que Tomás?
9. ¿Quiénes son menores que Carlos?
10. ¿Quién es el mayor de los tres?
11. ¿Quién es el menor de los tres?

HABLAR • ESCRIBIR

16 Personaliza. Da respuestas personales.

1. En tu familia, ¿quién es más alto(a) que tú?
2. ¿Quién es menor que tú?
3. Y, ¿quién es el/la menor de la familia?
4. ¿Quién es el/la mayor?
5. ¿Quién es el/la mejor alumno(a) de todos en tu clase de español?

CULTURA
Una señora en la Isla del Sol, Lago Titicaca, Bolivia

Leveling EACH Activity

Easy Activity 16
Average Activity 15

PRACTICE

Activity 15 This activity can be done orally with one partner reading the information in the paragraph as the other listens and takes notes without looking at the activity. The first partner could then ask questions of his or her partner.

ASSESS

Students are now ready to take Quiz 11.

Answers

15

1. Carlos es más alto que Tomás.
2. José es el menos alto de los tres.
3. Carlos es el más alto de los tres.
4. José saca notas más altas que Carlos.
5. José recibe las notas más altas de los tres.
6. José es el mejor alumno de los tres.
7. Tomás es el peor.
8. Carlos es mayor que Tomás.
9. José y Tomás son menores que Carlos.
10. Carlos es el mayor de los tres.
11. José es el menor de los tres.

16

1. En mi familia, ___ es más alto(a) que yo.
2. ___ es menor que yo.
3. ___ es el/la menor de la familia. (Yo soy el/la menor de la familia.)
4. ___ es el/la mayor. (Yo soy el/la mayor.)
5. ___ el el/la mejor alumno(a) de todos en mi clase de español. (Yo soy el/la mejor alumno[a] en mi clase de español.)

Online Resources

Customizable Lesson Plans

 Audio Activities

 Video (Gramática)

 Student Workbook

 Quizzes

TEACH

Core Instruction

Step 1 Read the explanatory information to the class.

Step 2 Have students read the model sentences.

Differentiation

Multiple Intelligences

To help **visual-spatial** learners, you may wish to draw two figures that are the same height on the board. Have students give adjectives. Then have them use the adjectives to describe the stick figures using the comparative of equality. Encourage students to also make up sentences using the comparison of equality to compare the number of things that the stick figures have.

Go Online!

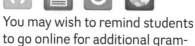

You may wish to remind students to go online for additional grammar review and practice.

Comparativo de igualdad

1. Very often we compare two items that have the same characteristics. Such a comparison is called a comparison of equality. In English we use the expression *as . . . as.* In Spanish **tan... como** is used with either an adjective or an adverb.

   José es tan deportista como su hermana.
   Él juega tan bien como ella.

2. The comparison of equality can also be used with nouns. In English we use *as much as, as many as.* In Spanish the expression **tanto... como** is used with nouns. **Tanto** must agree with the noun it modifies.

   Ella tiene tanta fuerza como él.
   Ella ha ganado tantos campeonatos como él.

Andrew Payti

CULTURA

Los jóvenes están pasándolo muy bien nadando en el lago en el oasis de América en Ica, Perú. Los jóvenes se están divirtiendo tanto como si estuvieran en el océano Pacífico que no está muy lejos. El lago no es tan grande como el mar pero tampoco está tan bravo.

Práctica

ESCUCHAR • HABLAR

17 Personaliza. Da respuestas personales.

1. ¿Eres ambicioso(a)? ¿Quiénes en tu clase son tan ambiciosos(as) como tú?
2. ¿Cuántos cursos tomas? ¿Quién toma tantos cursos como tú?
3. ¿Eres aficionado(a) a los deportes? ¿Quién es tan aficionado(a) a los deportes como tú?
4. ¿Estás presente casi todos los días en clase? ¿Quién está presente con tanta frecuencia como tú?
5. ¿Tienes muchos planes para el futuro? ¿Quién tiene tantos planes como tú?

Answers

17

1. Sí, (No, no) soy ambicioso(a). ___ y ___ son tan ambiciosos(as) como yo.
2. Tomo ___ cursos. ___ toma tantos cursos como yo.
3. Sí, (No, no) soy aficionado(a) a los deportes. ___ es tan aficionado(a) a los deportes como yo.
4. Sí, (No, no) estoy presente en clase casi todos los días. ___ está presente con tanta frecuencia como yo.
5. Sí, (No, no) tengo muchos planes para el futuro. ___ tiene tantos planes como yo.

Go Online!

connectED.mcgraw-hill.com

LEER • ESCRIBIR

18 Completa sobre la geografía de Perú y Ecuador.

1. Perú es un país _____ montañoso _____ Ecuador.
2. Perú tiene _____ picos _____ Ecuador.
3. Ecuador tiene más volcanes que Perú. Perú no tiene _____ volcanes _____ Ecuador.
4. La Paz está a una altura más alta que Quito. Quito no es _____ alto _____ La Paz.
5. No hace _____ calor en Quito _____ en Guayaquil. En Guayaquil hace mucho calor.
6. Los peruanos comen _____ ceviche _____ los ecuatorianos.

LEER • HABLAR • ESCRIBIR

19  Mira la tabla y haz tantas comparaciones posibles según los datos.

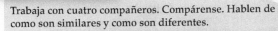

	Bolivia	Ecuador	Perú
área	1.098.580 km²	283.560 km²	1.285.220 km²
población del país	10.461.053	15.439.429	29.849.303
población de la capital	197.876	1.608.000	8.473.000
altitud de la capital	3.600 m	2.850 m	861 m

20  ***Comunicación*** 

Trabaja con cuatro compañeros. Compárense. Hablen de como son similares y como son diferentes.

by golf9c9333/Getty Images

Gramática

PRACTICE

Leveling EACH Activity

Easy Activities 17, 18
Average Activity 19
CHallenging Activity 20

ASSESS

Students are now ready to take Quiz 12.

Answers

18

1. tan, como
2. tantos, como
3. tantos, como
4. tan, como
5. tanto, como
6. tanto, como

19 *Answers will vary.*

20 *Answers will vary.*

Online Resources

Customizable Lesson Plans

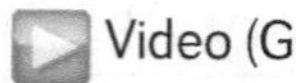
Video (Gramática)

Student Workbook

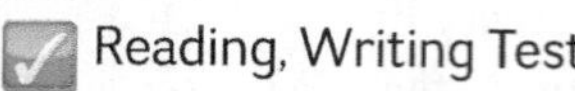
Reading, Writing Test

Self-check for achievement

This is a pre-test for students to take before you administer the lesson test. Note that each section is cross-referenced so students can easily find the material they feel they need to review. You may wish to use Self-Check Worksheet SC2.2 to have students complete this assessment in class or at home. You can correct the assessment yourself, or you may prefer to display the answers in class using Self-Check Answers SC2.2A.

Differentiation

Slower Paced Learners

Encourage students who need extra help to refer to the margin notes and review any section before answering the questions.

Go Online!

   You may wish to remind students to go online for additional grammar review and practice.

Prepárate para el examen

Self-check for **ACHIEVEMENT**

Gramática

1 Completa con el imperfecto.

Para repasar, ve **El imperfecto.**

1–2. Yo _____ ceviche cuando _____ en Perú. (comer, estar)
3. En Bolivia, (ellos) _____ empanadas salteñas con carne picada, huevos, papas y otros ingredientes. (preparar)
4–5. Las señoras que _____ en el Convento de Santa Catalina en Arequipa se _____ a la vida religiosa. (vivir, dedicar)
6–7. Yo te _____ algo pero no entendiste porque (tú) no me _____ caso. (decir, hacer)
8–10. Nosotros no _____ que no _____ mucho calor en la costa y que una gran parte de la región _____ desértica. (saber, hacer, ser)

2 Completa con el imperfecto o pretérito del verbo indicado.

Para repasar, ve **Imperfecto y pretérito** y **Dos acciones en la misma frase.**

11–13. Yo siempre lo _____ cuando _____ unos cinco años pero te aseguro que no lo _____ ayer. (hacer, tener, hacer)
14–15. Nosotros _____ cada viernes pero no _____ el viernes pasado. (salir, salir)
16–17. Yo _____ por teléfono cuando tú _____ a la puerta. (hablar, llegar)
18. Mi familia siempre _____ a la playa en el verano. (ir)

3 Cambia al imperfecto progresivo.

Para repasar, ve **Tiempos progresivos.**

19. Yo visitaba la agencia de alquiler de coches.
20. Mis padres alquilaban un todoterreno.
21. El agente explicaba las condiciones.

4 Completa con el presente progresivo.

22. Nosotros _____ un todoterreno. (alquilar)
23. Yo no _____ un todoterreno. (conducir)
24. ¿Tú lo _____? (pedir)

5 Completa con el comparativo o superlativo.

Para repasar, ve **Comparativo y superlativo** y **Comparativo de igualdad.**

25. Este restaurante es _____ caro _____ el otro. El otro es económico.
26. Hay más meseros aquí porque el restaurante es _____ grande _____ el otro.
27. El postre _____ delicioso _____ todos es el flan.

6 Completa con el comparativo de igualdad.

28–29. Perú es _____ montañoso _____ Ecuador.
30–31. El Oriente de Ecuador tiene _____ vegetación tropical _____ el Oriente de Perú.
32–33. Cuenca no tiene _____ habitantes _____ Quito.

Answers

1
1. comía
2. estaba
3. preparaban
4. vivían
5. dedicaban
6. decía
7. hacías
8. sabíamos
9. hacía
10. era

2
11. hacía
12. tenía
13. hice
14. salíamos
15. salimos
16. hablaba
17. llegaste
18. iba

3
19. Yo estaba visitando la agencia de alquiler de coches.
20. Mis padres estaban alquilando un todoterreno.
21. El agente estaba explicando las condiciones.

4
22. estamos alquilando
23. estoy conduciendo
24. estás pidiendo

Prepárate para el examen

Practice for PROFICIENCY

1. **Cuando yo era niño(a)**
En tus propias palabras describe todo lo que tú recuerdas de tu niñez. Dile a tu compañero(a) donde vivías, lo que hacías y con quienes jugabas.

2. **Como vivían mis abuelos o bisabuelos**
Trabajen en grupos de cuatro. Hablen de como vivían sus abuelos o bisabuelos cuando ellos eran muy jóvenes. ¿Tenían televisores a color? ¿Computadoras? ¿E-mail o correo electrónico? ¿Había jets? ¿Cómo existían sin estas comodidades? ¿Qué hacían? Pueden consultar la lista de vocabulario temático sobre la tecnología al final de este libro.

3. **En aquel entonces y recientemente**
Habla con un(a) amigo(a). Dile todo lo que tú hacías cuando tenías unos seis o siete años. Luego compara lo que hacías a los seis o siete años con lo que hiciste ayer. ¿Ha cambiado mucho la vida?

4. **En este momento**
Trabajen en grupos de tres. Miren alrededor de la sala de clase y describan lo que todos están haciendo ahora mismo. ¿Se están divirtiendo todos?

5. **Mi ciudad y otra**
Compara la ciudad donde tú vives con otra ciudad que has visitado. Si no vives en una ciudad, compara la otra ciudad con la ciudad más cercana de tu casa.

CULTURA

La gente está paseándose delante de los quioscos a lo largo de una calle peatonal empedrada en Baños, Ecuador.

Fiestas

Vas a escribir un artículo para el periódico de tu escuela. Tienes que imaginar que pasabas tu niñez en un país latino donde disfrutabas de fiestas municipales, nacionales, religiosas y familiares. Ahora vas a rememorar sobre esos días. En tu escrito puedes incluir algunas de estas fiestas o festivales. No olvides que para rememorar puedes usar el imperfecto.

Aquí tienes unas fiestas de las que puedes escoger. Luego, haz unas investigaciones y escribe tu artículo.

Carnaval **el Día de los Muertos** **la Navidad** **un bautizo** **el Día de la Independencia** **Hanuka** **una boda** **el Día de los Reyes** **el día de un(a) santo(a) patrón(ona)**

Pídele a un(a) compañero(a) de clase que lea tu artículo y que te dé unas sugerencias. Después de revisar y corregir tu borrador, escribe de nuevo tu artículo en forma final.

Gramática

Tips for Success

Encourage students to say as much as possible when they do these open-ended activities. Tell them not to be afraid to make mistakes, since the goal of the activities is real-life communication. Encourage students to self-correct and to use words and phrases they know to get their meaning across. If someone in the group makes an error that impedes comprehension, encourage the others to ask questions to clarify or, if necessary, to politely correct the speaker. Let students choose the activities they would like to do.

Tell students to feel free to elaborate on the basic theme and to be creative. They may use props, pictures, or posters if they wish.

Pre-AP These oral and written activities will give students the opportunity to develop and improve their speaking and writing skills so that they may succeed on the speaking and writing portions of the AP exam.

ASSESS

Students are now ready to take the Reading and Writing Test for Lección 2: Gramática.

Answers

5
25. más, que
26. más, que
27. más, de

6
28. tan
29. como
30. tanta
31. como
32. tantos
33. como

Introduction

Each chapter of **¡Así se dice!** Level 4 has a journalism section that corresponds to the same geographical area as the chapter. Each section gives students a list of the important newspapers that they will find online for the countries in that particular geographical area. In putting this section together, we spent approximately one month perusing the newspapers from each area to determine topics that seem to occur frequently in the news of those countries. Hopefully, this will assist students to find articles that relate to the activities provided. However, we recommend that you tell students that they can also pick articles and prepare something about them even if the topic does not appear in a specific activity if it is something of interest to them.

TEACH

Core Instruction

We suggest that you not just dedicate a day or two to the journalism section. As you begin each chapter, tell students to consult the journalism section and spend a few minutes at home each day perusing the appropriate Web sites of the newspapers. As each student finds a pertinent article, he or she can prepare the activity that pertains to it. Needless to say, the topics of all activities will not appear on one given day.

There may also be some debate or discussion activities that you wish to assign to a group or groups of students and give them a time limit to complete them. As you are finishing the chapter, you may want to spend one day having students share with other students the work they did.

La prensa en línea

Ahora vamos a continuar nuestra visita periodística del mundo hispano visitando los países sudamericanos de la zona andina—Perú, Ecuador y Bolivia. Varios periódicos que nos presentan estos países son:

Perú	**Ecuador**	**Bolivia**
El Comercio	*El Comercio*	*La Razón*
El Correo	*El Universo*	*El Diario*
La República		*El Sol*

Como no se sabe lo que va a salir en un periódico en cierto día te damos una selección variada de actividades que sin duda tendrán algo que ver con las noticias de la época precisa en que estás consultando los periódicos.

Actividades

A Desgraciadamente salen muchos reportajes sobre accidentes—accidentes en las vías de las ciudades igual que en las vías no urbanas. Como estos países son tan montañosos, muchas carreteras tienen inclinaciones peligrosas. Busca unos artículos sobre accidentes de todo tipo de vehículos. Identifica las causas y consecuencias de estos. Luego, en parejas, escriban una carta al editor con el título «Mejoremos nuestras carreteras». El objetivo de la carta es el de persuadir a los oficiales a invertir dinero para la mejora de las carreteras y así evitar más accidentes de tránsito. Usen información de los artículos para defender sus opiniones. Para organizar sus ideas pueden usar un organizador gráfico como el que aparece en la próxima página.

CULTURA

Los bomberos llegan a la escena de un accidente vehicular en La Paz, Bolivia.

Current event

If there is something of particular interest in Peru, Ecuador, or Bolivia that is of interest or concern to the United States, you may wish to inform the class of the situation and tell them to frequently consult the foreign newspapers online and have them compare the reporting with that which appears in the U.S. press.

Videos

Inform students that many articles are accompanied by interviews or videos. Tell students to make as much use of these audio and visual components as possible, since it will enable them to hear a wide variety of native speakers and see events happening in real places and in real time.

B Escoge un artículo de política internacional que te interesa. Trabaja con otros miembros de la clase que comparten este mismo interés en asuntos internacionales. Comparen sus artículos y den sus propias ideas u opiniones frente a las que expresan los reporteros en los artículos mismos. Por lo general, ¿están ustedes de acuerdo con las opiniones de estos o no? ¿Por qué? Defiendan sus opiniones.

C Hoy en día la cocina andina, sobre todo la peruana, está gozando de gran popularidad en el mundo entero. Por unos días vuelve a darles una ojeada a las secciones «gastronomía» en varios periódicos y determina si se dirigen a esta proliferación de aprecio mundial por la gastronomía local de la región. ¿Qué han dicho? Relata unos detalles que aprendiste sobre la cocina andina. Puedes usar la tabla de abajo para anotar el nombre y los ingredientes de unos platos que te gustaría probar. Con un(a) compañero(a), habla de la influencia de la cocina andina en tu comunidad. ¿Hay restaurantes o tiendas que sirven o venden comida de los países andinos?

plato	ingredientes

D En España hay un refrán que dice: «En todas partes cuecen habas», lo que significa que todo es igual en todas partes del mundo. Un desafío global importante es el de combatir y luchar contra la corrupción política. Busca un artículo que trate de las acciones inaceptables y posiblemente criminales de un oficial o grupo de oficiales del gobierno. Explica lo que han hecho y lo que están reclamando las cortes o el público. Presenta la información a la clase.

CULTURA
Un bol de quinoa, un grano muy nutritivo que se está empezando a comer también en Estados Unidos

Periodismo

Communities

Ask students if there are any Peruvian restaurants in your area. They are becoming quite popular.

Cultural Snapshot

Because of its health value, quinoa is becoming popular in the U.S. Ask students if they have heard of it or tried it. Find out how and when.

PRACTICE

Activity D If students find an article concerning corruption, have them discuss if they think similar corruption may exist in the U.S. If they answer that it doesn't, ask why they think it doesn't. If they answer that there is, ask students how they find it different from anything they have read about in the Spanish-speaking world.

PRACTICE

Activity E Have students discuss what has been taking place in the U.S. or in your area more specifically to improve education. Have there been many successful programs? Have students tell what they hear about this and ask if they have any suggestions for programs they can think of that would improve education.

Activities F, G As students look for articles concerning indigenous civilizations, recall what you have learned in your years of study of Spanish about the many indigenous populations and try to share your knowledge with your students.

E El gobierno de muchos países está tratando de mejorar las condiciones en que viven sus ciudadanos. Están haciendo mucho para el beneficio del pueblo—sobre todo en la infraestructura. Ejemplos son el mejoramiento de los medios de transporte público, construcción de comercios, construcción de viviendas. En unos casos están modernizando los sistemas de agua, electricidad, alcantarillado, etc. Se están estableciendo programas de salud y nutrición, sobre todo en las zonas rurales.

Dales una ojeada a los periódicos y selecciona artículos que se dirigen al mejoramiento del medio ambiente o, mejor dicho, a los desafíos de la vida contemporánea. Luego, discute con un grupo de compañeros si crees que estos desafíos son iguales en los países de los Andes y en Estados Unidos. Cada uno defenderá su opinión.

desafío	igual que en Estados Unidos, ¿sí o no?	comentarios y defensa de opinión
1.		
2.		
3.		

F En los países andinos hay un interés profundo en las tradiciones de los muchos grupos indígenas que habitan la región. En los periódicos hay artículos que describen tradiciones y costumbres que en muchos casos datan de antes de la llegada de los españoles. Busca artículos sobre estas tradiciones—ceremonias, procesiones, manera de vivir, modo de vestir, comida, etc. Prepara un reportaje corto sobre estas. No olvides revisar y corregir tu reportaje antes de presentarlo. Tal vez un(a) compañero(a) de clase te pueda ayudar a editarlo.

CULTURA

No importa si decimos vacuna o vacunación, se sabe que—como anuncia el cartel—es buena para la salud.

G No hay duda de que muchos grupos indígenas están viviendo en condiciones pobres y su vida es muy dura. Entre la población indígena hay mucha desocupación y un gran porcentaje de la población vive o sobrevive bajo el nivel de pobreza. Muchos grupos indígenas están luchando por sus derechos y un mejor nivel de vida—sobre todo mejores programas educativos para sus niños y mejores servicios médicos para todos. Por unos días hojea los periódicos para ver si hay artículos que se dirigen a este problema. ¿Aparecen con bastante frecuencia? Da un resumen de a lo menos dos de ellos.

Go Online!

connectED.mcgraw-hill.com

Un artículo para el periódico

Ahora vas a escribir un artículo para un periódico. Puedes escoger cualquier tema que te interese. Algunas posibilidades son: la delincuencia, un robo, un incendio, un desastre natural, un accidente, una crisis internacional, un evento deportivo, un proyecto escolar. En cuanto hayas escogido tu tema, empieza a explorarlo. Escribe todo lo que te viene a la mente en cuanto a tu tema. Entonces lee todo lo que has escrito y agrupa todas las ideas y hechos que van juntos.

Comienza a escribir tu artículo. La primera frase de cada párrafo debe anunciar la idea principal. Continúa con las frases que sostienen o apoyan la idea principal. Puedes sacar muchas de ellas de la lista que ya has hecho.

Como estás escribiendo un artículo para un periódico, utiliza frases cortas: sujeto, verbo, complemento. Contesta las preguntas quién, qué, dónde, cómo. Trata de contestar sin dar opiniones personales. Los que leen el artículo pueden llegar a sus propias opiniones y conclusiones.

Puedes servirte de un diagrama como el de abajo para organizar tus ideas. Después de revisar y corregir tu borrador, escribe de nuevo tu artículo en forma final.

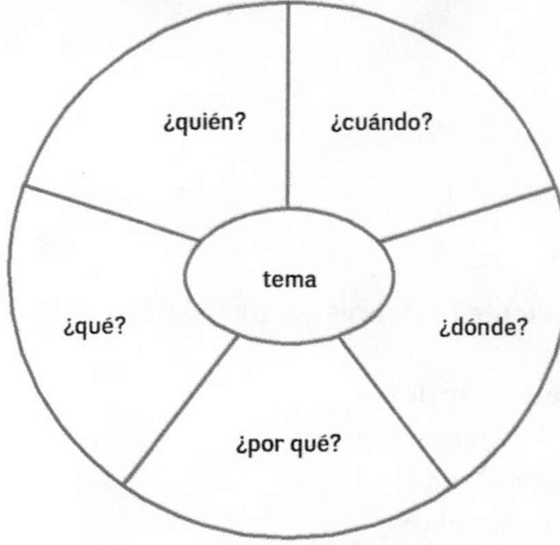

Composición

You may wish to collect this work from students and correct as a composition assignment.

Online Resources

Customizable Lesson Plans

 Audio

 Practice

Review

TEACH

Core Instruction

Step 1 You may wish to have students repeat the new words and then read the definitions.

Step 2 You may wish to ask questions to have students use the new words. **¿Labra la tierra el amo? ¿Está sudando el trabajador que labra la tierra? Se ve el sudor en su frente? ¿Tiene una mirada taciturna el labrador?**

Go Online!

You may wish to remind students to go online to download audio files of all vocabulary.

Parte 1: Poesía

¡Quién sabe! de José Santos Chocano

CULTURA

Unas llamas en los Andes en la región de Machu Picchu, Perú

Vocabulario

Estudia las siguientes palabras para ayudarte a entender los poemas.

el amo(a) jefe, patrón; dueño
la frente parte superior de la cara
la mirada expresión en la cara
taciturno(a) melancólico
labrar la tierra trabajar la tierra
sudar transpirar, salir vapor de agua de los poros del cuerpo

Práctica

ESCUCHAR

1  Escucha las frases. Usa una tabla como la de abajo para indicar si la información es correcta o no.

correcta	incorrecta

Go Online!

connectED.mcgraw-hill.com

HABLAR • ESCRIBIR

2 Contesta según se indica.

1. ¿Qué está haciendo el joven? (labrando la tierra)
2. ¿Qué expresión tiene en su cara triste? (taciturna y melancólica)
3. ¿Quién le hace trabajar tan duro al peón? (el amo o patrón)
4. ¿Por qué está sudando el joven? (está trabajando mucho y tiene calor)
5. ¿De dónde se le sale el sudor? (la frente)

LEER • ESCRIBIR

3 Expresa de otra manera.

1. Es muy *taciturno*.
2. Está *sudando*.
3. Está *trabajando* la tierra.
4. Tiene *una expresión* triste.
5. *El patrón* no lo trata bien.

CULTURA

Una señora indígena en el altiplano peruano

Literatura

Leveling EACH Activity

Easy Activities 1, 2
Average Activity 3

PRACTICE

Activity 1

Audio Script

1. Sudamos mucho cuando hace frío.
2. Sudamos cuando tenemos calor.
3. Una persona triste puede tener una mirada melancólica en la cara.
4. Una persona taciturna está muy agitada.
5. Estás sudando mucho. Tienes la frente mojada.
6. Los campesinos labran la tierra.
7. Los amos ayudan a los campesinos a trabajar la tierra.

Activity 2 You can intersperse these questions as you are presenting the new vocabulary.

Activity 3 Have students prepare Activity 3 and then go over it in class.

Answers

1

1. incorrecta
2. correcta
3. correcta
4. incorrecta
5. correcta
6. correcta
7. incorrecta

2

1. El joven está labrando la tierra.
2. Tiene una expresión taciturna y melancólica en su cara triste.
3. El amo o patrón le hace trabajar tan duro al peón.
4. El joven está sudando porque está trabajando mucho y tiene calor.
5. El sudor se le sale de la frente.

3

1. melancólico
2. transpirando
3. labrando
4. una mirada
5. El amo

Online Resources

Customizable Lesson Plans

Audio

Practice

Review

Introducción

You may wish to ask the following questions as you go over the **Introducción.** **¿Cuándo y dónde nació José Santos Chocano? ¿Cómo fue su vida? ¿Por qué se sentía inca Santos Chocano? ¿Qué se declaró él a sí mismo? ¿Cuál es una contestación típica del indio de hoy? ¿Por qué? ¿Qué indica esta contestación?**

Leveling EACH Activity

Reading level **Easy-Average**

La palabra **sudar** equivale al inglés *to sweat.* **Transpirar** es un poco más fino, es como *to perspire.* El sustantivo *sweat* es **el sudor** y *perspiration* es **la transpiración.**

¡Quién sabe!

de José Santos Chocano

INTRODUCCIÓN

José Santos Chocano (1875–1934) nació en Perú. Su vida tumultuosa fue en realidad una novela dramática. Él viajó mucho por Latinoamérica y España. En sus poesías Chocano cantó las hazañas de su gente y describió la naturaleza americana: los volcanes, la cordillera andina y las selvas misteriosas.

Chocano se sentía inca. Él quería ser indio y español a la vez. Esa fusión de lo indígena y lo español la sentía en sus venas porque una de sus abuelas descendía de un capitán español y la otra era de una familia inca. La voz del poeta era la de un mestizo que conocía a su gente y su tierra. Se declaró a sí mismo cantor «autóctono[1] y salvaje» de la América hispanohablante. —Walt Whitman tiene el Norte, pero yo tengo el Sur—dijo Chocano.

Como el poeta mismo utilizó la palabra «indio» en su poema no la hemos cambiado ni en el poema ni en las preguntas que se refieren directamente al poema. Sin embargo hay que señalar que en el habla de hoy se debe evitar el uso de «indio» que tuvo su origen en la equivocada creencia de Colón de haber llegado a la India y de haber nombrado erróneamente a los habitantes de la región «indios». Aun después de determinar que no habían llegado a la India los españoles continuaron usando el término «indio» y poco a poco lo cargaron de insinuaciones peyorativas y ofensivas. Con el transcurso del tiempo se convirtió en un insulto con sugestiones racistas. En vez del erróneo término «indio» la correcta denominación de este gran grupo humano es «indígena» que significa «originario de la región de que se trata».

[1] autóctono *indigenous*

CULTURA

En los Andes es necesario cultivar las laderas de las montañas, como se ve aquí en la isla de Taquile en el lago Titicaca.

Go Online!

connectED.mcgraw-hill.com

Antes de leer

En *¡Quién sabe!* Santos Chocano le habla al indio de hoy. Le pregunta si ha olvidado algo muy importante. Determina lo que es y analiza la personalidad del indio mientras leas. El poema tiene un mensaje importante. Identifícalo. Una buena estrategia es fijarte en el tono de voz de los que hablan.

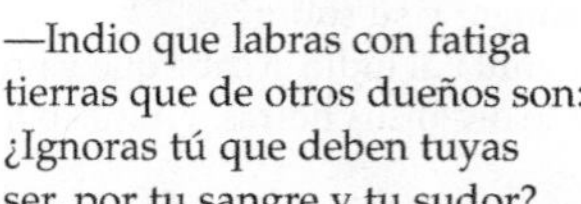

¡Quién sabe!

—Indio que labras con fatiga
tierras que de otros dueños son:
¿Ignoras tú que deben tuyas
ser, por tu sangre y tu sudor?
¿Ignoras tú que audaz codicia[1],
siglos atrás te las quitó?
¿Ignoras tú que eres el Amo?
—¡Quién sabe, señor!

—Indio de frente taciturna
y de pupilas sin fulgor[2].
¿Qué pensamiento es el que escondes[3]
en tu enigmática[4] expresión?
¿Qué es lo que buscas en tu vida?
¿Qué es lo que imploras a tu Dios?
¿Qué es lo que sueña tu silencio?
—¡Quién sabe, señor!

[1] audaz codicia *bold greed*
[2] sin fulgor *without a spark*
[3] escondes *you hide*
[4] enigmática *puzzling*

CULTURA

En muchos casos los agricultores se sirven de métodos antiguos para cultivar la tierra como vemos en este campo en Puno, Perú.

TEACH

Core Instruction

Step 1 It is suggested that you read the poem aloud to the class with as much expression as possible. Expression and intonation can help students understand the poem.

Step 2 Intersperse the questions from Activity A on the next page as you go over this poem.

Cultura

Students experience, discuss, and analyze a well-known literary work, the poem *¡Quién sabe!*, by the Peruvian poet José Santos Chocano.

PRACTICE

Después de leer

A You may wish to intersperse the questions from this activity as you are going over the **Lectura.**
B This activity can be done as a complete-class discussion.
A, B, and **C** These activities can be done orally and in writing.

Después de leer

A Recordando hechos Contesta.

1. ¿Qué hace el indio hasta estar rendido (muy cansado)?
2. ¿Cuáles son tres cosas que es posible que el indio no sepa?
3. ¿Cómo contesta el indio?
4. ¿Sabemos si el indio tiene las respuestas a las preguntas?

B Interpretando Contesta.

1. ¿Por qué le dice el autor al indio que las tierras deben ser suyas por su sangre y su sudor?
2. El autor le pregunta al indio si sabe que ya hace siglos una audaz codicia le quitó sus tierras. ¿A qué o a quiénes se refiere el autor?
3. ¿Por qué habrá escrito el autor «el Amo» con letra mayúscula?

C Parafraseando Contesta.

1. ¿Cómo describe José Santos Chocano a los indios?
2. ¿Cómo lo expresa Chocano?
   El indio parece melancólico.
   Parece que no tiene alegría ni esperanza.
   Tiene una mirada vaga.
   Parece que está pensando en algo pero no se lo revela a nadie.

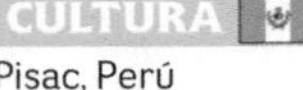
CULTURA
Pisac, Perú

Answers

A

1. El indio labra las tierras de otros dueños hasta estar rendido (muy cansado).
2. Es posible que el indio no sepa que las tierras deben ser suyas, que siglos atrás, los españoles les quitaron las tierras a los indígenas y que es el amo de la tierra que labra.
3. El indio contesta—¡Quién sabe, señor!
4. No, no sabemos si el indio las tiene.

B *Answers will vary but may include:*

1. El autor creerá que el indio es el que labró las tierras y por eso son suyas.
2. Se refiere a los españoles.
3. El autor querrá demostrar el sentido de importancia que los amos se dieron a ellos mismos.

C *Answers will vary but may include:*

1. Chocano describe a los indios como trabajadores, tristes y sin esperanza.
2. —Indio de frente taciturna
   y de pupilas sin fulgor
   tu enigmática expresión
   pensamiento que escondes

Go Online!

connectED.mcgraw-hill.com

D **Buscando mensajes** Discute.

Las obras de la mayoría de los intelectuales o de los escritores latinoamericanos tienen algún mensaje para el pueblo. En su poema *¡Quién sabe!*, ¿qué le está diciendo el poeta al indio? ¿Quiere Chocano que el indio acepte su situación con una resignación fatalista? Discútanlo en grupos.

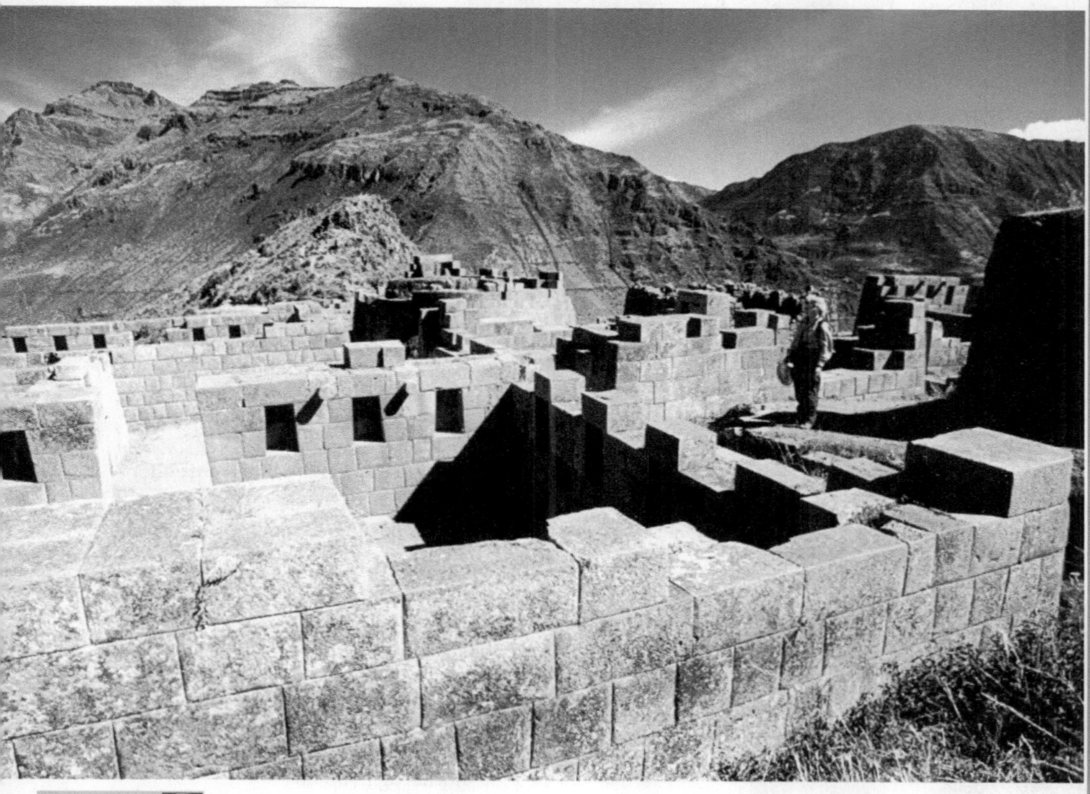

CULTURA

Una vista de las ruinas incaicas en el pueblo de Pisac, Perú

Literatura

Go Online!

You may wish to remind students to go online for additional reading comprehension practice.

Answers

D *Answers will vary.*

Online Resources

Customizable Lesson Plans
Audio
Practice
Review

Vocabulario

TEACH

Core Instruction

You may wish to have students repeat the new words after the audio recording.

ABOUT THE SPANISH LANGUAGE

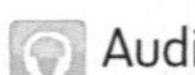

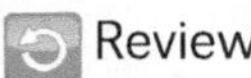

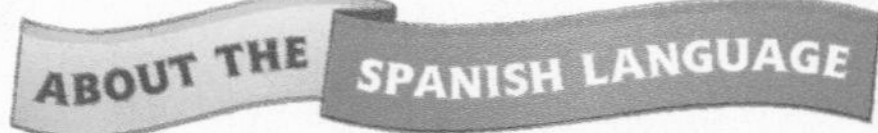

Note that the word **cuesta,** not **colina,** is used for a *hill* or *incline* in a city. In English we say *San Francisco has a lot of hills.* In Spanish, **San Francisco tiene muchas cuestas.**

Comunicación

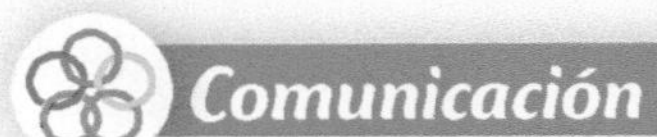

Interpersonal
Have students say as much about the photo at the bottom of the page as they can.

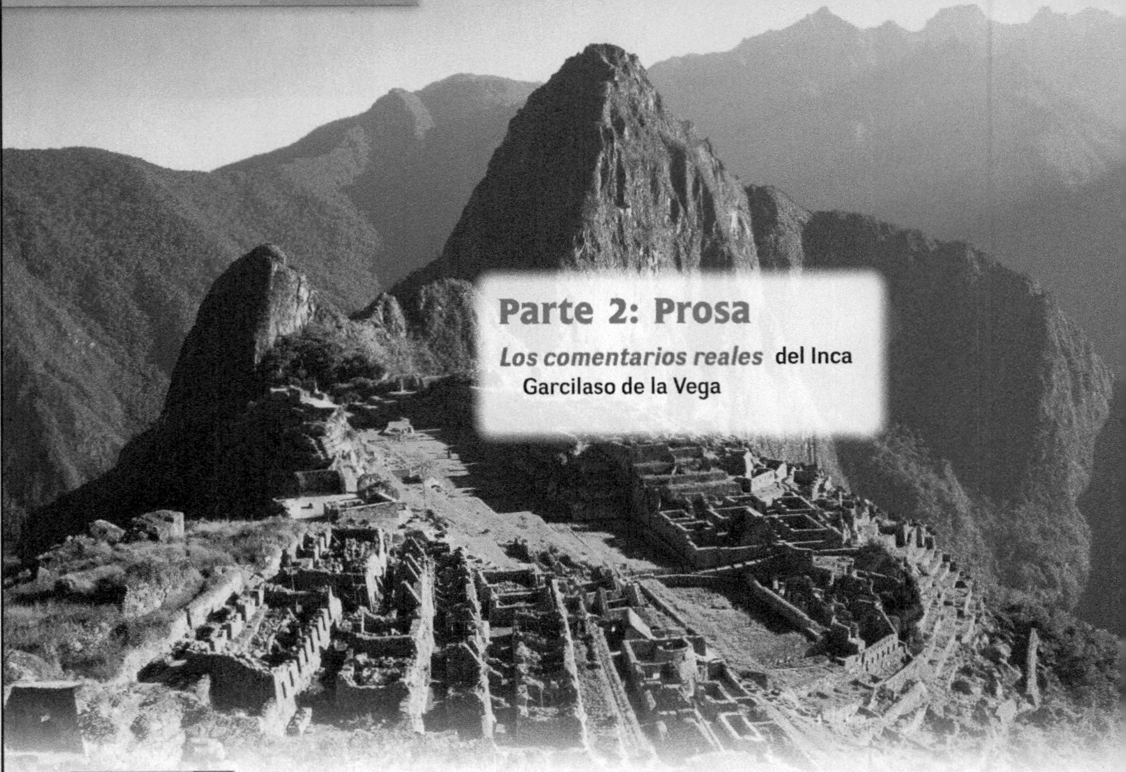

Parte 2: Prosa

Los comentarios reales **del Inca Garcilaso de la Vega**

CULTURA
Machu Picchu

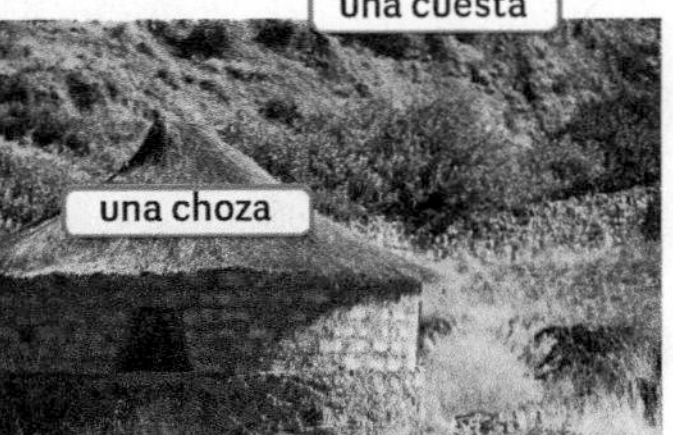

Vocabulario

Estudia las siguientes palabras para ayudarte a entender la lectura.

los avisos noticias o consejos que uno le comunica a otro
el buey tipo de ganado
la cantera sitio de donde se sacan piedras
las nuevas noticias
la peña roca o piedra enorme
el pósito lugar comunal donde todos depositaban y almacenaban sus cereales y granos
el recaudo palabra antigua por recado, mensaje
ligero(a) que no pesa mucho; ágil; rápido
arrastrar llevar a alguien o algo por el suelo tirando de él o ella
de palabra oral(mente)

Práctica

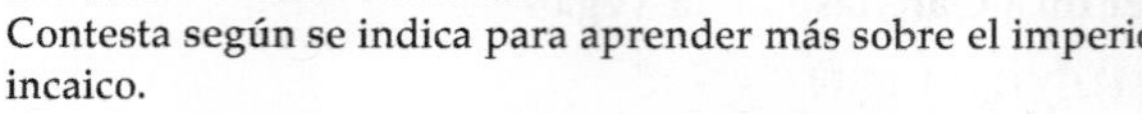

ESCUCHAR • HABLAR • ESCRIBIR

1 Contesta según se indica para aprender más sobre el imperio incaico.

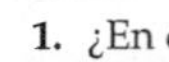

1. ¿En qué vivían los indígenas más humildes? (chozas)
2. ¿Dónde guardaban sus cereales? (en un pósito)
3. ¿A quién pertenecía el pósito? (al ayllu, a la comunidad)
4. ¿Para qué necesitaban piedras del tamaño de una peña? (construir fortalezas)
5. ¿De dónde sacaban las piedras? (de una cantera)
6. ¿Subían y bajaban las cuestas los hombres? (sí)
7. ¿Qué arrastraban? (grandes piedras)
8. ¿Por qué no tiraban los bueyes de un carro? (en aquel entonces no había ni bueyes ni carros)

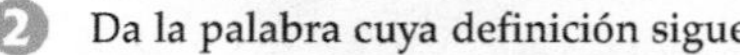

EXPANSIÓN

Ahora, sin mirar las preguntas, cuenta la información en tus propias palabras. Si no recuerdas algo, un(a) compañero(a) te puede ayudar.

LEER • ESCRIBIR

2 Da la palabra cuya definición sigue.

1. una casa bastante humilde
2. una roca de gran tamaño
3. terreno en pendiente
4. un mensaje
5. noticias o consejos que se comunican a otro
6. tirar de una cosa para moverla
7. que no pesa mucho, que se mueve con rapidez

CULTURA
Aves raras en la isla Española, una de las islas Galápagos en Ecuador

Richard Brommer

PRACTICE

Leveling EACH Activity

Easy Activity 1
Average Activity 1 **Expansión,** Activity 2

Go Online!

You may wish to remind students to go online to download audio files of all vocabulary.

Answers

1

1. Los indígenas más humildes vivían en chozas.
2. Guardaban sus cereales en un pósito.
3. El pósito pertenecía al ayllu (a la comunidad).
4. Necesitaban piedras del tamaño de una peña para construir fortalezas.
5. Sacaban las piedras de una cantera.
6. Sí, los hombres subían y bajaban las cuestas.
7. Arrastraban grandes piedras.
8. Los bueyes no tiraban de un carro porque en aquel entonces no había ni bueyes ni carros.

2

1. una choza
2. una peña
3. la cuesta
4. un recaudo
5. los avisos
6. arrastrar
7. ligero

Online Resources

Customizable Lesson Plans

 Audio

Practice

 Review

Reading, Writing Test

Introducción

You can have students read the **Introducción** silently.

Leveling EACH Activity

Reading level
Average–CHallenging

Estrategia

Go over the **Estrategia** with students and use the first sentence of the **Lectura** as an example.

TEACH

Core Instruction

Since this selection uses old Spanish, you may wish to just have students read it silently.

The meanings conveyed by the verb **trocar** in this selection can be confusing. Its first use in line 11 conveys the meaning *to exchange or trade something.* In line 19, **porque** would be **para que** and **no se trocasen** conveys the meaning *to not get*

Estrategia

Monitoreando comprensión
Algunas lecturas como la que sigue contienen mucha información detallada. Es necesario leer tal lectura detenidamente, pausando de vez en cuando para concentrarse en los detalles. Además muchos autores antiguos como el Inca Garcilaso de la Vega usaban frases largas cuando escribían. Una sola frase incluía varias ideas. Al leer tales obras una estrategia importante es la de dividir las frases en partes para facilitar la comprensión.

Los comentarios reales

del Inca Garcilaso de la Vega

INTRODUCCIÓN

El primer escritor de importancia mundial nacido en las Américas fue el Inca Garcilaso de la Vega (1539–1616). Su padre era un capitán español y su madre una princesa incaica. Él escribió *Los comentarios reales* que apareció en 1609. Una segunda parte con el título *Historia general del Perú* salió después de su muerte en 1617. *Los comentarios reales* se consideran una fuente importantísima en el estudio de la civilización de los incas. Describe el Imperio de los incas, sus leyendas, costumbres y monumentos.

Aquí tenemos dos fragmentos de *Los comentarios reales*.

CULTURA
Templo del Sol, Cuzco, Perú, 1500

North Wind Picture Archives

Los comentarios reales 

Chasqui llamaban a los correos que había puestos por los caminos para llevar con brevedad los mandatos del rey y traer las nuevas y avisos que por sus reinos y provincias, lejos o cerca, hubiese de importancia. Para lo cual tenían a cada cuarto de legua° cuatro o seis indios mozos y ligeros, los cuales estaban en dos chozas para repararse° de las inclemencias del cielo. Llevaban los recaudos por su vez, ya los de una choza, ya los de la otra, los unos miraban a la una parte del camino, y los otros a la otra, para descubrir los mensajeros antes que llegasen a ellos, a apercibirse° para tomar el recaudo, porque no se perdiese tiempo alguno.

Llamáronlos chasqui, que quiere decir trocar°, o dar y tomar, que es lo mismo, porque trocaban, daban y tomaban de uno en otro, y de otro en otro, los recaudos que llevaban. No les llamaron «cacha», que quiere decir mensajeros, porque este nombre lo daban al embajador o mensajero propio que personalmente iba de un príncipe al otro, o del señor al súbdito°. El recaudo o mensaje que los chasquis llevaban era de palabra, porque los indios del Perú no supieron escribir. Las palabras eran pocas, y muy concertadas, porque no se trocasen°, y por ser muchas no se olvidasen.

legua *three and a half miles*
repararse *protegerse*

READING CHECK

¿Quiénes eran los chasquis y qué llevaban?

apercibirse *to become aware of*
trocar *to trade, exchange*

READING CHECK

¿Cuál fue la diferencia entre un chasqui y un cacha?

súbdito *subject*

se trocasen *in order to not get confused*

Go Online!

connectED.mcgraw-hill.com

• • •

Maravillosos edificios hicieron los Incas, reyes del Perú, en fortalezas, en templos, en casas reales, en pósitos y en caminos como se muestran hoy por las ruinas que de ellas han quedado; aunque mal se puede ver por los cimientos lo que fue todo el edificio.

La obra mayor y más soberbia, que mandaron hacer para mostrar su poder y majestad, fue la fortaleza del Cuzco, cuyas grandezas son increíbles a quien no las ha visto, y al que las ha visto y mirado con atención, le hacen imaginar, y aun creer, que son hechas por vía de encantamiento°, y que las hicieron demonios° y no hombres, porque la multitud de las piedras, tantas y tan grandes, (que son más peñas que piedras) causa admiración imaginar, como las pudieron cortar de las canteras de donde se sacaron, porque los indios no tuvieron hierro ni acero° para cortar ni labrarlas; pues pensar como las trajeron al edificio, es dar en otra dificultad, porque no tuvieron bueyes, ni supieron hacer carros, ni hay carros que las puedan sufrir, ni bueyes que basten a tirarlas. Llevábanlas arrastrando a fuerza de brazos con gruesas maromas°; ni los caminos por donde las llevaban eran llanas, sino sierras muy ásperas, con grandes cuestas por do° las subían y bajaban a pura fuerza de hombres.

READING CHECK

¿Qué construyeron los incas?

encantamiento *enchantment*
demonios *devils*

acero *steel*

maromas *thick ropes*
do *donde*

READING CHECK

¿Qué le causó mucha admiración a Garcilaso de la Vega?

CULTURA

Edificios incaicos en Sacsayhuamán, Perú

Tips for Success

As per the information in the **Estrategia**, it is important for students to do the Reading Checks.

Cultural Snapshot

El fuerte de Sacsayhuamán es uno de los fuertes más impresionantes de las civilizaciones precolombinas. Se estima que hubo unos veinte mil trabajadores que lo construyeron a mediados del siglo XV. No se sabe precisamente cómo podrían arrastrar los grandísimos bloques de piedra al sitio.

PRACTICE

Después de leer

A and **B** You may wish to have students write these activities. You can call on a student to do the **Expansión** orally.

Differentiation

Advanced Learners

C You can call on advanced learners to correct the false information in this activity.

Go Online!

   You may wish to remind students to go online for additional reading comprehension practice.

Después de leer

A **Recordando hechos** Contesta sobre los chasquis.

1. ¿Quiénes eran los chasquis?
2. ¿Qué llevaban?
3. ¿Cómo eran los chasquis?
4. ¿En qué se quedaban para protegerse de las inclemencias del tiempo?
5. ¿Por qué miraban siempre una parte del camino?
6. ¿Querían recibir el recado rápido para no perder tiempo?
7. ¿Qué era un cacha?
8. ¿Por qué eran orales los mensajes de los chasquis?
9. ¿Eran largos o cortos los mensajes?

EXPANSIÓN

Ahora, sin mirar las preguntas, cuenta la información en tus propias palabras. Si no recuerdas algo, un(a) compañero(a) te puede ayudar.

B **Haciendo comparaciones** Explica en tus propias palabras la diferencia entre un chasqui y un cacha.

C **Confirmando información** Indica si la información es correcta o no.

1. Los incas hicieron maravillosos edificios.
2. Aún las ruinas de los edificios muestran su grandeza.
3. Mirando las ruinas se puede ver lo que fue todo el edificio.
4. La obra mayor de los incas es la fortaleza del Cuzco.
5. Las grandezas de la fortaleza del Cuzco son increíbles solo a los que no las han visto.
6. La fortaleza fue construida de piedras pequeñas.
7. Algunas de las piedras son tan grandes que se parecen más a peñas que piedras.
8. Sabemos como los incas pudieron sacar estas piedras gigantescas de la cantera.
9. Trajeron las piedras al edificio que construían en carros tirados por bueyes.
10. Los caminos en las sierras por donde tenían que llevar las piedras tenían grandes cuestas.

Comparaciones

Has visto muchos ejemplos de estilos arquitectónicos de las poblaciones indígenas de Latinoamérica. ¿Puedes comparar la arquitectura indígena latinoamericana con la de los indígenas del sudoeste de Estados Unidos?

Answers

A

1. Los chasquis eran los correos.
2. Llevaban los mandatos del rey y nuevas y avisos importantes.
3. Los chasquis eran mozos y ligeros.
4. Se quedaban en chozas para protegerse de las inclemencias del tiempo.
5. Siempre miraban una parte del camino para ver si llegaban unos mensajeros.
6. Sí, querían recibir el recado rápido para no perder tiempo.
7. Un cacha era un embajador o mensajero propio de un príncipe o de un señor.
8. Los mensajes de los chasquis eran orales porque los indígenas de Perú no sabían escribir.
9. Los mensajes eran cortos.

B *Answers will vary but may include:*
Un chasqui era un correo que trocaba, daba y tomaba recados de otro en otro. Un cacha era la persona que era mensajero que iba personalmente de un príncipe al otro.

Go Online!

connectED.mcgraw-hill.com

D **Visualizando e imaginando** Describe.

Imagínate que estabas en Ecuador o Perú durante la época de los incas. Descríbele a un(a) amigo(a) diciéndole todo lo que viste, todo lo que te fascinó y todo lo que encontraste increíble.

E **Investigando**

Si a ti te interesa el tema indígena y si te es posible, lee una o solo una parte de las siguientes novelas: *Huasipungo* del ecuatoriano Jorge Icaza y *Aves sin nido* de la peruana Clorinda Matto de Turner. Son novelas fenomenales pero te advertimos que no son muy fáciles.

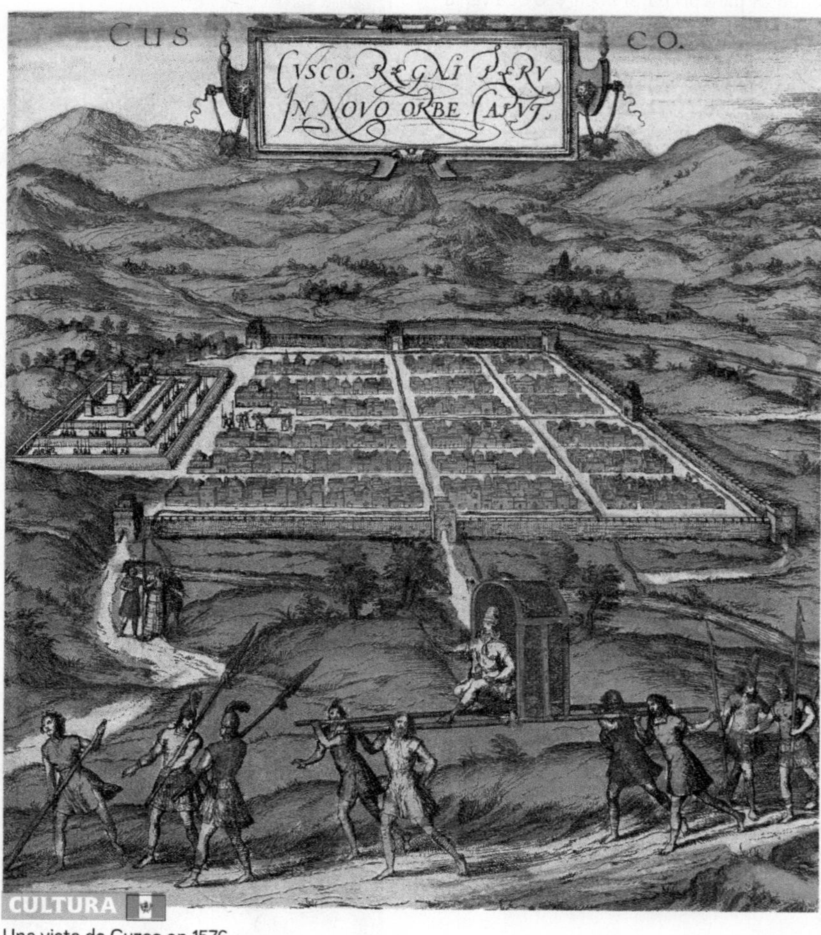

CULTURA

Una vista de Cuzco en 1576

Literatura

D and **E** These activities are optional.

ASSESS

Students are now ready to take the Reading and Writing Test for Lección 4: Literatura.

Answers

C

1. sí
2. sí
3. no
4. sí
5. no
6. no
7. sí
8. no
9. no
10. sí

D *Answers will vary.*

Videopaseo

The Video Program for Chapter 2 includes three documentary segments of some interesting aspects of life in Peru. You may wish to have students answer the **Antes de mirar** questions orally or in writing.

Episodio 1: José Luis es profesor en una pequeña escuela del pueblo de Puruchuco, cerca de Lima. Está enseñándole una momia a uno de sus alumnos. Debajo del patio de esta escuela está un antiguo cementerio inca donde enterraban a sus muertos entre 1465 y 1540. Las momias se encuentran en grupos que se llaman «fardos funerales». Los arqueólogos que estudian las momias dicen que están aprendiendo mucho sobre como vivían, lo que ellos apreciaban y como murieron.

Episodio 2: Este tren cubre el trayecto Cuzco–Machu Picchu. Machu Picchu, antigua ciudad de los incas, estuvo escondida durante siglos. Ni los conquistadores españoles sabían donde estaba. En 1911 un campesino se lo enseñó a un explorador norteamericano, Hiram Bingham. Por mucho tiempo la única manera de llegar a Machu Picchu era a pie o en tren. Las vistas y el paisaje que se ven desde el tren son maravillosos.

Episodio 3: Pablo Seminario es ceramista. Ha estudiado la alfarería precolombina por mucho tiempo. Él quiere conservar la cultura y las artes del pasado. Su esposa, Marilú, trabaja con él. Los dos crean preciosas tazas y vasijas y diferentes obras de arte. Sus obras son tan populares que ahora tienen todo un equipo de artesanos que les ayudan con su cerámica.

Videopaseo

¡Un viaje virtual a Perú!

Antes de mirar los episodios, completen las actividades que siguen.

Episodio 1: Los fardos funerales

Antes de mirar Con unos compañeros de clase, contesten las siguientes preguntas para prepararse para lo que van a ver en el video.

1. Según el título del episodio, ¿de qué se tratará?
2. ¿Saben ustedes qué es «un fardo»? Compartan sus ideas. (Tal vez la foto les ayude.)
3. Van a oír en el video algunos hechos sobre Perú. Piensen en lo que han aprendido en la lección de cultura de este capítulo. ¿Qué saben de Perú? ¿Dónde está? ¿Cuál es la capital?
4. Van a ver una escuela peruana. ¿Cuáles son unas cosas que normalmente se encuentran en una escuela?

Episodio 2: Un viaje por tren

Antes de mirar Con unos compañeros de clase, contesten las siguientes preguntas para prepararse para lo que van a ver en el video.

1. Según el título del episodio, ¿de qué se tratará?
2. Ya han aprendido vocabulario relacionado con el tren en sus estudios del español. ¿Cuáles son algunos términos que conocen que tienen que ver con el viajar en tren?
3. ¿Han viajado alguna vez por tren? ¿Les gustó? ¿Adónde fueron ustedes?
4. ¿Cuáles son algunos lugares que podrían visitar si viajaran en tren en Perú?

Episodio 3: Alfarería andina

Antes de mirar Con unos compañeros de clase, contesten las siguientes preguntas para prepararse para lo que van a ver en el video.

1. Según el título del episodio, ¿de qué se tratará?
2. ¿Saben ustedes qué es una «alfarería»? Compartan sus ideas. (Tal vez la foto les ayude.)
3. ¿Cuáles son unas cosas que ustedes asocian con las artesanías?
4. ¿Les gustaría trabajar como artesanos(as)?

CAPÍTULO 2 Repaso de vocabulario

Go Online!

connectED.mcgraw-hill.com

Cultura

un(a) criollo(a)
una cuerda
la madera
un nudo
el oro
la plata
la precipitación
un quipu
el/la tejedor(a)
un tejido
acomodado(a)
agrio(a)
bello(a)
caluroso(a)
escaso(a)
lluvioso(a)
nevado(a)
apoyar
soler (ue)
subyugar
tejer

Literatura

Poesía

el amo(a)
la frente
la mirada
taciturno(a)
labrar la tierra
sudar

Prosa

el aviso
el buey
la cantera
una choza
una cuesta
las nuevas
la peña
el pósito
el recaudo
ligero(a)
arrastrar
de palabra

Repaso de vocabulario

Online Resources

Customizable Lesson Plans

 Video (Cultura)

 Practice

 Listening, Speaking, Reading, Writing Tests

Vocabulary Review

The words and phrases from Lessons 1 and 4 have been taught for productive use in this chapter. They are summarized here as a resource for both student and teacher.

Teaching Options

This vocabulary reference list has not been translated into English. If it is your preference to give students the English translations, please refer to Vocabulary Transparency V2.1.

ASSESS

Students are now ready to take any of the Listening, Speaking, Reading, Writing Tests you choose to administer.

Chapter Overview

El Cono Sur

Scope and Sequence

Topics
- The geography of Chile, Argentina, Paraguay, and Uruguay
- The history of Chile, Argentina, Paraguay, and Uruguay
- The culture of Chile, Argentina, Paraguay, and Uruguay

Culture
- Atacama Desert
- Patagonia and Tierra del Fuego
- Guarani
- Argentine gauchos and the pampas
- Evita and Juan Perón
- Ushuaia, Argentina
- Argentine beef, Chilean seafood
- Avenida 9 de Julio, Buenos Aires
- *Martín Fierro* by José Hernández
- *Historia de dos cachorros de coatí y dos cachorros de hombre* by Horacio Quiroga

Functions
- How to describe actions in the present
- How to state location and origin
- How to refer to people and things already mentioned
- How to express surprise, interest, and annoyance
- How to express affirmative and negative ideas

Structure
- The present tense of regular and irregular verbs
- **Ser** and **estar**
- Object pronouns
- **Gustar** and verbs like **gustar**
- Affirmative and negative expressions

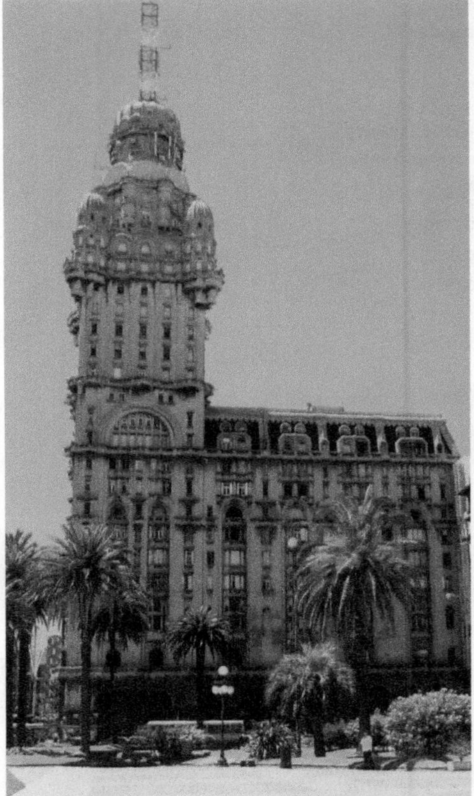

Andrew Payti

Leveling

The activities within each chapter are marked in the Wraparound section of the Teacher Edition according to level of difficulty.

E indicates easy
A indicates average
CH indicates challenging

The readings in **Lección 4: Literatura** are also leveled to help you individualize instruction to best meet your students' needs. Please note that the material does not become progressively more difficult. Within each chapter there are easy and challenging sections.

Correlations to ACTFL World-Readiness Standards for Learning Languages

COMMUNICATION Communicate effectively in more than one language in order to function in a variety of situations and for multiple purposes		
Interpersonal Communication	Learners interact and negotiate meaning in spoken, signed, or written conversations to share information, reactions, feelings, and opinions.	pp. 122, 125, 126, 131, 135, 137, 138, 139, 143, 154
Interpretive Communication	Learners understand, interpret, and analyze what is heard, read, or viewed on a variety of topics.	pp. 107, 110, 111, 112, 113, 114, 115, 116, 117, 120, 121, 122, 124, 125, 127, 128, 129, 131, 133, 136, 137, 138, 143, 145, 147, 148, 149, 150, 151, 152, 153
Presentational Communication	Learners present information, concepts, and ideas to inform, explain, persuade, and narrate on a variety of topics using appropriate media and adapting to various audiences of listeners, readers, or viewers.	pp. 117, 135, 137, 138, 139, 143, 153
CULTURES Interact with cultural competence and understanding		
Relating Cultural Practices to Perspectives	Learners use the language to investigate, explain, and reflect on the relationship between the practices and perspectives of the cultures studied.	pp. 117, 123, 136, 138, 139, 143
Relating Cultural Products to Perspectives	Learners use the language to investigate, explain, and reflect on the relationship between the products and perspectives of the cultures studied.	pp. 107, 111, 112, 113, 115, 117, 121, 126, 137, 142
CONNECTIONS Connect with other disciplines and acquire information and diverse perspectives in order to use the language to function in academic and career-related situations		
Making Connections	Learners build, reinforce, and expand their knowledge of other disciplines while using the language to develop critical thinking and to solve problems creatively.	pp. 110, 111, 113, 114, 115, 117, 136, 137, 138, 139, 153
Acquiring Information and Diverse Perspectives	Learners access and evaluate information and diverse perspectives that are available through the language and its cultures.	pp. 120, 123, 124, 128, 136, 137, 138, 139, 142, 147–152
COMPARISONS Develop insight into the nature of language and culture in order to interact with cultural competence		
Language Comparisons	Learners use the language to investigate, explain, and reflect on the nature of language through comparisons of the language studied and their own.	pp. 122, 125, 128, 137
Cultural Comparisons	Learners use the language to investigate, explain, and reflect on the concept of culture through comparisons of the cultures studied and their own.	pp. 112, 117, 137, 143
COMMUNITIES Communicate and interact with cultural competence in order to participate in multilingual communities at home and around the world		
School and Global Communities	Learners use the language both within and beyond the classroom to interact and collaborate in their community and the globalized world.	pp. 122, 125, 128, 137
Lifelong Learning	Learners set goals and reflect on their progress in using languages for enjoyment, enrichment, and advancement.	pp. 120, 123, 128, 138, 139

Preview

In this chapter, students will learn about the geography, history, and culture of Chile, Argentina, Paraguay and Uruguay. They will read and discuss newspaper articles. Students will be introduced to the literary works of the great writers José Hernández and Horacio Quiroga. Students will also continue with their complete review of Spanish grammar.

Pacing

Cultura	4–5 days
Gramática	4–5 days
Periodismo	4–5 days
Literatura	4–5 days
Videopaseo	2 days

CAPÍTULO 3

El Cono Sur

Chile, Argentina, Paraguay, Uruguay

Glen Allison/Getty Images

Go Online! connectED.mcgraw-hill.com Audio Video Práctica Repaso Diversiones eScape ePals

Go Online!

Audio
Listen to spoken Spanish.

Video
Watch and learn about the Spanish-speaking world.

Práctica
Practice your skills.

Repaso
Review what you've learned.

Diversiones
Go beyond the classroom.

eScape
Read about current events in the Spanish-speaking world.

Objetivos

You will:

- learn about the geography, history, and culture of Chile, Argentina, Paraguay, and Uruguay
- talk about yourself—your interests, likes, and dislikes
- read and discuss newspaper articles
- read a poem by José Hernández and a short story by Horacio Quiroga

You will review:

- the present of regular and irregular verbs
- **ser** and **estar**
- object pronouns
- **gustar** and verbs like **gustar**
- affirmative and negative words

Contenido

Lección 1: Cultura

Geografía e historia del Cono Sur

Lección 2: Gramática

Presente de los verbos regulares e irregulares

¿Ser o estar?

Pronombres de complemento

Verbos como **gustar**

Palabras negativas y afirmativas

Lección 3: Periodismo

Lección 4: Literatura

Poesía

Martín Fierro de José Hernández

Prosa

Historia de dos cachorros de coatí y dos cachorros de hombre de Horacio Quiroga

Casas de colores brillantes en La Boca, una zona portuaria de Buenos Aires donde está viviendo mucha gente de la comunidad artística

Assessment
Check student progress.

ePals
Connect with Spanish-speaking students around the world.

CAPÍTULO 3

Cultural Snapshot

Las oficinas del presidente de la República argentina están en la Casa Rosada en el centro de Buenos Aires. Durante la época colonial sirvió de fortaleza y fue del balcón de este edificio que Eva Perón daba sus discursos apasionados al pueblo argentino.

Online Resources

Customizable Lesson Plans

 Audio Activities

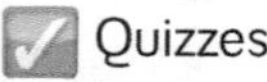 Student Workbook

Quizzes

TEACH

Core Instruction

Step 1 You may wish to call on one student to read the new word. Call on another to read the definition.

Step 2 For some classes, you may feel it is sufficient for students to study the definitions silently and then proceed to the **Práctica** activities.

Note: Be sure to have students look at the callout words in the photographs since they too will be used in the **Lectura.**

Differentiation

Advanced Learners

Have advanced learners make up original sentences using the new words.

Slower Paced Learners

For slower paced learners, allow them to hear the vocabulary words in sentences you make up. **Hay muchos viñedos en el norte de California donde se produce mucho vino.**

- **Una huerta** can also be **un huerto.**
- Students often confuse **sabana,** *flatland,* and **sábana,** *bedsheet.*

Vocabulario

Estudia las siguientes palabras para ayudarte a entender la lectura.

el viñedo terreno donde hay vides—plantas cuyo fruto es la uva
una huerta jardín bastante grande
un chaparrón lluvia abundante pero de poca duración
una ráfaga viento de corta duración que aumenta de velocidad rápidamente
una llanura terreno llano que no tiene altos ni bajos
una sabana llanura que no tiene árboles
un cerro elevación de tierra menos alta que un monte o una montaña
el peonaje grupo de peones o labradores
el odio antipatía, aversión, repulsión, rencor
belicoso(a) guerrero, agresivo
pacífico(a) calmo, tranquilo, contrario de «belicoso»
austral del sur

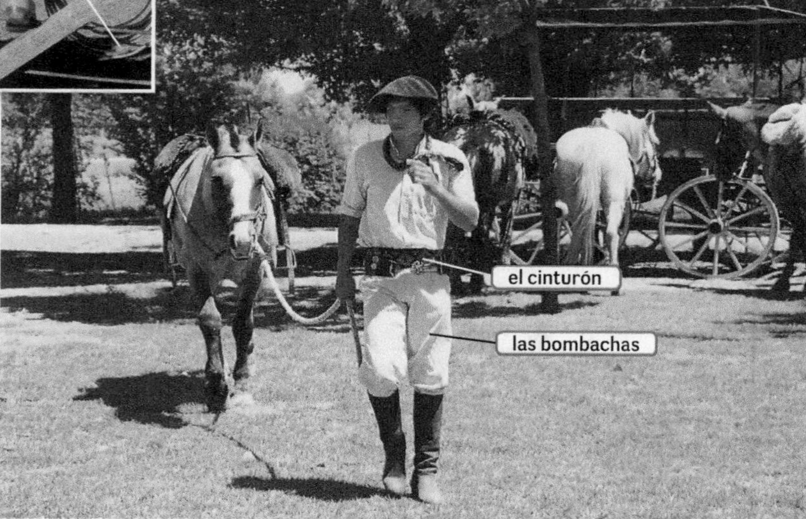

Cultural Snapshot

Los gauchos que vemos aquí trabajan en una estancia a unas dos horas de Buenos Aires.

Go Online!

    You may wish to remind students to go online for additional vocabulary practice. They can also download audio files of all vocabulary.

Go Online!

connectED.mcgraw-hill.com

Práctica

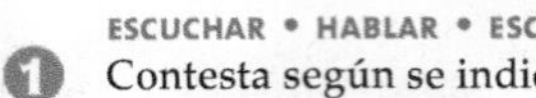
ESCUCHAR • HABLAR • ESCRIBIR

1 Contesta según se indica.

1. ¿Qué es un chaparrón? (una tempestad o una tormenta)
2. ¿Qué cultivan en un viñedo? (uvas)
3. ¿Dónde cultivan vegetales y frutas? (en una huerta)
4. ¿Dónde pace el ganado? (en las llanuras o en las sabanas)
5. ¿Hay muchos árboles en una sabana? (no, ningún)
6. ¿Es muy alto un cerro? (no)
7. ¿Llueve por mucho tiempo durante un chaparrón? (no)
8. ¿Qué producen muchas tormentas o tempestades? (ráfagas)
9. ¿Son belicosos o pacíficos los guerreros? (belicosos)

LEER • ESCRIBIR

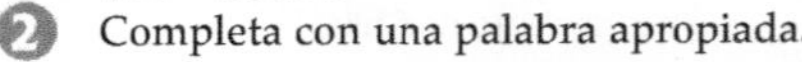
2 Completa con una palabra apropiada.

1. ____ es un grupo de peones.
2. ____ es el cuchillo que lleva el gaucho.
3. ____ es un viento veloz y rápido.
4. Ushuaia es la ciudad más ____ del hemisferio. Está en el extremo sur de Argentina.
5. Es mejor el amor que ____.

CULTURA
Viñedos en la región de Mendoza, Argentina

CULTURA
Ganado en la estancia de Ombú en las pampas argentinas

Answers

1

1. Un chaparrón es una tempestad o una tormenta.
2. Cultivan uvas en un viñedo.
3. Cultivan vegetales y frutas en una huerta.
4. El ganado pace en las llanuras o en las sabanas.
5. No, no hay ningún árbol en una sabana.
6. No, un cerro no es muy alto.
7. No, no llueve por mucho tiempo durante un chaparrón.
8. Muchas tormentas o tempestades producen ráfagas.
9. Los guerreros son belicosos.

2

1. Un peonaje
2. El facón
3. Una ráfaga
4. austral
5. el odio

Cultura

Leveling EACH Activity

Easy Activity 1
Average Activity 2

PRACTICE

Activity 1 This activity can be done orally. Call on students at random to respond or have them work in pairs.

Activity 2 This activity can be prepared and then gone over in class.

Heritage Speakers

Have heritage speakers tell in their own words what they learned from this short vocabulary selection about **la geografía, la agricultura,** and **la indumentaria del gaucho.**

Cultural Snapshot

(top) En este viñedo en las afueras de Mendoza todo se cultiva orgánicamente.

ASSESS

Students are now ready to take Quiz 1.

Online Resources

Customizable Lesson Plans

 Student Workbook

 Quizzes

TEACH

Core Instruction

You may choose any of the following procedures for this reading.

Independent reading Have students read the selections and do the activities as homework, which you collect. This option is least intrusive on class time and requires a minimum of teacher involvement.

Homework with in-class follow-up Assign the reading and the activities as homework. Review and discuss the material in class.

Intensive in-class activity This option includes a pre-reading vocabulary presentation, in-class reading and discussion, assignment of the activities for homework, and a discussion of the assignment in class.

Teaching Options

You may wish to assign different sections of the reading to different groups. If you do this, each group should report what they learned to the class so every student can be familiar with all the material.

La geografía

Chile

El Cono Sur comprende los países de Chile, Argentina, Uruguay y Paraguay. Chile es un país largo y estrecho que tiene la forma de una habichuela verde (un poroto). Siendo tan largo desde el norte hasta el sur, tiene un terreno extremadamente variado y variaciones climáticas extremas. El desierto de Atacama en el norte es uno de los desiertos más áridos del mundo. El centro, cerca de Santiago, la capital, disfruta de un clima templado como el del Mediterráneo. Aquí hay viñedos y huertas. La región de los bellísimos lagos goza también de un clima templado, pero un poco más hacia el sur en Puerto Montt, por ejemplo, el clima es lluvioso y borrascoso[1] incluso en el verano. La Patagonia en el sur tiene un clima casi siempre frío y lluvioso con chaparrones frecuentes y ráfagas de viento que alcanzan una velocidad increíble. La Patagonia es famosa por sus fiordos y glaciares.

[1] borrascoso *stormy*

CULTURA

Una parte de la carretera panamericana en el desierto de Chile

CULTURA

Un contraste entre la arquitectura moderna y tradicional en la Plaza de Armas en Santiago, la capital de Chile

Cultural Snapshot

(top) El desierto de Atacama se considera uno de los desiertos más secos del mundo. El desierto se extiende por toda la costa norte de Chile.

(bottom) Santiago de Chile es una ciudad moderna flanqueada al este por los Andes con sus nieves eternas y al oeste por la cordillera de la costa.

Go Online!

connectED.mcgraw-hill.com

Argentina

Argentina es el segundo país más grande de Sudamérica. Se puede dividir el país en cuatro grandes regiones naturales.

Las llanuras del nordeste Se caracterizan las llanuras por vastas zonas de terreno pantanoso[2] y sabanas. Es la región de los ríos Paraná y Uruguay. Una región húmeda de fértil tierra roja, es famosa por su gran ganadería y agricultura incluyendo el cultivo de la hierba mate, de la que se hace la bebida nacional.

Los Andes del noroeste Es aquí donde se encuentra el Aconcagua, la cumbre más alta de las Américas (6.959 metros). Es una región de volcanes nevados, altiplanos y desiertos. La mayoría de la población argentina es de ascendencia europea, pero en el noroeste hay una gran población indígena.

CULTURA

Aconcagua, Argentina

La pampa La pampa es una inmensa llanura de hierba verde que cubre el 25 por ciento del territorio argentino. Es el centro económico del país e incluye los centros urbanos de Buenos Aires. Las ciudades de Rosario y Santa Fe tienen pocos habitantes pero en sus alrededores hay millones de bovinos y carneros. Es la región de los famosos bifes argentinos.

La Patagonia y Tierra del Fuego Es la región más extensa y menos poblada del país. El estrecho de Magallanes separa la Tierra del Fuego del continente. Es una región de llanuras inmensas, de suelo rocoso batidas por vientos secos y fríos.

CULTURA

Estrecho de Magallanes

[2]pantanoso *swampy, marshy*

Cultura

Differentiation

Slower Paced Learners

Advanced Learners

If you have students read orally, you may wish to stop and ask an individual question of slower paced learners. You can call on advanced learners to give a synopsis of each paragraph or two.

Tips for Success

Have students quickly scan the page to find the many cognates. Then have them pronounce the words in both languages, paying careful attention to the differences in pronunciation. Students often have a tendency to mispronounce cognates.

Cultural Snapshot

(top) El Aconcagua en la lengua de los incas significa «centinela de piedra». Alcanza unos 6.959 metros. Se ha encontrado hace unos años una momia inca a unos 5.300 metros de altitud.

About the Spanish Language

- Point out to students the name of each country and the nationality.

Argentina	**argentino**
Chile	**chileno**
Uruguay	**uruguayo**
Paraguay	**paraguayo**

- Note that in present-day Spanish it is common to drop the article with countries that originally used the article, such as **la Argentina** and **el Perú**.

Conexiones

La geografía
Have students locate the four countries of the **Cono Sur** on the map of South America in the front of this book.

Juego As you are finishing the geography section, you can play the following game. One student says something that describes a particular country. Another student has to identify the country.

Cultural Snapshot

(top) La Plaza de la Independencia está en el centro de Montevideo. Bajo la estatua ecuestre que se ve al fondo está el mausoleo de José Gervasio Artigas, el organizador del movimiento gaucho (1811–1821) quien luchó contra los españoles y portugueses para mantener la independencia de Uruguay.

(bottom) Muchos cruceros salen de Ushuaia para hacer excursiones a la Antártida.

ASSESS

Students are now ready to take Quiz 2.

Uruguay

Uruguay es el país más pequeño de la América del Sur. Un país tranquilo y placentero, la mitad de la población vive en la capital, Montevideo. La mayor parte del país comprende terrenos llanos y algunos cerros poco elevados. La tierra y el clima moderados son muy propicios para la agricultura y la ganadería. Los llanos uruguayos son muy conocidos por sus estancias grandes.

Paraguay

Paraguay, como su vecino Bolivia, no tiene costa. En gran parte del país hace mucho calor. En el este hay un área de bosque tropical húmedo y en el oeste está el Chaco, una zona árida donde es importante la explotación de madera.

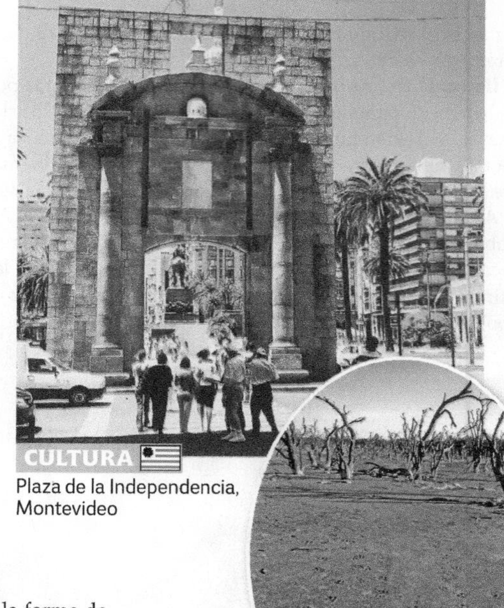

CULTURA
Plaza de la Independencia, Montevideo

CULTURA
Huellas de jaguares en el Chaco paraguayo

A Confirmando Corrige la información falsa.

1. Chile es un país largo y ancho que tiene la forma de una papa.
2. El desierto de Atacama en el sur de Chile es uno de los desiertos más áridos del mundo.
3. En la región de Puerto Montt, al sur de los lagos chilenos, el clima es caluroso y húmedo.
4. El nordeste de Argentina es una región de terreno pantanoso.
5. El noroeste de Argentina es una región de llanuras y sabanas y la mayoría de la población es europea.
6. La pampa es una inmensa llanura de hierba verde de la región patagónica donde hay mucho ganado.
7. Uruguay es el país más grande de la América del Sur y una gran parte del país comprende terrenos llanos con algunos cerros no muy altos.
8. Gran parte de Paraguay es un bosque tropical húmedo y el Chaco es una zona muy árida.

B Describiendo Describe el clima y el terreno de la Patagonia.

CULTURA
Vista de Ushuaia, Argentina

Answers

A

1. Chile es un país largo y estrecho que tiene la forma de una habichuela verde (de un poroto).
2. El desierto de Atacama en el norte de Chile es uno de los desiertos más áridos del mundo.
3. En la región de Puerto Montt, al sur de los lagos chilenos, el clima es lluvioso y borrascoso.
4. correcto
5. El noroeste de Argentina es una región de volcanes nevados, altiplanos y desiertos y allí hay una gran población indígena.
6. correcto
7. Uruguay es el país más pequeño de la América del Sur y una gran parte del país comprende terrenos llanos con algunos cerros no muy altos.
8. En el este de Paraguay hay un área de bosque tropical húmedo y el Chaco es una zona muy árida.

B *Answers will vary but may include:*
La Patagonia es la región más extensa y menos poblada del país. Es una región de llanuras inmensas de suelo rocoso batidas de vientos secos y fríos.

Una ojeada histórica

Las civilizaciones precolombinas

En la costa del Pacífico al norte de Chile y en Centroamérica y México los españoles encontraron civilizaciones indígenas muy avanzadas. La situación fue diferente en los países del Cono Sur. En Argentina, sobre todo en el sur, muchos pueblos precolombinos se encontraban en un estado evolutivo. Iban buscando sustento organizados en grupos nomadas. A fines del siglo XV había también pueblos sedentarios que se dedicaban a la agricultura y a la domesticación de animales. Las culturas indígenas que habitaban la región pampeana resistieron a los españoles y su cultura y no estuvieron nunca bajo su dominación. Los mapuches, a quienes los españoles dieron el nombre de araucanos, poblaban una gran parte del centro de Chile. Eran feroces guerreros que lucharon por más de 300 años y no se sometieron nunca a la espada castellana. En el famoso poema épico *La araucana,* Alonso de Arcilla y Zúñiga, un poeta y soldado español que participó en la guerra, la inmortalizó cantando del coraje y heroica resistencia de los mapuches.

Los guaraníes

En Paraguay vivían los guaraníes, un grupo muy pacífico, quienes dieron la bienvenida a los españoles, sobre todo a los jesuitas. Muchos fueron a vivir en sus reducciones o misiones. Hay quienes dicen que los jesuitas realizaban una verdadera obra civilizadora entre los guaraníes. Los defendían de la esclavitud y la muerte a manos de los bandeirantes[3] de Brasil. Dicen otros que los guaraníes perdieron su independencia y sus derechos fundamentales al aceptar las enseñanzas[4] de los jesuitas.

Actualmente una gran parte de la población paraguaya tiene sangre española y guaraní. La moneda de Paraguay es el guaraní y las dos lenguas oficiales del país son el español y el guaraní. Se dice que el español es la lengua del comercio y el guaraní, una lengua melodiosa, la lengua del amor. Las canciones guaraníes son muy placenteras. Algunas de sus canciones, con el acompañamiento del arpa paraguaya, imitan la voz del ave, la caída de la lluvia y otros sonidos agradables de la naturaleza.

[3] bandeirantes *(Brazilian) gauchos* [4] enseñanzas *teachings*

CULTURA

Misión jesuita en Trinidad, Paraguay

brianlatino/Alamy

C **Describiendo** Describe a los siguientes grupos.

a. a los pueblos del sur de Argentina
b. a los pueblos de la región pampeana
c. a los mapuches

D **Recordando hechos** Contesta sobre los guaraníes.

1. ¿Dónde vivían los guaraníes?
2. ¿Cómo eran?
3. ¿Cómo aceptaron a los españoles?
4. ¿Adónde fueron a vivir muchos de ellos?
5. ¿Cómo los trataban los jesuitas?
6. Actualmente, ¿qué tiene una gran parte de la población paraguaya?
7. ¿Cuál es la moneda de Paraguay?
8. ¿Cuáles son los dos idiomas oficiales de Paraguay?
9. ¿Cómo son las canciones guaraníes?

Go Online!

connectED.mcgraw-hill.com

Answers

C *Answers will vary.*

D

1. Los guaraníes vivían en Paraguay.
2. Eran muy pacíficos.
3. Les dieron la bienvenida.
4. Muchos fueron a vivir en las reducciones o misiones.
5. Los jesuitas los defendían de la esclavitud y la muerte a manos de los bandeirantes de Brasil.
6. Actualmente una gran parte de la población paraguaya tiene sangre española y guaraní.
7. La moneda de Paraguay es el guaraní.
8. Los dos idiomas oficiales de Paraguay son el español y el guaraní.
9. Las canciones guaraníes son muy placenteras y algunas imitan la voz del ave, la caída de la lluvia y otros sonidos agradables de la naturaleza.

Online Resources

Customizable Lesson Plans

 Student Workbook

 Quizzes

TEACH

Core Instruction

Have students identify some indigenous groups they have already learned about.

Differentiation

Advanced Learners

Call on an advanced learner to give the major difference or differences between the indigenous people of the **Cono Sur** and those from the North.

 **Comunicación**

Interpersonal

Divide the class in two groups to debate the following. **Hay quienes dicen que los jesuitas realizaban una verdadera obra civilizadora entre los guaraníes. Dicen otros que los guaraníes perdieron su independencia y sus derechos fundamentales al aceptar las enseñanzas de los jesuitas.**

 **Cultura**

There is a very notable Guarani influence in Paraguay. Guarani music and songs are a part of the Paraguayan national culture, and Paraguayans are proud to be able to speak both Spanish and Guarani.

ASSESS

Students are now ready to take Quiz 3.

Online Resources

Customizable Lesson Plans

 Audio Activities

 Student Workbook

 Quizzes

Tips for Success

You may wish to give students some additional practice with the vocabulary footnoted on this page. **Los gauchos son expertos en el manejo de los caballos salvajes. En las estancias de las pampas hay rebaños de ganado. En las estancias de la Patagonia hay rebaños de ovejas.**

About the Spanish Language

- The word **hacienda** is probably the most common one used today to express *country estate.* However, in Argentina one will often hear **la estancia.** Once upon a time **la estancia** was a *cattle station,* but today it more commonly means *country estate.* Other terms that can mean *country estate* or *farm* are: **la finca, la granja, el rancho** (Mexico), **el cortijo** (cattle farm in Spain). A country house is often called **la quinta.**
- The word **rancho** usually does not convey *ranch* except in Mexico. The original meaning is *hut,* and the shantytowns around Caracas are called **ranchos.**
- The word for *cowboy* also varies from region to region. **El vaquero** is a rather generic term. Others are **el gaucho** (Argentina and Uruguay), **el charro** (Mexico), **el llanero** (Venezuela), and **el huaso** (Chile).

PRACTICE

E This activity can be done both orally and in writing.

El gaucho y las pampas

El mito del gaucho de la pampa argentina o uruguaya continúa todavía hoy. El gaucho es el símbolo del hombre libre, de el que se burla de[5] las normas o convenciones sociales. El gaucho apareció en el siglo XVIII por las necesidades de la explotación de la ganadería. Hacía falta un peonaje diestro en el manejo[6] del lazo y las boleadoras.

En su origen los gauchos eran hijos de indígenas y españoles. Con su poncho, sus bombachas, su ancho cinturón adornado de monedas de plata, su facón (cuchillo) y su lazo y boleadoras, ellos eran los guardianes del ganado. Y eran ellos los que reinaban sobre las vastas extensiones de las pampas. Trabajaban a sueldo en las estancias. No conocían ni leyes ni frontera. Tenían un espíritu independiente y un carácter revolucionario. El dictador argentino, Manuel de Rosas, era gaucho.

Como ocurrió en Estados Unidos con los cowboys o vaqueros del Oeste, los auténticos gauchos han desaparecido. Ya solo quedan unos peones que guardan rebaños[7] sueltos. Pero el mito del verdadero gaucho no ha desaparecido.

[5] se burla de *mocks*
[6] manejo *handling*
[7] rebaños *herds*

CULTURA
Gaucho joven en la pampa argentina

E Explicando Explica.

1. la razón por la aparición del gaucho
2. la indumentaria del gaucho
3. el trabajo de los gauchos
4. el espíritu y el carácter de los gauchos

CULTURA
Casa de una estancia argentina

 **Conexiones**

La literatura

The section **El gaucho y las pampas** serves as a good introduction to *Martín Fierro* which appears in Chapter 3, Lesson 4.

Answers

E *Answers will vary but may include:*

1. El gaucho apareció por las necesidades de la explotación de la ganadería. Hacía falta un peonaje diestro en el manejo del lazo y las boleadoras.
2. La indumentaria del gaucho consistía en poncho, bombachas, cinturón, facón, lazo y boleadoras.
3. Eran los guardianes del ganado.
4. Tenían un espíritu independiente y un carácter revolucionario.

Go Online!

connectED.mcgraw-hill.com

Evita Duarte de Perón y su marido

Evita, la persona tan querida de tantas almas argentinas, nació María Eva Duarte en 1919. Era la hija de una costurera[8] y de un obrero. De sus raíces humildes le venía su odio a los ricos. De joven ella trabajó de actriz de cine de segunda fila. También trabajó en la radio y se hizo conocer por sus emisiones en las que denunciaba ardientemente la injusticia y la miseria.

Eva conoció a Juan Perón, un joven oficial ambicioso. Se casaron en 1945 y un poco más tarde Perón fue elegido presidente de la República argentina. Los aristócratas de Buenos Aires nunca le perdonaron a Evita sus raíces pobres pero ella se hizo la defensora de los descamisados—los que no tenían camisa—los pobres y los trabajadores de pocos recursos. Perón le dio a Evita el cargo de directora de la Fundación Social, lo que le dio la oportunidad de visitar fábricas, hospitales y barrios populares donde pronunciaba discursos a la gloria de su marido, el presidente Perón. Ella se presentó como candidata a la vicepresidencia en las elecciones de 1951 pero el ejército intervino y le puso el veto. Eva anunció en la radio que quería someterse a la voluntad del pueblo. Pero Evita sabía algo que no sabía el pueblo. Le quedaban muy pocos meses de vida porque padecía de un cáncer mortal. Murió el 27 de julio de 1952 a los treinta y tres años.

Tal fue su don[9] de hacerse amar que millones lloraron su muerte. Su figura inspiró una comedia, o mejor dicho tragedia, musical—*Evita*—la cual se ha presentado en muchos países del mundo. Además se produjo un filme del mismo título que ha sido estrenado mundialmente.

A pesar de que Perón dejó el país en una situación económica desastrosa, todavía hoy el peronismo sigue marcando de manera profunda la vida política argentina y sigue viviendo en el corazón de muchos argentinos el mito de su querida Evita.

[8] costurera *seamstress*
[9] don *gift*

CULTURA

María Eva Duarte de Perón, la primera dama de Argentina

F Recordando hechos Contesta.

1. ¿Cuándo nació Eva Perón?
2. ¿Qué eran sus padres?
3. ¿Por qué odiaba Evita a los ricos?
4. ¿Cómo trabajó ella?
5. ¿A quién conoció? ¿Qué fue elegido él?
6. ¿Quiénes eran los descamisados?
7. ¿Qué tipo de discursos pronunciaba Evita?
8. ¿A qué edad murió Evita? ¿De qué?

CULTURA

Mausoleo de la familia Duarte, cementerio de la Recoleta, Buenos Aires

Answers

F

1. Eva Perón nació en 1919.
2. Su madre era costurera y su padre era obrero.
3. Evita odiaba a los ricos a causa de las raíces humildes que tenía ella.
4. De joven ella trabajó de actriz de cine y también trabajó en la radio.
5. Conoció a Juan Perón. Él fue elegido presidente de la República argentina.
6. Los descamisados eran los que no tenían camisa (los pobres).
7. Evita pronunciaba discursos a la gloria de su marido, el presidente Perón.
8. Evita murió a los treinta y tres años de un cáncer mortal.

Cultura

Online Resources

Customizable Lesson Plans

 Audio Activities

 Student Workbook

 Quizzes

 **Cultura**

- Have students listen to a few songs from the musical "Evita."

Differentiation

Advanced Learners

You may wish to have advanced learners do some additional research about the work that was important to Eva Perón. Then have them make up a speech that Evita might have given to her people and have them present it to the class.

PRACTICE

F You can intersperse these questions as you are presenting the reading on this page.

Tips for Success

Have one student answer several questions in a row from Activity F. These answers will lead to a summary of Evita's biography.

Go Online!

   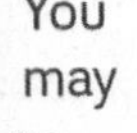

You may wish to remind students to go online for additional reading and listening comprehension practice.

ASSESS

Students are now ready to take Quizzes 4–5.

Online Resources

Customizable Lesson Plans

 Student Workbook

 Quizzes

Conexiones

El medio ambiente

Patagonia is one of the world's favorite destinations for **naturalistas.** Ask students to identify some reasons why this might be based on the information provided in the reading.

Differentiation

Multiple Intelligences

The reading explains the history behind how the southern regions of Argentina were named. Have **verbal-linguistic** learners come up with alternate names for these regions based on what they have learned about the land and climate.

About the Spanish Language

The names of many foods are different in the **Cono Sur. Palta** is used for **aguacate, choclo** is used for **maíz,** and **porotos** is used for **judías verdes.**

Cultural Snapshot

(bottom) La mayoría de las casas en Ushuaia son de madera, muchas de ellas de colores bastante vivos.

La Patagonia y Tierra del Fuego

La Patagonia y Tierra del Fuego cubren el área más austral del continente sudamericano y se encuentran en Argentina y Chile. Muchos llaman este territorio «el fin del mundo». Es una región batida por frecuentes vientos de increíble violencia, un clima tempestuoso y frío y un cielo frecuentemente nublado. La costa patagónica chilena (del Pacífico) está dotada de numerosos fiordos, glaciares y cumbres nevadas. En las aguas de la costa patagónica argentina (del Atlántico) viven elefantes marinos, lobos marinos[10], ballenas[11] y pingüinos de Magallanes.

En el interior del sur de la Patagonia hay grandes estancias donde los descendientes de inmigrantes ingleses y galeses[12] guardan rebaños de ovejas que pacen en la tierra rocosa. Es interesante notar que son los galeses quienes les dieron su nombre a los pingüinos. «Pengywn» en galés significa «cabeza blanca».

Se le atribuye el origen de los nombres de Patagonia y Tierra del Fuego al explorador Fernando de Magallanes. Se dice que al llegar a lo que es hoy Patagonia gritó, «Ah, Patagón» al ver la medida de los mocasines y el tamaño de los pies de los fuertes indígenas tehuelches. En el año 1520 cuando franqueaba[13] el estrecho que hoy lleva su nombre, el estrecho de Magallanes, vio los fuegos de los campamentos indígenas y llamó a este lugar Tierra del Humo. Pero al oír una descripción de las hazañas de Magallanes el rey Carlos V pensó que no puede haber humo sin fuego y rebautizó la isla «Tierra del Fuego». La Tierra del Fuego es un verdadero archipiélago prácticamente deshabitado separado del resto de Sudamérica por el estrecho de Magallanes.

Ushuaia, la ciudad más austral del mundo, es la capital de la provincia argentina de Tierra del Fuego. A pesar del clima duro la vida en Ushuaia es muy apacible. Sus casas de colores pastel son muy pintorescas.

CULTURA

Snowboarder en el Cerro Castor en Tierra del Fuego, Argentina

[10] lobos marinos *sea lions*
[11] ballenas *whales*
[12] galeses *Welsh*
[13] franqueaba *he was passing through*

G Explicando Explica.

1. la diferencia entre la costa patagónica chilena y la argentina
2. como recibió la Patagonia su nombre
3. como recibió su nombre la Tierra del Fuego
4. lo que separa la Tierra del Fuego del resto del continente

CULTURA

Casa de madera en Ushuaia, Argentina

Answers

G

1. La costa patagónica chilena (del Pacífico) está dotada de numerosos fiordos, glaciares y cumbres nevados. En las aguas de la costa patagónica argentina (del Atlántico) viven elefantes marinos, lobos marinos, ballenas y pingüinos de Magallanes.
2. Patagonia recibió su nombre cuando Fernando de Magallanes al llegar allí gritó «Ah, Patagón» al ver la medida de los mocasines y el tamaño de los pies de los fuertes indígenas tehuelches.
3. La Tierra del Fuego recibió su nombre cuando Magallanes vio los fuegos de los campamentos indígenas y llamó a este lugar Tierra del Humo. Al oír la descripción del lugar, el rey Carlos V pensó que no puede haber humo sin fuego y rebautizó la isla Tierra del Fuego.
4. El estrecho de Magallanes separa la Tierra del Fuego del resto del continente.

Visitas históricas

Si visitas los países del Cono Sur hay muchos lugares que tienes que ver. Vamos a empezar con las grandes capitales, Santiago de Chile y Buenos Aires. Estas dos ciudades muy cosmopolitas ofrecen de todo: cine, teatro, museos, estadios, parques, cafés y buenos restaurantes. Montevideo, la capital uruguaya, es más pequeña que las otras pero muy bonita e interesante. Si te gusta nadar o tomar el sol, hay muchas playas en la ciudad misma.

Si la naturaleza te atrae, no hay nada más bonito que los lagos en la frontera entre Chile y Argentina o los fiordos y glaciares chilenos. El gran número de animales marinos les da un carácter inolvidable a lugares como la Península Valdés, Punta Loma y Punta Tumbo en la costa del Atlántico en Argentina.

La lista de posibilidades es sin límite.

Comida

En Argentina y Uruguay con tanta ganadería hay que comer la carne de vaca o el bife—una carne tierna y sabrosa asada a la parrilla. Pero, ¡cuidado! Como al gaucho le gustaba quemar su carne en la pampa, los argentinos siguen sirviéndola bien hecha o, como dicen, «quemada». Si no te gusta así, hay que pedirla «vuelta y vuelta» o «cruda».

En Chile con tanta costa, claro que la especialidad es el pescado y los mariscos. El chupe de mariscos es un tipo de sopa o puchero[14] lleno de camarones, langostinos, jaibas[15] y almejas con trozos de papa y choclo.

Paraguay tiene su comida nacional—«so'o yosopy» en guaraní. Es una rica sopa de carne. ¡Buen provecho!

[14] puchero *stew*
[15] jaibas *land crabs*

H **Personalizando** Da respuestas personales.

1. Si visitas unos países del Cono Sur, ¿adónde irás?
2. ¿Qué vas a comer?

CULTURA
Pescadería en Puerto Montt, Chile

CULTURA
Casa Rosada, Buenos Aires

Go Online!
connectED.mcgraw-hill.com

CULTURA
Una vista de la moderna Torre de Telecomunicaciones ANTEL desde el puerto de Montevideo

Cultura

Online Resources

Customizable Lesson Plans
 Student Workbook
 Quizzes

Cultural Snapshot

(bottom left) Puerto Montt es una ciudad pequeña al sur de la cual nace la Patagonia chilena. No está muy lejos de los famosos lagos chilenos. Puerto Montt fue fundado por unos colonos alemanes a mediados del siglo XIX. Todavía hoy se ve la influencia alemana. En la pastelería, por ejemplo, se verán *Pasteles* y *Küchen*. Puerto Montt tiene un puerto pesquero pintoresco. El mercado Angelmó que vemos en esta foto está en el puerto. Aquí hay muchos cafés donde sirven una variedad de pescados.

ASSESS

Students are now ready to take Quiz 6.

Answers

H *Answers will vary.*

Online Resources

Customizable Lesson Plans

 Reading, Writing Test

Self-check for achievement

This is a pre-test for students to take before you administer the lesson test. Note that each section is cross-referenced so students can easily find the material they feel they need to review. You may wish to use Self-Check Worksheet SC3.1 to have students complete this assessment in class or at home. You can correct the assessment yourself, or you may prefer to display the answers in class using Self-Check Answers SC3.1A.

Differentiation

Slower Paced Learners

Encourage students who need extra help to refer to the margin notes and review any section before answering the questions.

Cultural Snapshot

El valle del Elqui está cerca de Arica, una ciudad en el norte de Chile en la costa atlántica y el desierto de Atacama. Muy cerca de aquí nació la famosa poeta chilena Gabriela Mistral.

Go Online!

You may wish to remind students to go online for additional reading comprehension practice.

Prepárate para el examen

Self-check for ACHIEVEMENT

Vocabulario

Para repasar, ve el vocabulario de esta sección.

1 Completa.

1. Un ____ es un tipo de tormenta o tempestad de corta duración.
2. El ____ no es un sentimiento agradable ni positivo.
3. Una ____ produce vegetales o frutas.
4. Un ____ es una elevación de tierra menos alta que un monte.
5. Las llanuras o ____ no tienen muchos cerros ni colinas.
6. Los indígenas de Chile no eran pacíficos. Eran muy ____.
7. Un ____ produce uvas y las uvas producen vino.

2 Expresa de otra manera.

8. del sur
9. la antipatía, el rencor
10. un viento veloz de corta duración

Lectura y cultura

CULTURA

Valle del Elqui en el norte de Chile

Para repasar, ve la información cultural sobre el Cono Sur.

3 Identifica.

11. el segundo país más grande de la América del Sur
12. el país más pequeño de la América del Sur
13. el país más largo y más estrecho de la América del Sur
14. uno de los dos países sudamericanos que no tienen costa

4 ¿Sí o no?

15. No había ninguna civilización indígena avanzada en ninguna parte del Cono Sur.
16. Los araucanos eran muy belicosos.
17. Los guaraníes vivían en Uruguay.
18. Los guaraníes eran muy pacíficos y su lengua es bonita y melodiosa.
19. Mucha gente vive en la Tierra del Fuego.

5 Contesta.

20. ¿Qué son las pampas?
21. ¿Cuál es el país que tiene dos lenguas oficiales? ¿Cuáles son?
22. ¿Qué tipo de espíritu tenían los gauchos?
23. ¿Quién era Evita Perón?
24. ¿Cuáles son unas características de la Patagonia?
25. ¿Cuál es una especialidad de la cocina argentina?

Answers

1

1. chaparrón
2. odio
3. huerta
4. cerro
5. sabanas
6. belicosos
7. viñedo

2

8. austral
9. el odio
10. una ráfaga

3

11. Argentina
12. Uruguay
13. Chile
14. Paraguay

4

15. no
16. sí
17. no
18. sí
19. no

Go Online!

connectED.mcgraw-hill.com

Prepárate para el examen

Practice for PROFICIENCY

1 **La geografía de los países del Cono Sur**

Escoge uno de los cuatro países del Cono Sur y describe su geografía y clima. Compáralo con la geografía y el clima donde tú vives.

2 **Influencias indígenas**

Ya sabes que en los países andinos hay ruinas fabulosas de templos, fortalezas y ciudades indígenas. ¿Qué piensas? ¿Hay tales ruinas en Argentina o Chile, por ejemplo? Explica por qué hay o no hay.

3 **El gaucho**

En tus propias palabras, describe al gaucho y su vida. ¿Te interesa el mito del gaucho o no? ¿Con quién lo puedes comparar? Aunque ha desaparecido el gaucho del mito, ¿te interesa visitar una gran estancia de la pampa argentina? ¿Qué esperas o piensas ver al visitar una estancia?

4 **Evita Perón**

Escucha una versión del espectáculo de Broadway *Evita*. ¿Te parece que la letra corresponde mucho a la vida de Evita? Si te interesan los temas de Evita y del peronismo, haz más investigaciones para saber más del impacto que tuvieron ella y el peronismo. Escribe una biografía corta sobre Evita.

5 **La Patagonia, ¿sí, sí o nunca?**

¿Qué tipo de persona eres? ¿Quisieras visitar la Patagonia y la Tierra del Fuego? ¿Te gustaría o no? ¿Por qué? Discute con un(a) compañero(a).

¡Así se dice!

Cuando hablas, si tienes que pausar un momentito para reflexionar sobre como quieres expresar algo, puedes decir **¿Cómo lo digo yo?** o simplemente **este, este...** mientras estás pensando y luego puedes seguir con lo que quieres decir.

Composición

Un anuncio publicitario

Imagínate que estás trabajando en el departamento de marketing de una gran agencia de viajes. Tu jefe(a) quiere que escribas un anuncio publicitario dirigido al mercado hispanohablante para promover un viaje (una excursión) a Chile, Argentina, Paraguay, Uruguay o a varios de estos países del Cono Sur.

Al escribir un anuncio publicitario tienes la obligación de atraer atención y captar interés. El estilo debe ser sencillo y concreto. Usa frases cortas y muchos adjetivos vivos. Quieres darle vida a lo que estás escribiendo. Tienes que convencerles a tus lectores que si viajan con tu compañía, van a tener una experiencia fabulosa e inolvidable.

Puedes servirte de un diagrama como el de al lado para organizar tus ideas. Y si quieres, puedes buscar un anuncio publicitario en un periódico o en una revista que puedes usar como modelo.

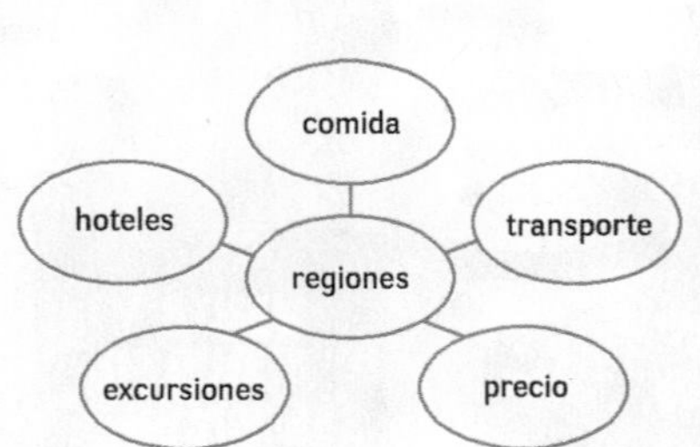

Cultura

Tips for Success

Encourage students to say as much as possible when they do these open-ended activities. Tell them not to be afraid to make mistakes, since the goal of the activities is real-life communication. Encourage students to self-correct and to use words and phrases they know to get their meaning across. If someone in the group makes an error that impedes comprehension, encourage the others to ask questions to clarify or, if necessary, to politely correct the speaker. Let students choose the activities they would like to do.

Tell students to feel free to elaborate on the basic theme and to be creative. They may use props, pictures, or posters if they wish.

Pre-AP These oral and written activities will give students the opportunity to develop and improve their speaking and writing skills so that they may succeed on the speaking and writing portions of the AP exam.

ASSESS

Students are now ready to take the Reading and Writing Test for Lección 1: Cultura.

Answers

5

20. Las pampas son inmensas llanuras de hierba verde que cubren el 25 por ciento del territorio argentino.
21. Paraguay tiene dos lenguas oficiales. Son el español y el guaraní.
22. Los gauchos tenían un espíritu independiente y un carácter revolucionario.
23. Evita Perón era la esposa del presidente argentino Juan Perón. Denunciaba ardientemente la injusticia y la miseria.
24. La Patagonia es como el fin del mundo. Está batida de frecuentes vientos de increíble violencia, un clima tempestuoso y frío y un cielo frecuentemente nublado. La costa chilena está dotada de numerosos fiordos, glaciares y cumbres nevadas. La costa argentina tiene elefantes marinos, lobos marinos, ballenas y pingüinos de Magallanes. Al interior hay grandes estancias.
25. Una especialidad de la cocina argentina es la carne de vaca.

Online Resources

Customizable Lesson Plans

Audio Activities

Video (Gramática) (Cultura)

Student Workbook

Quizzes

TEACH

Core Instruction

Step 1 Call on students to give you the forms of the regular verbs. How readily they do so will determine the amount of time you have to spend on this grammar point.

Step 2 Remind students that if they pronounce these forms correctly, they will have no trouble spelling them.

Step 3 Have students read the **yo** forms in Item 4 aloud. This form is very important since it is the base for the formation of the present subjunctive.

Step 4 Have students read the forms of **ser.**

Step 5 Have students pronounce carefully **huye, huís, oye, oís.**

¡Así se dice!

Why It Works!

Although many students at this level may not need a review of the present indicative, it is reviewed here since the present subjunctive, whose forms are based on the **yo** form of this tense, is presented for review in the following chapter.

Nota

This review of the forms of the present tense will help you with your review of the subjunctive in the next chapter.

Presente de los verbos regulares e irregulares

1. Review the following forms of the present tense of regular **-ar, -er,** and **-ir** verbs.

infinitive	hablar	comer	vivir
stem	habl-	com-	viv-
yo	hablo	como	vivo
tú	hablas	comes	vives
Ud., él, ella	habla	come	vive
nosotros(as)	hablamos	comemos	vivimos
vosotros(as)	*habláis*	*coméis*	*vivís*
Uds., ellos, ellas	hablan	comen	viven

2. Many verbs in Spanish are stem-changing verbs. In the present tense some verbs change the **e** stem of the infinitive to **ie** and others change the **o** of the infinitive to **ue** in all forms except **nosotros** (and **vosotros**). Note that the endings of stem-changing verbs are the same as the endings for the conjugation to which they belong.

e → ie		o → ue	
cerrar	preferir	poder	dormir
cierro	prefiero	puedo	duermo
cierras	prefieres	puedes	duermes
cierra	prefiere	puede	duerme
cerramos	preferimos	podemos	dormimos
cerráis	*preferís*	*podéis*	*dormís*
cierran	prefieren	pueden	duermen

Other verbs with the **e** to **ie** stem change in the present are **pensar, comenzar, empezar, despertar, negar, querer, perder, entender, defender, sentir,** and **sugerir.**

Other verbs with the **o** to **ue** stem change in the present are **acordar, almorzar, contar, costar, encontrar, mostrar, probar, recordar, volver, devolver, mover,** and **morir.**

CULTURA

Aquí puedes comprar o alquilar la ropa que necesitas para esquiar.

Andrew Payti

Go Online!

connectED.mcgraw-hill.com

3. Another group of stem-changing verbs changes the **e** of the infinitive to **i** in all forms except **nosotros** (and **vosotros**). Unlike verbs that change from **e** to **ie** and **o** to **ue,** all the verbs that change to **i** are **-ir** or third conjugation verbs.

pedir	
pido	pedimos
pides	*pedís*
pide	piden

repetir	
repito	repetimos
repites	*repetís*
repite	repiten

Other verbs with the **e** to **i** stem change in the present are **despedir, freír, medir, reír, servir,** and **sonreír.**

4. Many irregular verbs in the present have only one irregular form—**yo.** All other forms are the same as those of a regular or stem-changing verb.

INFINITIVE	IRREGULAR **YO**
ir	**voy**
dar	**doy**
estar	**estoy**
hacer	**hago**
poner	**pongo**
traer	**traigo**
salir	**salgo**
tener	**tengo**
venir	**vengo**
seguir	**sigo**
decir	**digo**
oír	**oigo**
saber	**sé**
conocer	**conozco**
conducir	**conduzco**
traducir	**traduzco**
producir	**produzco**

CULTURA

¿Adónde quieres ir? Esta cartelera en Puerto Varas te indica la dirección a muchas ciudades y pueblos en Chile y Argentina. O es posible que prefieras hacer el cruce de lagos para llegar a Argentina. El paisaje andino con sus lagos y picos cubiertos de nieve es una experiencia inolvidable.

5. The verb **ser** is irregular in all forms.

ser	
soy	somos
eres	*sois*
es	son

6. Verbs that end in **-uir** are spelled with **y** in all forms except **nosotros** (and **vosotros**). Notice that the same is true for **oír** with the exception of **oigo.**

CONTRIBUIR	**contribuyo**	**contribuyes**	**contribuye**	**contribuimos**	***contribuís***	**contribuyen**
HUIR	**huyo**	**huyes**	**huye**	**huimos**	***huís***	**huyen**
OÍR	**oigo**	**oyes**	**oye**	**oímos**	***oís***	**oyen**

119

Go Online!

You may wish to remind students to go online for additional grammar review and practice.

Leveling EACH Activity

Easy Activities 1, 3, 4
Average Activities 2, 5, 6, 7

PRACTICE

Note: Since students have been using the present for three years, none of these activities is difficult enough to be labeled challenging.

Activities 1, 3, 4, 5, 6 These activities can be done first orally in class calling on students at random to respond. If necessary, they can also be written.

Activities 2 and 7 These activities can be prepared before being gone over in class.

Práctica

CULTURA

Una vista del puerto de Valparaíso, llamado cariñosamente «Valpo» por sus habitantes chilenos

ESCUCHAR • HABLAR • ESCRIBIR

1 Personaliza. Da respuestas personales.

1. ¿En qué escuela estudias?
2. ¿Cuántos cursos tomas este semestre?
3. ¿Quién enseña el curso de español?
4. ¿Aprendes mucho en este curso?
5. ¿Comprenden los alumnos cuando el/la profesor(a) habla?
6. ¿Aprenden ustedes mucho?
7. En clase, ¿escuchan, hablan, leen y escriben ustedes?
8. ¿Reciben una nota buena en español?

LEER • ESCRIBIR

2 Completa con el presente sobre un estudiante en la Universidad Católica de Valparaíso.

Gregorio __1__ (asistir) a la Universidad Católica en Valparaíso, Chile. Gregorio __2__ (vivir) en un departamento que él y varios amigos de la universidad __3__ (alquilar) juntos.

Nos __4__ (hablar) Gregorio.

—Cuando no hay clases me __5__ (gustar) ir a Viña del Mar. En Viña mis amigos y yo __6__ (descansar) un poco. __7__ (Tomar) un refresco o una merienda en uno de los muchos cafés que hay en Viña. A veces yo __8__ (correr) a lo largo de las orillas del Pacífico. En verano, mucha gente __9__ (pasar) sus vacaciones en Viña.

LEER • ESCRIBIR

3 Cambia al plural.

1. Compro el periódico y lo leo.
2. Recibo correos electrónicos y los envío también.
3. El joven asiste a la universidad y estudia mucho.
4. Tú viajas mucho y ves el mundo.

LEER • ESCRIBIR

4 Cambia al singular.

1. Cantamos, bailamos y comemos durante la fiesta.
2. Ustedes trabajan mucho pero la verdad es que aprenden mucho también.
3. Vemos a unos amigos en el café y tomamos un refresco.
4. Ellos prometen escribir pero no escriben nunca.

CULTURA

Este joven argentino usa su portátil en un restaurante de Buenos Aires.

Answers

1 *Answers will vary but may include:*

1. Estudio en la escuela ____.
2. Tomo ____ cursos este semestre.
3. ____ enseña el curso de español.
4. Sí, (No, no) aprendo mucho en este curso.
5. Sí (No), los alumnos (no) comprenden cuando el/la profesor(a) habla.
6. Sí (No), nosotros (no) aprendemos mucho.
7. Sí (No), nosotros (no) escuchamos, hablamos, leemos y (ni) escribimos en clase.
8. Sí, (No, no) recibimos una nota buena en español.

2

1. asiste
2. vive
3. alquilan
4. habla
5. gusta
6. descansamos
7. Tomamos
8. corro
9. pasa

3

1. Compramos el periódico y lo leemos.
2. Recibimos correos electrónicos y los enviamos también.
3. Los jóvenes asisten a la universidad y estudian mucho.
4. Ustedes viajan mucho y ven el mundo.

4

1. Canto, bailo y como durante la fiesta.
2. Usted (Tú) trabaja(s) mucho pero la verdad es que aprende(s) mucho también.
3. Veo a unos amigos en el café y tomo un refresco.
4. Él/Ella promete escribir pero no escribe nunca.

Go Online!

connectED.mcgraw-hill.com

ESCUCHAR • HABLAR • ESCRIBIR

5 Forma frases según el modelo.

MODELO **entender →**
Nosotros entendemos y tú entiendes también.

1. jugar
2. volver
3. empezar
4. poder hacerlo
5. querer salir
6. pedir la cuenta
7. repetir la pregunta
8. dormir ocho horas

ESCUCHAR • HABLAR • ESCRIBIR

6 Personaliza. Da respuestas personales.

1. ¿Haces mucho trabajo?
2. ¿A qué hora sales para la escuela?
3. ¿Cuántos años tienes?
4. ¿Sigues un plan de estudios?
5. ¿Conoces a mucha gente?
6. ¿Conduces un carro?
7. ¿Dices que sí?
8. ¿Oyes la música?
9. ¿Adónde vas después de las clases?
10. ¿Dónde estás ahora?

LEER • ESCRIBIR

7 Completa con el presente del verbo indicado.

1. Él ____ de todo y nosotros no ____ de nada. (huir)
2. Yo ____ mucho y ellos no ____ nada. (contribuir)

CULTURA

Toca una orquesta tanguista en una calle de San Telmo en Buenos Aires.

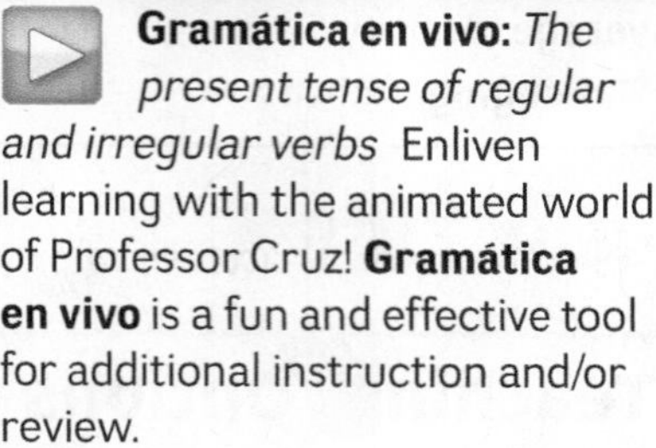

Go Online!

Gramática en vivo: *The present tense of regular and irregular verbs* Enliven learning with the animated world of Professor Cruz! **Gramática en vivo** is a fun and effective tool for additional instruction and/or review.

¡Así se dice!

Why It Works!

You can customize your review to your students' needs in preparation for the subjunctive. Note that Activities 1, 2, 3, and 4 review regular verbs. Activity 5 reviews stem-changing verbs, and Activity 6 reviews irregular verbs in the **yo** form. Activity 7 reviews the **y** spelling.

Cultural Snapshot

Los tanguistas se reúnen en San Telmo con frecuencia pero sobre todo los domingos cuando bailan en las calles. San Telmo es un barrio de Buenos Aires conocido por sus anticuarios.

Answers

5

1. Nosotros jugamos y tú juegas también.
2. Nosotros volvemos y tú vuelves también.
3. Nosotros empezamos y tú empiezas también.
4. Nosotros podemos hacerlo y tú puedes hacerlo también.
5. Nosotros queremos salir y tú quieres salir también.
6. Nosotros pedimos la cuenta y tú pides la cuenta también.
7. Nosotros repetimos la pregunta y tú repites la pregunta también.
8. Nosotros dormimos ocho horas y tú duermes ocho horas también.

6

1. Sí, (No, no) hago mucho trabajo.
2. Salgo para la escuela a las ____.
3. Tengo ____ años.
4. Sí, sigo un plan de estudios.
5. Sí, (No, no) conozco a mucha gente.
6. Sí, (No, no) conduzco un carro.
7. Sí, (No, no) digo que sí.
8. Sí, (No, no) oigo la música.
9. Después de las clases voy ____.
10. Ahora estoy ____.

7

1. huye, huimos
2. contribuyo, contribuyen

Leveling EACH Activity

Easy Activity 8
Average Activity 9
CHallenging Activity 10

PRACTICE *(continued)*

Teaching Options

You may want to start with Activity 9 to determine how easily (or not) students can deal with the present tense endings. If they seem quite adept at using them, you may wish to skip some of the other activities.

Activity 10 You may wish to have several groups do this activity in front of the class.

ASSESS

Students are now ready to take Quiz 7.

Carreras

Ya has aprendido que en el mundo moderno de globalización hay muchas carreras en que el español te puede beneficiar. Haz unas investigaciones para determinar algunas. ¿Piensas de vez en cuando en tu futuro? ¿Sabes lo que quieres hacer de adulto?

HABLAR • ESCRIBIR

8 Sigue el modelo.

MODELO **yo / estudiante →**
Yo soy estudiante.

1. tú / estudiante también
2. él / filósofo
3. nosotros / abogados
4. ella / dentista
5. ustedes / profesores

ESCRIBIR

9 Completa la tabla.

	yo	nosotros	tú	ellos
hablar		hablamos		
leer				leen
escribir	escribo			
poder			puedes	
querer	quiero			
pedir			pides	
seguir	sigo			
tener		tenemos		
oír				oyen
venir			vienes	
salir		salimos		
hacer				hacen
traducir			traduces	
conocer				conocen
saber		sabemos		

10 ***Comunicación***

Trabajen en grupos y hablen de todo lo que hacen durante una semana típica.

CULTURA

Estatuas misteriosas de los moais en la isla de Pascua, Chile

Answers

8
1. Tú eres estudiante también.
2. Él es filósofo.
3. Nosotros somos abogados.
4. Ella es dentista.
5. Ustedes son profesores.

9
hablar: hablo, hablas, hablan
leer: leo, leemos, lees
escribir: escribimos, escribes, escriben
poder: puedo, podemos, pueden
querer: queremos, quieres, quieren
pedir: pido, pedimos, piden
seguir: seguimos, sigues, siguen
tener: tengo, tienes, tienen
oír: oigo, oímos, oyes
venir: vengo, venimos, vienen
salir: salgo, sales, salen
hacer: hago, hacemos, haces
traducir: traduzco, traducimos, traducen
conocer: conozco, conocemos, conoces
saber: sé, sabes, saben

10 *Answers will vary.*

¿Ser o estar?

1. There are two verbs to express *to be* in Spanish. They are **ser** and **estar.** Each of these verbs has specific uses. They are not interchangeable. The verb **estar** is always used to express location, both temporary and permanent.

TEMPORARY	PERMANENT
Mis primos uruguayos no están en casa ahora.	**Buenos Aires está en Argentina.**
Están aquí en Martínez.	**Martínez está en los suburbios de Buenos Aires.**
Están con nosotros.	**Nuestra casa está en Martínez.**

2. The verb **ser** is used to express origin (where someone or something is from).

   Yo soy de Estados Unidos.
   Pero mi abuelo es de Uruguay.
   El pescado es de Chile y el bife es de Argentina.

3. **Ser de** is also used to express ownership and what something is made from.

   Esta casa es de los Amaral. Es de piedra.

4. The verb **estar** is used to express a temporary state or condition.

   El agua está muy fría.
   Y el té está muy caliente.
   No sé por qué estoy tan cansado.

5. The verb **ser,** however, is used to express an inherent quality or characteristic.

   El hermano de Juan es muy simpático.
   Y él es guapo.
   Y además es muy sincero.

6. The speaker often chooses to use **ser** or **estar** depending upon the message he or she wishes to convey. Observe the following examples.

   El tiempo en la Patagonia es borrascoso.
   The weather is characteristically nasty in Patagonia.

   El tiempo hoy está muy borrascoso.
   It's nasty today (but it's not characteristically so).

   La sopa es buena.
   Soup is good for your health.

   La sopa está buena.
   The soup tastes good.

CULTURA

Ushuaia está ubicada a orillas del canal Beagle en el extremo sur de Tierra del Fuego. En los meses de verano, de noviembre a febrero, salen de su puerto barcos con destino a la Antártida.

CULTURA

Este mimo en el Parque de la Recoleta es bueno, ¿no?

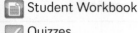

Go Online!

connectED.mcgraw-hill.com

Gramática en vivo: *Ser* and *estar* Enliven learning with the animated world of Professor Cruz! **Gramática en vivo** is a fun and effective tool for additional instruction and/or review.

Gramática

Online Resources

Customizable Lesson Plans

Audio Activities
Video (Gramática)
Student Workbook
Quizzes

TEACH

Core Instruction

Read the explanations to the class and call on students to read the example sentences. Emphasize the following to students.

inherent characteristic → **ser**
condition (temporary) → **estar**
location (temporary or permanent) → **estar**
origin → **ser**

Teaching Options

To avoid doing large segments of grammar at one time, you may wish to intersperse the grammar points as you are doing other lessons in this chapter. If you prefer, however, you can spend two or three class periods in succession doing the review grammar.

Cultural Snapshot

(top) La ciudad de Ushuaia en Argentina ha sido conocida como la ciudad más austral del mundo pero hoy en día el pequeño pueblo de Puerto Williams con sus 2.500 habitantes en la isla chilena en el canal Beagle se considera la ciudad más austral.

Leveling EACH Activity

Easy Activities 11, 12, 13
Average Activity 14
CHallenging Activities 15, 16, Activity 14 **Expansión**, Activity 16 **Expansión**

PRACTICE

Activities 11 and 13 These activities can be gone over orally in class. Call on students at random to respond.

Go Online!

You may wish to remind students to go online for additional grammar review and practice.

CULTURA

¿Cuándo son las visitas guiadas en el Museo San Telmo?

7. Many words actually change meaning when used with **ser** or with **estar.** Study the following.

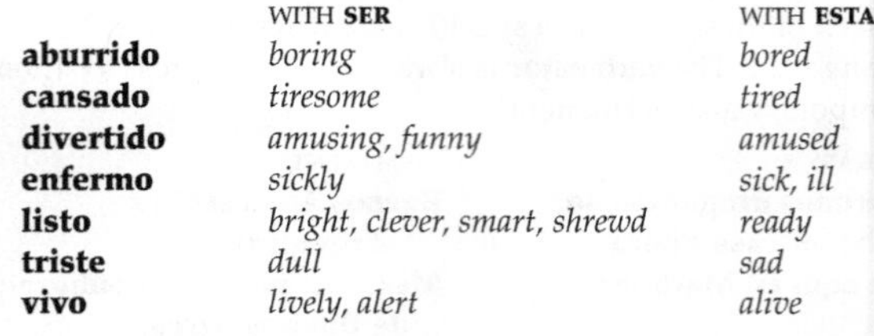

	WITH **SER**	WITH **ESTAR**
aburrido	*boring*	*bored*
cansado	*tiresome*	*tired*
divertido	*amusing, funny*	*amused*
enfermo	*sickly*	*sick, ill*
listo	*bright, clever, smart, shrewd*	*ready*
triste	*dull*	*sad*
vivo	*lively, alert*	*alive*

Note that the verb **estar** with **vivo** means *to be alive.* The verb **estar** is also used with **muerto** to mean *to be dead,* even though death is permanent.

Su abuelo está muerto.

8. The verb **ser** is used whenever the verb *to be* has the meaning of *to take place.*

El concierto tendrá lugar mañana.	**El concierto será mañana.**
Tendrá lugar en el teatro.	**Será en el teatro.**

Práctica

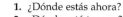

ESCUCHAR • HABLAR

11 Personaliza. Da respuestas personales.

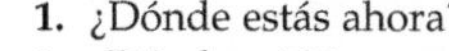

1. ¿Dónde estás ahora?
2. ¿Dónde está tu casa?
3. Y tu escuela, ¿dónde está?
4. ¿Dónde están tus padres?
5. Y tus amigos, ¿dónde están?
6. ¿Dónde está tu profesor(a) de español?

LEER • ESCRIBIR

12 Completa sobre una casa en un suburbio de Montevideo.

Aquí tenemos una foto de una casa. La casa __1__ muy bonita. La casa __2__ de la familia Amaral. La casa no __3__ de madera. __4__ de piedra. __5__ en un barrio residencial.

ESCUCHAR • HABLAR

13 Personaliza. Da respuestas personales.

1. ¿Eres alto(a) o bajo(a)?
2. ¿Eres fuerte o débil?
3. ¿De qué nacionalidad eres?
4. ¿Eres simpático(a) o antipático(a)?
5. ¿Cómo estás hoy?
6. ¿Estás de buen humor o estás de mal humor?
7. ¿Estás bien o estás enfermo(a)?
8. ¿Estás contento(a) o triste?
9. ¿Estás cansado(a)?

CULTURA

Casas antiguas en el barrio del puerto de Montevideo, Uruguay

Answers

11

1. Ahora estoy ___.
2. Mi casa está ___.
3. Mi escuela está ___.
4. Mis padres están ___.
5. Mis amigos están ___.
6. Mi profesor(a) de español está ___.

12

1. es
2. es
3. es
4. Es
5. Está

13 *Answers will vary but may include:*

1. Soy alto(a). (Soy bajo[a].)
2. Soy fuerte. (Soy débil.)
3. Soy ___.
4. Soy simpático(a). (Soy antipático[a].)
5. Estoy ___.
6. Estoy de buen (mal) humor.
7. Estoy bien. (Estoy enfermo[a].)
8. Estoy contento(a). (Estoy triste.)
9. Sí, estoy cansado(a). (No, no estoy cansado[a].)

Go Online!

connectED.mcgraw-hill.com

LEER • ESCRIBIR

14 Completa con **ser** o **estar** sobre la Recoleta.

1. Francisco y Julia ____ de Buenos Aires.
2. Su departamento ____ en la avenida Callao.
3. La avenida Callao ____ en el barrio de la Recoleta.
4. La avenida Callao no ____ muy lejos del cementerio de la Recoleta.
5. La tumba de Evita Perón ____ en este cementerio.
6. Los turistas que vienen a visitar su tumba ____ de todas partes del mundo.

EXPANSIÓN

Ahora, sin mirar las frases, cuenta la información en tus propias palabras. Si no recuerdas algo, un(a) compañero(a) te puede ayudar.

15 *Comunicación* 

Trabajando en parejas cada uno describirá a su mejor amigo(a). Luego comparen a los amigos. ¿Son parecidos o no?

LEER • ESCRIBIR

16 Completa sobre la capital de Uruguay.

1. La ciudad de Montevideo ____ en Uruguay.
2. Montevideo ____ la capital de Uruguay.
3. La capital ____ muy bonita.
4. La ciudad de Montevideo no ____ muy grande.
5. Algunas calles en el centro de la ciudad ____ bastante anchas.
6. En el casco antiguo las calles suelen ____ estrechas.
7. El casco antiguo ____ cerca del puerto.
8. Algunas calles del casco antiguo ____ en malas condiciones porque ____ muy viejas.
9. Los barrios residenciales que ____ dentro de la ciudad ____ muy bonitos.
10. Los barrios residenciales ____ muy cerca de la playa y en el verano cuando hace mucho calor las playas ____ llenas de gente.

EXPANSIÓN

Ahora, sin mirar las frases, cuenta la información en tus propias palabras. Si no recuerdas algo, un(a) compañero(a) te puede ayudar.

CULTURA

Una vista parcial de la Plaza de la Independencia en Montevideo, Uruguay, con el Palacio Salvo

CULTURA

El barrio de la Recoleta en Buenos Aires, Argentina

Gramática

Activities 12, 14, and 16 These activities can be prepared before going over them in class or they can be read first in class and then written as homework.

Differentiation

Advanced Learners

Slower Paced Learners

Call on advanced learners to do an **Expansión** activity first. You may wish to have it done a second time by a slower paced learner.

Multiple Intelligences

Call on a student to come to the front of the room. Then call on a **visual-spatial** learner to describe his or her classmate. Remind the student that the description should include both temporary and inherent characteristics.

Cultural Snapshot

(bottom) El Parque de la Recoleta es muy popular sobre todo los fines de semana cuando hay exposiciones de arte, artesanía y también mimos. A mucha gente le gusta venir al parque para sentarse y descansar en uno de los muchos cafés al aire libre.

Answers

14

1. son
2. está
3. está
4. está
5. está
6. son

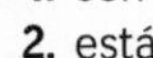

15 *Answers will vary.*

16

1. está
2. es
3. es
4. es
5. son
6. ser
7. está
8. están, son
9. están, son
10. están, están

Leveling EACH Activity

Easy Activity 19
Average Activity 17
CHallenging Activity 18

PRACTICE *(continued)*

Activity 18 This activity should be prepared before going over it in class.

Activity 19 This activity can also be done as a paired activity. For example:

—**¿Dónde será el concierto? ¿En el parque central?**

—**Sí, el concierto será en el parque central.**

Differentiation

Multiple Intelligences

(top) You may wish to have **verbal-linguistic** learners make up a conversation between the two people pictured at the market in Puerto Montt. Encourage **advanced learners** to incorporate a problem or complication in their conversation to give them the opportunity to practice with more complex language functions.

ASSESS

Students are now ready to take Quizzes 8 and 9.

17 Comunicación

Trabajando en parejas describan su ciudad o ciudades favoritas. Den tanta información posible.

CULTURA
Estas frutas en el mercado de Puerto Montt tienen muy buena pinta, ¿no?

18 Completa con **ser** o **estar** según el contexto.

1. Tienes que comer más verduras. Las verduras tienen muchas vitaminas y _____ muy buenas para la salud.
2. ¡Qué deliciosas! ¿Dónde compraste estas verduras? _____ muy buenas.
3. No sé lo que le pasa a la pobre Marta. Tiene que estar enferma porque _____ muy pálida.
4. No, no está enferma. Es su color. Ella _____ muy pálida.
5. Él _____ tan aburrido que cada vez que empieza a hablar, todo el mundo se duerme.
6. ¡Elena! Me encanta el vestido que llevas hoy. ¡Qué bonita _____!
7. El pobre Juanito _____ tan cansado que solo quiere volver a casa para dormir un poco.
8. ¿_____ listos todos? Vamos a salir en cinco minutos.
9. Ella _____ muy lista. Sabe exactamente lo que está haciendo.
10. Él _____ muy vivo y divertido. Me gusta mucho estar con él.
11. No, no se murió el padre de Josefina. Él _____ vivo.

HABLAR

19 Contesta según se indica.

1. ¿Dónde será el concierto? (en el parque central)
2. ¿Cuándo es la fiesta? (el domingo por la tarde)
3. ¿Cuándo será la exposición? (del 5 al 12 de este mes)
4. ¿A qué hora es la película? (a las ocho de la tarde)

CULTURA
¿A qué hora será la función en el Teatro Solís en Montevideo?

Answers

17 *Answers will vary.*

18
1. son
2. Están
3. está
4. es
5. es
6. estás
7. está
8. Están
9. es
10. es
11. está

19
1. El concierto será en el parque central.
2. La fiesta es el domingo por la tarde.
3. La exposición será del 5 al 12 de este mes.
4. La película es a las ocho de la tarde.

Pronombres de complemento

1. A direct object is the direct receiver of the action of a verb and an indirect object is the indirect receiver. The object pronouns **me, te, nos,** (and **os**) can function as either direct or indirect objects.

DIRECT		INDIRECT
Él me vio	**y**	**me devolvió el dinero.**
Te miré	**y**	**no te dije nada.**
Nos llamaron	**pero**	**no nos mandaron un e-mail.**

2. The object pronouns **le** and **les** are indirect objects. They can replace either a masculine or a feminine noun.

   Hablé a Juan. Le hablé.
   Hablé a María y Alicia. Les hablé.

   Since **le** and **les** can refer to several persons they are often clarified with a prepositional phrase.

Le hablé { **a usted. / a él. / a ella.**

Les hablé { **a ustedes. / a ellos. / a ellas.**

3. The object pronouns **lo, la, los,** and **las** are direct object pronouns. They can replace either a person or a thing and they must agree in number and gender with the noun they replace.

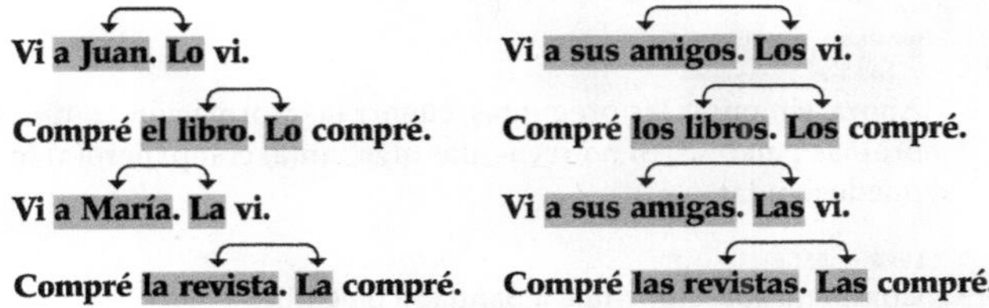

Vi a Juan. Lo vi.	**Vi a sus amigos. Los vi.**
Compré el libro. Lo compré.	**Compré los libros. Los compré.**
Vi a María. La vi.	**Vi a sus amigas. Las vi.**
Compré la revista. La compré.	**Compré las revistas. Las compré.**

4. When both a direct and an indirect object pronoun are used in the same sentence, the indirect object pronoun always precedes the direct object pronoun.

Me lo vendió.	**No me lo dio.**
¿No te la envió?	**¿Te la trajo?**

5. **Le** and **les** cannot be used with **lo, la, los,** and **las. Le** and **les** change to **se** when used with a direct object pronoun.

   ¿A quién le vendió el carro? **¿A quiénes les vendió las entradas?**

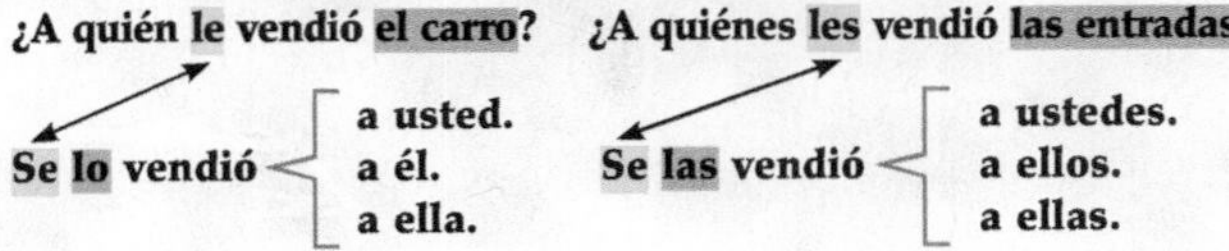

Se lo vendió { **a usted. / a él. / a ella.**

Se las vendió { **a ustedes. / a ellos. / a ellas.**

Go Online!

connectED.mcgraw-hill.com

¿Qué le dice el dueño del puesto a su cliente?

Gramática

Online Resources

Customizable Lesson Plans

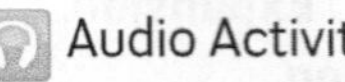

Audio Activities

Video (Gramática)

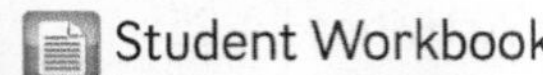

Student Workbook

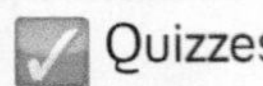

Quizzes

TEACH

Core Instruction

Step 1 Have students read the model sentences aloud in Item 1.

Step 2 As you go over Item 2, write the sentences on the board. Draw a box around the noun that is the direct object and a circle around the object pronoun. Draw a line from the box to the circle to show that the pronoun replaces the noun.

Step 3 When going over Item 2, emphasize the fact that **le** and **les** replace both masculine and feminine nouns.

Step 4 You may wish to give students sentences with nouns and have them replace the nouns with pronouns.

Me vendió el carro. → Me lo vendió.

No me dio el dinero. → No me lo dio.

¿No te envió la carta? → ¿No te la envió?

Step 5 Have students concentrate on the color coding and the arrows changing **le** and **les** to **se** in Item 5.

Note: Most students will probably need at least a quick review of this grammar point.

Tips for Success

This is one of those grammatical points that students learn better through examples than through explanation. In your presentation, it is recommended that you concentrate on the model sentences and use the actual answers to the activities as examples rather than belabor the explanation of which pronoun goes where. The more students hear the correct order, the less frequently they will make errors.

With slower paced learners, you may wish to practice replacing only one object pronoun in each sentence and come back to this topic at another time.

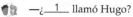

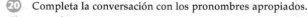

Leveling EACH Activity

Easy Activities 20, 21
Average Activity 20 **Expansión**, Activity 21 **Expansión**, Activities 22, 23
CHallenging Activities 24, 25

PRACTICE

Activities 20–25 You can go over all these activities orally. For reinforcement they can then be written for homework.

¡Así se dice!

Why It Works!

Note that because of the rather difficult nature of this grammar point, we have given students six activities. In addition, there are two more activities in the Student Workbook and five in the Audio Activities.

Go Online!

Gramática en vivo: *Object pronouns* Enliven learning with the animated world of Professor Cruz! **Gramática en vivo** is a fun and effective tool for additional instruction and/or review.

You may wish to remind students to go online for additional grammar review and practice.

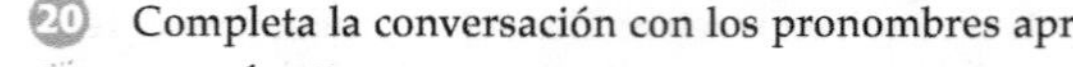

Práctica

LEER • HABLAR • ESCRIBIR

20 Completa la conversación con los pronombres apropiados.

—¿__1__ llamó Hugo?
—Sí, él __2__ llamó.
—¿Qué __3__ dijo?
—__4__ dijo todo lo que había pasado.
—Y, ¿no __5__ vas a decir lo que __6__ dijo?
—Lo siento pero no __7__ voy a decir nada.

EXPANSIÓN

Ahora haz la conversación de nuevo. En la primera frase cambia **te** a **les** y haz todos los cambios necesarios.

HABLAR

21 Contesta sobre el uso de un cajero automático. Usa pronombres.

1. ¿Quién necesita el dinero? ¿Sandra?
2. ¿Tiene ella su tarjeta bancaria?
3. ¿Introduce la tarjeta en el cajero automático?
4. ¿Ella lee las instrucciones en la pantalla?
5. ¿Ella comprende las instrucciones?
6. ¿Ella pulsa los botones?
7. ¿Entra su código?
8. ¿Cuenta el dinero que sale?

EXPANSIÓN

Ahora, sin mirar las preguntas, cuenta la información en tus propias palabras. Si no recuerdas algo, un(a) compañero(a) te puede ayudar.

LEER • ESCRIBIR

22 Completa sobre un viaje a Santiago de Chile.

Sandra llegó al mostrador de la línea aérea en el aeropuerto. Ella __1__ habló al agente. Ella __2__ habló en español. Sandra __3__ dio las maletas al agente y el agente __4__ puso en la báscula *(scale)* y __5__ pesó. El agente __6__ dijo a Sandra cuanto pesaban. Ella __7__ mostró su boleto electrónico al agente. El agente __8__ miró. Facturó el equipaje y __9__ dio los talones a Sandra. El agente __10__ dio las gracias y __11__ deseó un feliz viaje.

CULTURA

¿El avión? ¿Lo viste aterrizar en San Carlos de Bariloche?

Andrew Payti

Answers

20
1. Te
2. me
3. te
4. Me
5. me
6. te
7. te

21
1. Sí, Sandra lo necesita.
2. Sí, ella la tiene.
3. Sí, la introduce en el cajero automático.
4. Sí, ella las lee en la pantalla.
5. Sí, ella las comprende.
6. Sí, ella los pulsa.
7. Sí, lo entra.
8. Sí, lo cuenta.

22
1. le
2. le
3. le
4. las
5. las
6. le
7. le
8. lo
9. le
10. le
11. le

HABLAR

23 Con un(a) compañero(a) prepara una conversación según el modelo.

MODELO **—¿Te gusta el traje?**
—Sí, mucho. ¿Quién te lo dio?
—Nadie me lo dio. Me lo compré.

1. ¿Te gustan las botas?
2. ¿Te gusta el saco?
3. ¿Te gusta la camisa?
4. ¿Te gusta el pantalón?
5. ¿Te gustan los mocasines?
6. ¿Te gustan las corbatas?

CULTURA

Galerías Pacífico en Buenos Aires

ESCUCHAR • HABLAR

24 Con un(a) compañero(a) prepara una conversación según el modelo.

MODELO **—¿Le diste el número de tu móvil a Carlos?**
—No, se lo di a Terri.
—Ah, ¿se lo diste a ella?

1. ¿Le diste la dirección a Carlos?
2. ¿Le diste la zona postal a Carlos?
3. ¿Le diste la información a Carlos?
4. ¿Le diste los boletos a Carlos?
5. ¿Le diste las fotos a Carlos?

ESCUCHAR • HABLAR • ESCRIBIR

25 Personaliza. Da respuestas personales.

1. ¿Le escribiste una carta a Abuelita?
2. ¿Le mandaste un cheque?
3. ¿Les enviaste tus saludos a sus hermanos?
4. ¿Le mandaste las fotos de la familia?
5. ¿Crees que Abuelita contestará la carta enseguida?

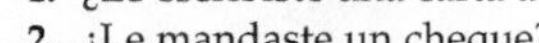

Comunicación

Interpersonal

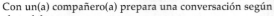

After going over Activity 22, you can have students refer to the list of thematic vocabulary dealing with plane travel in the back of the book. Students can make up original conversations using the vocabulary as a guide. After doing Activity 23, students can do the same by referring to the list of thematic vocabulary dealing with clothes shopping.

Cultural Snapshot

Galerías Pacífico es un centro comercial en la Calle Florida, una calle peatonal en el centro de Buenos Aires.

ASSESS

Students are now ready to take Quizzes 10–11.

Answers

23
1. —Sí, mucho. ¿Quién te las dio? —Nadie me las dio. Me las compré.
2. —Sí, mucho. ¿Quién te lo dio? —Nadie me lo dio. Me lo compré.
3. —Sí, mucho. ¿Quién te la dio? —Nadie me la dio. Me la compré.
4. —Sí, mucho. ¿Quién te lo dio? —Nadie me lo dio. Me lo compré.
5. —Sí, mucho. ¿Quién te los dio? —Nadie me los dio. Me los compré.
6. —Sí, mucho. ¿Quién te las dio? —Nadie me las dio. Me las compré.

24
1. —No, se la di a Terri. —Ah, ¿se la diste a ella?
2. —No, se la di a Terri. —Ah, ¿se la diste a ella?
3. —No, se la di a Terri. —Ah, ¿se la diste a ella?
4. —No, se los di a Terri. —Ah, ¿se los diste a ella?
5. —No, se las di a Terri. —Ah, ¿se las diste a ella?

25
1. Sí, (No, no) se la escribí.
2. Sí, (No, no) se lo mandé.
3. Sí, (No, no) se los envié.
4. Sí, (No, no) se las mandé.
5. Sí, creo que Abuelita la contestará enseguida. (No, no creo que Abuelita la conteste enseguida.)

Online Resources

Customizable Lesson Plans

 Audio Activities

 Student Workbook

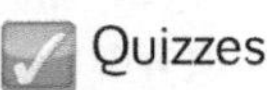 Quizzes

TEACH

Core Instruction

Read the explanation to the class and have the entire class read the model sentences aloud.

Teaching Options

To avoid doing large segments of grammar at one time, you may wish to intersperse the grammar points as you are doing other lessons in this chapter. If you prefer, you can spend four or five class periods in succession doing the review grammar.

Differentiation

Multiple Intelligences

Call on **bodily-kinesthetic** learners to pantomime or dramatize the meaning of the following words.

aburrir	**interesar**
asustar	**molestar**
enfurecer	**sorprender**

Cultural Snapshot

(bottom right) Es increíble observar como los caballos como este le miran al domador quien se acerca al caballo de una manera lenta y tranquila.

Go Online!

You may wish to remind students to go online for additional grammar review and practice.

CULTURA

¿Cuál te gusta más? ¿El esquí—o como dicen en Argentina «el ski»—o el snowboard?

Verbos como gustar

1. The following verbs function the same in Spanish and English.

aburrir	*to bore*	**fascinar**	*to fascinate*
asustar	*to scare*	**importar**	*to matter*
encantar	*to enchant, to delight*	**interesar**	*to interest*
enfurecer	*to infuriate, to anger*	**molestar**	*to bother*
enojar	*to annoy*	**sorprender**	*to surprise*

These verbs take an object pronoun in both Spanish and English. Note too that the subject of the sentence often comes after the verb.

A mí me interesa mucho la historia.
Pero francamente me aburren las matemáticas.
Yo sé que a ellos les enoja tu actitud.
Y a nosotros también. Nos enfurece.

2. The verbs **gustar, faltar,** and **hacer falta** function the same as the verbs above. **Gustar** conveys the meaning *to like,* but its literal meaning is *to be pleasing to.* **Faltar** and **hacer falta** convey the meaning *to need* but their literal meaning is *to be lacking to.*

—Me gusta mucho el carro.
—Si te gusta, ¿por qué no te lo compras?
—No puedo. Me falta el dinero.

—¿Te gustan los deportes?
—Mucho. Pero me falta tiempo poder jugar.

Práctica

HABLAR

 Contesta sobre el Cono Sur.

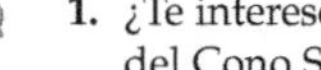

1. ¿Te interesó leer sobre la cultura de los países del Cono Sur?
2. ¿Te sorprendió aprender que los indígenas de Chile eran tan belicosos?
3. ¿Te interesa o te aburre el mito de los gauchos?
4. ¿Te interesaron o te aburrieron los detalles sobre la vida de Evita Perón?
5. ¿A Evita le enojaron los ricos?
6. Y a los ricos, ¿les molestó Evita?
7. ¿Les enfurecieron sus ideas políticas?
8. ¿A los descamisados les fascinó su querida Evita?

El gaucho está domando al caballo y no lo quiere asustar.

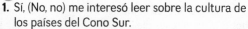

Answers

1. Sí, (No, no) me interesó leer sobre la cultura de los países del Cono Sur.
2. Sí, (No, no) me sorprendió aprender que los indígenas eran tan belicosos.
3. Me interesa (aburre) el mito de los gauchos.
4. Me interesaron (aburrieron) los detalles sobre la vida de Evita Perón.
5. Sí, a Evita le enojaron los ricos.
6. Sí, a los ricos les molestó Evita.
7. Sí, les enfurecieron sus ideas políticas.
8. Sí, a los descamisados les fascinó su querida Evita.

1. me, a, me, a
2. le, an
3. me, en, me, an
4. Te, a
5. me, a, me, e
6. Te, e
7. me, e, me, a

Go Online!

connectED.mcgraw-hill.com

LEER • ESCRIBIR

27 Completa sobre la ropa que llevas.

1. A mí no ____ interes__ nada como se visten los demás, pero sí ____ interes__ lo que llevo yo.
2. A mi amiga Elena ____ fascin__ las últimas modas.
3. A mí no ____ aburr__ las modas pero no ____ fascin__ tampoco.
4. ¿____ enoj__ cuando alguien te dice que te ves muy elegante?
5. A mí no ____ molest__ cuando alguien me dice eso pero ____ sorprend__.
6. ¿____ sorprend__? ¿Por qué?
7. Pues ____ sorprend__ porque tú me conoces. No ____ import__ lo que llevo (tengo puesto).

ESCUCHAR • HABLAR

28 Con un(a) compañero(a) prepara una conversación según el modelo.

MODELO **el bife quemado →**
—A mí me gusta el bife quemado pero a mi hermano no le gusta.
—A mí no me gusta el bife quemado pero a mi hermano le gusta.

1. el chupe de mariscos
2. las empanadas
3. las tapas
4. el queso manchego
5. el ceviche
6. el locro
7. las berenjenas fritas
8. las gambas al ajillo

CURANTO "EL GRINGO"
COMIDA TRADICIONAL
MENÚ:
TAPA DE ASADO,
CORDERO PATAGÓNICO,
POLLO CASERO, CHORIZOS,
PAPAS, ZANAHORIAS,
BATATAS, CEBOLLAS,
MANZANAS, ZAPALLO CON
ARVEJAS Y QUESO
Colonia Suiza
CONSULTAS AL 15-578178 Feria Regional
BANDEJA: P/2 PERSONAS $50=

29 *Comunicación*

Trabajen en grupos de cuatro. Discutan.

lo que les interesa **lo que les gusta**
lo que les aburre **lo que les falta**

Gramática

Leveling EACH Activity

Easy Activity 26
Average Activities 27, 28
CHallenging Activity 29

PRACTICE

Activities 26–28 All of these activities can be gone over in class and written at home for additional reinforcement.

Comunicación

Interpersonal

After doing Activities 27 and 28, you can have students review the thematic vocabulary dealing with clothing and foods in the back of the book. Have them make up conversations using these verbs and topics. Be sure they include what they need and/or like.

Learning from Realia

El curanto es un guiso de mariscos, carnes y legumbres típicamente chileno. Se cuece en un hoyo sobre piedras muy calientes. Sin embargo, el restaurante «El gringo» está en Colonia Suiza, un pueblo pequeño en los alrededores de Bariloche, Argentina, bastante cerca de la frontera chilena.

ASSESS

Students are now ready to take Quizzes 12–13.

Answers

1. A mí me gusta el chupe de mariscos pero a mi hermano no le gusta. / A mí no me gusta el chupe de mariscos pero a mi hermano le gusta.
2. A mí me gustan las empanadas pero a mi hermano no le gustan. / A mí no me gustan las empanadas pero a mi hermano le gustan.
3. A mí me gustan las tapas pero a mi hermano no le gustan. / A mí no me gustan las tapas pero a mi hermano le gustan.
4. A mí me gusta el queso manchego pero a mi hermano no le gusta. / A mí no me gusta el queso manchego pero a mi hermano le gusta.
5. A mí me gusta el ceviche pero a mi hermano no le gusta. / A mí no me gusta el ceviche pero a mi hermano le gusta.
6. A mí me gusta el locro pero a mi hermano no le gusta. / A mí no me gusta el locro pero a mi hermano le gusta.
7. A mí me gustan las berenjenas fritas pero a mi hermano no le gustan. / A mí no me gustan las berenjenas fritas pero a mi hermano le gustan.
8. A mí me gustan las gambas al ajillo pero a mi hermano no le gustan. / A mí no me gustan las gambas al ajillo pero a mi hermano le gustan.

29 *Answers will vary.*

Online Resources

Customizable Lesson Plans

Audio Activities

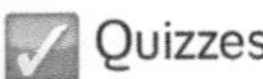

Student Workbook

Quizzes

TEACH

Core Instruction

Step 1 Guide students through the explanatory material in Items 1–6.

Step 2 Have students read the model sentences aloud in Items 2–6.

Note: It may be possible to omit the review of this relatively easy grammar point with some groups.

Go Online!

You may wish to remind students to go online for additional grammar review and practice.

¿Te acuerdas?

Remember that, unlike in English, in Spanish more than one negative word can be used in the same sentence.

Palabras negativas y afirmativas

1. Following are the most frequently used negative words in Spanish.

   nada nadie nunca ni... ni ninguno(a) (ningún)

2. Review and contrast the following affirmative and negative sentences.

AFFIRMATIVE	NEGATIVE
Yo sé que él tiene algo.	**Yo sé que él no tiene nada.**
Yo sé que alguien está allí.	**Yo sé que nadie está allí.**
Yo sé que él ve a alguien.	**Yo sé que él no ve a nadie.**
Yo sé que él siempre está.	**Yo sé que él nunca está.**
Yo sé que él tiene un perro o un gato.	**Yo sé que él no tiene ni (un) perro ni (un) gato.**
Yo sé que él tiene algún dinero.	**Yo sé que él no tiene ningún dinero.**

   Note that **alguno** and **ninguno** shorten to **algún** and **ningún** before a masculine singular noun and carry a written accent.

3. Note that **alguno** can also convey a negative meaning. When it does, **alguno** always follows the noun.

   Él no tiene ninguna suerte.
   Él no tiene ningún dinero.

   Él no tiene suerte alguna.
   Él no tiene dinero alguno.

4. In Spanish the placement of the negative words can vary and, unlike English, more than one negative word can be used in the same sentence.

   Él nunca va allá.
   Nadie está.
   Él nunca dice nada a nadie.
   Él no va allá nunca.
   No está nadie.

5. Note that the personal **a** must be used with **alguien** or **nadie** when either of these words is the direct object of the sentence.

   Él vio a alguien.
   Él no vio a nadie.

6. **Tampoco** is the negative word that replaces **también.**

   Él lo sabe también.
   Él no lo sabe. (Ni) yo tampoco.

   A mí no me gusta.
   Ni a mí tampoco.

CULTURA

Nunca he visto rosas tan bonitas como estas en una estancia en Argentina.

Go Online!

connectED.mcgraw-hill.com

Práctica

HABLAR • ESCRIBIR

30 Personaliza. Da respuestas negativas.

1. ¿Vas siempre a aquella tienda?
2. ¿Quieres hablar con un dependiente?
3. ¿Quieres comprar algo?
4. ¿Quieres comprar un par de zapatos o botas?
5. ¿Vas a comprar un regalo?
6. ¿Viste a alguien en la tienda?
7. ¿Y alguien te vio a ti?

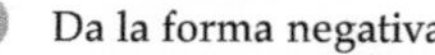

ESCUCHAR • LEER

31 Da la forma negativa.

1. El chico tiene algo en la mano.
2. El chico está con alguien.
3. El chico está jugando con el gato o con el perro.
4. El chico tiene miedo de salir.
5. El chico ve a alguien.
6. El chico siempre quiere algo de alguien.
7. Alguien está con el chico.

LEER • ESCRIBIR

32 Da la forma negativa.

1. Él lo sabe y yo lo sé también.
2. Ella quiere ir a Chile y yo quiero ir también.
3. A él le gusta y a mí me gusta también.
4. Yo voy a ir y ellos van también.
5. Ustedes lo van a hacer y nosotros también.
6. A mí me gusta y a él también.

CULTURA

Este joven está vendiendo globos y otros juguetes delante de la Basílica de Nuestra Señora de los Milagros en Caacupé, Paraguay. Es muy posible que el joven hable guaraní, la segunda lengua hablada en Paraguay.

CULTURA

Vista del puerto de Arica, Chile

Leveling EACH Activity

Easy Activity 30
Average Activities 31, 32

PRACTICE

Activities 30, 31, and 32 You can go over these activities orally in class. For reinforcement, have students write them at home.

Cultural Snapshot

(bottom) Arica, en el norte de Chile, es una ciudad bastante placentera. Es popular con los bolivianos a quienes les sirve de puerto y balneario. Hasta recientemente había un servicio ferroviario entre Arica y La Paz pero actualmente es solo para carga. En Arica nace el Atacama, el desierto más seco del mundo.

ASSESS

Students are now ready to take Quiz 14.

Answers

30

1. No, nunca voy a aquella tienda. (No, no voy nunca a aquella tienda.)
2. No, no quiero hablar con ningún dependiente.
3. No, no quiero comprar nada.
4. No, no quiero comprar ni un par de zapatas ni botas.
5. No, no voy a comprar ningún regalo.
6. No, no vi a nadie en la tienda.
7. No, nadie me vio (a mí).

31

1. El chico no tiene nada en la mano.
2. El chico no está con nadie.
3. El chico no está jugando ni con el gato ni con el perro.
4. El chico no tiene miedo de nada.
5. El chico no ve a nadie.
6. El chico nunca quiere nada de nadie.
7. Nadie está con el chico.

32

1. Él no lo sabe y yo no lo sé tampoco.
2. Ella no quiere ir a Chile y yo no quiero ir tampoco.
3. A él no le gusta y a mí no me gusta tampoco.
4. Yo no voy a ir y ellos no van tampoco.
5. Ustedes no lo van a hacer ni nosotros tampoco.
6. A mí no me gusta ni a él tampoco.

Online Resources

Customizable Lesson Plans

Video (Gramática)

Student Workbook

Reading, Writing Test

Self-check for achievement

This is a pre-test for students to take before you administer the lesson test. Note that each section is cross-referenced so students can easily find the material they feel they need to review. You may wish to use Self-Check Worksheet SC3.2 to have students complete this assessment in class or at home. You can correct the assessment yourself, or you may prefer to display the answers in class using Self-Check Answers SC3.2A.

Differentiation

Slower Paced Learners

Encourage students who need extra help to refer to the margin notes and review any section before answering the questions.

Go Online!

You may wish to remind students to go online for additional grammar review and practice.

Prepárate para el examen

Self-check for ACHIEVEMENT

Gramática

1 Completa con el presente.

Para repasar, ve **El presente.**

1. Ellos ____ una comida buena en aquel restaurante argentino. (servir)
2. Nosotros ____ en Santiago, la capital de Chile. (vivir)
3. Yo ____ cada mañana a las ocho. (salir)

4–5. Él ____ hacerlo ahora pero nosotros no ____ hacerlo hasta mañana. (poder, poder)

6–7. Nosotros ____ que él no ____ bien. (saber, jugar)

8–9. Yo no ____ lo que tú ____. Perdóname. (saber, decir)

10. Yo lo ____. (conocer)

11–12. Yo no ____ nada y ellos ____ todo. (oír, oír)

2 Completa con ser o estar.

Para repasar, ve **Ser y estar.**

13–14. Montevideo ____ muy bonita. ____ en Uruguay.

15. Yo ____ triste porque no puedo hacer el viaje.

16. El clima de la Patagonia ____ muy borrascoso.

17–18. Las frutas del norte de Argentina ____ muy dulces. No sé por qué pero esta que estoy comiendo ahora no ____ dulce.

19. La carne ____ quemada pero me gusta casi cruda.

20. En Chile muchas casas ____ de madera.

3 Completa con el pronombre apropiado.

Para repasar, ve **Pronombres de complemento.**

21–24. —Roberto, ¿quién ____ regaló los anteojos para el sol?
—Pues, mi hermana ____ ____ regaló. ¿____ gustan?

25–27. —Antonia, ¿____ diste la tarjeta a Enrique?
—Sí, ____ ____ di ayer.

4 Completa.

Para repasar, ve **Verbos como gustar.**

28–31. A mí ____ gust____ vestirme muy de moda pero a mi hermano ____ enfurec____ tener que llevar chaqueta y corbata.

32–33. ¿A ti ____ gust____ más los zapatos con cordones o los zapatos sin cordones—de estilo mocasines?

34–35. ¿A ellos ____ interes____ más dar o recibir regalos?

5 Escribe en la forma negativa.

Para repasar, ve **Palabras negativas y afirmativas.**

36. A mí me gusta y a él también.
37. Yo voy siempre de compras.
38. Siempre necesito algo.
39. Alguien me ayuda a buscar lo que necesito.
40. ¿Tienes algún dinero?

Answers

1
1. sirven
2. vivimos
3. salgo
4. puede
5. podemos
6. sabemos
7. juega
8. sé
9. dices
10. conozco
11. oigo
12. oyen

2
13. es
14. Está
15. estoy
16. es
17. son
18. está
19. está
20. son

3
21. te
22. me
23. los
24. Te
25. le
26. se
27. la

4
28. me
29. a
30. le
31. e
32. te
33. an
34. les
35. a

5
36. A mí no me gusta ni a él tampoco.
37. Yo no voy nunca de compras.
38. Nunca necesito nada.
39. Nadie me ayuda a buscar lo que necesito.
40. ¿No tienes ningún dinero?

Go Online!

connectED.mcgraw-hill.com

Preparate para el examen

Practice for PROFICIENCY

1 Un día típico

Trabajen en grupos de tres o cuatro. Discutan todo lo que hacen durante un día típico. Pueden consultar la lista de vocabulario temático sobre la rutina diaria al final de este libro.

2 Unas vacaciones

Con un(a) amigo(a), habla de lo que consideras unas vacaciones estupendas. Describe tus actividades favoritas—todo lo que haces—y tu amigo(a) va a hacer lo mismo. Decidan si comparten las mismas ideas sobre unas vacaciones ideales. Pueden consultar la lista de vocabulario temático sobre las vacaciones al final de este libro.

CULTURA

Vista de Bariloche

3 Yo

No eres egoísta pero ahora tienes la oportunidad de hablar de ti mismo(a). Toma el micrófono. Queremos saber quién eres, de dónde eres, el tipo de persona que eres, el tipo de gente que te interesa, con quién o quiénes quieres estar. Anda—te toca a ti o como dicen en el Cono Sur—queremos saber de vos—hablá, andá.

4 Compañeros de cuarto

Divídanse en grupos de tres. Imagínense que ustedes no se conocen bien. Sin embargo, el año próximo tienen que compartir un apartamento en la universidad. Para evitar problemas, han decidido abrir un diálogo entre sí. Descríbanse a sí mismos(as) y comenten sobre sus gustos, intereses, antipatías, enojos, etc.

Gramática

Tips for Success

Encourage students to say as much as possible when they do these open-ended activities. Tell them not to be afraid to make mistakes, since the goal of the activities is real-life communication. Encourage students to self-correct and to use words and phrases they know to get their meaning across. If someone in the group makes an error that impedes comprehension, encourage the others to ask questions to clarify or, if necessary, to politely correct the speaker. Let students choose the activities they would like to do.

Tell students to feel free to elaborate on the basic theme and to be creative. They may use props, pictures, or posters if they wish.

Pre-AP These oral and written activities will give students the opportunity to develop and improve their speaking and writing skills so that they may succeed on the speaking and writing portions of the AP exam.

Cultural Snapshot

San Carlos de Bariloche está en el distrito patagónico de los lagos en la frontera entre Argentina y Chile.

ASSESS

Students are now ready to take the Reading and Writing Test for Lección 2: Gramática.

Introduction

Each chapter of **¡Así se dice!** Level 4 has a journalism section that corresponds to the same geographical area as the chapter. Each section gives students a list of the important newspapers that they will find online for the countries in that particular geographical area. In putting this section together, we spent approximately one month perusing the newspapers from each area to determine topics that seem to occur frequently in the news of those countries. Hopefully, this will assist students to find articles that relate to the activities provided. However, we recommend that you tell students that they can also pick articles and prepare something about them even if the topic does not appear in a specific activity if it is something of interest to them.

TEACH

Core Instruction

We suggest that you not just dedicate a day or two to the journalism section. As you begin each chapter, tell students to consult the journalism section and spend a few minutes at home each day perusing the appropriate Web sites of the newspapers. As each student finds a pertinent article, he or she can prepare the activity that pertains to it. Needless to say, the topics of all activities will not appear on one given day.

There may also be some debate or discussion activities that you wish to assign to a group or groups of students and give them a time limit to complete them. As you are finishing the chapter, you may want to spend one day having students share with other students the work they did.

La prensa en línea

Son cuatro los países en este capítulo sobre el Cono Sur. Algunos periódicos importantes de esta región son los siguientes pero no significa que no haya otros.

Chile
El Mercurio
El Gráfico
Las Últimas Noticias

Argentina
El Clarín
La Nación
La Prensa

Paraguay
El ABC
La Nación
Última Hora

Uruguay
Últimas Noticias
El País
La República

Actividades

A En los países del Cono Sur hay muchos suburbios bonitos con lujosos condominios y grandes chalets o palacetes. Hojeando por los periódicos trata de buscar a lo menos una foto de estas bellas zonas urbanas. Al contrario, debido a la pobreza y la escasez de viviendas, hay barrios muy pobres llamados **favelas,** o, en Chile, **callampas.** En estas favelas, las viviendas son precarias y hay una falta de luz, agua corriente y otros servicios necesarios en la vida moderna. Con bastante frecuencia hay protestas o manifestaciones callejeras cuando los pobladores de estos barrios hacen sus demandas al gobierno local. Busca unos artículos sobre este problema. Indica el lugar y haz una lista de las demandas de los manifestantes. ¿Parece que se ha llegado o se está llegando a una solución satisfactoria? Si no, ¿cómo resolverías tú este problema? Discute con un(a) compañero(a) de clase. Pueden elaborar una tabla como la de abajo para explorar este tema.

desafío o demanda	solución posible
1.	
2.	

Current event

If there is something of particular interest in Chile, Argentina, Paraguay, or Uruguay that is of interest or concern to the United States, you may wish to inform the class of the situation and tell them to frequently consult the foreign newspapers online and have them compare the reporting with that which appears in the U.S. press.

Videos

Inform students that many articles are accompanied by interviews or videos. Tell students to make as much use of these audio and visual components as possible, since it will enable them to hear a wide variety of native speakers and see events happening in real places and in real time.

B La moto es un medio de transporte bastante popular. Trata de encontrar varios artículos sobre las motos y escribe un ensayo sobre las ventajas y desventajas de este medio de transporte. ¿Son populares también donde tú vives? Si lo son, ¿hay semejanzas entre las ventajas y desventajas? Descríbelas. Si decides que hay más ventajas que desventajas, escríbele un e-mail a un(a) amigo(a). Intenta convencerlo(la) de comprar una moto. Al contrario, si encuentras más desventajas que ventajas, intenta disuadir a tu amigo(a) de comprar una moto.

(+) ventajas	(-) desventajas
1.	1.
2.	2.
3.	3.

CULTURA

Ciclomotores delante de una tienda en la avenida General Flores en la Colonia del Sacramento en Colonia, Uruguay

C A veces los países de una región como los del Cono Sur se enlazan en una asociación para darles más poder, sobre todo en asuntos comerciales. Los países del Cono Sur han formado el Mercosur. A veces hay problemas entre dos o más miembros de tal organización o alianza. ¿Has leído sobre algunos desacuerdos entre los miembros del Mercosur? ¿De qué trataban? ¿Pertenecen Estados Unidos a varias alianzas? ¿Tienen ellos problemas también? ¿Cuáles? ¿Son todos fáciles de resolver y llegar a un acuerdo? ¿Por qué crees que hay dificultades para llegar a un acuerdo?

D La agricultura juega un papel importante en Argentina, Chile y Uruguay. Hay artículos frecuentes en los periódicos detallando la situación de la industria agropecuaria. Hay muchos factores que influyen esta industria, tales como la baja y subida de los precios de un producto específico en los mercados mundiales, la demanda o la falta de demanda, el costo de transporte y, de suma importancia, el tiempo que hace. El tiempo puede determinar la cantidad y el valor de la cosecha. Hojea los periódicos buscando unos artículos sobre esta industria y escribe una sinopsis sobre la situación actual en los varios países. Si vives en una región agrícola, indica si los problemas son distintos o similares.

PRACTICE

Activity A If students find information about different types of neighborhoods, as an expansion have them discuss why they think such tremendous differences exist and what causes them.

PRACTICE

Activity B Many people are against motorcycles. Have students discuss their opinions.

Activity C Have students identify other organizations such as NATO, OAS, SEATO, OPEC, etc. It might be interesting to have them discuss the areas these other organizations are responsible for.

PRACTICE

Activity E As an expansion of this activity, you may have students watch at least a part of a "football" match in one of the **Cono Sur** countries and then give a brief description of it.

E Es en Buenos Aires donde nació el fútbol en Latinoamérica. Un grupo de jóvenes porteños observaron jugar fútbol a un grupo de marineros británicos en un muelle en el puerto de Buenos Aires. Ellos decidieron jugar también y así surgió la popularidad del fútbol en las dársenas mismas de Buenos Aires. Sigue siendo un deporte popular en los países del Cono Sur. Determina si son muchos los artículos, titulares, videos y fotografías sobre el fútbol en la prensa de esta región. Trabaja con uno o dos compañeros y preparen un panel de discusión sobre la popularidad del fútbol. Decide si este deporte está gozando de más popularidad en Estados Unidos debido a la influencia de los inmigrantes latinos.

CULTURA

Aficionadas al fútbol en un estadio en Buenos Aires, Argentina

F Hojea los periódicos o ve unos videos de las noticias de cada país y determina si hay un asunto, problema o conflicto internacional que atrae la atención de todos los periódicos o noticieros. Escribe un resumen citando todos los detalles posibles. Usa una tabla de las cinco preguntas para ayudarte. Luego, da tus opiniones sobre el asunto.

¿**Qué** sucedió?
¿**Quién(es)** estaba(n) ahí?
¿**Cuándo** sucedió?
¿**Dónde** sucedió?
¿**Por qué** sucedió?

G No es raro que aparezcan artículos o editoriales sobre los desafíos de la vida moderna. Busca uno o más artículos en los periódicos de cada país sobre este tema y explica lo que según los artículos son los desafíos de la vida contemporánea. Luego, discute las siguientes preguntas con un(a) compañero(a) de clase.

1. ¿Cuáles son los desafíos que tienen en común los países de esta región?
2. ¿Cómo son diferentes los desafíos de cada país?
3. ¿Por qué creen que existen estos desafíos?

H Busca unos artículos en la sección Tecnología. Es posible que veas las siglas TIC—Tecnologías de la Información y Comunicación. Prepara una lista de lo que se está haciendo para impulsar el desarrollo en la tecnología. ¿Hay artículos sobre compañías estadounidenses? ¿De qué se tratan?

I Paraguay está pasando por un período de conflicto militar en el norte del país. El nuevo comandante de las Fuerzas Militares ha confirmado que existen planes concretos para instalar una unidad militar en forma permanente en esta región. Verifica si en los periódicos paraguayos siguen saliendo actualmente artículos sobre este conflicto. Si hay más noticias, describe el conflicto.

J Juega un juego lingüístico. Has aprendido que la forma verbal de «tú» es diferente en los países del Cono Sur. Al leer los periódicos, haz una lista de los verbos que encuentras en la forma de «tú»—o sea, «vos» en Argentina, Chile y Uruguay. Repasa con un(a) compañero(a) de clase el uso de esta forma.

verbo en forma de vos	significado
1.	
2.	
3.	

Estudios universitarios ¿Dónde?

Cuando tienes una opinión fuerte sobre algo, es posible que la quieras compartir con otros para convencerlos o persuadirlos de aceptar tu opinión. Puedes hacerlo por medio de un escrito persuasivo.

Es probable que tengas unas ideas sobre las ventajas y desventajas de asistir a una universidad cerca de donde vives o lejos de donde vives.

Prepara un escrito en el cual presentas tus ideas y opiniones. Explica siempre el porqué. Sé lo más persuasivo posible porque estás tratando de convencer a otros que compartan o acepten tus opiniones. Puedes usar un diagrama como el de abajo para ayudarte a organizar tus ideas.

Después de revisar y corregir tu borrador, escribe de nuevo tu escrito en forma final.

Composición

You may wish to collect this work from students and correct as a composition assignment. You may also wish to have students discuss and give opinions about this topic.

Online Resources

Customizable Lesson Plans

 Audio

 Practice

Review

Vocabulario

TEACH

Core Instruction

You may wish to present the new vocabulary using the audio recording and the activity that follows.

Differentiation

Advanced Learners

You may wish to call on advanced learners to use each word in an original sentence.

El ombú es el árbol nacional de Argentina.

Go Online!

You may wish to remind students to go online to download audio files of all vocabulary.

CULTURA

El ombú, árbol autóctono de la pampa

Andrew Payti

Vocabulario

Estudia las siguientes palabras para ayudarte a entender el poema.

la pulpería tipo de bodega, colmado o tienda
la víbora culebra venenosa
el suelo superficie de la tierra
el nido lo que construyen los pájaros (las aves) en la rama de un árbol
la rama cada una de las partes que nace o sale del tronco de un árbol
la estrella lo que brilla en el cielo de noche
la pena sentimiento de tristeza, dolor, lástima
pelear luchar, hacer batalla

Práctica

LEER • ESCRIBIR

1 Completa.

1. Se venden muchos productos diferentes en ____.
2. La mordida de una ____ puede ser mortal porque muchas de ellas son venenosas.
3. ¡Qué ____! Todo le sale mal.
4. El árbol tiene muchas ____. En una de ellas hay un ____ de pájaros.
5. ¡Qué noche más clara con un cielo lleno de ____!
6. No deben ____. Es mejor llegar a un acuerdo amistoso.

Martín Fierro

de José Hernández

INTRODUCCIÓN

José Hernández nació el 10 de noviembre de 1834 no muy lejos de Buenos Aires. En sus venas corría sangre española, irlandesa y francesa. Cuando tenía dieciocho años su padre lo llevó consigo al sur de la provincia de Buenos Aires, que en aquel entonces era una región primitiva poblada de caballos salvajes. Se dice que allí Hernández «se hizo gaucho y aprendió a jinetear». Él vivió en el campo nueve años. En 1856 se reubicó en Buenos Aires y trabajó en el periodismo. Un poco más tarde ingresó en el ejército.

Con la acción de Ayacucho bajo el mando de Simón Bolívar y Antonio José de Sucre, se consumó la independencia de América. Pero medio siglo después siguieron las batallas en los campos de la provincia de Buenos Aires y el ejército cumplió una función penal arreando gauchos arbitrariamente. Hernández escribió el *Martín Fierro* para denunciar el regimen del dictador Juan Manuel de Rosas y esta conscripción ilegal de los gauchos.

El protagonista, al principio, es impersonal—un gaucho cualquiera. Después como el autor iba imaginándolo con más precisión, su protagonista llegó a ser Martín Fierro—el individuo Martín Fierro.

La primera edición del poema salió en 1872 y enseguida fue un éxito tremendo. Se vendieron más de cien mil ejemplares. Se vendió aun en pulperías rurales donde nunca antes se había vendido libro alguno. Para el gaucho, Martín Fierro fue una representación de su propia existencia en su propia lengua. Para el público más culto el *Martín Fierro* fue una obra literaria cuyo tema tiene raíces profundas en la vida de su nación. El *Martín Fierro* se considera el mejor y más elocuente de todos los poemas gauchescos. En el trozo que sigue, Martín nos habla y nos dice lo que es ser gaucho. ¡A ver!

Go Online!

connectED.mcgraw-hill.com

Una culebra a punto de atacar

Online Resources

Customizable Lesson Plans

 Audio

 Practice

 Review

PRACTICE

Leveling EACH Activity

Average Activity 1

Introducción

Given the importance of this piece of literature, you may wish to go over this **Introducción** orally in class, interspersing comprehension questions such as: **¿Dónde y cuándo nació José Hernández? ¿De qué ascendencia era? ¿Adónde fue a vivir a los dieciocho años? ¿Qué le pasó allí? ¿Qué hizo al reubicarse en Buenos Aires?**

Leveling EACH Activity

Reading Level **Average**

Answers

1

1. una pulpería
2. víbora
3. pena
4. ramas, nido
5. estrellas
6. pelear

TEACH

Core Instruction

Step 1 Have students reflect on the **Antes de leer** section.

Step 2 Have students listen to the audio recording of the poem without looking at it.

Step 3 Have them listen to the recording again and follow along.

Step 4 Call on a student to read **una estrofa.** Ask questions such as: **Estrofa 1: ¿Qué significa: «ni la víbora me pica ni quema mi frente el sol»? (Soy fuerte y nada me puede hacer daño.) Estrofa 2: ¿Qué significa: «Nací como nace peje, en el fondo de la mar»? (Nací libre.)**

Step 5 Have students prepare Activities D and E.

Teaching Options

As you introduce this poem, you may wish to refer to the information about gauchos in this chapter.

Cultura

You may wish to tell students that *Martín Fierro*, by José Hernández, is the most important poem of the **literatura gauchesca.** It is a poem read and studied by all Argentine students, and it is one of their literary favorites.

Antes de leer

Reflexiona un momento sobre la pena que siente una persona que lleva una vida solitaria y a quien los otros siempre maltratan.

CULTURA
Un gaucho de hoy en una estancia

Martín Fierro

Soy gaucho, y entiendaló
como mi lengua lo explica:
para mí la tierra es chica
y pudiera ser mayor[1];
ni la víbora me pica
ni quema mi frente el sol.

Nací como nace peje[2],
en el fondo de la mar;
naides[3] me puede quitar
aquello que Dios me dio:
lo que al mundo truje[4] yo
del mundo lo he de llevar.

Mi gloria es vivir tan libre
como el pájaro del cielo;
no hago nido en este suelo,
ande hay tanto que sufrir;
y naides me ha de seguir
cuando yo remuento el vuelo[5].

Yo no tengo en el amor
quien me venga con querellas;
como esas aves tan bellas
que saltan de rama en rama,
yo hago en el trébol[6] mi cama
y me cubren las estrellas.

Y sepan cuantos escuchan
de mis penas el relato,
que nunca peleo ni mato
sino por necesidá,
y que a tanta alversidá[7]
sólo me arrojó el mal trato.

Y atiendan[8] la relación
que hace un gaucho perseguido[9],
que padre y marido ha sido
empeñoso[10] y diligente,
y sin embargo la gente
lo tiene por un bandido.

[1] y pudiera ser mayor *it would still be small to me*
[2] peje *pez*
[3] naides *nadie*
[4] truje *traje*
[5] remuento (remonto) el vuelo *take off*
[6] trébol *clover*
[7] alversidá *adversidad*
[8] atiendan *keep in mind*
[9] perseguido *persecuted*
[10] empeñoso *persistent*

Andrew Payti

Answers

A

1. José Hernández nació no muy lejos de Buenos Aires.
2. Vivió y pasó su adolescencia en el sur de la provincia de Buenos Aires.
3. Los caballos salvajes poblaban esta región en aquel entonces.
4. Se hizo gaucho.
5. El ejército arreaba gauchos arbitrariamente para la conscripción en el ejército.
6. Hernández escribió el poema para denunciar el régimen del dictador Rosas y la conscripción ilegal de los gauchos.
7. Al principio el protagonista es impersonal. Cambió en ser Martín Fierro, el individuo.
8. Para el gaucho, *Martín Fierro* es una descripción de su propia existencia en su propia lengua.
9. Para el lector culto, *Martín Fierro* es una obra literaria cuyo tema tiene raíces profundas en la vida de su nación.

Go Online!

connectED.mcgraw-hill.com

Después de leer

A Buscando información Da la información correcta sobre José Hernández.

1. donde nació
2. donde vivió y pasó su adolescencia
3. lo que poblaba esta región en aquel entonces
4. lo que se hizo Hernández
5. lo que hacía de ilegal el ejército
6. el motivo de Hernández en escribir el poema
7. como empezó y cambió el protagonista
8. lo que es el *Martín Fierro* para el gaucho
9. lo que es el *Martín Fierro* para el lector culto

B Interpretando Explica el significado de los siguientes versos.

1. para mí la tierra es chica y pudiera ser mayor
2. ni la víbora me pica ni quema mi frente el sol
3. Nací como nace peje
4. lo que al mundo truje yo del mundo lo he de llevar

C Analizando Contesta.

1. ¿Cómo y por qué se compara Martín Fierro a sí mismo con un pájaro?
2. ¿Por qué pelea o mata el gaucho Martín Fierro?
3. ¿Qué ha sido el gaucho?
4. Sin embargo, ¿cómo lo considera la gente?

D Expresando tus sentimientos y emociones

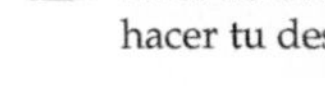

Contesta.

¿Cómo te sientes al leer este trozo de *Martín Fierro?* ¿Puedes compadecerte de la pena de Martín Fierro? ¿Por qué? En tu opinión, ¿qué tipo de persona es? Para ti, ¿hay una injusticia grave? ¿Cuál es?

E Escribiendo una narración

En forma de prosa, describe al gaucho Martín Fierro. Trata de usar lenguaje figurativo y descriptivo para hacer tu descripción más vívida.

F Comparando

Los vaqueros del Oeste han jugado un papel importante en varios aspectos de la cultura de Estados Unidos. Se ha presentado la figura del vaquero en muchas novelas y cuentos y en muchas películas. Trabajando en grupos pequeños, tengan una discusión sobre unas obras que han leído o visto sobre el tema del vaquero. Describan unas costumbres y actitudes de los vaqueros de nuestro país. Luego discutan lo que han aprendido del personaje, carácter y costumbres del gaucho. Comparen la vida, personalidad y existencia del gaucho con las del vaquero.

CULTURA

Entrada a una estancia en las pampas argentinas

Go Online!

You may wish to remind students to go online for additional reading comprehension practice.

Answers

B *Answers will vary but may include:*

1. Le gustan los espacios abiertos.
2. No le molestan las condiciones duras de la pampa.
3. Es muy natural para él estar donde está.
4. Todo lo que es de él va a quedarse con él.

C *Answers will vary but may include:*

1. Dice que, como las aves que saltan de rama en rama, él se muda de un lugar a otro y está en libertad debajo del cielo.
2. Pelea o mata solamente por necesidad.
3. Ha sido empeñoso y diligente.
4. La gente lo considera un bandido.

D *Answers will vary.*

E *Answers will vary.*

F *Answers will vary.*

Online Resources

Customizable Lesson Plans

 Audio

Practice

 Review

Vocabulario

TEACH

Core Instruction

Step 1 You may wish to have students repeat the new words after you or the audio recording.

Step 2 Call on a student to read the definition of the new word.

Step 3 Have students look at the callout words on the photograph on the next page, as the words will be used in the reading selection.

Cultural Snapshot

El Calafate es el punto de partida de excursiones a los glaciares. Es una ciudad pequeña de unos 3.500 habitantes fundada en 1927. Su industria principal es el turismo.

Go Online!

You may wish to remind students to go online to download audio files of all vocabulary.

Parte 2: Prosa

Historia de dos cachorros de coatí y dos cachorros de hombre de Horacio Quiroga

CULTURA

El Calafate, Argentina

Vocabulario

Estudia las siguientes palabras para ayudarte a entender la lectura.

el taller lugar donde trabaja un artista o artesano

las herramientas instrumentos con que trabajan los artesanos, carpinteros, etc.

la jaula caja con barras en que se encierran animales

la trampa lo que se usa para atrapar o coger un animal

la gallina pollo que pone huevos

el gallo ave que tiene aspecto arrogante

la soga cuerda que se usa para atar un caballo u otro animal

la hoja lo que sale de la rama de un árbol, generalmente de color verde

descalzo(a) sin zapatos

suelto(a) libre, en libertad; no sujeto

encaminarse a dirigirse a, marcharse hacia

Go Online!

connectED.mcgraw-hill.com

la cola
el coatí
el hocico
la pata
el cachorro

Práctica

ESCUCHAR • HABLAR

1 Contesta con **sí** sobre un taller extraño.

1. ¿Al señor le gustaba trabajar en su taller?
2. ¿Tenía muchas herramientas?
3. ¿Había una jaula en el taller?
4. ¿Tenía el señor un gallo en la jaula?
5. ¿Cantaba el gallo?
6. De noche, ¿armaba el señor una trampa?
7. ¿Armaba la trampa para atrapar ratones?

EXPANSIÓN

En tus propias palabras describe este taller extraño.

LEER • ESCRIBIR

2 Completa con una palabra apropiada.

1. Muchos animales, tales como un coatí, tienen cuatro _____ y una _____ larga. Muchas veces andan con la _____ levantada.
2. La parte del animal donde están la boca y la nariz es el _____.
3. Un perrito que tiene solo seis semanas es un _____.
4. Los _____ cantan y las _____ ponen huevos.
5. Muchos árboles pierden sus _____ en el otoño.
6. Él nunca anda _____ porque hay muchas víboras.
7. Él nunca deja andar _____ al caballo. Siempre lo lleva de una _____.
8. El señor y su caballo _____ a la finca.

Literatura

Leveling EACH Activity

Easy Activity 1
Average Activity 1 **Expansión**
CHallenging Activity 2

PRACTICE

Activity 1 This activity can be gone over orally in class. Call on students at random to respond.

Activity 2 This activity should be prepared and then gone over in class.

Answers

1. Sí, al señor le gustaba trabajar en su taller.
2. Sí, tenía muchas herramientas.
3. Sí, había una jaula en el taller.
4. Sí, el señor tenía un gallo en la jaula.
5. Sí, el gallo cantaba.
6. Sí, de noche, el señor armaba una trampa.
7. Sí, armaba la trampa para atrapar ratones.

2

1. patas, cola, cola
2. hocico
3. cachorro
4. gallos, gallinas
5. hojas
6. descalzo
7. suelto, soga
8. se encaminan

Online Resources

Customizable Lesson Plans
Audio
Practice
Review
Reading, Writing Test

Introducción

You may wish to have students read the **Introducción** silently. If Quiroga is one of your favorite writers you may wish to give students some additional background information about him.

Leveling EACH Activity

Reading Level **Easy–Average**

Estrategia

Have students read and study the **Estrategia.** Explain to students the importance of being aware of the purpose the author has in writing a literary work. What is the true message the author wishes to convey through the description and action of the characters?

Pre-AP The author Horacio Quiroga is on the AP reading list.

Historia de dos cachorros de coatí y dos cachorros de hombre

de Horacio Quiroga

Estrategia

Determinando el propósito del autor En muchas obras literarias los personajes que presenta el autor son más que personas—son símbolos de algo más profundo. Una estrategia importante para comprender y gozar de tal obra es fijarte no solo en las acciones de los protagonistas sino en el significado de sus acciones y comportamiento para poder identificarte con el verdadero mensaje o propósito del autor y entender mejor la obra.

INTRODUCCIÓN

Horacio Quiroga (1878–1937) es considerado uno de los más importantes cuentistas de la literatura hispana. Él nació en Salto, Uruguay, de una familia bastante acomodada. Pero Quiroga pasó una gran parte de su vida en la provincia argentina de Misiones, una región de clima agobiante (caluroso y húmedo) y densa vegetación tropical. Muchos de sus cuentos tratan de las realidades y peligros de la jungla. La tragedia y la muerte son temas que recurren en sus cuentos. Pero el cuento que sigue, *Historia de dos cachorros de coatí y dos cachorros de hombre*, es de su colección *Cuentos de la selva*—una serie de cuentos encantadores de tono más liviano[1] que como dice el autor mismo «son para los niños de todas las edades y de todas las tierras».

[1] liviano *light*

CULTURA

Las cataratas del Iguazú. Las cataratas están en Argentina, Uruguay y Paraguay.

Gerad Coles/E+/Getty Images

Historia de dos cachorros de coatí y dos cachorros de hombre

Había una vez un coatí que tenía tres hijos. Vivían en el monte comiendo frutas, raíces y huevos de pajaritos. Cuando estaban arriba de los árboles y sentían un gran ruido, se tiraban al suelo de cabeza y salían corriendo con la cola levantada.

Una vez que los coaticitos fueron un poco más grandes, su madre los reunió un día arriba de un naranjo y les habló así:

—Coaticitos: ustedes son bastante grandes para buscarse la comida solos. Deben aprenderlo, porque cuando sean viejos andarán siempre solos, como todos los coatís. El mayor de ustedes, que es muy amigo de cazar cascarudos°, puede encontrarlos entre los palos podridos°, porque allí hay muchos cascarudos y cucarachas. El segundo, que es gran comedor de frutas, puede encontrarlas en este naranjal; hasta diciembre habrá naranjas. El tercero, que no quiere comer sino huevos de pájaros, puede ir a todas partes, porque en todas partes hay nidos de pájaros. Pero que no vaya nunca a buscar nidos al campo, porque es peligroso.

—Coaticitos: hay una sola cosa a la cual deben tener gran miedo. Son los perros. Yo peleé una vez con ellos. Y sé lo que les digo: por eso tengo un diente roto. Detrás de los perros vienen siempre los hombres con un gran ruido, que mata. Cuando oigan cerca este ruido, tírense de cabeza al suelo, por alto que sea el árbol. Si no lo hacen así los matarán con seguridad de un tiro°.

Así habló la madre. Todos se bajaron entonces y se separaron, caminando de derecha a izquierda, y de izquierda a derecha, como si hubieran perdido algo, porque así caminan los coatís.

El mayor, que quería comer cascarudos, buscó entre los palos podridos y las hojas de los yuyos, y encontró tantos, que comió hasta quedarse dormido. El segundo, que prefería las frutas a cualquier cosa, comió cuantas naranjas quiso, porque aquel naranjal estaba dentro del monte, como pasa en el Paraguay y Misiones, y ningún hombre vino a incomodarlo. El tercero, que era loco por los huevos de pájaro, tuvo que andar todo el día para encontrar únicamente dos nidos; uno de tucán, que tenía tres huevos, y uno de tórtola, que tenía sólo dos. Total cinco huevos chiquitos, que eran muy poca comida; de modo que al caer la tarde el coaticito tenía tanta hambre como de mañana, y se sentó muy triste a la orilla del monte. Desde allí veía al campo, y pensó en la recomendación de su madre.

—¿Por qué no querrá mamá—se dijo—que vaya a buscar nidos al campo?

Estaba pensando así cuando oyó, muy lejos, el canto de un pájaro.

—¡Qué canto tan fuerte!—dijo admirado—. ¡Qué huevos tan grandes debe tener ese pájaro!

cascarudos *beetles*
podridos *rotten*

READING CHECK

¿Parece que la madre conoce bien a sus «hijitos»?

tiro *shot*

¡Cuánto le gustaría comer estas naranjas al coatí!

READING CHECK

¿Qué consejo les dio su madre a los pequeños?

TEACH

Core Instruction

Step 1 This short story is presented in its entirety. Due to its length, you will most probably want students to read some sections silently at home. You may wish to orally go over some sections in class that you consider particularly appealing and give them a more in-depth treatment.

Step 2 Call on individuals to give a brief synopsis of some of the sections.

Step 3 Have students give a synopsis of the mother's advice to her little **coatís** in lines 18–23.

TEACH

Core Instruction

Step 1 Have students tell how the author describes the speed of the **coatí.**

Step 2 Call on a student or students to answer the Reading Checks orally.

Step 3 Have a student describe the father and the children in lines 74–78.

Teaching Options

You can easily intersperse the **Después de leer** activities since they are presented in chronological order.

El canto se repitió. Y entonces el coatí se puso a correr por entre el monte, cortando camino, porque el canto había sonado muy a su derecha. El sol caía ya, pero el coatí volaba con la cola levantada. Llegó a la orilla del monte, por fin, y moró el campo. Lejos vio la casa de los hombres, y vio a un hombre con botas que llevaba un caballo de la soga. Vio también un pájaro muy grande que cantaba y entonces el coaticito se golpeó la frente y dijo:

—¡Qué zonzo° soy! Ahora ya sé qué pájaro es ése: es un gallo; mamá me lo mostró un día desde arriba de un árbol. Los gallos tienen un canto lindísimo, y tienen muchas gallinas que ponen huevos. ¡Si yo pudiera comer huevos de gallina!

Es sabido que nada gusta tanto a los bichos° chicos del monte como los huevos de gallina. Durante un rato el coaticito se acordó de las recomendaciones de su madre. Pero el deseo pudo más, y se sentó a la orilla del monte, esperando que cerrara bien la noche para ir al gallinero.

La noche cerró por fin, y entonces, en punta de pie y paso a paso, se encaminó a la casa. Llegó allá y escuchó atentamente: no se sentía el menor ruido. El coaticito, loco de alegría porque iba a comer cien, mil, dos mil huevos de gallina, entró en el gallinero, y lo primero que vio bien en la entrada fue un huevo que estaba solo en el suelo. Pensó un instante en dejarlo para el final, como postre porque era un huevo muy grande; pero la boca se le hizo agua, y clavó los dientes en el huevo.

Apenas mordió, ¡TRAC!, un terrible golpe en la cara y un inmenso dolor en el hocico.

—¡Mamá, mamá!—gritó, loco de dolor, saltando a todos lados. Pero estaba sujeto, y en ese momento oyó el ronco ladrido° de un perro.

Mientras el coatí esperaba en la orilla del monte que cerrara bien la noche para ir al gallinero, el hombre de la casa jugaba sobre la gramilla° con sus hijos, dos criaturas rubias, de cinco y seis años, que corrían riendo, se caían, se levantaban riendo otra vez, y volvían a caerse. El padre se caía también, con gran alegría de los chicos. Dejaron por fin de jugar porque ya era de noche, y el hombre dijo entonces:

—Voy a poner la trampa para cazar a la comadreja° que viene a matar los pollos y robar los huevos.

Y fue y armó la trampa. Después comieron y se acostaron. Pero las criaturas no tenían sueño, y saltaban de la cama del uno a la del otro y se enredaban° en el camisón. El padre, que leía en el comedor, los dejaba hacer. Pero los chicos de repente se detuvieron en sus saltos y gritaron:

—¡Papá! ¡Ha caído la comadreja en la trampa! ¡Tuké está ladrando! ¡Nosotros también queremos ir, papá!

El padre consintió, pero no sin que las criaturas se pusieran las sandalias, pues nunca los dejaba andar descalzos de noche, por temor a las víboras.

zonzo *foolish*

bichos *critters*

READING CHECK

¿Por qué decidió el coaticito no obedecer a su mamá? ¿Qué le atrajo mucho la atención?

READING CHECK

¿Qué le pasó al coaticito en el gallinero?

ronco ladrido *hoarse bark*

gramilla *grass, lawn*

comadreja *weasel*

se enredaban *got tangled up*

Fueron. ¿Qué vieron allí? Vieron a su padre que se agachaba teniendo al perro con una mano, mientras con la otra levantaba por la cola a un coatí, un coaticito chico aún, que gritaba con un chillido° rapidísimo y estridente como un grillo°.

—¡Papá, no lo mates!—dijeron las criaturas—. ¡Es muy chiquito! ¡Dánoslo para nosotros!

—Bueno, se los voy a dar—respondió el padre—. Pero cuídenlo bien, y sobre todo no se olviden de que los coatís toman agua como ustedes. Esto lo decía porque los chicos habían tenido una vez un gatito montés al cual a cada rato le llevaban carne, que sacaban de la fiambrera°; pero nunca le dieron agua, y se murió.

En consecuencia pusieron al coatí en la misma jaula del gato montés, que estaba cerca del gallinero, y se acostaron todos otra vez.

Y cuando era más de medianoche y había un gran silencio, el coaticito, que sufría mucho por los dientes de la trampa, vio, a la luz de la luna, tres sombras que se acercaban con gran sigilo°. El corazón le dio un vuelco° al pobre coaticito al reconocer a su madre y sus dos hermanos que lo estaban buscando.

—¡Mamá, mamá!—murmuró el prisionero en voz muy baja para no hacer ruido—. ¡Estoy aquí! ¡Sáquenme de aquí! ¡No quiero quedarme, ma... má...!—y lloraba desconsolado.

Pero a pesar de todo estaban contentos porque se habían encontrado, y se hacían mil caricias en el hocico.

Se trató en seguida de hacer salir al prisionero. Probaron primero cortar el alambre° tejido, y los cuatro se pusieron a trabajar con los dientes; mas no conseguían nada. Entonces a la madre se le ocurrió de repente una idea, y dijo:

—¡Vamos a buscar las herramientas del hombre! Los hombres tienen herramientas para cortar fierro. Se llaman limas°. Tienen tres lados como las víboras de cascabel. Se empuja y se retira. ¡Vamos a buscarla!

Fueron al taller del hombre y volvieron con la lima. Creyendo que uno solo no tendría fuerzas bastantes, sujetaron la lima entre los tres y empezaron el trabajo. Y se entusiasmaron tanto, que al rato la jaula entera temblaba con las sacudidas° y hacía un terrible ruido. Tal ruido hacía, que el perro se despertó, lanzando un ronco ladrido. Mas los coatís no esperaron a que el perro les pidiera cuenta de ese escándalo y dispararon al monte, dejando la lima tirada.

Al día siguiente, los chicos fueron temprano a ver a su nuevo huésped, que estaba muy triste.

—¿Qué nombre le pondremos?—preguntó la nena a su hermano.

—¡Ya sé!—respondió el varoncito—. ¡Le pondremos *Diecisiete*!

¿Por qué *Diecisiete*? Nunca hubo bicho en el monte con nombre más raro. Pero el varoncito estaba aprendiendo a contar, y tal vez le había llamado la atención aquel número.

chillido *shriek*
grillo *cricket*

fiambrera *food cabinet*

✓ READING CHECK

¿Qué tipo de padre era el señor? ¿Por qué?

con gran sigilo *sneakingly*
vuelco *tumble*

✓ READING CHECK

¿Cuáles son las emociones del coaticito y las de los otros miembros de su familia?

alambre *wire*

limas *files*

sacudidas *jolts, shakes*

TEACH

Core Instruction

Have students explain the caring nature of the father and the children in lines 93–103.

Tips for Success

There is quite a bit of detail between lines 116 and 130. You may wish to give the following synopsis. **La familia del coatí hizo todo lo posible para tratar de abrir la jaula pero sin éxito.**

TEACH

Core Instruction

Step 1 Have students make a mental list of all the things that **coatís** did that had human qualities.

Step 2 Ask students: **¿Por qué fue el segundo de los coatís el que fue a quedarse en la jaula?**

Step 3 Call on a student or students to answer the Reading Checks aloud.

rascar *scratch*

cautiverio *captivity*

El caso es que se llamó *Diecisiete.* Le dieron pan, uvas, chocolate, carne, langostas, huevos, riquísimos huevos de gallina. Lograron que en un solo día se dejara rascar° la cabeza; y tan grande es la sinceridad del cariño de las criaturas, que al llegar la noche, el coatí estaba casi resignado con su cautiverio°. Pensaba a cada momento en las cosas ricas que había para comer allí, y pensaba en aquellos rubios cachorros de hombre que tan alegres y buenos eran.

READING CHECK

¿Por qué se resignó el coaticito a su cautiverio?

Durante dos noches seguidas, el perro durmió tan cerca de su jaula, que la familia del prisionero no se atrevió a acercarse, con gran sentimiento. Cuando la tercera noche llegaron de nuevo a buscar la lima para dar libertad al coaticito, éste les dijo:

—Mamá, yo no quiero irme más de aquí. Me dan huevos y son muy buenos conmigo. Hoy me dijeron que si me portaba bien me iban a dejar suelto muy pronto. Son como nosotros. Son cachorritos también, y jugamos juntos.

READING CHECK

¿Por qué dijo el coaticito que los otros son cachorritos también?

Los coatís salvajes quedaron muy tristes, pero se resignaron, prometiendo al coaticito venir todas las noches a visitarlo.

Efectivamente, todas las noches, lloviera o no, su madre y sus hermanos iban a pasar un rato con él. El coaticito les daba pan por entre el tejido del alambre, y los coatís salvajes se sentaban a comer frente a la jaula.

Al cabo de quince días, el coaticito andaba suelto y él mismo se iba de noche a su jaula. Salvo algunos tirones de orejas que se llevaba por andar cerca del gallinero todo marchaba bien. Él y las criaturas se querían mucho y los mismos coatís salvajes, al ver lo buenos que eran aquellos cachorritos de hombre, habían concluido por tomar cariño a las dos criaturas.

tronaba *it thundered*

enroscada *entwined*

mordido *bitten*

serpiente de cascabel *rattlesnake*

Hasta que una noche muy oscura, en que hacía mucho calor y tronaba°, los coatís salvajes llamaron al coaticito y nadie les respondió. Se acercaron muy inquietos y vieron entonces, en el momento en que casi lo pisaban una enorme víbora que estaba enroscada° en la entrada de la jaula. Los coatís comprendieron en seguida que el coaticito había sido mordido° al entrar, y no había respondido a su llamado, porque acaso ya estaba muerto. Pero lo iban a vengar bien. En un segundo, entre los tres, enloquecieron a la serpiente de cascabel°, saltando de aquí para allá, y en otro segundo cayeron sobre ella, deshaciéndole la cabeza a mordiscos.

hinchado *swollen*
En balde *In vain*
lamieron *they licked*

Corrieron entonces adentro, y allí estaba en efecto el coaticito, tendido, hinchado°, con las patas temblando y muriéndose. En balde° los coatís salvajes lo movieron: lo lamieron° en balde por todo el cuerpo durante un cuarto de hora. El coaticito abrió por fin la boca y dejó de respirar, porque estaba muerto.

refractarios *immune*

mangosta *mongoose*

Los coatís son casi refractarios°, como se dice, al veneno de las víboras. No les hace casi nada el veneno, y hay otros animales como la mangosta°, que resisten muy bien el veneno de las víboras. Con toda seguridad el coaticito había sido mordido en una arteria o en una vena, porque entonces la sangre se envenena en seguida, y el animal muere. Esto le había pasado al coaticito.

Al verlo así, su madre y sus hermanos lloraron un largo rato. Después, como nada más tenían que hacer allí, salieron de la jaula, se dieron vuelta para mirar por última vez la casa donde tan feliz había sido el coaticito, y se fueron otra vez al monte.

Pero los tres coatís, sin embargo, iban muy preocupados, y su preocupación era ésta: ¿qué iban a decir los chicos, cuando, al día siguiente, vieran muerto a su querido coaticito? Los chicos lo querían muchísimo, y ellos, los coatís, querían también a los cachorros rubios. Así es que los tres coatís tenían el mismo pensamiento, y era evitarles ese gran dolor a los chicos.

Hablaron un largo rato y al fin decidieron lo siguiente: el segundo de los coatís, que se parecía mucho al menor en cuerpo y en modo de ser, iba a quedarse en la jaula, en vez del difunto. Como estaban enterados de muchos secretos de la casa, por los cuentos del coaticito, los chicos no conocerían nada; extrañarían un poco algunas cosas, pero nada más.

Y así pasó en efecto. Volvieron a la casa, y un nuevo coaticito reemplazó al primero, mientras la madre y el otro hermano se llevaban sujeto a los dientes el cadáver del menor. Lo llevaron despacio al monte, y la cabeza colgaba, balanceándose, y la cola iba arrastrando por el suelo.

Al día siguiente los chicos extrañaron, efectivamente, algunas costumbres raras del coaticito. Pero como éste era tan bueno y cariñoso como el otro, las criaturas no tuvieron la menor sospecha. Formaron la misma familia de cachorritos de antes, y, como antes, los coatís salvajes venían noche a noche a visitar al coaticito civilizado, y se sentaban a su lado a comer pedacitos de huevo que él les guardaba, mientras ellos le contaban la vida de la selva.

✓ READING CHECK

¿Qué les preocupaba a los tres coatís?

✓ READING CHECK

¿Qué hicieron los coatís para que no se pusieran muy tristes los niños?

Después de leer

A Buscando información Busca información sobre los coatís.

1. el número de hijos en la familia de coatís
2. donde vivían y lo que comían
3. como les enseñó su madre a buscar la comida solos
4. adonde no pueden ir nunca a buscar nidos
5. al que deben tener gran miedo y por qué
6. lo que le gustaba comer a cada uno de los cachorros
7. adonde fue el tercer cachorro atraído por el canto de un pájaro
8. lo que le pasó

Conexiones

La literatura
¿Has leído un cuento o visto una película en que uno de los protagonistas es un animal con características humanas? ¿En qué obra piensas? Describe al animal.

Go Online!

You may wish to remind students to go online for additional reading comprehension practice.

PRACTICE

Después de leer

A, B, and **C** These activities can be assigned as students are reading the story. It is suggested that you have students write the answers.
D and **E** Each of these activities can serve as a theme for class discussion. Students can also write their responses as a composition.

Learning from Realia

Note that this sign gives the plural of **coatí** as **coatíes,** which is correct. In the original version of the short story, however, **coatís** is used.

Answers

A

1. Había tres hijos en la familia de coatís.
2. Vivían en el monte y comían frutas, raíces y huevos de pajaritos.
3. Al mayor le dijo que podría encontrar cascarudos entre los palos podridos. Al segundo le dijo que podría encontrar frutas en el naranjal. Al tercero le dijo que podría ir a todas partes para encontrar huevos en nidos de pájaros.
4. No pueden ir nunca a buscar nidos al campo porque es peligroso.
5. Deben tener gran miedo a los perros porque detrás de ellos vienen siempre los hombres con un gran ruido que mata.
6. Al mayor le gustaba comer cascarudos. Al segundo le gustaba comer frutas. Al tercero le gustaba comer huevos.
7. Atraído por el canto de un pájaro, el tercer cachorro fue al campo.
8. Encontró un gallinero y se le atrapó el hocico en una trampa.

B

1. En la familia había un papá y dos hijos rubios de cinco y seis años.
2. El padre pone la trampa para cazar a la comadreja que viene a matar los pollos y robar los huevos.

B Recordando hechos Contesta.

1. ¿Cómo era la familia que vivía en la casa?
2. ¿Por qué pone o arma la trampa el padre?
3. ¿Cómo saben los niños que la comadreja ha caído en la trampa?
4. ¿Por qué no les permite el padre andar descalzos de noche?
5. ¿Qué ven en la trampa?
6. ¿Qué le ruegan a su padre los niños?
7. ¿Dónde pusieron al coaticito?
8. ¿Qué hicieron su mamá y sus hermanos para tratar de liberar al coaticito de su jaula?
9. ¿Qué nombre le dieron los niños al coaticito y qué le dieron de comer?

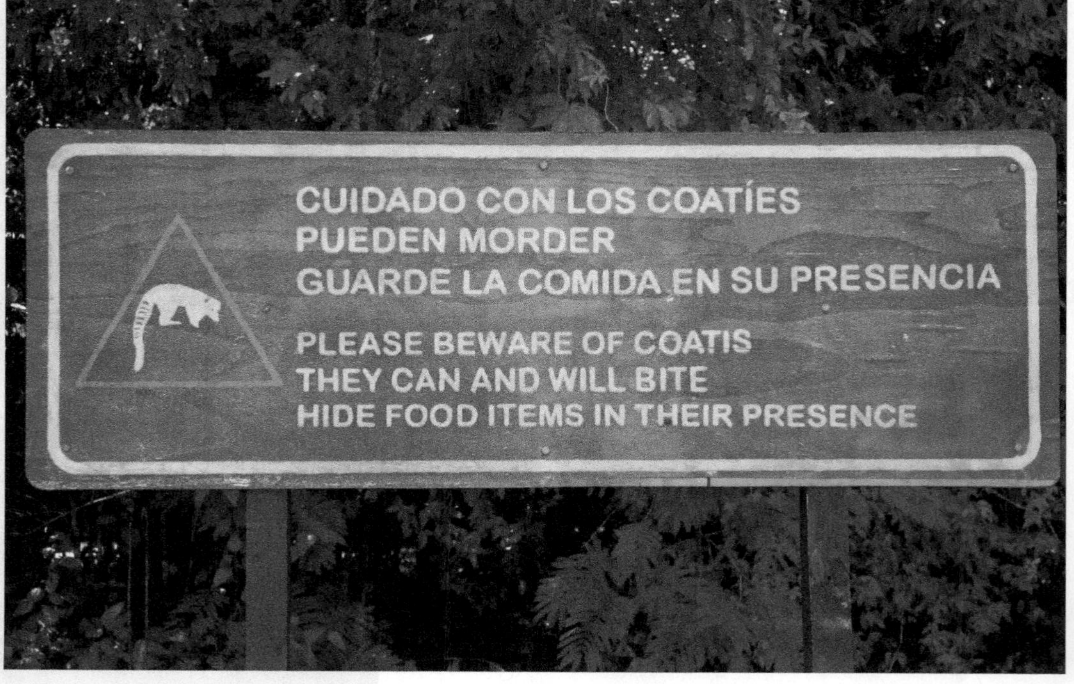

CUIDADO CON LOS COATÍES
PUEDEN MORDER
GUARDE LA COMIDA EN SU PRESENCIA
PLEASE BEWARE OF COATIS
THEY CAN AND WILL BITE
HIDE FOOD ITEMS IN THEIR PRESENCE

Answers

3. Los niños saben que la comadreja ha caído en la trampa porque su perro está ladrando.
4. No les permite andar descalzos por temor a las víboras.
5. Ven un coatí en la trampa.
6. Los niños le ruegan a su padre que no mate al coatí y que se lo dé a ellos.
7. Pusieron al coaticito en una jaula.
8. Su mamá y sus hermanos probaron primero cortar el alambre tejido. Se pusieron a trabajar con los dientes. Luego usaron una lima, una herramienta para cortar hierro (fierro).
9. Los niños le dieron el nombre *Diecisiete*. Le dieron pan, uvas, chocolate, carne, langostas y riquísimos huevos de gallina.

C **Analizando e interpretando** Contesta.

1. ¿Por qué no pudo visitarlo la familia del «prisionero»?
2. ¿Por qué dijo el coatí, «Mamá, yo no quiero irme más de aquí»?
3. Los coatís salvajes quedaron muy tristes, ¿pero qué se resignaron a hacer? Y, ¿qué hicieron?
4. Al cabo de quince días, ¿qué hacía el coaticito?
5. Pero durante una noche muy oscura, ¿qué pasó?
6. ¿Cómo encontraron los coatís salvajes al coaticito «civilizado»? ¿Qué le había pasado?
7. Los tres coatís estaban muy tristes. Pero estaban muy preocupados también. ¿Por quiénes estaban preocupados? ¿Por qué razón?
8. ¿Qué decidieron hacer? ¿Cómo y adónde llevaron el cadáver?
9. ¿Cómo era la vida después para el coatí «civilizado»?
10. ¿Cómo era la vida después para los coatís «salvajes»?

D **Buscando la idea principal** Explica.

Explica el significado del título de este cuento.

E **Analizando e interpretando** Contesta.

Composición

Analiza como Quiroga emplea las palabras «civilizado» y «salvaje». ¿Quiénes son civilizados y quiénes son salvajes? ¿Por qué? En el cuento, ¿hay mucha diferencia entre el comportamiento civilizado y salvaje? Busca ejemplos de comportamiento muy civilizado o humano de parte de los «salvajes». ¿Es posible que Quiroga nos dé un mensaje? ¿Cuál es?

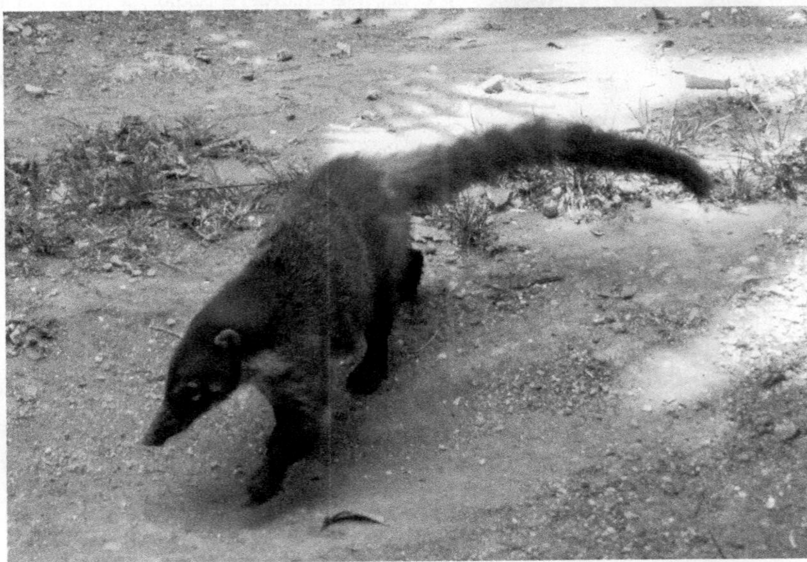

ASSESS

Students are now ready to take the Reading and Writing Test for Lección 4: Literatura.

Answers

C

1. La familia del «prisionero» no pudo visitarlo porque el perro durmió tan cerca de su jaula que la familia del prisionero no se atrevió a acercarse.
2. El coaticito lo dijo porque le gustaba vivir allí. Siempre comía muy bien y los niños eran muy buenos con él.
3. Se resignaron a visitarlo todas las noches, y lo hicieron.
4. Al cabo de quince días, el coaticito andaba suelto y él mismo se iba de noche a su jaula.
5. Durante una noche muy oscura, los coatís salvajes llamaron al coaticito y nadie les respondió.
6. Los coatís salvajes encontraron al coaticito «civilizado» tendido, hinchado, con las patas temblando y muriéndose.
7. Los coatís estaban preocupados por los hijos porque sabían que los hijos querían al coaticito, y los coatís querían a los hijos.
8. Decidieron dejar al segundo hijo en la jaula para reemplazar al coatí muerto. Llevaron sujeto a los dientes el cadáver al monte.
9. La vida era como antes para el coatí «civilizado».
10. La vida era como antes para los coatís «salvajes».

D *Answers will vary.*

E *Answers will vary.*

Videopaseo

The Video Program for Chapter 3 includes three documentary segments of some interesting aspects of life in Argentina. You may wish to have students answer the **Antes de mirar** questions orally or in writing.

Episodio 1: Estos actores forman parte del grupo *Teatro Catalinas Sur.* Ellos trabajan en La Boca, un barrio de Buenos Aires cerca del puerto. El espectáculo que presentan se llama *El fulgor argentino* en el que representan cien años de la historia de Argentina. Emplean ciento veinte actores, un coro y una orquesta y títeres gigantes. Es un teatro de la comunidad para la comunidad.

Episodio 2: Esta es la sala de la casa de Flavio Nardini en Buenos Aires. Flavio es fanático o hincha del Racing, un equipo de fútbol. Los argentinos toman el fútbol muy en serio. Hay cinco equipos nacionales en el país y muchísimos equipos pequeños. Flavio lleva los colores del Racing, azul y blanco. A su lado está la estatua de un antiguo entrenador del Racing que ocupa un lugar de honor en su sala.

Episodio 3: Esta pareja está bailando el tango. El tango se creó en Buenos Aires a fines del siglo XIX. Los inmigrantes italianos, españoles, franceses y africanos expresaban su pasión, su tristeza, su desesperación en esta música y baile. Empezó con los pobres pero después fue adoptado por los ricos. La pareja que está bailando probablemente recibirá propinas de los espectadores.

Videopaseo

¡Un viaje virtual a Argentina!

Antes de mirar los episodios, completen las actividades que siguen.

Episodio 1: Teatro de la comunidad

Antes de mirar Con unos compañeros de clase, contesten las siguientes preguntas para prepararse para lo que van a ver en el video.

1. Según el título del episodio, ¿de qué se tratará?
2. ¿Les gusta ir al teatro?
3. ¿Tiene su comunidad un teatro?
4. ¿Les gustaría ver una obra de teatro relacionada con la política y los problemas sociales?

Episodio 2: Fiebre de fútbol

Antes de mirar Con unos compañeros de clase, contesten las siguientes preguntas para prepararse para lo que van a ver en el video.

1. Según el título del episodio, ¿de qué se tratará?
2. ¿Cuáles son algunos términos que conocen sobre el fútbol?
3. ¿Cuáles son algunas diferencias entre el fútbol europeo o latinoamericano y el fútbol que se juega en Estados Unidos?
4. ¿Prefieren ustedes el fútbol europeo o el fútbol americano? ¿Por qué?
5. En su opinión, ¿es el fútbol americano una obsesión nacional de los estadounidenses?

Episodio 3: Tango en Buenos Aires

Antes de mirar Con unos compañeros de clase, contesten las siguientes preguntas para prepararse para lo que van a ver en el video.

1. Según el título del episodio, ¿de qué se tratará?
2. ¿Qué es el «tango»?
3. ¿En qué país tiene sus orígenes el tango?
4. ¿Les gustaría aprender el tango?

Repaso de vocabulario

Cultura

la boleadora
las bombachas
un cerro
un chaparrón
el cinturón
el facón
una huerta
una llanura
el odio
el peonaje
una ráfaga
una sabana
el viñedo
austral
belicoso(a)
pacífico(a)

Literatura

Poesía

la estrella
el nido
la pena
la pulpería
la rama
el suelo
la víbora
pelear

Prosa

el cachorro
el coatí
la cola
la gallina
el gallo
las herramientas
el hocico
la hoja
la jaula
la pata
la soga
el taller
la trampa
descalzo(a)
suelto(a)
encaminarse a

Repaso de vocabulario

Online Resources

Customizable Lesson Plans

 Video (Cultura)

 Practice

 Listening, Speaking, Reading, Writing Tests

Vocabulary Review

The words and phrases from Lessons 1 and 4 have been taught for productive use in this chapter. They are summarized here as a resource for both student and teacher.

Teaching Options

This vocabulary reference list has not been translated into English. If it is your preference to give students the English translations, please refer to Vocabulary V3.1.

ASSESS

Students are now ready to take any of the Listening, Speaking, Reading, Writing Tests you choose to administer.

Chapter Overview

La América Central

Scope and Sequence

Topics
- The geography of Central American countries
- The history of Central American countries
- The culture of Central American countries

Culture
- The Central American isthmus
- The Mayans
- Capital cities of Central America
- Tikal, Guatemala, largest ancient ruined city of the Maya civilization
- Copán, Honduras, and its famous stelae
- Islas de San Blas in Panama
- Central American cuisine
- *Lo fatal* by Rubén Darío
- *Canción de otoño en primavera* by Rubén Darío
- *Mis primeros versos* by Rubén Darío

Functions
- How to form the present subjunctive
- How to express necessity, possibility, and doubt using the subjunctive
- How to express emotion using the subjunctive
- How to give commands

Structure
- The present subjunctive
- Uses of the subjunctive
- Direct and indirect commands

Richard Brommer

Leveling

The activities within each chapter are marked in the Wraparound section of the Teacher Edition according to level of difficulty.

E indicates easy
A indicates average
CH indicates challenging

The readings in **Lección 4: Literatura** are also leveled to help you individualize instruction to best meet your students' needs. Please note that the material does not become progressively more difficult. Within each chapter there are easy and challenging sections.

Correlations to ACTFL World-Readiness Standards for Learning Languages

COMMUNICATION Communicate effectively in more than one language in order to function in a variety of situations and for multiple purposes		
Interpersonal Communication	Learners interact and negotiate meaning in spoken, signed, or written conversations to share information, reactions, feelings, and opinions.	pp. 175, 176, 179, 181, 182, 183, 196
Interpretive Communication	Learners understand, interpret, and analyze what is heard, read, or viewed on a variety of topics.	pp. 159, 161, 163, 165, 168, 169, 170, 171, 174, 175, 176, 179, 181, 183, 184, 185, 186, 187, 188, 189, 195, 196
Presentational Communication	Learners present information, concepts, and ideas to inform, explain, persuade, and narrate on a variety of topics using appropriate media and adapting to various audiences of listeners, readers, or viewers.	pp. 171, 181, 183, 185, 188, 195
CULTURES Interact with cultural competence and understanding		
Relating Cultural Practices to Perspectives	Learners use the language to investigate, explain, and reflect on the relationship between the practices and perspectives of the cultures studied.	pp. 158, 160, 162, 168, 171, 174, 184, 185, 189
Relating Cultural Products to Perspectives	Learners use the language to investigate, explain, and reflect on the relationship between the products and perspectives of the cultures studied.	pp. 162, 163, 164, 166, 167, 169, 183, 188, 189
CONNECTIONS Connect with other disciplines and acquire information and diverse perspectives in order to use the language to function in academic and career-related situations		
Making Connections	Learners build, reinforce, and expand their knowledge of other disciplines while using the language to develop critical thinking and to solve problems creatively.	pp. 161, 163, 168, 170, 171, 183, 187, 195
Acquiring Information and Diverse Perspectives	Learners access and evaluate information and diverse perspectives that are available through the language and its cultures.	pp. 173, 174, 182, 183, 184, 187, 188, 195
COMPARISONS Develop insight into the nature of language and culture in order to interact with cultural competence		
Language Comparisons	Learners use the language to investigate, explain, and reflect on the nature of language through comparisons of the language studied and their own.	pp. 178, 179
Cultural Comparisons	Learners use the language to investigate, explain, and reflect on the concept of culture through comparisons of the cultures studied and their own.	pp. 171, 183, 184, 185
COMMUNITIES Communicate and interact with cultural competence in order to participate in multilingual communities at home and around the world		
School and Global Communities	Learners use the language both within and beyond the classroom to interact and collaborate in their community and the globalized world.	pp. 159, 176
Lifelong Learning	Learners set goals and reflect on their progress in using languages for enjoyment, enrichment, and advancement.	pp. 173, 174, 181, 195

Preview

In this chapter, students will learn about the geography, history, and culture of Guatemala, Honduras, El Salvador, Nicaragua, Costa Rica, and Panama. They will read two poems and a short story by the renowned Nicaraguan writer Rubén Darío. Students will also read and discuss some newspaper articles. They will review the present subjunctive and direct and indirect commands.

Pacing

Cultura	4–5 days
Gramática	4–5 days
Periodismo	4–5 days
Literatura	4–5 days
Videopaseo	2 days

CAPÍTULO 4

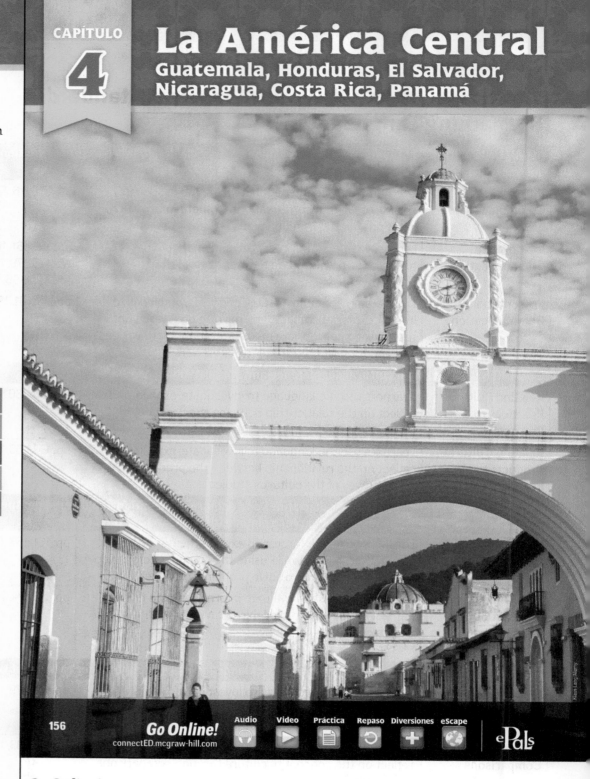

La América Central

Guatemala, Honduras, El Salvador, Nicaragua, Costa Rica, Panamá

Klaus Lang/Alamy

156 **Go Online!** connectED.mcgraw-hill.com Audio Video Práctica Repaso Diversiones eScape ePals

Go Online!

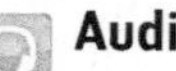 **Audio**
Listen to spoken Spanish.

 **Video**
Watch and learn about the Spanish-speaking world.

 **Práctica**
Practice your skills.

 **Repaso**
Review what you've learned.

 **Diversiones**
Go beyond the classroom.

 **eScape**
Read about current events in the Spanish-speaking world.

Objetivos

You will:

- learn about the geography, history, and culture of Central America
- discuss the Mayan civilization
- read and discuss newspaper articles
- read poems and a short story by Rubén Darío

You will review:

- the present subjunctive
- direct and indirect commands

Contenido

Lección 1: Cultura
Geografía e historia de la América Central

Lección 2: Gramática
Presente del subjuntivo
Usos del subjuntivo
Otros usos del subjuntivo
Mandatos directos e indirectos

Lección 3: Periodismo

Lección 4: Literatura
Poesía
Lo fatal de Rubén Darío
Canción de otoño en primavera de Rubén Darío
Prosa
Mis primeros versos de Rubén Darío

Una callecita adoquinada y el arco de Santa Catalina, Antigua, Guatemala

Assessment
Check student progress.

Connect with Spanish-speaking students around the world.

Cultural Snapshot

Antigua, Guatemala, fue una vez la capital del país. Toda la ciudad de Antigua, Guatemala, es una joya arquitectónica. Sus calles de adoquines han cambiado muy poco desde 1773. La mayoría de los edificios tienen solamente un piso (una planta). Casi todos son de estilo colonial con techos de azulejos, rejas en las ventanas, y patios interiores con fuentes. Aquí hay también ruinas de grandes iglesias y conventos destruidos en los terremotos de 1773 y 1976. El arco de Santa Catalina es uno de los monumentos más populares de Antigua. Construido a fines del siglo XVII y reconstruido después del terremoto de 1773 su función original es la de unir las dos alas del convento que había estado allí.

Cultura

Online Resources

Customizable Lesson Plans

 Audio Activities

 Student Workbook

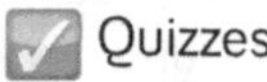 Quizzes

TEACH

Core Instruction

Step 1 You may have students repeat the new words using the audio recording.

Step 2 Ask students questions using the new words. **¿Hay muchos rascacielos en una ciudad como Nueva York? ¿Hay bohíos en los barrios pobres y zonas muy rurales? ¿Tienen unos bohíos hechos de paja? ¿Son de adoquines muchas callejuelas de los cascos antiguos de las ciudades latinoamericanas? ¿Puede causar mucha destrucción un terremoto? ¿Te gustan las salsas picantes?**

Differentiation

Advanced Learners

Call on advanced learners to use the new words in original sentences.

Heritage Speakers

If you have any students from Panama, have them bring in a **mola,** if they have one.

Go Online!

You may wish to remind students to go online for additional vocabulary practice. They can also download audio files of all vocabulary.

Vocabulario

CULTURA

Una niña kuna en traje tradicional en las islas San Blas en Panamá

Estudia las siguientes palabras para ayudarte a entender la lectura.

un rascacielos edificio muy alto que «rasca» el cielo

un bohío casa muy humilde; choza de paja

el techo parte superior que cubre un edificio

una callejuela de adoquines calle pequeña, callecita empedrada de piedras rectangulares

una mola tipo de blusa que hacen y llevan las indígenas de San Blas, Panamá

un terremoto catástrofe natural cuando se abre la tierra

picante que tiene un sabor fuerte de especias que pican

soler (ue) tener la costumbre, hacer normalmente

trasladar mover de un lugar a otro, cambiar de lugar; reubicar

tallar dar forma o trabajar un material como la madera

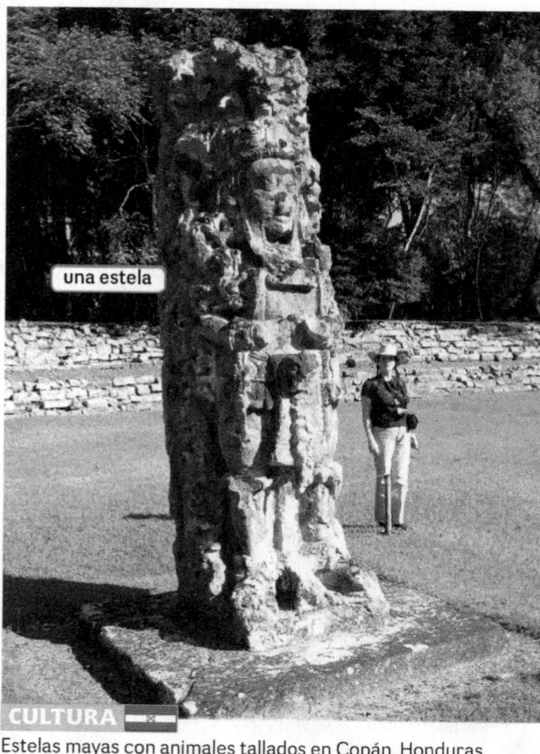

CULTURA

Estelas mayas con animales tallados en Copán, Honduras

Cultural Snapshot

(bottom) Copán debió de ser una ciudad maya de mucha importancia. Se ha catalogado más de 3.500 estructuras en un área que cubre más de 20 kilómetros. Muchas de ellas están por desenterrar. Las estelas tenían un significado profundo para los mayas. A través de ellas se rendía culto a los árboles que sustentaban el cielo. Servían también de puerta hacia el Xibalba o mundo subterráneo y místico.

Práctica

Go Online!

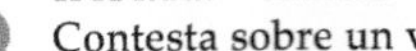

connectED.mcgraw-hill.com

ESCUCHAR • HABLAR

1 Contesta sobre un viaje que Carlos hizo a Centroamérica.

1. ¿Hizo Carlos mucho durante su viaje a Centroamérica?
2. ¿Anduvo por las pintorescas callejuelas de adoquines en Antigua, Guatemala?
3. ¿Admiró las estelas mayas con animales tallados en Copán, Honduras?
4. ¿Vio los rascacielos modernos de la Ciudad de Panamá?
5. ¿Compró una mola en las islas de San Blas?
6. ¿Vio la destrucción causada por un terremoto en Nicaragua?
7. ¿Vio los bohíos con techo de paja en que viven los emberá en Panamá?
8. ¿Comió a lo menos una comida picante?

CULTURA

En un pueblo emberá, Panamá

EXPANSIÓN

Ahora, sin mirar las preguntas, cuenta la información en tus propias palabras. Si no recuerdas algo, un(a) compañero(a) te puede ayudar.

LEER • ESCRIBIR

2 Completa con una palabra apropiada.

1. Un _____ es un edificio muy alto de muchos pisos (muchas plantas).
2. No me gustaría estar en un rascacielos durante un _____. Me daría mucho miedo.
3. Los bohíos _____ tener _____ de paja.
4. En el bohío la hamaca cuelga del _____.
5. Las blusas de muchos colores que llevan las señoras de San Blas se llaman «_____».
6. Otra palabra que significa «choza» es «_____».
7. Van a reubicarse. Van a _____ el negocio de Tegucigalpa a San Pedro Sula en Honduras.

CULTURA

Un pueblo indígena de los emberá en la selva del Río Chagres no muy lejos de la Ciudad de Panamá

Andrew Payti

Cultura

Leveling EACH Activity

Easy Activity 1
Average Activity 1 **Expansión**, Activity 2

PRACTICE

Activity 1 You may wish to go over this activity orally in class, calling on individuals to respond.

Activity 2 This activity can be prepared before being gone over in class.

Tips for Success

You may wish to have students redo Activity 1 by changing **Carlos** to **Carlos y sus amigos.**

Cultural Snapshot

La mayoría de los emberá viven en las selvas tropicales del Darién. Pero hay algunos pueblos emberá en el Parque Nacional Chagres no muy lejos de la Ciudad de Panamá. Gente de personalidad tranquila, los emberá viven en bohíos de paja y rechazan casi todas las comodidades modernas.

ASSESS

Students are now ready to take Quiz 1.

Answers

1. Sí, Carlos hizo mucho durante su viaje a Centroamérica.
2. Sí, anduvo por las pintorescas callejuelas de adoquines en Antigua, Guatemala.
3. Sí, admiró las estelas mayas con animales tallados en Copán, Honduras.
4. Sí, vio los rascacielos modernos de la Ciudad de Panamá.
5. Sí, compró una mola en las islas de San Blas.
6. Sí, vio la destrucción causada por un terremoto en Nicaragua.
7. Sí, vio los bohíos con techo de paja en que viven los emberá en Panamá.
8. Sí, comió a lo menos una comida picante.

1. rascacielos
2. terremoto
3. suelen, techos
4. techo
5. molas
6. bohío
7. trasladar

Online Resources

Customizable Lesson Plans

 Student Workbook

 Quizzes

TEACH

Core Instruction

As you present this section, you may wish to ask the following questions: **¿Es ancho o estrecho el istmo de Centroamérica? ¿Cuál es el único país centroamericano que no es muy montañoso? ¿Qué hay en Centroamérica? ¿Por qué es muy fértil la tierra? ¿Dónde hay selvas tropicales en Centroamérica? ¿Qué tiempo hace en Centroamérica? ¿Cuántas estaciones hay? ¿Cuáles son?**

This reading familiarizes students with the geography, history, and culture of Central America. You may wish to ask students to compare these cultural aspects of Central America with their own culture. How are they the same? How do they differ?

La geografía

El istmo de Centroamérica comprende todos los países entre Guatemala y Panamá. Cubre un área de 196.000 millas cuadradas, o sea, el tamaño de una cuarta parte de México. En algunos lugares el istmo tiene un ancho de solo 50 millas. Una cordillera que une las Rocosas con los Andes va desde el norte hasta el sur. Esta cordillera domina casi todos los países menos Panamá. Algunos picos alcanzan 14.000 pies de altura.

Centroamérica es una región de muchos volcanes. Más de veinte están activos. Sus erupciones son peligrosas y año tras año han causado mucho daño. Sin embargo, es la ceniza volcánica la que hace la tierra tan fértil para la agricultura.

CULTURA

El cráter Santiago que abre el volcán Masaya en Masaya, Nicaragua. Las emisiones del volcán han causado espectaculares páramos de lava.

Como el istmo es tan largo hay una gran variedad de terreno y clima. En la Mosquitia en la costa nordeste de Honduras y en el Darién en la costa oriental de Panamá, hay selvas tropicales, muchas partes de las cuales no han sido exploradas. Los Chocó, un grupo indígena del Darién, siguen viviendo aun hoy como vivían sus ancestros hace ya miles de años. Su sociedad primitiva se basa en la recolección[1] y la caza.

[1] recolección *harvest, gathering*

CULTURA

Una selva tropical en Panamá

Go Online!

connectED.mcgraw-hill.com

Panamá y muchas regiones de la costa de Centroamérica tienen un clima tropical. Las costas son calurosas y húmedas. En la cordillera se dice que la primavera es eterna aunque las noches pueden ser frías en la estación seca. Hay solo dos estaciones—la estación seca, más o menos de noviembre a abril, y la estación lluviosa y más cálida de mayo a octubre.

Se le da el nombre de «invierno» a la estación lluviosa y «verano» a la estación seca. La costa del Caribe es mucho más lluviosa que la costa del Pacífico con sus playas de ceniza volcánica negra.

A Buscando información Completa.

1. Centroamérica es un ____ que comprende todos los países entre ____ en el norte y ____ en el sur.
2. Una ____ va desde el norte hasta el sur.
3. En Centroamérica hay muchos ____, de los cuales más de veinte están ____.
4. Es la ____ de los volcanes que hace la tierra tan fértil.
5. ____ y ____ son dos regiones de selvas tropicales.
6. Los ____ viven en el Darién como vivían sus ancestros hace ya miles de años.
7. Las regiones de la costa de Centroamérica son ____ y ____.
8. Hay dos estaciones—la ____ y la ____.

CULTURA

El valle central cerca del volcán Poás en Costa Rica

PRACTICE

A After going over this activity, call on students to convert each item into a question and call on someone to respond.

Conexiones

La historia

Belize won its independence from Great Britain in 1981. It had formerly been known as Honduras Británica. Although it is said that Columbus arrived at the coast of Belize in 1502, the first European colonization occurred in 1638 when British sailors arrived as victims of a shipwreck. From 1763 until 1798, Belize was under the sovereignty of Spain. In 1798 the British colonists, with the help of the British navy, conquered the territory. Guatemala, for many years, did not recognize Honduras Británica or Belize, considering it Guatemalan territory. In 1981, in exchange for important concessions, Guatemala renounced its claim over the territory.

ASSESS

Students are now ready to take Quiz 2.

Answers

A

1. istmo, Guatemala, Panamá
2. cordillera
3. volcanes, activos
4. ceniza (volcánica)
5. La Mosquitia, el Darién
6. Chocó
7. calurosas, húmedas
8. seca, lluviosa

Online Resources

Customizable Lesson Plans

 Student Workbook

 Quizzes

TEACH

Core Instruction

After reading one or two paragraphs, call on a student to give a summary of the information in his or her own words.

 **Comunicación**

Interpersonal

You may wish to ask students the following question: **¿Por qué le fascina la arqueología a una persona que tiene mucho interés en el pasado?**

Carreras You may wish to ask students: **¿Te interesa el estudio del pasado? ¿Crees que te interesaría estudiar arqueología? ¿Por qué?**

 **Cultural Snapshot**

(bottom) Las imponentes ruinas de Tikal están dentro de un parque nacional creado en 1955 y declarado Patrimonio Cultural de la Humanidad por la UNESCO en 1979. Tikal empezó a ser habitada hacia el año 800 a.C.

Civilización precolombina—los mayas

El territorio ocupado por los mayas, en el que se han descubierto más de cincuenta ciudades importantes, se extendía por zonas de México; y en Centroamérica en Guatemala, Belice y gran parte de Honduras y El Salvador. La teoría más probable es que sus ancestros vinieron de Asia, habiendo cruzado el estrecho de Bering, hace unos dieciocho mil años.

Los mayas desarrollaron su civilización durante dos períodos. El más importante es el Viejo Imperio de los siglos IV a IX d.C. Durante este período los mayas habitaron Guatemala y Honduras y se unieron a[2] los quichés, procedentes de las alturas de Guatemala.

Los progresos que hicieron los mayas entre 300 y 900 d.C. son increíbles. Su calendario era mejor que el de los cristianos de la época y se dice que era aún más preciso que el nuestro. Los mayas tenían un tipo de escritura jeroglífica muy parecida a la egipcia. Sus reyes solían mandar grabar en estelas jeroglíficos que representaban todos los acontecimientos que ocurrían durante su reinado.

[2] se unieron a *merged with*

Calendario maya

CULTURA

Ruinas mayas, Tikal, Guatemala

Los mayas eran expertos en arquitectura. Construyeron palacios y templos que adornaron con enormes esculturas. Tenían cuchillos, vasijas y piezas de cerámica adornadas con jeroglíficos. Los quichés tenían su libro sagrado, el *Popol Vuh*, que relata el origen del ser humano.

Desgraciadamente este desarrollo formidable terminó de forma inexplicable poco antes del año 900 d.C. Nuevos descubrimientos arqueológicos indican que existe la posibilidad de que los mayas quisieran lograr una gran expansión territorial y que las confrontaciones bélicas que acompañaban esa expansión fueran la causa más importante de la decadencia del Imperio maya.

Actualmente en Guatemala, el país de mayor población indígena de Centroamérica, se hablan veintiuna lenguas de origen maya. El 60 por ciento de los guatemaltecos tienen una lengua materna que no es el español. La lengua más extendida es el quiché que tiene 1.900.000 hablantes.

Go Online!

connectED.mcgraw-hill.com

CULTURA

Un modelo de las ruinas de Tikal en Tikal, Guatemala

B Explicando Identifica.

1. donde vivían los mayas
2. las fechas del Viejo Imperio
3. el calendario maya
4. la escritura maya
5. instrumentos y utensilios que tenían los mayas
6. el *Popol Vuh*
7. una posible razón por la rápida decadencia del Imperio maya
8. el quiché

PRACTICE

B Call on individuals to describe each item in this activity. Students may do this activity either orally or in writing.

Comunicación

Presentational

Have students work in small groups. Ask them to research what indigenous languages are spoken in Guatemala and by what percentage of the population. Have them present the results of their research to the class using a chart or graph.

ASSESS

Students are now ready to take Quiz 3.

Answers

B

1. Los mayas vivían en zonas de México, en Guatemala, Belice, Honduras y El Salvador.
2. El Viejo Imperio dató del siglo IV al IX d.C.
3. El calendario maya fue más perfecto que el de los cristianos (y aún más preciso que el nuestro).
4. La escritura maya consistió en un tipo de jeroglífico muy parecido al egipcio.
5. Los mayas tenían cuchillos, vasijas y piezas de cerámica adornadas con jeroglíficos.
6. El *Popol Vuh* es el libro sagrado de los mayas que relata el origen del ser humano.
7. Una posible razón por la rápida decadencia del Imperio maya son las confrontaciones bélicas durante su expansión territorial.
8. El quiché es la lengua materna de 1.900.000 guatemaltecos.

Online Resources

Customizable Lesson Plans

 Audio Activities

 Student Workbook

 Quizzes

TEACH

Core Instruction

Step 1 Have students look at the photographs that accompany the **Lectura.**

Step 2 If any student has been to any one of these cities, have him or her tell something about it.

Step 3 You may wish to call on students to give a description of each capital city.

Differentiation

Slower Paced Learners

Advanced Learners

Slower paced learners may merely give a sentence or two describing each capital city while advanced learners may give more complete and detailed descriptions.

Go Online!

You may wish to remind students to go online for additional reading and listening comprehension practice.

Capitales centroamericanas

Algunas capitales centroamericanas no han sido siempre la capital de su país. Por una variedad de razones la capital ha sido cambiada de una ciudad a otra.

CULTURA

Casas típicas en una calle tradicional empedrada en el pueblo de Antigua, Guatemala

La Ciudad de Guatemala

Hoy la Ciudad de Guatemala es la capital del país del mismo nombre. Es una ciudad de mucho movimiento, y de todas las ciudades centroamericanas es la que tiene la mayor población. La mayor parte de la ciudad es moderna porque sufrió un terremoto en 1917 que causó mucha destrucción.

De 1543 a 1773 Antigua fue la capital. Cuando fue fundada llevaba el nombre de «Muy Noble y Muy Leal Ciudad de Santiago de los Caballeros de Goathemala». Goathemala en aquel entonces comprendía Chiapas en México y todos los países de Centroamérica menos Panamá. La capital fue trasladada a Guatemala en 1773 cuando un terremoto destruyó Antigua.

A pesar de esta destrucción Antigua ha conservado su belleza. No hay duda de que se ven ruinas de magníficas iglesias, conventos y otros edificios coloniales. Pero es una ciudad placentera con callejuelas de adoquines y bonitas mansiones de colores vivos que también datan de la época colonial.

Tegucigalpa

El nombre de la capital de Honduras, Tegucigalpa, tiene su origen en dos palabras indígenas—*teguz* que significa «colina» y *galpa* que significa «plata». Durante años fue un centro minero de plata. La ciudad actual no ha perdido su cualidad de pequeña ciudad colonial con calles estrechas y casas de colores vivos. Actualmente el 70 por ciento de la población hondureña vive en el área metropolitana de Tegucigalpa.

Antes de 1880 Comayagua fue la capital. Pero fue destruida en una guerra civil en 1873 y siete años después se decidió restablecer la capital en Tegucigalpa.

CULTURA

Plaza Morazán, Tegucigalpa, Honduras

Cultural Snapshot

(bottom) Tegucigalpa o «Tega» es una ciudad envuelta por verdes colinas. El 70 por ciento de la población hondureña vive en la urbe de la capital. La Plaza Morazán se llama también el Parque Central. A un lado de la plaza está la catedral. En la plaza hay también varios puestos de comida rápida.

Go Online!

connectED.mcgraw-hill.com

Managua

Managua, la capital de Nicaragua, es otra capital cuyo nombre tiene origen en una lengua autóctona[3], el náhuatl. Significa «donde hay una extensión de agua». Es un nombre apropiado porque aquí se encuentran el lago Managua, la laguna Tiscapa y otras lagunas de origen volcánico que rodean el área urbana. Managua es una de las pocas ciudades que tiene grandes espacios abiertos.

CULTURA

Managua, Nicaragua

CULTURA

León, Nicaragua

Hay dos ciudades nicaragüenses conocidas por su belleza. Son León y Granada. Durante doscientos años León fue la capital del país. Pero León, de índole liberal y Granada, de índole conservadora, siempre rivalizaban por el liderazgo del país. Por consiguiente en 1851 la cabeza del país pasó a Managua, una ciudad equidistante o a medio camino de estas dos urbes rivales.

San José

San José, la capital de Costa Rica, y sus suburbios ocupan una gran parte de la sección central del país. Aquí vive más del 50 por ciento de la población costarricense. San José tiene la reputación de ser una ciudad muy «manejable». Hay algunos rascacielos pero la mayoría de sus edificios son de solo tres o cuatro plantas (pisos).

La antigua capital, Cartago, se encuentra a solo 25 kilómetros de San José. En 1821 Costa Rica ganó su independencia de España de forma pacífica. Como la ciudad de San José ya llevaba el liderazgo económico, se resolvió en 1823 trasladar la capital a esta ciudad para otorgarle también el liderazgo político. En aquel entonces la población total de Costa Rica era de cincuenta y siete mil habitantes. Hoy solo la capital y sus alrededores tienen una población de ochocientos mil.

[3] autóctona *indigenous*

CULTURA

Una vista de la ciudad moderna de San José, la capital de Costa Rica

C **Explicando** **Da el nombre de la capital actual y la capital antigua de cada país. Explica por qué fue trasladada cada capital de una ciudad a otra.**

1. Guatemala
2. Honduras
3. Nicaragua
4. Costa Rica

Cultura

Cultural Snapshot

(top) Managua, a orillas del lago de Managua, es un conjunto de zonas urbanizadas con edificios modernos y espacios abiertos. La historia de la capital está completamente marcada por el horrible terremoto de 1972 que destruyó casi todos los edificios. *(middle)* León, Nicaragua, tiene fama por su catedral, la más grande de Centroamérica. La Universidad Nacional Autónoma de Nicaragua fue fundada en León en 1912. Es el instituto de estudios superiores más grande del país. *(bottom)* San José ocupa una gran parte del centro de Costa Rica. Es una ciudad manejable con solo unos 300.000 habitantes en el centro y unos 800.000 más en los alrededores. Es una ciudad que no tiene grandes aglomeraciones ni gigantescos rascacielos.

ASSESS

Students are now ready to take Quiz 4.

Answers

C

1. La capital actual de Guatemala es la Ciudad de Guatemala. La capital antigua fue Antigua. La capital fue trasladada porque un terremoto destruyó Antigua.
2. La capital actual de Honduras es Tegucigalpa. La capital antigua fue Comayagua. La capital fue trasladada porque Comayagua fue destruida en una guerra civil.
3. La capital actual de Nicaragua es Managua. La capital antigua fue León. La capital fue trasladada porque León fue de índole liberal y Granada fue de índole conservadora y siempre se rivalizaban por el liderazgo del país. Managua es equidistante de las dos.
4. La capital actual de Costa Rica es San José. La capital antigua fue Cartago. La capital fue trasladada porque San José ya llevaba el liderazgo económico del país.

Online Resources

Customizable Lesson Plans

 Student Workbook

 Quizzes

TEACH

Core Instruction

Step 1 As you go over this section, have students explain in their own words the meaning of the following excerpts from the reading.

- **«El entorno natural de Tikal es fantástico, si no místico.»**
- **«Unas macizas pirámides emergen sobre el techo de la vegetación de la impenetrable selva.»**
- **«Un ruido ensordecedor de los monos y las chicharras sale de los árboles.»**

Step 2 Call on a student to describe the ball game in his or her own words.

Cultural Snapshot

(top) La Gran Pirámide es una estructura diferente que el Templo I que también se llama el Templo del Gran Jaguar.

Visitas históricas

Un viaje a Centroamérica requiere una visita a las famosas ciudades mayas de Tikal en Guatemala y Copán en Honduras.

CULTURA

El Templo del Gran Jaguar, Tikal, Guatemala

Tikal

Tikal se encuentra en el Petén, una zona selvática calurosa, bastante llana, en el norte de Guatemala. El entorno natural de Tikal es fantástico, si no místico. Unas macizas[4] pirámides emergen sobre el techo de la vegetación de la impenetrable selva. Un ruido ensordecedor[5] de los monos y las chicharras[6] sale de los árboles.

La Gran Plaza de Tikal es uno de los sitios más impresionantes de todo el mundo maya. El Templo I llamado también «el Templo del Gran Jaguar» accede a la Plaza. Es una pirámide que alcanza 45 metros de altura. En su interior se halla la tumba de Ah Cacao, el principal soberano de Tikal. El templo, formado de tres cuartos, está en la parte superior de la pirámide.

La Gran Pirámide es el más antiguo de los grandes edificios destapados[7] en Tikal. Se cree que la Gran Pirámide fue usada para observaciones astronómicas en vez de ritos ceremoniales.

[4] macizas *solid*
[5] ensordecedor *deafening*
[6] chicharras *cicadas*
[7] destapados *uncovered*

CULTURA

Tikal

Go Online!

connectED.mcgraw-hill.com

Copán

La historia de Copán en Honduras no parece empezar hasta 435 d.C. pero hay arqueólogos que creen que estaba habitada mucho antes. Alcanzó su apogeo entre 650 y 750 d.C.

La Gran Plaza de Copán es impresionante por sus estelas con figuras humanas y altares con animales tallados. Estas estelas tenían para los mayas un significado profundo. A través de ellas se rendía culto a los árboles que sustentaban el cielo. Y servían de puerta hacia el Xibalba o mundo subterráneo y místico.

CULTURA

Cancha de pelota, Copán, Honduras

CULTURA

Una estela, Copán

No muy lejos de la Gran Plaza está la cancha de pelota. Los jugadores tenían que rebotar la pelota, una pelota grande y pesada hecha de goma, haciéndola subir la pared hasta tocar una de las metas talladas en piedra en la parte superior de la pared. Los jugadores no podían usar las manos, los brazos ni los pies. Fue un juego duro, una combinación de fútbol, fútbol americano y balonmano.

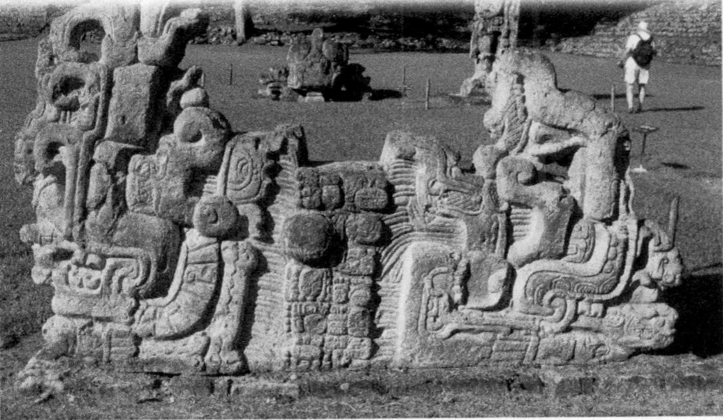

CULTURA

Unas ruinas mayas entre las muchas que hay en Copán. Algunos expertos dicen que las ruinas que se encuentran en Copán, Honduras, son las más importantes de todo el mundo maya.

TEACH

Core Instruction

Call on a student to tell about the kunas in his or her own words.

Differentiation

Slower Paced Learners

Call on slower paced learners to give one sentence about each photo. Other students should be able to give a few more details.

Conexiones

Los deportes

In many authoritative books it is suggested that the ball games in Copán also had a religious significance. Some books say that the winning team was sacrificed and others say the defeated team was sacrificed. You may wish to divide the class in two and have the two groups debate why they think either the winning or losing team was sacrificed.

PRACTICE

D You can have students give the answers to this activity orally or in writing.

Interpersonal
Have students describe in their own words all they see in this photograph of one of the San Blas islands.

Islas de San Blas, Panamá

Si estás en Panamá y no quieres pasar todo tu tiempo en una de sus magníficas playas, tendrás que visitar el archipiélago de San Blas formado de 365 islotes. Es aquí donde viven los famosos kuna. Sus casas son bohíos, o sea, chozas de paja y caña. En el interior del bohío cuelgan las hamacas. La mayoría de los kuna viven de la recolección de productos marinos y de la pesca. Algunos que viven en tierra firme son agricultores.

Una playa de las islas de San Blas, Panamá

Las mujeres kuna llevan molas. Una mola es una blusa hecha de telas de distintos colores. La mola tiene también motivos geométricos y mitológicos. Las molas de las kuna son tan apreciadas que se consideran objetos de arte.

Una señora kuna cosiendo una mola en las islas de San Blas, Panamá. La mola se considera una forma de arte y sirve de blusa a las señoras kuna.

D **Recordando hechos** Contesta.

1. ¿Dónde está Tikal?
2. ¿Qué se ve en Tikal?
3. ¿Para qué servía la Gran Pirámide en Tikal?
4. Según los arqueólogos, ¿desde cuándo fue habitada Copán?
5. ¿Cómo es la Gran Plaza de Copán y qué tiene?
6. ¿Cómo jugaban pelota en Copán?
7. ¿Dónde viven los kuna?
8. ¿Cómo son sus casas?
9. ¿Qué es una mola? Descríbela.

Answers

D

1. Tikal está en el Petén, una zona selvática en el norte de Guatemala.
2. En Tikal se ven pirámides.
3. La Gran Pirámide en Tikal fue usada para observaciones astronómicas.
4. Según los arqueólogos, Copán fue habitada desde 435 d.C.
5. La Gran Plaza de Copán es impresionante; tiene estelas con figuras humanas y altares con animales tallados.
6. En Copán jugaban pelota con una pelota de goma grande y pesada. Fue un juego duro parecido al fútbol, al fútbol americano y al balonmano.
7. Los kuna viven en las Islas de San Blas.
8. Sus casas son bohíos de paja y cana.
9. Una mola es una blusa de telas de distintos colores. Tiene motivos geométricos y mitológicos.

Comida

Cuando tienes hambre y decides comer algo vas a creer que estás en México. No hay duda de que la cocina centroamericana tiene mucho parentesco con la cocina mexicana, sobre todo por el empleo del maíz en forma de tortillas y frijoles negros refritos con arroz. Igual que a los mexicanos, a la mayoría de los centroamericanos les gustan las salsas picantes.

En Guatemala los chiles rellenos son populares. En Honduras puedes comer enchiladas o tamales.

¿Quieres probar un desayuno favorito de los nicaragüenses—los nicas, y de los costarricenses— los ticos? Se llama «gallopinto». Es una mezcla de arroz y frijoles acompañada de huevos.

A los salvadoreños les gustan el pescado y los mariscos. Sirven el ceviche igual que en Perú. La mariscada, una sopa que lleva almejas, camarones y cangrejos, es otro plato favorito.

Frijoles negros en una tortilla de maíz

Gallopinto es un plato tradicional de Nicaragua y Costa Rica, pero se aprecia también en otros países. Se hace de arroz y frijoles y huevos revueltos o fritos.

Y el plato nacional de Panamá es el sancocho. El sancocho lleva pollo, cebolla, maíz y papas.

Como a los españoles les gusta comer pequeñas raciones de comida, a los centroamericanos también les gusta comer raciones pequeñas, pero no se llaman «tapas». En Nicaragua y Costa Rica son «bocas», y en Guatemala, «boquitas». Una boquita favorita guatemalteca es el pan con ajo—rebanadas de pan frito frotadas[8] con ajo. Una de las bocas nicaragüenses muy buena y un poco exótica son los huevos de tortuga[9].

[8] frotadas *rubbed*
[9] tortuga *turtle*

Un sancocho es un plato popular en muchos países latinoamericanos. Lleva muchos ingredientes que varían de una región a otra.

E Describiendo y explicando Identifica.

1. el gallopinto
2. la mariscada
3. el sancocho
4. las bocas
5. las boquitas
6. los habitantes de Nicaragua
7. los habitantes de Costa Rica

Go Online!

connectED.mcgraw-hill.com

Cultura

Online Resources

Customizable Lesson Plans

 Student Workbook

TEACH

Core Instruction

Step 1 Read the **Comida** section to students.

Step 2 Have students identify any of the foods they are familiar with. They may recognize some foods because of their familiarity with Mexican cuisine.

Heritage Speakers

If you have any students in class from Central America, have them describe other dishes that are popular in their country.

 **Comunicación**

Presentational

You may wish to have students choose a dish they would like to prepare. Have them videotape themselves as if they were on a cooking show, explaining each step of the preparation of their chosen dish. Then ask students questions about the steps in the video to check comprehension.

Answers

E

1. El gallopinto es una mezcla de arroz y frijoles con huevos.
2. La mariscada es una sopa que lleva almejas, camarones y cangrejos.
3. El sancocho es el plato nacional de Panamá que lleva pollo, cebolla, maíz y papas.
4. Las bocas son pequeñas raciones de comida en Nicaragua y Costa Rica.
5. Las boquitas son pequeñas raciones de comida en Guatemala.
6. Los habitantes de Nicaragua son los nicas.
7. Los habitantes de Costa Rica son los ticos.

Online Resources

Customizable Lesson Plans

 Student Workbook

 Reading, Writing Test

Self-check for achievement

This is a pre-test for students to take before you administer the lesson test. Note that each section is cross-referenced so students can easily find the material they feel they need to review. You may wish to use Self-Check Worksheet SC4.1 to have students complete this assessment in class or at home. You can correct the assessment yourself, or you may prefer to display the answers in class using Self-Check Answers SC4.1A.

Differentiation

Slower Paced Learners

Encourage students who need extra help to refer to the margin notes and review any section before answering the questions.

Go Online!

   You may wish to remind students to go online for additional reading comprehension practice.

Preparáte para el examen

Self-check for ACHIEVEMENT

Vocabulario

Para repasar, ve el vocabulario de esta sección.

1 Parea.

1. trasladar
2. una mola
3. una choza
4. la paja
5. un rascacielos
6. un terremoto
7. el techo
8. de adoquines

a. un desastre natural
b. materia de la que se hacen casitas en una zona tropical
c. cambiar de lugar
d. un edificio de muchos pisos
e. una blusa con diseños bonitos
f. un bohío
g. de piedras rectangulares
h. el contrario del «suelo»

Lectura y cultura

Para repasar, ve la información cultural sobre la América Central.

 **¿Sí o no?**

9. Centroamérica es un istmo muy ancho que comprende tres países.
10. Una gran parte de Centroamérica es montañosa.
11. La ceniza volcánica es muy mala para la agricultura.
12. El clima en las costas es más caluroso y húmedo que en la cordillera.
13. En Centroamérica hay cuatro estaciones pero no hace mucho frío en el invierno.

3 Contesta.

14. ¿Qué países habitaron los mayas durante el período del Viejo Imperio?
15. ¿Cómo fue el calendario maya?
16. ¿Qué instrumentos y utensilios tenían los mayas?
17. ¿Cuál es el país de mayor población indígena de Centroamérica?

4 Identifica.

18. la antigua capital de Guatemala
19. la capital de Honduras
20. lo que significa «Managua» en náhuatl
21. como es la ciudad de San José

5 Describe.

22. Tikal
23. Copán
24. Islas de San Blas
25. gallopinto

CULTURA

Caballos en la Playa Negra en Puerto Viejo de Talamanca, Costa Rica. Nota que la arena volcánica de la playa es negra.

Emily Lowry

Answers

1

1. c
2. e
3. f
4. b
5. d
6. a
7. h
8. g

2

9. no
10. sí
11. no
12. sí
13. no

3

14. Durante el período del Viejo Imperio los mayas habitaron Guatemala y Honduras.
15. El calendario maya fue más perfecto que el de los cristianos y más preciso que el nuestro.
16. Los mayas tenían cuchillos, vasijas y piezas de cerámica.
17. El país de mayor población indígena de Centroamérica es Guatemala.

18. La antigua capital de Guatemala fue Antigua.
19. La capital de Honduras es Tegucigalpa.
20. Managua significa «donde hay una extensión de agua» en náhuatl.
21. La ciudad de San José es muy «manejable» con la mayoría de sus edificios de solo tres o cuatro pisos.

Go Online!

connectED.mcgraw-hill.com

Preparate para el examen

Practice for PROFICIENCY

1 El clima

Compara el clima de Centroamérica con el clima de una región templada donde hay cuatro estaciones. En Centroamérica, ¿hay variaciones entre el clima de la sierra y el de la costa? ¿Cuáles son?

2 Las civilizaciones precolombinas

Si te interesan los pueblos indígenas, compara la civilización de los mayas con la de los incas sirviéndote de todo lo que has aprendido sobre estos dos grupos importantes.

3 Me gustaría visitar

De todos los lugares en la América Central sobre los cuales leíste, ¿cuál o cuáles te gustaría visitar? Describe el lugar y explica por qué te interesa.

CULTURA

La canoa es un medio de transporte importante entre los emberá en las selvas de Panamá. Transportan también a los turistas a visitar sus pueblos.

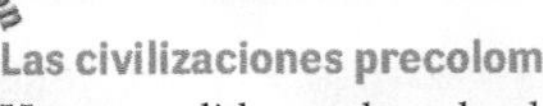

Composición

Las civilizaciones precolombinas

Has aprendido mucho sobre las diferentes civilizaciones precolombinas igual que los grupos indígenas de hoy. Vas a escribir un ensayo en el cual vas a comparar y contrastar estas civilizaciones. Cuando comparas dos cosas, tienes que explicar como son similares (semejantes). Cuando las contrastas tienes que explicar como son diferentes. Al comparar y contrastar hay que analizar. Antes de empezar a escribir debes identificar las semejanzas y las diferencias entre las civilizaciones.

Hay que decidir cómo organizar tu ensayo. Puedes escoger el sujeto como los mayas, por ejemplo, y escribir sobre ellos. O puedes organizar tu ensayo por tema, tal como la arquitectura. Si organizas tu ensayo por tema, tienes que aplicar este tema a los varios sujetos al mismo tiempo.

Después de revisar y corregir tu borrador, escribe de nuevo tu ensayo en forma final.

Andrew Payti

Cultura

Tips for Success

Encourage students to say as much as possible when they do these open-ended activities. Tell them not to be afraid to make mistakes, since the goal of the activities is real-life communication. Encourage students to self-correct and to use words and phrases they know to get their meaning across. If someone in the group makes an error that impedes comprehension, encourage the others to ask questions to clarify or, if necessary, to politely correct the speaker. Let students choose the activities they would like to do.

Tell students to feel free to elaborate on the basic theme and to be creative. They may use props, pictures, or posters if they wish.

Pre-AP These oral and written activities will give students the opportunity to develop and improve their speaking and writing skills so that they may succeed on the speaking and writing portions of the AP exam.

ASSESS

Students are now ready to take the Reading and Writing Test for Lección 1: Cultura.

Answers

5

22. Tikal es una famosa ciudad maya en Guatemala. Tiene un entorno fantástico con pirámides. Está en la selva.
23. Copán es una famosa ciudad maya en Honduras. Es impresionante con sus estelas y altares y canchas de pelota.
24. En las Islas de San Blas viven los kuna que hacen las molas.
25. El gallopinto es una mezcla de arroz y frijoles con huevos.

Online Resources

Customizable Lesson Plans

 Video (Gramática)

 Student Workbook

 Quizzes

TEACH

Core Instruction

Step 1 Since students just reviewed the present tense in the previous chapter, they should be able to go over these forms quite quickly. Have the entire class say aloud all of the **yo** forms in Item 1.

Step 2 Point out to students the use of the vowel **e** in first conjugation subjunctive endings and the vowel **a** in second and third conjugation verbs.

Step 3 Point out to students that there are very few irregular verbs in the subjunctive.

Step 4 Have students read the forms in Item 4 aloud and note that the stem change is the same as the change in the present indicative.

Step 5 Have students read the forms in Item 5 aloud. Have them point out which stem change in the subjunctive is different from the change in the indicative.

Presente del subjuntivo

¿Te acuerdas?

You reviewed the present tense in the previous chapter.

1. The first person singular of the present indicative serves as the stem for the present subjunctive.

INFINITIVE	YO	STEM FOR PRESENT SUBJUNCTIVE
MIRAR	**miro**	**mir-**
VENDER	**vendo**	**vend-**
VIVIR	**vivo**	**viv-**
CONOCER	**conozco**	**conozc-**
CONDUCIR	**conduzco**	**conduzc-**
TRADUCIR	**traduzco**	**traduzc-**
ESCOGER	**escojo**	**escoj-**
EXIGIR	**exijo**	**exij-**
VENCER	**venzo**	**venz-**
CONSTRUIR	**construyo**	**construy-**
HACER	**hago**	**hag-**
PONER	**pongo**	**pong-**
TRAER	**traigo**	**traig-**
SALIR	**salgo**	**salg-**
TENER	**tengo**	**teng-**
VENIR	**vengo**	**veng-**
CAER	**caigo**	**caig-**
OÍR	**oigo**	**oig-**
DECIR	**digo**	**dig-**

2. The subjunctive endings have the vowel **e** for **-ar** verbs and the vowel **a** for **-er** and **-ir** verbs.

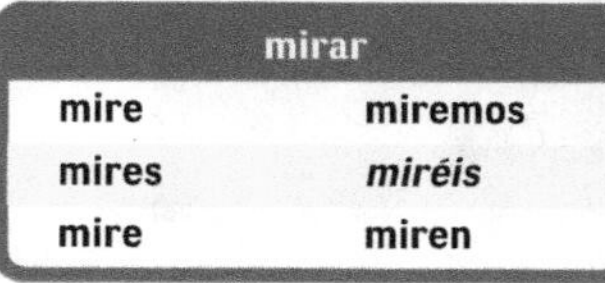

mirar	
mire	miremos
mires	*miréis*
mire	miren

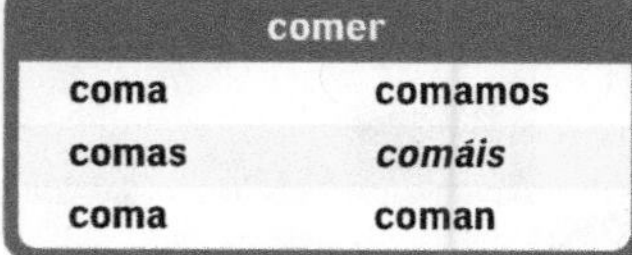

comer	
coma	comamos
comas	*comáis*
coma	coman

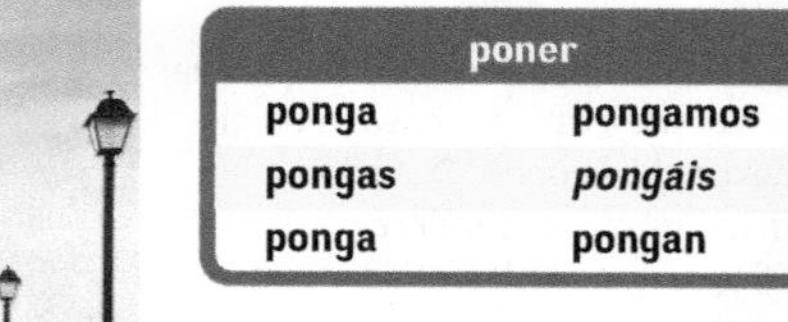

poner	
ponga	pongamos
pongas	*pongáis*
ponga	pongan

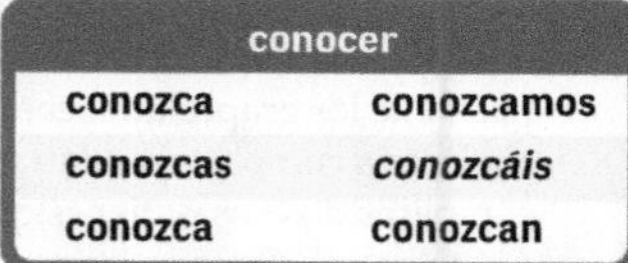

conocer	
conozca	conozcamos
conozcas	*conozcáis*
conozca	conozcan

CULTURA

La Calzada, Granada, Nicaragua

Andrew Payti

Go Online!

    You may wish to remind students to go online for additional grammar review and practice.

3. The following are the only verbs that are irregular in the present subjunctive.

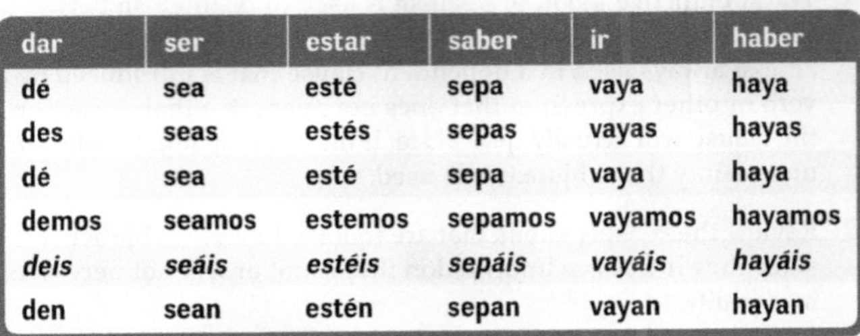

dar	ser	estar	saber	ir	haber
dé	sea	esté	sepa	vaya	haya
des	seas	estés	sepas	vayas	hayas
dé	sea	esté	sepa	vaya	haya
demos	seamos	estemos	sepamos	vayamos	hayamos
deis	*seáis*	*estéis*	*sepáis*	*vayáis*	*hayáis*
den	sean	estén	sepan	vayan	hayan

4. Verbs ending in **-ar** and **-er** with the stem change **e** to **ie** and **o** to **ue** maintain the same change in the present subjunctive.

e → ie		o → ue	
pensar	perder	contar	volver
piense	pierda	cuente	vuelva
pienses	pierdas	cuentes	vuelvas
piense	pierda	cuente	vuelva
pensemos	perdamos	contemos	volvamos
penséis	*perdáis*	*contéis*	*volváis*
piensen	pierdan	cuenten	vuelvan

5. Verbs ending in **-ir** with a stem change in the present have a different change in the subjunctive. Verbs with the change **e** to **i** have **i** in all forms. Verbs with the change **e** to **ie** and **o** to **ue** change to **i** or **u** respectively in the **nosotros** (and **vosotros**) form.

e → i, i		e → ie, i	o → ue, u
pedir	repetir	preferir	dormir
pida	repita	prefiera	duerma
pidas	repitas	prefieras	duermas
pida	repita	prefiera	duerma
pidamos	repitamos	prefiramos	durmamos
pidáis	*repitáis*	*prefiráis*	*durmáis*
pidan	repitan	prefieran	duerman

Si quieres que yo te dé una llamada, podré ir a este centro de llamadas en la Ciudad de Panamá.

Andrew Payti

Go Online!

connectED.mcgraw-hill.com

Tips for Success

Remind students that if they pronounce the verb form correctly they will never have trouble spelling it. Once again review the pronunciation of the vowels.

In addition to **llamadas, llamados** is used in many areas of Latin America.

Go Online!

Gramática en vivo: *The subjunctive* Enliven learning with the animated world of Professor Cruz! **Gramática en vivo** is a fun and effective tool for additional instruction and/or review.

ASSESS

Students are now ready to take Quiz 5.

Online Resources

Customizable Lesson Plans

Audio Activities

Video (Gramática)

Student Workbook

Quizzes

TEACH

Core Instruction

Read each of the explanations and have students read aloud the expressions and model sentences. Again explain to students that in each case, the use of the subjunctive is logical because one does not know if the action will really take place or not.

¡Así se dice!

Why It Works!

Grammatical explanations in **¡Así se dice!** are simple and to the point. The easier we keep explanations, the easier they are for students to understand.

¡Ojo!

The most important concept for students to grasp is that the indicative is used when reporting an objective, real fact. The subjunctive is used when reporting something that is not necessarily real or that depends upon something else. Therefore it may or may not happen. When students understand this concept, they no longer have to memorize the long list of expressions that are followed by the subjunctive. It is a question of logic.

Usos del subjuntivo

1. The subjunctive mood in Spanish is used to distinguish between that which is real and that which may not be real. The subjunctive is almost always used in a dependent clause that is introduced by a verb or other expression that does not guarantee that the action in the clause will actually take place. It may or may not. Because of this uncertainty the subjunctive is used.

2. Review these expressions that are followed by the subjunctive since they introduce information that is not or will not necessarily be a reality.

querer	**insistir en**	**es posible**
desear	**exigir**	**es imposible**
esperar	**mandar**	**es necesario (menester)**
preferir	**pedir**	**es bueno (mejor)**
	aconsejar	**es importante**
		es fácil
		es difícil

3. Note that in all the examples that follow it is not definite that José will help. He may, but he may not.

Quiero
Deseo
Espero
Prefiero
Insisto en
Exijo
Es posible
Es necesario
Es mejor

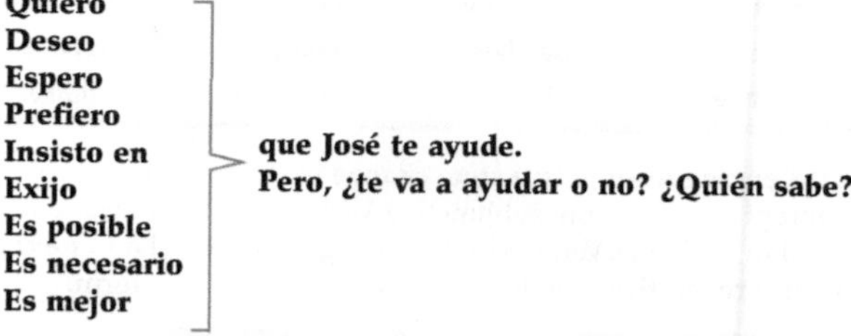

que José te ayude.
Pero, ¿te va a ayudar o no? ¿Quién sabe?

4. The subjunctive is also used when introduced by an expression of doubt. The indicative is used with an expression of certainty.

Dudo / **No creo** / **Es dudoso** — **que ellos vengan.**

Creo / **No dudo** / **Es cierto** — **que ellos vienen (vendrán).**

Note that the future tense is often used after expressions of certainty.

5. The subjunctive is used only when there is a change of subject in the sentence. When there is no change of subject, you use the infinitive.

CHANGE	NO CHANGE
Él quiere que tú lo sepas.	**Él quiere saberlo.**
Insisten en que lo hagamos.	**Insisten en hacerlo.**
Es mejor que no digas nada.	**Es mejor no decir nada.**

CULTURA

¿Es posible que esta señora esté decidiendo lo que quiere comprar en este mercado en Chichicastenango, Guatemala?

Cultural Snapshot

Chichicastenango, llamado también Chichi, es un destino conocido por su mercado, iglesia e interesante mezcla de ritos mayas y católicos. En Chichi, aunque hay un alcalde oficial, los indígenas eligen además a sus propias autoridades incluyendo un juzgado que resuelve los pleitos entre los vecinos.

Answers

1

1. La abuela de Maripaz quiere que ella preste atención. / Yo también espero que preste atención pero es posible que ella no preste atención.
2. La abuela de Maripaz quiere que ella trabaje. / Yo también espero que trabaje pero es posible que ella no trabaje.
3. La abuela de Maripaz quiere que ella comprenda lo que dice. / Yo también espero que comprenda lo que dice (digo) pero es posible que ella no comprenda lo que dice (digo).

Práctica

HABLAR • ESCRIBIR

1 La abuela de Maripaz quiere que ella haga muchas cosas pero es posible que ella no las haga. Forma frases según el modelo.

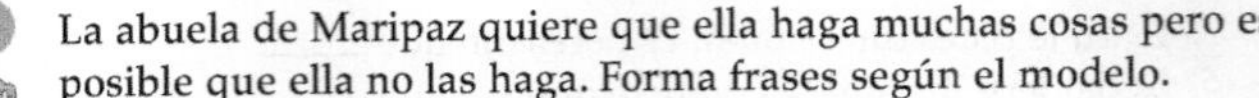

MODELO **estudiar más →**
La abuela de Maripaz quiere que ella estudie más.
Yo también espero que estudie más pero es posible que ella no estudie más.

1. prestar atención
2. trabajar
3. comprender lo que dice
4. asistir a la universidad
5. tener éxito
6. salir bien
7. conducir con cuidado
8. ser cortés
9. ir a España
10. saber las consecuencias

2 *Comunicación*

Trabaja con un(a) compañero(a) y digan todo lo que quieren que haga un(a) amigo(a). Indiquen si es posible que él o ella no lo haga.

ESCUCHAR • HABLAR • ESCRIBIR

3 Forma frases según el modelo.

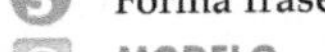

MODELO **ir a Panamá →**
Quiero ir a Panamá y es probable que yo vaya.

1. pasar unos días en la capital
2. dar un paseo por el casco viejo
3. tener la oportunidad de ver el canal
4. cruzar el Puente de las Américas
5. hacer una excursión a un pueblo de los emberá
6. conocer las selvas tropicales

EXPANSIÓN

En tus propias palabras, explica todo lo que es probable que tú hagas y veas si vas a Panamá.

Go Online!

connectED.mcgraw-hill.com

CULTURA

Una cartelera en el Parque Nacional Volcán Masaya, en Masaya, Nicaragua

CULTURA

El Puente de las Américas, Panamá

Gramática

Go Online!

Gramática en vivo: *The subjunctive with emotions, wishes, and doubt* Enliven learning with the animated world of Professor Cruz! **Gramática en vivo** is a fun and effective tool for additional instruction and/or review.

Leveling EACH Activity

Easy Activities 1, 2, 3
Average Activity 3 **Expansión**

PRACTICE

Activities 1 and 3 You may wish to have students do these activities in pairs.

Cultural Snapshot

(bottom) Para seguir la carretera panamericana desde el norte hasta el sur hay que cruzar el Puente de las Américas.

Answers

4. La abuela de Maripaz quiere que ella asista a la universidad. / Yo también espero que asista a la universidad pero es posible que ella no asista a la universidad.
5. La abuela de Maripaz quiere que ella tenga éxito. / Yo también espero que tenga éxito pero es posible que ella no tenga éxito.
6. La abuela de Maripaz quiere que ella salga bien. / Yo también espero que salga bien pero es posible que ella no salga bien.
7. La abuela de Maripaz quiere que ella conduzca con cuidado. / Yo también espero que conduzca con cuidado pero es posible que ella no conduzca con cuidado.
8. La abuela de Maripaz quiere que ella sea cortés. / Yo también espero que sea cortés pero es posible que ella no sea cortés.
9. La abuela de Maripaz quiere que ella vaya a España. / Yo también espero que vaya a España pero es posible que ella no vaya a España.
10. La abuela de Maripaz quiere que ella sepa las consecuencias. / Yo también espero que sepa las consecuencias pero es posible que ella no sepa las consecuencias.

2 *Answers will vary.*

3

1. Quiero pasar unos días en la capital y es probable que yo pase unos días allí.
2. Quiero dar un paseo por el casco viejo y es probable que yo dé un paseo por allí.
3. Quiero tener la oportunidad de ver el canal y es probable que tenga la oportunidad de verlo.
4. Quiero cruzar el Puente de las Américas y es probable que lo cruce.
5. Quiero hacer una excursión a un pueblo de los emberá y es probable que yo la haga.
6. Quiero conocer las selvas tropicales y es probable que las conozca.

Leveling EACH Activity

Average Activity 6
Average-CHallenging Activities 4, 5
CHallenging Activity 5 **Expansión**

PRACTICE *(continued)*

Activities 4 and 5 You may wish to have students prepare these activities before going over them in class.

Tips for Success

Have students refer to the list of thematic vocabulary related to hotels as they do Activity 6. This is a review of what they have previously learned in **¡Así se dice!** Activities such as this help students retain useful, survival vocabulary that they need to communicate in the real world.

Cultural Snapshot

Granada, a orillas del lago de Nicaragua, es una ciudad interesantísima desde el punto de vista arquitectónico colonial. Es también un lugar tranquilo donde uno puede disfrutar de unos días de ocio.

ASSESS

Students are now ready to take Quiz 6.

LEER • ESCRIBIR

4 Introduce cada frase con la expresión indicada y haz los cambios necesarios.

1. Tú le pides direcciones. Es necesario que ____.
2. Salimos mañana. Él prefiere que ____.
3. No pierdo tiempo. Ellos insisten en que ____.
4. Ellos llegan a tiempo. Dudo que ____.
5. Tienes cuidado. Te aconsejo que ____.
6. Me lo cuentas. Quiero que ____.
7. Van en avión. Es mejor que ____.
8. No conducimos allí. Ellos prefieren que ____.

LEER • ESCRIBIR

5 Completa sobre una reservación para un hotel en Nicaragua.

—¿Qué piensas? ¿Es posible que el hotel en Granada __1__ (estar) completo?
—Puede ser. Pero yo dudo que no __2__ (haber) ningún cuarto disponible.
—Luego, es mejor que yo __3__ (hacer) una reservación, ¿no?
—Sí, sí. Te aconsejo que __4__ (tener) la reservación ya hecha.
—¿Es necesario que yo les __5__ (enviar) un correo electrónico o prefieres que yo les __6__ (dar) una llamada en mi móvil?
—No es necesario que tú __7__ (llamar). Yo creo que __8__ (responder) a tu e-mail enseguida.

EXPANSIÓN

Ahora, sin mirar la conversación, cuéntala en tus propias palabras. Si no recuerdas algo, un(a) compañero(a) te puede ayudar.

CULTURA 
Un hotel en Granada, Nicaragua

Andrew Payti

6 **Comunicación**

Trabajando en parejas tengan una conversación sobre una estadía en un hotel. Pueden consultar la lista de vocabulario temático sobre el hotel al final de este libro.

Answers

4
1. (tú) le pidas direcciones
2. salgamos mañana
3. no pierda tiempo
4. (ellos) lleguen a tiempo
5. tengas cuidado
6. me lo cuentes
7. vayan en avión
8. no conduzcamos allí

5
1. esté
2. haya
3. haga
4. tengas
5. envíe
6. dé
7. llames
8. responden

6 *Answers will vary.*
7 *Answers will vary.*
8 *Answers will vary.*

Otros usos del subjuntivo

1. The subjunctive is also used after expressions that denote an emotion or reaction.

Note the following expressions that are used with the subjunctive.

alegrarse de	**estar triste**	**gustar**
estar contento(a)	**tener miedo**	**sorprender**

Study the following examples.

—Me alegro de que él esté con nosotros.
—Me sorprende que tú digas eso.
—¿Por qué?
—Porque yo no estoy contento que él esté.

Note that, although it is a fact that he is here, the subjunctive is used because the information is introduced by a completely subjective feeling or sentiment.

2. The subjunctive is also used in a clause that modifies an indefinite antecedent or one that can be considered an exaggeration.

Busco un asistente administrativo que hable español.
Conozco a un asistente administrativo que habla español.
Aquí hay alguien que puede hacer el trabajo.
No hay nadie que pueda hacer el trabajo.
Él es el único que pueda hacer el trabajo.

Go Online!

connectED.mcgraw-hill.com

CULTURA

Unos jóvenes durante una excursión escolar en la Ciudad de Panamá. Parece que dentro de poco habrá una tormenta.

Práctica

LEER • HABLAR

7 Completa.

1. Quiero que tú ____.
2. Nos sorprende que ustedes ____.
3. Se alegran de que yo ____.
4. Tiene miedo de que nosotros ____.
5. ¿Te gusta que yo ____?

LEER • ESCRIBIR

8 Completa la tabla.

Necesito un asistente **Tengo un amigo**	**tener su licenciatura** **ser de aquí** **conocer la América Central** **haber viajado** **hablar español** **poder adaptarse a nuevas situaciones**

Gramática

Online Resources

Customizable Lesson Plans

 Video (Gramática)

 Student Workbook

 Quizzes

Teaching Options

Rather than complete all of **Lección 2 Gramática** at one time, you may wish to intersperse the review of these grammatical points as you are doing other lessons in the chapter. This is up to the preference of each teacher.

TEACH

Core Instruction

Step 1 Reinforce with students the fact that the subjunctive is used in these cases because they deal with an emotional feeling or sentiment. Call on students to read the model sentences aloud.

Step 2 After reading the Item 2 explanation, have students read aloud the model sentences.

Step 3 Have students give as many completions as possible.

Busco unos amigos que ____.
Espero encontrarme con alguien que ____.
Tengo unos amigos que ____.
He visto a unos jóvenes que ____.

ASSESS

Students are now ready to take Quiz 7.

Tips for Success

Have students read the captions that accompany the photographs as they also serve to reinforce the grammatical point being reviewed.

Go Online!

    You may wish to remind students to go online for additional grammar review and practice.

About the Spanish Language

Many of the expressions used in Item 1 can be followed by **de**, but this **de** is not necessary—**estar contento (de), triste (de), tener miedo (de).** It is probably safe to say that **de** is, however, almost always used with **alegrarse de.**

Online Resources

- Customizable Lesson Plans
- Audio Activities
- Video (Gramática)
- Student Workbook
- Quizzes

TEACH

Core Instruction

Guide students through Items 1, 2, and 3, having them repeat the command forms after you for review practice.

¡Así se dice!

Why It Works!

Throughout **¡Así se dice!** we attempt to group material logically to assist the students. Note the students have just reviewed the subjunctive forms. All the command forms presented in Item 1 are an additional review of the subjunctive verb forms.

About the Spanish Language

The **vamos a** construction is more frequently used than the **nosotros** form of the subjunctive to express *let's.*

Additional Vocabulary

You may also review the expression, **¡Vámonos!** meaning *Let's get going.*

Mandatos directos e indirectos

1. All commands except the **tú** affirmative form use the subjunctive form of the verb.

HABLAR	**(no) hable Ud.**	**(no) hablen Uds.**	**no hables**
COMER	**(no) coma Ud.**	**(no) coman Uds.**	**no comas**
ESCRIBIR	**(no) escriba Ud.**	**(no) escriban Uds.**	**no escribas**
REPETIR	**(no) repita Ud.**	**(no) repitan Uds.**	**no repitas**
VOLVER	**(no) vuelva Ud.**	**(no) vuelvan Uds.**	**no vuelvas**
SALIR	**(no) salga Ud.**	**(no) salgan Uds.**	**no salgas**
CONDUCIR	**(no) conduzca Ud.**	**(no) conduzcan Uds.**	**no conduzcas**

2. The informal **tú** affirmative command is the same as the **usted** form of the present indicative.

   ¡Habla! **¡Come!** **¡Escribe!** **¡Vuelve!** **¡Repite!**

3. The following verbs have an irregular **tú** affirmative command form.

HACER	**haz**
SALIR	**sal**
PONER	**pon**
TENER	**ten**
VENIR	**ven**
SER	**sé**
IR	**ve**
DECIR	**di**

Kelli Drummer-Avendaño

4. The **nosotros** form of the subjunctive can be used to express *let's.*

   Nademos.
   Salgamos rápido.
   Demos un paseo.

   The only exception is the verb **ir.** The subjunctive is not used in the affirmative.

   ¡Vamos!

   However, *let's* is more often expressed with **vamos a** + *the infinitive.*

   Vamos a nadar.
   Vamos a salir.
   Vamos a dar un paseo.

5. The idea *let* or *may,* as in *let someone do something,* is expressed with **¡Que... !** plus the subjunctive.

   ¡Que vengan ellos!
   ¡Que lo aprenda pronto!

¿Te acuerdas?

Remember that an easy and polite way to express a command is to use the expression **Favor de.**

Favor de pasar el pan.

Answers

9

1. Tome
2. Siga
3. Doble
4. Vaya
5. Tome
6. Pague
7. Salga
8. Vire
9. Siga
10. Tenga

10

1. Toma
2. Sigue
3. Dobla
4. Ve
5. Toma
6. Paga
7. Sal
8. Vira
9. Sigue
10. Ten

11 *Answers will vary.*

Práctica

HABLAR • ESCRIBIR

9 Completa con el mandato de **usted** para dar direcciones a la Ciudad de Panamá.

1. _____ la avenida Balboa. (tomar)
2. _____ derecho hasta el final. (seguir)
3. _____ a la derecha. (doblar)
4. _____ hasta la tercera bocacalle. (ir)
5. _____ la autopista. (tomar)
6. _____ el peaje (la cuota). (pagar)
7. _____ en la segunda salida. (salir)
8. _____ a la derecha. (virar)
9. _____ los rótulos a la Ciudad de Panamá. (seguir)
10. _____ muy buen viaje. (tener)

CULTURA

Una calle en la Ciudad de Panamá

HABLAR • ESCRIBIR

10 Cambia los mandatos de la Actividad 9 a **tú**.

11 

Trabajen en grupos pequeños. Ahora les toca a ustedes. El/La profesor(a) siempre les da órdenes. Ahora denle órdenes a su profesor(a). Pero, no olviden. Sean corteses.

ESCUCHAR • HABLAR

12 Contesta según el modelo.

MODELO —**Elena quiere ir a León.**
—**Pues, ¡que vaya! No me importa.**

1. Ellos quieren salir ahora.
2. José quiere volver.
3. Elena les quiere mandar un e-mail.
4. Él no quiere comer.
5. Ellos no quieren hablar.

CULTURA

ESCUCHAR • HABLAR

13 Contesta según el modelo.

MODELO —**Vamos a bailar.**
—**¿Quieres? ¡Buena idea! ¡Bailemos!**

1. Vamos a cantar.
2. Vamos a celebrar.
3. Vamos a jugar.
4. Vamos a salir.
5. Vamos a ir.

LEER • ESCUCHAR • HABLAR

14 Hoy en día los fabricantes de todos tipos de productos domésticos y dispositivos electrónicos publican y distribuyen con sus productos un folleto o libro completo de instrucciones, consultas, consejos y soluciones rápidas para su producto y para el servicio del producto. Escoge cualquier aparato. Trabaja con un(a) compañero(a) y léele las instrucciones para el uso del aparato que has escogido. El/La compañero(a) seguirá las instrucciones que tú le lees. Decidan si él o ella puede seguirlas fácilmente.

Leveling EACH Activity

Easy Activity 9
Average Activities 10, 12, 13
CHallenging Activity 11

PRACTICE

Activities 12 and 13 These activities can be done orally.

Cultural Snapshot

(top) La Ciudad de Panamá tiene un casco antiguo interesante que el gobierno está restaurando después de bastante tiempo de deterioro. Es una ciudad de progreso y por todas partes se ven construcciones (en su mayoría rascacielos) nuevas. La Ciudad de Panamá se considera el centro financiero de Latinoamérica.

Go Online!

You may wish to remind students to go online for additional grammar review and practice.

ASSESS

Students are now ready to take Quiz 8.

Answers

12

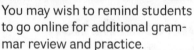

1. Pues, ¡que salgan! No me importa.
2. Pues, ¡que vuelva! No me importa.
3. Pues, ¡que les mande un e-mail! No me importa.
4. Pues, ¡que no coma! No me importa.
5. Pues, ¡que no hablen! No me importa.

13

1. ¿Quieres? ¡Buena idea! ¡Cantemos!
2. ¿Quieres? ¡Buena idea! ¡Celebremos!
3. ¿Quieres? ¡Buena idea! ¡Juguemos!
4. ¿Quieres? ¡Buena idea! ¡Salgamos!
5. ¿Quieres? ¡Buena idea! ¡Vamos!

14 *Answers will vary.*

Online Resources

Customizable Lesson Plans
Audio Activities
Video (Gramática)
Student Workbook
Quizzes
Reading, Writing Test

Self-check for achievement

This is a pre-test for students to take before you administer the lesson test. Note that each section is cross-referenced so students can easily find the material they feel they need to review. You may wish to use Self-Check Worksheet SC4.2 to have students complete this assessment in class or at home. You can correct the assessment yourself, or you may prefer to display the answers in class using Self-Check Answers SC4.2A.

Differentiation

Slower Paced Learners

Encourage students who need extra help to refer to the margin notes and review any section before answering the questions.

Prepárate para el examen

Self-check for **ACHIEVEMENT**

Gramática

Para repasar, ve **Presente del subjuntivo.**

1 Forma frases según el modelo.

MODELO **es imposible / saber →**
Es imposible que él lo sepa.

1. es imposible / comprar
2. es imposible / vender
3. es imposible / tener
4. es imposible / conocer
5. es imposible / perder
6. es imposible / decir

2 Completa.

7. Yo quiero que tú lo ____. (hacer)
8. Ellos insisten en que nosotros ____ a la fiesta. (ir)
9. Prefiero que ella no se lo ____. (pedir)
10. Es necesario que ustedes ____ allí. (estar)
11. Es importante que tú ____ tus libros a clase. (traer)

Para repasar, ve **Usos del subjuntivo.**

3 Sigue el modelo.

MODELO **Ganamos. Él se alegra de ____. →**
Él se alegra de que ganemos.

12. Paco viene con nosotros a Costa Rica. Me sorprende ____.
13. Nadie quiere estar con él. Siento ____.
14. Paco está mejor ahora. Me alegro de ____.
15. Yo lo invito a la fiesta. Ellos están contentos ____.
16. Roberto vuelve hoy. Me gusta ____.

4 Completa.

17. Dudo mucho que él ____ tantos ejercicios. (hacer)
18. Yo no. Yo creo que él los ____. (hacer)
19. Es cierto que ellos ____ a hallar su mascota. (ir)
20. Es dudoso que todo le ____ bien. (salir)

Para repasar, ve **Mandatos.**

5 Completa con el mandato apropiado.

21. Usted, ____ un momento. (esperar)
22. Tú, ¡____ a tus padres! (escribir)
23. Y ustedes, ¡no ____ nada! (decir)
24. Usted, ¡____ con nosotros! (venir)
25. Y tú, ¡no ____ muy tarde! (volver)
26. ____ ustedes un viaje a Guatemala. (hacer)

6 Cambia a la forma negativa.

27. Habla español.
28. Venga enseguida.
29. Haz el trabajo.
30. Conduzcan ustedes.

Andrew Payti

Answers

1

1. Es imposible que él lo compre.
2. Es imposible que él lo venda.
3. Es imposible que él lo tenga.
4. Es imposible que él lo conozca.
5. Es imposible que él lo pierda.
6. Es imposible que él lo diga.

2

7. hagas
8. vayamos
9. pida
10. estén
11. traigas

3

12. que venga con nosotros a Costa Rica
13. que nadie quiera estar con él
14. que esté mejor ahora
15. que yo lo invite a la fiesta
16. que Roberto vuelva hoy

Go Online!

connectED.mcgraw-hill.com

Prepárate para el examen

Practice for PROFICIENCY

1 Todo lo que espero de ti

Imagínate que tienes un(a) novio(a) a quien quieres mucho. Escríbele una carta describiendo todo lo que esperas que él o ella haga para ponerte feliz.

2 ¡Exigentes!

Hay personas en tu vida que exigen, piden y quieren mucho de ti. Pueden ser tus padres u otros parientes, profesores o amigos. Hay cosas que quieren que hagas. Hay otras cosas que prefieren que hagas. Y hay cosas que absolutamente insisten en que hagas. Da el nombre de la persona o personas. Di todo lo que quiere(n), prefiere(n) e insiste(n) en que tú hagas. Luego decide y explica si se van a realizar todos sus deseos, preferencias y exigencias.

3 En mi vida

Habla de cosas que crees que van a pasar en tu vida y de cosas que dudas que ocurran en tu vida.

4 ¿Quieres aprender algo nuevo?

¿Qué no sabes hacer que te gustaría aprender a hacer? Hay un montón de videos en el Internet que nos explican como hacer de todo. Busca un video en español en el Internet que te demuestra algo que quieres aprender. Míralo varias veces para poder resumirlo. Escribe tu resumen en forma de apuntes. Luego, comparte las instrucciones con un(a) compañero(a) de clase. A ver si él o ella puede ejecutar lo que describes.

5 ¿Quieres aprender algo nuevo?

a. Explícales a unos(as) compañeros(as) de clase como llegar a tu casa del aeropuerto. Mientras estás hablando, tus compañeros(as) tienen que dibujar la ruta. Al terminar, mira los dibujos y decide quien te dio el más completo.

b. Explícales a unos(as) compañeros(as) de clase como preparar un arroz con pollo (o cualquier otro plato). Mientras estás hablando, tus compañeros(as) tienen que escribir la receta. Al terminar, mira las recetas y decide quien te dio la más completa.

Tips for Success

Encourage students to say as much as possible when they do these open-ended activities. Tell them not to be afraid to make mistakes, since the goal of the activities is real-life communication. Encourage students to self-correct and to use words and phrases they know to get their meaning across. If someone in the group makes an error that impedes comprehension, encourage the others to ask questions to clarify or, if necessary, to politely correct the speaker. Let students choose the activities they would like to do.

Tell students to feel free to elaborate on the basic theme and to be creative. They may use props, pictures, or posters if they wish.

Pre-AP These oral and written activities will give students the opportunity to develop and improve their speaking and writing skills so that they may succeed on the speaking and writing portions of the AP exam.

Go Online!

You may wish to remind students to go online for additional grammar review and practice.

ASSESS

Students are now ready to take the Reading and Writing Test for Lección 2: Gramática.

Answers

17. haga
18. hace
19. van
20. salga

5

21. espere
22. escribe
23. digan
24. venga
25. vuelvas
26. Hagan

6

27. No hables español.
28. No venga enseguida.
29. No hagas el trabajo.
30. No conduzcan ustedes.

Introduction

Each chapter of **¡Así se dice!** Level 4 has a journalism section that corresponds to the same geographical area as the chapter. Each section gives students a list of the important newspapers that they will find online for the countries in that particular geographical area. In putting this section together, we spent approximately one month perusing the newspapers from each area to determine topics that seem to occur frequently in the news of those countries. Hopefully, this will assist students to find articles that relate to the activities provided. However, we recommend that you tell students that they can also pick articles and prepare something about them even if the topic does not appear in a specific activity if it is something of interest to them.

TEACH

Core Instruction

We suggest that you not just dedicate a day or two to the journalism section. As you begin each chapter, tell students to consult the journalism section and spend a few minutes at home each day perusing the appropriate Web sites of the newspapers. As each student finds a pertinent article, he or she can prepare the activity that pertains to it. Needless to say, the topics of all activities will not appear on one given day.

There may also be some debate or discussion activities that you wish to assign to a group or groups of students and give them a time limit to complete them. As you are finishing the chapter, you may want to spend one day having students share with other students the work they did.

La prensa en línea

Aquí tienes los periódicos que figuran entre los mejores de Centroamérica.

Guatemala	Honduras	El Salvador
El Diario	*La Prensa*	*La Prensa*
Prensa Libre	*La Tribuna*	*El Salvador*
	El Heraldo	*El Mundo*

Nicaragua	Costa Rica	Panamá
La Prensa	*La Nación*	*La Prensa*
El Nuevo Diario	*La Prensa Libre*	*Panorama América*
	La República	

Actividades

A En muchos periódicos centroamericanos hay artículos y videos que se enfocan en el mejoramiento de la vida diaria. Estos artículos ofrecen consejos sobre el bienestar de la familia, la felicidad en la vida diaria, sobre todo en el matrimonio. Según los informes que encuentras en los periódicos, prepara un artículo corto que define una buena calidad de vida. Luego, comparte tu artículo con un(a) compañero(a) de clase y lee su artículo. ¿Tienen ustedes más o menos la misma definición de una buena calidad de vida?

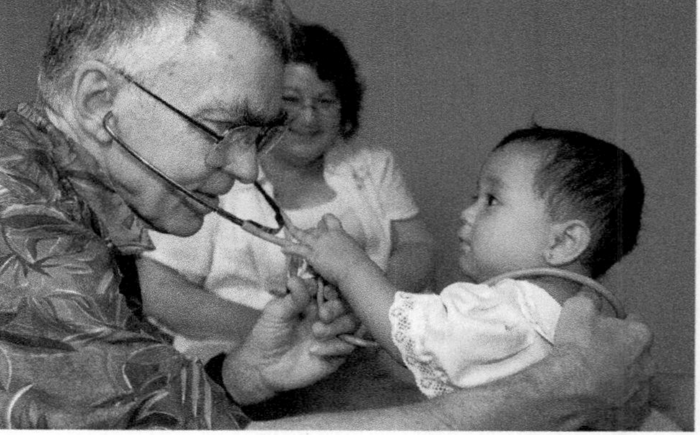

CULTURA

Cada año una delegación de pediatras estadounidenses van a la comunidad rural de Guillermo Ungo en El Salvador para dar atención médica a los niños.

Current event

If there is something of particular interest in Central America that is of interest or concern to the United States, you may wish to inform the class of the situation and tell them to frequently consult the foreign newspapers online and have them compare the reporting with that which appears in the U.S. press.

Videos

Inform students that many articles are accompanied by interviews or videos. Tell students to make as much use of these audio and visual components as possible, since it will enable them to hear a wide variety of native speakers and see events happening in real places and in real time.

Go Online!

connectED.mcgraw-hill.com

B Un problema serio que existe en Centroamérica igual que en otras partes del mundo es la medicina. Un tema frecuente son los paros o huelgas de los médicos y otro personal médico por falta de aumentos en los salarios. Leerás mucho también sobre las malas condiciones que existen en muchos centros médicos, sobre todo en los pequeños hospitales en el campo. Una nota más positiva son las medidas que se están tomando para mejorar y modernizar el sistema hospitalario y los avances que se están haciendo en el tratamiento médico y la diseminación de información sobre como practicar la buena salud y la higiene personal. Prepara una lista de no solo los problemas médicos sino también de las medidas que se están tomando para resolverlos en los países centroamericanos. Si hay hablantes nativos en la clase o en la comunidad, pueden invitarlos a la clase para compartir sus experiencias sobre este tema. Tengan un panel de discusión sobre los desafíos y soluciones. Elabora una tabla como la de abajo para organizar la información de la discusión.

tema: la medicina	
ideas centrales	**detalles**
1.	
2.	

C Otro problema que se destaca mucho en la prensa es la educación. No hay duda de que existen deficiencias en las escuelas públicas primarias y secundarias—mayormente en las zonas rurales y las zonas urbanas pobres. En muchas universidades no hay suficientes plazas para todos los estudiantes que quieren matricularse. Prepara una sinopsis de lo que has leído sobre estos problemas y lo que están haciendo muchos gobiernos para mejorar la educación primaria y secundaria y las medidas que están tomando las universidades para poner a la disposición de más estudiantes una formación universitaria. ¿Qué serán los beneficios si llegan a implementar las soluciones? Elabora una tabla como la de abajo y discute la información en parejas o con toda la clase.

desafío	solución posible	beneficio
1.		
2.		

PRACTICE

Activity A You may wish to have students have a debate about the last sentence: **¿Tienen ustedes más o menos la misma definición de una buena calidad de vida?**

Activity B The health care problems we are having in the U.S. are different from those in Central America. Very briefly, have students discuss some of our health care issues.

PRACTICE

Activity E This is a very interesting topic for Central America. Have some students tell what they have learned concerning the geography, ecosystems, fauna, etc., and ask them if anything gives them the desire to visit Central America.

CULTURA

Buses en la Ciudad de Guatemala. Los buses sirven casi todas partes del país.

D El bus es un medio de transporte importante en muchas partes de Latinoamérica—no solo en Centroamérica. Artículos sobre los buses salen frecuentemente en los periódicos por buenas y malas razones. A veces los buses reciben aplausos por su capacidad de transportar a mucha gente. Muchas veces reciben publicidad negativa porque contaminan el aire y los vehículos están en tan malas condiciones que están involucrados en accidentes numerosos. Pero hay también buenas noticias. Algunas ciudades están tratando de modernizar los buses para hacerles accesibles a los minusválidos que sin los buses no pueden desplazarse.

Es posible que donde tú vives los buses no jueguen un papel importante en la vida de los ciudadanos y por eso no reciben atención alguna en la prensa.

Hojea los varios periódicos centroamericanos y apunta cada vez que leas algo sobre un bus. Anota también el motivo del artículo.

E Busca artículos sobre la geografía y la naturaleza de Centroamérica—la topografía, el clima, el ecosistema, la fauna y faena, etc. ¿De qué se tratan los artículos? Identifica algunos problemas ambientales y programas que han establecido los gobiernos para proteger el medio ambiente.

CULTURA

Buenos consejos en una selva tropical de Costa Rica. Por siglos la gente de estas tierras convivió con la naturaleza. Restablecer esa armonía es una tarea que nos corresponde a todos.

Go Online!
connectED.mcgraw-hill.com

F En muchas partes de Centroamérica, como en muchas partes del mundo, hay altas tasas de desempleo, no solo entre los jóvenes sino en la población general. Como consecuencia del desempleo y otros problemas sociales, mucha gente sobrevive bajo el nivel de pobreza. No hay duda de que estas condiciones dan lugar a una mayor tasa de delincuencia. Explica si has observado estas tendencias al leer los periódicos de este capítulo. Prepara una lista de los crímenes o delitos que encontraste.

G Cada cultura tiene sus propias expresiones. Por ejemplo, en inglés tenemos expresiones como *It's raining cats and dogs* o *Easy come, easy go.* Mientras lees o escuchas las noticias, escribe las expresiones culturales que encuentres y lo que significan. Si no sabes el significado, intenta descifrarlo basado en el contexto. Luego, verifica su significado en un diccionario de modismos. Puedes recopilar expresiones útiles a lo largo del año usando una tabla como la de abajo. Trata de incorporar estas expresiones en las discusiones en las que participas.

expresión	significado
1.	
2.	

Un escrito personal

Vas a preparar un escrito personal. En tu escrito incluye los siguientes temas.

mi rutina
mi vida escolar
mis talentos
mi dieta
mis amigos
mis actividades (deportes, pasatiempos)

Analiza la información que pones en cada una de las categorías para determinar si la mayoría de tus actividades te ayudan a mantenerte en forma o no. Expresa tus opiniones. Si contestas que no, explica lo que puedes o debes hacer para cambiar tu rutina o tus actividades.

Después de revisar y corregir tu borrador, escribe de nuevo tu escrito en forma final.

Composición

You may wish to collect this work from students and correct as a composition assignment.

Literatura

Online Resources

Customizable Lesson Plans

Audio

Practice

Review

Teaching Options

You may wish to choose certain selections to be studied or you can do them all.

PRACTICE

Leveling EACH Activity

Easy Activity 1

Go Online!

   You may wish to remind students to go online to download audio files of all vocabulary.

Parte 1: Poesía

Lo fatal* • *Canción de otoño en primavera de Rubén Darío

CULTURA

Una isleta en el lago de Nicaragua. Isletas como esta se formaron por acumulación de grandes rocas volcánicas. Muchas de las isletas están habitadas.

un ramo (racimo) de flores

Vocabulario

Estudia las siguientes palabras para ayudarte a entender los poemas.

la sombra lo que da un árbol; oscuridad debida a las hojas del árbol

el rumbo dirección, sentido

dichoso(a) afortunado, que tiene suerte

llorar una persona muy triste lo hace; se le salen lágrimas de los ojos

Práctica

ESCUCHAR • HABLAR • ESCRIBIR

1 Contesta.

1. ¿Da sombra el árbol?
2. ¿Son bonitos los ramos de flores?
3. ¿Anda la señora sin rumbo?
4. ¿Llora ella?
5. ¿Mira su ramo de flores?
6. ¿Qué opinas? ¿Es dichosa la señora?
7. ¿Es dichosa la persona que encuentra la felicidad?

Answers

1. Sí, el árbol da sombra.
2. Sí, los ramos de flores son bonitos.
3. Sí, la señora anda sin rumbo.
4. Sí, ella llora.
5. Sí, mira su ramo de flores.
6. No, la señora no es dichosa.
7. Sí, la persona que encuentra la felicidad es dichosa.

Go Online!

connectED.mcgraw-hill.com

Lo fatal • Canción de otoño en primavera

de Rubén Darío

INTRODUCCIÓN

Rubén Darío (1867–1916) tiene fama de ser el príncipe de los poetas de las Américas. Su verdadero nombre es Félix Rubén García Sarmiento. Nació en una aldea pequeña de Nicaragua y cuando tenía solo ocho meses sus padres lo abandonaron y fue recogido por una tía. Aprendió a leer y escribir muy temprano. Un joven pobre y angustiado, anduvo por muchos países de América y Europa sin echar raíces en ninguno. Trabajó en varias revistas y periódicos importantes. Vivió intensamente y volvió a su patria donde murió a los cuarenta y nueve años.

Rubén Darío pudo resumir muchas corrientes literarias—antiguas, modernas, clásicas, románticas, simbolistas y decadentes. Se dice que vivió de la poesía y para la poesía.

Los dos poemas que siguen reflejan la tristeza y pena que sintió el poeta durante toda su vida.

Antes de leer

En las siguientes poesías el famoso autor Rubén Darío nos presenta unos aspectos de su filosofía de vida. Basado en lo poco que sabes de su vida, ¿qué tipo de filosofía tendría? ¿Te sorprende lo que él dice en sus poesías o no?

Lo fatal

Dichoso el árbol que es apenas[1] sensitivo,
y más piedra dura, porque ésa ya no siente,
pues no hay dolor más grande que el dolor de ser vivo,
ni mayor pesadumbre[2] que la vida consciente.
Ser, y no saber nada, y ser sin rumbo cierto,
y el temor de haber sido y un futuro terror...
y el espanto[3] seguro de estar mañana muerto,
y sufrir por la vida y por la sombra y por
lo que no conocemos y apenas sospechamos,
y la carne que tienta con sus frescos racimos,
y la tumba que aguarda con sus fúnebres ramos,
y no saber adónde vamos,
¡ni de dónde venimos... !

[1] apenas *scarcely*
[2] pesadumbre *grief, pain*
[3] espanto *fright, terror*

Una ceiba a orillas del lago de Nicaragua

Literatura

Online Resources

Customizable Lesson Plans

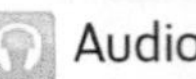 Audio

 Practice

 Review

Introducción

Call on a student to give a brief overview of Darío's life.

Leveling EACH Activity

Reading Level **CHallenging**

TEACH

Core Instruction

Step 1 Have students listen to the audio recording of the poem.

Step 2 Read the poem to the class with as much expression as possible. The expression can help with comprehension.

Students experience, discuss, and analyze two poems, *Lo fatal* and *Canción de otoño en primavera*, by the famous Nicaraguan modernist poet Rubén Darío.

Leveling EACH Activity

Reading Level **Average**

TEACH

Core Instruction

Step 1 Call on a student with good pronunciation to read the poem aloud.

Step 2 Ask students:
¿Va a volver la juventud? A veces, ¿qué pasa cuando el poeta quiere llorar? Y a veces, ¿cuándo llora? ¿Puedes explicar por qué?

PRACTICE

Después de leer

A, B, and **C** You can intersperse these activities as you are presenting the poem *Lo fatal.*

Cultural Snapshot

El Teatro Nacional Rubén Darío está ubicado cerca de las orillas del Lago de Managua. Patrocinado por el gobierno, se presentan obras dramáticas, conciertos y espectáculos de bailes.

Canción de otoño en primavera

Juventud, divino tesoro
¡ya te vas para no volver!
Cuando quiero llorar, no lloro,
y a veces lloro sin querer...

Después de leer

A Analizando Contesta según lo que dice el poeta en *Lo fatal.*

1. ¿Por qué es dichoso el árbol?
2. ¿Por qué es aún más dichosa una piedra dura?
3. ¿Cuál es el dolor más grande?
4. ¿Qué es la vida consciente?

B Personalizando Contesta.
Al leer el poema *Lo fatal,* ¿cuáles son las emociones y los sentimientos que te evocan? ¿Alguna vez te has sentido como el poeta?

C Comparando y analizando Contesta.
En el poema *Lo fatal,* ¿a quién está comparando Rubén Darío un árbol y una piedra? ¿Por qué?

D Interpretando emociones y sentimientos Contesta.
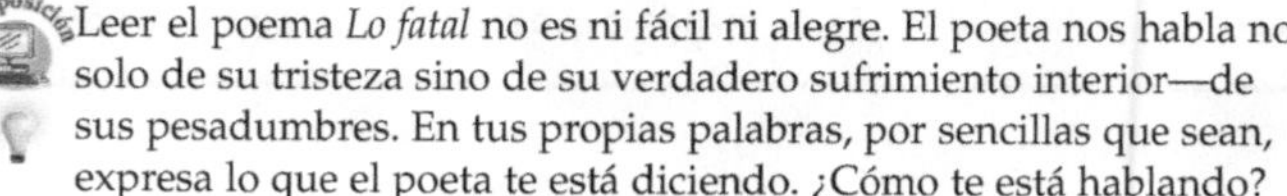
Leer el poema *Lo fatal* no es ni fácil ni alegre. El poeta nos habla no solo de su tristeza sino de su verdadero sufrimiento interior—de sus pesadumbres. En tus propias palabras, por sencillas que sean, expresa lo que el poeta te está diciendo. ¿Cómo te está hablando?

CULTURA

Teatro Rubén Darío, Managua, Nicaragua

Andrew Payti

Answers

A

1. El árbol es dichoso porque no es sensitivo.
2. Una piedra dura es aún más dichosa porque ya no siente.
3. El dolor más grande es el dolor de ser vivo.
4. La vida consciente es (una) pesadumbre.

B *Answers will vary.*

C *Answers will vary but may include:*
En el poema *Lo fatal,* Rubén Darío está comparando un árbol y una piedra a los humanos. Quiere demostrar lo dichosos que son porque no experimentan los sentimientos humanos.

D *Answers will vary.*

connectED.mcgraw-hill.com

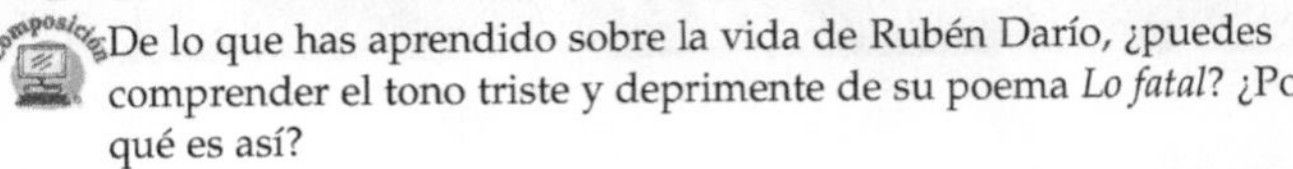

CULTURA

Tumba de Rubén Darío, León, Nicaragua

E Conectando la literatura con la vida Contesta. De lo que has aprendido sobre la vida de Rubén Darío, ¿puedes comprender el tono triste y deprimente de su poema *Lo fatal*? ¿Por qué es así?

F Buscando la idea principal Explica por qué el poeta le daría el título *Lo fatal* a este poema.

G Interpretando Explica según lo que dice el poeta en *Canción de otoño en primavera*.

1. lo que simboliza el otoño
2. lo que simboliza la primavera
3. lo que es la juventud
4. lo que le pasa a la juventud

H Dando opiniones personales Contesta. Todavía eres muy joven, pero, ¿qué te parece? ¿Se va la juventud muy de prisa o no? ¿Quisieras más tiempo para disfrutar de la juventud? ¿Esperas que no pase muy rápido? ¿Por qué?

I Investigando Lee una traducción del poema *Carpe diem* del famoso autor romano Ovidio. Compara su *Carpe diem* con *Canción de otoño en primavera*.

Andrew Payti

Literatura

E–I These activities can also be done as complete-class discussions.

Teaching Options

You may wish to let students select the activities they would like to do or take part in.

Cultural Snapshot

La tumba de Rubén Darío está en la catedral de León, la catedral más grande de Centroamérica.

Go Online!

You may wish to remind students to go online for additional reading comprehension practice.

Answers

E *Answers will vary but may include:*
Es así porque sus padres lo abandonaron cuando tenía solo ocho años. Era pobre y angustiado. No echó raíces por ninguna parte.

F *Answers will vary.*

G

1. El otoño simboliza la vejez.
2. La primavera simboliza la juventud.
3. La juventud es un divino tesoro.
4. La juventud ya se va.

H *Answers will vary.*

I *Answers will vary.*

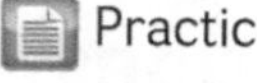

Online Resources

Customizable Lesson Plans

Audio

Practice

Review

Vocabulario

TEACH

Core Instruction

Step 1 Have students listen to the audio recording of the new words or you may prefer to have students read the new words and definitions aloud.

Step 2 Have a student volunteer read one of the definitions and then call on a class member to give the new word.

Leveling EACH Activity

Easy Activity 1

PRACTICE

Activity 1 Have students study the vocabulary for homework and prepare the activity on the next page. Then go over it the next day in class.

Go Online!

You may wish to remind students to go online to download audio files of all vocabulary.

Parte 2: Prosa

Mis primeros versos de Rubén Darío

CULTURA

Managua, la capital de Nicaragua

Vocabulario

Estudia las siguientes palabras para ayudarte a entender la lectura.

la alabanza elogio

la amargura disgusto, algo desagradable

el colmo acto de aceptar o soportar algo hasta no poder más

la manía idea fija, obsesión

borrar hacer desaparecer algo

carecer faltar, necesitar

fastidiar enojar

Andrew Payti

Go Online!

connectED.mcgraw-hill.com

Práctica

LEER • ESCRIBIR

1 Completa con una palabra apropiada.

1. Tiene _____. Es un tipo muy obsesionado.
2. No te quiero _____ pero quisiera que te levantaras.
3. Debes _____ el error antes de que lo vea el profesor.
4. No lo quiere hacer porque _____ de interés. El proyecto no le interesa nada.
5. Ellos han sufrido muchas _____ en la vida. Han sido desafortunados.
6. Todos necesitamos _____ de vez en cuando. Nos gusta saber cuando hemos hecho algo bueno.
7. Es el _____. No puede soportar más.

Mis primeros versos

de Rubén Darío

INTRODUCCIÓN

Ya sabemos que el nicaragüense Rubén Darío fue el príncipe de los poetas hispanoamericanos. Fue también el precursor del cuento moderno hispanoamericano. Uno de los primeros cuentos que escribió fue *Mis primeros versos*. Este cuento es un ejemplo de la manera más sencilla en que puede escribir un cuento. Rubén Darío, narrando en la forma de «yo», describe lo que le puede pasar a un joven que aspira a ser escritor y que escribe su primera «obra» para un periódico local. Este cuento fue publicado por primera vez en el periódico *El Imparcial de Managua* en 1886 cuando el autor tenía solamente diecinueve años.

Estrategia de lectura

Personalizando Al leer el cuento imagina que tú eres el/la autor(a) que lo está escribiendo. Identifícate con lo que le pasa al joven autor y piensa en lo que sería tu reacción a todo lo que pasa.

Mis primeros versos

Tenía yo catorce años y estudiaba humanidades.

Un día sentí unos deseos rabiosos° de hacer versos, y de enviárselos a una muchacha muy linda, que se había permitido darme calabazas°.

Me encerré en mi cuarto, y allí en la soledad, después de inauditos° esfuerzos, condensé como pude, en unas cuantas estrofas, todas las amarguras de mi alma.

Cuando vi, en una cuartilla de papel, aquellos rengloncitos° cortos tan simpáticos; cuando los leí en alta voz y consideré que mi cacumen° los había producido, se apoderó de mí una sensación deliciosa de vanidad y orgullo.

rabiosos *fuertes, locos*

darme calabazas *turn me down*

inauditos *extraordinarios*

rengloncitos *líneas*

cacumen *talento, inteligencia*

Introducción

Ask the following questions about the **Introducción:** **¿De qué nacionalidad fue Rubén Darío? ¿Cuál fue uno de sus primeros cuentos? ¿Tiene una forma sencilla o compleja el cuento? ¿Cómo narra el autor el argumento? ¿Cuál es el argumento del cuento?**

Reading Check

¿Qué efecto podría tener sobre Rubén Darío el hecho de que una muchacha que encontraba muy atractiva lo rechazó?

Answers

1. manías
2. fastidiar
3. borrar
4. carece
5. amarguras
6. alabanzas
7. colma

TEACH

Core Instruction

You may wish to call on students to read aloud the sections that have conversations that express people's opinions of the poems. This can add humor to the situation.

Reading Check

¿Qué opinas? ¿Cuáles eran los motivos que tenía el joven cuando decidió enviar lo que había escrito a una casa editorial?

Reading Check

¿Por qué creyó Darío que su cuenta aparecería a lo menos en el número 6, 7 o 8 de la publicación «La Calavera»?

redactor *publisher; editor*

para mi capote *to myself*

desesperaba *perdí esperanza*
caten *ven*

a puño cerrado *firmemente*
fatídico *ominous*

pisotón en un callo *step on a toe that has a corn*

amostazado *enojado*

se atrevió a *dared to*

bofetada *slap*

me tragué la píldora *swallowed the medicine*

Inmediatamente pensé en publicarlos en *La Calavera,* único periódico que entonces había, y se los envié al redactor° bajo una cubierta y sin firma.

Mi objeto era saborear las muchas alabanzas de que sin duda serían objeto, y decir modestamente quién era el autor, cuando mi amor propio se hallara satisfecho.

Eso fue mi salvación.

Pocos días después sale el número 5 de *La Calavera,* y mis versos no aparecen en sus columnas.

Los publicarán inmediatamente en el número 6, dije para mi capote°, y me resigné a esperar porque no había otro remedio.

Pero ni en el número 6, ni en el 7, ni en el 8, ni en los que siguieron había nada que tuviera apariencias de versos.

Casi desesperaba° ya de que mi primera poesía saliera en letras de molde, cuando caten° ustedes que el número 13 de *La Calavera,* puso colmo a mis deseos.

Los que no creen en Dios, creen a puño cerrado° en cualquier barbaridad; por ejemplo, en que el número 13 es fatídico°, precursor de desgracias y mensajero de muerte.

Yo creo en Dios, pero también creo en la fatalidad del maldito número 13.

Apenas llegó a mis manos *La Calavera,* me puse de veinticinco alfileres, y me lancé a la calle, con el objeto de recoger elogios, llevando conmigo el famoso número 13.

A los pocos pasos encuentro a un amigo, con quien entablé el diálogo siguiente.

—¿Qué tal, Pepe?

—Bien, ¿y tú?

—Perfectamente. Dime, ¿has visto el número 13 de *La Calavera?*

—No creo nunca en ese periódico.

Un jarro de agua fría en la espalda o un buen pisotón en un callo° no me hubieran producido una impresión tan desagradable como la que experimenté al oír esas seis palabras.

Mis ilusiones disminuyeron un cincuenta por ciento, porque a mí se me había figurado que todo el mundo tenía obligación de leer por lo menos el número 13, como era de estricta justicia.

—Pues bien, —repliqué algo amostazado°—, aquí tengo el último número y quiero que me des tu opinión acerca de estos versos que a mí me han parecido muy buenos.

Mi amigo Pepe leyó los versos y el infame se atrevió a° decirme que no podían ser peores.

Tuve impulsos de pegarle una bofetada° al insolente que así desconocía el mérito de mi obra; pero me contuve y me tragué la píldora°.

Go Online!

connectED.mcgraw-hill.com

Otro tanto me sucedió con todos aquellos a quienes interrogué sobre el mismo asunto, y no tuve más remedio que confesar de plano… que todos eran unos estúpidos.

Cansado de probar fortuna en la calle, fui a una casa donde encontré a diez o doce personas de visita. Después del saludo, hice por milésima vez esta pregunta.

—¿Han visto ustedes el número 13 de *La Calavera?*

—No lo he visto, —contestó uno de tantos—, ¿qué tiene de bueno?

—Tiene, entre otras cosas, unos versos, que según dicen no son malos.

—¿Sería usted tan amable que nos hiciera el favor de leerlos?

—Con gusto.

Saqué *La Calavera* del bolsillo, lo desdoblé° lentamente, y, lleno de emoción, pero con todo el fuego de mi entusiasmo, leí las estrofas.

En seguida pregunté:

—¿Qué piensan ustedes sobre el mérito de esta pieza literaria?

Las respuestas no se hicieron esperar y llovieron en esta forma.

—No me gustan esos versos.

—Son malos.

—Son pésimos.

—Si continúan publicando esas necedades° en *La Calavera*, pediré que me borren de la lista de suscriptores.

—El público debe exigir que emplumen° al autor.

—Y al periodista.

—¡Qué atrocidad!

—¡Qué barbaridad!

—¡Qué necedad!

—¡Qué monstruosidad!

Me despedí de la casa hecho un energúmeno° y poniendo a aquella gente tan incivil en la categoría de los tontos: «Stultorum plena sunt omnia°», decía yo para consolarme.

Todos ésos que no han sabido apreciar las bellezas de mis versos, pensaba yo, son personas ignorantes que no han estudiado humanidades, y que, por consiguiente, carecen de los conocimientos necesarios para juzgar como es debido en materia de bella literatura.

Lo mejor es que yo vaya a hablar con el redactor de *La Calavera*, que es hombre de letras y que por algo publicó mis versos.

Efectivamente: llego a la oficina de la redacción del periódico, y digo al jefe, para entrar en materia:

—He visto el número 13 de *La Calavera.*

—¿Está usted suscrito a mi periódico?

—Sí, señor.

—¿Viene usted a darme algo para el número siguiente?

desdoblé *I unfolded*

necedades *cosas tontas*

emplumen *they tar and feather*

energúmeno *wild person*

Stultorum plena sunt omnia *Hay tontos por todas partes*

TEACH

Core Instruction

Much of the material on this page can be gone over as a skit. Tell students to use as much expression as possible.

Reading Check

Explica el significado que le da el joven al número 13.

Tips for Success

This story is quite easy and you may wish to have students read it and prepare the activities in **Después de leer** at home without much previous preparation.

reclamaciones *complaints*

quídam *so-and-so*

—No es eso lo que me trae: es que he visto unos versos…

—Malditos versos; ya me tiene frito el público a fuerza de reclamaciones°. Tiene usted muchísima razón, caballero, porque son, de lo malo, lo peor; pero ¿qué quiere usted?, el tiempo era muy escaso, me faltaba media columna y eché mano a esos condenados versos, que me envió algún quídam° para fastidiarme.

Estas últimas palabras las oí en la calle, y salí sin despedirme, resuelto a poner fin a mis días.

Me pegaré un tiro, pensaba, me ahorcaré, tomaré un veneno, me arrojaré desde un campanario a la calle, me echaré al río con una piedra al cuello, o me dejaré morir de hambre, porque no hay fuerzas humanas para resistir tanto.

Pero eso de morir tan joven… Y, además, nadie sabía que yo era el autor de los versos.

Por último, lector, te juro que no me maté, pero quedé curado, por mucho tiempo, de la manía de hacer versos. En cuanto al número 13 y a las calaveras, otra vez que esté de buen humor te he de contar algo tan terrible, que se te van a poner los pelos de punta.

¿Cómo se puso el autor al leer lo que había escrito?

Go Online!

connectED.mcgraw-hill.com

Después de leer

A **Confirmando información** Corrige todas las frases que tienen información errónea.

1. El autor no era muy joven.
2. Escribió sus primeros versos para una muchacha linda que lo quería mucho.
3. Él se puso muy triste cuando leyó por primera vez lo que había escrito.
4. Su cuento salió en el primer número del periódico.
5. El joven autor esperaba recibir alabanzas y elogios por su cuento.
6. Su amigo leyó sus versos y le dijo que eran estupendos.
7. El joven creyó que todos los que criticaban su trabajo eran unos estúpidos.
8. Por eso fue a la casa editorial y el redactor le dijo que su cuento era muy bueno y el periódico había recibido muchos elogios por haberlo publicado.

B **Describiendo** Describe lo que pasó cuando el autor encontró a un amigo en la calle, cuando leyó los versos a unas doce personas de visita y lo que pasó durante la entrevista con el redactor del periódico.

C **Interpretando** Explica el significado de lo siguiente: «Pero eso de morir tan joven... Y, además, nadie sabía que yo era el autor de los versos».

D **Personalizando** Casi todos hemos hecho algo en la vida que produjo resultados opuestos a los que habíamos esperado o anticipado. Escribe sobre algo que tú has hecho que dio resultados que no habías esperado. Describe tu reacción y tus emociones sobre los resultados inesperados.

CULTURA

Casa de Rubén Darío en León, Nicaragua

NOTE: You may wish to go over these activities as class discussions.

ASSESS

Students are now ready to take the Reading and Writing Test for Lección 4: Literatura.

Answers

A

1. El autor era muy joven.
2. No, escribió los versos para una muchacha muy linda que no lo quería.
3. No, él sintió una sensación deliciosa de vanidad y orgullo.
4. No, su cuento salió en el número 13 del periódico.
5. Correcto
6. No, su amigo le dijo que no podían ser peores.
7. Correcto
8. No, él fue a la casa editorial porque pensó que el editor, como era un hombre de letras, sí iba a darle buenos comentarios de sus versos. Pero el redactor le dijo que sus versos eran malísimos y que el periódico había recibido muchas reclamaciones.

B *Answers will vary but may include:* Todos le dijeron que los versos eran malos. Las personas de visita dijeron que si seguían publicando necedades no se suscribirían más al periódico. El jefe del periódico le dijo que solamente los había publicado porque le faltaba media columna para esa edición del periódico.

C *Answers will vary.*

D *Answers will vary.*

Videopaseo

The Video Program for Chapter 4 includes three documentary segments of some interesting aspects of life in Costa Rica. You may wish to have students answer the **Antes de mirar** questions orally or in writing.

Episodio 1: Los agricultores costarricenses hoy usan tractores. Pero hace un siglo usaban carretas tiradas por bueyes. La gente entonces empezó a decorar sus carretas. Las pintaban de colores vivos y brillantes y diseños complicados. Hoy las carretas son parte del folclore de Costa Rica. Los artesanos pintan estas carretas para exhibirlas.

Episodio 2: Hace muchos siglos que acróbatas, malabaristas y payasos presentan sus espectáculos en las calles y plazas de todo el mundo. Estos jóvenes son miembros del grupo *Magos del tiempo* en San José, Costa Rica. El grupo se estableció en 2002. Aquí uno de ellos está enseñándoles a los compañeros como hacer malabarismo.

Episodio 3: En esta finca no crían vacas ni ovejas. Lo que crían son mariposas. María Fernanda guía a un grupo de visitantes por la finca. La mariposa comienza como un huevecito. Luego se convierte en larva y después en crisálida. La Finca de Mariposas envía crisálidas a todo el mundo. Una visita a la Finca de Mariposas es una experiencia inolvidable.

Videopaseo

¡Un viaje virtual a Costa Rica!

Antes de mirar los episodios, completen las actividades que siguen.

Episodio 1: Una artesanía costarricense

Antes de mirar Con unos compañeros de clase, contesten las siguientes preguntas para prepararse para lo que van a ver en el video.

1. Según el título del episodio, ¿de qué se tratará?
2. Piensen en lo que han aprendido en la lección de cultura de este capítulo. ¿Qué saben ustedes de Costa Rica? ¿Dónde está? ¿Cuál es la capital del país?
3. Miren la foto del video. ¿Para qué se usará el objeto en la foto?
4. ¿Han visto artesanías semejantes en Estados Unidos? ¿Dónde? Descríbanlas.

Episodio 2: Soñadores y malabaristas

Antes de mirar Con unos compañeros de clase, contesten las siguientes preguntas para prepararse para lo que van a ver en el video.

1. Según el título del episodio, ¿de qué se tratará?
2. ¿Saben ustedes lo que es un(a) «malabarista»? Compartan sus ideas. (Tal vez la foto les ayude.)
3. ¿Han participado alguna vez en la actividad que se ve en la foto? ¿Dónde? ¿Será fácil dominarla?

Episodio 3: Una finca de mariposas

Antes de mirar Con unos compañeros de clase, contesten las siguientes preguntas para prepararse para lo que van a ver en el video.

1. Según el título del episodio, ¿de qué se tratará?
2. ¿Viven ustedes en una finca o han estado alguna vez en una finca?
3. ¿Cuáles son unas cosas que ustedes asocian con una finca?

CAPÍTULO 4 Repaso de vocabulario

Cultura

un bohío
una callejuela de adoquines
una estela
una mola
un rascacielos
el techo
un terremoto
picante
soler (ue)
tallar
trasladar

Literatura

Poesía

un ramo (racimo) de flores
el rumbo
la sombra
dichoso(a)
llorar

Prosa

la alabanza
la amargura
el colmo
la manía
borrar
carecer
fastidiar

Repaso de vocabulario

Online Resources

Customizable Lesson Plans

 Video (Cultura)

 Practice

 Listening, Speaking, Reading, Writing Tests

Vocabulary Review

The words and phrases from Lessons 1 and 4 have been taught for productive use in this chapter. They are summarized here as a resource for both student and teacher.

Teaching Options

This vocabulary reference list has not been translated into English. If it is your preference to give students the English translations, please refer to Vocabulary V4.1.

ASSESS

Students are now ready to take any of the Listening, Speaking, Reading, Writing Tests you choose to administer.

Chapter Overview

México

Scope and Sequence

Topics
- The geography of Mexico
- The history of Mexico
- The culture of Mexico

Culture
- Indigenous civilizations
- Hernán Cortés and the conquest of the Aztec empire
- September 16, Mexican Independence Day
- **Cinco de Mayo**
- Mexican Revolution of 1910
- El Zócalo
- Tenochtitlán
- Chichén Itzá
- Mexican cuisine
- *En paz* by Amado Nervo
- *Para entonces* by Manuel Gutiérrez Nájera
- *Historia verdadera de la conquista de la Nueva España* by Bernal Díaz del Castillo

Functions
- How to express what people do for themselves
- How to tell what was done or what is done in general
- How to express what you have done recently
- How to describe actions completed prior to other actions
- How to express opinions and feelings about what has happened
- How to place object pronouns in a sentence

Structure
- Reflexive verbs
- Passive voice (with **se**)
- Present perfect
- Pluperfect
- Present perfect subjunctive
- Object pronouns

Andrew Payti

Leveling

The activities within each chapter are marked in the Wraparound section of the Teacher Edition according to level of difficulty.

E indicates easy
A indicates average
CH indicates challenging

The readings in **Lección 4: Literatura** are also leveled to help you individualize instruction to best meet your students' needs. Please note that the material does not become progressively more difficult. Within each chapter there are easy and challenging sections.

Correlations to ACTFL World-Readiness Standards for Learning Languages

COMMUNICATION Communicate effectively in more than one language in order to function in a variety of situations and for multiple purposes		
Interpersonal Communication	Learners interact and negotiate meaning in spoken, signed, or written conversations to share information, reactions, feelings, and opinions.	pp. 215, 219, 225, 227, 228, 234, 241
Interpretive Communication	Learners understand, interpret, and analyze what is heard, read, or viewed on a variety of topics.	pp. 201, 203, 205, 207, 209, 210, 211, 212, 213, 215, 217, 219, 223, 225, 226, 227, 229, 232, 234, 237, 238, 239, 241, 242
Presentational Communication	Learners present information, concepts, and ideas to inform, explain, persuade, and narrate on a variety of topics using appropriate media and adapting to various audiences of listeners, readers, or viewers.	pp. 213, 225, 226, 229, 242
CULTURES Interact with cultural competence and understanding		
Relating Cultural Practices to Perspectives	Learners use the language to investigate, explain, and reflect on the relationship between the practices and perspectives of the cultures studied.	pp. 204, 213, 229
Relating Cultural Products to Perspectives	Learners use the language to investigate, explain, and reflect on the relationship between the products and perspectives of the cultures studied.	pp. 204, 208, 211, 228
CONNECTIONS Connect with other disciplines and acquire information and diverse perspectives in order to use the language to function in academic and career-related situations		
Making Connections	Learners build, reinforce, and expand their knowledge of other disciplines while using the language to develop critical thinking and to solve problems creatively.	pp. 202, 204, 208, 209, 210, 212, 213, 227, 229, 232, 236
Acquiring Information and Diverse Perspectives	Learners access and evaluate information and diverse perspectives that are available through the language and its cultures.	pp. 206, 215, 219, 221, 223, 226, 228, 229, 231, 234, 237, 238, 240, 241
COMPARISONS Develop insight into the nature of language and culture in order to interact with cultural competence		
Language Comparisons	Learners use the language to investigate, explain, and reflect on the nature of language through comparisons of the language studied and their own.	pp. 214, 216, 218, 229
Cultural Comparisons	Learners use the language to investigate, explain, and reflect on the concept of culture through comparisons of the cultures studied and their own.	pp. 226, 228
COMMUNITIES Communicate and interact with cultural competence in order to participate in multilingual communities at home and around the world		
School and Global Communities	Learners use the language both within and beyond the classroom to interact and collaborate in their community and the globalized world.	pp. 213, 215, 228
Lifelong Learning	Learners set goals and reflect on their progress in using languages for enjoyment, enrichment, and advancement.	pp. 213, 215, 219, 221, 223

Preview

In this chapter, students will learn more about the geography, history, culture, and literature of Mexico. They will read newspaper articles and have discussions about current events. They will read some poems by the famous poets Amado Nervo and Manuel Gutiérrez Nájera as well as a chapter of a chronicle by Bernal Díaz del Castillo. Students will continue with their review of Spanish grammar.

Pacing

Cultura	4–5 days
Gramática	4–5 days
Periodismo	4–5 days
Literatura	4–5 days
Videopaseo	2 days

CAPÍTULO 5

México

198 **Go Online!** connectED.mcgraw-hill.com Audio Video Práctica Repaso Diversiones eScape ePals

Go Online!

Audio
Listen to spoken Spanish.

Video
Watch and learn about the Spanish-speaking world.

Práctica
Practice your skills.

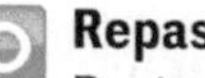
Repaso
Review what you've learned.

Diversiones
Go beyond the classroom.

eScape
Read about current events in the Spanish-speaking world.

Es la famosa pirámide de Kukulkán en Chichén Itzá en la península de Yucatán.

Objetivos

You will:

- learn about the geography, history, and culture of Mexico
- read and discuss newspaper articles
- read poems by Amado Nervo and Manuel Gutiérrez Nájera and a chapter of a chronicle by Bernal Díaz del Castillo

You will review:

- reflexive verbs
- passive voice
- present perfect and pluperfect
- present perfect subjunctive
- object pronouns

Contenido

Lección 1: Cultura
Geografía e historia de México

Lección 2: Gramática
Verbos reflexivos
La voz pasiva
Presente perfecto y pluscuamperfecto
Presente perfecto del subjuntivo
Colocación de los pronombres de complemento

Lección 3: Periodismo

Lección 4: Literatura
Poesía
En paz de Amado Nervo
Para entonces de Manuel Gutiérrez Nájera
Prosa
Historia verdadera de la conquista de la Nueva España de Bernal Díaz del Castillo

Assessment
Check student progress.

Connect with Spanish-speaking students around the world.

Cultural Snapshot

Kukulkán es otro nombre de Quetzalcóatl. La pirámide de Kukulkán se llama también «el Castillo». Tiene cuatro escalinatas, flanqueadas en su base por grandes cabezas de serpiente. Los ejes de la pirámide están alineados con los cuatro puntos cardinales. Durante los equinoccios de primavera y otoño (el veintiuno de marzo y el veintiuno de septiembre) las sombras que proyecta la pirámide en su escalinata norte hacen el efecto de una serpiente ondulante.

Online Resources

Customizable Lesson Plans

Audio Activities

Student Workbook

Quizzes

TEACH

Core Instruction

Step 1 You may wish to present vocabulary by having students listen to the audio recording or they can follow along as they read.

Step 2 Call on students to read the new words and definitions aloud.

Differentiation

Advanced Learners

You may wish to have advanced learners make up original sentences using the new words.

¡Así se dice!

Why It Works!

Students have to be given the opportunity to put new material to use. Note the vocabulary practice that is offered on the next page.

CULTURA

El joven escultor está trabajando en su taller en Oaxaca, México. Está haciendo una cerámica.

Vocabulario

Estudia las siguientes palabras para ayudarte a entender la lectura.

la estela monumento en posición vertical sobre el suelo; columna rota o pedestal que lleva una inscripción generalmente funeraria

el derecho conjunto de leyes; justicia

esculpir cincelar o tallar piedra, madera; hacer una escultura

emprender empezar

alojar hospedar

colocar poner

levantarse alzarse en armas; tomar armas contra algo o alguien

Estudio de palabras

Las siguientes expresiones significan *to become* pero cada una tiene su propio uso.

ponerse Él se puso nervioso. (no tener control sobre lo que pasa)

hacerse Él se hizo abogado. (después de estudiar—después de hacer un esfuerzo)

llegar a ser Él llegó a ser presidente. (después de mucho trabajo y persistencia)

volverse (ue) Él se volvió demócrata. (después de haber sido republicano; indica una acción inesperada y completamente contraria)

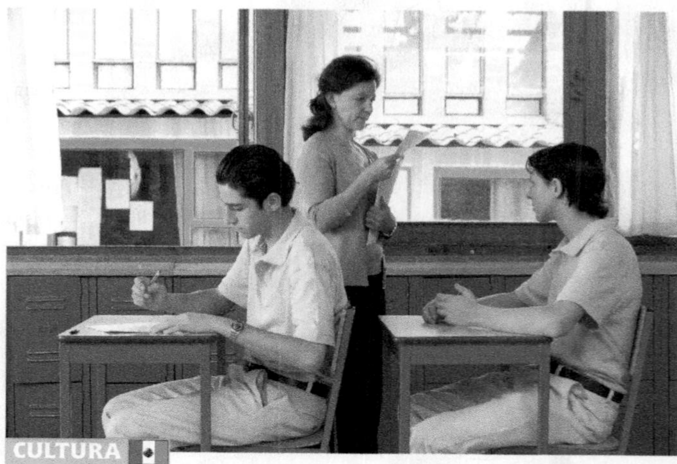

CULTURA

La señora González llegó a ser una profesora excelente después de mucho trabajo y persistencia.

Go Online!

You may wish to remind students to go online for additional vocabulary practice. They can also download audio files of all vocabulary.

Práctica

ESCUCHAR • HABLAR

1 Contesta.

1. ¿Esculpen los escultores en un taller?
2. ¿Se alojan los turistas en un hotel?
3. ¿Se levantaron los ciudadanos contra los invasores?
4. ¿Emprendieron un viaje alrededor del mundo?

LEER • ESCRIBIR

2 Completa.

1. Todos tenemos que respetar los _____ humanos.
2. ¿Dónde te vas a _____ en la Ciudad de México?
3. Hay muchas _____ en los sitios arqueológicos de los indígenas.
4. Ellos van a _____ un negocio nuevo.
5. ¿Por qué no lo _____ (tú) aquí en el jardín?

ESCRIBIR

3 Da una palabra relacionada.

1. el alojamiento
2. la colocación
3. el levantamiento
4. el escultor

LEER

4 Parea el verbo apropiado con el nombre o adjetivo.

1. profesor
2. director del instituto
3. soldado
4. jefe supremo
5. director
6. enfermo
7. celoso
8. terrorista
9. loco
10. rojo

a. ponerse
b. hacerse
c. llegar a ser
d. volverse

ESCRIBIR

5 Usa cada expresión en una frase original.

1. ponerse
2. hacerse
3. llegar a ser
4. volverse

Go Online!

connectED.mcgraw-hill.com

CULTURA

Alberca en el jardín de un hotel en Tepoztlán

CULTURA

El monumento a la Revolución en la Ciudad de México

Andrew Payti

Cultura

Leveling EACH Activity

Easy Activities 1, 3
Average Activities 2, 4
CHallenging Activity 5

PRACTICE

Activities 1, 3, and 4 These activities can be gone over in class without previous preparation.

Activities 2 and 5 These activities should be prepared prior to going over them in class.

Cultural Snapshot

(top) Tepoztlán es un pueblo idílico ubicado en un valle rodeado de montañas que dan la impresión de un cuadro abstracto. A los residentes de la Ciudad de México les gusta huir del ajetreo urbano e ir a pasar un agradable fin de semana en Tepoztlán.

ASSESS

Students are now ready to take Quiz 1.

Answers

1

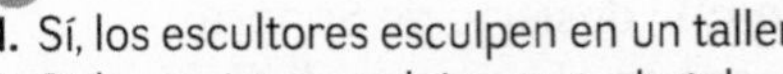

1. Sí, los escultores esculpen en un taller.
2. Sí, los turistas se alojan en un hotel.
3. Sí, los ciudadanos se levantaron contra los invasores.
4. Sí, emprendieron un viaje alrededor del mundo.

2

1. derechos
2. alojar
3. estelas
4. emprender
5. colocas

3

1. alojar
2. colocar
3. levantarse
4. esculpir

4

1. b
2. c
3. b
4. c
5. c
6. a
7. a
8. d
9. d
10. a

5 *Answers will vary.*

Online Resources

Customizable Lesson Plans

 Student Workbook

 Quizzes

TEACH

Core Instruction

Step 1 Have students look at the photographs as they do the reading.

Step 2 You may wish to have students read some paragraphs silently. You may want to go over others orally in class, interspersing comprehension questions.

Step 3 You may wish to ask the questions in Activity B on the next page as you are going over the **Lectura.**

Teaching Options

- You may wish to decide how thoroughly to do each section of the cultural reading.
- You may wish to assign different sections of the **Lectura** to different groups. Each group can present the information it was assigned to the other members of the class. It is recommended that all students have some familiarity with each cultural topic.

CULTURA

Una vista del volcán Iztaccíhuatl no muy lejos de la ciudad de Puebla en México

La geografía

México, un país cuatro veces mayor que España, además de ser grande es un país de mucha diversidad geográfica. Tiene grandes mesetas, montañas, desiertos y 8.000 kilómetros de costa. Al norte limita con Estados Unidos y al sur con Guatemala y Belice.

México goza también de una variedad de climas. En la altiplanicie central donde se encuentran la capital y la ciudad de Guadalajara el tiempo es templado todo el año. En la mayoría de la costa del Pacífico y del Caribe el clima es cálido. En el desierto del norte las temperaturas alcanzan más de los 38 grados centígrados mientras las noches en invierno son muy frías.

México se divide en los treinta y un Estados Unidos Mexicanos y un Distrito Federal que es la capital, la Ciudad de México. Es una de las ciudades más grandes del mundo con una población de más de veintidós millones de habitantes.

CULTURA

Desierto árido en el norte de México

Conexiones

La geografía

Have students locate on a map of Mexico each of the areas or geographical features mentioned in the reading. If you happen to have students in the class who are from Mexico or have family from there, you may wish to have them discuss the geographic features with which they are familiar. Encourage classmates to ask questions.

Cultural Snapshot

(bottom) El desierto de Sonora comienza en el suroeste de California, atraviesa el sur de Arizona y parte de Nuevo México y cubre grandes áreas de los estados mexicanos de Sonora y Baja California. En algunas regiones no cae una gota de agua durante cuatro o cinco años.

Go Online!

connectED.mcgraw-hill.com

A Confirmando Corrige la información falsa.

1. España es tan grande como México.
2. México no tiene mucha costa.
3. México limita al sur con Chiapas y la península de Yucatán.
4. La Ciudad de México y la ciudad importante de Guadalajara están en la costa.
5. Puede hacer mucho frío en la costa del Pacífico.
6. México se divide en estados autónomos como en España.

B Describiendo Describe.

1. el tamaño de México
2. la diversidad geográfica de México
3. sus fronteras norteñas y sureñas
4. el clima de México
5. las divisiones políticas de México

C *Comparaciones*

En tus cursos de estudios sociales no hay duda de que has aprendido mucho sobre la geografía de Estados Unidos. Identifica unas cosas geográficas y climáticas que México y Estados Unidos tienen en común.

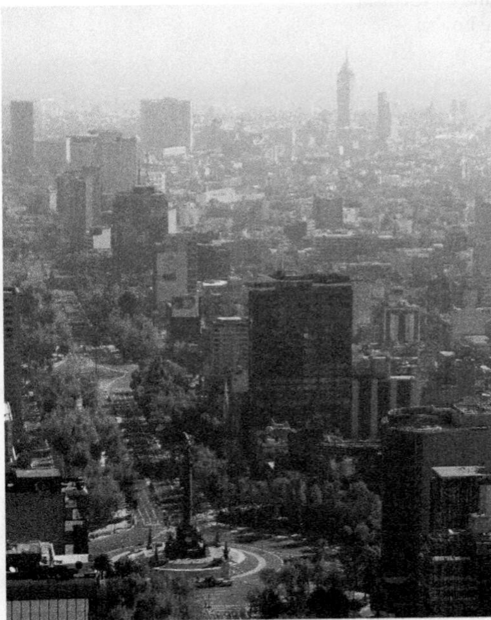

CULTURA
Ciudad de México

Pixtal/age fotostock

Cultura

Cultural Snapshot

El Monumento de la Independencia está en el Paseo de la Reforma. Los habitantes de la ciudad lo llaman frecuentemente «el monumento del Ángel» debido al ángel de bronce que se encuentra encima de la columna. El ángel mide casi 7 metros y pesa 7 toneladas.

Go Online!

You may wish to remind students to go online for additional reading comprehension practice.

ASSESS

Students are now ready to take Quiz 2.

Answers

A

1. España es menos grande que México.
2. México tiene 8.000 kilómetros de costa.
3. México limita al sur con Guatemala y Belice y al norte con Estados Unidos.
4. La Ciudad de México y Guadalajara están en la altiplanicie central.
5. El clima es cálido en la costa del Pacífico.
6. México se divide en treinta y un Estados Unidos Mexicanos y un Distrito Federal.

B

1. México es cuatro veces mayor que España.
2. México es muy diverso. Tiene grandes mesetas, montañas, desiertos y 8.000 kilómetros de costa.
3. En el norte limita con Estados Unidos y en el sur limita con Guatemala y Belice.
4. Tiene una variedad de climas. En la altiplanicie central el tiempo es templado todo el año. En la mayoría de la costa del Pacífico y del Caribe el clima es cálido. En el desierto del norte las temperaturas son muy altas durante el día mientras las noches en invierno son muy frías.
5. México se divide en los treinta y un Estados Unidos Mexicanos y un Distrito Federal que es la capital, la Ciudad de México.

C *Answers will vary.*

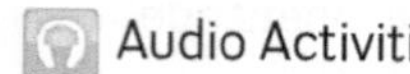

Online Resources

Customizable Lesson Plans

Audio Activities

Student Workbook

Quizzes

Differentiation

Multiple Intelligences

You may wish to have **visual-spatial** learners make a chart or time line summarizing important events and facts about the different groups described in this reading. Have students ask you questions in Spanish if they need help completing their time line.

Cultural Snapshot

(bottom) En Teotihuacán vivían unas 125.000 personas. Cubría un área de más de 20 kilómetros cuadrados y durante cinco siglos dominaba la región. Hacia 650 d.C. la ciudad fue abandonada y no se sabe por qué.

Una ojeada histórica

Las civilizaciones indígenas precolombinas

Los olmecas fueron uno de los primeros grupos de habitantes de México. Los olmecas eran agricultores y constructores. Esculpieron grandes monolitos de piedra. Hicieron también altares y estelas.

De todas las antiguas culturas la más fuerte era la teotihuacana en los valles de México y Puebla. La ciudad de Teotihuacán llegó a su cenit[1] entre 350 y 650 d.C. cuando tenía una población de doscientos mil habitantes.

Se sitúa el apogeo[2] de la cultura maya en la segunda mitad del siglo VII d.C. Los mayas eran excelentes matemáticos y astrónomos. El calendario maya fue uno de los más exactos de todas las civilizaciones antiguas.

Los toltecas fundaron un reino en Mesoamérica en el siglo VIII que floreció hasta 1150. A mediados del siglo XI habían convertido Tula en una gran ciudad de unos cuarenta mil habitantes. Los toltecas eran buenos comerciantes y guerreros[3] feroces.

El último gran imperio de Mesoamérica fue el de los mexicas o aztecas. Los aztecas fueron guerreros feroces y muy temidos entre sus vecinos. Su dios principal era Huitzilopochtli, el dios de la guerra. Según la tradición el dios les mandó salir de su tierra en el norte en busca de un lugar mejor donde establecerse. Les dijo que encontrarían un sitio donde verían un águila con una serpiente en la boca sobre un cacto. Es allí donde Huitzilopochtli les dijo que se establecieran. Vieron el águila en una isla de un lago en el sitio que llegaría a ser Tenochtitlán donde hoy se encuentra la Ciudad de México. El águila y la serpiente están conmemoradas para siempre en la bandera mexicana.

[1] cenit *zenith, peak* [2] apogeo *height, zenith* [3] guerreros *warriors*

CULTURA

El famoso calendario maya

CULTURA

Turistas visitando la pirámide del Sol en Teotihuacán, México

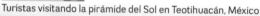

Go Online!

connectED.mcgraw-hill.com

CULTURA

Ruinas toltecas en Tula, México. Las «columnas» son los famosos atlantes de piedra que miden 4,5 metros. Los atlantes eran estatuas de hombres que servían de soporte.

D Ordenando Pon en orden cronológico los grupos indígenas.

los olmecas
los mexicas o aztecas
los mayas
los toltecas
los teotihuacanos

E Identificando ¿Quiénes eran... ?

1. guerreros feroces
2. agricultores y constructores
3. buenos comerciantes
4. excelentes matemáticos y astrónomos

F Recordando hechos Contesta.

1. ¿Dónde vivían los teotihuacanos?
2. ¿Cómo fue el calendario maya?
3. ¿Cuál fue el último gran imperio de Mesoamérica?
4. ¿Quién era Huitzilopochtli?
5. ¿Qué es Tenochtitlán hoy día?
6. ¿Qué se ve en la bandera mexicana?

CULTURA

Un shaman (shamán) azteca

CULTURA

La bandera mexicana

Cultura

Cultural Snapshot

(top) Sobre la pirámide principal Tlahuizcalpantecuhtli, o templo de la estrella de la mañana, están los famosos Atlantes de Tula. Son cuatro estatuas de 4 a 6 metros de altura que representan dioses toltecas. Tula es el sitio tolteca de mayor importancia en México.

Go Online!

You may wish to remind students to go online for additional reading and listening comprehension practice.

ASSESS

Students are now ready to take Quiz 3.

Answers

D

los olmecas, los teotihuacanos, los mayas, los toltecas, los aztecas

E

1. Los mexicas o aztecas eran guerreros feroces.
2. Los olmecas eran agricultores y constructores.
3. Los toltecas eran buenos comerciantes.
4. Los mayas eran excelentes matemáticos y astrónomos.

F

1. Los teotihuacanos vivían en los valles de México y Puebla.
2. El calendario maya fue uno de los más exactos de todas las civilizaciones antiguas.
3. El último gran imperio de Mesoamérica fue el de los aztecas.
4. Huitzilopochtli era el dios principal de los aztecas.
5. Hoy día Tenochtitlán es la Ciudad de México.
6. En la bandera mexicana se ven el águila y la serpiente.

Online Resources

Customizable Lesson Plans

 Student Workbook

 Quizzes

La historia

- An Aztec legend said that their god Quetzalcóatl would return to Mexico and that he would be white and blond. When Cortés arrived, the Aztecs thought that he was Quetzalcóatl returning to their land.
- Students will learn more about the personality of Hernán Cortés in the excerpt from the chronicle presented in **Lección 4** of this chapter.

La conquista

El Viernes Santo de 1519 Hernán Cortés y sus hombres llegaron de Cuba a la costa de México. Cortés era un hombre ambicioso y quería emprender la conquista de México por su cuenta. Él había oído que algunos de sus hombres querían volver a Cuba. Él no quería que se unieran con su enemigo político Diego Velázquez quien había conquistado Cuba. Cortés decidió quemar todos sus barcos para hacer imposible el regreso de sus hombres a Cuba. Luego empezó su marcha hacia el interior del país.

En aquel entonces Moctezuma era el emperador azteca y su capital era Tenochtitlán. Muchos pueblos indígenas que eran enemigos de Moctezuma se unieron con Cortés y le dieron ayuda. Cortés llegó a la capital y Moctezuma decidió recibirlo. ¿Por qué? Lo recibió porque oyó que venía un hombre blanco y creía que este hombre extraño tenía que ser Quetzalcóatl, un dios supremo de los aztecas. Según una leyenda azteca Quetzalcóatl había salido de Tenochtitlán hacia el golfo de México. Les prometió a los aztecas que regresaría a Tenochtitlán en el año de «actl» que en el calendario azteca era el año 1519—el año de la llegada de Cortés. Para no ofender a su «dios», Moctezuma le dio regalos y lo alojó en un gran palacio en la magnífica capital.

CULTURA

El emperador Moctezuma recibe a Cortés y sus hombres. Los hombres están de rodillas como si recibieran una bendición.

CULTURA

La cabeza de una serpiente de plumas tallada en la muralla exterior del Templo de la Serpiente Emplumada en Teotihuacán, México

Go Online!

connectED.mcgraw-hill.com

CULTURA

Hernán Cortés va montado a caballo a Tenochtitlán mientras sus hombres lo siguen andando a pie.

G Confirmando información Determina si la información es correcta o no. Si no lo es, corrígela.

1. Hernán Cortés llegó a la costa de México el día de Navidad de 1619.
2. Cuando llegaron Cortés y sus hombres al interior, Moctezuma era el emperador de los aztecas.
3. A todos los otros grupos indígenas les gustaban mucho los aztecas.
4. Cuando Cortés llegó a Tenochtitlán esta era una ciudad muy pobre.

H Explicando Explica las siguientes circunstancias.

1. el conflicto o problema entre Cortés y unos de sus hombres
2. como Cortés resolvió el conflicto

I Infiriendo Contesta.

Basado en lo que has leído sobre Hernán Cortés, a tu parecer, ¿qué tipo de hombre sería?

J Analizando Contesta.

¿Por qué recibió Moctezuma a Cortés con «brazos abiertos»?

Cultura

PRACTICE

G You may wish to have students do this activity a second time after they have read the chronicle in **Lección 4** of this chapter.

Go Online!

You may wish to remind students to go online for additional reading comprehension practice.

ASSESS

Students are now ready to take Quiz 4.

Answers

G

1. Hernán Cortés llegó a la costa de México el Viernes Santo de 1519.
2. correcta
3. Muchos otros grupos indígenas eran enemigos de los aztecas.
4. Cuando Cortés llegó a Tenochtitlán esta era una ciudad magnífica.

H

1. El conflicto o problema fue que Cortés había oído que algunos de sus hombres querían volver a Cuba pero él no quería que se unieran con su enemigo político Diego Velázquez (quien había conquistado Cuba).
2. Cortés quemó todos sus barcos para hacer imposible el regreso de sus hombres a Cuba.

I *Answers will vary but may include:* Hernán Cortés era un hombre muy duro y terco. Quería tener poder y haría todo lo posible para tenerlo.

J *Answers will vary but may include:* Moctezuma recibió a Cortés con «brazos abiertos» porque, a causa de una leyenda azteca, creyó que Cortés era Quetzalcóatl, un dios supremo de los aztecas.

Online Resources

Customizable Lesson Plans

 Student Workbook

 Enrichment

TEACH

Core Instruction

As you are going over this part of the **Lectura,** you may wish to intersperse questions from Activity K on the next page.

 Conexiones

La historia

Father Hidalgo gave his famous **grito de Dolores** in the village of Dolores, now called Dolores Hidalgo. He shouted, **«Mexicanos, ¡Viva México!»** From Dolores, Father Hidalgo continued to Querétaro and to other towns in central Mexico. In each town he visited, he gathered more support from the people. It is said that many of Father Hidalgo's followers marched with him barefoot.

 Cultural Snapshot

El parque de la Alameda o Alameda Central es un oasis de verdura y espacio abierto en el centro mismo de la ciudad. Sigue siendo un lugar donde se celebran muchas festividades. En este mismo lugar tenían los aztecas su mercado o **tianguis.**

La época colonial y después

El México colonial se llamaba «la Nueva España» pero la mayoría de los habitantes de la Nueva España no querían vivir bajo el dominio de España. Querían su independencia. En 1808 los franceses invadieron y ocuparon España y Napoleón colocó en el trono español a su hermano José Bonaparte. Los españoles se levantaron contra los franceses y los mexicanos tomaron la oportunidad para luchar por su independencia. En Dolores el día 16 de septiembre de 1810 el humilde padre Hidalgo de la parroquia[4] de Dolores lanzó su famoso «grito de Dolores». Incitó a sus feligreses[5] a tomar armas y clamar por la libertad, la igualdad de los hombres y el derecho a la tierra para los que no la tenían. El 16 de septiembre se celebra el día de la Independencia mexicana.

Después de la independencia había varios líderes, entre ellos el muy querido oaxaqueño Benito Juárez. Debido a grandes problemas económicos Juárez se vio obligado a suspender el pago de la deuda exterior. Napoleón III se aprovechó de esta situación para invadir México. El cinco de mayo tuvo lugar la batalla de Puebla—una batalla contra las tropas francesas que ganaron los mexicanos a pesar de la fuerza militar superior de los franceses. Pero los conservadores odiaban a Juárez y apoyaron a los franceses quienes ocuparon la mayor parte del país. En 1864 Napoleón III nombró a Maximiliano de Habsburgo emperador de México. Maximiliano reinó hasta 1867 cuando se rindió y fue fusilado. Juárez fue nombrado presidente de México.

Porfirio Díaz apoyó a Juárez en la lucha contra Maximiliano pero lo opuso cuando llegó a ser presidente. El general Porfirio Díaz tomó el poder en 1877 y gobernó con dureza[6] durante treinta y cuatro años.

[4] parroquia *parish*
[5] feligreses *faithful*
[6] dureza *toughness, harshness*

CULTURA

Parque de la Alameda, México, D.F.

Andrew Payti

Answers

K

1. El México colonial se llamaba «la Nueva España».
2. En vez de vivir bajo el dominio de España, la gran mayoría de los mexicanos quería(n) su independencia.
3. En 1808 los franceses invadieron y ocuparon España y Napoleón colocó en el trono español a su hermano, José Bonaparte.
4. Los mexicanos tomaron la oportunidad para luchar por su independencia. El padre Hidalgo lanzó su famoso «grito de Dolores», incitando a sus feligreses a tomar armas y clamar por la libertad.
5. Los mexicanos que pedían la independencia querían la libertad, la igualdad de los hombres y el derecho a la tierra para los que no la tenían.
6. Después de la independencia, el más querido de los varios líderes mexicanos era Benito Juárez.
7. Los conservadores no favorecían a Juárez.

Go Online!

connectED.mcgraw-hill.com

K **Recordando hechos** Contesta.

1. ¿Cómo se llamaba el México colonial?
2. En vez de vivir bajo el dominio de España, ¿qué quería la gran mayoría de los mexicanos?
3. ¿Qué pasó en 1808?
4. Los españoles se levantaron contra los franceses. Y, ¿qué hicieron los mexicanos?
5. ¿Qué querían los mexicanos que pedían la independencia?
6. Después de la independencia, ¿quién era el más querido de los varios líderes mexicanos?
7. ¿Quiénes no favorecían a Juárez?

L **Describiendo** Contesta.

En tus propias palabras, describe lo que pasó el 16 de septiembre de 1810 en Dolores. ¿Qué iniciaron estas acciones?

M **Analizando** Contesta.

¿Por qué invadió Francia a México?

N **Identificando** Identifica.

1. a Benito Juárez
2. a Napoleón III
3. a Maximiliano de Habsburgo
4. el cinco de mayo
5. a Porfirio Díaz

CULTURA

Un grupo de carteles con anuncios en la Ciudad de México

Cultura

Go Online!

You may wish to remind students to go online for additional reading comprehension practice.

Answers

L *Answers will vary but may include:*
En Dolores el día 16 de septiembre de 1810 el padre Hidalgo de la parroquia de Dolores incitó a sus feligreses a tomar las armas y luchar por la libertad, la igualdad y el derecho a la tierra. Esto se llamaba el «grito de Dolores».

M *Answers will vary but may include:*
Francia invadió a México porque este dejó de pagar sus deudas a Francia y otros países extranjeros.

N

1. Benito Juárez fue un presidente querido de México.
2. Napoleón III fue el emperador de Francia.
3. Maximiliano de Habsburgo fue el emperador de México nombrado por Napoleón III.
4. El cinco de mayo fue la batalla de Puebla entre los mexicanos y las tropas francesas (que ganaron los mexicanos).
5. Porfirio Díaz fue un general que apoyó a Juárez en la lucha contra Maximiliano pero lo opuso cuando llegó a ser presidente. Díaz tomó el poder en 1877 y gobernó con dureza por treinta y cuatro años.

Online Resources

Customizable Lesson Plans

 Student Workbook

 Quizzes

 Comunicación

Presentational

Many fascinating books have been written about the Mexican Revolution. You may wish to have students who are interested in history do some additional research on this period and present what they learn to the class.

 Comunicación

Interpersonal

It is quite possible that some of your students have been to Mexico. If they have, allow them to share their experiences with the class and tell where they went and what they saw. Encourage classmates to ask questions.

 Cultural Snapshot

(top) El Zócalo, o Plaza de la Constitución, es la plaza principal de la Ciudad de México y una de las más grandes del mundo. En ella se encuentran la Catedral Metropolitana y el Palacio Nacional. Alrededor de la plaza hay museos y otros edificios importantes. En una esquina del Zócalo están las ruinas del Templo Mayor de los aztecas que datan de los tiempos de Tenochtitlán. Fue sobre las ruinas de Tenochtitlán que Cortés hizo construir la nueva ciudad.

La Revolución mexicana

Se le denomina «Revolución mexicana» al movimiento armado que comenzó en 1910 al final de la dictadura del general Porfirio Díaz. La Revolución tuvo objetivos sociales y culturales y consistió en una serie de revoluciones y conflictos organizados por distintos jefes políticos y militares. La Revolución mexicana culminó en la promulgación de la Constitución de 1917 pero la violencia continuó hasta finales de la década.

Después de la Revolución se instituyó la reforma agraria, se establecieron organizaciones obreras y hubo muchas reformas en la educación y la cultura.

O Buscando información Completa.

1. Se le denomina «Revolución mexicana» al _____.
2. Los objetivos de la Revolución eran _____.
3. La Revolución en sí era _____.
4. La Revolución culminó en _____.
5. Algunos resultados de la Revolución fueron _____.

CULTURA
Palacio Nacional en el Zócalo, México, D.F.

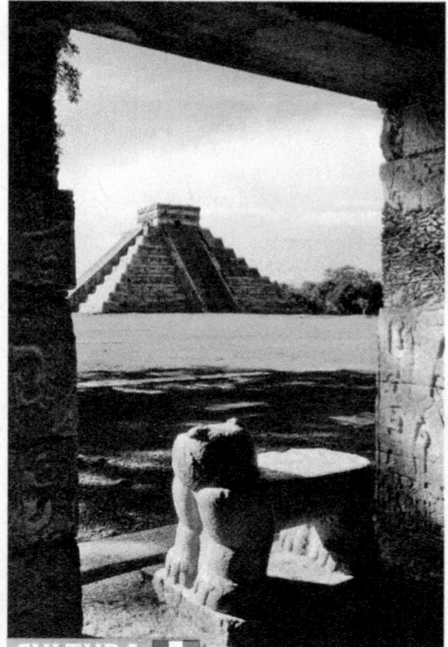
CULTURA
Ruinas mayas, Chichén Itzá

Visitas históricas

Si un día decides visitar México tienes que ir primero a la capital. Te sorprenderá la belleza del Zócalo en el centro histórico de la Ciudad de México, ciudad construida por los españoles sobre las ruinas de Tenochtitlán. Si quieres observar la magnífica arquitectura de los pueblos indígenas precolombinos, debes ir a Chichén Itzá y Monte Albán. No puedes salir de México sin andar por los cascos antiguos y coloniales de ciudades como Oaxaca y Guanajuato.

CULTURA
Ruinas de la civilización zapoteca, Monte Albán

ASSESS

Students are now ready to take Quiz 5.

Answers

O

1. movimiento armado que comenzó en 1910 al final de la dictadura del general Porfirio Díaz
2. sociales y culturales
3. una serie de revoluciones y conflictos organizados por distintos jefes políticos y militares
4. la promulgación de la Constitución de 1917
5. la reforma agraria, el establecimiento de organizaciones obreras y muchas reformas en la educación y la cultura

P Recordando hechos Contesta.

1. ¿En qué parte de la capital de México está el Zócalo?
2. ¿Qué hay en Chichén Itzá y Monte Albán?
3. ¿Qué hay en las ciudades históricas como Oaxaca y Guanajuato?

Comida

La cocina mexicana es conocida en el mundo entero. Si tienes hambre puedes comer unos tamales, tostadas, quesadillas o tacos, todos a base de tortilla de maíz o harina hecha a mano. Y tienes que probar las muchas salsas regionales como el famoso mole poblano preparado por primera vez por unas monjas en el Convento de Santa Rosa en la ciudad de Puebla. Las salsas regionales llevan muchos ingredientes y hierbas diferentes—como el chocolate y chiles, por ejemplo. ¡Buen apetito!

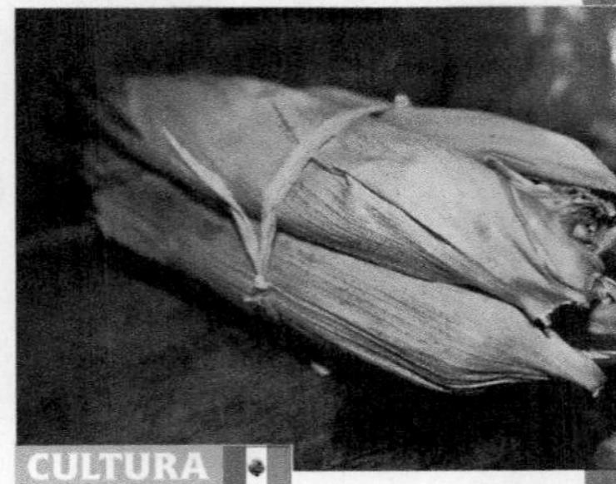

CULTURA
Preparando tamales mexicanos al vapor envueltos en las perfollas del maíz

Q Confirmando información ¿Sí o no?

1. La cocina mexicana es apreciada solo en México.
2. Muchos platos mexicanos se hacen a base de tortillas de maíz.
3. Los indígenas de Puebla prepararon los primeros moles poblanos.
4. Muchas salsas se preparan con chocolate y chiles (ajíes).

CULTURA
Cocina del Convento de Santa Rosa, Puebla

Cultura

Online Resources

Customizable Lesson Plans

 Student Workbook

Heritage Speakers

If you have any students from Mexico in class, you may wish to have them give information about the foods they eat. Students of Mexican American background can compare those foods with what they eat. Students can make comparisons between Mexican, Tex-Mex, and Southwestern Mexican cuisine.

Answers

P

1. El Zócalo está en el centro histórico de la Ciudad de México.
2. En Chichén Itzá y Monte Albán hay la magnífica arquitectura de los pueblos indígenas precolombinos.
3. En las ciudades históricas como Oaxaca y Guanajuato hay cascos antiguos con edificios coloniales.

Q

1. no
2. sí
3. no
4. sí

Online Resources

Customizable Lesson Plans

Student Workbook

Reading, Writing Test

Self-check for achievement

This is a pre-test for students to take before you administer the lesson test. Note that each section is cross-referenced so students can easily find the material they feel they need to review. You may wish to use Self-Check Worksheet SC5.1 to have students complete this assessment in class or at home. You can correct the assessment yourself, or you may prefer to display the answers in class using Self-Check Answers SC5.1A.

Differentiation

Slower Paced Learners

Encourage students who need extra help to refer to the margin notes and review any section before answering the questions.

Go Online!

   You may wish to remind students to go online for additional reading comprehension practice.

Prepárate para el examen

Self-check for **ACHIEVEMENT**

Vocabulario

Para repasar, ve el vocabulario de esta sección.

1 Completa.

1. Muchos dictadores no respetan los ____ humanos.
2. Si no cambia la situación ellos van a ____ contra el gobierno.
3. Ellos se quieren ____ en un hotel económico.
4. La artista va a ____ una estatua en madera.
5. Si quieres, lo puedes ____ aquí. Es un lugar apropiado.
6. Van a ____ un viaje de exploración.

2 Escoge.

se hizo se volvió se puso llegó a ser

7. Ella ____ furiosa.
8. Ella ____ famosa.
9. Él ____ director de la compañía.
10. Era protestante pero ____ católico.

Lectura y cultura

Para repasar, ve la información cultural sobre México.

3 Corrige la información falsa.

11. México no tiene costa.
12. El clima en las diferentes partes de México no varía mucho.
13. México se divide en provincias.
14. Había solamente una civilización indígena en México antes de la llegada de los españoles.
15. Hernán Cortés y sus hombres salieron de España y llegaron a la costa de México el día del Año Nuevo en 1519.

4 Identifica.

16. Moctezuma
17. el padre Hidalgo
18. Benito Juárez
19. Porfirio Díaz

5 Parea.

20. los olmecas
21. los aztecas
22. los mayas
23. los toltecas

a. buenos comerciantes y feroces guerreros
b. guerreros feroces a quienes conquistó Hernán Cortés
c. buenos matemáticos y astrónomos que tenían un calendario muy avanzado
d. uno de los primeros grupos indígenas; eran agricultores y constructores

6 Pon en orden cronológico los siguientes eventos.

24–25. la conquista de México
la Revolución
la independencia
la colonización
el florecimiento de las civilizaciones indígenas

Answers

1

1. derechos
2. levantarse
3. alojar
4. esculpir
5. colocar
6. emprender

2

7. se puso
8. se hizo
9. llegó a ser
10. se volvió

3

11. México tiene 8.000 kilómetros de costa.
12. El clima en las diferentes partes de México varía mucho.
13. México se divide en treinta y un Estados Unidos Mexicanos (y un Distrito Federal).
14. Había cinco civilizaciones indígenas en México antes de la llegada de los españoles.
15. Hernán Cortés y sus hombres salieron de España y llegaron a la costa de México el Viernes Santo de 1519.

4

16. Moctezuma era el emperador azteca.
17. El padre Hidalgo fue el que lanzó el famoso «grito de Dolores», incitando a sus feligreses a tomar armas y clamar por la libertad.
18. Benito Juárez fue un presidente querido de México.
19. Porfirio Díaz fue un general que apoyó a Juárez en la lucha contra Maximiliano pero lo opuso cuando llegó a ser presidente. Díaz tomó el poder en 1877 y gobernó por treinta y cuatro años.

Go Online!

connectED.mcgraw-hill.com

Prepárate para el examen

Practice for PROFICIENCY

1 La geografía de México

Has leído que México es cuatro veces más grande que España. En tus propias palabras describe como son similares México y España y cuales son algunos contrastes importantes. Piensa en el clima y la topografía. Luego, dibuja un mapa de México que demuestra su topografía. Consulta a tu profesor(a) o el Internet si necesitas ayuda.

2 La historia de México

En grupos de cuatro, hablen de todo lo que aprendieron sobre la historia de México. Mencionen algunos personajes y acontecimientos muy conocidos y expliquen su importancia.

3 Una leyenda

En tus propias palabras relata una leyenda de los indígenas de México.

4 ¿Por qué y cómo?

Cortés llegó a México con solo quinientos soldados. ¿Cómo pudo conquistar el gran Imperio azteca? Con unos compañeros, discutan los factores que contribuyeron a la derrota de los aztecas.

5 Investigaciones

La vida del muy querido líder mexicano Benito Juárez, un humilde indígena de Oaxaca, es una historia interesante. Haz unas investigaciones sobre este personaje tan estimado.

CULTURA

Una playa, Puerto Vallarta

Composición

La historia de México

En muchos cursos es necesario escribir un resumen de lo que has leído o oído. Antes de tratar de preparar un resumen es aconsejable tomar apuntes.

Vuelve a leer la lectura sobre la historia de México. Mientras leas toma apuntes. Algunos consejos son:

- Apunta solo la información que se aplica directamente al tema.
- Suprime o elimina detalles superfluos.
- Abrevia la información lo más posible.
- Evita el uso de citas directas.

Para ayudarte a no desviar de los temas más importantes puedes servirte del siguiente diagrama.

geografía	historia precolombina	leyendas	la conquista	la independencia

Luego consulta tus apuntes y escribe tu resumen. Es importante repasar y revisar el resumen para asegurarte que la información es precisa y que no hay errores gramaticales.

Tips for Success

Encourage students to say as much as possible when they do these open-ended activities. Tell them not to be afraid to make mistakes, since the goal of the activities is real-life communication. Encourage students to self-correct and to use words and phrases they know to get their meaning across. If someone in the group makes an error that impedes comprehension, encourage the others to ask questions to clarify or, if necessary, to politely correct the speaker. Let students choose the activities they would like to do.

Tell students to feel free to elaborate on the basic theme and to be creative. They may use props, pictures, or posters if they wish.

Pre-AP These oral and written activities will give students the opportunity to develop and improve their speaking and writing skills so that they may succeed on the speaking and writing portions of the AP exam.

Cultural Snapshot

Antes de la década de 1960, Puerto Vallarta era un tranquilo pueblo pesquero hasta que Hollywood lo descubrió. Rodaron una película famosa en el pueblo, *Night of the Iguana* con Elizabeth Taylor y Richard Burton, y así los turistas lo descubrieron. Ahora un millón y medio de turistas descienden en este pueblo del Pacífico cada año.

Answers

5

20. d
21. b
22. c
23. a

6

24–25. el florecimiento de las civilizaciones indígenas, la conquista de México, la colonización, la independencia, la Revolución

ASSESS

Students are now ready to take the Reading and Writing Test for Lección 1: Cultura.

Gramática

Online Resources

Customizable Lesson Plans
Audio Activities
Video (Gramática)
Student Workbook
Quizzes

TEACH

Core Instruction

Step 1 Write the forms of one of the verbs on the board. Include the subject pronouns. Circle the subject and the reflexive pronoun. Draw a line from the reflexive pronoun to the subject pronoun to indicate that they are the same.

Step 2 It should not be necessary to spend much time on the review of the reciprocal construction. You may wish to have students read the model sentences aloud and then proceed directly to the activities.

Teaching Options

To avoid doing large segments of grammar at one time, you may wish to intersperse the grammar points as you are doing other lessons of the chapter. If you prefer, however, you can spend four or five class periods in succession doing the review grammar.

Nota

To review the forms of stem-changing verbs, refer to Chapter 3.

Verbos reflexivos

1. A verb is reflexive when the action of the verb is both executed and received by the subject. Because the subject also receives the action of the verb an additional pronoun is required. This pronoun is called a reflexive pronoun.

presente	
me lavo	nos lavamos
te lavas	*os laváis*
se lava	se lavan

pretérito	
me levanté	nos levantamos
te levantaste	*os levantasteis*
se levantó	se levantaron

2. The following verbs have a stem change in the present.

   acostarse (ue) **despertarse (ie)** **sentarse (ie)**

   The following have a stem change in the present and preterite.

   despedirse (i, i) **vestirse (i, i)** **divertirse (ie, i)** **sentirse (ie, i)** **dormirse (ue, u)** **morirse (ue, u)**

3. The reflexive pronoun is required only when the subject and recipient of the action are one and the same. If someone or something other than the subject receives the action of the verb, no reflexive pronoun is used.

   Él lavó el carro y luego se lavó.
   Él acostó al bebé y luego se acostó.

4. Remember that with a reflexive verb the definite article rather than a possessive adjective is used with parts of the body and articles of clothing.

   Él se lavó las manos y se puso el suéter.

   Note that with reflexives Spanish uses a singular noun whereas English uses the plural.

   Ellos se lavaron la cara. *They washed their faces.*
   Nos quitamos la gorra. *We took off our caps.*

5. The reflexive construction is also used to express a reciprocal action. The concept of reciprocity in English is most often expressed by *each other* or *one another.*

   Rosita y yo nos conocemos.
   Nos conocimos en México.
   Rosita and I know one another.
   We met each other in México.

   Ellos se vieron pero no se hablaron.
   They saw one another but they didn't speak to each other.

CULTURA

Todos se divertían al pasar un domingo en el Bosque de Chapultepec.

Andrew Payti

Answers

1. Me acuesto a la(s) ____.
2. Me duermo en seguida. (Paso un rato dando vueltas en la cama.)
3. Me levanto a las ____.
4. Sí, (No, no) me despierto fácilmente.
5. Me baño (Me ducho) antes de acostarme (después de levantarme).
6. Sí, (No, no) me siento a la mesa para tomar el desayuno.
7. Sí, (No, no) me cepillo los dientes luego.
8. Sí, me visto.
9. Sí, (No, no) me divierto con mis amigos en la escuela.
10. Sí, (No, no) me despido de mis amigos cuando salgo de la escuela.

1. Sí, (No, no) me divertí cuando estaba en México.
2. Sí, (No, no) me sentí como en casa.
3. Sí, (No, no) fui a la playa en Puerto Vallarta.
4. Sí, (No, no) me puse el bañador cuando fui a la playa.
5. Sí, (No, no) me puse una crema protectora.
6. Sí, (No, no) me bronceé.
7. Sí, (No, no) me dormí en la playa.
8. Sí (No), al salir de México (no) me despedí de mis nuevos amigos.

Go Online!

connectED.mcgraw-hill.com

Práctica

ESCUCHAR • HABLAR

1 Personaliza. Contesta sobre tu rutina diaria.

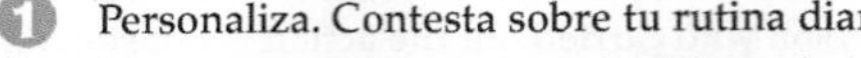

1. ¿A qué hora te acuestas por la noche?
2. ¿Te duermes enseguida o pasas un rato dando vueltas en la cama?
3. Y, ¿a qué hora te levantas por la mañana?
4. ¿Te despiertas fácilmente?
5. ¿Te bañas o te duchas antes de acostarte o después de levantarte?
6. ¿Te sientas a la mesa para tomar el desayuno?
7. Luego, ¿te cepillas los dientes?
8. ¿Te vistes?
9. ¿Te diviertes con tus amigos en la escuela?
10. ¿Te despides de tus amigos cuando sales de la escuela?

EXPANSIÓN

Ahora, sin mirar las preguntas, cuenta toda la información que te dijo tu compañero(a) en tus propias palabras. Si no recuerdas algo, tu compañero(a) te puede ayudar.

HABLAR • ESCRIBIR

2 Contesta sobre un viaje imaginario a México.

1. ¿Te divertiste cuando estabas en México?
2. ¿Te sentiste como en casa?
3. ¿Fuiste a la playa en Akumal?
4. ¿Te pusiste el bañador cuando fuiste a la playa?
5. ¿Te pusiste una crema protectora?
6. ¿Te bronceaste?
7. ¿Te dormiste en la playa?
8. Al salir de México, ¿te despediste de tus nuevos amigos?

EXPANSIÓN

Ahora, haz la Actividad 2 de nuevo. Cambia **tú** a **ustedes** y contesta las preguntas. Haz todos los cambios necesarios.

CULTURA

Una playa en Akumal, México

LEER • ESCRIBIR

3 Completa con el pronombre reflexivo cuando necesario.

1. La señora _____ levanta temprano.
2. Después ella _____ despierta a su hijo.
3. Los dos _____ lavan el carro.
4. El hijo también _____ lava al perro.
5. Y después, él _____ baña.

LEER • ESCRIBIR

4 Completa.

1. Él me vio y yo lo vi. Nosotros _____ en el restaurante.
2. Ella me conoció y yo la conocí. Nosotros _____ en la escuela.
3. Ella le escribió a él y él le escribió a ella. Ellos _____ con frecuencia.
4. Él la quiere y ella lo quiere. Ellos _____.
5. El niño ayuda a la niña y la niña ayuda al niño. Los niños _____ mucho.

Leveling EACH Activity

Easy Activity 1
Average Activities 2, 3, 4, Activity 1 **Expansión**, Activity 2 **Expansión**

PRACTICE

Activities 1 and 2 You may wish to do these activities as a total-class activity, calling on individuals at random to respond. You may also wish to have students prepare these activities in writing.

Differentiation

Multiple Intelligences

You may wish to have **bodily-kinesthetic** and **visual-spatial** learners dramatize the following: **levantarse, ponerse la chaqueta, bañarse, acostarse, despertarse, desayunarse, dormirse, vestirse.** Have average and advanced learners narrate the actions.

Go Online!

Gramática en vivo: *Reflexive verbs* Enliven learning with the animated world of Professor Cruz! **Gramática en vivo** is a fun and effective tool for additional instruction and/or review.

You may wish to remind students to go online for additional grammar review and practice.

ASSESS

Students are now ready to take Quiz 6.

Answers

EXPANSIÓN

1. Sí, (No, no) nos divertimos cuando estábamos en México.
2. Sí, (No, no) nos sentimos como en casa.
3. Sí, (No, no) fuimos a la playa en Puerto Vallarta.
4. Sí, (No, no) nos pusimos el bañador cuando fuimos a la playa.
5. Sí, (No, no) nos pusimos una crema protectora.
6. Sí, (No, no) nos bronceamos.
7. Sí, (No, no) nos dormimos en la playa.
8. Sí (No), al salir de México (no) nos despedimos de nuestros nuevos amigos.

3

1. se
2. —
3. —
4. —
5. se

4

1. nos vimos
2. nos conocimos
3. se escribieron
4. se quieren
5. se ayudan

Online Resources

Customizable Lesson Plans

 Audio Activities

 Student Workbook

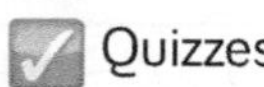 Quizzes

TEACH

Core Instruction

Step 1 Have students read the explanatory material aloud.

Step 2 Have students say the verb forms and the model sentences aloud.

Go Online!

You may wish to remind students to go online for additional grammar review and practice.

CULTURA

En esta tienda se solicita empleada.

Primera persona hospitalizada en Rusia por un posible contagio de gripe aviar

Moscú advierte de que la epidemia puede extenderse a otros países en otoño

La voz pasiva

1. The pronoun **se** is often used in Spanish to express the passive, especially when the person who carried out the action is not stated. Observe the following.

Se habla español en México.	*Spanish is spoken in Mexico.*
Se venden chiles en el mercado.	*Chiles are sold in the market. (They sell chiles in the market.)*
¿Cómo se dice?	*How is it said? (How does one say?)*

2. The true passive is much less commonly used in Spanish than in English. In Spanish, the active voice is preferred. When used, the true passive is formed by using the verb **ser** and the past participle followed by **por.**

VOZ ACTIVA	**Los aztecas construyeron la ciudad.**
VOZ PASIVA	**La ciudad fue construida por los aztecas.**

3. The true passive is frequently found in a shortened form in headlines.

Casa destruida por huracán
Niño herido en accidente de automóvil

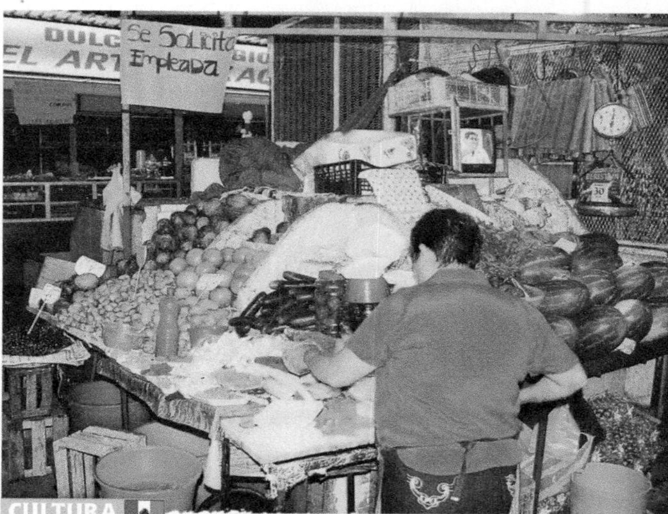

CULTURA

Se venden muchos productos en este mercado en Oaxaca.

Answers

1. El mercado se abre temprano por la mañana.
2. Sí, se venden chiles.
3. Se venden todos tipos de comestibles y otras mercancías también.
4. Absolutamente se regatea en el mercado.
5. Por lo general, se dice «elote».

Práctica

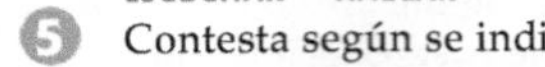

ESCUCHAR • HABLAR

5 Contesta según se indica.

1. ¿A qué hora se abre el mercado? (temprano por la mañana)
2. ¿Se venden chiles? (sí)
3. ¿Qué más se vende en el mercado? (todos tipos de comestibles y otras mercancías también)
4. ¿Se regatea en el mercado? (absolutamente)
5. ¿Cómo se dice «maíz» en México? (por lo general, «elote»)

CULTURA

Se venden productos frescos en este mercado en Mérida en la península de Yucatán.

LEER • ESCRIBIR

6 Completa con el pronombre y la forma apropiada del verbo.

1. _____ hierv__ el agua para hacer té.
2. _____ cuec__ las habas en agua.
3. _____ frí__ el pollo.
4. _____ as__ las chuletas.
5. _____ rellen__ los chiles de queso.
6. _____ cocin__ el plato a fuego lento.
7. Las mejores comidas caseras _____ elabor__ en casa.
8. _____ dic__ que la comida mexicana es muy buena.

CULTURA

Se dice que la comida es muy buena en este puesto en México, D.F.

CULTURA

Monumento a los Héroes de la Independencia, México, D.F.

HABLAR • ESCRIBIR

7 Cambia a la voz pasiva.

1. Los olmecas habitaron México de 1500 a.C. hasta 300 d.C.
2. Los mayas crearon un calendario muy exacto.
3. Cortés quemó todos los barcos.
4. Los españoles construyeron la Ciudad de México.

Andrew Payti

Leveling EACH Activity

Easy Activities 5, 6
Average Activity 7

PRACTICE

Activity 5 This activity can be done orally without previous preparation.

Activities 6 and 7 You may wish to have students prepare these activities before going over them in class.

Comunidades

You may wish to point out to students that markets and food stands such as those seen in the top and middle pictures on this page are very common throughout Mexico. Ask students if there are open-air markets or food stands in their community. If so, would they consider this a part of their local culture?

ASSESS

Students are now ready to take Quiz 7.

Answers

6

1. Se, e
2. Se, en
3. Se, e
4. Se, an
5. Se, an
6. Se, a
7. se, an
8. Se, e

7

1. México fue habitado por los olmecas de 1500 a.C. hasta 300 d.C.
2. Un calendario muy exacto fue creado por los mayas.
3. Todos los barcos fueron quemados por Cortés.
4. La Ciudad de México fue construida por los españoles.

Online Resources

Customizable Lesson Plans
Audio Activities
Video (Gramática)
Student Workbook
Quizzes

TEACH

Core Instruction

Step 1 Most students will only need a quick review of this point.

Step 2 Have students review the forms and explanations in Items 1–5.

Have students look at the picture at the bottom of the page. **Padre** is a term heard a great deal in Mexico. It conveys the meaning **fantástico** or **estupendo.** It's a very good equivalent for the untranslatable expression *Nice* in English.

Presente perfecto y pluscuamperfecto

1. The present perfect tense is formed by using the present tense of the helping (auxiliary) verb **haber** and the past participle. The pluperfect is formed by using the imperfect tense of **haber** and the past participle.

present perfect	
he hablado	hemos hablado
has hablado	*habéis hablado*
ha hablado	han hablado

pluperfect	
había comido	habíamos comido
habías comido	*habíais comido*
había comido	habían comido

2. Review the forms of the regular past participles.

VISITAR	**visitado**
VENDER	**vendido**
VIVIR	**vivido**

3. The following verbs have irregular past participles.

ABRIR	**abierto**
CUBRIR	**cubierto**
DESCUBRIR	**descubierto**
MORIR	**muerto**
VOLVER	**vuelto**
PONER	**puesto**
ESCRIBIR	**escrito**
FREÍR	**frito**
ROMPER	**roto**
VER	**visto**
DECIR	**dicho**
HACER	**hecho**

4. The present perfect tense is used to express a past action without reference to a particular time. It usually indicates an action that continues into the present or relates closely to the present. The adverb **ya** *(already)* is often used with the present perfect.

Su madre ha estado enferma. *His mother has been ill.*
Ellos ya lo han visto. *They have already seen it.*

5. The pluperfect tense is used the same way in Spanish as in English. It describes a past action completed prior to another past action.

Ellos ya habían salido cuando nosotros llegamos.
They had already left when we arrived.

CULTURA

¡Qué padre! Se han rebajado los precios de todas las botas en esta tienda de calzado en Guadalajara.

Kerri Galloway

Answers

8
1. Sí, en mi clase de español he estudiado la historia de México.
2. Nosotros hemos aprendido ____.
3. Sí, (No, no) me ha interesado la historia de México.
4. Sí (No), el/la profesor(a) de español (no) ha estado en México.
5. Sí, (No, no) he ido a México.

9
1. Ellos han vuelto esta mañana.
2. Hemos cubierto la olla con una tapa.
3. El niño ha abierto el refrigerador.
4. ¿Quién ha escrito la receta?
5. Yo he hecho las enchiladas.
6. Tú has puesto la mesa.
7. Nunca he roto un vaso.

10
1. Pero es que ya habían capturado la ciudad de Tenochtitlán.
2. Pero es que ya habían establecido una fortaleza.
3. Pero es que ya se habían levantado contra los invasores.
4. Pero es que Moctezuma ya había muerto.
5. Pero es que José Bonaparte ya había ascendido al trono.
6. Pero es que Bonaparte ya había hecho un pacto de paz.

Go Online!

connectED.mcgraw-hill.com

Práctica

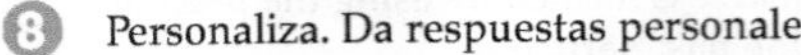
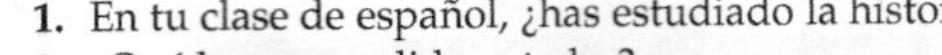

ESCUCHAR • HABLAR

8 Personaliza. Da respuestas personales.

1. En tu clase de español, ¿has estudiado la historia de México?
2. ¿Qué han aprendido ustedes?
3. ¿Te ha interesado la historia de México?
4. ¿Ha estado el/la profesor(a) de español en México?
5. Y tú, ¿has ido una vez a México?

ESCUCHAR • HABLAR

9 Cambia al presente perfecto.

1. Ellos vuelven esta mañana.
2. Cubrimos la olla con una tapa.
3. El niño abre el refrigerador.
4. ¿Quién escribe la receta?
5. Yo hago las enchiladas.
6. Tú pones la mesa.
7. Nunca rompo un vaso.

CULTURA

Las famosas ruinas de Monte Albán se pueden dividir en cinco períodos.

ESCUCHAR • HABLAR

10 Contesta según el modelo.

MODELO **¿Llegar los conquistadores españoles? →**
Pero es que ellos ya habían llegado.

1. ¿Capturar los conquistadores la ciudad de Tenochtitlán?
2. ¿Establecer una fortaleza?
3. ¿Levantarse contra los invasores?
4. ¿Morir Moctezuma?
5. ¿Ascender al trono José Bonaparte?
6. ¿Hacer un pacto de paz Bonaparte?

LEER • ESCRIBIR

11 Enlaza las dos frases en una según el modelo.

MODELO **Ellos llegaron. Yo llegué después. →**
Ellos ya habían llegado cuando yo llegué.

1. Ellos hablaron con él. Nosotros le hablamos después.
2. Yo terminé. Ustedes terminaron después.
3. Tú volviste a casa. Yo volví después.
4. Ella recibió las noticias. Las recibimos después.
5. Vimos la película. Ellos la vieron después.

CULTURA

Los aztecas y los españoles ya habían construido edificios importantes en esta plaza mucho antes de la fundación de la moderna Ciudad de México.

12 *Comunicación*

Imagínate que tienes unos parientes o amigos que están de visita. Habla de todo lo que han hecho y visto desde su llegada.

Leveling EACH Activity

Easy Activities 8, 9
Average Activities 10, 11
CHallenging Activity 12

PRACTICE

Differentiation

Multiple Intelligences

Activity 9 You may wish to call on **bodily-kinesthetic** learners to dramatize the meaning of sentences 2 through 7 as they give their responses.

Go Online!

Gramática en vivo: *Compound tenses*
Enliven learning with the animated world of Professor Cruz! **Gramática en vivo** is a fun and effective tool for additional instruction and/or review.

You may wish to remind students to go online for additional grammar review and practice.

ASSESS

Students are now ready to take Quiz 8.

Answers

11

1. Ellos ya habían hablado con él cuando nosotros le hablamos.
2. Yo ya había terminado cuando ustedes empezaron.
3. Tú ya habías vuelto a casa cuando yo volví.
4. Ella ya había recibido las noticias cuando las recibimos.
5. Ya habíamos visto la película cuando ellos la vieron.

12 *Answers will vary.*

Online Resources

Customizable Lesson Plans

 Video (Gramática)

 Student Workbook

 Quizzes

Cultural Snapshot

Benito Juárez nació muy pobre en el pueblo de Guelatao. La hermana de Benito dejó el hogar para ir a trabajar con una familia oaxaqueña adinerada, los Masa. Unos amigos de los Masa, los Salanueva, conocieron a Benito. Lo querían mucho y lo llevaron a Oaxaca donde lo adoptaron. Benito creció y se educó al amparo de esta familia. Años más tarde Benito se casó con su hija.

Go Online!

You may wish to remind students to go online for additional grammar review and practice.

Presente perfecto del subjuntivo

1. The present perfect subjunctive is formed by using the present subjunctive of **haber** and the past participle.

llegar	
que haya llegado	que hayamos llegado
que hayas llegado	*que hayáis llegado*
que haya llegado	que hayan llegado

ver	
que haya visto	que hayamos visto
que hayas visto	*que hayáis visto*
que haya visto	que hayan visto

2. The present perfect subjunctive is used when the action in the dependent clause that requires the subjunctive took place before the action in the main clause.

Me alegro de que hayas tenido la oportunidad de ir a México.
Dudo que ellos hayan vuelto de su viaje.

CULTURA

El patio de la casa de Benito Juárez, Oaxaca

Andrew Payti

Go Online!

connectED.mcgraw-hill.com

Práctica

LEER • HABLAR • ESCRIBIR

13 Combina los tres elementos en frases completas.

Me sorprende Dudo Me alegro de Siento Es mejor	que tú ya	volver hacerlo decirlo

LEER • ESCRIBIR

14 Completa con el pasado.

1. Ellos no creen que yo lo ____. (hacer)
2. Es una pena que ustedes no ____ los artefactos en el Museo Nacional de Antropología. (ver)
3. Ellos dudan que tú ____. (volver)
4. Es posible que ellos no ____ el trabajo. (terminar)
5. Ellos se alegran de que todos nosotros ____ éxito. (tener)

CULTURA

Me sorprende que alguien haya estado en México sin visitar el famoso Museo Nacional de Antropología.

Gramática

Leveling EACH Activity

Easy Activity 13
Average Activity 14

PRACTICE

Cultural Snapshot

El Museo Nacional de Antropología fue establecido en 1964 en la Ciudad de México. La colección de artefactos precolombinos es mundialmente reconocida. Allí están representadas todas las importantes culturas indígenas de México del pasado y también las cincuenta y seis culturas indígenas que todavía existen en el país.

Go Online!

Gramática en vivo: *Compound tenses in the subjunctive* Enliven learning with the animated world of Professor Cruz! **Gramática en vivo** is a fun and effective tool for additional instruction and/or review.

ASSESS

Students are now ready to take Quiz 9.

Answers

13 *Answers will vary.*

14
1. haya hecho
2. hayan visto
3. hayas vuelto
4. hayan terminado
5. hayamos tenido

Online Resources

Customizable Lesson Plans

Audio Activities

Video (Gramática)

Student Workbook

Quizzes

TEACH

Core Instruction

This is one of those grammatical points that students learn better through examples than explanation. In your presentation, it is recommended that you concentrate on the model sentences and use the actual answers to the activities as examples rather than belabor the explanation of which pronoun goes where. The more students hear the correct order, the less frequently they will make errors.

The word for *cotton candy* is **algodón de azúcar** or **dulce de azúcar.**

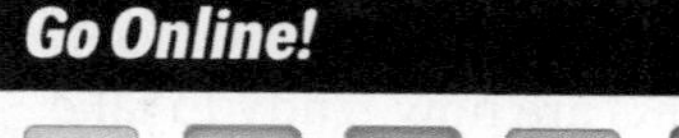

You may wish to remind students to go online for additional grammar review and practice.

Colocación de los pronombres de complemento

1. Direct and indirect object pronouns always come before a conjugated form of a verb.

Él me dio el mapa.	**Él me lo dio.**
Ellos nos regalaron las entradas.	**Ellos nos las regalaron.**
No me has devuelto el dinero.	**No me lo has devuelto.**

2. Direct and/or indirect object pronouns can either be attached to an infinitive or present participle or come before the auxiliary verb.

Él te quiere dar las entradas.	**Él quiere darte las entradas.**
Él te las quiere dar.	**El quiere dártelas.**
Y él te las va a dar.	**Y él va a dártelas.**
Ellos me estaban explicando la diferencia.	**Ellos estaban explicándome la diferencia.**
Ellos me la estaban explicando.	**Ellos estaban explicándomela.**

Note that when two pronouns are attached to the infinitive, the infinitive carries a written accent to maintain the same stress. The present participle carries a written accent when either one or two pronouns are attached.

Andrew Payti

CULTURA

La gente está paseándose tranquilamente por el Bosque de Chapultepec, México, D.F.

3. The direct and indirect object pronouns are always attached to the affirmative command and precede the negative command.

Hábleme usted.	**No me hable usted.**
Dígamelo en español.	**No me lo diga en español.**
Háblame.	**No me hables.**
Dímelo.	**No me lo digas.**

Note that the command carries a written accent to maintain the same stress when either one or two pronouns are attached. The only exception is a monosyllabic command: **dime**—but **dímelo.**

Answers

15

1. Sí, ayúdame. / No, no me ayudes, por favor.
2. Sí, llámame. / No, no me llames, por favor.
3. Sí, contéstame. / No, no me contestes, por favor.
4. Sí, dámelo. / No, no me lo des, por favor.
5. Sí, dímelo. / No, no me lo digas, por favor.

16

1. ¡No lo haga ahora!
2. ¡No me lo diga!
3. ¡No me la venda!
4. ¡No se lo dé a él!
5. ¡No nos lo pida!

17

1. Póngalo usted allí.
2. Siéntense ustedes aquí.
3. Repítaselo.
4. Cuéntenmelo.
5. Sírvanselo a ellos.

Práctica

ESCUCHAR • HABLAR

15 Sigue el modelo.

MODELO —**¿Te hablo?**
—**Sí, háblame.**
—**No, no me hables, por favor.**

1. ¿Te ayudo?
2. ¿Te llamo?
3. ¿Te contesto?
4. ¿Te lo doy?
5. ¿Te lo digo?

LEER • ESCRIBIR

16 Pon las frases en la forma negativa.

1. ¡Hágalo ahora!
2. ¡Dígamelo!
3. ¡Véndamela!
4. ¡Déselo a él!
5. ¡Pídanoslo!

LEER • ESCRIBIR

17 Pon las frases en la forma afirmativa.

1. No lo ponga usted allí.
2. No se sienten ustedes aquí.
3. No se lo repita.
4. No me lo cuenten.
5. No se lo sirvan ustedes a ellos.

LEER • ESCRIBIR

18 Escribe las frases con pronombres según el modelo.

MODELO **Quiere invitar a Mara.** →
La quiere invitar.
Quiere invitarla.

1. Quiero ver *la película.*
2. Tadeo va a comprar *las entradas.*
3. Quiere dar *las entradas a sus amigos.*
4. Voy a invitar *a José* también.
5. Vamos a ver *el film* en español—en versión original.
6. No queremos ver *el film* doblado en inglés.
7. Mis amigos podrán entender *la versión original.*

ESCUCHAR • HABLAR

19 Contesta según el modelo.

MODELO —**¿Estás comiendo los mariscos?**
—**Sí, los estoy comiendo.**
—**Sí, estoy comiéndolos.**

1. ¿Estás leyendo el menú?
2. ¿Estás hablando al mesero?
3. ¿El mesero te está recomendando la especialidad de la casa?
4. ¿Estás pidiendo el pescado a la veracruzana?
5. ¿Tu amiga está pidiendo el plato combinado que lleva tacos, enchiladas y chiles rellenos?
6. ¿Están comiendo los frijoles refritos?
7. ¿Estás pidiendo la cuenta?
8. ¿Estás pagando la cuenta?

Go Online!

connectED.mcgraw-hill.com

¡No siga usted!
¡Párese!

CULTURA

Mucha gente está comiendo en esta terraza en Puebla.

Leveling EACH Activity

Easy Activities 16, 18, 19
Average Activities 15, 17

PRACTICE

Activities 15–19 All of these activities can be done orally in class without previous preparation with the exception of Activity 18.

Go Online!

Gramática en vivo: *Object pronouns* Enliven learning with the animated world of Professor Cruz! **Gramática en vivo** is a fun and effective tool for additional instruction and/or review.

ASSESS

Students are now ready to take Quiz 10.

Answers

18

1. La quiero ver. / Quiero verla.
2. Tadeo las va a comprar. / Tadeo va a comprarlas.
3. Se las quiere dar. / Quiere dárselas.
4. Lo voy a invitar también. / Voy a invitarlo también.
5. Lo vamos a ver en español—en versión original. / Vamos a verlo en español—en versión original.
6. No lo queremos ver doblado en inglés. / No queremos verlo doblado en inglés.
7. Mis amigos la podrán entender. / Mis amigos podrán entenderla.

19

1. Sí, lo estoy leyendo. / Sí, estoy leyéndolo.
2. Sí, le estoy hablando. / Sí, estoy hablándole.
3. Sí, el mesero me la está recomendando. / Sí, el mesero está recomendándomela.
4. Sí, lo estoy pidiendo. / Sí, estoy pidiéndolo.
5. Sí, mi amiga lo está pidiendo. / Sí, mi amiga está pidiéndolo.
6. Sí, los estamos comiendo. / Sí, estamos comiéndolos.
7. Sí, la estoy pidiendo. / Sí, estoy pidiéndola.
8. Sí, la estoy pagando. / Sí, estoy pagándola.

Online Resources

Customizable Lesson Plans
Audio Activities
Video (Gramática)
Student Workbook
Reading, Writing Test

Self-check for achievement

This is a pre-test for students to take before you administer the lesson test. Note that each section is cross-referenced so students can easily find the material they feel they need to review. You may wish to use Self-Check Worksheet SC5.2 to have students complete this assessment in class or at home. You can correct the assessment yourself, or you may prefer to display the answers in class using Self-Check Answers SC5.2A.

Differentiation

Slower Paced Learners

Encourage students who need extra help to refer to the margin notes and review any section before answering the questions.

Prepárate para el examen

Self-check for **ACHIEVEMENT**

Gramática

Para repasar, ve **Verbos reflexivos.**

1 Completa con el pronombre cuando necesario.

1. ¿A qué hora ____ acostaste anoche?
2. Hace tiempo que tú y yo ____ conocemos, ¿verdad?
3. Ella ____ divirtió mucho en la fiesta.
4. Después de la fiesta nosotros ____ lavamos todos los platos y vasos.

Para repasar, ve **La voz pasiva.**

2 Completa con la voz pasiva con se.

5. En este mercado ____ vend__ muchos objetos de artesanía.

6–7. En México ____ habl__ español. ____ habl__ también varios idiomas indígenas.

8. ¿Cómo ____ dic__ *grocery store* en español?

3 Cambia a la voz pasiva.

9. Mis amigos mandaron el paquete.
10. El alcalde invitó a los habitantes de ese barrio.

Para repasar, ve **Presente perfecto y pluscuamperfecto.**

4 Completa con el presente perfecto.

11. Yo ____ dos veces a México. (viajar)

12–13. Pero (yo) nunca ____ el viaje solo. Siempre ____ con mi familia o con unos amigos. (hacer, ir)

14. Los aztecas nos ____ unas joyas arquitectónicas. (dejar)

5 Contesta según el modelo.

MODELO **—¿Fueron ustedes al museo?**
—No, porque ya habíamos ido tres veces.

15. ¿Viste la película anoche?
16. ¿Fueron tus amigos al concierto?
17. ¿Subieron ustedes la pirámide?

Para repasar, ve **Presente perfecto del subjuntivo.**

6 Completa con la forma apropiada del presente perfecto del subjuntivo.

18. Es una pena que ustedes no ____ acompañarnos. (poder)
19. Dudo que ellos ____ el viaje. (hacer)
20. Nos alegramos de que tú ____. (divertirte)
21. No creo que él ____. (volver)

Para repasar, ve **Colocación de los pronombres de complemento.**

7 Expresa de otra manera.

22. Lo estoy esperando.
23. Se lo quiero explicar.
24. Nos vamos a sentar aquí.
25. Yo sé que ella te la está comprando.

Answers

1

1. te
2. nos
3. se
4. —

2

5. se, en

6–7. se, a, Se, an

8. se, e

3

9. El paquete fue mandado por mis amigos.
10. Los habitantes de ese barrio fueron invitados por el alcalde.

4

11. he viajado

12–13. he hecho, he ido

14. han dejado

Go Online!

connectED.mcgraw-hill.com

Prepárate para el examen

Practice for PROFICIENCY

1 Mi día

Habla con un(a) compañero(a) de clase. Dile todo lo que tú haces desde que te levantas por la mañana hasta que te acuestas por la noche. Luego hagan unas comparaciones para determinar si tienen rutinas semejantes.

2 Algún día

Hay tantas cosas que nos gustaría hacer algún día que no hemos hecho todavía porque no hemos tenido la oportunidad o porque no hemos podido. Trabaja con un(a) compañero(a) y hablen de las cosas que quieren hacer algún día pero que hasta ahora no han hecho nunca. Expliquen por qué no las han hecho.

3 Yo lo había hecho.

Habla con un(a) compañero(a) y dile todo lo que ya habías hecho antes de entrar en la secundaria.

4 Los sentimientos de mis padres

Tú ya has hecho muchas cosas en tu vida. Tus padres se alegran de muchas cosas que hayas hecho y hay otras cosas que es posible que les sorprenda que las hayas hecho. Habla con un(a) compañero(a) de clase y dile cosas que has hecho introduciéndolas con expresiones tales como **se alegran de que, no pueden creer que, les sorprende que, no les gusta que, están contentos que,** según los sentimientos y opiniones de tus padres.

CULTURA

Este café Internet en Tepoztlán es muy popular entre los alumnos del pueblo.

Una visita a México

Tienes que escribir una carta a la facultad de español de la universidad a la cual piensas asistir. En tu carta necesitas darles a los profesores una idea de tu nivel del español. El tema de tu carta será imaginario—a no ser que hayas visitado México.

De las lecturas de la Lección 1 en este capítulo puedes sacar algunas ideas para tu carta. Debes tomar apuntes sobre la información que consideras más interesante para incluir en tu viaje ficticio. Entonces describe en tu carta todo lo que has visto y has hecho en tu viaje. También puedes incluir algunos platos que has comido.

Hay tres partes de la carta:

el encabezamiento—que contiene tu dirección y la fecha; el cuerpo de la carta; la conclusión

El saludo para este tipo de carta puede ser: **Estimados señores** (si es a una organización o si no sabes cómo se llaman las personas a quienes escribes), o **Muy estimada señora Rodríguez; Estimado Dr. López,** etc. La despedida puede ser: **Respetuosamente; Muy atentamente, Atentamente.**

Gramática

Tips for Success

Encourage students to say as much as possible when they do these open-ended activities. Tell them not to be afraid to make mistakes, since the goal of the activities is real-life communication. Encourage students to self-correct and to use words and phrases they know to get their meaning across. If someone in the group makes an error that impedes comprehension, encourage the others to ask questions to clarify or, if necessary, to politely correct the speaker. Let students choose the activities they would like to do.

Tell students to feel free to elaborate on the basic theme and to be creative. They may use props, pictures, or posters if they wish.

Pre-AP These oral and written activities will give students the opportunity to develop and improve their speaking and writing skills so that they may succeed on the speaking and writing portions of the AP exam.

Go Online!

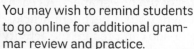

You may wish to remind students to go online for additional grammar review and practice.

ASSESS

Students are now ready to take the Reading and Writing Test for Lección 2: Gramática.

Answers

5

15. No, porque ya la había visto tres veces.
16. No, porque ya habían ido tres veces.
17. No, porque ya la habíamos subido tres veces.

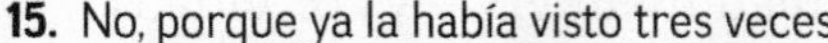

6

18. hayan podido
19. hayan hecho
20. te hayas divertido
21. haya vuelto

7

22. Estoy esperándolo.
23. Quiero explicárselo.
24. Vamos a sentarnos aquí.
25. Yo sé que ella está comprándotela.

Introduction

Each chapter of **¡Así se dice!** Level 4 has a journalism section that corresponds to the same geographical area as the chapter. Each section gives students a list of the important newspapers that they will find online for the countries in that particular geographical area. In putting this section together, we spent approximately one month perusing the newspapers from each area to determine topics that seem to occur frequently in the news of those countries. Hopefully, this will assist students to find articles that relate to the activities provided. However, we recommend that you tell students that they can also pick articles and prepare something about them even if the topic does not appear in a specific activity if it is something of interest to them.

TEACH

Core Instruction

We suggest that you not just dedicate a day or two to the journalism section. As you begin each chapter, tell students to consult the journalism section and spend a few minutes at home each day perusing the appropriate Web sites of the newspapers. As each student finds a pertinent article, he or she can prepare the activity that pertains to it. Needless to say, the topics of all activities will not appear on one given day.

There may also be some debate or discussion activities that you wish to assign to a group or groups of students and give them a time limit to complete them. As you are finishing the chapter, you may want to spend one day having students share with other students the work they did.

La prensa en línea

Bienvenidos a nuestro vecino del sur—México. Además de muchos periódicos regionales, la dinámica capital mexicana tiene tres periódicos excelentes: *Reforma*, *La Prensa* y *El Universal*.

CULTURA

Estados Unidos y México se dan la mano.

Actividades

A Como Estados Unidos y México somos vecinos muy cercanos, no es raro que salgan en los periódicos de ambos países artículos y opiniones sobre las relaciones entre nosotros. Estos artículos pueden abarcar asuntos políticos, económicos, médicos, sociales, etc. Hojea los periódicos mexicanos y trata de encontrar artículos que tienen que ver con asuntos de interés mutuo entre los dos países. Prepara un reportaje identificando el/los asunto(s) y la interpretación mexicana de estos. ¿Parecen tener la misma opinión o interpretación de los mismos asuntos los dos países? Puedes usar una tabla como la de abajo para organizar la información que lees. Con cada artículo, lee el título y, antes de leer el artículo entero, escribe lo que sabes del tema en la primera columna. Luego, escribe lo que quieres saber en la segunda columna. Después de leer el artículo, escribe lo que aprendiste en la última columna.

lo que sé	lo que quiero saber	lo que aprendí

ROYAL BALLET
LA BELLA DURMIENTE
14, 15 y 16 DE JUNIO

CULTURA

El Palacio de Bellas Artes es el teatro más importante de la Ciudad de México y tiene una capacidad de 5.500 espectadores. En su interior destacan los frescos de Orozco, Siqueiros, Rivera y O'Gorman entre otros.

B Los periódicos mexicanos dedican páginas a asuntos culturales. Busca unos artículos sobre escritores, cantantes, actores, etc. Selecciona uno o dos artículos y prepara una sinopsis de cada uno. Si se cita mucha información biográfica, inclúyela en tu sinopsis. Después, escoge a una de las personas mencionadas en los artículos y haz investigaciones sobre su vida y trabajo. Escribe un breve artículo describiendo como su trabajo ha contribuido a la cultura hispana y la de Estados Unidos.

Current event

If there is something of particular interest in Mexico that is of interest or concern to the United States, you may wish to inform the class of the situation and tell them to frequently consult the foreign newspapers online and have them compare the reporting with that which appears in the U.S. press.

Videos

Inform students that many articles are accompanied by interviews or videos. Tell students to make as much use of these audio and visual components as possible, since it will enable them to hear a wide variety of native speakers and see events happening in real places and in real time.

CULTURA

La Ciudad de México es una ciudad que ofrece una gran variedad de eventos culturales.

C El gobierno mexicano, nacional y local, ha hecho mucho para tratar de reformar la educación. El propósito de la mayoría de las reformas educativas es el mejoramiento de la calidad de la enseñanza y la posibilidad de ejercer mayor control de los maestros. Estas reformas producen reacciones positivas y negativas. Algunos docentes están de acuerdo con las reformas y otros las critican acusando al gobierno de tratar de privatizar la educación. Trabaja con un(a) compañero(a) de clase para buscar unos artículos sobre reformas educativas. Identifiquen el enfoque del artículo o de los artículos. ¿Les parece que el público y los docentes están a favor o en contra de las reformas? ¿Por qué piensan así? ¿Cuál sería la reacción a estas reformas en Estados Unidos? Discútanla.

CULTURA

Un grupo de estudiantes secundarios que están haciendo una excursión escolar en Oaxaca, México. Aquí se ven delante de la catedral.

PRACTICE

Activity A

Ask students to consider the importance of this activity. Remind them that relations between Mexico and the United States are extremely important across a wide range of issues.

Activity C

Students have probably already learned by reading newspaper articles or listening to the news that education today in many countries is a great concern. Have them discuss education in the United States. What particular problems and concerns do they think we are facing, if any? What can and should we do to address them? Are we doing enough? If their answer is "no," ask what they think the reasons might be.

PRACTICE

Activity D

You may wish to have students share with the class what their ideal trip might be.

Activity F

It might be interesting to survey the class and see how familiar students are with Mexican food.

CULTURA

Una calle en el centro de Puebla, México

D Consulta la sección «Viajes y ocio» en varios periódicos. Después de leer algunos, escoge un viaje a un lugar que te gustaría visitar. Escríbeles un mensaje electrónico a tus padres describiendo el lugar. Explica por qué te interesa tanto y por qué deben tomar unas vacaciones en este sitio. Trata de persuadirles hacer el viaje. Usa una tabla como la de abajo para organizar tus ideas. No te olvides de revisar y corregir tu trabajo. Tal vez un(a) compañero(a) de clase te puede ayudar a editarlo.

tema: las vacaciones en...	
razones	detalles
1.	
2.	

E México, igual que Estados Unidos, está experimentando muchos avances tecnológicos. ¿Cuáles son algunos que has encontrado al hojear los periódicos, escuchar reportajes o ver los videos disponibles? En grupos, comparen lo que encontraron en las noticias mexicanas con los artículos y reportajes que salen en Estados Unidos sobre la tecnología. Luego, preparen un reportaje que va acompañado de una presentación digital que detalla uno de los avances. Presenten la información a la clase. Háganles preguntas a sus compañeros de clase para verificar que han entendido su reportaje.

F Consulta la sección «Cocina» o «Gastronomía» y describe un plato mexicano que a ti te gustaría comer. Da tus opiniones sobre la comida mexicana y compáralas con las opiniones de un(a) compañero(a). Luego, hablen de la influencia de la cocina mexicana en su comunidad. ¿Hay restaurantes o tiendas que sirven o venden comida mexicana?

G México tiene muchas ciudades grandes en las afueras de las cuales se encuentran zonas industriales. El aire que se respira está contaminado, mayormente por las emisiones de gases de los tubos de escape de los automóviles y camiones y de las fábricas que queman sustancias químicas. Además del aire, los desechos industriales contaminan los ríos, lagos y océanos. Afortunadamente, México tiene muchos programas ecológicos para tratar de aliviar el problema de la contaminación del medio ambiente.

Busca unos artículos que describen las medidas que está tomando el gobierno mexicano para tratar de solucionar este problema primordial. Luego, en grupos, contesten las siguientes preguntas sobre los artículos que leyeron: ¿Cuáles son los desafíos medioambientales que encontraron? ¿Por qué creen que existen estos desafíos? ¿Cuáles son algunas soluciones que quiere implementar el gobierno? ¿Cómo son semejantes los desafíos medioambientales de México y los de Estados Unidos? ¿Cómo son diferentes? ¿Cómo resolverían ustedes estos problemas? Luego, presenten a la clase un resumen de lo que discutieron que incluye todos los puntos de vista expresados durante la discusión.

H Lee una de las cartas al editor o un blog publicado por el periódico. Compara el lenguaje de estos con el lenguaje de un artículo de la portada. ¿Te parece más coloquial el lenguaje de la carta o del blog que el lenguaje del artículo? Da ejemplos.

Una crítica

La crítica es un tipo de artículo o ensayo que critica o juzga una obra y que presenta un resumen y evaluación detallada de la obra.

Vas a escribir una crítica de una película o de un programa de televisión que has visto. Puedes seguir esta tabla de sugerencias para darle orden a tu crítica.

tus opiniones sobre el argumento	
tu análisis de los personajes—actores y actrices	
tu reacción al decorado y vestuario (trajes)	

Como conclusión, da tu opinión general de la obra. ¿Te ha gustado o no? ¿Recomendarías verla o no?

Después de revisar y corregir tu borrador, escribe de nuevo tu crítica en forma final.

PRACTICE

Activity G

Have students discuss what is happening in many of the industrial areas in the United States.

Composición

You may wish to collect this work from students and correct as a composition assignment.

Online Resources

Customizable Lesson Plans

 Audio

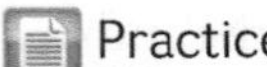 Practice

 Review

Additional Vocabulary

You may wish to give students the following related words or equivalent expressions to help them further understand the meaning of the new words.

rudo → crudo
inmerecido → sin mérito
amargura → amargo → El vinagre es amargo. Y la miel, ¿es amarga o dulce?

Cultural Snapshot

(top) Playa del Carmen está a unos 65 kilómetros al sur de Cancún. Es un antiguo pueblo de pescadores que sigue siendo un lugar placentero y bastante tranquilo a pesar del establecimiento de unos complejos turísticos.

Leveling EACH Activity

Average Activities 1, 2

Go Online!

You may wish to remind students to go online to download audio files of all vocabulary.

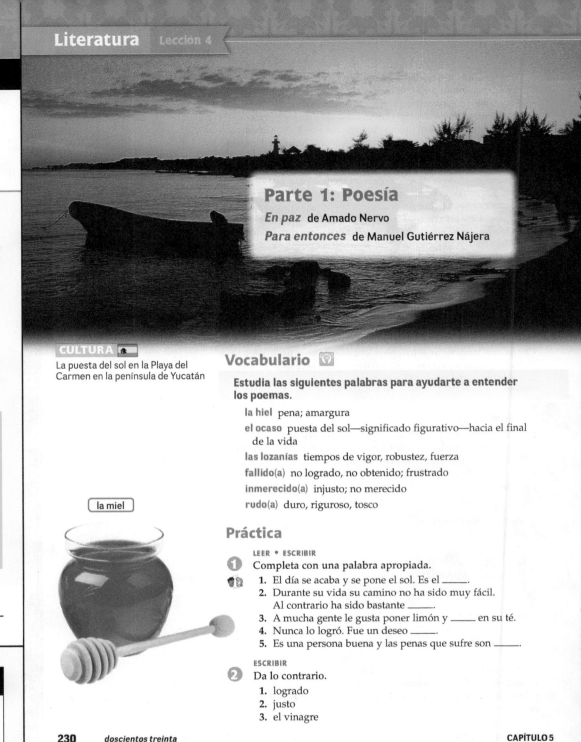

Parte 1: Poesía

En paz de Amado Nervo
Para entonces de Manuel Gutiérrez Nájera

CULTURA

La puesta del sol en la Playa del Carmen en la península de Yucatán

la miel

Vocabulario

Estudia las siguientes palabras para ayudarte a entender los poemas.

la hiel pena; amargura
el ocaso puesta del sol—significado figurativo—hacia el final de la vida
las lozanías tiempos de vigor, robustez, fuerza
fallido(a) no logrado, no obtenido; frustrado
inmerecido(a) injusto; no merecido
rudo(a) duro, riguroso, tosco

Práctica

LEER • ESCRIBIR

1 Completa con una palabra apropiada.

1. El día se acaba y se pone el sol. Es el ____.
2. Durante su vida su camino no ha sido muy fácil. Al contrario ha sido bastante ____.
3. A mucha gente le gusta poner limón y ____ en su té.
4. Nunca lo logró. Fue un deseo ____.
5. Es una persona buena y las penas que sufre son ____.

ESCRIBIR

2 Da lo contrario.

1. logrado
2. justo
3. el vinagre

Answers

1. ocaso
2. rudo
3. miel
4. fallido
5. inmerecidas

1. fallido
2. inmerecido
3. la miel

Go Online!

connectED.mcgraw-hill.com

En paz

de Amado Nervo

INTRODUCCIÓN

Amado Nervo (1870–1919) nació en México. Estudió para sacerdote en el seminario de Jacona, pero en 1891 dejó la carrera religiosa. Entró en el servicio diplomático de su país a principios del siglo XX y pasó gran parte de su vida en Madrid, París, Buenos Aires y Montevideo, donde murió mientras servía de embajador de México en Uruguay.

Aunque el autor escribió en varios géneros, se destacó como poeta. En las poesías de su madurez se le nota una preocupación por la muerte y el amor.

Cuando somos jóvenes pensamos poco en la muerte pero no es raro que los mayores piensen en sus días finales y reflexionen sobre lo que han hecho en su vida. Es lo que hace Amado Nervo en su poema *En paz.*

Antes de leer

Una estrategia importante al leer muchas poesías es la de fijarte en el título. El título que le da el poeta puede decir mucho. ¿Qué te indica el título de este poema en cuanto a los sentimientos del autor?

En paz 

Muy cerca de mi ocaso, yo te bendigo, Vida,
porque nunca me diste ni esperanza fallida
ni trabajos injustos, ni pena inmerecida;

porque veo al final de mi rudo camino
que yo fui el arquitecto de mi propio destino;
que si extraje las mieles o la hiel de las cosas,
fue porque en ellas puse hiel o mieles sabrosas;
cuando planté rosales, coseché siempre rosas.

...Cierto, a mis lozanías va a seguir el invierno:
¡mas[1] tú no me dijiste que mayo fuese eterno!
Hallé sin duda largas las noches de mis penas;
mas no me prometiste tú sólo noches buenas;
y en cambio tuve algunas santamente serenas...

Amé, fui amado, el sol acarició mi faz.
¡Vida, nada me debes! ¡Vida, estamos en paz!

[1] mas *pero*

CULTURA

Una vista del lindo pueblo montañoso de Tepoztlán en Morelos, México

Online Resources

Customizable Lesson Plans

 Audio

 Practice

 Review

Leveling EACH Activity

Reading Level **CHallenging**

Differentiation

Multiple Intelligences

You may wish to ask **verbal-linguistic** learners: **Los poetas con frecuencia utilizan la primavera y el invierno como metáfora. Usan estas estaciones del año para representar otra cosa. ¿Qué es lo que representan? ¿Por qué? Explica.**

Cultura

Students experience, discuss, and analyze the poem *En paz* by Amado Nervo.

Conexiones

La literatura

- You may wish to ask students the following question: **La personificación es la atribución de vida o acciones o cualidades propias del ser racional a las cosas inanimadas, incorpóreas o abstractas. En este poema Amado Nervo se refiere a algo abstracto como si fuera persona. ¿Qué es lo que el poeta personifica?**
- Ask students to cite as many examples of figurative language used in the poem as they can. They may cite: **mi ocaso; el final de mi rudo camino; arquitecto de mi propio destino.** Then have students interpret the terms.

Go Online!

You may wish to remind students to go online for additional reading comprehension practice.

Después de leer

A Interpretando Escoge.

1. ¿A quién se dirige el poeta en este poema?
   a. a Dios
   b. a la muerte
   c. a la vida
2. ¿Por qué dice el poeta «muy cerca de mi ocaso»?
   a. Habla por la tarde y se va a poner el sol.
   b. Se están acercando sus días finales.
   c. Él vive muy cerca de allí.
3. ¿Qué quiere decir el autor cuando dice que es «arquitecto de su propio destino»?
   a. Toma responsabilidad por lo bueno y lo malo de su vida, por todo lo que le ha pasado.
   b. Está contento con los edificios que ha construido.
   c. Siempre ha sabido adonde dirigirse.

«Cuando planté rosales, coseché siempre rosas.»

B Recordando hechos Contesta.

1. ¿Tenía el autor noches de pena?
2. ¿Cómo las encontró?
3. ¿Tuvo solo noches de pena?
4. ¿Qué dice el poeta en cuanto al amor?

C Escribiendo una carta filosófica

Imagínate que eres Amado Nervo. En vez de escribir un poema, escribe las ideas que expresa el poeta en forma de una carta.

Andrew Payti

Answers

A

1. c
2. b
3. a

B

1. Sí, el autor tenía noches de pena.
2. Las encontró largas.
3. No, también tuvo noches serenas.
4. Dice que amó y fue amado.

C *Answers will vary.*

Para entonces

de Manuel Gutiérrez Nájera

INTRODUCCIÓN

Manuel Gutiérrez Nájera nació en la Ciudad de México en 1859 y murió en esta ciudad a una edad joven en 1895. Durante su vida nunca salió de México y muy pocas veces de la Ciudad de México. Nájera ejerció las profesiones de escritor, poeta y periodista. Fue un gran admirador de muchos poetas franceses.

Un profundo sentimiento religioso domina la obra de Nájera y como muchos poetas él descubrió que el dolor es el dios de la vida. Sin embargo sus versos son ágiles y animados con una serena melancolía y una honda ternura—características que se les atribuyen a muchos poetas mexicanos.

En su poema *Para entonces* Nájera nos cuenta como le gustaría terminar sus días.

Antes de leer

Antes de leer este poema corto, mira y reflexiona sobre esta fotografía del sol. ¿Qué pensamientos y sentimientos te vienen a la mente?

La puesta del sol

Andrew Payti

Online Resources

Customizable Lesson Plans

Practice

Enrichment

Review

Leveling EACH Activity

Reading Level **Easy–Average**

TEACH

Core Instruction

You may wish to have students read the activities in the **Después de leer** section before they begin reading. The questions can help them interpret the meaning of this short poem.

Para entonces

Quiero morir cuando decline el día,
en alta mar y con la cara al cielo,
donde parezca un sueño la agonía,
y el alma, un ave que remonta el vuelo.

No escuchar en los últimos instantes,
ya con el cielo y con el mar a solas,
más voces ni plegarias[1] sollozantes
que el majestuoso tumbo de las olas.

Morir cuando la luz triste retira
sus áureas redes[2] de la onda verde,
y ser como ese sol que lento expira:
algo muy luminoso que se pierde.

Morir, y joven: antes que destruya
el tiempo aleve[3] la gentil corona;
cuando la vida dice aún: «soy tuya»,
¡aunque sepamos bien que nos traiciona!

Una gaviota en vuelo

[1] plegarias *supplications*
[2] áureas redes *golden rays*
[3] aleve *traitor*

Después de leer

A Buscando información Contesta.

1. ¿Cuándo quiere morir Nájera?
2. ¿Dónde quiere morir?
3. ¿Cómo quiere estar cuando muera?
4. ¿Con quién o con qué quiere estar?
5. ¿Qué no quiere escuchar?

B Interpretando

1. Relata lo que dice el poeta que indica que quiere que su muerte sea pacífica y calma.
2. Relata todo lo que nos dice sobre la hora de su muerte.
3. Relata como indica el poeta que quiere morir joven.
4. Relata lo que dice el poeta del tiempo.
5. Relata los elementos en el poema que nos dan una sensación de libertad.

C Analizando

Imagínate ser Gutiérrez Nájera y escríbele una carta a un(a) amigo(a) suyo(a) dándole en un lenguaje más conversacional la misma información que Nájera nos dio en el poema *Para entonces*.

Answers

A

1. Nájera quiere morir al final del día y joven.
2. Él quiere morir en alta mar.
3. Quiere estar joven, como un ave que remonta el vuelo.
4. Nájera quiere estar a solas, solamente con el cielo, con el mar y con el sol que ya se oculta.
5. Él ya no quiere escuchar voces ni plegarias sollozantes. Lo único que quiere escuchar es el majestuoso tumbo de las olas.

B

1. Él dice que quiere que su agonía sea como un sueño y que su alma alce el vuelo suavemente como un ave. No quiere escuchar voces, ni plegarias sollozantes. Quiere ser como el sol que lento expira.
2. Él quiere morir al atardecer, él quiere morir joven, en calma y pacíficamente.
3. El poeta dice que quiere morir antes de que el tiempo, que es traidor, acabe con su vida.
4. Él dice que no quiere que el tiempo lo destruya. También dice que el tiempo es traicionero.
5. Los elementos que nos dan una sensación de libertad son: el mar, el cielo, un ave, las olas y el sol.

C *Answers will vary.*

Parte 2: Prosa

Historia verdadera de la conquista de la Nueva España de Bernal Díaz del Castillo

CULTURA

La princesa indígena la Malinche, o doña Marina, traduciendo para Hernán Cortés

Vocabulario

Estudia las siguientes palabras para ayudarte a entender la lectura.

el mancebo joven
el estorbo obstáculo
el llanto efusión de lágrimas, sollozos
fallecido(a) muerto(a)
sabio(a) inteligente

Práctica

ESCRIBIR

1 Da el contrario.

1. la calma
2. nacido
3. tonto
4. el viejo
5. sonrisas y alegría

LEER • ESCRIBIR

2 Expresa de otra manera

1. Su padre ha *muerto.*
2. Es *una molestia.*
3. El *joven* no está casado. Es soltero.
4. Sus *sollozos* nos causaron mucha pena.
5. No hay duda de que es *muy inteligente.*

Literatura

Online Resources

Customizable Lesson Plans
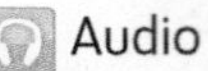
Audio
Practice
Review
Reading, Writing Test

Vocabulario

TEACH

Core Instruction

Step 1 Have students listen to the audio recording of the new words or you may prefer to have students read the new words and definitions aloud.

Step 2 Have a student volunteer read one of the definitions and then call on a class member to give the new word.

PRACTICE

Leveling EACH Activity

Easy Activity 1
Average Activity 2

Activity 1 Have students study the vocabulary for homework and prepare the activities. Then go over them the next day in class.

Differentiation

You may wish to have advanced learners write an original sentence using each new word.

Answers

1

1. el estorbo
2. fallecido
3. sabio
4. el mancebo
5. el llanto

2

1. Su padre ha fallecido.
2. Es un estorbo.
3. El mancebo no está casado. Es soltero.
4. Su llanto nos causó mucha pena.
5. No hay duda de que es muy sabio.

Introducción

Ask the following questions about the **Introducción:**
¿Con quién luchó Bernal Díaz del Castillo durante la conquista de México? ¿Cuándo compuso Bernal Díaz del Castillo su crónica sobre la conquista de México? ¿Quiénes sirvieron de intérprete a Cortés? ¿Quién jugó un papel importante en la conquista de México?

Historia verdadera de la conquista de la Nueva España

de Bernal Díaz del Castillo

Estrategia

Comprendiendo el contexto histórico Al leer muchas obras es necesario comprender el contexto histórico en que se desarrolla la obra. Hay que comprender que Malinalli, la protagonista de esta novela, vivía en una sociedad que nunca había visto ni experimentado ninguna influencia de afuera y que de repente se encuentra rodeada de jamás imaginados fenómenos.

INTRODUCCIÓN

El cronista Bernal Díaz del Castillo (1492–1584) luchó con Cortés durante la conquista de México. Al terminar la conquista él compuso una historia voluminosa del evento titulada *Historia verdadera de la conquista de la Nueva España.* Durante la conquista había dos intérpretes quienes ayudaron mucho a Cortés. No se puede negar que Cortés poseía muchas calidades de hombre y guerrero extraordinarias pero tampoco se puede negar que el trabajo de estos intérpretes que Cortés tenía a su disposición le favorecía mucho. Los dos eran Jerónimo de Aguilar y la Malinche, o doña Marina. Jerónimo de Aguilar era un español que después de un naufragio pasó muchos años en la isla de Cozumel donde aprendió la lengua maya. La otra intérprete era una joven indígena llamada Malintzin, o Malinche. Cuando fue bautizada los españoles le dieron el nombre de doña Marina. Doña Marina jugó un papel tan importante en la conquista de México que Bernal Díaz del Castillo dedicó el Capítulo XXXVII de su *Historia verdadera de la conquista de la Nueva España* a una biografía breve de doña Marina, o sea, la Malinche.

CULTURA

Bernal Díaz del Castillo, (1492–1584), famoso historiador español y autor de la «Historia verdadera de la conquista de la Nueva España»

Go Online!

connectED.mcgraw-hill.com

Historia verdadera de la conquista de la Nueva España Capítulo XXXVII

Aquí tenemos el esquema biográfico de la Malinche escrito por Bernal Díaz del Castillo.

Antes que más yo meta la mano en lo del gran Moctezuma y su gran Méjico y mejicanos, quiero decir lo de doña Marina y como, desde su niñez, fué gran señora de pueblos y vasallos, y es de esta manera:

Su padre y su madre eran señores y caciques° de un pueblo que se llama Painala, y tenía otros pueblos sujetos a él, cosa de ocho leguas° de la villa de Coatzacoalcos. Murió el padre, quedando doña Marina muy niña, y la madre se casó con otro cacique mancebo y tuvieron un hijo. Según pareció, querían bien al hijo que habían tenido y entre el padre y la madre acordaron de darle al hijo el cargo después de sus días°. Para que no hubiese estorbo en ello, dieron de noche la niña a unos indios de Xicalango para que no fuese vista, y echaron fama de que se había muerto. En aquella sazón° murió una hija de una india esclava suya y publicaron que era la heredera, de manera que los indios de Xicalango la dieron a los de Tabasco y los de Tabasco a Cortés.

Yo conocí a su madre y a su hermano de madre, hijo de la vieja, que ya era hombre y mandaba juntamente con la madre a su pueblo, porque el marido postrero de la vieja ya era fallecido. Después de vueltos° cristianos la vieja se llamó Marta y el hijo, Lázaro. Esto lo sé muy bien porque, en el año de 1523 después de ganado Méjico y otras provincias y se había alzado Cristóbal de Olid en las Higueras, fué Cortés allá y pasó por Coatzacoalcos. Fuimos con él a aquel viaje toda la mayor parte de los vecinos de aquella villa, como diré en su tiempo y lugar.

Como doña Marina en todas las guerras de la Nueva España, Tlascala y Méjico, fué tan excelente mujer y buena intérprete, como adelante diré, que la traía siempre Cortés consigo. En aquella sazón y viaje se casó con ella un hidalgo que se llamaba Juan Jaramillo en un pueblo llamado Orizaba delante de varios testigos°. Uno de ellos se llamaba Aranda, vecino que fué de Tabasco, y aquel contaba el casamiento, y no como lo dice el cronista, Gómara°. Doña Marina tenía mucho ser° y mandaba absolutamente entre los indios en toda la Nueva España. Estando Cortés en la villa de Coatzacoalcos, envió a llamar a todos los caciques de aquella provincia para hacerles un parlamento acerca de la santa doctrina y sobre su buen tratamiento, y entonces vino la madre de doña Marina y su hermano de madre, Lázaro, con otros caciques.

caciques *jefes indígenas*

leguas *medida de distancia*

el cargo después de sus días *pasaría a ser cacique*

sazón *época*

READING CHECK

¿Cuál fue una decisión que tomaron la madre y el padrastro de la Malinche?

vueltos *convertirse a*

READING CHECK

¿Por qué cambiaron de nombre la madre y el hermano de madre de la Malinche?

testigos *witnesses*

Gómara *otro historiador cuya obra no fue admirada de Díaz del Castillo*

mucho ser *mucha influencia e importancia*

READING CHECK

¿En qué ocasión fueron la madre y su hijo a Coatzacoalcos?

Días hacía que me había dicho doña Marina que era de aquella provincia y señora de vasallos. Bien lo sabía Cortés, y Aguilar, el intérprete, de manera que cuando vinieron la madre, su hija y el hermano, conocieron claramente que era su hija porque se le parecía mucho. Ellos tuvieron miedo de ella porque creyeron que los enviaba a llamar para matarlos, y lloraban. Cuando doña Marina los vió llorar así, los consoló y dijo que no tuviesen miedo, porque cuando la entregaron a los indios de Xicalango, no supieron lo que se hacían, y se lo perdonaba. Les dió muchas joyas de oro y de ropa y les dijo que se volviesen a su pueblo, y que Dios le había hecho a ella mucha merced en quitarla de adorar ídolos ahora, en ser cristiana, y en ser casada con un caballero, pues era su marido Juan Jaramillo. Dijo que, aunque la hiciesen cacica de todas cuantas provincias había en la Nueva España, no lo sería, porque tenía en más estima servir a su marido y a Cortés que cuanto hay en el mundo. Todo esto que digo, se lo oí muy certificadamente, y se lo juro, amen.

Esto es lo que pasó y no como en la relación que dieron a Gómara. También él dice otras cosas que dejo por alto.

Volviendo a nuestra materia, doña Marina sabía la lengua de Guacacualco, que es la propia de Méjico, y sabía la de Tabasco, como Jerónimo de Aguilar sabía la de Yucatán y Tabasco, que es toda una. Se entendían bien y Aguilar lo declaraba en castellano a Cortés. Fué gran principio para nuestra conquista, y así se nos hacían las cosas, loado sea Dios, muy prósperamente. He querido declarar esto porque, sin doña Marina, no podíamos entender la lengua de Nueva España y Méjico.

✔ READING CHECK

¿Qué hizo doña Marina al ver a sus familiares? ¿Qué habían esperado ellos?

Image Asset Management Ltd./Alamy

CULTURA

El retrato la «Historia de Tlaxcala» del pintor Diego Muñoz Camargo en el cual vemos a la Malinche y Hernán Cortés

Go Online!

connectED.mcgraw-hill.com

Después de leer

A Explicando Contesta.

1. ¿Cómo fue posible que doña Marina fuera una gran señora de pueblos aun antes de la llegada de Cortés?
2. ¿Qué pasó en la familia de doña Marina después de la muerte de su padre?
3. ¿Qué plan tuvieron la madre de doña Marina y su nuevo esposo? ¿Cómo es que nadie descubrió lo que hicieron?
4. ¿Cómo es que Bernal Díaz del Castillo conoció a la madre y al hermano de madre de doña Marina?

B Describiendo Describe lo siguiente.

1. Cortés llamó a todos los caciques de la provincia de Coatzacoalcos a venir a un parlamento. ¿Cuál fue el propósito del evento?
2. Describe el encuentro de doña Marina con su madre y su hermano de madre durante el parlamento. ¿Por qué tenían la madre y el hermano tanto miedo? ¿Qué les hizo doña Marina?

C Analizando Analiza lo que para doña Marina era lo más importante en su vida.

CULTURA

Un grabado de la Malinche, la intérprete para el conquistador Hernán Cortés

Teaching Options

The answers to these activities can be written, but you may wish to choose a few that you prefer to do just orally. Many of these activities can also serve as class discussions.

Answers

A

1. Ella era una gran señora porque tanto su padre como su madre eran los caciques del pueblo donde vivían y de otros más en las cercanías.
2. Su madre se volvió a casar con un hombre joven y tuvieron un hijo.
3. Ellos tuvieron el plan de dar la niña a unos indios de otro pueblo. De esta manera el nuevo hijo heredaría el cacicazgo del pueblo cuando murieran sus padres. No los descubrieron porque regalaron a la niña por la noche y dijeron que había muerto. Les ayudó que había muerto la hija de una esclava y dijeron que era doña Marina.
4. Bernal Díaz del Castillo conoció a los parientes de doña Marina porque viajó con Cortés y doña Marina a Coatzacoalcos. Al llegar a la villa y mandar a llamar a todos los caciques de las provincias, la madre y el hermano vinieron.

B

1. El propósito del evento fue para hablarles de la santa doctrina y su buen tratamiento.
2. Su madre y su hermano estaban llorando. Tenían miedo porque pensaron que ella los iba a matar, pero doña Marina los consoló. Les dijo que no tuviesen miedo, que los perdonaba porque ellos no sabían lo que hacían cuando la entregaron a los indios de Xicalango.

C *Answers will vary.*

Introducción

As students read this introduction, you may wish to ask them what they know about la Malinche from their history classes. Ask them if they were aware that there are two strains of thought or perceptions about her.

La literatura

Ask students if they are familiar with any legends. Are there any in English that they have enjoyed reading?

La Llorona

INTRODUCCIÓN

Una leyenda mexicana conocida y recitada por el mundo entero es *La Llorona.* Una leyenda es una narración que se transmite de generación en generación en forma oral o escrita. Considerada una forma literaria popular, la leyenda tiene muchos elementos imaginativos y experimenta modificaciones hasta exageraciones. A veces una leyenda puede contener también elementos de otras leyendas.

Han surgido muchas leyendas sobre el personaje de la Malinche. Y se dice que la Malinche puede ser una precursora de la Llorona en la famosa leyenda *La Llorona.*

En México hay dos percepciones de la Malinche: una es positiva y otra es negativa. Hay quienes dicen que como la Malinche, o doña Marina, era la madre del hijo de Cortés es ella la madre del primer mestizo—de la unión de estas dos razas. Hay quienes dicen que es «la Eva mexicana» porque con su ayuda los españoles podían derrocar a los aztecas. El punto de vista contrario es que la Malinche siempre tenía una función diplomática. Ella favorecía las negociaciones en vez del derramiento de sangre. Tan fuerte en México es la polémica de la Malinche que existe el término «malinchista». Es un término peyorativo que describe al que tiene tendencia a preferir a los extranjeros frente a lo nacional. Después de leer la leyenda *La Llorona* podrás decidir si estás de acuerdo que es posible que la Malinche sea precursora de la Llorona.

La Llorona 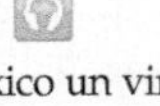

Ya hace mucho tiempo que vive en México un virrey español. El virrey tiene un hijo joven y guapo que quiere casar con la hija de un duque. Pero el joven está enamorado de una muchacha que vive en un pueblo cercano y no quiere casarse con la hija del duque. El hijo le ruega a su padre que le permita casarse con la muchacha que tanto quiere. Pero su padre prohíbe el matrimonio a pesar de que la muchacha ya está embarazada°. Sigue insistiendo en que su hijo se case con una noble. Contra la voluntad del padre los novios siguen viéndose después del nacimiento de su hijo. Se quieren mucho y un año más tarde la muchacha da a luz a° una hija. La gente del pueblo empieza a hablar mal de la muchacha. La pobre joven avergonzada se pone muy triste y se encierra en casa porque no quiere ver a nadie.

El hijo del virrey va a su padre para contarle del nacimiento de su hija. Le pide permiso una vez más para poder casarse con la madre de sus hijos. El padre rehúsa. Repite que si no se casa con la hija del duque tendrá que salir de casa e ir en busca de trabajo. Como el hijo no ha trabajado un día en su vida y no sabe ganarse el pan de cada día, se rinde. Dice que se casará con la hija del duque y ellos adoptarán a sus hijos. Enviarán a la madre de los niños a un convento.

El joven va a la casa de la madre de sus hijos para decirle lo que va a hacer. La pobre se pone histérica. El joven no quiere verla en tal estado de tristeza y agonía. Dejándola a solas regresa a casa.

embarazada *pregnant*

da a luz a *gives birth to*

READING CHECK

¿Cuál es el conflicto entre el padre (el virrey) y su hijo?

READING CHECK

¿Qué decide decirle a la madre de sus hijos el hijo del virrey?

El virrey decide que quiere ver a los niños de su hijo. Manda a sus soldados a salir en busca de ellos. Los soldados encuentran a la madre desconsolada a la orilla de un río. Con una mirada vaga y misteriosa en la cara la pobre está sollozando°. Allá a su lado yacen en el río los cuerpecitos de sus hijos. Los soldados, llenos de horror, llevan a la madre a la cárcel.

Las autoridades presentan a la pobre y desconsolada madre al pueblo. Los vecinos la acusan de ser bruja°. La llevan a una pira donde ponen leña a sus pies y la queman. Antes de morir la joven llora por sus hijos. Su llanto continúa durante toda la noche. Continúa aún después de su muerte. Las llamas de la pira se convierten en una luz brillante. La luz tiene la forma de una muchacha. Por fin la luz desaparece pero de pronto reaparece en el palacio donde están el virrey y su hijo, el padre de los niños. Enseguida el palacio arde en llamas. Le salen llamas tan altas y feroces que no puede escapar nadie. El virrey y su hijo mueren, pero no muere el llanto de la muchacha. El llanto continúa. La gente del pueblo no sale de casa por el miedo que tienen de ver a la Llorona.

Desde aquel entonces, la Llorona viaja por el mundo en busca de sus hijos queridos gritando «¡Ay, mis hijos!». Hasta que vea a sus hijos, la Llorona no descansará.

Go Online!

connectED.mcgraw-hill.com

sollozando *sobbing*
bruja *witch*

READING CHECK

¿Qué decide hacer el virrey y qué encuentran los soldados?

READING CHECK

¿Quiénes mueren? ¿Cómo? Pero, ¿qué continúa?

Después de leer

A Analizando

1. Da una lista de todos los personajes en la leyenda. Luego escribe tus opiniones sobre cada uno de los personajes.
2. Trabajen en grupos y presenten sus opiniones a la clase. Determinen si comparten las mismas opiniones o no. Si hay diferencias, discútanlas.

B Trabajando en grupos

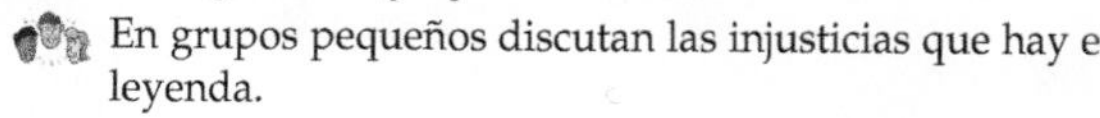

En grupos pequeños discutan las injusticias que hay en esta leyenda.

C Interpretando

1. ¿Qué opinas? ¿Estás de acuerdo o no con la idea de que la Malinche puede ser una precursora de la Llorona? ¿Por qué dices que sí o que no?
2. Aquí tienes un poco más información sobre la Malinche y la época de la conquista: *Al terminar la lucha por México Cortés abandonó a la Malinche y envió a su hijo a estudiar en España. La Malinche se quedó sola y abandonada y murió durante una epidemia en 1528 o 1529.*

Hay que darse cuenta de que no todos los grupos indígenas estaban en favor del liderazgo de Moctezuma. Había quienes no lo consideraban un buen jefe. En grupos, tengan un debate sobre el pro y el contra en la polémica de la Malinche. ¿Cómo se explica su grito de «¡Ay, mis hijos!»? ¿A quiénes se refiere y por qué?

Literatura

Teaching Options

The answers to these activities can be written, but you may wish to choose a few that you prefer to do just orally. Many of these activities can also serve as class discussions.

ASSESS

Students are now ready to take the Reading and Writing Test for Lección 4: Literatura.

Answers

A

1. El virrey, su hijo, la hija de un duque, una muchacha, el hijo y la hija bebés, los soldados. Opiniones sobre los personajes: *Answers will vary.*
2. *Answers will vary.*

B *Answers will vary.*

C

1. *Answers will vary.*
2. *Answers will vary.*

Videopaseo

The Video Program for Chapter 5 includes three documentary segments of some interesting aspects of life in Mexico. You may wish to have students answer the **Antes de mirar** questions orally or in writing.

Episodio 1: Los bailarines son **concheros.** Su música y baile son de origen nahua y sus trajes fueron inspirados por los aztecas. Están enfrente del Palacio Nacional en el Zócalo, la plaza principal de la Ciudad de México. Aquí los españoles levantaron sus edificios sobre las ruinas de un templo azteca. Los aztecas gobernaron aquí hasta el siglo XV y los españoles desde el siglo XVI hasta el XIX.

Episodio 2: Luis es taxista. Él lleva veinticuatro años como taxista, siempre manejando su carro favorito, su Vocho. Puedes ver Vochos en toda la Ciudad de México, en las grandes avenidas y en las pequeñas calles. El 70 por ciento de los taxis de la ciudad son Vochos. El primero fue construido en México en 1956 y el último en julio de 2003. Para muchos taxistas su Vocho no es solo un carro, es un amigo y compañero.

Episodio 3: Estas son las ruinas de una gran ciudad de 150.000 habitantes. Es Teotihuacán. Hace mil setecientos años allí construyeron templos y pirámides a sus dioses. Teotihuacán está a 30 millas al norte de la Ciudad de México. Los arqueólogos descubren cada día artefactos de la gente que habitaba la ciudad. Pero, ¿qué les pasó? ¿Por qué desaparecieron? Todavía no sabemos.

Videopaseo

¡Un viaje virtual a México!

Antes de mirar los episodios, completen las actividades que siguen.

Episodio 1: La vida del Zócalo

Antes de mirar Con unos compañeros de clase, contesten las siguientes preguntas para prepararse para lo que van a ver en el video.

1. Según el título del episodio, ¿de qué se tratará?
2. ¿Saben ustedes lo que es el «Zócalo»? ¿En qué ciudad está?
3. Miren la foto del episodio. ¿Qué pasa en la foto?
4. ¿Han visitado alguna ciudad capital? ¿Cuál(es)? ¿Han visto cantar, bailar o crear arte la gente en las plazas? Describan lo que vieron.

Episodio 2: Un carro y sus admiradores

Antes de mirar Con unos compañeros de clase, contesten las siguientes preguntas para prepararse para lo que van a ver en el video.

1. Según el título del episodio, ¿de qué se tratará?
2. Miren la foto del episodio. ¿Conocen ustedes este tipo de carro? ¿Cuál es la marca del carro?
3. ¿Hay un carro que a ustedes les gusta mucho? ¿Cuál es la marca? ¿Por qué les gusta?

Episodio 3: La historia de Teotihuacán

Antes de mirar Con unos compañeros de clase, contesten las siguientes preguntas para prepararse para lo que van a ver en el video.

1. Según el título del episodio, ¿de qué se tratará?
2. Piensen en lo que han aprendido en la lección de cultura de este capítulo. ¿Recuerdan ustedes lo que es Teotihuacán? ¿Dónde está? Compartan todo lo que recuerdan.
3. Miren la foto del episodio. ¿Qué estará haciendo la gente en la foto?

CAPÍTULO 5 Repaso de vocabulario

Cultura

el derecho
la estela
alojar

colocar
emprender

esculpir
levantarse

hacerse
llegar a ser
ponerse
volverse (ue)

Literatura

Poesía

la hiel
las lozanías
la miel
el ocaso

fallido(a)
inmerecido(a)
rudo(a)

Prosa

el estorbo
el mancebo
el llanto
fallecido(a)
sabio(a)

Repaso de vocabulario

Online Resources

Customizable Lesson Plans
Video (Cultura)
Practice
Listening, Speaking, Reading, Writing Tests

Vocabulary Review

The words and phrases from Lessons 1 and 4 have been taught for productive use in this chapter. They are summarized here as a resource for both student and teacher.

Teaching Options

This vocabulary reference list has not been translated into English. If it is your preference to give students the English translations, please refer to Vocabulary V5.1.

ASSESS

Students are now ready to take any of the Listening, Speaking, Reading, Writing Tests you choose to administer.

Chapter Overview

El Caribe

Scope and Sequence

Topics

- The geography of Cuba, Puerto Rico, and the Dominican Republic
- The history of Cuba, Puerto Rico, and the Dominican Republic
- The culture of Cuba, Puerto Rico, and the Dominican Republic

Culture

- Mountain ranges in Cuba, Puerto Rico, and the Dominican Republic
- The climate of the Greater Antilles
- The exploration of Christopher Columbus
- The Taino culture
- Fidel Castro
- José Martí
- Santo Domingo
- Havana, Cuba
- Caribbean food
- Caves of Camuy
- *Versos sencillos* by José Martí
- *El ave y el nido* by Salomé Ureña
- *Perico Paciencia* by Manuel A. Alonso

Functions

- How to express future events
- How to express what you will have done and what you would have done
- How to refer to specific things
- How to express ownership

Structure

- The future and conditional
- The future perfect and conditional perfect
- Demonstrative pronouns
- Possessive pronouns
- Relative pronouns

Andrew Payti

Leveling

The activities within each chapter are marked in the Wraparound section of the Teacher Edition according to level of difficulty.

E indicates easy
A indicates average
CH indicates challenging

The readings in **Lección 4: Literatura** are also leveled to help you individualize instruction to best meet your students' needs. Please note that the material does not become progressively more difficult. Within each chapter there are easy and challenging sections.

Correlations to ACTFL World-Readiness Standards for Learning Languages

COMMUNICATION Communicate effectively in more than one language in order to function in a variety of situations and for multiple purposes		
Interpersonal Communication	Learners interact and negotiate meaning in spoken, signed, or written conversations to share information, reactions, feelings, and opinions.	pp. 257, 259, 271, 273, 274, 280, 291
Interpretive Communication	Learners understand, interpret, and analyze what is heard, read, or viewed on a variety of topics.	pp. 246, 248, 251, 253, 255, 257, 258, 259, 261, 266, 268, 271, 272, 273, 274, 275, 278, 279, 280, 281, 283, 286, 287, 288, 289, 290, 291, 292
Presentational Communication	Learners present information, concepts, and ideas to inform, explain, persuade, and narrate on a variety of topics using appropriate media and adapting to various audiences of listeners, readers, or viewers.	pp. 259, 266, 271, 274, 275, 280
CULTURES Interact with cultural competence and understanding		
Relating Cultural Practices to Perspectives	Learners use the language to investigate, explain, and reflect on the relationship between the practices and perspectives of the cultures studied.	pp. 255, 273, 292
Relating Cultural Products to Perspectives	Learners use the language to investigate, explain, and reflect on the relationship between the products and perspectives of the cultures studied.	pp. 253, 255, 257, 259, 264, 274, 292
CONNECTIONS Connect with other disciplines and acquire information and diverse perspectives in order to use the language to function in academic and career-related situations		
Making Connections	Learners build, reinforce, and expand their knowledge of other disciplines while using the language to develop critical thinking and to solve problems creatively.	pp. 248, 251, 253, 255, 256, 258, 259, 272, 274, 275, 280
Acquiring Information and Diverse Perspectives	Learners access and evaluate information and diverse perspectives that are available through the language and its cultures.	pp. 260, 263, 272, 273, 274, 275, 278, 310, 286–290, 292
COMPARISONS Develop insight into the nature of language and culture in order to interact with cultural competence		
Language Comparisons	Learners use the language to investigate, explain, and reflect on the nature of language through comparisons of the language studied and their own.	pp. 260, 262, 264, 275
Cultural Comparisons	Learners use the language to investigate, explain, and reflect on the concept of culture through comparisons of the cultures studied and their own.	pp. 272, 274, 275, 292
COMMUNITIES Communicate and interact with cultural competence in order to participate in multilingual communities at home and around the world		
School and Global Communities	Learners use the language both within and beyond the classroom to interact and collaborate in their community and the globalized world.	p. 273
Lifelong Learning	Learners set goals and reflect on their progress in using languages for enjoyment, enrichment, and advancement.	pp. 260, 263, 292

Preview

In this chapter, students will learn more about the geography, history, culture, and literature of three Spanish-speaking islands of the Caribbean. They will read newspaper articles and have class discussions on a variety of topics. Students will read poems by the Cuban author José Martí and the Dominican Salomé Ureña. They will also read a story by the Puerto Rican Manuel A. Alonso. Students will continue with their review of Spanish grammar.

Pacing

Cultura	4–5 days
Gramática	4–5 days
Periodismo	4–5 days
Literatura	4–5 days
Videopaseo	2 days

CAPÍTULO 6

El Caribe

Cuba, Puerto Rico, República Dominicana

Go Online! connectED.mcgraw-hill.com — Audio, Video, Práctica, Repaso, Diversiones, eScape — ePals

Go Online!

Audio
Listen to spoken Spanish.

Video
Watch and learn about the Spanish-speaking world.

Práctica
Practice your skills.

Repaso
Review what you've learned.

Diversiones
Go beyond the classroom.

eScape
Read about current events in the Spanish-speaking world.

El Malecón y el Morro en La Habana, Cuba

Objetivos

You will:

- learn about the geography, history, and culture of Cuba, Puerto Rico, and the Dominican Republic
- discuss and compare the current political situation in Cuba, Puerto Rico, and the Dominican Republic
- read and discuss newspaper articles
- read poems by the Cuban José Martí and the Dominican Salomé Ureña and a story by the Puerto Rican Manuel A. Alonso

You will review:

- the future and conditional
- the future perfect and conditional perfect
- demonstrative and possessive pronouns
- relative pronouns
- **y** to **e**; **o** to **u**

Contenido

Lección 1: Cultura
Geografía e historia del Caribe

Lección 2: Gramática
Futuro y condicional
Futuro perfecto y condicional perfecto
Pronombres demostrativos y posesivos
Pronombres relativos
Las conjunciones y / e, o / u

Lección 3: Periodismo

Lección 4: Literatura
Poesía
Versos sencillos de José Martí
El ave y el nido de Salomé Ureña
Prosa
Perico Paciencia de Manuel A. Alonso

Assessment
Check student progress.

Connect with Spanish-speaking students around the world.

Online Resources

Customizable Lesson Plans

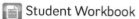

Audio Activities

Student Workbook

Quizzes

TEACH

Core Instruction

Step 1 Have students repeat the new words after the audio recording.

Step 2 You may wish to ask some questions using the new words. **¿Hay una cadena de montañas donde vives? ¿Te adoptas fácilmente a costumbres ajenas? Cuando uno saquea algo, ¿roba mucho o solo toma un poco? ¿Estalló la Guerra de Cuba en 1898?**

PRACTICE

Leveling EACH Activity

Average Activities 1, 2

Go Online!

You may wish to remind students to go online for additional vocabulary practice. They can also download audio files of all vocabulary.

ASSESS

Students are now ready to take Quiz 1.

Vocabulario

Estudia las siguientes palabras para ayudarte a entender la lectura.

una cadena de montañas cordillera o serie de montañas como los Andes, por ejemplo

ajeno(a) a diferente, extraño

estallar ocurrir violentamente

saquear robar en gran cantidad

pisar poner los pies en

Práctica

LEER • ESCRIBIR

1 Completa con una palabra apropiada.

1. Los piratas _____ las embarcaciones españolas que volvían a España repletas de las riquezas de las Américas.
2. Cristóbal Colón fue el primer europeo en _____ tierra cubana.
3. La Guerra Civil española _____ en 1936.
4. Una _____ es una sucesión de montañas en línea continua.
5. Las costumbres de los españoles eran muy _____ a las de los indígenas.

ESCUCHAR • HABLAR

2 Contesta para indicar lo que sabes de la historia.

1. ¿Cuál es una cadena de montañas en Estados Unidos?
2. ¿Fueron los españoles los primeros en pisar tierra americana?
3. ¿En qué año estalló la Segunda Guerra mundial?
4. ¿Qué hacen ilegalmente unos manifestantes cuando entran en un edificio durante un motín o manifestación?

CULTURA

Una vista panorámica del campo con las montañas al fondo en el interior de Cuba

Lissa Harrison

Answers

1. saquearon
2. pisar
3. estalló
4. cadena de montañas
5. ajenas

1. Las Montañas Rocosas (Los Apalaches) son una cadena de montañas en Estados Unidos.
2. Sí, los españoles fueron los primeros en pisar tierra americana.
3. La Segunda Guerra mundial estalló en 1939.
4. Unos manifestantes saquean cuando entran en un edificio durante un motín o manifestación.

La geografía

El Caribe es un mar. Es también el término que se refiere a las Antillas, un archipiélago constituido por miles de islas que forman tres grupos importantes—las Grandes Antillas, las Pequeñas Antillas y las Bahamas. Las islas antillanas en que se habla español son Cuba, Puerto Rico y la República Dominicana. Cada una pertenece a las Grandes Antillas. Jamaica, la cuarta de las Grandes Antillas, es un país de habla inglesa.

Cuba es la más grande de las Antillas y es también la isla más cercana a Estados Unidos. Al este de Cuba se encuentra La Española, una isla dividida en dos repúblicas, Haití de habla criolla y francesa y la República Dominicana. Al este de La Española está la más pequeña del grupo, Puerto Rico.

Las Grandes Antillas son mayormente montañosas y surgen de una cadena de montañas submarinas.

CULTURA
Cataratas en El Yunque, Puerto Rico

CULTURA
La playa Punta Bonita en la República Dominicana

(t)Richard Brommer; (b)©iconotec/Alamy

Cultura

Online Resources

Customizable Lesson Plans

 Student Workbook

 Quizzes

TEACH

Core Instruction

Step 1 Have students read this selection silently, or call on individuals to read it aloud.

Step 2 You can intersperse comprehension questions from Activity A on the next page as you are going over this selection.

Cultura

This reading familiarizes students with the geography, history, and culture of Spanish-speaking islands in the Caribbean.

Conexiones

La geografía

Have students locate each island mentioned in the **Lectura** on a map.

PRACTICE

A You may wish to do this activity as factual recall or you may permit students to look up the answers.

B and **C** Have students make up sentences orally about the information in each one of these activities.

Conexiones

La geografía

The most common time of the year for hurricanes in the Caribbean is from July through September, but the official season is actually June through October. Ask students what natural disasters are common in your area and if there is a season in which they occur.

Comunidades

If you live in an area where there are hurricanes, have students describe one if they have experienced one.

Go Online!

   You may wish to remind students to go online for additional reading comprehension practice.

ASSESS

Students are now ready to take Quiz 2.

CULTURA

Olas estallando (rompiendo) sobre una carretera durante una tormenta tropical en Cuba

El clima

Las Grandes Antillas se encuentran en una zona tropical. El clima es tropical en los llanos y subtropical en las montañas. Hay dos estaciones: la seca, de noviembre a mayo, y la húmeda, de junio a octubre. Como en partes orientales de Estados Unidos, los huracanes, que nacen en el océano Atlántico de julio a agosto, a veces baten las costas de estas islas. El clima es especialmente apropiado para el cultivo de la caña de azúcar, el café y el tabaco, productos importantes en las tres islas. La vegetación es exuberante en todas partes de las Antillas.

CULTURA

El campesino está cortando la caña de azúcar con un machete en un cañaveral en Cuba.

A **Recordando hechos** Contesta.

1. ¿A qué se refiere el término «Caribe»?
2. ¿Cuáles son tres de las Grandes Antillas en que se habla español?
3. ¿En qué países se divide La Española?
4. ¿Cuál es una característica geográfica de las Grandes Antillas?
5. ¿Cuántas estaciones tienen las islas antillanas? ¿Cuáles son?
6. ¿Cuáles son unos productos importantes de las Antillas?

B **Organizando** Organiza las islas del Caribe en que se habla español desde la más occidental hasta la más oriental.

C **Buscando información** Completa la tabla.

país	lengua que se habla
Puerto Rico	
Haití	
República Dominicana	
Jamaica	
Cuba	

Answers

A

1. El término «Caribe» se refiere a un mar y también a las Antillas, un archipiélago constituido por miles de islas.
2. Tres de las Grandes Antillas en que se habla español son Cuba, Puerto Rico y la República Dominicana.
3. La Española se divide en Haití y la República Dominicana.
4. Una característica de las Grandes Antillas son las montañas.
5. Las islas antillanas tienen dos estaciones: la seca y la húmeda.
6. Unos productos importantes de las Antillas son la caña de azúcar, el café y el tabaco.

B

Cuba, La Española, Puerto Rico

C

español
francés y criolla
español
inglés
español

Go Online!
connectED.mcgraw-hill.com

Una ojeada histórica

República Dominicana

El cinco de diciembre de 1492 Cristóbal Colón llegó a una isla que llamó La Española, hoy día la República Dominicana y Haití. Cuando llegaron los españoles vivían en La Española los taínos, palabra que en su lengua indígena significaba «los buenos» o «los nobles». En la isla había unas seiscientas mil personas pero desaparecieron casi todas en menos de trece años debido a las enfermedades y al tratamiento cruel de los conquistadores. En 1493 se estableció «el emplazamiento»[1] de La Isabela y de ese lugar empezó la infiltración de los españoles por toda la isla. Iban fundando fortalezas a lo largo de todo el territorio. A los indígenas no les gustaba nada la presencia de los españoles con sus costumbres tan ajenas a las suyas y estalló una serie de enfrentamientos.

[1] emplazamiento *settlement*

CULTURA
Catedral y monumento a Colón, Santo Domingo, República Dominicana

Cultural Snapshot

La puerta norte de La Catedral da al parque Colón. La primera piedra de la Catedral de Santa María de la Encarnación fue colocada por Diego Colón en 1514. La Catedral tiene importantes obras de arte como cuadros de los pintores Murillo y Velázquez.

Cultura

Online Resources

Customizable Lesson Plans
 Student Workbook
 Quizzes

TEACH

Core Instruction

You may wish to have students read this paragraph silently and then ask questions such as: **¿En qué países se divide La Española? ¿Quiénes eran los indígenas que vivían en La Española? ¿Por qué desaparecieron los indígenas? ¿Qué estalló entre los indígenas y los españoles?**

Conexiones

La historia

You may wish to share the following information with students. **Cristóbal Colón nació en 1446 en Génova, Italia. Entró al servicio de España en 1492. Obtuvo de Isabel la Católica tres carabelas: la Niña, la Pinta y la Santa María. Salió del puerto de Palos el 3 de agosto de 1492 en busca de una ruta más corta a las Indias. Llegó a tierra el 12 de octubre. En su primer viaje llegó a Cuba y a la isla que él nombró Hispaniola (La Española), hoy Haití y la República Dominicana.**

En su segundo viaje descubrió Puerto Rico y otras islas de las Antillas Menores y volvió otra vez a La Española (Hispaniola). En 1498 recorrió la costa de la América del Sur desde la desembocadura del río Orinoco hasta Caracas.

TEACH

Core Instruction

Call on students to give a comparison between **un corsario** and **un pirata.**

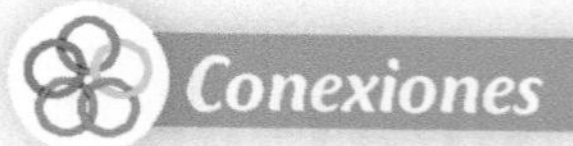

La historia

Quisqueya was the indigenous name of the Dominican Republic.

Heritage Speakers

If you have any Dominican students in class, have them tell about their country.

Go Online!

  You may wish to remind students to go online for additional reading comprehension practice.

El hermano de Cristóbal Colón, Bartolomé Colón, fundó la ciudad de Santo Domingo, la capital actual, en 1496. Esta fue la primera población europea de importancia en las Américas. Santo Domingo fue un lugar de mucho movimiento económico y comercial. De Santo Domingo salieron muchas expediciones españolas para conquistar y más tarde explorar otras regiones de las Américas. El hijo de Cristóbal Colón, Diego Colón, sirvió de gobernador de 1508 hasta 1515 y todavía hoy se puede visitar su casa en la capital.

CULTURA

Una vista de Santo Domingo en una ilustración de Giovanni Battista Boazio del viaje de Sir Francis Drake en 1585–86 a las Antillas

Al hablar de la historia de la zona caribeña no se puede pasar de largo a los piratas y corsarios que durante siglos atacaban y saqueaban los barcos españoles que transportaban las riquezas de las Américas. Uno de los más famosos fue el corsario británico Francis Drake. Hay que destacar la diferencia entre un pirata y un corsario. La palabra pirata significa «ladrón del mar». El pirata ataca sin discriminación a quien se ponga en su camino. No reconoce ni fe ni ley. El corsario tiene un contrato que firma con cierto país y se dedica a perseguir y saquear barcos considerados enemigos del país u organización en cuestión. Siguieron operando los corsarios hasta 1856 cuando los países europeos firmaron un pacto para abolir el corso.

La República Dominicana se independizó de España en 1865.

Tiempos modernos

La dictadura del general Rafael Trujillo Molina duró más de tres décadas. Él tomó el poder en un golpe de Estado en 1930 y murió a balazos[2] en 1961. Actualmente la República Dominicana tiene un sistema de gobierno presidencialista.

[2] a balazos *of bullet wounds*

D Analizando Contesta.

1. ¿Por qué desapareció casi la totalidad de la población indígena de La Española en solo unos trece años?
2. ¿Por qué no les gustaba a los taínos la presencia de los españoles?
3. ¿Cómo es que Santo Domingo se hizo un lugar de mucho movimiento económico y comercial?
4. ¿Cuál es la diferencia entre un pirata y un corsario?

E Identificando Identifica a cada personaje, lugar o fecha y explica su importancia.

Cristóbal Colón	
La Isabela	
1856	
1865	
Rafael Trujillo	

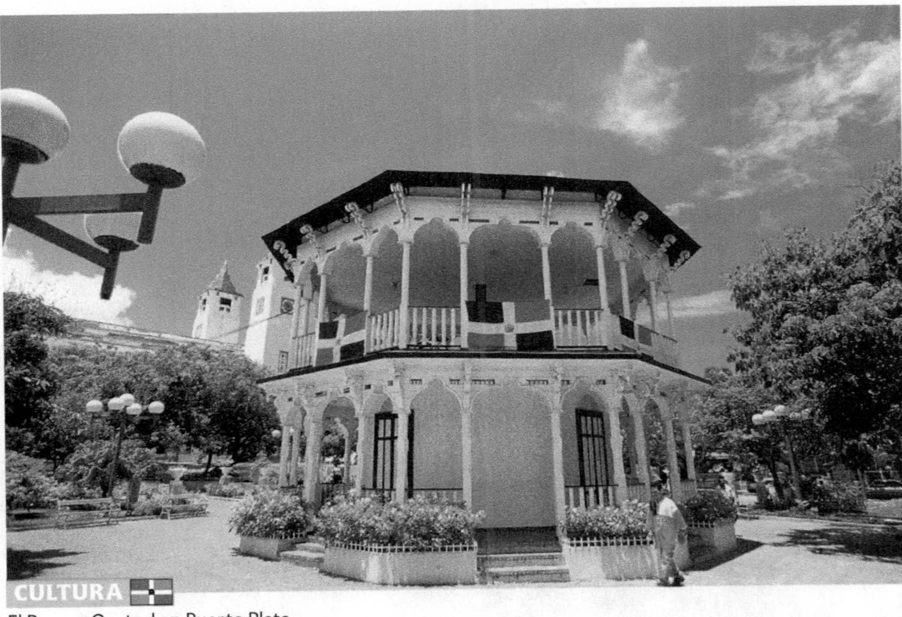

CULTURA

El Parque Central en Puerto Plata, la República Dominicana

M. Timothy O'Keefe/Alamy

Cultura

Differentiation

Slower Paced Learners

Advanced Learners

E Slower paced learners should be able to give basic information in response to this activity, while advanced learners should be able to give significant detail.

ASSESS

Students are now ready to take Quiz 3.

Answers

D

1. Casi la totalidad de la población indígena de La Española desapareció en solo unos trece años por el tratamiento cruel de los conquistadores.
2. A los taínos no les gustaba la presencia de los españoles porque estos tenían costumbres muy ajenas.
3. Santo Domingo se hizo un lugar de mucho movimiento económico y comercial porque de allí salieron muchas expediciones españolas.
4. Un pirata es un ladrón del mar que ataca sin discriminación a quien se ponga en su camino. Un corsario tiene un contrato con cierto país y se dedica a perseguir y saquear a los enemigos del país.

E

Cristóbal Colón: llegó a La Española que es hoy día la República Dominicana y Haití
La Isabela: emplazamiento en La Española donde empezó la infiltración de los españoles
1856: los países europeos firmaron un pacto para abolir el corso
1865: la República Dominicana se independizó de España
Rafael Trujillo: general de una dictadura que duró más de tres décadas; tomó poder en un golpe de estado en 1930; murió a balazos en 1961

Online Resources

Customizable Lesson Plans

 Student Workbook

 Quizzes

Conexiones

La historia

Ask students if they studied the Spanish-American War in social studies. If they did, have them tell what they remember. Give them the Spanish equivalent for the name of this war—**la Guerra de Cuba.**

Comunicación

Presentational

You may wish to have students who are interested in the topic do some research about Cuba during the Spanish-American War and report what they learn to the class.

Go Online!

  You may wish to remind students to go online for additional reading comprehension practice.

Cuba

Colón vio la isla de Cuba pero la abandonó en favor de La Española. Más tarde en 1512 una expedición bajo el mando de Diego Velázquez de Cuéllar salió de La Española para conquistar Cuba en nombre de la Corona española. Ya en 1514 los españoles habían fundado siete ciudades en Cuba incluyendo la capital, La Habana.

A la llegada de los españoles los taínos habitaban Cuba y Velázquez trató de protegerlos pero los invasores siguieron masacrándolos. Un jefe taíno, Hatuey, se sublevó y trató de resistir a los invasores pero los españoles lo capturaron. Con la casi total desaparición de la población indígena, como en todas partes del Caribe, empezó a llegar a Cuba gente esclavizada de la África Occidental.

Durante la primera mitad del siglo XIX cuando la mayoría de las colonias españolas se independizaron Cuba se mantuvo fiel a España. Pero comenzando en 1868 y durante los siguientes treinta años los cubanos lucharon valientemente contra la dominación española. Ganaron su independencia en 1898 cuando terminó la Guerra de Cuba. Los dos grandes héroes de la independencia, José Martí y Antonio Maceo, ya habían perdido la vida sin poder realizar su sueño de ver una Cuba libre.

CULTURA

Un mapa de La Española en el siglo XVIII

CULTURA

El instituto San Lorenzo en el Parque José Martí en Cienfuegos, Cuba

Tiempos modernos

Después de la independencia había una serie de gobiernos, casi todos apoyados por Estados Unidos. En 1959 Fidel Castro, el líder de un grupo revolucionario, derrocó al gobierno corrupto del dictador Fulgencio Batista y estableció el primer gobierno comunista en las Américas. Miles de cubanos, que estaban en contra de la política de Castro, salieron de Cuba y se instalaron mayormente en Estados Unidos (Florida y Nueva Jersey), Puerto Rico y España.

F Confirmando información ¿Sí o no?

1. La primera vez que Colón puso pie en Cuba se quedó por mucho tiempo.
2. Fue Cristóbal Colón quien conquistó Cuba en nombre de la Corona española.
3. Velázquez trató de una manera horrible a los taínos.
4. Los españoles trajeron de África a gente esclavizada para sustituir a los indígenas que desaparecían.
5. Cuba fue el primer país que se independizó de España.
6. Cuba ganó su independencia al terminar la Guerra de Cuba entre España y Estados Unidos en 1898.
7. Estados Unidos no apoyó a ninguno de los gobiernos cubanos después de la independencia de este país.

G Explicando Identifica.

1. Diego Velázquez de Cuéllar
2. Hatuey
3. José Martí y Antonio Maceo
4. Fulgencio Batista
5. Fidel Castro

Go Online!

connectED.mcgraw-hill.com

CULTURA

Fidel Castro durante una visita a Washington, D.C.

CULTURA

El Castillo de la Real Fuerza en La Habana. Es la fortaleza de piedra más antigua de las Américas.

Cultura

Heritage Speakers

You may wish to have students of Cuban background tell some of the things they have heard from their grandparents or parents about contemporary Cuban history.

Conexiones

La historia

José Martí (1853–1895) nació en La Habana. Era hijo de un militar español. A los dieciséis años fue arrestado y encarcelado por los españoles por subversión. Después de un año, fue exiliado a España donde estudió en Madrid y Zaragoza. Vivió también en México, Guatemala, Honduras y Venezuela. Dice que en cada país se encontró en casa—lo que le hizo proclamar «De América soy hijo». Pasó catorce años en Estados Unidos donde organizó un grupo revolucionario. Martí murió en el campo de batalla en Cuba en 1895. Murió sin realizar su sueño de ver a su Cuba libre e independiente. Martí es el máximo héroe de la independencia de Cuba. Además de ser político y revolucionario, la gran pasión de Martí durante toda su vida era la poesía. Escribió sus famosos *Versos sencillos* durante su estadía en Nueva York.

PRACTICE

Differentiation

Advanced Learners

F Have advanced learners correct any false information in this activity.

ASSESS

Students are now ready to take Quiz 4.

Answers

F

1. no
2. no
3. no
4. sí
5. no
6. sí
7. no

G

1. Diego Velázquez de Cuéllar fue un explorador que salió de La Española para conquistar Cuba en nombre de la corona española.
2. Hatuey fue un jefe taíno de Cuba que se sublevó y trató de resistir a los invasores pero fue capturado.
3. José Martí y Antonio Maceo fueron los héroes de la independencia. Ellos perdieron la vida en la lucha contra la dominación española.
4. Fulgencio Batista fue el dictador que tenía un gobierno corrupto contra el cual lucharon Fidel Castro y un grupo revolucionario.
5. Fidel Castro derrocó al gobierno de Batista en 1959 y estableció el primer gobierno comunista en las Américas.

Online Resources

Customizable Lesson Plans

 Student Workbook

 Quizzes

TEACH

Core Instruction

As students read this page you may wish to call on a student to give a summary of each paragraph.

 **Conexiones**

La historia

- The indigenous name for Puerto Rico is **Borinquen.** It is still heard in many songs and used fondly by Puerto Ricans who are also referred to as **boricuas** or **borincanos.**
- The city of Ponce, Puerto Rico, is named after the first governor of Puerto Rico, don Juan Ponce de León (1460–1521). He arrived in Borinquen (Puerto Rico) in 1508, founding the city of San Juan. Ponce de León later discovered Florida en 1512.

Comunicación

Interpersonal, Presentational

If some of your students have been to Puerto Rico or the Dominican Republic, have them bring in photographs and share some of their experiences with the class. Encourage classmates to ask questions or make comments to facilitate a discussion.

Puerto Rico

Uno de los primeros grupos que vivían en Puerto Rico eran los arawaks en los años 300 a.C. Al llegar los españoles a Puerto Rico, habitaban la isla, igual que otras islas del Caribe, los taínos. Pero fue en Puerto Rico y la República Dominicana que la civilización taína había alcanzado su apogeo. Los taínos eran buenos agricultores, constructores, cazadores, marineros y navegadores. Unos cien años antes de la llegada de los españoles los taínos ya habían sido debilitados por una serie de luchas sangrientas con un grupo de invasores feroces—los caribes.

Fue Cristóbal Colón el primer europeo en pisar tierra puertorriqueña el 19 de noviembre de 1493. En 1508 Juan Ponce de León fue nombrado el primer gobernador de Puerto Rico y él empezó a importar colonizadores de La Española. Fundaron el pueblo de Caparra muy cerca de lo que hoy es San Juan. Los indígenas empezaron a morir no solo en sus luchas contra los españoles sino también de muchas enfermedades introducidas por los invasores.

Puerto Rico se hizo un territorio muy importante por su situación geográfica. Sirvió como el primer puerto de entrada de muchos barcos llegando de España con destino a las Américas. Sirvió también como el último puerto de salida de las embarcaciones que volvían a España repletas de las riquezas de las Américas. Por eso los españoles decidieron construir tres grandes fortalezas en San Juan.

En Puerto Rico, como en sus otras colonias, los españoles, a diferencia de otros colonizadores europeos, no se mantenían apartados[3] de los indígenas. En 1514 el Rey dio permiso oficial para que los españoles se casaran con indígenas y más tarde se celebraban matrimonios entre españoles y africanos. La mezcla de taínos, blancos y africanos es la base de la población actual no solo de Puerto Rico sino de Cuba y la República Dominicana también.

[3] apartados *isolated*

CULTURA

Estatua de Ponce de León en San Agustín, Florida

CULTURA

Una vista de la muralla del Viejo San Juan en Puerto Rico

Answers

H

1. los arawaks
2. Los taínos
3. otras islas del Caribe; agricultores, constructores, cazadores, marineros y navegadores
4. Cristóbal Colón, Juan Ponce de León
5. enfermedades introducidas por los invasores

Tiempos modernos

Cuando terminó la Guerra de Cuba de 1898 entre España y Estados Unidos, Puerto Rico pasó de manos españolas a manos estadounidenses. Medio siglo después Puerto Rico se estableció como Estado Libre Asociado de Estados Unidos y adquirió un alto grado de gobierno propio. Los habitantes de Puerto Rico tienen la ciudadanía estadounidense.

Actualmente los puertorriqueños se dividen en tres grupos políticos. Los independentistas, que no es un grupo muy grande, quieren su independencia de Estados Unidos. Los populares quieren mantener el status actual de Estado Libre Asociado y los estadistas quieren ver a Puerto Rico un estado de Estados Unidos.

H Buscando información Completa.

1. Uno de los primeros grupos que habitaba Puerto Rico eran ____.
2. ____ habitaban la isla cuando llegaron los españoles.
3. Este mismo grupo habitaba ____ y eran buenos ____.
4. ____ fue el primer europeo en pisar tierra puertorriqueña y ____ fue su primer gobernador.
5. Además del maltrato, muchos indígenas murieron de ____.

I Explicando Da la información correcta.

1. Explica por qué los taínos ya habían sido debilitados antes de la llegada de los españoles.
2. Explica por qué Puerto Rico se hizo un territorio muy importante.
3. Explica una gran diferencia entre los colonizadores españoles y los colonizadores de otros países europeos.
4. Explica la situación política de Puerto Rico actualmente.
5. Explica la diferencia entre los tres grupos políticos en Puerto Rico.

CULTURA

Las banderas de Puerto Rico y Estados Unidos a lo largo del puente Teodoro Moscoso que enlaza Hato Rey y Río Piedras con el aeropuerto internacional en Carolina, Puerto Rico

CULTURA

Monumento a Cristóbal Colón en una plaza del Viejo San Juan en Puerto Rico

255

Cultura

TEACH

Core Instruction

As students read you may wish to ask the following comprehension questions. **¿Qué pasó a Puerto Rico cuando terminó la Guerra de Cuba? ¿Qué es Puerto Rico hoy día? ¿Qué ciudadanía tienen los puertorriqueños? ¿En cuántos grupos políticos se dividen los puertorriqueños? ¿Cuáles son?**

Heritage Speakers

If you have any students from Puerto Rico in class, have them give some information about their homeland.

La historia

You may wish to share the following information with students. **Los tres partidos políticos de Puerto Rico son el PPD, Partido Democrático Popular, que está en favor del status quo; el PNP, el Partido Nuevo Progresivo, que apoya la estadía; y el PIP, el Partido Independentista Puertorriqueño, que quiere la independencia de Estados Unidos.**

ASSESS

Students are now ready to take Quiz 5.

Answers

I

1. Los taínos ya habían sido debilitados antes de la llegada de los españoles por una serie de luchas sangrientas con los caribes.
2. Puerto Rico se hizo un territorio importante por su situación geográfica. Fue el primer puerto de entrada de muchos barcos de España y el último puerto de salida de las embarcaciones que volvían a España.
3. Una gran diferencia entre los colonizadores españoles y los colonizadores de otro países europeos fue que no se mantenían apartados de los indígenas.
4. Actualmente Puerto Rico es un Estado Libre Asociado de Estados Unidos y sus habitantes tienen la ciudadanía estadounidense.
5. De los tres grupos políticos en Puerto Rico, son los independentistas que quieren su independencia de Estados Unidos, los populares que quieren continuar como Estado Libre Asociado y los estadistas que quieren ver Puerto Rico un estado de Estados Unidos.

Online Resources

Customizable Lesson Plans

 Audio Activities

Student Workbook

Quizzes

Cultural Snapshot

(top) Los jesuitas comenzaron la construcción de la Catedral de San Cristóbal de La Habana en 1748 y, a pesar de su expulsión en 1767, la construcción fue terminada en 1787.

Go Online!

You may wish to remind students to go online for additional reading and listening comprehension practice.

ASSESS

Students are now ready to take Quiz 6.

CULTURA

Peatones en la plaza delante de la Catedral de San Cristóbal de La Habana. La catedral data de mediados del siglo XVIII.

Visitas históricas 

La Habana, la capital de Cuba, tiene fama de ser una de las ciudades más bellas de las Américas. La Habana colonial fue un centro de comercio, arte y cultura durante los siglos XVIII y XIX. Hasta hoy puedes visitar las magníficas iglesias, residencias y otros edificios como la Catedral, el Castillo del Morro y el Castillo de la Real Fuerza.

La ciudad más antigua de las Américas es Santo Domingo y tienes que visitarla para apreciar sus muchos monumentos coloniales incluyendo la casa del hijo de Cristóbal Colón. Durante más de un siglo, según los dominicanos, los restos de Colón reposaban en la Catedral de Santo Domingo aunque los españoles dicen que están en la Catedral de Sevilla. En 1992 sus restos se trasladaron a un monumento nuevo—el Faro—y se dice que más de un millón de personas lo han visitado.

La capital de Puerto Rico tiene también su precioso casco colonial. Llamado el Viejo San Juan, es una verdadera joya arquitectónica. Pero si quieres ver una joya creada por la naturaleza, debes ir a ver las Cuevas de Camuy. Hace más de un millón de años que el río Camuy va formando este sistema de cuevas subterráneas, el tercero más grande del mundo. Una de las cuevas es más grande que un campo de fútbol. Hay un pequeño tranvía que te llevará al Sumidero[4] Tres Pueblos donde puedes ver caer las aguas del río cientos de pies hasta el fondo del sumidero.

[4] Sumidero *Sinkhole*

J Personalizando Di lo que puedes ver o visitar si vas a los siguientes lugares.

Cuba	
República Dominicana	
Puerto Rico	

K Explicando Explica la polémica sobre los restos de Cristóbal Colón.

CULTURA

Entrada al Faro a Colón, Santo Domingo

Answers

J *Answers will vary.*

K *Answers will vary but may include:*
Según los dominicanos, los restos de Colón reposaban en la Catedral de Santo Domingo y en 1992 se trasladaron a un monumento nuevo (el Faro) pero los españoles dicen que sus restos están en la Catedral de Sevilla.

Comida

Cada isla del Caribe hispanohablante tiene sus especialidades culinarias, pero no se puede ir a ninguna de las tres sin comer arroz con frijoles. En Cuba se llama «moros y cristianos», en Puerto Rico «arroz con habichuelas» y en la República Dominicana simplemente «arroz con frijoles». Hay quienes dicen que un día sin arroz y frijoles es un día sin sol.

Arroz y frijoles (habichuelas)

Un plato delicioso y muy apreciado en las tres islas es el suculento lechón asado acompañado de tostones y—¿qué más?—arroz y frijoles. Para terminar cualquier comida hay una abundancia de frutas tropicales como la papaya, el mango, la piña, el coco y la banana.

Deliciosas frutas tropicales

L Recordando hechos Contesta.

1. ¿Cuál es un plato popularísimo en todas las islas hispanohablantes del Caribe?
2. ¿Cuáles son los diferentes nombres que lleva el plato?
3. ¿Cuál es otro plato apreciado en las tres islas?
4. Y, de postre, ¿qué hay?

M Interpretando ¿Cuál será la interpretación de «un día sin arroz y frijoles es un día sin sol»?

N *Comunicación*

Trabajando en grupos, mencionen todos los alimentos y platos que conocen del Caribe. Luego discutan los que les gustaría comer y por qué.

Cultura

Comunidades

There are quite a few Cuban restaurants in many areas of the United States. If there is one near you, you may wish to take students on a field trip. Have them look for items on the menu that they have learned about and then have them order in Spanish. Today both Puerto Rican and Dominican restaurants are becoming more common. If you have one or both in your community, you may wish to offer students a choice in which foods they try.

Comunicación

Presentational

You may wish to have students work in groups to prepare dishes for a class party. A very simple dish to make is **arroz con pollo.** Even easier is roast or fried chicken served with rice and beans. The black beans available in cans in many supermarkets are excellent. Since **tostones** are a bit difficult to make, a salad of sliced avocado and onion with vinegar and olive oil is another nice accompaniment. Students should browse the Internet for videos in Spanish that show how to prepare the dishes they've chosen. Suggest that they take notes. They can then review their notes to verify their understanding of the recipe before preparing the dish. Before eating the food the day of the party, have each group explain to the class how they made each dish and which ingredients they used.

Answers

L

1. Un plato popularísimo en todas las islas hispanohablantes del Caribe es arroz con frijoles.
2. Los diferentes nombres que lleva el plato son «moros y cristianos» y «arroz con habichuelas».
3. Otro plato apreciado en las tres islas es el lechón asado.
4. De postre, hay una abundancia de frutas tropicales como la papaya, el mango, la piña, el coco y la banana.

M *Answers will vary but may include:*
La interpretación de «un día sin arroz y frijoles es un día sin sol» puede significar que es un plato que a los habitantes de las islas del Caribe les gusta mucho.

N *Answers will vary.*

Online Resources

Customizable Lesson Plans

Student Workbook

Reading, Writing Test

Self-check for achievement

This is a pre-test for students to take before you administer the lesson test. Note that each section is cross-referenced so students can easily find the material they feel they need to review. You may wish to use Self-Check Worksheet SC6.1 to have students complete this assessment in class or at home. You can correct the assessment yourself, or you may prefer to display the answers in class using Self-Check Answers SC6.1A.

Differentiation

Slower Paced Learners

Encourage students who need extra help to refer to the margin notes and review any section before answering the questions.

Go Online!

You may wish to remind students to go online for additional reading comprehension practice.

Prepárate para el examen

Self-check for **ACHIEVEMENT**

Vocabulario

Para repasar, ve el vocabulario de esta sección.

1 Expresa de otra manera.

1. Él *puso pie en* tierra el ocho de noviembre.
2. *Empezó de manera violenta* una guerra horrible.
3. Él les *robó grandes cantidades.*
4. Hay una gran *cordillera* de montañas del este al oeste.

Lectura y cultura

Para repasar, ve la información cultural sobre el Caribe.

2 Completa.

5. Las Grandes Antillas son mayormente islas _____.
6. Las dos estaciones son _____ y la seca.

3 Identifica.

7. el cinco de diciembre de 1492
8. los taínos
9. Santo Domingo
10. los corsarios
11. 1865

4 Contesta.

12. ¿Quién conquistó Cuba en nombre de la Corona española?
13. ¿Por qué empezó a llegar a la República Dominicana gente esclavizada de África?
14. ¿Cuándo recibieron los cubanos su independencia?
15. ¿Qué pasó en Cuba en 1959?

5 ¿Sí o no?

16. Antes de la llegada de los españoles los taínos tuvieron que luchar contra los feroces caribes.
17. Cristóbal Colón fue el primer europeo en pisar tierra puertorriqueña y se nombró el primer gobernador de la isla.
18. Puerto Rico se hizo un territorio muy importante por su situación geográfica tan estratégica.
19. Actualmente Puerto Rico es un estado de los Estados Unidos.
20. La mayoría de los puertorriqueños desean su independencia de Estados Unidos.

6 Completa.

21. La ciudad más antigua de las Américas es _____.

22–23. Según los dominicanos los restos de Cristóbal Colón reposaban en _____ pero en 1992 los trasladaron a _____.

24–25. Dos platos de la cocina antillana son _____ y _____.

Answers

1

1. pisó
2. Se estalló
3. saqueó
4. cadena

2

5. montañosas
6. la húmeda

3

7. Cristóbal Colón llegó a La Española el cinco de diciembre de 1492.
8. Los taínos era un grupo indígena que habitaba La Española.
9. Santo Domingo fue fundado por Bartolomé Colón y es la actual capital de la República Dominicana.
10. Los corsarios fueron los que tenían contratos que firmaron con cierto país; se dedicaron a perseguir y saquear barcos considerados enemigos del país.
11. En 1865 la República Dominicana se independizó de España.

Go Online!

connectED.mcgraw-hill.com

Prepárate para el examen

Practice for PROFICIENCY

1 El clima del Caribe
¿Qué tipo de clima tienen las islas del Caribe? Da tantos detalles posibles. ¿Te gustaría vivir en las Antillas o no? ¿Por qué?

2 Comparaciones y contrastes
Trabajen en grupos de tres. Comparen la historia de la República Dominicana, Cuba y Puerto Rico. Señalen las cosas que tienen en común y las que son diferentes.

3 La población antillana de hoy
Describe la etnia de los habitantes de los tres países del Caribe donde se habla español. Da los rasgos y razones históricas por esta etnia.

4 La situación actual
Discute y compara la situación política actual en Cuba, la República Dominicana y Puerto Rico. ¿Tienen las tres regiones el mismo sistema político hoy en día?

Composición

Las islas del Caribe
En esta lección leíste sobre las tres islas hispanohablantes del Caribe: Cuba, la República Dominicana y Puerto Rico. Estas tres islas en su cultura, geografía, historia y política tienen mucho en común pero también hay diferencias entre ellas.

Vas a escribir una composición en la cual vas a comparar y contrastar estas tres islas. Lee de nuevo la información en la lectura. Mientras leas, usa una tabla como la de abajo para tomar apuntes que te ayudarán a organizar tu composición.

CULTURA

Vista de una calle típica del Viejo San Juan

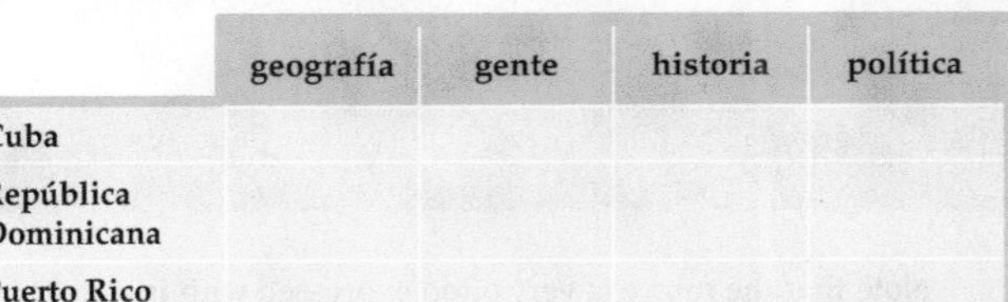

	geografía	gente	historia	política
Cuba				
República Dominicana				
Puerto Rico				

Después de tomar los apuntes, categoriza toda la información en tres clasificaciones: **semejanzas, diferencias, características singulares.** Organiza la información y preséntala de una manera clara. Después de revisar y corregir tu borrador, escribe de nuevo tu composición en forma final.

Tips for Success

Encourage students to say as much as possible when they do these open-ended activities. Tell them not to be afraid to make mistakes, since the goal of the activities is real-life communication. Encourage students to self-correct and to use words and phrases they know to get their meaning across. If someone in the group makes an error that impedes comprehension, encourage the others to ask questions to clarify or, if necessary, to politely correct the speaker. Let students choose the activities they would like to do.

Tell students to feel free to elaborate on the basic theme and to be creative. They may use props, pictures, or posters if they wish.

Pre-AP These oral and written activities will give students the opportunity to develop and improve their speaking and writing skills so that they may succeed on the speaking and writing portions of the AP exam.

ASSESS

Students are now ready to take the Reading and Writing Test for Lección 1: Cultura.

Answers

4

12. Diego Velázquez de Cuéllar conquistó Cuba en nombre de la corona española.
13. Gente esclavizada de África empezó a llegar a la República Dominicana porque había una desaparición casi total de la población indígena.
14. Los cubanos recibieron su independencia en 1898.
15. En Cuba en 1959 Fidel Castro, el líder de un grupo revolucionario, derrocó al gobierno corrupto del dictador Fulgencio Batista y estableció el primer gobierno comunista en las Américas.

5

16. sí
17. no
18. sí
19. no
20. no

6

21. Santo Domingo

22–23. la Catedral de Santo Domingo, un monumento nuevo (el Faro)

24–25. arroz con frijoles, lechón asado

Gramática

Online Resources

Customizable Lesson Plans

Audio Activities

Video (Gramática)

Student Workbook

Quizzes

TEACH

Core Instruction

Step 1 Write the verb paradigms on the board, underline the endings, and then have students repeat the forms after you.

Step 2 Have students say the irregular forms in unison.

Step 3 Read Items 3 and 4 to the class and call on students to read the model sentences.

Go Online!

You may wish to remind students to go online for additional grammar review and practice.

Gramática en vivo: *The future and conditional* Enliven learning with the animated world of Professor Cruz! **Gramática en vivo** is a fun and effective tool for additional instruction and/or review.

Futuro y condicional

1. The future and conditional of regular verbs are formed by adding the personal endings to the entire infinitive.

futuro		condicional	
hablaré	hablaremos	iría	iríamos
hablarás	*hablaréis*	irías	*iríais*
hablará	hablarán	iría	irían

Note that the endings for the conditional are the same as those for the imperfect of **-er** and **-ir** verbs.

2. The following verbs have an irregular stem for the future and conditional. The endings are the same as those of regular verbs.

HACER	**haré**	**haría**	VENIR	**vendré**	**vendría**
DECIR	**diré**	**diría**	PONER	**pondré**	**pondría**
QUERER	**querré**	**querría**	SALIR	**saldré**	**saldría**
SABER	**sabré**	**sabría**	TENER	**tendré**	**tendría**
PODER	**podré**	**podría**	VALER	**valdré**	**valdría**

3. The future is used in Spanish, as in English, to express a future event.

Ellos llegarán a Puerto Rico mañana.
Nosotros los veremos el sábado que viene.
José tendrá mucho que decirnos.

CULTURA

Pasajeros desembarcando en el aeropuerto internacional Luis Muñoz Marín

Note that the future is very often expressed with **ir a** + *the infinitive* or with the present tense.

Ellos van a salir la semana próxima.
Y yo voy mañana.

4. The conditional is used in Spanish, as it is in English, to express what would or would not happen under certain circumstances or "conditions." The conditional in English is usually expressed by *would.*

Yo lo llamaría, pero no tengo tiempo.
I would call him but I don't have time.

Larry Hamill

Answers

1. Sí, algún día, haré un viaje a Puerto Rico.
2. Sí, visitaré el Viejo San Juan.
3. Sí, caminaré por las murallas que bordean el Viejo San Juan.
4. Sí, iré a las Cuevas de Camuy.
5. Sí, pasaré unos días en una de las playas estupendas de Puerto Rico.
6. Sí, volveré a casa bronceado(a).
7. Sí, comeré lechón asado con arroz y habichuelas.
8. Sí, creo que me gustará.

1. Ellos lo dirán pero nosotros no lo diríamos.
2. Ellos lo sabrán pero nosotros no lo sabríamos.
3. Ellos podrán ir pero nosotros no podríamos ir.
4. Ellos vendrán pero nosotros no vendríamos.
5. Ellos saldrán pero nosotros no saldríamos.
6. Ellos lo tendrán pero nosotros no lo tendríamos.

Go Online!

connectED.mcgraw-hill.com

Práctica

HABLAR • ESCRIBIR

1 Contesta sobre un viaje futuro a Puerto Rico.

1. Algún día, ¿harás un viaje a Puerto Rico?
2. ¿Visitarás el Viejo San Juan?
3. ¿Caminarás por las murallas que bordean el Viejo San Juan?
4. ¿Irás a las Cuevas de Camuy?
5. ¿Pasarás unos días en una de las playas estupendas de Puerto Rico?
6. ¿Volverás a casa bronceado(a)?
7. ¿Comerás lechón asado con arroz y habichuelas?
8. ¿Qué crees? ¿Te gustará?

EXPANSIÓN

Ahora, sin mirar las preguntas, cuenta la información en tus propias palabras. Si no recuerdas algo, un(a) compañero(a) te puede ayudar.

ESCUCHAR • HABLAR

2 Sigue el modelo.

MODELO **hacerlo →**
Ellos lo harán pero nosotros no lo haríamos.

1. decirlo
2. saberlo
3. poder ir
4. venir
5. salir
6. tenerlo

LEER • ESCRIBIR

3 Cambia las siguientes frases al futuro y luego al condicional.

1. Él nunca dice nada.
2. Pero puede jugar.
3. El problema es que no quiere.
4. Tenemos que rogarle.
5. Le decimos que no ganamos sin él.
6. Todo el mundo viene a verlo jugar.
7. Vale la pena intentarlo.
8. Si no, nunca sabemos.

CULTURA 

Vista de la vegetación densa de la selva tropical El Yunque en Puerto Rico

Gramática

Leveling EACH Activity

Easy Activity 1
Average Activity 1
Expansión, Activity 2
CHallenging Activity 3

PRACTICE

Activity 1 This activity can be done orally, calling on students at random to respond.

Activity 2 This activity can also be done in class without previous preparation.

Activity 3 It is suggested that students prepare this activity before going over it in class.

Cultural Snapshot

El Yunque está a unos cuarenta y cinco minutos al este de San Juan. Tiene una gran variedad de flora y fauna: 4 tipos de bosques, unos 240 especies de árboles y plantas tropicales y millones de coquís—la rana tan querida de todo puertorriqueño nombrado por el sonido que hace. Con tanto desarrollo los coquís son una especie en peligro de extinción.

ASSESS

Students are now ready to take Quiz 7.

Answers

3

1. Él nunca dirá nada. / Él nunca diría nada.
2. Pero podrá jugar. / Pero podría jugar.
3. El problema será que no querrá. / El problema sería que no querría.
4. Tendremos que rogarle. / Tendríamos que rogarle.
5. Le diremos que no ganaremos sin él. / Le diríamos que no ganaríamos sin él.
6. Todo el mundo vendrá a verlo jugar. / Todo el mundo vendría a verlo jugar.
7. Valdrá la pena intentarlo. / Valdría la pena intentarlo.
8. Si no, nunca sabremos. / Si no, nunca sabríamos.

Online Resources

Customizable Lesson Plans

 Video (Gramática)

 Student Workbook

 Quizzes

Teaching Options

It is suggested that you review the future perfect for recognition purposes only. It is a tense that is very seldom used. The conditional perfect, however, is used a great deal.

TEACH

Core Instruction

Step 1 Go over the paradigms in Item 1. Have students say the forms aloud.

Step 2 Read the explanatory material in Items 2 and 3 to the class and then call on students to read the model sentences.

Go Online!

You may wish to remind students to go online for additional grammar review and practice.

Futuro perfecto y condicional perfecto

1. The future and conditional perfect are formed by using the future or conditional of the auxiliary verb **haber** and the past participle.

futuro perfecto		condicional perfecto	
habré comido	habremos comido	habría vuelto	habríamos vuelto
habrás comido	*habréis comido*	habrías vuelto	*habríais vuelto*
habrá comido	habrán comido	habría vuelto	habrían vuelto

2. The future perfect tense is used to express a future action that will be completed prior to another future action. It is a tense that is very seldom used.

   Pablo y Luisa no estarán en la playa el domingo.
   Habrán vuelto a la ciudad el sábado.
   Como nosotros no llegaremos hasta el domingo, no los veremos. Ya habrán salido.

3. The conditional perfect is used much more frequently than the future perfect. The conditional perfect in Spanish, as in English, is used to state what would have taken place had something else not interfered or made it impossible.

   Yo habría hablado con mi padre pero él estaba muy ocupado.
   I would have talked to my father, but he was very busy.

   Ella habría limpiado el cuarto pero tenía muchas tareas.
   She would have cleaned her room, but she had a lot of homework.

CULTURA

¿Quién no habría querido pasar unos días placenteros en la Playa de Cabarete en la República Dominicana?

Terry Harris/Alamy

Práctica

HABLAR • ESCRIBIR

4 Di todo lo que habrás hecho antes de hacer otra cosa según el modelo.

MODELO **tomar el desayuno / salir →**
Habré tomado el desayuno antes de salir.

1. hablar con ellos / escribir el artículo
2. estudiar / tomar el examen
3. reflexionar mucho / tomar una decisión
4. comer / ir al teatro
5. salir / saber los resultados

EXPANSIÓN

Haz la Actividad 4 una vez más cambiando **yo** a **ellos.**

CULTURA

¿Qué tal te habría gustado andar por la ciudad de La Habana en este «taxi coco»?

LEER • ESCRIBIR

5 Completa con el condicional perfecto.

1. La verdad es que ella ____ y ____ más trabajo pero tenía muchas interrupciones. (estudiar, hacer)
2. Yo te ____ pero no pude porque perdí mi móvil. (llamar)
3. Nosotros ____ hacer el viaje pero no pudimos porque ____ demasiado. (querer, costar)
4. Yo sé que tú lo ____ pero desgraciadamente nadie te lo explicó. (comprender)
5. Yo te ____ pero nadie me dijo que querías ayuda. (ayudar)
6. Ellos ____ antes pero no sabían la hora. (salir)

PRACTICE

Leveling EACH Activity

Average Activities 4, 5, Activity 4 **Expansión**

Go Online!

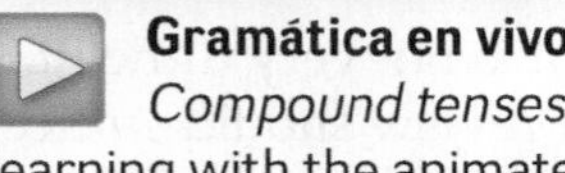

Gramática en vivo: *Compound tenses* Enliven learning with the animated world of Professor Cruz! **Gramática en vivo** is a fun and effective tool for additional instruction and/or review.

ASSESS

Students are now ready to take Quiz 8.

Answers

4

1. Habré hablado con ellos antes de escribir el artículo.
2. Habré estudiado antes de tomar el examen.
3. Habré reflexionado mucho antes de tomar una decisión.
4. Habré comido antes de ir al teatro.
5. Habré salido antes de saber los resultados.

5

1. habría estudiado, habría hecho
2. habría llamado
3. habríamos querido, habría costado
4. habrías comprendido
5. habría ayudado
6. habrían salido

Gramática

Online Resources

Customizable Lesson Plans

Student Workbook

Quizzes

TEACH

Core Instruction

This point is not very difficult, so a brief review should suffice. The main point for students to understand is that **este** is near the person speaking, **ese** is near the person being spoken to, and **aquel** is off in the distance from both the speaker and the listener.

PRACTICE

Leveling EACH Activity

Easy Activity 6

Differentiation

Multiple Intelligences

Have **bodily-kinesthetic** learners point to the appropriate location each time they use a form of **este, ese,** or **aquel.**

CULTURA

Este es un lugar interesante para bañarse, ¿no? Pero, ¿dónde está? Está en el río Jimenoa en la República Dominicana.

Pronombres demostrativos

1. The forms for demonstrative pronouns *(this one, that one, these, those)* are the same as those for the demonstrative adjectives. Until recently, the pronoun had to carry a written accent mark to differentiate it from the adjective but that is no longer necessary. Like any other pronoun the demonstrative pronoun must agree in number and gender with the noun it replaces. Note the forms of the demonstrative adjectives and pronouns.

este	**esta**	**estos**	**estas**
ese	**esa**	**esos**	**esas**
aquel	**aquella**	**aquellos**	**aquellas**

2. Remember that **ese** and **aquel** can both mean *that* or *that one.* **Ese** refers to something near the person spoken to. **Aquel** refers to something far away—*that one over there* **(allá). Este** means *this* or *this one here* **(aquí).**

Este tren aquí y ese que está llegando ahora son muy modernos.
Pero creo que este (aquí) tiene pasillos más amplios que ese (allí).
Este tren aquí no sigue la misma ruta que aquel (allá en la otra vía).

Práctica

HABLAR

6 Con un(a) compañero(a) preparen una conversación según el modelo.

MODELO **los cuadros →**
—De todos los cuadros, ¿cuál te gusta más?
—Me gusta este pero no me gusta aquel.
—Y, ¿este que tengo yo?
—Sí, me gusta ese también.

1. las revistas
2. las camisas
3. los anillos
4. los tejidos
5. las fotografías
6. las tarjetas postales

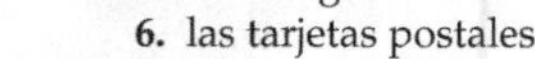

CULTURA

Fíjate en todos esos carros aparcados enfrente de El Capitolio en La Habana. ¿De qué año serán?

Answers

6

1. —De todas las revistas, ¿cuál te gusta más? / —Me gusta esta pero no me gusta aquella. / —Y, ¿esta que tengo yo? / —Sí, me gusta esa también.
2. —De todas las camisas, ¿cuál te gusta más? / —Me gusta esta pero no me gusta aquella. / —Y, ¿esta que tengo yo? / —Sí, me gusta esa también.
3. —De todos los anillos, ¿cuál te gusta más? / —Me gusta este pero no me gusta aquel. / —Y, ¿este que tengo yo? / —Sí, me gusta ese también.
4. —De todos los tejidos, ¿cuál te gusta más? / —Me gusta este pero no me gusta aquel. / —Y, ¿este que tengo yo? / —Sí, me gusta ese también.
5. —De todas las fotografías, ¿cuál te gusta más? / —Me gusta esta pero no me gusta aquella. / —Y, ¿esta que tengo yo? / —Sí, me gusta esa también.
6. —De todas las tarjetas postales, ¿cuál te gusta más? / —Me gusta esta pero no me gusta aquella. / —Y, ¿esta que tengo yo? / —Sí, me gusta esa también.

Go Online!

connectED.mcgraw-hill.com

Pronombres posesivos

1. A possessive pronoun replaces a noun that is modified by a possessive adjective. Like any other pronoun, the possessive pronoun must agree in gender and number with the noun it replaces. Note that the possessive pronoun is accompanied by a definite article.

POSSESSIVE ADJECTIVE	POSSESSIVE PRONOUN
mi, mis	**el mío, la mía, los míos, las mías**
tu, tus	**el tuyo, la tuya, los tuyos, las tuyas**
su, sus	**el suyo, la suya, los suyos, las suyas**
nuestro, nuestra, nuestros, nuestras	**el nuestro, la nuestra, los nuestros, las nuestras**
vuestro, vuestra, vuestros, vuestras	***el vuestro, la vuestra, los vuestros, las vuestras***
su, sus	**el suyo, la suya, los suyos, las suyas**

Todos tenemos nuestros billetes.
Yo tengo el mío, tú tienes el tuyo y Sandra tiene el suyo.

2. Just as the adjective **su** can refer to many different people, so can the pronouns **el suyo, la suya, los suyos,** and **las suyas.** Whenever it is unclear to whom the possessive pronoun refers, a prepositional phrase is used for clarification.

EL SUYO	LA SUYA	LOS SUYOS	LAS SUYAS
el de Ud.	**la de Ud.**	**los de Ud.**	**las de Ud.**
el de él	**la de él**	**los de él**	**las de él**
el de ella	**la de ella**	**los de ella**	**las de ella**
el de Uds.	**la de Uds.**	**los de Uds.**	**las de Uds.**
el de ellos	**la de ellos**	**los de ellos**	**las de ellos**
el de ellas	**la de ellas**	**los de ellas**	**las de ellas**

¿Está llevando Elena su suéter?
No, no está llevando el suyo. Está llevando el de él.

3. Note that the definite article is often omitted after the verb **ser.**

Estos libros son de Marta. Son suyos.
No son míos.

However, the article can be used for emphasis.

Estos son los míos y aquellos son los tuyos.

Yo sé que tengo el mío. ¿Dónde has puesto el tuyo?

Online Resources

Customizable Lesson Plans

 Student Workbook

 Quizzes

TEACH

Core Instruction

This is another grammar concept that students should find quite easy. The only somewhat difficult point is when to use **el de él,** etc., rather than **el suyo.**

Go Online!

   You may wish to remind students to go online for additional grammar review and practice.

PRACTICE

Leveling EACH Activity

Easy Activities 7, 9
Average Activities 8, 10

ASSESS

Students are now ready to take Quiz 9.

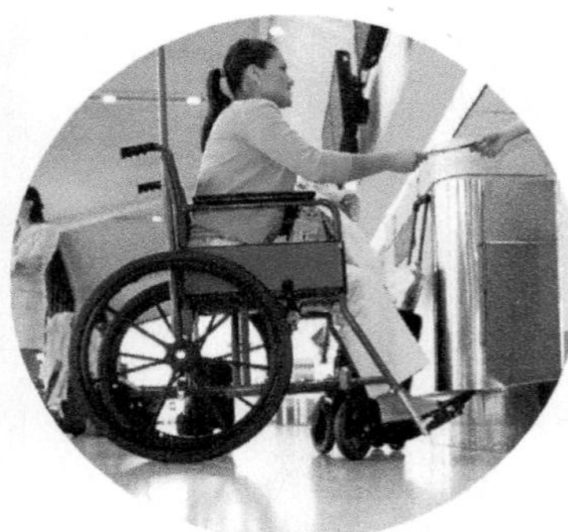

La agente entrega su pasabordo a la pasajera.

Práctica

HABLAR

7 Con un(a) compañero(a) preparen una conversación en un aeropuerto según el modelo.

MODELO **el pasaporte →**
—¿El pasaporte? Tengo el mío.
—¿Estás seguro(a) que no es el mío?
—Estoy seguro(a). Y no me preguntes dónde está el tuyo.

1. la tarjeta de embarque
2. los boletos
3. la mochila
4. los talones para el equipaje
5. las revistas
6. el periódico

8 *Comunicación*

Con un(a) compañero(a) preparen una conversación que ustedes tienen en un aeropuerto. Para hacer más interesante la conversación, traten de incorporar un problema o una complicación que tienen que resolver. Pueden consultar el vocabulario temático sobre un viaje en avión al final de este libro.

ESCUCHAR • HABLAR

9 Cambia cada frase usando el pronombre posesivo.

1. Estoy buscando mi boleto.
2. Y Sandra está buscando su boleto.
3. Carlos, ¿son estas mis fotos o tus fotos?
4. Estamos admirando su carro. Nos gusta.
5. ¿Toma Andrés las fotos con su móvil o con tu móvil?

LEER • ESCRIBIR

10 Usa pronombres según el modelo.

MODELO **Ramón tiene su entrada. →**
Ramón tiene la suya.
Ramón tiene la entrada de Elena. →
Ramón tiene la de ella.

1. Ramón está en su asiento.
2. Él está guardando el asiento de Elena.
3. Ahora, ella tiene su entrada.
4. Los amigos buscan sus asientos.
5. Ellos tienen el programa de Elena y el de Ramón.
6. Y Ramón no tiene su programa.

¿Tienes mi tabla?
No, esta es mía. La tuya está allá.

Answers

1. —¿La tarjeta de embarque? Tengo la mía. / —¿Estás seguro(a) que no es la mía? / —Estoy seguro(a). Y no me preguntes dónde está la tuya.
2. —¿Los boletos? Tengo los míos. / —¿Estás seguro(a) que no son los míos? / —Estoy seguro(a). Y no me preguntes dónde están los tuyos.
3. —¿La mochila? Tengo la mía. / —¿Estás seguro(a) que no es la mía? / —Estoy seguro(a). Y no me preguntes dónde está la tuya.
4. —¿Los talones para el equipaje? Tengo los míos. / —¿Estás seguro(a) que no son los míos? / —Estoy seguro(a). Y no me preguntes dónde están los tuyos.
5. —¿Las revistas? Tengo las mías. / —¿Estás seguro(a) que no son las mías? / —Estoy seguro(a). Y no me preguntes dónde están las tuyas.
6. —¿El periódico? Tengo el mío. / —¿Estás seguro(a) que no es el mío? / —Estoy seguro(a). Y no me preguntes dónde está el tuyo.

Pronombres relativos

1. The most commonly used relative pronoun in Spanish is **que.** It can replace either a person or a thing and can function as either the subject or object of a clause.

   El señor que habla ahora es dominicano.
   El libro que está en la mesa es de un autor cubano.
   La señora que vimos anoche es la presidenta de la asociación.
   Las conferencias que da la señora son interesantes.

   Note that the pronoun **que** can also be used after a preposition but only when it refers to a thing.

   La novela de que hablas es de Julia Álvarez, la escritora dominicana.

2. The relative pronoun **a quien (a quienes)** may replace the pronoun **que** when it refers to a person and functions as the direct object.

   La señora que vimos anoche es la presidenta.
   La señora a quien vimos anoche es la presidenta.

   Quien can be used as a subject when referring to a person but **que** is more common.

   La señora que (quien) habla es la presidenta.

   Quien, however, must be used after a preposition when it refers to a person.

   La joven en quien estoy pensando es de Puerto Rico.

3. The longer pronouns **el que, la que, los que,** and **las que** may also be used as the subject or object of a clause and can replace either a person or a thing. The most common use of these pronouns is to provide emphasis. They often begin a sentence and are equivalent to *the one(s) who.* Note the agreement of the verb **ser.**

   El que llega es mi hermano.
   La que llegará mañana es mi hermana.
   Los que llegaron ayer fueron mis primos.

   El cual can replace **el que** but the use of **cual** is not common in everyday conversational Spanish. It is more commonly used after a longer preposition.

   Es la torre desde la cual (la que) tuvimos una vista de toda la ciudad.

4. **Lo que** is a neuter relative pronoun which replaces a general or abstract idea rather than a specific antecedent. It is similar to *what.*

   Lo que necesitamos es más dinero.
   No creo lo que me dices.
   Dime lo que pasó.

5. The relative adjective **cuyo** is equivalent to the English *whose.* It agrees with the noun it modifies.

   La señora cuyo hijo está hablando es directora del instituto.
   El señor cuyas hijas están hablando es director de otro instituto.

De todas las playas es esta la que tiene menos gente.

Andrew Payti

Gramática

Online Resources

Customizable Lesson Plans

Audio Activities

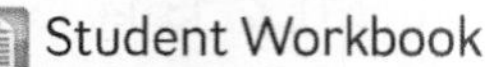
Student Workbook

Quizzes

TEACH

Core Instruction

Most students do not have problems with this grammar point. You may wish to summarize this concept by explaining that you can use **que** to refer to a person or thing and it can be used as a subject or an object. **Que** is also used as the object of a preposition when referring to a thing. **Quien,** rather than **que,** must be used after a preposition when referring to a person. Note that this is the only place where **quien** must be used rather than **que.**

Cultural Snapshot

La playa en Guajataca es un buen lugar para recoger conchas marinas pero es una playa peligrosa para nadar debido a las corrientes fuertes.

Answers

8 *Answers will vary.*

9
1. Estoy buscando el mío.
2. Y Sandra está buscando el suyo.
3. Carlos, ¿son estas (las) mías o (las) tuyas?
4. Estamos admirando el suyo. Nos gusta.
5. ¿Toma Andrés las fotos con el suyo o con el tuyo?

10
1. Ramón está en el suyo.
2. Él está guardando el de ella.
3. Ahora, ella tiene la suya.
4. Los amigos buscan los suyos.
5. Ellos tienen el de ella y el de él.
6. Y Ramón no tiene el suyo.

PRACTICE

Leveling EACH Activity

Average Activities 11, 12, 13, 14, 15

Go Online!

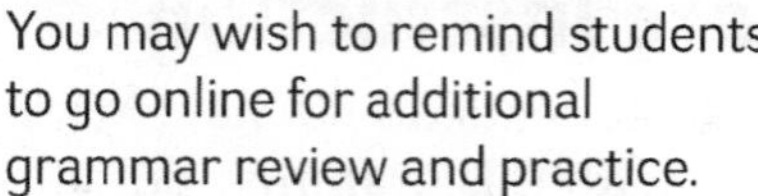

You may wish to remind students to go online for additional grammar review and practice.

ASSESS

Students are now ready to take Quiz 10.

CULTURA

El cultivo de bananas es una industria importante en muchas áreas del Caribe. Aquí vemos unas bananas colgando de un banano en Cuba.

Práctica

LEER • ESCRIBIR

11 Enlaza las dos frases según el modelo.

MODELO **El señor habla. Es cubano. →**
El señor que habla es cubano.

1. La isla es Puerto Rico. La isla está al este de La Española.
2. Miro las fotos. Las fotos son del Viejo San Juan.
3. Los restaurantes son buenos. Los restaurantes están en el casco histórico de Santo Domingo.
4. Las playas son fabulosas. Las playas están en las afueras de La Habana.
5. El señor es director de la escuela. El señor acaba de llegar.

LEER • ESCRIBIR

12 Completa con **que** o **quien.**

1. La señora de ____ te hablé no está.
2. La señora ____ vimos anoche es su esposa.
3. Es un asunto en ____ no tengo ningún interés.
4. No sé en ____ estará pensando el señor ____ habla. No me parece que pudiera existir tal persona.
5. No sé en ____ estarán pensando los señores ____ hablan. Sus ideas son absurdas.

HABLAR • LEER • ESCRIBIR

13 Introduce cada frase con **el que, la que, los que** o **las que** para ponerle más énfasis en el sujeto.

1. Nuestros mejores amigos llegaron.
2. Mi tía asistirá.
3. Mis primos vienen mañana de Puerto Rico.
4. Carlos dio la fiesta.
5. Los directores resolvieron el problema.
6. El vicepresidente tomó la decisión.

ESCUCHAR • HABLAR

14 Introduce cada frase con **lo que.**

1. Necesitamos más tiempo.
2. Quiere dinero.
3. Me sorprende que ellos digan tal cosa.
4. Me molesta que hayan decidido no asistir.
5. Quieren derrocar al dictador.
6. El dictador quiere todo el poder.

LEER • ESCRIBIR

15 Completa cada frase con la forma apropiada de **cuyo.**

1. El museo ____ nombre se me escapa está en Ponce.
2. Es un médico ____ fama es mundial y ____ pacientes lo admiran mucho.
3. Todos son proyectos ____ metas son buenas pero difíciles de realizar.
4. El señor ____ hijo acaba de hablar está muy orgulloso.

Lissa Harrison

Answers

11

1. La isla que está al este de La Española es Puerto Rico.
2. Las fotos que miro son del Viejo San Juan.
3. Los restaurantes que están en el casco histórico de Santo Domingo son buenos.
4. Las playas que están en las afueras de La Habana son fabulosas.
5. El señor que acaba de llegar es director de la escuela.

12

1. quien
2. que
3. que
4. quien, que
5. que, que

13

1. Los que llegaron fueron nuestros mejores amigos.
2. La que asistirá es mi tía.
3. Los que vienen mañana de Puerto Rico son mis primos.
4. El que dio la fiesta fue Carlos.
5. Los que resolvieron el problema fueron los directores.
6. El que tomó la decisión fue el vicepresidente.

Las conjunciones y/e, o/u

1. The conjunction **y** changes to **e** when followed by a word that begins with **i** or **hi. Y,** however, is used before **hia, hie, hio.**

   sabiduría e inteligencia
   padres e hijos
   soda y hielo

2. The conjunction **o** changes to **u** when followed by a word that begins with **o** or **ho.**

   ¿Quién va? ¿Enrique u Oscar?

Práctica

16 LEER • ESCRIBIR

Completa con **y, e.**

1. Había poblaciones españolas ____ indígenas.
2. Había poblaciones indígenas ____ españolas.
3. Es una región de islas ____ montañas.
4. Es una región de montañas ____ islas.
5. Mucha gente venía ____ iba.
6. Mucha gente iba ____ venía.
7. Alejandra ____ Inés lo sabían.
8. Inés ____ Alejandra lo sabían.
9. Había hielo ____ nieve.
10. Había nieve ____ hielo.

17 LEER • ESCRIBIR

Completa con **o, u.**

1. ¿Qué gas es? ¿Es oxígeno ____ hidrógeno?
2. ¿Qué gas es? ¿Es hidrógeno ____ oxígeno?
3. No sé si son militares ____ oficiales del gobierno.
4. No sé si son oficiales del gobierno ____ militares.
5. ¿Tiene un ambiente hotelero ____ hogareño?
6. ¿Tiene un ambiente hogareño ____ hotelero?
7. Hay al menos ocho ____ diez.
8. Hay al menos siete ____ ocho.

CULTURA

¿Qué crees? Estas pinturas en venta en una tienda en Santo Domingo, ¿son todas copias u obras originales?

Go Online!

connectED.mcgraw-hill.com

Gramática

Online Resources

Customizable Lesson Plans

 Student Workbook

PRACTICE

Leveling EACH Activity

Easy Activities 16, 17

Activities 16 and 17 Both of these activities should be done orally and in written form.

Go Online!

   You may wish to remind students to go online for additional grammar review and practice.

Answers

14

1. Lo que necesitamos es más tiempo.
2. Lo que quiere es dinero.
3. Lo que me sorprende es que ellos digan tal cosa.
4. Lo que me molesta es que hayan decidido no asistir.
5. Lo que quieren es derrocar al dictador.
6. Lo que quiere el dictador es todo el poder.

15

1. cuyo
2. cuya, cuyos
3. cuyas
4. cuyo

16

1. e
2. y
3. y
4. e
5. e
6. y
7. e
8. y
9. y
10. y

17

1. o
2. u
3. u
4. o
5. u
6. u
7. o
8. u

Online Resources

Customizable Lesson Plans

Audio Activities

Video (Gramática)

Student Workbook

Reading, Writing Test

Self-check for achievement

This is a pre-test for students to take before you administer the lesson test. Note that each section is cross-referenced so students can easily find the material they feel they need to review. You may wish to use Self-Check Worksheet SC6.2 to have students complete this assessment in class or at home. You can correct the assessment yourself, or you may prefer to display the answers in class using Self-Check Answers SC6.2A.

Differentiation

Slower Paced Learners

Encourage students who need extra help to refer to the margin notes and review any section before answering the questions.

Go Online!

   You may wish to remind students to go online for additional grammar review and practice.

Prepárate para el examen

Self-check for ACHIEVEMENT

Gramática

1 **Completa con el futuro.**

Para repasar, ve **Futuro y condicional.**

1. Él ____ el viaje. (hacer)
2. Yo sé que ellos ____ acompañarnos. (querer)

3–4. Yo ____ a Cuba pero tú ____ a Puerto Rico. (ir)

5. Yo ____ que reservar un hotel ahora. (tener)

2 **Completa con el condicional.**

6–7. Yo ____ pero sé que ellos no ____. (salir)

8–9. Carlos ____ a tiempo pero los otros ____ tarde. (llegar)

10–11. Nosotros no ____ nada pero ellos lo ____ todo. (saber)

3 **Forma frases según el modelo.**

Para repasar, ve **Condicional perfecto.**

MODELO **yo / ir →**
Yo habría ido pero no pude.

12. ellos / salir
13. tú / llegar a tiempo
14. nosotros / estudiar más
15. yo / ayudarte

4 **Completa con pronombres demostrativos.**

Para repasar, ve **Pronombres demostrativos.**

16. Esta foto aquí es más bonita que ____ allá al fondo.

17–18. ____ libro que tengo es más largo que ____ que tienes.

19–20. De todos los edificios, ____ aquí en Isla Verde son más altos y modernos que ____ allá en el Viejo San Juan.

5 **Escribe con un pronombre posesivo.**

Para repasar, ve **Pronombres posesivos.**

21. ¿Tienes *tu libro*?
22. María está mirando *sus billetes.*
23. Juan quiere usar *mi coche (carro).*
24. *Tu cámara digital* no está en la mochila.

6 **Completa con el pronombre relativo apropiado.**

Para repasar, ve **Pronombres relativos.**

25–26. El señor ____ está hablando ahora es el señor ____ hija escribió el libro.

27. ____ me sorprende es que ella no haya hablado.
28. ¿Es este el amigo de ____ me hablaste?
29. ____ acaban de llegar son mis primos.
30. Es el tipo de casa en ____ viven los indígenas.

7 **Completa.**

Para repasar, ve **Las conjunciones y / e, o / u.**

31. Luis ____ Ignacio son buenos amigos.
32. ¿Tiene la casa siete ____ ocho cuartos?
33. Es una península ____ una isla?

Answers

1. hará
2. querrán

3–4. iré, irás

5. tendré

2

6–7. saldría, saldrían

8–9. llegaría, llegarían

10–11. sabríamos, sabrían

3

12. Ellos habrían salido pero no pudieron.
13. Tú habrías llegado a tiempo pero no pudiste.
14. Nosotros habríamos estudiado más pero no pudimos.
15. Yo te habría ayudado pero no pude.

4

16. aquella

17–18. Este, ese

19–20. estos, aquellos

5

21. el tuyo
22. los suyos
23. el mío
24. La tuya

6

25–26. que, cuya

27. Lo que
28. quien
29. Los que
30. que

7

31. e
32. u
33. o

Go Online!

connectED.mcgraw-hill.com

Prepárate para el examen

Practice for PROFICIENCY

1 Lo que pasará en mi vida

Habla con un(a) compañero(a) y, según tus planes o metas, dile lo que ocurrirá o sucederá en tu vida. Luego tu compañero(a) te dirá lo que pasará en su vida. Comparen sus esperanzas. ¿Tienen las mismas metas o no?

2 Con un millón de dólares

Di todo lo que harías con un millón de dólares. Y tu mejor amigo(a), ¿haría lo mismo con su millón de dólares? ¿Qué haría él o ella que no harías tú? Y, ¿qué no haría él o ella que tú harías?

3 Lo habría hecho pero...

Di todo lo que habrías hecho ayer, la semana pasada o el año pasado pero no pudiste porque tuviste que hacer otra cosa. Di lo que tuviste que hacer.

El futuro

Vas a escribir un ensayo sobre el futuro. Antes de empezar a escribir reflexiona sobre el presente—como son las cosas, como eres tú, como es el ambiente en que vives, cuales son unos avances recientes.

Luego dale rienda *(rein)* libre a tu imaginación. Imagínate que no estás viviendo hoy sino unos treinta años en el futuro. Piensa en cómo serán las cosas, cómo y qué serás tú, en qué ambiente vivirás, cuáles serán unos avances que todos tomaremos como normales.

Trata también de pensar en ti mismo(a). En los próximos treinta años, ¿cuáles son unas cosas que harás? Puedes incluir en tu ensayo tus esperanzas y tus deseos y no olvides que «¡el cielo es el límite!»

Un grupo de músicos tocando en el patio de la Casa Velázquez en Santiago de Cuba

Tips for Success

Encourage students to say as much as possible when they do these open-ended activities. Tell them not to be afraid to make mistakes, since the goal of the activities is real-life communication. Encourage students to self-correct and to use words and phrases they know to get their meaning across. If someone in the group makes an error that impedes comprehension, encourage the others to ask questions to clarify or, if necessary, to politely correct the speaker. Let students choose the activities they would like to do.

Tell students to feel free to elaborate on the basic theme and to be creative. They may use props, pictures, or posters if they wish.

Pre-AP These oral and written activities will give students the opportunity to develop and improve their speaking and writing skills so that they may succeed on the speaking and writing portions of the AP exam.

ASSESS

Students are now ready to take the Reading and Writing Test for Lección 2: Gramática.

Introduction

Each chapter of **¡Así se dice!** Level 4 has a journalism section that corresponds to the same geographical area as the chapter. Each section gives students a list of the important newspapers that they will find online for the countries in that particular geographical area. In putting this section together, we spent approximately one month perusing the newspapers from each area to determine topics that seem to occur frequently in the news of those countries. Hopefully, this will assist students to find articles that relate to the activities provided. However, we recommend that you tell students that they can also pick articles and prepare something about them even if the topic does not appear in a specific activity if it is something of interest to them.

TEACH

Core Instruction

We suggest that you not just dedicate a day or two to the journalism section. As you begin each chapter, tell students to consult the journalism section and spend a few minutes at home each day perusing the appropriate Web sites of the newspapers. As each student finds a pertinent article, he or she can prepare the activity that pertains to it. Needless to say, the topics of all activities will not appear on one given day.

There may also be some debate or discussion activities that you wish to assign to a group or groups of students and give them a time limit to complete them. As you are finishing the chapter, you may want to spend one day having students share with other students the work they did.

La prensa en línea

No hay cosa más placentera que sentarse bajo una palma en una playa isleña y leer unos periódicos. En las islas antillanas del Caribe tenemos:

Cuba	Puerto Rico	La República Dominicana
Granma	*El Nuevo Día*	*El Nacional*
	El Vocero	*El Nuevo Diario*

Actividades

A Como Puerto Rico es un estado libre asociado, en inglés un *commonwealth* de Estados Unidos, se comparte interés en muchos asuntos políticos nacionales. Busca unos artículos o ve unas noticias sobre asuntos vinculados con Estados Unidos y da tus impresiones sobre los reportajes en Puerto Rico. ¿Cómo se comparan con los reportajes que salen en los periódicos y en las noticias de Estados Unidos?

B En los periódicos del Caribe siempre hay una sección dedicada a los deportes. Hojea las páginas deportivas e indica una gran diferencia entre los deportes populares en el Caribe y en los otros países de Latinoamérica. ¿Hay deportistas profesionales de países caribeños que juegan para equipos estadounidenses? ¿Qué deporte juegan? ¿Cuál es su nacionalidad?

Aquí vemos a unos jóvenes jugando béisbol en un parque de La Habana. El béisbol es el deporte número uno en Cuba. Es popularísimo.

Current event

If there is something of particular interest in the Caribbean that is of interest or concern to the United States, you may wish to inform the class of the situation and tell them to frequently consult the foreign newspapers online and have them compare the reporting with that which appears in the U.S. press.

Videos

Inform students that many articles are accompanied by interviews or videos. Tell students to make as much use of these audio and visual components as possible, since it will enable them to hear a wide variety of native speakers and see events happening in real places and in real time.

Go Online! 
connectED.mcgraw-hill.com

C Suele salir en los periódicos de la región una cantidad de artículos sobre los sueldos de los médicos, enfermeros y docentes. Prepara una sinopsis sobre el contenido de estos artículos y da tus opiniones sobre las razones por las cuales el público tendría tanto interés en este asunto.

CULTURA

Unos minusválidos participando en un maratón en La Habana para recaudar fondos que se usan para investigar remedios contra el cáncer

D Busca y comenta sobre los artículos que se dedican a los avances científicos y tecnológicos. A veces hay artículos que critican ciertos aspectos de la super importancia de estos avances en la vida diaria. Un ejemplo sería la amenaza creciente de una adicción tecnológica en los niños. En la sección «Ciencia y Tecnología» lee unos artículos y comenta sobre el contenido. Si hay hispanohablantes en tu escuela o comunidad, puedes invitarlos a clase para participar en un panel de discusión sobre el buen uso de la tecnología. ¿Es este un tema de interés para muchos grupos culturales? Elabora una tabla como la de abajo para organizar la información de la discusión.

tema: el buen uso de la tecnología	
ideas centrales	**detalles**
1.	
2.	

STR/AFP/Getty Images

PRACTICE

Activity A You may wish to have students explain what it means to Puerto Rico to be **un estado libre asociado.** Ask them what the three major political divisions are among the populations of Puerto Rico.

Activity B Ask students if they know who the hero Roberto Clemente is. Have them tell something about him.

PRACTICE

Activity E Ask students if they think they would like to live in a tropical area. Have them give reasons why or why not.

CULTURA

Una calle de la Vieja Habana después de un aguacero

E Debido al clima de esta región tropical, sobre todo en ciertos meses del año, hay muchos artículos sobre eventos sísmicos. Lee tal artículo y describe un evento sísmico y las consecuencias que tiene en la vida de las comunidades que lo experimentan.

F Prepara un resumen sobre dos pronósticos meteorológicos para el mismo día. Cada uno será de una isla diferente. Luego, imagínate que eres el/la meteorólogo(a) en una cadena de televisión local. Presenta el pronóstico para las dos islas.

ciudad o región	pronóstico meteorológico
1.	
2.	

G Vieques y la Culebra son dos islas pequeñas en la costa de Puerto Rico que están experimentando mucho desarrollo. Siendo tan pequeñas estas islas, tienen unos problemas propios. Por ejemplo, las marejadas pueden provocar problemas en la entrega de suministros. ¿Por qué? Busca unos artículos o videos que señalan algunas dificultades específicas de estos lugares un poco aislados. Habla con un(a) compañero(a) de clase de lo que aprendes del asunto.

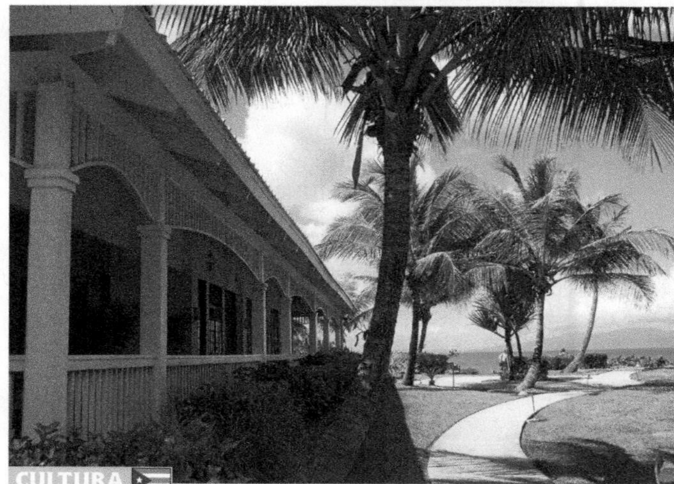

CULTURA

Un hotel en la isla de Vieques en Puerto Rico

H El café y el azúcar siguen siendo productos importantes de las islas del Caribe. En las secciones «Comercio» o «Economía» busca artículos sobre las industrias cafetaleras y azucareras. ¿Cuál es el enfoque de estos artículos?

(t)Dave Moyer, (b)Rebecca Smith

I El periódico *Granma* es el órgano oficial del comité del partido comunista de Cuba. Lee un artículo en *Granma* sobre un asunto internacional. Luego, lee un artículo sobre el mismo asunto en otro periódico. Compara el enfoque que tiene cada uno. ¿Hay mucha diferencia de opinión o no? Si lo hay, ¿cómo explicarás esta diferencia?

J En los periódicos isleños hay bastantes artículos con consejos sobre el mantenimiento de la buena salud. Hojea cuantos artículos posibles y prepara una lista de las sugerencias que proponen para aliviar ciertos males. Fíjate también en el lenguaje usado en estos artículos. ¿Es formal o informal? Luego, toma algunas sugerencias de tu lista y prepara un reportaje y preséntalo a la clase. No te olvides de revisar y corregir tu reportaje antes de presentarlo. Tal vez un(a) compañero(a) de clase te pueda ayudar a editarlo.

Un lugar o una cosa de interés

Has leído descripciones de países, paisajes, ciudades, pueblos y monumentos de todas partes del mundo hispano.

Ahora te toca a ti escribir una descripción. Puede ser un lugar que conoces personalmente o puede ser un lugar sobre el que has leído y que te ha picado el interés.

Antes de empezar a escribir, piensa en una lista de lugares que quisieras describir. Reflexiona sobre cuánto sabes de cada uno. Selecciona el que vas a describir y trata de visualizarlo.

Pon en orden los aspectos que vas a describir. Usa un diagrama como el de abajo para organizar tus pensamientos. Haz una lista de adjetivos descriptivos vivos que les atraerán la atención a tus lectores.

Prepara un borrador. Corrige cualquier error. Determina si falta algo interesante o elimina cualquier detalle superfluo. Luego prepara tu versión final.

Composición

You may wish to collect this work from students and correct as a composition assignment.

Online Resources

Customizable Lesson Plans

Audio

Practice

Review

Vocabulario

TEACH

Core Instruction

Step 1 Have students listen to the audio recording of the new words or you may prefer to have students read the new words and definitions aloud.

Step 2 Have a student volunteer read one of the definitions and then call on a class member to give the new word.

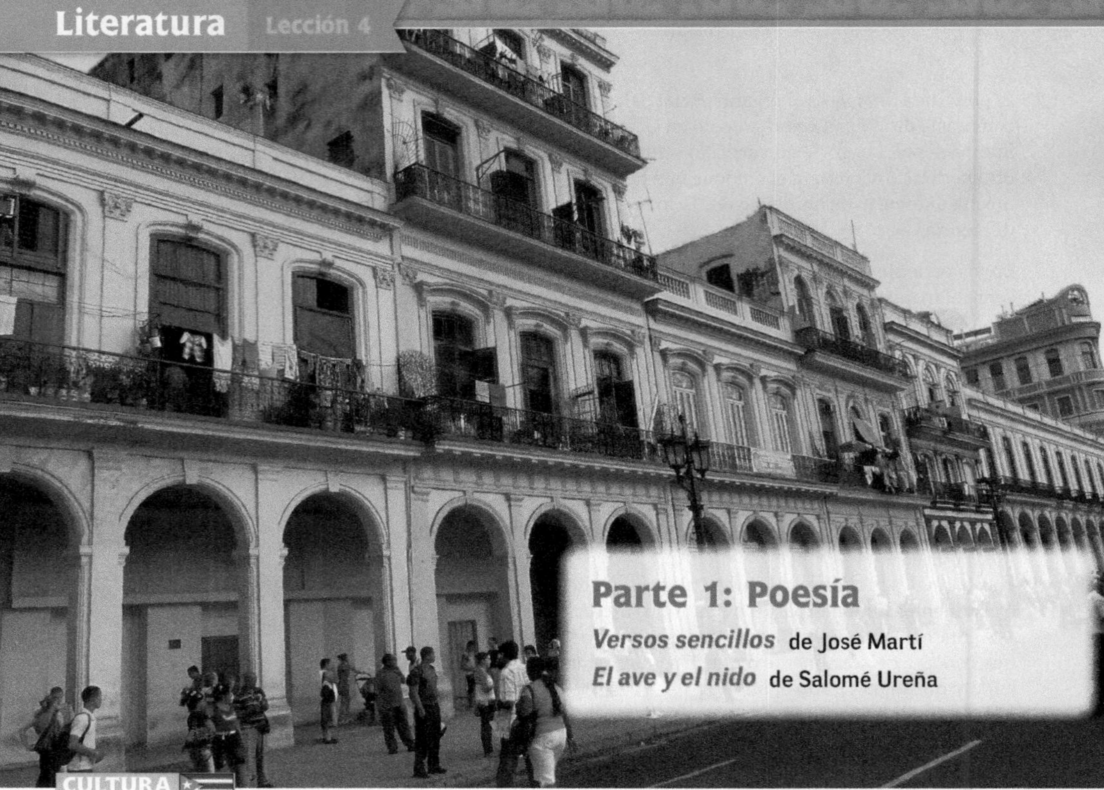

Parte 1: Poesía

Versos sencillos de José Martí

El ave y el nido de Salomé Ureña

CULTURA

Una calle típica de la Vieja Habana

Lissa Harrison

Vocabulario

Estudia las siguientes palabras para ayudarte a entender los poemas.

el engaño el hacerle creer a alguien que algo no es verdad
los escombros restos, desechos
la mariposa insecto con cuatro alas de colores bonitos
el joyero el que vende joyas, pulseras, anillos, brazaletes, collares
la guarida cueva o lugar oculto (escondido)
la pena dolor
el necio persona no muy inteligente, tonta
el llanto pena y lágrimas, tristeza
el rimador poeta
el nido casa de un ave (pájaro)
sublime de gran valor moral, intelectual
arrancar sacar a veces con violencia una cosa del lugar a que está sujeta
alejarse de ir lejos; distanciarse
asustar dar o causar miedo

Estudio de palabras

alejarse Quería alejarse de una mala situación.
lejos Viven lejos de aquí, no cerca.
lejano(a) Vivían allá en una región lejana y misteriosa.
la lejanía Allá en la lejanía se puede empezar a distinguir las montañas.

Go Online!

connectED.mcgraw-hill.com

Práctica

LEER • ESCRIBIR

1 Completa.

1. Después de destruir el edificio se quedaron muchos ____.
2. A mí me gusta ver volar las ____. Se ven tan bonitas con sus alas de colores vivos.
3. Un poeta tiene que ser ____.
4. Él es conocido por sus actos ____; es decir sus actos de gran valor.
5. Él es bastante ____. Siempre dice cosas tontas.
6. El ____ es un vicio.
7. No hay duda. Las Rosas es el ____ que tiene las joyas de mejor calidad.

LEER • ESCRIBIR

2 Expresa de otra manera.

1. ¡Qué *dolor* me da verlo sufrir tanto!
2. ¡Qué *fraude o farsa!*
3. Hay que tener cuidado si andas por los *restos* del edificio tumbado.
4. No lo deben *sacar de donde está sujeto.*

Richard Brommer

CULTURA

Nidos colgantes de una especie de aves que se crían en la costa caribeña

Literatura

Leveling EACH Activity

Average Activities 1, 2

PRACTICE

Activities 1 and 2 Have students study the vocabulary for homework and prepare the activities. Then go over them the next day in class.

Differentiation

Advanced Learners

You may wish to have advanced learners write an original sentence using each new word.

Answers

1

1. escombros
2. mariposas
3. rimador
4. sublimes
5. necio
6. engaño
7. joyero

2

1. ¡Qué pena me da verlo sufrir tanto!
2. ¡Qué engaño!
3. Hay que tener cuidado si andas por los escombros del edificio tumbado.
4. No lo deben arrancar de ese lugar.

Introducción

Ask the following questions about the **Introducción:** **¿De qué nacionalidad es José Martí? ¿En qué país estudió? ¿Cuál fue su sueño?**

TEACH

Core Instruction

Step 1 Have student listen to you as you read the poems, if you are comfortable doing so.

Step 2 Have students glance at the activities in the **Después de leer** section to help them look for information.

Step 3 Have the class read the poems aloud.

Step 4 Have the class read silently.

Step 5 Go over the activities in the **Después de leer** section.

Una estatua a la memoria de José Martí en la Plaza de la Revolución en La Habana

Versos sencillos

de José Martí

INTRODUCCIÓN

José Martí (1853–1895) nació en Cuba de padres españoles. Pasó su corta vida luchando, sufriendo y muriendo por la libertad de su querida Cuba. Fue deportado dos veces a España por traición contra el régimen español. Allí estudió derecho en Madrid y Zaragoza. Martí admiró mucho a la España artística y humana pero atacó la situación política. No quería que su país fuera colonia de España ni de Estados Unidos. Quería ver a una Cuba libre.

Además del tiempo que pasó en España, Martí vivió en México, Guatemala, Venezuela y Honduras. En ninguno de estos países se sintió extraño y por eso dijo: «De América soy hijo». Vivió también catorce años en EE.UU. desde donde conspiró y preparó el levantamiento en el que había de morir. La vida de Martí fue una lucha constante por sus ideales de libertad.

Martí trabajó como periodista y profesor pero se destacó como poeta. Los *Versos sencillos* se dividen en cuarenta y seis poemas de extensión variable. El primer poema es autobiográfico. Cuenta y refleja sobre cosas personales que él ha experimentado durante su vida. Sus temas favoritos son el amor, la muerte, la patria y la amistad.

Su famosísimo poema *XXXIX* es el más corto. Es también uno de los más famosos universalmente.

Versos sencillos

I

Yo soy un hombre sincero
de donde crece la palma;
y antes de morirme, quiero
echar mis versos del alma.

Yo vengo de todas partes
y hacia todas partes voy:
arte soy entre las artes;
en los montes, monte soy.

Yo sé los nombres extraños
de las yerbas y las flores,
y de mortales engaños,
y de sublimes dolores.

Yo he visto en la noche oscura
llover sobre mi cabeza
los rayos de lumbre[1] pura
de la divina belleza.

Alas nacer vi en los hombros
de las mujeres hermosas,
y salir de los escombros,
volando, las mariposas.

He visto vivir un hombre
con el puñal al costado
sin decir jamás el nombre
de aquella que lo ha matado.

[1]lumbre *luz, fuego*

Go Online!

connectED.mcgraw-hill.com

Rápida, como un reflejo,
dos veces vi el alma; dos:
cuando murió el pobre viejo,
cuando ella me dijo adiós.

Temblé una vez—en la reja
a la entrada de la viña—,
cuando la bárbara abeja
picó en la frente a mi niña.

Gocé una vez, de tal suerte
que gocé cual nunca: cuando
la sentencia de mi muerte
leyó el alcaide llorando.

Oigo un suspiro a través
de las tierras y la mar,
y no es un suspiro: es
que mi hijo va a despertar.

Si dicen que del joyero
tome la joya mejor,
tomo a un amigo sincero
y pongo a un lado el amor.

Yo he visto al águila herida
volar al azul sereno
y morir en su guarida
la víbora[2] del veneno.

Oculto en mi pecho bravo
la pena que me lo hiere:
el hijo de un pueblo esclavo
vive por él, calla y muere.

Todo es hermoso y constante,
todo es música y razón,
y todo, como el diamante,
antes que luz es carbón.

Yo sé que el necio se entierra
con gran lujo y con gran llanto;
y que no hay fruta en la tierra
como la del camposanto.

Callo, y entiendo, y me quito
la pompa del rimador
cuelgo[3] de un árbol marchito[4]:
mi muceta[5] de doctor.

[2]víbora *serpiente*
[3]cuelgo *I hang*
[4]marchito *lifeless*
[5]muceta *ceremonial robe and emblem*

XXXIX

Cultivo una rosa blanca,
en julio como en enero,
para el amigo sincero
que me da su mano franca.

Y para el cruel que me arranca
el corazón con que vivo,
cardo ni ortiga[6] cultivo;
cultivo la rosa blanca.

[6]cardo ni ortiga *thistle nor thorn*

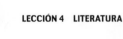

Teaching Options

The answers to these activities can be written, but you may wish to choose a few that you prefer to do just orally. Many of these activities can also serve as class discussions.

Después de leer

A **Buscando información** Da la siguiente información sobre José Martí.

1. ¿Dónde nació Martí?
2. ¿Cómo pasó su vida?
3. ¿Qué estudió Martí en España?
4. ¿En qué otros países vivió Martí?
5. ¿Qué profesiones ejerció?
6. ¿En cuántos poemas se dividen los *Versos sencillos?*

B **Analizando**

1. Explica lo que significa Martí al decir «De América soy hijo».
2. Explica las opiniones y emociones que tiene Martí de España.

C **Interpretando** Explica como lo dice el poeta.

1. Yo soy de Cuba.
2. Quiero ser poeta.
3. He vivido en muchas partes.
4. Puedo adaptarme fácilmente en distintos ambientes y situaciones.
5. He visto cosas bellísimas.

D **Interpretando** Busca los dos versos en que Martí habla de sus hijos. ¿Qué dice? Al leer tan pocas palabras, ¿qué piensas? ¿Qué tipo de padre era Martí?

E **Recitando** Aprende de memoria el poema *XXXIX.* Recítalo para tu clase, usando mucha expresión y gestos para hacer muy viva tu recitación. Luego presenta tus ideas sobre el poema y el poeta.

F **Llegando a una opinión** Trabajen en grupos. Decidan si están de acuerdo con la siguiente crítica. Defiendan sus opiniones.

José Martí fue un hombre de mucha acción y por consiguiente tuvo que producir su obra literaria en los pocos momentos libres que tenía, por ejemplo, antes de presentarse para dar una conferencia o para asistir a una reunión revolucionaria. Como resultado es evidente en su obra gran espontaneidad.

Answers

A

1. Martí nació en Cuba en 1853.
2. José Martí pasó su corta vida luchando y sufriendo por la libertad de su querida Cuba. Y al final murió por ella.
3. En España Martí estudió derecho.
4. Él vivió en México, Guatemala, Venezuela, Honduras y en Estados Unidos.
5. Martí ejerció las profesiones de periodista, profesor y poeta.
6. Los *Versos sencillos* se dividen en cuarenta y seis poemas de extensión variable.

B

1. Con esto él quiere decir que se sentía muy bien viviendo en México, en Centroamérica y en la América del Sur. Se sentía como en su propio país, no era un extranjero.
2. José Martí admiró mucho la España artística y humana pero atacó la situación política. No quería que Cuba fuera una colonia ni de España ni de Estados Unidos. Él quería ver a su país libre, una Cuba libre.

C

1. Yo soy un hombre... de donde crece la palma.
2. Quiero echar mis versos del alma.
3. Yo vengo de todas partes.
4. Arte soy entre las artes; en los montes, monte soy.
5. Yo he visto... la divina belleza. / Alas nacer vi en los hombros de las mujeres hermosas... las mariposas.

D

Lo que dice de sus hijos: De su hija dice que la picó una abeja a la entrada de la viña. De su hijo dice que lo está viendo mientras duerme.

El tipo de padre que era Martí: *Answers will vary but may include:* Era un padre que quería mucho a sus hijos, pues en el verso donde habla de su hija, dice que él tembló cuando la abeja la picó. El que Martí haya temblado demuestra lo mucho que le importa el dolor que su hija pueda sentir. Con respecto al hijo el simple hecho de estar observándolo mientras duerme quiere decir que disfruta y le da satisfacción ver o cuidar el sueño de su hijo.

E *Answers will vary.*

F *Answers will vary.*

Go Online!

connectED.mcgraw-hill.com

El ave y el nido

de Salomé Ureña

INTRODUCCIÓN

Salomé Ureña nació en 1850 en Santo Domingo de una familia culta. Con su padre leyó todos los clásicos castellanos y franceses. La joven precoz publicó sus primeros versos a los diecisiete años.

Ella se casó con don Francisco Henríquez y Carvajal cuando tenía veinte años. Su esposo era escritor, médico y abogado. Del matrimonio les nacieron cuatro hijos. Desgraciadamente la adorada poeta dominicana murió muy joven a los cuarenta y siete años.

Sus poesías tienen un estilo espontáneo. En su obra se manifiesta una gran ternura. Canta de su patria, su paisaje y su familia. Su estilo puede ser viril y a veces trágico en sus poemas patrióticos.

Antes de leer

¿Es posible imaginar algo más tierno que una avecita haciendo un nido para su futura familia? Antes de leer la siguiente poesía, imagina que estás en el campo y te acercas a una avecita construyendo su nido. ¿Qué harías? ¿Le hablarías como le habla la poeta?

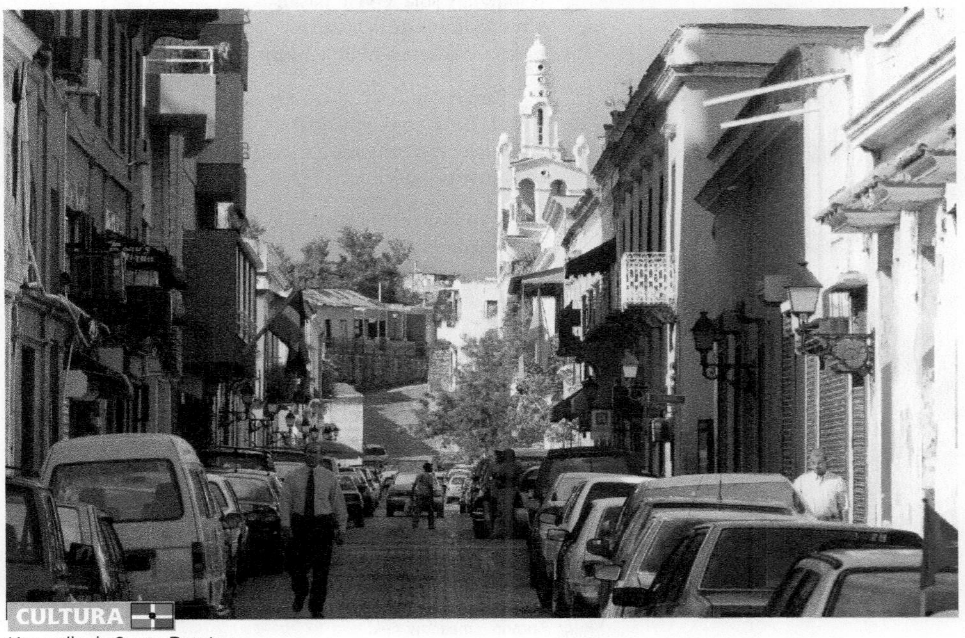

CULTURA

Una calle de Santo Domingo

Larry Hamill

Literatura

Online Resources

Customizable Lesson Plans

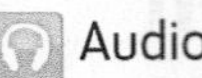 Audio

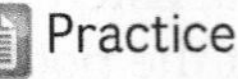 Practice

 Review

Leveling EACH Activity

Reading Level CHallenging

La literatura

The Dominican writer Julia Álvarez wrote a novel about Salomé Ureña entitled *In the name of Salomé*. The novel is written in English.

TEACH

Core Instruction

Step 1 Have students listen to the audio recording of the poem.

Step 2 Have students look at Activity D, read the poem silently, and supply the answers. The activity is intended to help comprehension.

Teaching Options

Due to its difficulty level, you may wish to skip this poem with certain groups.

Huevos de una avecilla en un nido que la poeta no va a llevar lejos.

El ave y el nido

¿Por qué te asustas, ave sencilla?
¿Por qué tus ojos fijas en mí?
Yo no pretendo, pobre avecilla,
llevar tu nido lejos de aquí.

Aquí, en el hueco[1] de piedra dura,
tranquila y sola te vi al pasar,
y traigo flores de la llanura
para que adornes tu libre hogar.

Pero me miras y te estremeces[2],
y el ala bates con inquietud,
y te adelantas, resuelta, a veces,
con amorosa solicitud.

Porque no sabes hasta qué grado
yo la inocencia sé respetar,
que es, para el alma tierna, sagrado
de tus amores el libre hogar.

¡Pobre avecilla! Vuelve a tu nido
mientras del prado[3] me alejo yo;
en él mi mano lecho mullido[4]
de hojas y flores te preparó.

Mas si tu tierna prole[5] futura
en duro lecho miro al pasar,
con flores y hojas de la llanura
deja que adorne tu libre hogar.

[1] hueco *hollow, hole*
[2] te estremeces *you shake*
[3] prado *meadow, field*
[4] lecho mullido *soft bed*
[5] prole *kids, offspring*

Go Online!

connectED.mcgraw-hill.com

Después de leer

A Analizando Contesta.

1. ¿A quién le está hablando la poeta?
2. ¿Qué le trae a la avecilla?
3. ¿Cómo se pone la avecilla? ¿Por qué?
4. ¿Qué le aconseja a la avecilla la poeta?
5. ¿Qué va a encontrar la avecilla?

B Describiendo Describe todas las acciones de la avecilla.

C Analizando Explica.
Se dice que Salomé Ureña es una poeta cuya obra emite gran ternura. Explica como se destaca su ternura en esta poesía.

D Conectando con el lenguaje Contesta.

1. En la quinta estrofa, ¿qué forma del verbo es «vuelve»? ¿A quién va dirigida?
2. «En él mi mano lecho mullido»—¿a qué se refiere «él»?
3. ¿Cuál es el sujeto del verbo «preparó»?
4. En la sexta estrofa, ¿qué forma del verbo es «deja»? Y, ¿a quién va dirigida?
5. ¿Cuál es el sujeto implícito del verbo «adorne»—«deja que adorne tu libre hogar»?
6. ¿A qué se refiere «el libre hogar»?

Richard Brommer

Go Online!

   You may wish to remind students to go online for additional reading comprehension practice.

Answers

A

1. La poeta le está hablando a una avecilla.
2. Le trae flores de la llanura a la avecilla.
3. La avecilla se pone asustada porque vio pasar a la poeta.
4. La poeta le aconseja a la avecilla que vuelva a su nido.
5. La avecilla va a encontrar flores y hojas de la llanura en su nido.

B

La avecilla se asusta, fija sus ojos en los de la poeta, mira a la poeta, se estremece, bata las alas con inquietud y se adelanta con solicitud.

C *Answers will vary but may include:*
La poeta usa palabras que permiten visualizar acciones cariñosas. Además, le explica sencillamente a la avecilla todas sus acciones para que la avecilla no se asuste.

D

1. Es la forma familiar (el **tú**). Va dirigida a la avecilla.
2. Se refiere al prado.
3. El sujeto es la mano de la poeta.
4. Es la forma familiar. Va dirigida a la avecilla.
5. El sujeto implícito es el **yo.**
6. Se refiere al nido de la avecilla.

Online Resources

Customizable Lesson Plans

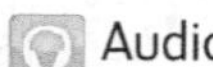 Audio

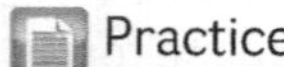 Practice

 Review

Vocabulario

TEACH

Core Instruction

Step 1 Have students spend five to eight minutes looking at the new words.

Step 2 In the form of a game, give a word from a definition and quickly call on individual students to give the new word that is being defined.

Go Online!

  You may wish to remind students to go online to download audio files of all vocabulary.

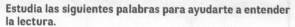

Parte 2: Prosa

Perico Paciencia de Manuel A. Alonso

CULTURA

Una vista panorámica de San Juan de Puerto Rico desde el Viejo San Juan hasta el Condado

Vocabulario 

Estudia las siguientes palabras para ayudarte a entender la lectura.

el cura sacerdote
el desgraciado menos afortunado
los repartos distribuciones
la avería daño, deterioro
el yerno esposo de su hija
descalzo(a) sin zapatos
criar instruir, educar
socorrer ayudar
entregar dar
aguardar esperar
concurrir asistir

Práctica

LEER • ESCRIBIR

1 Expresa de otra manera.

1. *El esposo de su hija* es un buen mozo.
2. *El sacerdote* quiere *educar* al niño *desafortunado.*
3. No tendrás que *esperar* mucho más.
4. El cura siempre está listo para *ayudar* a todos.

Perico Paciencia

de Manuel A. Alonso

INTRODUCCIÓN

Manuel A. Alonso nació en San Juan de Puerto Rico de padres españoles el 6 de octubre de 1822 y murió en su ciudad natal el 4 de noviembre de 1889. Hizo los estudios secundarios en San Juan y continuó sus estudios superiores en Barcelona, España, donde recibió un bachillerato en filosofía. Continuó con estudios superiores en Barcelona con una especialización en medicina y cirugía.

Desde muy joven Manual Alonso concilió su innata vocación literaria con su profundo interés científico. Antes de regresar a San Juan de Barcelona en 1819 había publicado en España la primera versión de su obra *El Gíbaro,* hoy *El Jíbaro.* El jíbaro es el típico campesino puertorriqueño. En la obra presenta cuadros que introducen las costumbres de la isla antillana. Alonso tiene fama de ser el primer costumbrista boricua. Como costumbrista presenta cuadros pictóricos de la vida cotidiana—costumbres y tradiciones, pasiones y virtudes y luchas y esperanzas.

El Gíbaro es sin duda uno de los libros más importantes de la literatura puertorriqueña y a pesar de su fama literaria Alonso ejerció su profesión de medicina en Caguas, Puerto Rico. Además tomó parte en actividades políticas. Fue director de *El Agente,* un periódico de carácter liberal. Alonso volvió dos veces más a España donde comparó la complicada situación política con la situación de su isla. Promovió una serie de reformas políticas y siempre veía al jíbaro como sujeto educable para el trabajo de hacer funcionar las exigencias gubernamentales nacionales.

En 1883 publicó una edición revisada y expandida de *El Jíbaro.* Entre los cuadros costumbristas incluidos en esta nueva versión es el cuento *Perico Paciencia.*

Estrategia

Sacando conclusiones sobre los personajes Al leer este cuento fíjate en los deseos del cura y las acciones y el comportamiento del joven a quien tanto ayuda. Considera detalles específicos sobre cada uno de los dos personajes para llegar a una conclusión general sobre el carácter de cada uno.

Literatura

Leveling EACH Activity

Average Activity 1

PRACTICE

Activity 1 After going over the activity, have students make up original sentences using the new words.

TEACH

Core Instruction

Introducción

Have students discuss the following briefly: **la educación de Manual A. Alonso; lo que escribió cuando estaba en Barcelona; lo que es un jíbaro; lo que es un costumbrista; la vida activa de Manual Alonso de adulto.**

Answers

1. Su yerno es un buen mozo.
2. El cura quiere criar al niño desgraciado.
3. No tendrás que aguardar mucho más.
4. El cura siempre está listo para socorrer a todos.

TEACH

Core Instruction

Tell students to make a mental list of all the good or kind deeds that Perico does.

Perico Paciencia

Tratábase de celebrar la fiesta del santo patrón de un pueblo de esta Isla, y siguiendo la costumbre establecida en casos semejantes, comenzó el Alcalde por abrir una suscripción en la que pronto figuraron los nombres de las principales personas de dicho pueblo. Vivía en el mismo un vecino joven que el señor Cura recogió cuando niño porque tuvo la desgracia de perder a sus padres, y lo había criado, dándole la educación que pudo, pues el buen señor hasta de lo necesario solía privarse para socorrer a los desgraciados y esto quiere decir que su bolsa estaba tan limpia de dinero como su alma de pecados°.

pecados *sins*

Pedro González, que así se llamaba el niño, creció teniendo siempre a la vista el buen ejemplo del sacerdote y como de suyo era bien inclinado, llegó a ser el mozo más honrado, servicial y bonachón; tanto que lo conocían todos por el nombre de Perico Paciencia, y así le llamaban sin que por ello se le diera un comino°.

READING CHECK

¿Cómo influyó el cura a Pedro?

comino *cosa de poca importancia*

Pensando sin duda en hacer una buena obra iba nuestro hombre por la calle, cuando se encontró con el Alcalde, que, con la lista en una mano y el lápiz en la otra, le interpeló de este modo:

—Vamos, Perico, a ver con cuánto te apuntas° para los gastos de la fiesta.

te apuntas *tienes*

—Señor Alcalde, con mucho gusto; lo que siento es que no tengo más que un peso, que si más tuviera vería usted qué pronto se lo entregaba, como hago con éste.

Y, en efecto, entregó cuatro pesetas, único caudal° que poseía en aquel momento y que llevaba consigo.

caudal *cantidad*

READING CHECK

¿Cómo demuestra Perico su verdadera generosidad?

—Pero algo más puedo hacer: usted tendrá que mandar por los músicos al pueblo vecino porque aquí no los hay; yo tengo mi caballito, iremos los dos y se ahorra el alquiler de un hombre y un caballo. Además iré también a llevarlos después de la fiesta.

—Gracias, Perico, gracias y acepto tus ofrecimientos. Mañana temprano es preciso marchar.

—Lo dicho, señor Alcalde, al amanecer saldré de aquí para estar de vuelta antes del mediodía, porque a las doce debo disparar los truenos° y repicar° las campanas.

disparar los truenos *set off the fireworks*
repicar *peal, ring*
recua *grupo de caballos*

A la mañana siguiente llegaba Perico con una recua° de siete caballos a la casa del director de la orquesta; mas el Alcalde parece que en materia de repartos no era muy inteligente y había echado la cuenta sin los violines, el trombón y el contrabajo°, de modo que, después de estar a caballo los seis músicos, se encontró Perico con que tenía que acomodar en el séptimo caballo, que era el suyo, dos violines con su caja, el contrabajo con la suya, un trombón y su no pequeña humanidad. No vaciló por esto y dos horas después entraba en su pueblo precedido de los músicos y el caballo cargado con los demás instrumentos, menos el contrabajo que llevó sobre su cabeza para que no sufriera la menor avería.

contrabajo *bass viol*

READING CHECK

¿Qué significado tiene lo del contrabajo?

Go Online!
connectED.mcgraw-hill.com

Media hora después, repicaba las campanas que era un gusto y entre uno y otro repique disparaba una porción de truenos que sin subvención° de ningún género había fabricado. Por la noche cantó en la salve, dirigió la alborada°, disparó los cohetes y dio muchos vivas al Santo patrón y al Alcalde, que lo había dejado a pie y con carga. Al día siguiente tocó el Ave María, cantó en la misa y cuidó del arreglo del salón en que por la noche debía darse el baile. Llegó la hora de éste y con ella la de recoger Perico el premio de todos sus trabajos. Ya el Alcalde, el Síndico° y demás notables acompañados de sus caras mitades y no menos caras hijas ocupaban la sala, y la juventud masculina tosía, se arreglaba el cuello de la camisa o hacía otras cosas por el estilo, aguardando el momento de poner en juego las piernas al compás de la música. Perico se presenta a la puerta vestido con una levita° nueva, que así como el resto de su traje no estaba muy conforme con el último figurín de modas, aunque podía pasar, y unos botines que le apretaban sin piedad, pero no piensa en esto cuando se trata de bailar con la hija del Alcalde, de quien estaba secretamente enamorado. Desde aquel sitio descubre a la niña que lleva un hermoso traje, regalo de su papá y comprado con el producto de la visita de tiendas de aquel año; los ojos de Perico se anublaron° y su corazón dejó de latir° y empezó a galopar. Perico se quedó como todos nos hemos quedado en iguales circunstancias.

Mientras tanto la escogida concurrencia estaba escandalizada.

—¿Cómo—decía uno—atreverse° a venir al baile un hombre que lleva recados de todo el mundo?

—Y que ha traído los músicos —añadía otro.

—Y el contrabajo a cuestas°.

—Y que dispara truenos.

—Y que toca las campanas.

—Y que da vivas al Patrón y al Alcalde.

—Y que arregló esta sala.

—Pues—decía la chica del Alcalde—no bailo con él. ¡No faltaba más! Un hombre que fue descalzo a llamar la comadre cuando el último parto de mamá.

—Ahí tiene usted—añadía la señora del Síndico—lo que son las cosas, ese chico aunque hijo de mi prima Josefa (que en gloria esté) como el Cura es así tan... tan... pues... tan llano°, no le ha enseñado más que a ser honrado.

—Verdad, doña Brígida, pero no puede entrar en la buena sociedad porque sus costumbres y sus modales no son de lo mejor—dijo la señora del abastecedor° de la carne, íntimo amigo del Alcalde.

Éste, lejos de calmar la tormenta la aumentaba sonriendo a uno, guiñando° el ojo al otro, y dando la razón a todos. Por último, cuando vio que la opinión era unánime se dirigió a Perico, que repuesto algo de su emoción penetraba resueltamente a donde más le valiera no haber entrado.

subvención *help, aid*
alborada *dawn procession*

Síndico *Official*

levita *frock coat*

✓ READING CHECK

¿Cómo llegó Perico al baile y con qué expectaciones?

se anublaron *fogged over*
latir *beating*

atreverse *dare*

a cuestas *on his back*

Un contrabajo

llano *naïve*

✓ READING CHECK

¿Cuál fue la reacción de muchos convidados a la llegada de Perico al baile?

abastecedor *supplier*
guiñando *blinking*

TEACH

Core Instruction

Call on students to read aloud the conversational sections. Tell them to use the tone of voice and expression they think the speakers would be using.

TEACH

Core Instruction

Lines 116–118: Have students give their interpretation of the actions of Perico.

sorprendido *surmised*

READING CHECK

¿Cuál es tu opinión sobre la conversación entre el Alcalde y Perico?

lucida *magnífica, espléndida*

READING CHECK

¿Por qué volvió a ver al Alcalde Perico? Interpreta su conversación.

lucimiento *success*

se envanecía *bragged in a conceited way*

READING CHECK

¿Qué cambios se realizaron después de quince años?

—Perico, óyeme una palabra.

—Sí, señor —contestó poniéndose colorado, porque pensó que habían sorprendido° su secreto amor.

—Mira, Perico: siento lo que voy a decirte; pero es preciso. Los concurrentes al baile tienen a mal el que hayas venido, y yo te aconsejo que te vayas para evitar un lance.

—Pero ¿qué he hecho yo para que me echen así? ¿No soy un hombre honrado y trabajador? ¿No están ahí mis parientes?

—Es cierto: pero ellos tienen una posición que tú no tienes y tus circunstancias y las mías no me permiten admitirte.

—Y ¿por qué no? Mi padrino, ¿no me ha enseñado lo que saben todos esos señores? ¿No cumplo con todos mis deberes? ¿No he pagado como ellos los gastos de la fiesta? Y, además, ¿no he trabajado sin cesar para que quedara lucida°?

—No sé qué decirte, hijo; pero el caso es que tienes que marcharte, porque así lo quieren y yo te mando que lo hagas.

—Bien, señor Alcalde, bien; me voy por obedecerle; pero maldito si entiendo el motivo, y le juro que no he de parar hasta dar con la explicación de todo esto.

Aquella noche no durmió Perico; más de dos horas pasó hablando con el Cura, que estaba despierto cuando llegó a su casa y que se admiró de verle volver tan temprano y nada alegre.

A la mañana siguiente se presentó de nuevo al Alcalde.

—Señor Alcalde —le dijo— aquí estoy a cumplir lo ofrecido. Vengo para ir a llevar los músicos.

—Perico: mucho siento lo de anoche, no fue culpa mía; pero qué quieres, las circunstancias...

—Usted, señor Alcalde, hizo lo que creyó bien hecho, yo haré lo que debo y nada más.

***

Quince años después de lo que acabo de referir llegó también el día de la fiesta y para convidar a ella se repartían esquelas redactadas así: «Don Pedro González, Síndico de la Junta Municipal de... comisionado por ésta y los demás vecinos contribuyentes, tiene el honor de invitar a usted para la fiesta que en obsequio del Patrón celebrará dicho pueblo en los días de... de los corrientes; esperando se sirva usted concurrir para mayor lucimiento°».

Don Pedro González, Síndico de la municipalidad y vecino influyente, no era otro que Perico Paciencia. Nada se hacía en el pueblo sin contar con su voto, y el antiguo Alcalde se envanecía° de tenerle por yerno; pues hay que saber que aquella misma hija suya que no quería bailar con Perico llegó después a quererle de veras, de modo que cinco años más tarde era su esposa. ¿Qué había hecho Perico para que de tal manera variase de opinión?

Perico hizo lo que cualquier hombre honrado y laborioso puede hacer, y llegó a donde no podía menos de llegar.

Al salir del baile donde no lo admitieron, por no creerle bastante digno, fue inmediatamente a contarle todo al sacerdote, su segundo padre. Éste fue poco a poco calmándole y cuando lo hubo logrado, le dijo en resumen:

—Hijo mío: tan pobre como tú, no dudé en recogerte° cuando murieron tus padres; seis años tenías entonces; yo no era joven y hoy he llegado a ser viejo. Pensé, lo primero, en hacerte honrado y laborioso, y, gracias a Dios, lo he conseguido; todos te estiman porque tienes ambas cualidades, pero mi pobreza no me permitía gastar en buenas ropas y calzado para ti lo que otros más infelices necesitaban para no morirse de hambre, tu corazón era y es hermoso, tu ropa fea y remendada°, hasta que hace poco has podido comprar otra mejor con el producto de tu trabajo. Aspiras a alterar con las principales personas del pueblo y nada más justo; por tu bondad lo mereces, si bastara ella sola para lograrlo, y por tu origen ninguno hay que te aventaje; sólo falta el que no lo solicites, sino que aguardes a que tus méritos te allanen el camino y que te busquen los mismos que hoy te rechazan.

«Nada de odios, nada de chismes; refrena hasta tu bondad; si algo puedes dar, dalo con discernimiento°, y no dejes que la vanidad te lleve, sin que tú mismo lo conozcas, a ser despilfarrador° cuando piensas ser generoso. Trabaja mucho y sin cesar y yo te aseguro que serás de los primeros, aquí donde hoy eres de los últimos. Cuando tengas una casa en la que reine la abundancia, no te faltarán amigos y querrá entrar en ella siendo tu esposa la mejor y más bella de las jóvenes que hoy no te miran siquiera. Ánimo, pues y en lugar de lamentarte como un niño, pórtate como un hombre».

Perico, como he dicho, no durmió aquella noche pensando en las palabras del señor Cura. Al día siguiente había tomado su partido. Cuando volvió al pueblo después de llevar los músicos a nadie habló de lo ocurrido en el baile; si se lo recordaban no se daba por entendido. No faltó alguno de esos enredadores°, que por desgracia hay, que le aconsejó que se quejara al Capitán General Gobernador Civil, delatando° ciertos pecadillos verdaderos o falsos que se atribuían al Alcalde; Perico contestó que el oficio de delator° no le hacía maldita la gracia y que no quería servir de instrumento a nadie; y que lo que quería era trabajar y nada más que trabajar. En una palabra, se condujo tan bien que los vecinos empezaron a confesar que era un excelente chico, y como su tema era siempre el trabajo, acabaron por ayudarle y protegerle, de suerte que la pequeña tienda, que debiendo cuanto en ella había, estableció al principio, se convirtió pocos años después en la mejor del pueblo, sin que a nadie debiera un centavo.

recogerte *take you in*

remendada *mended*

READING CHECK

¿Cuándo tiene lugar esta conversación entre el cura y Perico?

discernimiento *commitment*

despilfarrador *wasteful, extravagant*

READING CHECK

¿Cuál es lo importante de los consejos del cura?

enredadores *entanglements*

delatando *informing on*

delator *tattletale*

READING CHECK

¿Qué cambios empezaron a tener lugar? ¿Por qué?

TEACH

Core Instruction

Step 1 Have students give their opinions concerning the advice of the priest.

Step 2 Before getting to the end of the story, have students tell how they think it is going to end.

Allí se reunía lo más escogido en los días festivos; la niña que tanto había hecho penar° al pobre Perico, iba a hacer sus compras y echaba al dueño unas miradas y le sonreía de un modo que al recordarlo evocó más de una cuenta.

Al primer baile que concurrió, lejos de ser rechazado°, todos querían obsequiarle, y más de una mamá pensó que era joven, bien parecido y que tenía con qué sostener los gastos de una familia. Perico nada advirtió, porque estaba deslumbrado y sólo veía a Angelina, su antiguo tormento; dirigióse a ella y esta vez conoció que se alegraba al bailar con él... lo demás se suprime para no cansar al benévolo lector. Unos meses después se casaron y cuento concluido. Tal es la historia de Perico Paciencia, que nunca he olvidado y que creo representa al vivo la de nuestra Isla. Pobre y desvalida° era al comenzar el siglo presente y Dios sabe lo que de ella hubiera sido sin el bien natural de sus habitantes y los socorros que recibió. Como Perico tuvo quien le ayudara, pero también el protector empobreció y no pudo hacer más que conservarle la vida y hacerla honrada; el vestido era viejo y remendado, zapatos no pudo hasta más tarde comprarlos. ¡Pobre sacerdote que no podría dar aquello de que él mismo carecía!

Pasaron años: Perico creció, robusto y bonachón hasta más no poder, y creyó que podía asistir al baile; para ello se necesitaba algo más que ser bueno y no fue admitido. Tal fue la situación de la Isla en el año 1837, cuando se le negó la representación en Cortes. Entonces hicimos como Perico, siguiendo lo que nuestra buena índole°, más que nuestra escasa instrucción, nos aconsejó. Parece que un santo repitió a nuestros oídos: «Nada de odios, nada de chismes. Trabaja y cuando tus méritos te hagan acreedor nadie te negará lo que hoy no puedes conseguir el que te otorguen° ». Siempre que alguno nos daba un mal consejo cerrábamos los oídos y nunca reñimos con quien no debíamos reñir.

Este comportamiento hizo que se empezase por reconocer que éramos buenos chicos; después no faltó quien dijese que era preciso ayudarnos, y hace años que una parte de la prensa aboga° en nuestro favor. Hoy el clamor es casi unánime y los que dirigen el baile tratan sobre si se nos envía una esquela de convite; de modo que debe esperarse que al fin... Perico se casará con la hija del Alcalde.

¡Cuidado, señor novio! ¡Cuidado! Tenga usted juicio; si no, aunque pueda usted mantener la mujer, aunque su ropa sea a la última moda, aunque baile usted a las mil maravillas y por más que lo conviden; no hará otra cosa que... llevar a cuestas el contrabajo.

penar *sufrir*

rechazado *turned away, refused*

desvalida *helpless*

READING CHECK

¿A qué compara el autor la vida de Perico?

índole *instinct*

otorguen *give, grant*

READING CHECK

¿A qué compara el autor la negación de Puerto Rico ser representado en las Cortes Españolas?

aboga *defends, advocates*

READING CHECK

¿Por qué repite el autor una vez más el llevar a cuestas el contrabajo?

Answers

A

1. Los personajes principales del cuento son Pedro González conocido como Perico Paciencia, el alcalde, el sacerdote y Angelina.
2. Una costumbre era que el cura recogió al niño huérfano y lo crió. Otra costumbre era cooperar con los gastos de la fiesta del pueblo. La fiesta del pueblo era ofrecida por el Santo patrón. Otra costumbre importante de la fiesta del pueblo era tener una misa en honor del Santo patrón antes del baile por la noche.

B

1. Perico Paciencia era un joven honrado, servicial y bonachón, siempre dispuesto a hacer alguna buena obra.
2. Como no tenía más que cuatro pesetas para colaborar con la fiesta del pueblo, se ofreció a ir a buscar a los músicos al pueblo vecino y así ahorrar el alquiler de un hombre y un caballo.

Go Online!

connectED.mcgraw-hill.com

Después de leer

A Identificado

1. Identifica a los habitantes del pueblo que son los personajes principales del cuento.
2. Identifica las costumbres de la época presentadas en el cuento.

B Describiendo

1. Da una descripción completa de Pedro González, Perico Paciencia.
2. Describe lo que Pedro decidió hacer para la fiesta y por qué.
3. Describe todo lo que Pedro tuvo que hacer antes de que empezara la fiesta.
4. Describe a Pedro al llegar a la fiesta.
5. Describe lo que hizo Pedro la mañana después de la fiesta.

C Analizando y criticando

1. Analiza la conversación que tiene lugar entre los invitados a la fiesta cuando ven a Pedro. Critica la conversación dando tus opiniones personales sobre sus reacciones.
2. Analiza y critica la decisión que tomó el Alcalde para resolver la situación con Pedro.
3. Analiza y critica la reacción de Pedro cuando le habló el Alcalde.
4. Analiza y critica los consejos que le dio el cura a Pedro.

D Comparando

1. Trabajando en grupos pequeños, comparen la primera fiesta con la segunda quince años después.
2. Comparen al Pedro de ya hace quince años al Pedro de hoy. ¿Qué opinan ustedes? ¿Es otra persona o no? ¿Ha cambiado o no? Defiendan sus opiniones.

E Interpretando

1. ¿Cuándo y cómo introduce el autor un elemento político en el cuento?
2. ¿Cómo compara la situación de Pedro con la de Puerto Rico?
3. ¿Cuál es el significado de «Entonces hicimos como Perico»? *(línea 209)*
4. ¿Cuál es el último consejo del autor? ¿Cuál es la gran importancia de «... llevar a cuestas el contrabajo»?

F Personalizando

Trabajando en grupos pequeños discutan si podría ser verosímil «Pedro Paciencia» hoy en día.

Answers

3. Perico tuvo que repicar las campanas de la iglesia, disparar los truenos que él mismo había fabricado. También por la noche cantó la salve, dirigió la alborada, disparó los cohetes y dio muchas vivas al Santo patrón y al Alcalde. Al día siguiente tocó y cantó el Ave María en la misma. Y por último arregló el salón en donde sería el baile por la noche.
4. Él llegó a la fiesta vestido con una levita nueva pero pasada de moda. También usaba unos zapatos que le apretaban mucho. Tenía los ojos anublados y su corazón le palpitaba fuertemente.
5. Perico se presentó con el Alcalde para cumplir su trabajo de llevar a los músicos de vuelta al otro pueblo.

C *Answers will vary.*

PRACTICE

Después de leer

You may wish to have the class discuss the material in these activities orally in class.

ASSESS

Students are now ready to take the Reading and Writing Test for Lección 4: Literatura.

Answers

D *Answers will vary but may include:*

1. En la primera fiesta, Perico había sido el encargado de todos los preparativos. Y aun así no le permitieron quedarse en la fiesta. Quince años después, Perico era un vecino influyente, él era el que invitaba a la fiesta y sin su voto no se hacía nada en el pueblo.
2. El Pedro de hacía quince años era pobre, sin influencias, sin un trabajo fijo y sin una posición económica y social alta. Pero era honrado y laborioso. El Pedro de ahora, era el síndico del pueblo, con influencias y con una situación económica y social alta. Lo único que no había cambiado en él era que seguía siendo un hombre honrado y laborioso.

E

1. El autor introduce un elemento político cuando dice que Perico Paciencia representa el vivo de nuestra isla, como una pobre y desvalida isla al comienzo del siglo.
2. Él compara la situación de Pedro con la de la isla cuando dice que Pedro no fue admitido al baile y a la isla se le negó la representación en Cortes.
3. Continuamos trabajando sin causar odios ni chismes hasta hacer suficientes méritos y lograr lo que buscamos.
4. *Answers will vary.*

F *Answers will vary.*

Videopaseo

The Video Program for Chapter 6 includes three documentary segments of some interesting aspects of life in Puerto Rico. You may wish to have students answer the **Antes de mirar** questions orally or in writing.

Episodio 1: La ciudad de San Juan fue fundada en 1508 por don Juan Ponce de León. Es una bella ciudad colonial. Sus calles adoquinadas y sus clásicos edificios son preciosos. Caminar por esas calles es hacer un viaje al pasado. A los sanjuaneros les encanta estar en la calle para ver a los amigos, hablar y disfrutar de su encantadora ciudad.

Episodio 2: María es tejedora. Ella practica un arte con una larga historia en Puerto Rico. María hace ropa infantil que vende en ferias artesanales. Ella aprendió a tejer con su abuela y su madre. Todos los días ellas se reúnen en casa de María para tejer. La hija de María, Alondra, está aprendiendo a tejer también. Para ellas es una manera de ganar dinero, pero más importante aún, es la forma de conservar una tradición.

Episodio 3: Recientemente se estableció un programa llamado Ecoventure para dar a la gente de la ciudad la oportunidad de ver de cerca la naturaleza. Este grupo está visitando el Bosque de Toro Negro a pocas horas de San Juan. Toro Negro es un bosque tropical. Es la reserva más alta de Puerto Rico y tiene una enorme variedad de plantas y animales.

Videopaseo

¡Un viaje virtual a Puerto Rico!

Antes de mirar los episodios, completen las actividades que siguen.

Episodio 1: El Viejo San Juan

Antes de mirar Con unos compañeros de clase, contesten las siguientes preguntas para prepararse para lo que van a ver en el video.

1. Según el título del episodio, ¿de qué se tratará?
2. Piensen en lo que han aprendido en la lección de cultura de este capítulo. ¿Qué saben ustedes de San Juan? ¿Dónde está?
3. Miren la foto del video. ¿Les gustaría visitar este lugar? ¿Por qué?
4. ¿Hay calles parecidas a esta en su ciudad?

Episodio 2: Las tejedoras

Antes de mirar Con unos compañeros de clase, contesten las siguientes preguntas para prepararse para lo que van a ver en el video.

1. Según el título del episodio, ¿de qué se tratará?
2. ¿Recuerdan ustedes el significado de la palabra «tejedora»? Compartan sus ideas.
3. Miren la foto del video. Según lo que ven en la foto, ¿qué tejerán las señoras?
4. ¿Hay alguien en el grupo cuya familia sea artística? ¿Vende la familia sus creaciones o artesanías?

Episodio 3: Visita al bosque tropical

Antes de mirar Con unos compañeros de clase, contesten las siguientes preguntas para prepararse para lo que van a ver en el video.

1. Según el título del episodio, ¿de qué se tratará?
2. ¿Han visitado ustedes alguna vez un bosque tropical?
3. ¿Dónde está el bosque tropical más cerca de donde viven?
4. Ya han aprendido mucho sobre los bosques tropicales en sus estudios del español. ¿Qué hay en los bosques tropicales? Imagínense lo que estará mirando la gente en la foto.

CAPÍTULO 6

Repaso de vocabulario

Cultura

una cadena de montañas
ajeno(a)
estallar
pisar
saquear

Literatura

Poesía

el engaño
los escombros
la mariposa
el joyero
la guarida
la pena
el necio
el llanto
el rimador
el nido
sublime
arrancar
alejarse de
asustar

Prosa

el cura
el desgraciado
los repartos
la avería
el yerno
descalzo(a)
criar
socorrer
entregar
aguardar
concurrir

Pixtal/age fotostock

Repaso de vocabulario

Online Resources

Customizable Lesson Plans
 Video (Cultura)
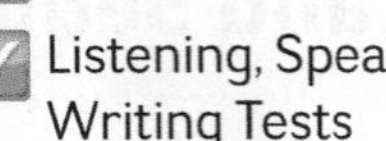 Practice
Listening, Speaking, Reading, Writing Tests

Vocabulary Review

The words and phrases from Lessons 1 and 4 have been taught for productive use in this chapter. They are summarized here as a resource for both student and teacher.

Teaching Options

This vocabulary reference list has not been translated into English. If it is your preference to give students the English translations, please refer to Vocabulary V6.1.

ASSESS

Students are now ready to take any of the Listening, Speaking, Reading, Writing Tests you choose to administer.

Chapter Overview
Venezuela y Colombia
Scope and Sequence

Topics
- The geography of Venezuela and Colombia
- The history of Venezuela and Colombia
- The culture of Venezuela and Colombia

Culture
- Angel Falls in Venezuela
- Orinoco River
- Petroleum industry
- Four geographic regions of Colombia
- Simón Bolívar and the fight for independence
- Typical food of Venezuela and Colombia
- Cartagena, Colombia
- *Los maderos de San Juan* by José Asunción Silva
- *María* by Jorge Isaacs

Functions
- How to form the imperfect subjunctive
- How to use the subjunctive in adverbial clauses
- How to express *although* and *perhaps*
- How to use **por** and **para**

Structure
- The imperfect subjunctive
- The subjunctive with adverbs of time
- The subjunctive with **aunque**
- The subjunctive with **quizá(s), tal vez, ojalá (que)**
- **Por** and **para**

Kelli Drummer-Avendaño

Leveling

The activities within each chapter are marked in the Wraparound section of the Teacher Edition according to level of difficulty.

E indicates easy
A indicates average
CH indicates challenging

The readings in **Lección 4: Literatura** are also leveled to help you individualize instruction to best meet your students' needs. Please note that the material does not become progressively more difficult. Within each chapter there are easy and challenging sections.

Correlations to ACTFL World-Readiness Standards for Learning Languages

COMMUNICATION Communicate effectively in more than one language in order to function in a variety of situations and for multiple purposes		
Interpersonal Communication	Learners interact and negotiate meaning in spoken, signed, or written conversations to share information, reactions, feelings, and opinions.	pp. 310, 315, 317, 318, 321, 337, 338, 339, 340
Interpretive Communication	Learners understand, interpret, and analyze what is heard, read, or viewed on a variety of topics.	pp. 297, 299, 301, 303, 304, 305, 306, 307, 309, 310, 312, 317, 318, 319, 320, 321, 323, 325, 337, 338, 339
Presentational Communication	Learners present information, concepts, and ideas to inform, explain, persuade, and narrate on a variety of topics using appropriate media and adapting to various audiences of listeners, readers, or viewers.	pp. 301, 307, 318, 319, 321, 325, 338, 339, 340
CULTURES Interact with cultural competence and understanding		
Relating Cultural Practices to Perspectives	Learners use the language to investigate, explain, and reflect on the relationship between the practices and perspectives of the cultures studied.	pp. 312, 318, 321, 339, 340
Relating Cultural Products to Perspectives	Learners use the language to investigate, explain, and reflect on the relationship between the products and perspectives of the cultures studied.	pp. 301, 305, 307, 311, 319, 327, 340
CONNECTIONS Connect with other disciplines and acquire information and diverse perspectives in order to use the language to function in academic and career-related situations		
Making Connections	Learners build, reinforce, and expand their knowledge of other disciplines while using the language to develop critical thinking and to solve problems creatively.	pp. 299, 301, 303, 304, 306, 307, 310, 318, 319, 325, 327, 340
Acquiring Information and Diverse Perspectives	Learners access and evaluate information and diverse perspectives that are available through the language and its cultures.	pp. 310, 311, 318, 319, 321, 325, 337, 338, 339, 340
COMPARISONS Develop insight into the nature of language and culture in order to interact with cultural competence		
Language Comparisons	Learners use the language to investigate, explain, and reflect on the nature of language through comparisons of the language studied and their own.	pp. 308, 313, 314, 319, 327, 338, 339
Cultural Comparisons	Learners use the language to investigate, explain, and reflect on the concept of culture through comparisons of the cultures studied and their own.	pp. 302, 311, 318, 319, 320, 321
COMMUNITIES Communicate and interact with cultural competence in order to participate in multilingual communities at home and around the world		
School and Global Communities	Learners use the language both within and beyond the classroom to interact and collaborate in their community and the globalized world.	pp. 303, 319
Lifelong Learning	Learners set goals and reflect on their progress in using languages for enjoyment, enrichment, and advancement.	pp. 310, 319, 340

Preview

In this chapter, students will learn about the geography, history, culture, and literature of Venezuela and Colombia. They will read newspaper articles and discuss them in class. They will also read a poem by José Asunción Silva and an excerpt from *María* by Jorge Isaacs. Students will continue to review their Spanish grammar.

Pacing

Cultura	4–5 days
Gramática	4–5 days
Periodismo	4–5 days
Literatura	4–5 days
Videopaseo	2 days

CAPÍTULO 7

Venezuela y Colombia

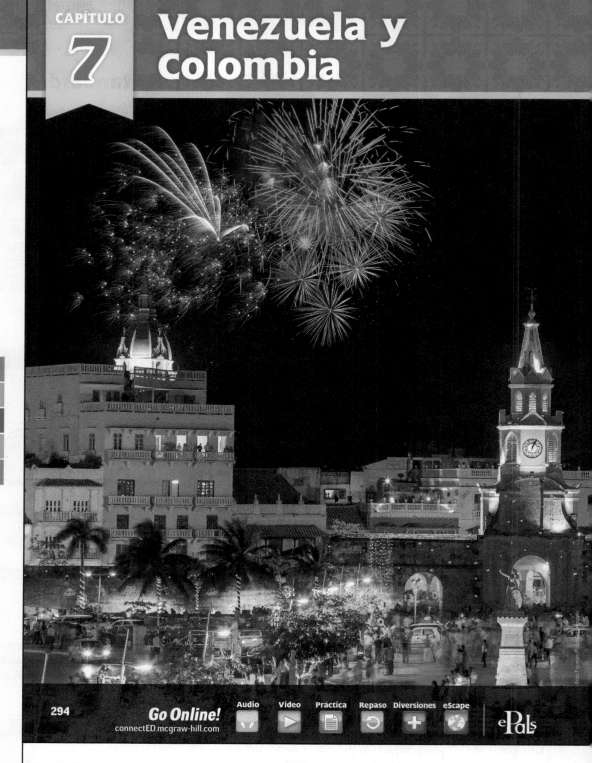

Go Online! connectED.mcgraw-hill.com

Audio Video Práctica Repaso Diversiones eScape ePals

Go Online!

 **Audio**
Listen to spoken Spanish.

 **Video**
Watch and learn about the Spanish-speaking world.

 **Práctica**
Practice your skills.

 **Repaso**
Review what you've learned.

 **Diversiones**
Go beyond the classroom.

 **eScape**
Read about current events in the Spanish-speaking world.

Objetivos

You will:

- learn about the geography, history, and culture of Venezuela and Colombia
- discuss the life of the great Latin American hero Simón Bolívar
- read and discuss newspaper articles
- read a poem by José Asunción Silva and an excerpt of a novel by Jorge Isaacs

You will review:

- the imperfect subjunctive
- the subjunctive with adverbial clauses of time
- the subjunctive with **aunque**
- the subjunctive with **quizá(s), tal vez, ojalá (que)**
- **por** and **para**

Contenido

Lección 1: Cultura

Geografía e historia de Venezuela y Colombia

Lección 2: Gramática

El imperfecto del subjuntivo

El subjuntivo con conjunciones de tiempo

El subjuntivo con **aunque**

Quizá(s), tal vez, ojalá (que)

Por y para

Lección 3: Periodismo

Lección 4: Literatura

Poesía

Los maderos de San Juan de José Asunción Silva

Prosa

María de Jorge Isaacs

La celebración de la víspera del Año Nuevo en la Puerta del Reloj en el barrio histórico de la ciudad colonial de Antigua, Colombia

Cultural Snapshot

El casco antiguo de Cartagena, una ciudad en la costa norte de Colombia, está rodeado de murallas. La Puerta del Reloj, cuyo nombre original era Boca del Puente, sirvió como la puerta principal a la ciudad interior. Se añadió el reloj en 1888.

Assessment
Check student progress.

Connect with Spanish-speaking students around the world.

Online Resources

Customizable Lesson Plans

 Audio Activities

Student Workbook

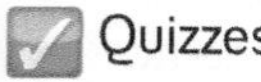 Quizzes

TEACH

Core Instruction

Step 1 Have students listen to the audio recording and repeat the new words.

Step 2 You may wish to ask questions using the new words in context. **¿Hay muchos bohíos lacustres cerca de la desembocadura del río? En las montañas, ¿hay saltos de agua? ¿Hay playas pequeñas en la caleta? ¿Hay barcos fluviales o lanchas en el río Magdalena? ¿Es una experiencia tomar una lancha por la vegetación espesa de un bosque tropical? ¿Han sellado el documento los oficiales imperantes? ¿Se enriquecen buscando petróleo?**

Vocabulario

Estudia las siguientes palabras para ayudarte a entender la lectura.

un bohío una casa pequeña y humilde, una choza, una chabola
la desembocadura lugar donde el río entra en el mar
una caleta bahía pequeña, ensenada
un salto caída (donde se cae) un caudal (una gran cantidad) de agua como en las cataratas del Niágara
la deuda dinero que se debe a alguien
la empresa acción de dar principio a una obra o un negocio
la sequía falta de lluvia durante largos períodos de tiempo
espeso(a) que tiene mucha densidad; cosas muy próximas (cercanas) unas a otras
fluvial de un río
imperante que domina, que tiene el poder
inolvidable que no se puede olvidar
lacustre que vive o que está en los bordes o en las aguas de un río
asemejarse a ser similar o semejante
enriquecerse hacerse rico, prosperar
oprimir someter por la violencia, poniendo uno debajo de la autoridad o dominio de otro
sellar llevar a una conclusión
surgir salir; aparecer; alcanzar algo cierta altura relativo a lo que lo rodea

CULTURA

Una vista bonita de la costa del Caribe en las afueras de Cartagena, Colombia

Glowimages/Getty Images

Go Online!

    You may wish to remind students to go online for additional vocabulary practice. They can also download audio files of all vocabulary.

Go Online!

connectED.mcgraw-hill.com

Práctica

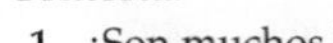

ESCUCHAR • HABLAR

1 Contesta.

1. ¿Son muchos bohíos casas lacustres?
2. ¿Están construidas sobre pilotes las casas lacustres?
3. ¿Es una caleta o una ensenada una gran extensión de agua?
4. ¿Dónde entra el río en el mar?
5. ¿Llueve mucho durante una sequía?
6. ¿Oprimen los dictadores a sus sujetos?

LEER

2 Parea la palabra con su definición.

1. la deuda	a. tiranizar
2. imperante	b. prosperar
3. sellar	c. dominante
4. oprimir	d. dinero debido
5. enriquecerse	e. concluir

LEER

3 Da una palabra relacionada.

1. saltar	5. emprender
2. olvidar	6. semejante
3. el sello	7. desembocar
4. rico	8. seco

CULTURA

Una playa aislada al borde de una selva tropical en Santa Marta, Colombia

LEER • ESCRIBIR

4 Completa con una palabra apropiada.

1. Un _____ lacustre está construido sobre pilotes en un río o lago.
2. El río Magdalena es navegable hasta Bogotá. Un barco _____ hace el viaje de Barranquilla a Bogotá.
3. Para él es una _____ nueva. ¡Ojalá que tenga éxito!
4. ¡Ojalá que se haga rico! Todos sabemos que tiene muchas ganas de _____.
5. Ella va a tomar una decisión para _____ el proyecto.
6. Son muy similares. El uno _____ mucho al otro.
7. La vegetación de una selva tropical es muy densa. Es muy _____.
8. El dictador _____ a sus súbditos.

CULTURA

Mompós, una isla en el río Magdalena. Mompós tiene un carácter colonial y Simón Bolívar dijo: «Si a Caracas debo la vida, a Mompós debo la gloria».

Cultura

Leveling EACH Activity

Easy Activities 1, 2, 3

Average Activity 4

PRACTICE

Activity 1 This activity can be done orally, calling on students at random to respond.

Differentiation

Advanced Learners

Activities 2 and 3 Have advanced learners use the words from these activities to make original sentences.

ASSESS

Students are now ready to take Quiz 1.

Answers

1

1. Sí, muchos bohíos son casas lacustres.
2. Sí, las casas lacustres están construidas sobre pilotes.
3. No, una caleta o ensenada no es una gran extensión de agua.
4. El río entra en el mar en la desembocadura.
5. No, no llueve mucho durante una sequía.
6. Sí, los dictadores oprimen a sus sujetos.

2

1. d
2. c
3. e
4. a
5. b

3

1. el salto
2. inolvidable
3. sellar
4. enriquecerse
5. la empresa
6. asemejarse a
7. la desembocadura
8. la sequía

4

1. bohío
2. fluvial
3. empresa
4. enriquecerse
5. sellar
6. se asemeja
7. espesa
8. oprime

Online Resources

Customizable Lesson Plans

 Student Workbook

 Quizzes

TEACH

Core Instruction

You may wish to ask students the following comprehension questions. **¿Cómo es la región en los alrededores del río Orinoco? ¿Dónde vive la mayoría de la gente en Venezuela? ¿Por qué tiene el país el nombre «Venezuela»? ¿Cómo es el río Magdalena?**

Teaching Options

You may wish to have all students read the entire selection or you may wish to assign sections to groups who report back to the class. All members should be responsible for the basic information.

Las ciencias

As students look at the photos of the tropical rivers of Latin America in this chapter, have them notice the variety of vegetation that lines the rivers and their tributaries. Ask students who are studying biology to share any information they know about the flora found in this climate.

La geografía

Venezuela

Venezuela, en el nordeste del continente sudamericano, es un país de grandes contrastes geográficos. Dos veces más grande que California es el único país sudamericano cuya costa se encuentra totalmente en el Caribe.

El río Orinoco y sus tributarios forman el sistema fluvial más importante de Sudamérica después de el del Amazonas. Una región de temperaturas cálidas, la cuenca del Orinoco se encuentra bajo agua por unos seis meses del año y durante los otros seis sufre de una sequía severa sin una gotita de lluvia.

El Orinoco divide Venezuela en dos partes iguales. Al sur está la Sierra de la Guayana, una vasta región remota de bellísimas mesetas de arenisca[1] que surgen de la verde selva tropical que cubre la mitad del país. Al norte del río se encuentran las grandes sabanas o llanos donde viven los llaneros cuya vida ganadera es muy similar a la de los gauchos argentinos. Más al norte, hacia la costa, está la región andina con sus ciudades donde vive la mayoría de la población venezolana.

No muy lejos de la capital, Caracas, está el lago Maracaibo, un lago rico en petróleo. Venezuela es uno de los más importantes productores de petróleo del mundo.

Fue a la región de Maracaibo que llegaron los primeros exploradores españoles. Encontraron a muchos indígenas que vivían en bohíos lacustres y que iban de un lugar a otro en canoas. A los europeos les hizo pensar en la ciudad italiana de canales, Venecia, y así le dieron al territorio el nombre de «Venezuela» o «Venecia pequeña».

CULTURA

La «Cara de Indio», un monte sagrado de los piaroa en uno de los tributarios del río Orinoco cerca de Puerto Ayacucho en el estado de Amazonas. Los piaroa viven en el Orinoco y se ganan la vida vendiendo los pescados del río.

CULTURA

Un llanero venezolano. A veces se compara al llanero venezolano con el gaucho argentino o con el vaquero de Estados Unidos.

Colombia

Se puede dividir Colombia en cuatro regiones geográficas: la costa, la sierra andina, los llanos en el sureste del país y la selva tropical bañada por los afluentes o tributarios de los ríos Orinoco y Amazonas. En los llanos viven los llaneros cuya vida se asemeja mucho a la de los gauchos de la pampa argentina. Como su vecino, Venezuela, casi la mitad del país es selva tropical.

Barranquilla en la desembocadura del río Magdalena en la costa del Caribe es el puerto más importante del país. El Magdalena es el río más importante de Colombia. Navegable por unos mil kilómetros, nace en la cordillera central de los Andes y desemboca en el Caribe en forma de delta.

[1]arenisca *sandstone*

Answers

A

1. Venezuela está en el nordeste del continente sudamericano.
2. Tiene costa solamente en el Caribe.
3. El Orinoco y sus tributarios forman el sistema fluvial más importante de Sudamérica después de el del Amazonas.
4. El Orinoco divide Venezuela en dos partes iguales.
5. La Sierra de Guayana es una vasta región remota de bellísimas mesetas de arenisca.
6. Una selva tropical cubre la mitad de Venezuela.
7. Los llaneros viven en las grandes sabanas o llanos.
8. La mayoría de las ciudades venezolanas están en el norte hacia la costa en la región andina.
9. Hay petróleo en el lago Maracaibo.
10. Los exploradores europeos al ver a los indígenas en sus canoas en el lago Maracaibo pensaban en Venecia y le dieron al territorio el nombre de «Venezuela» o «Venecia pequeña».

Desde el punto de vista cultural y comercial la región andina se considera la más importante del país. Bogotá es el centro político e intelectual. Medellín, la capital de la región de Antioquia es una ciudad industrial que compite con Bogotá desde el punto de vista de importancia económica. Medellín goza de un clima ideal. Se le llama «la ciudad de las flores, la amistad y la primavera eterna». Es la capital del mundo en el cultivo de orquídeas. Y en las laderas de las montañas antioqueñas se cultiva el famoso café colombiano.

A Recordando hechos Contesta sobre Venezuela.

1. ¿Dónde está Venezuela?
2. ¿Dónde tiene costa?
3. ¿Qué forman el Orinoco y sus tributarios?
4. ¿En qué divide el Orinoco a Venezuela?
5. ¿Qué es la Sierra de la Guayana?
6. ¿Qué cubre la mitad de Venezuela?
7. ¿Quiénes viven en las grandes sabanas o llanos?
8. ¿Dónde está la mayoría de las ciudades venezolanas?
9. ¿Qué hay en el lago Maracaibo?
10. ¿Cómo recibió su nombre Venezuela?

B Describiendo Describe el clima en la cuenca del Orinoco.

C Buscando información Busca información sobre los siguientes temas y lugares colombianos.

1. las cuatro regiones geográficas de Colombia
2. los llaneros
3. Barranquilla
4. el río Magdalena
5. Bogotá
6. Medellín
7. el nombre que se le da a Medellín

Go Online!

connectED.mcgraw-hill.com

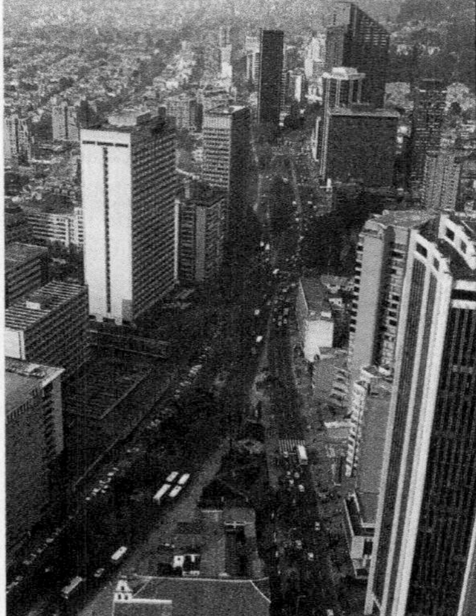

CULTURA

Una vista aérea del centro de Bogotá, Colombia

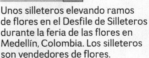

CULTURA

Unos silleteros elevando ramos de flores en el Desfile de Silleteros durante la feria de las flores en Medellín, Colombia. Los silleteros son vendedores de flores.

Cultura

PRACTICE

A You may wish to intersperse questions from this activity as you are going over the reading selection.
B More than one student can take part in this activity.
C Have students give as much information as they can.

Cultural Snapshot

(top) Bogotá, con una población de siete millones, es una ciudad capitalina con museos, iglesias coloniales, edificios de arquitectura moderna, universidades renombradas y una diversa vida cultural. Creciendo rápidamente, Bogotá sufre también de unos problemas urbanos como el tráfico y la sobrepoblación.

Go Online!

You may wish to remind students to go online for additional reading comprehension practice.

ASSESS

Students are now ready to take Quiz 2.

Answers

B

La cuenca del Orinoco tiene temperaturas cálidas y se encuentra bajo agua por unos seis meses del año; durante los otros seis sufre de una sequía severa.

C

1. Las cuatro regiones geográficas de Colombia son la costa, la sierra andina, los llanos al sureste del país y la selva tropical bañada por los afluentes de los ríos Orinoco y Amazonas.
2. Los llaneros son la gente que vive en los llanos; su vida se asemeja mucho a la de los gauchos de la pampa argentina.
3. Barranquilla está en la desembocadura del río Magdalena en la costa del Caribe; es el puerto más importante del país.
4. El río Magdalena es el río más importante de Colombia; es navegable por unos mil kilómetros; nace en la cordillera central de los Andes y desemboca en el Caribe en forma de delta.
5. Bogotá es la capital andina; es el centro político e intelectual.
6. Medellín es la capital de la región de Antioquia; es una ciudad industrial; compite con Bogotá desde el punto de vista de importancia económica; goza de un clima ideal.
7. El nombre que se le da a Medellín es «la ciudad de las flores, la amistad y la primavera eterna».

Online Resources

Customizable Lesson Plans

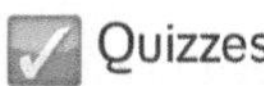

Audio Activities

Student Workbook

Quizzes

TEACH

Core Instruction

You may wish to ask students the following comprehension question. **¿Por qué escogió el rey de España a dos alemanes a explorar Colombia?**

Conexiones

La historia

When we consider when these events took place, in the early to mid-sixteenth century, it seems quite improbable that various European explorers found themselves in the site that is now Bogotá at the same time. Have students pay attention to the «**sorpresa**» as they read.

Go Online!

You may wish to remind students to go online for additional reading and listening comprehension practice.

Una ojeada histórica

Unas anécdotas 

Históricamente es Colombia el país que dio vida a la famosa leyenda de *El Dorado*. En el siglo XVI los españoles habían oído del rito de los muiscas, un grupo de los chibchas, los indígenas de Colombia, en el cual cubrían el cuerpo de su jefe en polvo de oro. Este mito les entusiasmó a los españoles a explorar esta región. Con su afán de encontrar oro creían que aquí se enriquecerían grandiosamente.

El rey de España, Carlos I, Carlos V de Austria, era soberano también de Alemania. Debía grandes cantidades de dinero a unos banqueros alemanes, los Welser. A causa de sus deudas, les concedió la conquista de Venezuela. Los Welser nombraron a Ambrosio Alfinger gobernador de Venezuela. Este fundó la ciudad de Maracaibo en 1530. Alfinger tenía la reputación de ser muy cruel y siguió explorando hasta que llegó a territorio que no le correspondía—territorio colombiano. Cayó mortalmente herido en 1533 en un encuentro con unos indígenas pero hay quienes creen que lo hirió uno de sus propios soldados. Un año más tarde llegó a Venezuela otra expedición alemana bajo el mando de Nicolás de Federman. Federman pasó tres años explorando nuevos territorios hasta llegar a la meseta de Bogotá. ¡Allí le esperaba una gran sorpresa!

Alonso de Ojeda fue el primer español (1530) que llegó a lo que hoy es Colombia cuando entró en Cartagena, pero enseguida fue expulsado por los indígenas. Otro explorador, Jiménez de Quesada, salió del puerto de Santa Marta en 1536 para seguir el curso del río Magdalena y explorar el interior de Colombia. Subiendo montañas y cruzando torrentes, Quesada encontró oro y esmeraldas y en 1537 fundó la ciudad de Santafé de Bogotá. ¡Al año siguiente recibió una sorpresa!

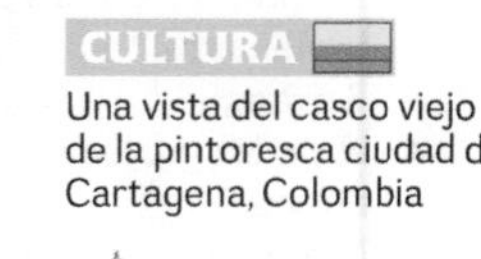

CULTURA

Una vista del casco viejo de la pintoresca ciudad de Cartagena, Colombia

Terminada la conquista de Perú salieron varias expediciones españolas a diferentes regiones. Un teniente de Pizarro, Sebastián de Benalcázar, fue a Quito y continuó hacia el norte donde fundó la ciudad de Popayán en Colombia y avanzó hasta la meseta de Bogotá. ¡Qué sorpresa! Allí encontró a Gonzalo Jiménez de Quesada, el fundador de Bogotá y al alemán Nicolás de Federman.

Gonzalo Jiménez de Quesada fue abogado de profesión y convenció a Benalcázar y a Federman de dejarle a él la empresa de completar la colonización de lo que sería la Nueva Granada. Y así fue.

En 1546 Carlos V suspendió los privilegios de los banqueros alemanes y nombró a Juan Pérez de Tolosa gobernador de Venezuela.

D **Confirmando** Indica si la información es correcta o no.

1. Los muiscas eran indígenas de Colombia que cubrían el cuerpo de su jefe de joyas preciosas.
2. El rey de España permitió a unos alemanes conquistar Venezuela.
3. El rey era un buen amigo de estos alemanes.
4. Un explorador alemán llegó hasta Bogotá.
5. Jiménez de Quesada fue el primer español que llegó a lo que hoy es Colombia.
6. Jiménez de Quesada navegó el río Magdalena de la costa al altiplano donde fundó la ciudad de Santafé de Bogotá.
7. Terminada la conquista de Perú, todos los hombres de Pizarro volvieron a España.

CULTURA

Un visita al famoso Museo del Oro que alberga la mejor colección de oro precolombino—Bogotá, Colombia

E *Conexiones*

La historia

Describiendo Describe a los siguientes personajes históricos y habla de las contribuciones de cada uno. Presenta tus descripciones a la clase.

Carlos I o Carlos V
Ambrosio Alfinger
Alonso de Ojeda
Gonzalo Jiménez de Quesada
Sebastián de Benalcázar

PRACTICE

Differentiation

Advanced Learners

D Have advanced learners correct all the wrong information in each statement.

E Have students be as complete as possible in their descriptions. They can give them orally or in writing.

Cultural Snapshot

El Museo del Oro está ubicado en un edificio moderno y tiene una colección de más de 34.000 piezas de oro de todas las culturas precolombinas de Colombia. Es indudablemente el museo de oro más importante del mundo. La famosa Balsa Muisca es una de las piezas más espectaculares.

ASSESS

Students are now ready to take Quiz 3.

Answers

D

1. no
2. sí
3. no
4. sí
5. no
6. sí
7. no

E

1. Carlos I o Carlos V fue el rey de España y también fue rey de Austria. Era soberano de Alemania. Debía grandes cantidades de dinero a unos banqueros alemanes, los Welser.
2. Ambrosio Alfinger fue nombrado gobernador de Venezuela por los Welser y fundó la ciudad de Maracaibo.
3. Alonso de Ojeda fue el primer español que llegó (en 1530) a lo que hoy es Colombia cuando entró en Cartagena. Enseguida fue expulsado por los indígenas.
4. Gonzalo Jiménez de Quesada salió del puerto de Santa Marta en 1536 para explorar el interior de Colombia. Quesada encontró oro y esmeraldas y en 1537 fundó la ciudad de Santafé de Bogotá.
5. Sebastián de Benalcázar fue un teniente de Pizarro que fue a Quito y continuó hacia el norte donde fundó la ciudad de Popayán en Colombia y avanzó hasta la meseta de Bogotá donde encontró a Gonzalo Jiménez de Quesada y a Nicolás de Federman.

Cultura

Online Resources

Customizable Lesson Plans

 Student Workbook

 Quizzes

TEACH

Core Instruction

You may wish to ask the following comprehension questions. **¿Por qué tenía Simón Bolívar ideas políticas que no se parecían a las de su familia? ¿Qué fundó Bolívar y qué territorio incluía? ¿Cuál fue el sueño de Bolívar que nunca realizó?**

Go Online!

   You may wish to remind students to go online for additional reading comprehension practice.

La independencia

Simón Bolívar nació en Venezuela en 1783 de una familia noble y adinerada. Uno de los profesores del joven Simón tenía mucha influencia en su vida. Le explicaba que el rey de España gozaba de poder absoluto y que oprimía a sus súbditos. Le enseñaba las ideas liberales imperantes en Francia y Estados Unidos. A su tío no le gustaba que su sobrino aprendiera tales ideas y lo envió a estudiar en España. Pero Bolívar nunca se olvidó de lo que le había enseñado su antiguo profesor, Simón Rodríguez.

Bolívar volvió a Venezuela en 1810 para tomar parte en la rebelión contra los españoles. Fue nombrado coronel del ejército y para 1812 ya era general. En 1813 entró triunfante en Caracas donde derrotó a los españoles y recibió el título de «el Libertador».

Pero pronto llegaron refuerzos españoles y Bolívar tuvo que refugiarse en Santo Domingo. Allí organizó un nuevo ejército y desembarcó una vez más en Venezuela donde fue proclamado presidente de la República. Siguió la lucha por la independencia y en 1819, con mucha dificultad, atravesó los imponentes Andes. Derrotó a las fuerzas españolas y fundó la República de la Gran Colombia que hoy comprende Colombia, Venezuela y Ecuador. Aceptó la presidencia de la nueva república. Luego pasó a Perú donde selló la independencia sudamericana ganando las batallas de Junín y Ayacucho en 1824.

Después de su triunfo en Perú, el Libertador volvió a Colombia con su gran sueño de ver unido el continente sudamericano en una sola confederación que rivalizara con Estados Unidos. Pero al llegar a Colombia se dio cuenta de que había muchas disensiones políticas. Existían diferencias insolubles entre las distintas regiones. Bolívar tomó poderes dictatoriales para tratar de preservar la integridad de la Gran Colombia pero fue inútil. Se dividió en varias repúblicas y Bolívar murió en Santa Marta en la pobreza a los cuarenta y siete años de edad (1830), desilusionado de no haber realizado su sueño de ver al continente sudamericano convertido en una sola nación.

CULTURA

Una estatua de Simón Bolívar en Cartagena, Colombia

Answers

F

1. Simón Bolívar nació en Venezuela en 1783 de una familia noble y adinerada.
2. Su profesor favorito le explicaba que el rey de España gozaba de poder absoluto y que oprimía a sus súbditos. Le enseñaba las ideas liberales imperantes en Francia y Estados Unidos.
3. Su tío lo mandó a estudiar en España.
4. Al volver a Venezuela en 1810 Bolívar tomó parte en la rebelión contra los españoles.
5. Le dieron el título de «el Libertador».
6. Tuvo que refugiarse en Santo Domingo porque llegaron refuerzos españoles.
7. En Santo Domingo organizó un nuevo ejército.
8. Al regresar de Santo Domingo la lucha por la independencia siguió en Venezuela.
9. El gran sueño de Bolívar era de ver unido el continente sudamericano en una sola confederación que rivalizara con Estados Unidos.

Go Online!

connectED.mcgraw-hill.com

Después de la independencia

En Colombia, igual que en Venezuela, los años después de la independencia han sido bastante conflictivos con sublevaciones militares y guerras civiles.

El siglo XX fue conflictivo también. En Colombia hubo más de treinta y cinco cambios de gobierno y en Venezuela más de veinticinco. Unos períodos cortos de relativa calma y paz fueron interrumpidos por períodos de violencia, dictaduras militares y golpes de Estado[2].

La gran mayoría de las poblaciones colombiana y venezolana son jóvenes. La edad promedio[3] es menos de veinticuatro años. ¡Ojalá que estos jóvenes puedan realizar un siglo de paz y estabilidad a sus tierras que tanto lo merecen!

[2] golpes de Estado *coups d'état*
[3] promedio *average*

F Buscando información Da la siguiente información sobre Simón Bolívar.

1. donde y en qué ambiente nació Bolívar
2. lo que aprendía de su profesor favorito
3. adonde lo mandó su tío a estudiar
4. lo que hizo al volver a Venezuela en 1810
5. el título que le dieron
6. por qué tuvo que refugiarse en Santo Domingo
7. lo que hizo en Santo Domingo
8. por donde siguió la lucha por la independencia al regresar de Santo Domingo
9. lo que era el gran sueño de Bolívar
10. donde murió y como

EXPANSIÓN

Ahora, relata toda la información en tus propias palabras. Si no recuerdas algo, un(a) compañero(a) te puede ayudar.

G Explicando Explica todos los problemas políticos que han surgido en Colombia y Venezuela desde su independencia.

CULTURA

Una estatua de Simón Bolívar montado a caballo en la Plaza Bolívar, Mérida, Venezuela

Kelli Drummer-Avendaño

Cultura

PRACTICE

F Students can give their answers orally.

Heritage Speakers

G If you have any students from Venezuela or Colombia, have them give additional information for this activity.

ASSESS

Students are now ready to take Quiz 4.

Answers

10. Murió en Santa Marta en la pobreza a los cuarenta y siete años de edad, desilusionado de no haber realizado su sueño de ver al continente sudamericano convertido en una sola nación.

G *Answers will vary but may include:*
Desde su independencia, Colombia y Venezuela han enfrentado dictaduras militares, golpes de Estado y terrible violencia. Colombia ha tenido más de treinta y cinco cambios de gobierno y Venezuela ha tenido más de veinticinco.

Note that **Salto Angel** does not take an accent. The falls are named after the American pilot James "Jimmie" Angel, who discovered them in the 1930s.

Cultural Snapshot

(top) Salto Angel es el salto más alto del mundo, dieciséis veces más alto que las Cataratas del Niágara. Fue descubierto por un piloto estadounidense, Jimmie Angel, en 1937.

CULTURA

El Salto Angel en el Parque Nacional de Canaima en Venezuela

Visitas históricas

No puedes ir a Colombia sin visitar la bonita ciudad de Cartagena. La vieja ciudad colonial amurallada ha cambiado muy poco a través de los siglos. Tan bonita es la ciudad que UNESCO la ha declarado Patrimonio de la Humanidad. Si quieres descansar puedes ir a pasar un rato en las playas de Boca Chica. O puedes volar a la isla de San Andrés donde puedes disfrutar de playas de arena blanca fina bordeadas de palmeras bajo un cielo azul caribeño. Se dice que en una cueva de una caleta de San Andrés el pirata Henry Morgan enterró un tesoro de oro que vale un billón de dólares. Los turistas siguen buscándolo hoy.

Tampoco puedes perder las dos capitales, Bogotá y Caracas. Cada una tiene avenidas anchas con rascacielos modernos y grandes centros comerciales. Y cada una tiene su pintoresco casco antiguo llamado «La Candelaria» en Bogotá.

Algo inolvidable en Venezuela es el Salto Angel que toma su nombre del piloto norteamericano que en 1935 buscaba una montaña de oro cuando chocó su avioneta. Se dice que es él que descubrió el salto más alto del mundo con una altura total de más de 3.000 pies y una caída ininterrumpida de 2.648 pies—quince veces más alto que las cataratas del Niágara.

H *Comunicación*

Describe los siguientes lugares interesantes.

Cartagena	Bogotá y Caracas
San Andrés	Salto Angel

CULTURA

Cartagena, Colombia

Answers

H

1. Cartagena es una vieja ciudad colonial amurallada. Es tan bonita que UNESCO la ha declarado Patrimonio de la Humanidad.
2. San Andrés es una isla con playas de arena blanca.
3. Bogotá y Caracas son capitales con rascacielos modernos y grandes centros comerciales.
4. El Salto Angel en Venezuela es el salto más alto del mundo.

Comida

Si vas a Colombia o Venezuela, encontrarás arepas en todas partes. Son tortas de maíz rellenas de queso, frijoles, chorizo, carne picada o pollo y están riquísimas.

En Colombia hay que probar un sancocho cuya preparación varía de una región a otra. Un buen sancocho es el sancocho paisa de Antioquia. Es una sopa espesa de carne de res y cerdo, yuca, papas, plátanos, mazorca y cilantro.

Y para tomar, un vaso de frutas tropicales. ¿Qué te apetece más—guayaba, papaya, mango? Y después, no olvides tomar una taza del famoso café colombiano.

CULTURA

Un sancocho, uno de los platos o pucheros, favoritos de los colombianos

CULTURA

¿Qué tal te apetecen unas deliciosas arepas con queso colombiano?

I **Contrastando** Explica la diferencia entre las «arepas» que se comen en Colombia y Venezuela y el «sancocho», un plato popular en Colombia.

CULTURA

Un cafetal en Fusagasugá, Colombia

Cultura

Differentiation

Slower Paced Learners

For review and recall purposes, have slower students give the names of all the foods they remember after reading these two paragraphs. It can be done in the form of a speed game.

Answers

I

Las arepas son tortas de maíz rellenas de jamón, queso, chorizo, pollo, frijoles o carne mechada. El sancocho es una sopa espesa de carne de res y cerdo, yuca, papas, plátanos, mazorca y cilantro.

Online Resources

Customizable Lesson Plans

Audio Activities

Student Workbook

Enrichment

Quizzes

Reading, Writing Test

Self-check for achievement

This is a pre-test for students to take before you administer the lesson test. Note that each section is cross-referenced so students can easily find the material they feel they need to review. You may wish to use Self-Check Worksheet SC7.1 to have students complete this assessment in class or at home. You can correct the assessment yourself, or you may prefer to display the answers in class using Self-Check Answers SC7.1A.

Differentiation

Slower Paced Learners

Encourage students who need extra help to refer to the margin notes and review any section before answering the questions.

Prepárate para el examen

Self-check for ACHIEVEMENT

Vocabulario

Para repasar, ve el vocabulario de esta sección.

1 Completa.

1. Un _____ es una casa humilde.
2. Una casa _____ está construida sobre pilotes en un lago.
3. La _____ es el dinero que uno le debe a otro.
4. Es una _____ horrible. No ha llovido en dos meses.
5. La _____ del río Magdalena está en Barranquilla. Allí entra en el mar.

2 Da la palabra cuya definición sigue.

6. una bahía pequeña
7. llevar a una conclusión
8. denso
9. someter por la violencia
10. difícil o imposible de olvidar
11. de un río
12. ser similar o semejante

3 Expresa de otra manera.

13. Es un bosque muy *denso.*
14. Es una *casa en los bordes de un río.*
15. Ellos siempre quieren *hacerse ricos.*
16. Tienes que pagar *el dinero que les debes a otros.*

CULTURA

Un pueblo en Mérida, en la República Bolivariana de Venezuela

Lectura y cultura

Para repasar, ve la información cultural, sobre Venezuela y Colombia.

4 ¿Sí o no?

17. El río Orinoco es más largo y más importante que el Amazonas.
18. El río Magdalena en Colombia es navegable por unos mil kilómetros.
19. Los llaneros viven solamente en Venezuela.
20. La mitad de Colombia, igual que Venezuela, es selva tropical.

5 Identifica.

21. los Welser y Ambrosio Alfinger
22. Sebastián de Benalcázar
23. Gonzalo Jiménez de Quesada

6 Contesta.

24. ¿Qué aprendió Simón Bolívar de un profesor favorito?
25. ¿Qué hizo Bolívar al refugiarse en Santo Domingo?
26. ¿Cuál fue el gran sueño de Bolívar? ¿Lo realizó?
27. ¿Cómo eran los años después de la independencia en Colombia y Venezuela?

7 Completa.

28. Si voy a Colombia quiero visitar _____.
29. Si voy a Venezuela quiero visitar _____.
30. Si voy a Colombia quiero comer _____.

Kelli Drummer-Avendaño

Answers

1. bohío
2. lacustre
3. deuda
4. sequía
5. desembocadura

2

6. una caleta
7. sellar
8. espeso
9. oprimir
10. inolvidable
11. fluvial
12. asemejarse a

3

13. Es un bosque muy espeso.
14. Es una casa lacustre.
15. Ellos siempre quieren enriquecerse.
16. Tienes que pagar la deuda.

4

17. no
18. sí
19. no
20. sí

5

21. Los Welser fueron unos banqueros alemanes a quienes Carlos I o Carlos V les debía grandes cantidades de dinero. Ambrosio Alfinger fue nombrado gobernador de Venezuela por los Welser y él fundó la ciudad de Maracaibo.
22. Sebastián de Benalcázar fue un teniente de Pizarro que fue a Quito y continuó hacia el norte donde fundó la ciudad de Popayán en Colombia y avanzó hasta la meseta de Bogotá donde encontró a Gonzalo Jiménez de Quesada y a Nicolás de Federman.

Go Online!

connectED.mcgraw-hill.com

Cultura

Preparate para el examen

Practice for **PROFICIENCY**

1 La geografía de Venezuela y Colombia
Venezuela y Colombia son dos repúblicas vecinas. Describe la geografía de estos dos países e indica como se asemejan.

2 La cuenca del Orinoco
La cuenca del Orinoco es una región interesante. Di todo lo que sabes del río Orinoco y describe el clima de esta región. ¿Te gustaría vivir allí? ¿Por qué dices que sí o que no?

3 Una sorpresa histórica
Varios individuos llegaron a la meseta de Bogotá. ¿Quiénes fueron? ¿Qué es algo que no hubieran esperado al llegar a una región montañosa tan aislada en aquel entonces? Explica lo que pasó y como se resolvió el encuentro.

4 Un gran héroe
Describe la vida del gran libertador y héroe latinoamericano Simón Bolívar.

5 Investigaciones
Haz unas investigaciones sobre la reciente y actual situación política en Venezuela y en Colombia.

6 Una visita
Describe los lugares que te gustaría ver durante una visita a Venezuela o Colombia.

Un cuento
En esta lectura hay algo que se asemeja más a un cuento ficticio que a una realidad histórica. Es el episodio de Nicolás de Federman y su encuentro con Jiménez de Quesada y Sebastián de Benalcázar en Bogotá.

Ahora vas a ser autor(a) y vas a escribir un cuento. No va a ser difícil si sigues estos pasos sencillos. Piensa en un protagonista. Visualiza a tu protagonista—su aparencia, su personalidad, etc. Piensa en el ambiente y lugar donde se desarrolla la acción del cuento. Piensa en lo que hace (o hizo) tu protagonista y si sus acciones han involucrado a otros. Introduce unos elementos de suspenso o conflicto y establece una resolución que lleva tu cuento a una conclusión. Puedes servirte de un diagrama como el de al lado para organizar tus ideas.

Después de revisar y corregir tu borrador, escribe de nuevo tu cuento en forma final.

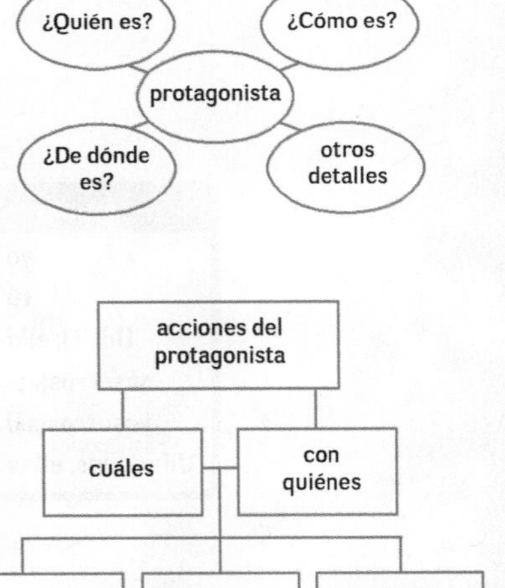

Tips for Success

Encourage students to say as much as possible when they do these open-ended activities. Tell them not to be afraid to make mistakes, since the goal of the activities is real-life communication. Encourage students to self-correct and to use words and phrases they know to get their meaning across. If someone in the group makes an error that impedes comprehension, encourage the others to ask questions to clarify or, if necessary, to politely correct the speaker. Let students choose the activities they would like to do.

Tell students to feel free to elaborate on the basic theme and to be creative. They may use props, pictures, or posters if they wish.

Pre-AP These oral and written activities will give students the opportunity to develop and improve their speaking and writing skills so that they may succeed on the speaking and writing portions of the AP exam.

Go Online!

   You may wish to remind students to go online for additional reading comprehension practice.

ASSESS

Students are now ready to take the Reading and Writing Test for Lección 1: Cultura.

Answers

23. Gonzalo Jiménez de Quesada salió del puerto de Santa Marta en 1536 para explorar el interior de Colombia. Quesada encontró oro y esmeraldas y en 1537 fundó la ciudad de Santafé de Bogotá.

6

24. De un profesor favorito Simón Bolívar aprendió que el rey de España gozaba de poder absoluto y que oprimía a sus súbditos. Le enseñó a Bolívar las ideas liberales imperantes en Francia y Estados Unidos.

25. Al refugiarse en Santo Domingo Bolívar organizó un nuevo ejército.

26. El gran sueño de Bolívar era de ver unido el continente sudamericano en una sola confederación que rivalizara con Estados Unidos. No lo realizó.

27. Los años después de la independencia en Colombia eran conflictivos.

28–30. *Answers will vary.*

Online Resources

Customizable Lesson Plans

Audio Activities

Video (Gramática)

Student Workbook

Quizzes

TEACH

Core Instruction

Step 1 Have students repeat the verb forms in Item 1.

Step 2 Indicate the endings that have to be added.

Step 3 Have students read aloud the conjugations in unison.

Step 4 Emphasize the sequence of tenses in Item 5. Students who have a good understanding of when to use the subjunctive will have little trouble with the use of the imperfect subjunctive.

Go Online!

You may wish to remind students to go online for additional grammar review and practice.

Quisiera can stand alone to express the idea *would like*. **Pudiera** can convey *could*.

El imperfecto del subjuntivo

1. The **ustedes, ellos, ellas** form of the preterite minus the **-on** part of the ending serves as the stem for the formation of the imperfect subjunctive of all verbs.

INFINITIVE	PRETERITE	STEM
hablar	**hablaron**	**hablar-**
comer	**comieron**	**comier-**
vivir	**vivieron**	**vivier-**
pedir	**pidieron**	**pidier-**
dormir	**durmieron**	**durmier-**
estar	**estuvieron**	**estuvier-**
andar	**anduvieron**	**anduvier-**
tener	**tuvieron**	**tuvier-**
poder	**pudieron**	**pudier-**
poner	**pusieron**	**pusier-**
saber	**supieron**	**supier-**
haber	**hubieron**	**hubier-**
querer	**quisieron**	**quisier-**
venir	**vinieron**	**vinier-**
hacer	**hicieron**	**hicier-**
traer	**trajeron**	**trajer-**
decir	**dijeron**	**dijer-**
conducir	**condujeron**	**conduj-**
construir	**construyeron**	**construyer-**
leer	**leyeron**	**leyer-**
oír	**oyeron**	**oyer-**
ir	**fueron**	**fuer-**
ser	**fueron**	**fuer-**

2. To this stem, add the following endings: **-a, -as, -a, -amos, *-ais*, -an.**

infinitive	hablar	comer	pedir	tener	decir
yo	hablara	comiera	pidiera	tuviera	dijera
tú	hablaras	comieras	pidieras	tuvieras	dijeras
Ud., él, ella	hablara	comiera	pidiera	tuviera	dijera
nosotros(as)	habláramos	comiéramos	pidiéramos	tuviéramos	dijéramos
vosotros(as)	*hablarais*	*comierais*	*pidierais*	*tuvierais*	*dijerais*
Uds., ellos, ellas	hablaran	comieran	pidieran	tuvieran	dijeran

3. The same rules that govern the use of the present subjunctive govern the use of the imperfect subjunctive. It is the tense of the verb in the main clause that determines whether the present or imperfect subjunctive must be used in the dependent clause. If the verb of the main clause is in the present or future tense, the present subjunctive is used in the dependent clause.

   Quiero que ellos me digan lo que harán.
   Será necesario que lo sepamos pronto.

4. When the verb of the main clause is in the preterite, imperfect, or conditional, the imperfect subjunctive must be used in the dependent clause.

   Yo dudé que ellos comprendieran la situación.
   Quería que ellos me dijeran lo que hicieron.
   Sería absolutamente imposible que yo asistiera a la reunión.

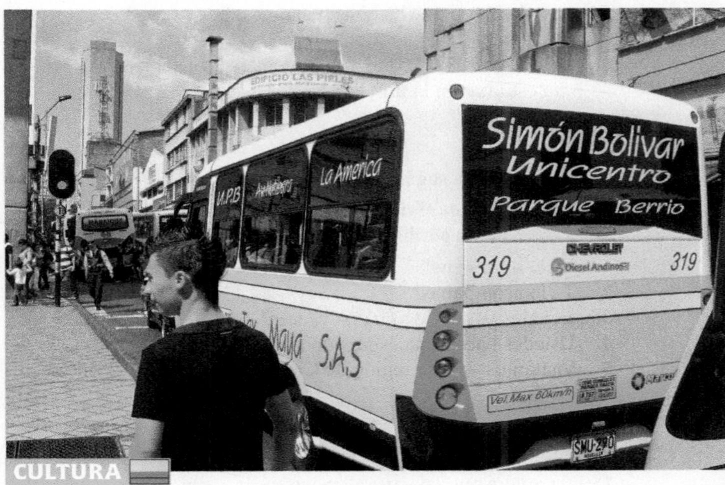

CULTURA

Un bus urbano en el centro de Medellín, Colombia

5. The following is the sequence of tenses for using the present and imperfect subjunctive.

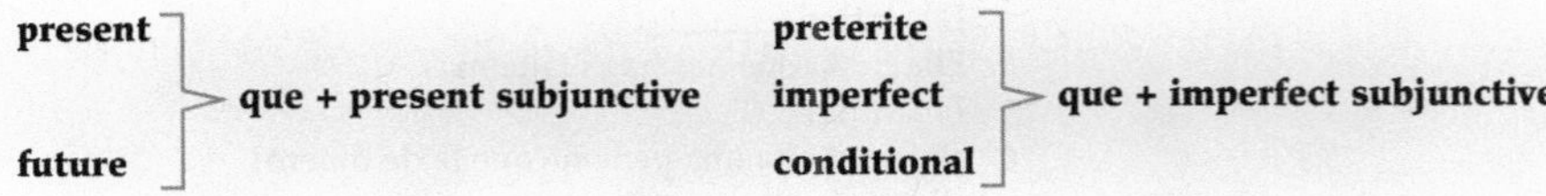

present / **future**	**que + present subjunctive**	**preterite** / **imperfect** / **conditional**	**que + imperfect subjunctive**

Carlos Mora/Alamy

Leveling EACH Activity

Easy Activity 1
Average Activities 2, 3
Average-CHallenging Activity 4

PRACTICE

Activities 1, 2, 3 These activities can all be done orally in class. For further reinforcement you may wish to have students write them.

Activity 4 Have students prepare this activity before they go over it in class.

Go Online!

Gramática en vivo: *The imperfect subjunctive*
Enliven learning with the animated world of Professor Cruz! **Gramática en vivo** is a fun and effective tool for additional instruction and/or review.

ASSESS

Students are now ready to take Quiz 5.

Práctica

ESCUCHAR • HABLAR

1 Sigue el modelo.

MODELO **invitarlo →**
Él quería que yo lo invitara.

1. mirarlo
2. pagarlo
3. comerlo
4. devolverlo
5. escribirlo
6. servirlo
7. tenerlo
8. saberlo
9. hacerlo
10. leerlo
11. decirlo
12. ponerlo

HABLAR • ESCRIBIR

2 Contesta sobre unos deseos de tus padres.

1. ¿Querían tus padres que recibieras buenas notas?
2. ¿Insistieron en que hicieras tus tareas cada noche?
3. ¿Se alegraban de que todos sus hijos tuvieran éxito?
4. ¿Estarían contentos que uno(a) de ustedes recibiera una beca para estudiar en la universidad?

ESCUCHAR • HABLAR

3 Haz una pregunta según el modelo.

MODELO **¿Él hace el viaje? →**
¿Sería posible que él hiciera el viaje?

1. ¿Él va a Venezuela?
2. ¿Tú lo acompañas?
3. ¿Ustedes pasan tiempo en Caracas?
4. ¿Ustedes hacen una excursión al Salto Angel?
5. ¿Visitan ustedes la región de Ciudad Bolívar en el río Orinoco?

CULTURA

Casas de colores vivos en una esquina de Cartagena, Colombia. ¡Ojalá que yo hubiera podido comprar unas flores de la señora en la esquina!

LEER • ESCRIBIR

4 Forma una frase nueva. Haz los cambios necesarios.

1. Ella quiere que yo vaya al banco.
   Ella quería ____.
2. Ella espera que tengamos bastante dinero.
   Ella esperaba ____.
3. Ella estará contenta que no necesitemos más.
   Ella estaría ____.
4. Ella insiste en que tú se lo digas enseguida.
   Ella insistió ____.
5. Ella duda que nos haga falta más.
   Ella dudó ____.
6. ¿Buscará ella una persona que te dé dinero?
   ¿Buscaría ella ____?

Jessica Byrne

Answers

1

1. Él quería que yo lo mirara.
2. Él quería que yo lo pagara.
3. Él quería que yo lo comiera.
4. Él quería que yo lo devolviera.
5. Él quería que yo lo escribiera.
6. Él quería que yo lo sirviera.
7. Él quería que yo lo tuviera.
8. Él quería que yo lo supiera.
9. Él quería que yo lo hiciera.
10. Él quería que yo lo leyera.
11. Él quería que yo lo dijera.
12. Él quería que yo lo pusiera.

2

1. Sí (No), mis padres (no) querían que recibiera buenas notas.
2. Sí, (No, no) insistieron en que hiciera mis tareas cada noche.
3. Sí, se alegraban de que todos sus hijos tuvieran éxito.
4. Sí, estarían contentos que uno(a) de nosotros(as) recibiera una beca para estudiar en la universidad.

3

1. ¿Sería posible que él fuera a Venezuela?
2. ¿Sería posible que tú lo acompañaras?
3. ¿Sería posible que ustedes pasaran tiempo en Caracas?
4. ¿Sería posible que ustedes hicieran una excursión al Salto Angel?

El subjuntivo con conjunciones de tiempo

Go Online!

connectED.mcgraw-hill.com

1. The subjunctive is used with adverbial conjunctions of time when the verb of the main clause is in the future, since it is uncertain if the action in the adverbial clause will really take place. When the verb in the main clause is in the past, the indicative is used since the action of the clause has already been realized.

   Ella nos hablará cuando lleguemos.
   Ella nos habló cuando llegamos.

2. Some frequently used adverbial conjunctions of time that follow the same pattern are:

cuando	*when*
en cuanto	*as soon as*
tan pronto como	*as soon as*
hasta que	*until*
después de que	*after*

3. The conjunction **antes de que,** *before,* is an exception. **Antes de que** is always followed by the subjunctive. The imperfect subjunctive is used after **antes de que** when the verb of the main clause is in the past or in the conditional.

   Ellos saldrán antes de que nosotros lleguemos.
   Ellos salieron antes de que nosotros llegáramos.
   Ellos saldrían antes de que nosotros llegáramos.

CULTURA

Estudiantes de un instituto en Barranquilla, Colombia. El estudiante no sabe si habrá examen hasta que llegue a clase.

Kelli Drummer-Avendaño

Online Resources

Customizable Lesson Plans

Audio Activities

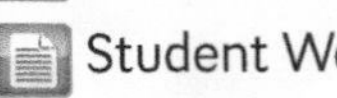

Video (Gramática)

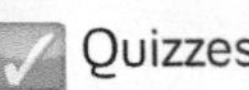

Student Workbook

Quizzes

TEACH

Core Instruction

Step 1 The use of the subjunctive with adverbial clauses of time is extremely logical. The past is a known fact and therefore the indicative is used. The future is not a known fact and therefore the subjunctive is used.

Step 2 Students have to be reminded that **antes de que** does take the imperfect subjunctive.

ABOUT THE SPANISH LANGUAGE

Note that the media in all parts of the Spanish-speaking world frequently uses the **-ra** form of the imperfect subjunctive even for events that have taken place after conjunctions such as **desde que** and **después de que.** Here are a few of many examples: **después de que el gobierno hiciera pública su decisión; Vargas Llosa, que conserva muchos amigos desde que residiera en España.** It is not necessary for students to learn this since the rule given is completely correct.

Go Online!

Gramática en vivo: *The subjunctive with adverbial and adjective clauses* Enliven learning with the animated world of Professor Cruz! **Gramática en vivo** is a fun and effective tool for additional instruction and/or review.

Answers

5. ¿Sería posible que visitaran ustedes la región de Ciudad Bolívar en el río Orinoco?

4

1. que yo fuera al banco
2. que tuviéramos bastante dinero
3. contenta que no necesitáramos más
4. en que tú se lo dijeras enseguida
5. que nos hiciera falta más
6. una persona que te diera dinero

Go Online!

You may wish to remind students to go online for additional grammar review and practice.

Leveling EACH Activity

Easy Activity 5
Average Activities 6, 7

PRACTICE

You may want to explain the use of the present with **cuando.** When the meaning conveyed is *every time,* the present indicative is used after **cuando** as well as in the main clause. **Cuando (cada vez que) visitamos a Abuelita, ella nos da de comer. Cuando él me habla, aprendo algo nuevo.**

ASSESS

Students are now ready to take Quiz 6.

Práctica

HABLAR • ESCRIBIR

5 Completa cada frase con los verbos indicados.

1. Ellos saldrán en cuanto nosotros ____. (comenzar, comer, salir, volver)
2. Ellos salieron en cuanto nosotros ____. (comenzar, comer, salir, volver)
3. Esperaremos aquí hasta que ustedes ____. (llegar, volver, salir)
4. Esperamos ayer hasta que ustedes ____. (llegar, volver, salir)
5. Ellos saldrán antes de que tú ____. (llegar, irte, levantarte, saberlo)
6. Ellos salieron antes de que tú ____. (llegar, irte, levantarte, saberlo)

ESCUCHAR • HABLAR

6 Da respuestas personales.

1. ¿Qué piensas hacer en cuanto termines con la escuela secundaria o la prepa?
2. Y, ¿qué piensas hacer cuando te gradúes de la universidad?
3. ¿Tienes ganas de viajar después de que empieces a ganar dinero?
4. ¿Qué vas a hacer tan pronto como tengas tu propio dinero?

CULTURA

Una clase en una escuela secundaria en Popayán, Colombia. El profesor les dice a los estudiantes, «En cuanto ustedes terminen la tarea, entréguenmela».

Aaron Roeth Photography

LEER • ESCRIBIR

7 Completa con la forma apropiada del verbo.

1. Yo sé que Carla y José quieren casarse en cuanto ____. (poder)
2. Yo sé que Carla y José querían casarse en cuanto ____. (poder)
3. Pero tendrán que esperar hasta que José ____ del ejército. (volver)
4. Pero tuvieron que esperar hasta que José ____ del ejército. (volver)
5. Ellos no quieren casarse antes de que él ____ con su servicio militar. (terminar)
6. Ellos no se casaron antes de que él ____ con su servicio militar. (terminar)

Answers

5

1. comencemos, comamos, salgamos, volvamos
2. comenzamos, comimos, salimos, volvimos
3. lleguen, vuelvan, salgan
4. llegaron, volvieron, salieron
5. llegues, te vayas, te levantes, lo sepas
6. llegaras, te fueras, te levantaras, lo supieras

6

1. En cuanto termine con la escuela secundaria o la prepa, yo ____.
2. Cuando me gradúe de la universidad, pienso ____.
3. Sí, (No, no) tengo ganas de viajar después de que empiece a ganar dinero.
4. Tan pronto como tenga mi propio dinero, voy a ____.

7

1. puedan
2. podían
3. vuelva
4. volvió
5. termine
6. terminara

El subjuntivo con aunque

The conjunction **aunque** *(although)* may be followed by the subjunctive or indicative depending upon the meaning of the sentence.

Ella saldrá aunque llueva.
Ella saldrá aunque llueve.

In the first example the subjunctive is used to indicate that it may rain but it is not raining now. In the second example the indicative is used to indicate that it is indeed raining.

Práctica

LEER • ESCRIBIR

8 Haz una frase con **aunque.** Fíjate en el sentido de la frase.

1. No tengo un boleto pero iré al concierto.
2. No sé si él tiene un boleto pero irá al concierto.
3. Está lloviendo pero van a salir.
4. Es posible que llueva pero van a salir.
5. No sé si ellos quieren que lo haga pero lo voy a hacer.
6. Yo sé que ellos no quieren que lo haga pero lo voy a hacer.

Quizá(s), tal vez, ojalá (que)

1. The expressions **quizá (quizás)** and **tal vez** convey the meaning *perhaps.* They are most often followed by the subjunctive but they can be followed by the future or conditional to lend a higher degree of certainty to what may perhaps happen.

LESS CERTAINTY	MORE CERTAINTY
¡Quizás vengan!	**¡Quizás vendrán!**
¡Quizás vinieran!	**¡Quizás vendrían!**

2. **¡Ojalá!** or **¡Ojalá que!** expresses what one wishes would happen. It is followed by either the present or imperfect subjunctive.

¡Ojalá vengan! **¡Ojalá vinieran!**

Práctica

HABLAR

9 En grupos de tres preparen una conversación según el modelo.

 MODELO **saberlo** 
—¡Ojalá lo sepan!
—Sí, quizás lo sepan pero no estoy seguro.
—Pues, tal vez lo sabrán. Es casi cierto.

1. hacerlo
2. decírnoslo
3. venderlo
4. llegar a tiempo

¡Ojalá que lleguen clientes y vendamos mucho!

Passport Stock/age fotostock

Gramática

Online Resources

Customizable Lesson Plans
 Audio Activities
 Video (Gramática)
 Student Workbook
Quizzes

TEACH

Core Instruction

Point out once again to students how logical the use of the subjunctive is. If it's real, use the indicative. If it's a possibility, use the subjunctive.

PRACTICE

Leveling EACH Activity

Average–CHallenging Activity 8

TEACH

Core Instruction

Read the explanation to the class and call on students to read the model sentences.

PRACTICE

Leveling EACH Activity

Easy Activity 9

Go Online!

You may wish to remind students to go online for additional grammar review and practice.

ASSESS

Students are now ready to take Quizzes 7–8.

Answers

8

1. Iré al concierto aunque no tengo boleto.
2. Irá al concierto aunque no tenga boleto.
3. Van a salir aunque está lloviendo.
4. Van a salir aunque llueva.
5. Lo voy a hacer aunque ellos no quieran que lo haga.
6. Lo voy a hacer aunque ellos no quieren que lo haga.

9

1. —¡Ojalá lo hagan! / —Sí, quizás lo hagan pero no estoy seguro(a). / —Pues, tal vez lo harán. Es casi cierto.
2. —¡Ojalá nos lo digan! / —Sí, quizás nos lo digan pero no estoy seguro(a). / —Pues, tal vez nos lo dirán. Es casi cierto.
3. —¡Ojalá lo vendan! / —Sí, quizás lo vendan pero no estoy seguro(a). / —Pues, tal vez lo venderán. Es casi cierto.
4. —¡Ojalá lleguen a tiempo! / —Sí, quizás lleguen a tiempo pero no estoy seguro(a). / —Pues, tal vez llegarán a tiempo. Es casi cierto.

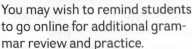

Online Resources

Customizable Lesson Plans

 Student Workbook

 Quizzes

TEACH

Core Instruction

Step 1 The difference between **por** and **para** is a grammatical point that requires a great deal of aural practice. In our experience, practice and use are more successful at helping students master this concept than extensive explanation.

Step 2 If students are still having trouble with these prepositions, as do some natives in tricky situations, you can also refer to the **por** and **para** presentation in Chapter 10 of **¡Así se dice!** Level 3 where the concept is explained in more detail and there are more activities.

Differentiation

Multiple Intelligences

To help **bodily-kinesthetic** learners practice some uses of **por** and **para,** turn the classroom into a map of South America by labeling different parts of the room with the names of countries. Have students "travel" to different countries by walking to the spot that is designated as a particular country. Have them say where they are going, through which countries they must travel, and perhaps how long they plan to stay: **«Salgo para Perú». «Viajo por Colombia». «Voy a estar en Colombia por tres semanas».** Encourage students to use **por** and **para** to give additional information about this fictional journey.

Por y para

1. The prepositions **por** and **para** have very specific uses in Spanish. **Para** is most often associated with either a destination or certain time limits. **Por** has many different uses and is therefore more problematic.

2. You use **para:**
   - to express destination
     Salen para Bogotá.
   - to express a time limit or deadline
     Tienen que estar en Bogotá para mañana.
   - to express *to be about to do something* in the sense of *to be ready*
     Estamos para salir ahora.
   - to express certain comparisons
     Para cubano, habla muy bien el inglés.
   - to express *for whom*
     El regalo es para Elena.
   - to express purpose
     Necesito gafas para leer.

3. You use **por:**
   - to express *through, around, by,* or *along*
     Van a viajar por Venezuela.
     Pasaron por las orillas de la isla Margarita.
     El ladrón entró por la ventana.
   - to express the reason for an errand
     Ellos fueron por agua.
     Voy a mandar por el médico.
     Han vuelto por su dinero.
     Lo compré por María porque ella no pudo ir a la tienda.
   - to express manner, means, or motive
     Tomó al niño por la mano para cruzar la calle.
     Cambié mis dólares por pesos.
     Bolívar luchó por la independencia.
   - to express a period of time
     Los árabes estuvieron en España por ocho siglos.
   - to express an indefinite time or place
     Estarán aquí por Navidades.
     Las llaves tienen que estar por aquí.
   - to express what remains to be done
     Tengo mucho trabajo por hacer.
   - to express the inclination to do something
     Estamos por divertirnos.

CULTURA
¿Por cuántos siglos sigue dando la hora este reloj en la Torre del Reloj en Cartagena?

Kelli Drummer-Avendaño

- to express opinion or estimation
  No lo tomé por tonto.
  La verdad es que puede pasar por norteamericano.
- to express measure or number
  Se venden por docenas.
  Condujo a 50 millas por hora.

Go Online!

connectED.mcgraw-hill.com

Práctica

LEER • ESCRIBIR

10 Completa con **por** o **para.**

1. Ellos van a salir ____ Caracas mañana y luego van a viajar ____ Venezuela.
2. Tienen que estar en Caracas ____ el día ocho.
3. Estuvieron en la ciudad ____ ocho días.
4. No hay duda de que ellos están ____ divertirse. Tienen todo listo y están ____ salir.
5. ____ español habla tan bien el inglés que yo lo tomé ____ norteamericano.
6. Necesita más tiempo ____ terminar su novela porque le queda mucho ____ hacer. Ha escrito solamente tres de los ocho capítulos.
7. Es una emergencia. Tienes que llamar ____ el médico.
8. Yo compré el regalo ____ Elena porque ella no tuvo tiempo de ir a comprarlo pero el regalo no fue ____ ella, fue ____ su hijo.
9. Necesito mis gafas ____ leer y no sé dónde las puse. Tienen que estar ____ aquí.
10. ____ robar la casa el ladrón tuvo que entrar ____ la puerta porque no había ninguna ventana rota.

LEER • ESCRIBIR

11 Completa con **por** o **para.**

1. Hoy salgo ____ Cartagena.
2. ¿Por qué no damos un paseo ____ el casco histórico?
3. Si yo no puedo ir, ¿quién irá ____ mí?
4. Él me dio diez pesos ____ el dólar.
5. Los están vendiendo solo ____ docenas.
6. Yo diría que ____ rico, no es muy generoso.
7. Yo lo tomé ____ inteligente pero ahora no sé.
8. Él luchó ____ su patria.
9. Este correo electrónico no es ____ mí.
10. ____ hacer un buen trabajo necesitas tiempo.

CULTURA

Cartagena, Colombia

Gramática

Leveling EACH Activity

CHallenging Activities 10, 11

PRACTICE

Go Online!

You may wish to remind students to go online for additional grammar review and practice.

ASSESS

Students are now ready to take Quiz 9.

Answers

10

1. para, por
2. por
3. por
4. por, para
5. Para, por
6. para, por
7. por
8. por, para, para
9. para, por
10. Para, por

11

1. para
2. por
3. por
4. por
5. por
6. para
7. por
8. por
9. para
10. Para

Online Resources

Customizable Lesson Plans

Audio Activities

Video (Vocabulario) (Diálogo) (Gramática) (Cultura)

Student Workbook

Enrichment

Quizzes

Reading, Writing Test

Self-check for achievement

This is a pre-test for students to take before you administer the lesson test. Note that each section is cross-referenced so students can easily find the material they feel they need to review. You may wish to use Self-Check Worksheet SC7.2 to have students complete this assessment in class or at home. You can correct the assessment yourself, or you may prefer to display the answers in class using Self-Check Answers SC7.2A.

Differentiation

Slower Paced Learners

Encourage students who need extra help to refer to the margin notes and review any section before answering the questions.

Go Online!

You may wish to remind students to go online for additional grammar review and practice.

Prepárate para el examen

Self-check for ACHIEVEMENT

Gramática

1 Sigue el modelo.

MODELO **saberlo →**
Fue necesario que él lo supiera.

1. comprarlo
2. recibirlo
3. leerlo
4. hacerlo
5. pedirlo
6. decirlo
7. ponerlo
8. pagarlo

2 Completa.

Para repasar, ve **El imperfecto del subjuntivo.**

9. No creo que ellos lo ____. (tener)
10. No creería que ellos lo ____. (tener)
11. Ellos quieren que yo ____. (ir)
12. Ellos querían que yo ____. (ir)
13. Él insistirá en que tú lo ____. (hacer)
14. Él insistió en que tú lo ____. (hacer)

3 Completa.

Para repasar, ve **El subjuntivo con conjunciones de tiempo.**

15. Él estaba viajando cuando ____ su tío. (morir)
16. Él volverá en cuanto ____ de su muerte. (saber)
17. ¿Podrán esperar hasta que él ____? (regresar)
18. No, el sepelio se efectuó antes de que él ____. (llegar)

4 Escoge.

Para repasar, ve **El subjuntivo con aunque.**

19. Las temperaturas han bajado mucho y no van a subir.
    a. No importa. Ellos irán aunque hace mucho frío.
    b. No importa. Ellos irán aunque haga mucho frío.
20. Yo no sé si él va a ir o no.
    a. No importa. Yo iré aunque él no va.
    b. No importa. Yo iré aunque él no vaya.

5 Completa.

Para repasar, ve **Quizá(s), tal vez, ojalá (que).**

21. ¡Quizás ____ ellos! (venir)
22. ¡Tal vez él lo ____! (saber)
23. ¡Ojalá que los ____ nosotros! (ver)

6 Completa con **por** o **para**.

Para repasar, ve **Por** y **para.**

24. Ellos piensan viajar ____ Colombia y Venezuela.
25. Saldrán mañana ____ Maracaibo.
26. Tienen que ir a la agencia de viajes ____ sus boletos.

27–28. Vamos a estar en Cali ____ una semana más o menos pero tenemos que estar ____ el día quince.

29. No me queda mucho ____ hacer antes de que salgamos.

30–31. Él me dice que ____ una persona de Estados Unidos hablo muy bien el español y él me tomó ____ colombiano.

32–33. ____ apreciar el heroísmo de Simón Bolívar tienes que saber todo lo que hizo en su lucha ____ la independencia.

Answers

1

1. Fue necesario que él lo comprara.
2. Fue necesario que él lo recibiera.
3. Fue necesario que él lo leyera.
4. Fue necesario que él lo hiciera.
5. Fue necesario que él lo pidiera.
6. Fue necesario que él lo dijera.
7. Fue necesario que él lo pusiera.
8. Fue necesario que él lo pagara.

2

9. tengan
10. tuvieran
11. vaya
12. fuera
13. hagas
14. hicieras

3

15. murió
16. sepa
17. regrese
18. llegara

Preparáte para el examen

Practice for PROFICIENCY

1 Obligaciones familiares

Habla con un(a) compañero(a). Dile todo lo que tu familia quisiera que hicieras. A tu parecer, ¿son muy exigentes o no? Y la familia de tu compañero(a), ¿quiere que él o ella haga las mismas cosas que tu familia querría que tú hicieras?

2 Un(a) profesor(a) exigente

Piensa en el/la profesor(a) más exigente que hayas tenido. Explica todo lo que insistió en que sus alumnos hicieran.

CULTURA

Si vas a Cartagena insisto en que des un paseo por la Plaza de Santa Teresa. No hay duda de que te va a gustar.

3 Mis planes para el futuro

Habla de todo lo que quieres hacer en cuanto termines con la escuela secundaria.

- lo que esperas hacer cuando seas mayor de edad
- lo que quieres hacer antes de que cumplas veintiún años
- lo que hiciste antes de que cumplieras catorce años

4 ¡Ojalá!

Di todo lo que quisieras que sucediera en tu vida. Introduce tus deseos con **¡Ojalá que... !**

Gramática

Tips for Success

Encourage students to say as much as possible when they do these open-ended activities. Tell them not to be afraid to make mistakes, since the goal of the activities is real-life communication. Encourage students to self-correct and to use words and phrases they know to get their meaning across. If someone in the group makes an error that impedes comprehension, encourage the others to ask questions to clarify or, if necessary, to politely correct the speaker. Let students choose the activities they would like to do.

Tell students to feel free to elaborate on the basic theme and to be creative. They may use props, pictures, or posters if they wish.

Pre-AP These oral and written activities will give students the opportunity to develop and improve their speaking and writing skills so that they may succeed on the speaking and writing portions of the AP exam.

ASSESS

Students are now ready to take the Reading and Writing Test for Lección 2: Gramática.

Answers

4
19. a
20. b

5
21. vengan (vienen)
22. sepa (saben)
23. veamos

6
24. por
25. para
26. por
27. por
28. para
29. por
30. para
31. por
32. Para
33. por

Introduction

Each chapter of **¡Así se dice!** Level 4 has a journalism section that corresponds to the same geographical area as the chapter. Each section gives students a list of the important newspapers that they will find online for the countries in that particular geographical area. In putting this section together, we spent approximately one month perusing the newspapers from each area to determine topics that seem to occur frequently in the news of those countries. Hopefully, this will assist students to find articles that relate to the activities provided. However, we recommend that you tell students that they can also pick articles and prepare something about them even if the topic does not appear in a specific activity if it is something of interest to them.

TEACH

Core Instruction

We suggest that you not just dedicate a day or two to the journalism section. As you begin each chapter, tell students to consult the journalism section and spend a few minutes at home each day perusing the appropriate Web sites of the newspapers. As each student finds a pertinent article, he or she can prepare the activity that pertains to it. Needless to say, the topics of all activities will not appear on one given day.

There may also be some debate or discussion activities that you wish to assign to a group or groups of students and give them a time limit to complete them. As you are finishing the chapter, you may want to spend one day having students share with other students the work they did.

La prensa en línea

Aquí tienes los periódicos de los dos países más norteños del continente sudamericano: Venezuela y Colombia.

Venezuela	**Colombia**
El Diario	*El Tiempo*
El Universal	*El Espectador*
	El Nuevo Siglo

Actividades

Unos bolívares

A Algunos de los periódicos tienen una sección de finanzas personales. Consulta esta sección y comenta sobre el contenido de los artículos que proponen ideas financieras que a ti te gustaría seguir. ¿Te has dado cuenta de algunas prácticas financieras tuyas que posiblemente no resultarían en buenos resultados? ¿Cuáles? ¿Qué puedes o debes hacer para rectificar la situación? Habla con un(a) compañero(a) de clase sobre este tema y den consejos el uno al otro.

B En algunas regiones montañosas de Venezuela y Colombia hay pueblos cuyas viviendas están en riesgo de deslizamientos de tierra. Son las lluvias torrenciales que crean inundaciones severas que, por lo general, causan estos deslizamientos. Con bastante frecuencia salen artículos en los periódicos que describen la destrucción y las malas consecuencias que sufren los pobladores de estas regiones. Busca tal artículo y prepara un reportaje. ¿Experimentas tales eventos donde tú vives o no? ¿Hay otros desastres naturales con que te enfrentas? ¿Cuáles? Descríbelos.

CULTURA

Aquí vemos unos apartamentos en Caraballeda, Venezuela. Desgraciadamente unas lluvias torrenciales provocaron muchos derrumbes que hicieron daño a muchos edificios en la Sierra de Ávila al norte de Caracas.

Current event

If there is something of particular interest in Venezuela or Colombia that is of interest or concern to the United States, you may wish to inform the class of the situation and tell them to frequently consult the foreign newspapers online and have them compare the reporting with that which appears in the U.S. press.

Videos

Inform students that many articles are accompanied by interviews or videos. Tell students to make as much use of these audio and visual components as possible, since it will enable them to hear a wide variety of native speakers and see events happening in real places and in real time.

Go Online!
connectED.mcgraw-hill.com

C En la sección «Sociedad y Gente» hay artículos sobre gente famosa. A veces estos personajes gozan de fama más local pero figuran otros que son de renombre más universal. Selecciona a un personaje que tú conoces y prepara un corto esquema biográfico. Si no conoces a ninguno, escoge a uno a quien te gustaría conocer y haz unas investigaciones para preparar un esquema. Incluye información sobre las contribuciones de esta persona a su cultura y a la de Estados Unidos. Presenta tu esquema a la clase.

D Lee un artículo sobre un asunto internacional que está apareciendo con bastante frecuencia en los periódicos. Lee sobre el mismo evento en un periódico estadounidense y compara los comentarios de cada periódico sobre el mismo asunto. ¿Son semejantes o no? Puedes elaborar una tabla como la de abajo para organizar la información. Después, crea una obra de arte, una poesía, una canción, etc., que expresa tus opiniones sobre uno de los eventos o asuntos. Luego, la clase entera puede trabajar junta para organizar una exposición de su trabajo y compartirla con otras clases o con la comunidad.

evento o asunto	comentarios y opiniones	igual que en Estados Unidos, ¿sí o no?
1.		
2.		
3.		

E En la sección «Gastronomía» busca una receta que a ti te gustaría preparar. En tus propias palabras, da las instrucciones de preparación a un(a) compañero(a) de clase. Tu compañero(a) tiene que escribir la receta según tus instrucciones. Verifica si él o ella la escribió bastante bien para poder confeccionarla.

F Recientemente, ha habido en los periódicos artículos y comentarios sobre los servicios aéreos y las condiciones de los aeropuertos. Busca tal artículo y escribe una sinopsis de la información. Explica si tiene que ver con un mejoramiento de servicios para los pasajeros o no. Luego compara la información con las condiciones en el aeropuerto principal que sirve a tu comunidad. Según tu opinión del aeropuerto presenta afirmaciones de las buenas cualidades así como los defectos de dicho aeropuerto. Provee datos que apoyan tus afirmaciones. Al final da una conclusión de tu argumento.

PRACTICE

Activity D

The work students do may serve as a good bulletin board display.

Activity F

You may wish to have students give their opinion about airline service.

Periodismo Lección 3

G Ha habido mucha polémica política en Venezuela. No se sabe cuándo ni cómo cambiará esta situación. En los periódicos encontrarás artículos sobre los mismos temas políticos nacionales y, a veces, internacionales. Uno dará opiniones muy diferentes y contrarias al otro según la filosofía política del editor o posiblemente de un partido político. Determina si has encontrado esta polémica en los periódicos y da ejemplos.

titular	opinión
1.	
2.	

H Hojea los artículos o mira unos videos en la sección sobre los deportes y determina cuál es el deporte o los deportes más populares en estos dos países. Luego escoge un reportaje sobre un partido y escribe una sinopsis del partido.

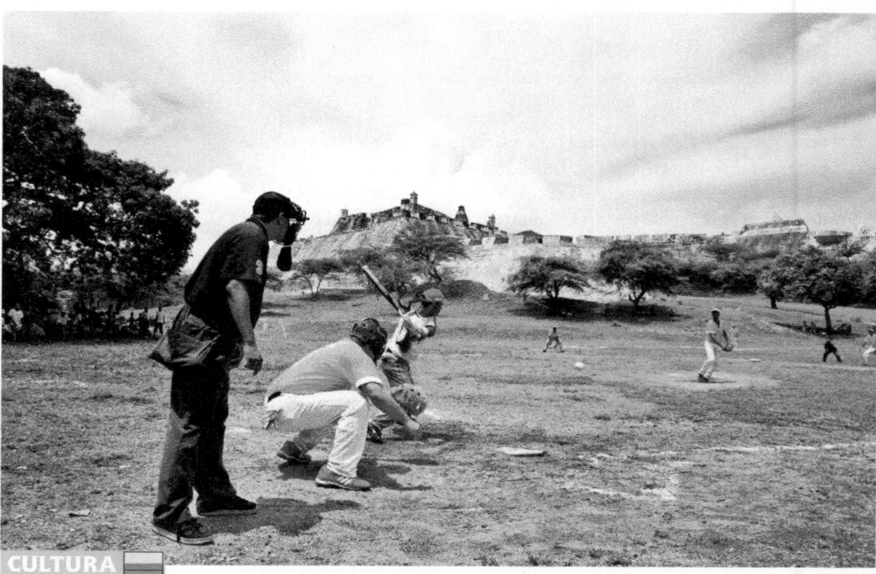

CULTURA

Un juego de béisbol. Al fondo se ve el Fuerte de San Felipe en Cartagena.

Go Online!

connectED.mcgraw-hill.com

I A veces hay choques o enfrentamientos entre una o más comunidades indígenas que, por lo general, están reclamando una mejoría en sus condiciones de vida. A veces están exigiendo la soberanía de sus territorios. Busca artículos sobre cualquier tema indígena y, trabajando en grupos, preséntenlos a los otros miembros de la clase. Si te interesa mucho este tema, haz unas investigaciones sobre un líder indígena conocido. Escribe un breve artículo sobre su vida y trabajo. ¿Por qué son importantes los líderes comunitarios? ¿Cómo contribuyen a su cultura y al mundo entero?

J  Los periódicos siempre presentan datos sobre accidentes vehiculares. ¿Cuál es la situación en Colombia y Venezuela? ¿Parece que está bajando o subiendo la tasa de accidentes mortales en las carreteras? Con un(a) compañero(a) de clase, compara la situación en Venezuela y Colombia con la de Estados Unidos.

Composición

Una biografía

Una biografía relata la historia de la vida de una persona. Ahora vas a escribir una biografía. Primero tienes que escoger al personaje sobre cuya vida quieres escribir. Tienes que describir la apariencia física de la persona igual que su personalidad. Sigue contando lo que hizo (hacía) y dijo (decía) la persona para darle vida. Pinta un retrato verbal de tu personaje.

Organiza tu escrito de una manera clara. No olvides usar adjetivos vivos. Puedes presentar tu biografía en orden cronológico o puedes empezar con la vida actual de la persona y retroceder a su pasado. Si la persona está muerta, además de las otras sugerencias, puedes empezar con un evento decisivo en la vida de la persona.

Después de revisar y corregir tu borrador, escribe de nuevo tu biografía en forma final.

Periodismo

Composición

You may wish to collect this work from students and correct as a composition assignment.

Online Resources

Customizable Lesson Plans

Leveling EACH Activity

Average Activity 1

PRACTICE

Go Online!

You may wish to remind students to go online to download audio files of all vocabulary.

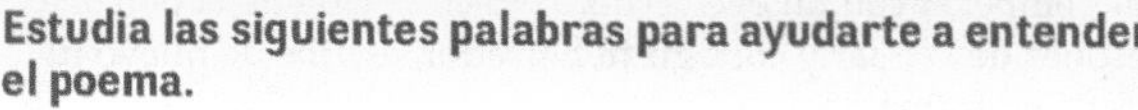

CULTURA

Una playa en Santa Marta, Colombia

Parte 1: Poesía

Los maderos de San Juan de José Asunción Silva

Vocabulario

Estudia las siguientes palabras para ayudarte a entender el poema.

el desengaño desilusión, decepción

yerto(a) sin movimiento, rígido; muerto

mudo(a) silencioso

Práctica

LEER • ESCRIBIR

1 Expresa de otra manera.

1. Él se quedó *sin decir una palabra.*
2. No pudo mover la mano que se quedó *inmóvil.*
3. *La decepción* por parte de su hijo le dio mucha pena.

Answers

1. Él se quedó mudo.
2. No pudo mover la mano que se quedó yerta.
3. El desengaño por parte de su hijo le dio mucha pena.

Los maderos de San Juan

de José Asunción Silva

INTRODUCCIÓN

José Asunción Silva, poeta colombiano nacido en Bogotá en 1865, tuvo una vida triste. Vio morir a varios miembros de su familia, entre ellos una hermana que murió en plena juventud. Silva era un joven supersensible a quien no le preocupaban las cuestiones políticas y sociales que les preocupaban a sus contemporáneos. Él sufría mucho tratando de hallar una explicación lógica del mundo y no la halló. Su desesperanza y pesimismo se reflejan en su obra.

Antes de leer

Al leer esta poesía piensa en una abuelita mayor de edad meciendo a su querido nieto de unos cinco años. ¿Qué pensamientos pasarán por la mente de la abuelita mientras reflexiona sobre lo que ya le ha pasado en la vida y lo que experimentará su nieto en su vida futura?

Los maderos de San Juan

… Y aserrín
aserrán,
los maderos
de San Juan
piden queso,
piden pan;
los de Roque,
Alfandoque[1];
los de Rique,
Alfeñique[2];
los de Trique,
Triquitrán.
¡Triqui, triqui, triqui, tran!
¡Triqui, triqui, triqui, tran!…

Y en las rodillas duras y firmes de la abuela
con movimiento rítmico se balancea el niño,
y entrambos[3] agitados y trémulos están…
La abuela se sonríe con maternal cariño,
mas cruza por su espíritu como un temor extraño
por lo que en el futuro, de angustia y desengaño,
los días ignorados del nieto guardarán…

[1] Alfandoque *Dulces*
[2] Alfeñique *Dulces*
[3] entrambos *los dos*

Literatura

Online Resources

Customizable Lesson Plans

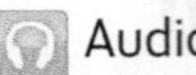 Audio

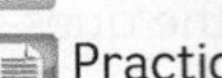 Practice

 Review

Introducción

Have students read the introduction. Ask them what type of poetry the poet wrote based on his personal background. José Asunción Silva committed suicide at 32 years of age.

Leveling EACH Activity

Reading level
Average–CHallenging

TEACH

Core Instruction

Step 1 Before students begin to read the poem, explain to them that there will be a line in it from a nursery rhyme. They should be able to easily guess what it is.

Step 2 **Los maderos de San Juan** are wood cutters. Have students raise their hands when they hear the sounds that represent the sawing of wood.

Step 3 Have students listen to the audio recording of the poem.

Step 4 You may wish to have them recite the first strophe aloud.

Step 5 Have students read the poem silently.

Additional Vocabulary

You may wish to share the following vocabulary with students.

el serrín *sawdust*
serrar *to saw*
la sierra *saw*

TEACH

Core Instruction

Tell students to look at the questions in Activity B and then read the poem silently again as they ascertain the answers.

Differentiation

Advanced Learners

Call on advanced learners to give a brief summary of each strophe.

Los maderos
de San Juan
piden queso,
piden pan;
¡Triqui, triqui, triqui, tran!

¡Esas arrugas[4] hondas recuerdan una historia
de largos sufrimientos y silenciosa angustia!,
y sus cabellos blancos como la nieve están;
… de un gran dolor el sello marcó la frente mustia[5],
y son sus ojos turbios espejos que empañaron[6]
los años, y que a tiempo las formas reflejaron
de seres y de cosas que nunca volverán…

… Los de Roque,
Alfandoque…
¡Triqui, triqui, triqui, tran!

Mañana, cuando duerma la abuela, yerta y muda,
lejos del mundo vivo, bajo la oscura tierra,
donde otros, en la sombra, desde hace tiempo están,
del nieto a la memoria, con grave voz que encierra
todo el poema triste de la remota infancia,
pasando por las sombras del tiempo y la distancia,
de aquella voz querida las notas volverán…

… Los de Rique,
Alfeñique…
¡Triqui, triqui, triqui, tran!…

En tanto, en las rodillas cansadas de la abuela
con movimiento rítmico se balancea el niño,
y entrambos agitados y trémulos están…
La abuela se sonríe con maternal cariño,
mas cruza por su espíritu como un temor extraño
por lo que en el futuro, de angustia y desengaño,
los días ignorados del nieto guardarán…

… Los maderos
de San Juan
piden queso,
piden pan;
los de Roque,
Alfandoque;
los de Rique,
Alfeñique;
los de Trique,
Triquitrán,
¡Triqui, triqui, triqui, tran!

[4] arrugas *wrinkles*
[5] mustia *triste, melancólica*
[6] empañaron *blurred*

Después de leer

A Identificando Contesta.

1. El poeta ha introducido una canción infantil (para niños) en el poema. Identifícala.
2. ¿Cuál será la onomatopeya que sugiere el sonido que se oye al cortar madera?

B Interpretando y analizando Contesta.

1. ¿Cómo se pone la abuela en la segunda estrofa? ¿Por qué?
2. Según los versos en la tercera estrofa, ¿cómo fue la vida de la abuela?
3. Analiza el paso del tiempo de una estrofa a otra en el poema.

C Visualizando y describiendo Describe a la abuela que ves al leer la segunda estrofa.

D Comparando Compara a la abuela en el primer verso de la segunda estrofa con la abuela en el primer verso de la séptima estrofa.

E Símiles y metáforas Te acuerdas que el símil es la comparación de una cosa con otra, «tu cabello es como el oro». La metáfora es una figura retórica que consiste en una comparación tácita, «la primavera de la vida». Busca todos los ejemplos de símiles y metáforas en *Los maderos de San Juan.*

F Analizando El no poder hallar una explicación lógica de la vida le llenó el corazón de Silva de desesperanza y pesimismo. Analiza los pensamientos pesimistas que encuentras en *Los maderos de San Juan.*

CULTURA
Entrada al cementerio en Mompós, Colombia

James Quine/Alamy

Literatura

PRACTICE

Después de leer

B, D, E, and F These activities can serve as class discussions.

Go Online!

You may wish to remind students to go online for additional reading comprehension practice.

Answers

A

1. Es «Los maderos de San Juan».
2. La onomatopeya que sugiere el sonido que se oye al cortar madera será «aserrín, asserán» y «¡Triqui, triqui, triqui, tran!».

B *Answers will vary but may include:*

1. En la segunda estrofa, la abuela se pone asustada porque piensa en las dificultades que enfrentarán a su nieto en el futuro.
2. Según los versos en la tercera estrofa, la vida de la abuela ha sido llena de largos sufrimientos y silenciosa angustia.
3. El poema empieza en el presente, luego regresa al pasado de la abuela, después llega al futuro cuando ella esté muerta, y finalmente regresa al presente.

C *Answers will vary.*

D *Answers will vary but may include:*
La abuela del primer verso de la segunda estrofa es muy fuerte pero tiene miedo del futuro para su nieto; en el primer verso de la séptima estrofa la abuela está cansada.

E *Answers will vary but may include:*
metáforas: Esas arrugas hondas recuerdan... , son sus ojos turbios espejos, mañana cuando duerma la abuela, pasando por las sombras el tiempo y la distancia; símil: sus cabellos blancos como la nieve

F *Answers will vary.*

Online Resources

Customizable Lesson Plans

 Audio

 Practice

 Review

Vocabulario

TEACH

Core Instruction

Step 1 Have students listen to the audio recording of the new words or you may prefer to have students read the new words and definitions aloud.

Step 2 Have a student volunteer read one of the definitions and then call on a class member to give the new word.

Teaching Options

You may wish to ask the following questions to use the new words: **¿Se oyeron los sollozos de la víctima? ¿Tienen algunos más pesares que otros? ¿Adónde lleva la vereda? ¿Corrió tanto que llegó sin aliento? ¿Es cómoda esta butaca? Todos necesitamos el apoyo de alguien, ¿no? ¿Sabes lo que quieres hacer en el porvenir? ¿Sabes compadecer con otros? ¿Tienes que averiguar si muchas respuestas son correctas? ¿Cuál es tu deporte predilecto?**

Go Online!

You may wish to remind students to go online to download audio files of all vocabulary.

CULTURA

Vista del paisaje colombiano

Vocabulario

Estudia las siguientes palabras para ayudarte a entender la lectura.

la sien

el párpado

la pestaña

los sollozos acción de llorar en movimientos convulsivos
los pesares los problemas y dificultades de la vida
las pisadas acción de poner un pie después de otro en el suelo al andar
la vereda vía, senda o camino angosto
el aliento aire que se respira, respiración
la butaca una silla cómoda
la demora retraso, tardanza
el apoyo ayuda, auxilio, soporte
el porvenir futuro
la sortija anillo que se pone en el dedo como adorno
compadecer inspirar o sentir compasión
averiguar determinar si algo es correcto o la verdad
botar arrojar o echar fuera una cosa
predilecto(a) favorito
de súbito repentinamente, precipitadamente

Práctica

1 Completa con una palabra apropiada.

1. Mucha gente casada lleva ____. En algunos países la lleva en la mano izquierda y en otros en la mano derecha.
2. Me parece que alguien se está acercando. Oigo unas ____.
3. Ella corrió tan de prisa que llegó sin ____.
4. Es una pena pero a casi todos nosotros nos afligen unos ____.
5. No pude aguantar los ____ agonizantes de la pobre señora.
6. No lo puede hacer solo. Va a necesitar de nuestro ____.
7. Nunca se sabe lo que va a pasar en el ____.
8. Siéntate aquí. Es una ____ muy cómoda.
9. Esta ____ es tan angosta que es solo para peatones o bicicletas.
10. ¿Por qué llegan tan tarde? ¿Cuál es la razón por ____?
11. Él es una persona sincera que se ____ con todos.
12. Pasó ____ sin que nadie lo supiera.

2 De otra palabra que significa más o menos lo mismo.

1. favorito
2. de repente
3. los llantos
4. la senda
5. el futuro
6. la respiración
7. el retraso
8. arrojar algo
9. verificar
10. la ayuda

María

de Jorge Isaacs

INTRODUCCIÓN

Jorge Ricardo Isaacs nació en Cali, Colombia, en 1837. Era hijo de George Henry Isaacs, un judío inglés nacido en Jamaica, y Manuela Ferrer Scarpetta, colombiana de nacimiento. Isaacs recibió su instrucción primaria en Cali y Popayán. Estudió también en Bogotá y Buenaventura. Vivió durante la época de las luchas entre los poderes militar y civil. Isaacs sirvió en el ejército para luchar en la guerra del Cauca (1860–1863). Este enfrentamiento civil causó la ruina económica de su familia.

Literatura

Leveling EACH Activity

Average Activities 1, 2

PRACTICE

Activity 1

Have students study the vocabulary for homework and prepare the activities. Then go over them the next day in class.

Differentiation

Advanced Learners

You may wish to have advanced learners write an original sentence using each new word.

Introducción

You may wish to call on one or two students to give a brief review of Isaac's biography. You may also wish to have others locate the cities mentioned in the **Introducción** on a map.

Answers

1

1. sortija
2. pisadas
3. aliento
4. pesares
5. sollozos
6. apoyo
7. porvenir
8. butaca
9. vereda
10. la demora
11. compadece
12. de súbito

2

1. predilecto
2. de súbito
3. los sollozos
4. la vereda
5. el porvenir
6. el aliento
7. la demora
8. botar algo
9. averiguar
10. el apoyo

TEACH

Core Instruction

Step 1 Since this selection is rather long, you may wish to determine which sections will be read only at home and which sections you will go over in more depth in class.

Step 2 Students will benefit greatly if you go over the Reading Checks with them as they read. If they cannot answer them, have them go back and read again.

Tips for Success

You may wish to have students discuss the following as they read *María.*

- Describe a María.
- Describe a Efraín.
- Describe a la familia de Efraín. ¿Qué tipo de familia era?

Hay una posibilidad que encuentres inverosímiles algunos aspectos de la novela *Maria.* Pero hay elementos que podrían suceder hoy. Comparen lo que ustedes consideran aspectos inverosímiles y aspectos verosímiles.

Reading Check

¿Por qué estaba Efraín tan triste? ¿Con qué soñaba?

Isaacs fue a Bogotá para dedicarse a la literatura. Durante su vida experimentó muchas dificultades y murió de paludismo en 1895 en la ciudad de Ibagué. En mayo de 1867 apareció en Bogotá la obra literatura cumbre de Isaacs—*María.* La novela alcanzó un éxito inmediato y los críticos la han reconocido como la mejor novela romántica de la América Latina. Se considera como obra precursora de la novela regionalista de las décadas 1920 y 1930.

La novela tiene lugar en la región del Cauca. María es una delicada niña huérfana cuya madre murió joven en Jamaica. Su padre, Salomón, es un primo del padre de Efraín y después de la muerte de su esposa deja a la niña a cargo de la familia de Efraín. Los padres de Efraín quieren mucho a María y la adoptan. Ella vive con ellos en su hacienda en la región de Cali. De joven Efraín salió de Cali y pasó seis años en Bogotá donde recibió su bachillerato. Al terminar sus estudios regresó a la hacienda de su familia en Cali y allí encuentra de nuevo a su prima María que ahora es una joven de quince años. Casi enseguida se da cuenta del amor inocente que existe entre ellos. Este amor se convierte pronto en una pasión dominante. Una gran parte de la obra tiene lugar desde el regreso de Efraín del colegio en Bogotá hasta su partida a Londres adonde va para estudiar medicina.

Antes de leer

Identificándose con los personajes Al leer, fíjate en las emociones que tendría una persona cuyo(a) enamorado(a) está sufriendo mucho.

María

I

Efraín sale para estudiar en Bogotá

Era yo niño aún cuando me alejaron de la casa paterna para que diera principio a mis estudios en el colegio de ***, establecido en Bogotá hacía pocos años y famoso en toda la República por aquel tiempo.

En la noche víspera de mi viaje, después de la velada°, entró a mi cuarto una de mis hermanas, y sin decirme una sola palabra cariñosa, porque los sollozos le embargaban° la voz, cortó de mi cabeza unos cabellos: cuando salió, habían rodado por mi cuello algunas lágrimas suyas.

velada *evening get-together*

embargaban *obstructed*

Me dormí llorando y experimenté como un vago presentimiento de muchos pesares que debía sufrir después. Esos cabellos quitados a una cabeza infantil, aquella precaución del amor contra la muerte delante de tanta vida, hicieron que durante mi sueño vagase mi alma por todos aquellos sitios donde yo había pasado, sin comprenderlo, las horas más felices de mi existencia.

A la mañana siguiente mi padre desató° de mi cabeza, humedecida por tantas lágrimas, los brazos de mi madre. Mis hermanas, al decirme sus adioses los enjugaron con besos. María esperó humildemente su turno, y balbuciendo su despedida, juntó su mejilla sonrosada a la mía, helada por la primera sensación de dolor.

desató *untied*

Pocos momentos después seguía yo a mi padre, que ocultaba el rostro a mis miradas. Las pisadas de nuestros caballos en el sendero guijarroso° ahogaban mis últimos sollozos. El rumor del Zabaletas, cuyas vegas° quedaban a nuestra derecha, se aminoraban por instantes. Dábamos ya la vuelta a una de las colinas de la vereda, en las que solían divisarse desde la casa viajeros deseados; volví la vista hacia ella buscando uno de tantos seres queridos: María estaba bajo las enredaderas° que adornaban las ventanas del aposento° de mi madre.

Efraín regresa de Bogotá

Antes de ponerse el sol ya había yo visto blanquear sobre la falda° de la montaña la casa de mis padres. Al acercarme a ella contaba con mirada ansiosa los grupos de sauces° y naranjos, a través de los cuales vi cruzar poco después las luces que se repartían en las habitaciones.

Respiraba al fin aquel olor nunca olvidado del huerto que se vio formar. Las herraduras de mi caballo chispearon° sobre el empedrado del patio. Oí un grito indefinible: era la voz de mi madre; al estrecharme ella en los brazos y acercarme a su pecho, una sombra me cubrió los ojos: era el supremo placer que conmovía a una naturaleza virgen.

Cuando traté de reconocer en las mujeres que veía a las hermanas que había dejado niñas, María estaba en pie junto a mí, y velaban° sus ojos anchos párpados orlados de largas pestañas. Fue su rostro el que se cubrió de más notable rubor cuando al rodar mi brazo de sus hombros rozó° con su talle°, y sus ojos estaban humedecidos aún al sonreír a mi primera expresión afectuosa, como la de un niño cuyo llanto° ha acallado una caricia materna.

II

Algo le pasa a María

Pasados tres días, una tarde que bajaba yo de la montaña me pareció notar alguna alarma en los semblantes de los criados con quienes tropecé en los corredores interiores. Mi hermana me refirió luego que María había sufrido un ataque nervioso; y, al agregar que estaba aún sin sentido, procuró calmar cuanto le fue posible mi dolorosa ansiedad.

Olvidado de toda precaución, entré en la alcoba donde estaba María, y, dominando el frenesí que me hubiera hecho estrecharla contra mi corazón para volverla a la vida, me acerqué, desconcertado°, a su lecho. A los pies de éste se hallaba sentado mi padre; fijó en mí una de sus miradas intensas y, volviéndola después sobre María, parecía quererme hacer una reconvención al mostrármela. Mi madre estaba allí, pero no levantó la vista para buscarme, porque sabedora° de mi amor, me compadecía como sabe compadecer una buena madre, en la mujer amada por su hijo, a su hijo mismo.

Permanecí inmóvil contemplando a María, sin atreverme° a averiguar cuál era su mal. Estaba como dormida: su rostro, cubierto de una palidez mortal, se veía medio oculto por la cabellera descompuesta°, en la cual se descubrían, estrujadas°, las flores que yo le había dado en la mañana; la frente contraída revelaba un sufrimiento insoportable, y un ligero sudor le humedecía las sienes; de los ojos cerrados habían tratado de brotar° lágrimas, que brillaban detenidas en las pestañas.

guijarroso *pebbly*
vegas *fertile lowlands*
enredaderas *climbing plants*
aposento *cuarto*
falda *foothill*
sauces *willows*
chispearon *sparkled*
velaban *covered up*
rozó *touched lightly*
talle *torso*
llanto *crying*
desconcertado *baffled, upset*
sabedora *aware*
atreverme *daring*
descompuesta *messed up*
estrujadas *crushed together*
brotar *gush*

TEACH

Core Instruction

You may wish to have students read the last paragraph on this page aloud.

Reading Check

¿Qué importancia tiene la descripción de la naturaleza?

Reading Check

¿Qué le había pasado a María?

Reading Check

¿Por qué causa tanta pena el oír que María sufría de la misma enfermedad que su madre?

lecho *cama*

quebrantarlo *romperlo*

yerta *stiff, motionless*

oprimí *I squeezed*

Comprendiendo mi padre todo mi sufrimiento, se puso en pie para retirarse; mas antes de salir se acercó al lecho° y, tomando el pulso de María, dijo:

—Todo ha pasado. ¡Pobre niña! Es exactamente el mismo mal que sufría su madre.

El pecho de María se elevó lentamente como para formar un sollozo, pero al volver a su natural estado exhaló sólo un suspiro. Salido que hubo mi padre, coloquéme a la cabecera del lecho, y, olvidado de mi madre y de Emma, que permanecían silenciosas, tomé de sobre el almohadón una de las manos de María y la bañé en el torrente de mis lágrimas hasta entonces contenido. Había yo medido toda mi desgracia: era el mismo mal de su madre, y su madre había muerto muy joven, atacada de una epilepsia incurable. Esta idea se apoderó de todo mi ser para quebrantarlo°.

Sentí algún movimiento en esa mano yerta° a la que mi aliento no podía volver el calor. María empezaba ya a respirar con más libertad, y sus labios parecían esforzarse en pronunciar alguna palabra. Movió la cabeza de un lado a otro, cual si tratara de deshacerse de un peso abrumador. Pasado un momento de reposo, exhaló palabras ininteligibles, pero al fin se percibió entre ellas claramente mi nombre. En pie yo, devorándola mis miradas, tal vez oprimí° demasiado entre mis manos las suyas, quizá mis labios la llamaron. Abrió lentamente los ojos, como heridos por una luz intensa, y los fijó en mí haciendo un esfuerzo por reconocerme. Medio incorporándose un instante después:

—¿Qué es?—me dijo, apartándome—. ¿Qué me ha sucedido?— continuó, dirigiéndose a mi madre.

Tratamos de tranquilizarla, y con un acento en que había algo de reconvención, que por entonces no pude explicarme, agregó:

—¡Ya ves! Yo lo temía.

Quedó, después del acceso, adolorida y profundamente triste. Volví por la noche a verla, cuándo y cómo la etiqueta establecida en tales casos por mi padre lo permitió. Al despedirme de ella, reteniéndome un instante la mano: «Hasta mañana», me dijo, y acentuó esta última palabra como solía hacerlo siempre que, interrumpida nuestra conversación en alguna velada, quedaba deseando el día siguiente para que la concluyésemos.

Acababa de dar las doce el reloj del salón. Sentí pasos cerca de mi puerta, y muy luego la voz de mi padre, que me llamaba: «Levántate», me dijo tan pronto como le respondí: «María sigue mal.»

El acceso había repetido. Después de un cuarto de hora estaba yo apercibido° para marchar. Mi padre me hacía las últimas indicaciones sobre los nuevos síntomas de la enfermedad, mientras el negrito Juan Ángel aquietaba° mi caballo «Retinto», impaciente y asustadizo°. Monté; sus cascos herrados crujieron° sobre el empedrado, y un instante después bajaba yo hacia las llanuras del valle buscando el sendero a la luz de algunos relámpagos lívidos. Iba en solicitud del doctor Mayn, que pasaba a la sazón° una temporada de campo a tres leguas de nuestra hacienda.

La imagen de María, tal como había visto en el lecho aquella tarde, al decirme aquel «hasta mañana», que tal vez no llegaría, iba conmigo, avivando mi impaciencia; me hacía medir incesantemente la distancia que la velocidad del caballo no alcanzaba a moderar.

apercibido *listo*
aquietaba *calmed down*
asustadizo *scary*
crujieron *clicked*
a la sazón *at that time*

Efraín va en busca del médico

Eran las dos de la madrugada cuando, después de atravesar la villa de P*** me desmonté a la puerta de la casa en que vivía el médico.

En la tarde del mismo día se despidió de nosotros el doctor, después de haber restablecido casi completamente a María y de haberla prescrito un régimen para evitar la repetición del acceso, aunque prometió visitar a la enferma con frecuencia. Yo sentía un alivio indecible al oírle asegurar que no había peligro alguno, y por el doble cariño del que hasta entonces le había profesado, solamente porque tan pronta reposición° pronosticaba a María. Entré en la habitación de ésta, luego que el médico y mi padre, que iba a acompañarle en una legua de camino, se pusieron en marcha.

Estaba acabando de trenzarse° el cabello, viéndose en un espejo que mi hermana sostenía sobre los almohadones. Apartando ruborizada el mueble me dijo:

—Estas no son ocupaciones de enferma, ¿no es verdad?; pero yo ya estoy buena. Espero no volver a ocasionarte un viaje tan peligroso como el de anoche.

—En este viaje no ha habido peligros—le respondí.

—¡El río, sí, el río! Yo pensé en eso y en tantas cosas que podían sucederte por causa mía.

—¡Un viaje de tres leguas! ¿A eso llamas… ?

—Ese viaje en que has podido ahogarte, según refirió aquí el doctor, tan sorprendido, que aún no me había pulsado y ya hablaba de eso. Tú y él, al regreso, habéis tenido que aguardar dos horas para que bajase el río.

—El doctor a caballo es una maula°, y su mula pacienzuda° no es lo mismo que un buen caballo.

—El hombre que vive en la casita del paso—me interrumpió María—, al reconocer esta mañana tu caballo negro, se admiró de que no se hubiese ahogado el jinete que anoche se botó al río a tiempo que él le gritaba que no había vado°. ¡Ay!, no, no; yo no quiero volver a enfermarme. ¿No te ha dicho el doctor que no tendré ya novedad?

—Sí—le respondí—; y me ha prometido no dejar pasar dos días seguidos en estos quince sin venir a verte.

—Entonces no tendrás que hacer otro viaje de noche. ¿Qué habría yo hecho si...?

—Me habrías llorado mucho, ¿no es verdad?—repliqué sonriéndome.

Miróme por algunos momentos, y yo agregué:

reposición *recovery*
trenzarse *braiding*
maula *trash*
pacienzuda *muy paciente*
vado *shallow water*

TEACH

Core Instruction

You may wish to have students read aloud the conversation between Efraín and his parents.

—¿Puedo estar cierto acaso de morir en cualquier tiempo convencido de...?

—¿De qué?

Y adivinando lo demás en mi mirada:

—Siempre, siempre—añadió casi en secreto, aparentando examinar los hermosos encajes° de los almohadones.

—Y yo tengo cosas muy tristes que decirte—continuó después de unos momentos de silencio—, tan tristes que son la causa de mi enfermedad. Tú estabas en la montaña... Mamá lo sabe todo, y yo oí que papá le decía a ella que mi madre había muerto de un mal cuyo nombre no alcancé a oír; que tú estabas destinado a hacer una bella carrera, y que yo... ¡ah!, yo no sé si es cierto lo que oí..., será que no merezco° que seas como eres conmigo.

De sus ojos velados rodaron a sus mejillas pálidas algunas lágrimas que se apresuró a enjugar°.

—No digas eso, María, no lo pienses—le dije—; no; yo te lo suplico.

—Pero si yo lo he oído, y después fue cuando no supe de mí... ¿Por qué, entonces?

—Mira, yo te ruego..., yo... ¿Quieres permitirme te mande que no hables más de eso?

Había dejado ella caer la frente sobre el brazo en que se apoyaba, y cuya mano estrechaba yo entre las mías, cuando oí en la pieza inmediata el ruido de los ropajes de Emma que se acercaba.

Una conferencia entre Efraín y sus padres

Al levantarnos de la mesa mi padre se acercó a mí para decirme:

—Tu madre y yo tenemos que hablar algo contigo; ven luego a mi cuarto.

A tiempo que entraba a él, mi padre escribía dando la espalda a mi madre, que se hallaba en la parte menos alumbrada de la habitación, sentada en la butaca que ocupaba siempre que se detenía allí.

—Siéntate—me dijo él, dejando por un momento de escribir y mirándome por encima de los anteojos, que eran de vidrios blancos y fino engaste° de oro.

Pasados algunos minutos, habiendo colocado cuidadosamente en su lugar el libro de cuentas en que estaba escribiendo, acercó un asiento al que yo ocupaba, y en voz baja habló así:

—He querido que tu madre presencie esta conversación, porque se trata de un asunto grave sobre el cual tiene ella la misma opinión que yo.

Dirigióse a la puerta para entornarla y a botar el cigarro que estaba fumando°, y continuó de esta manera:

—Hace ya tres meses que estás con nosotros, y solamente pasados dos más podrá el señor A*** emprender su viaje a Europa, y es con él con quien debes tú irte. Esa demora, hasta cierto punto, nada significa, tanto porque es justo y muy grato para nosotros tenerte a nuestro lado después de seis años de ausencia, a que han de seguir otros, como porque observo con placer que, aun aquí, es el estudio uno de tus goces° predilectos. No puedo ocultarte, ni debo hacerlo, que he concebido grandes esperanzas, por tu carácter y aptitudes, de que coronarás lúcidamente la carrera que vas a seguir. No ignoras que pronto la familia necesitará de tu apoyo, con mayor razón después de la muerte de tu hermano.

encajes *lacework*
merezco *I deserve*
enjugar *wipe away*
engaste *mounted*
fumando *smoking*
goces *placeres*

Luego, haciendo una pausa, prosiguió:

—Hay algo en tu conducta que es preciso decirte no está bien; tú tienes sólo veinte años, y a esa edad un amor fomentado inconsideradamente podría hacer ilusorias° todas las esperanzas de que acabo de hablarte. Tú amas a María, y hace muchos días que lo sé, como es natural. María es casi mi hija y yo no tendría nada que observar si tu edad y posición nos permitieran pensar en un matrimonio; pero no nos lo permiten, y María es muy joven. No son solamente éstos los obstáculos que se presentan; hay uno, quizá insuperable, y es mi deber hablarte de él. María puede arrostrarte° y arrostrarnos contigo a una desgracia lamentable de que está amenazada°. El doctor Mayn se atreve casi a asegurar que ella morirá joven del mismo mal a que sucumbió su madre; lo que sufrió ayer es un síncope epiléptico que, tomando incremento en cada acceso°, terminará por una epilepsia del peor carácter conocido: eso dice el doctor. Responde tú ahora, meditando mucho lo que vas a decir a una sola pregunta; responde como hombre racional y caballero que eres; y que no sea lo que vas a decir dictado por una exaltación extraña a tu carácter, tratándose de tu porvenir y el de los tuyos. Sabes la opinión del médico, opinión que merece respeto por ser Mayn quien la da; te es conocida la suerte de la esposa de Salomón: al nosotros consintiéramos en ello, ¿te casarías hoy con María?

—Sí, señor—le respondí.

—¿Lo arrostrarías todo?

—Todo, todo.

—Creo que no solamente hablo con un hijo sino con el caballero que en ti he tratado de formar.

Mi madre ocultó en ese momento el rostro en su pañuelo. Mi padre, enternecido tal vez por sus lágrimas, y acaso también por la resolución que en mí encontraba, conociendo que la voz iba a faltarle, dejó por unos instantes de hablar.

—Pues bien—continuó—: puesto que esa noble resolución te anima, convendrás conmigo en que antes de cinco años no podrás ser esposo de María. No soy yo quien debe decirte que ella, después de haberte amado desde niña, te ama hoy de tal manera que emociones intensas, nuevas para ella, son las que, según Mayn, han hecho aparecer los síntomas de la enfermedad; es decir que tu amor y el suyo necesitan precauciones, y que en adelante exijo me prometas, para tu bien, puesto que tanto así la amas, y para bien de ella, que seguirás los consejos del doctor, dados por si llegaba este caso. Nada le debes prometer a María, pues que la promesa de ser su esposo una vez cumplido el plazo° que he señalado, haría vuestro trato más íntimo, y es precisamente lo que se trata de evitar. Inútiles son para ti más explicaciones; siguiendo esa conducta, no solamente puedes salvar a María, sino evitarte la desgracia de perderla.

—En recompensa de todo lo que concedemos—dijo volviéndose a mi madre—debes prometerme lo siguiente: no hablar a María del peligro que la amenaza, ni revelarle nada de lo que esta noche ha pasado entre nosotros. Debes saber también mi opinión sobre tu matrimonio con ella: si su enfermedad persistiera después de tu regreso a este país..., pues vamos pronto a separarnos por algunos años, como padre tuyo y de María no sería de mi aprobación esa unión.

ilusorias *deceptive*

arrostrarte *confront*

amenazada *threatened*

acceso *occurence, relapse*

plazo *period of time*

Reading Check

¿Cuál es la importancia de la pregunta ¿Lo arrostrarías todo?

Reading Check

¿Qué opinas de lo que el padre de Efraín le dice y le aconseja?

Efraín tiene que salir para Londres

Era llegado el momento de reunir todas mis fuerzas. Mis espuelas resonaron en el salón; que estaba solo. Empujé la puerta entornada del costurero de mi madre, quien se lanzó del asiento en que estaba a mis brazos. Ella conocía que las demostraciones de su dolor podían hacer flaquear mi ánimo, y entre sollozo y sollozo trataba de hablarme de María y de hacerme tiernas promesas.

Todos habían humedecido mi pecho con su lloro. Emma, que había sido la última, conociendo qué buscaba yo a mi alrededor al desasirme de sus brazos, me señaló la puerta del oratorio, y entré en él. Sobre el altar irradiaban su resplandor amarillento dos luces. María, sentada en la alfombra, sobre la cual resaltaba el blanco de su ropaje, dio un débil grito al sentirme, volviendo a dejar caer la cabeza destrenzada sobre el asiento en que la tenía reclinada cuando entré. Ocultándome así el rostro, alzó la mano derecha para que yo la tomase; medio arrodillado, la bañé en lágrimas y la cubrí de caricias; mas al ponerme en pie, como temerosa° de que me alejase ya, se levantó de súbito para asirse sollozante de mi cuello. Mi corazón había guardado para aquel momento casi todas sus lágrimas.

temerosa *fearful*

Mis labios descansaron sobre su frente... María, sacudiendo estremecida la cabeza, hizo ondular los bucles° de su cabellera, y escondiendo en mi pecho la faz, extendió uno de los brazos para señalarme el altar. Emma, que acababa de entrar, la recibió inanimada en su regazo°, pidiéndome con ademán suplicante que me alejase. Y obedecí.

bucles *bangs (hair)*

regazo *lap*

IV

*El señor A*** le da noticias a Efraín en Londres*

Durante un año en Londres tuve dos veces cada mes carta de María. Las últimas estaban llenas de una melancolía tan profunda, que comparadas con ellas las primeras que recibí parecían escritas en nuestros días de felicidad.

En vano había tratado de reanimarla diciéndole que aquella tristeza destruiría su salud, por más que hasta entonces hubiese sido tan buena como me decía; en vano.

«Yo sé que no puede faltar mucho para que yo te vea —me había contestado—; desde ese día ya no podré estar triste; estaré siempre a tu lado... No, no; nadie podrá volver a separarnos.»

La carta que contenía estas palabras fue la única de ella que recibí en dos meses.

En los últimos días de junio, una tarde se me presentó el señor A***, que acababa de llegar de París a quien no había visto desde el pasado invierno.

—Le traigo a usted cartas de su casa—me dijo, después de habernos abrazado.

—¿De tres correos?

—De uno solo. Debemos hablar algunas palabras antes—me observó, reteniendo° el paquete.

Noté en su semblante° algo siniestro que me turbó°.

reteniendo *holding onto*
semblante *expresión*
turbó *disturbed*

—He venido—añadió después de haberse paseado silencioso algunos instantes por el cuarto—a ayudarle a usted a disponer su regreso a América.

—¡Al Cauca!—exclamé, olvidado por un momento de todo, menos de María y de mi país.

—Sí—me respondió—; pero ya habrá usted adivinado la causa.

—¡Mi madre!—prorrumpí desconcertado.

—Está buena—respondió.

—¿Quién, pues?—grité, asiendo el paquete que sus manos retenían.

—Nadie ha muerto.

—¡María! ¡María!—exclamé, como si ella pudiera acudir a mis voces, y caí sin fuerzas sobre el asiento.

—Vamos—dijo, procurando hacerse oír, el señor A***—. Para eso fue necesaria mi venida. Ella vivirá si usted llega a tiempo. Lea usted las cartas, que ahí debe de venir una de ella.

«Vente—me decía—; ven pronto, o me moriré sin decirte adiós. Al fin me consienten que te confiese la verdad: hace un año que me mata, hora por hora esta enfermedad de que la dicha me curó por unos días. Si no hubiera interrumpido esta felicidad, yo habría vivido para ti.

«Si vienes... Sí, vendrás, porque yo tendré fuerzas para resistir hasta que te vea; si vienes hallarás solamente una sombra de María; pero esa sombra necesita abrazarte antes de desaparecer. Si no te espero; si una fuerza más poderosa que mi voluntad me arrastra sin que tú me animes, sin que cierres mis ojos, a Emma le dejaré, para que te lo guarde, todo lo que yo sé te será amable: las trenzas de mis cabellos, el guardapelo en donde están los tuyos y los de mi madre, la sortija que pusiste en mi mano en vísperas de irte, y todas tus cartas.

«Pero, ¿a qué afligirte diciéndote todo esto? Si vienes, yo me alentaré°; si vuelvo a oír tu voz, si tus ojos me dicen un solo instante lo que ellos solos sabían decirme, yo viviré y volveré a ser como antes era. Yo no quiero morirme; yo no puedo morirme y dejarte solo para siempre.»

me alentaré *will become encouraged*

—Acabe usted—me dijo el señor A***, recogiendo la carta de mi padre caída a mis pies—. Usted mismo conocerá que no podemos perder tiempo.

Mi padre decía lo que yo había sabido ya demasiado cruelmente. Los médicos tenían sólo una esperanza de salvar a María: la que les hacía conservar mi regreso. Ante esa necesidad, mi padre no vacilaba; ordenaba mi marcha precipitada y se disculpaba por no haberla dispuesto antes.

Dos horas después salí de Londres.

Lisa Harrison

CULTURA

Bogotá, Colombia

TEACH

Core Instruction

You may wish to call on students to read this page aloud.

Después de un viaje difícil, Efraín vuelve a casa

Al día siguiente a las cuatro de la tarde llegué al alto de las Cruces. Apeéme para pisar aquel suelo desde donde dije adiós para mi mal a la tierra nativa. Volví a ver el valle del Cauca, país tan bello cuanto desventurado ya... Tantas veces había soñado divisarlo desde aquella montaña, que al tenerlo delante con toda su esplendidez miraba a mi alrededor para convencerme de que en tal momento no era juguete de un sueño. Mi corazón palpitaba aceleradamente como si presintiese que pronto iba a reclinarse sobre él la cabeza de María; y mis oídos ansiaban recoger en el viento una voz perdida de ella. Fijos estaban mis ojos sobre las colinas iluminadas al pie de la sierra distante, donde blanqueaba la casa de mis padres.

Lorenzo acababa de darme alcance° trayendo del diestro un hermoso caballo blanco que había recibido en Tocotá para que yo hiciese en él las tres últimas leguas de la jornada.

—Mira—le dije cuando se disponía a ensillármelo°, y mi brazo le mostraba el punto blanco de la sierra al cual no podía yo dejar de mirar—; mañana, a esta hora estaremos allá.

—Pero ¿allá a qué? —respondió.

—¡Cómo!

—La familia está en Cali.

—No me lo habías dicho. ¿Por qué se han venido?

—Justo me contó anoche que la señorita seguía muy mala.

Lorenzo, al decir esto, no me miraba, y me pareció que estaba conmovido.

Monté temblando en el caballo que él me presentó ensillado ya, y el brioso° animal empezó a descender velozmente y casi a vuelos por el pedregoso° sendero.

La tarde declinaba cuando doblé la última cuchilla de las Montañuelas. Un viento impetuoso de Occidente zumbaba° en torno de mí en los peñascos y malezas°, desordenando las abundantes crines° del caballo. En el confín del horizonte a mi izquierda, no blanqueaba ya la casa de mis padres sobre las faldas sombrías de la montaña; y a la derecha, muy lejos, bajo un cielo turquí, se descubrían lampos de la mole del Huila medio oculto por brumas flotantes.

«Quien aquello crió—me decía—no puede destruir aún a la más bella de sus criaturas y lo que él ha querido que yo más amé.» Y sofocaba de nuevo en mi pecho los sollozos que me ahogaban.

Ya dejaba a mi izquierda la pulcra° y amena vega del Peñón, digna de su hermoso río y de mis gratos recuerdos de la infancia.

La ciudad acababa de dormirse sobre su verde y acojinado° lecho cual bandadas de aves enormes que se cernieran° buscando sus nidos; divisábanse sobre ella, abrillantados por la luna, los follajes de las palmeras.

Hube de reunir todo el resto de mi valor para llamar a la puerta de la casa. Un paje° abrió. Apeándome boté las bridas° en sus manos y recorrí precipitadamente el zaguán° y parte del corredor que me separaba la entrada al salón: estaba oscuro. Me había adelantado pocos pasos en él cuando oí un grito y me sentí abrazado.

—¡María! ¡Mi María!—exclamé, estrechando contra mi corazón aquella cabeza entregada a mis caricias.

—¡Ay!, ¡No, no. ¡Dios mío!—me dijo sollozante.

alcance *the possibility to get there*
ensillármelo *saddle it for me*
brioso *frisky*
pedregoso *stony*
zumbaba *blew*
peñascos y malezas *steep rocks and underbrush*
crines *mane*
pulcra *bonita*
acojinado *cushioned*
cernieran *hovered*
paje *page*
bridas *bridle*
zaguán *entrance hall*

Go Online!
connectED.mcgraw-hill.com

Y desprendiéndose° de mi cuello cayó sobre el sofá inmediato: era Emma. Vestía de negro, y la luna acababa de bañar su rostro lívido y regado de lágrimas.

Se abrió la puerta del aposento de mi madre en ese instante. Ella, balbuciente y palpándome con sus besos, me arrastró en los brazos al asiento donde Emma estaba muda e inmóvil.

—¿Dónde está, pues, dónde está?—grité, poniéndome en pie.

—¡Hijo de mi alma!—exclamó mi madre con el más hondo° acento de ternura y volviendo a estrecharme contra su seno°—. ¡en el cielo!

Algo como la hoja° fina de un puñal penetró en mi cerebro; les faltó a mis ojos luz y a mi pecho aire. Era la muerte que me hería... Ella, tan cruel e implacable, ¿por qué no supo herir?

desprendiéndose *letting go*
hondo *profundo*
seno *breast*
hoja *blade*

Finalmente incapaz de soportar la vida en medio del valle que fuera escenario de su amor y que le llenaba de recuerdos y emociones, Efraín fue al cementerio. Colgó de la cruz una corona de rosas y azucenas para darle a María y a su sepulcro un último adiós…

La última línea de la novela dice:

Estremecido partí a galope por en medio de la pampa solitaria, cuyo vasto horizonte ennegrecía la noche.

Efraín decidió abandonar para siempre su tierra querida y se adentró en lo desconocido.

Después de leer

I

A Explicando Contesta.

1. ¿Por qué, cuándo y para dónde salió de la casa paterna Efraín?
2. ¿Por qué no le dijo una sola palabra cariñosa ninguna de sus hermanas?
3. ¿Por qué había tantas lágrimas y lloriqueo?
4. ¿Cómo se despidió María de Efraín?

B Describiendo Describe.

1. Describe las cosas que le hicieron nostálgico a Efraín al acercarse a la hacienda paterna.
2. Describe los sentimientos que surgieron enseguida entre María y Efraín.

II

C Confirmando información Contesta.

1. ¿Cómo nos indica el autor que Efraín solía pasar días enteros fuera de casa?

Reading Check

¿Quién le dio a Efraín la triste noticia sobre María?

Nota: Es difícil hacer un viaje, aun un viaje corto, para volver al lugar donde se está falleciendo una persona querida. Hoy en día es imposible pensar en un viaje de un mes o más pero esto es lo que experimentó Efraín. Describan lo que serían las emociones y las angustias del joven durante este viaje.

PRACTICE

Después de leer

You may wish to have the class discuss the material in these activities orally in class.

Answers

A

1. Siendo solamente un niño, Efraín dejó la casa paterna para irse a estudiar a un colegio en Bogotá.
2. No le dijo nada cariñosa porque los sollozos le embargaban la voz.
3. Había tantas lágrimas porque se llevaban a Efraín y era muy niño. Lo separaban de su mamá y sus hermanas.
4. Se despidió con besos y balbuceando junto a la mejilla de su hermanito.

B *Answers will vary but may include:*

1.
   - ver la casa de sus padres sobre la falda de la montaña
   - los grupos de sauces y naranjos
   - el olor del huerto
2.
   - sentimientos de amor entre un hombre y una mujer
   - no eran sentimientos de hermanos

C

1. Dice «una tarde que bajaba de la montaña... ».

D Describiendo Describe.

1. Describe usando tantos detalles posibles en qué condición encontró Efraín a María.
2. Describe los sentimientos, emociones y acciones de Efraín al encontrar a María en tal estado.

E Buscando información Contesta.

1. ¿Qué pasó cuando acababan de dar las doce?
2. ¿Qué le dijo a Efraín su padre?
3. ¿Para dónde salió Efraín?
4. ¿A qué hora llegó Efraín a donde estaba el médico?
5. ¿Podía el médico restablecerle la salud a María?

F Explicando

1. Explica por qué María habla del viaje que hizo Efraín. ¿A qué viaje se refiere? ¿Qué detalles dio del viaje?
2. Explica la triste noticia que María le dio a Efraín. ¿Por qué menciona ella la carrera de Efraín?

III

G Resumiendo
Da un resumen de la conversación que los padres de Efraín tuvieron con él.

H Personalizando
Indica tu reacción a la decisión que tomó el padre de Efraín sobre el futuro de Efraín y María.

I Interpretando

1. El padre de Efraín le contesta, «Lo arrostrarías todo?» Interpreta la respuesta del padre cuando dice «Creo que no solamente hablo con un hijo, sino con el caballero que en ti ha tratado de formar».
2. ¿Qué significó Efraín al decir: «Era llegado el momento de reunir todas mis fuerzas»?

J Parafraseando Expresa de otra manera.
«Emma, que acababa de entrar, la recibió inanimada en su regazo, pidiéndome con ademán suplicante que me alejase. Y obedecí.»

Answers

D

1. Su rostro estaba cubierto de una palidez mortal, su cabellera descompuesta, la frente contraída, tenía un ligero sudor en las sienes y con lágrimas tratando de brotar de sus ojos cerrados.
2. Él estaba desconcertado, la miraba fijamente, se quedó inmóvil. Luego empezó a llorar y se quebró de dolor. Finalmente oprimió sus manos entre las suyas.

E

1. Su padre lo despertó y lo levantó.
2. Le dijo que María seguía mal.
3. Salió para buscar al doctor Mayn.
4. Llegó a las dos de la madrugada.
5. Sí, pudo restablecer su salud casi por completo.

F

1. Le preocupaba que por culpa de ella le sucediese algo malo a Efraín. El río estaba muy subido y Efraín se había metido aunque le advirtieron que no lo hiciera. Cuando regresaba con el doctor tuvo que esperarse dos horas hasta que bajara el río. El doctor tenía una mula y no un caballo como Efraín.
2. Ella le dice que escuchó una conversación entre sus padres en la que hablaban de su enfermedad. También los escuchó decir que él estaba destinado a hacer una bella carrera.

G *Answers will vary but may include:* Le dicen que en tres meses debe irse a Europa para continuar con sus estudios. Sus padres tienen grandes esperanzas depositadas en él, terminar la carrera. La familia necesitará de su apoyo por ser el varón de la familia. Le dicen que no aprueban el enamoramiento con María por diferentes razones; ella morirá joven, él no tiene una buena posición y como ella es casi como su hija él no es el adecuado en este momento.

H *Answers will vary.*

I

1. *Answers will vary but may include:* Quiere decir que no podía ser esposo de María antes de cinco años y tenía que seguir todas las

Go Online!

connectED.mcgraw-hill.com

IV

K Confirmando información Corrige cualquier información errónea.

1. Efraín seguía recibiendo muchas cartas de María mientras estaba en Londres.
2. La última carta que recibió en dos meses era triste y melancólica.
3. El señor A*** le trajo unas cartas a Efraín.

L Comparando
Compara lo que dijo María en la carta que Efraín recibió hace dos meses y la carta que le entregó el señor A***.

M Interpretando Interpreta lo siguiente.
Mi padre decía lo que yo había sabido ya demasiado cruelmente. Los médicos tenían sólo una esperanza de salvar a María: la que les hacía conservar mi regreso. Ante esa necesidad, mi padre no vacilaba; ordenaba mi marcha precipitada y se disculpaba por no haberla dispuesto antes.

«Dos horas después salí de Londres.»

N Describiendo

1. Describe la relación que tenía Efraín con la naturaleza.
2. Describe la escena cuando Efraín entró en la casa. ¿Qué pregunta le hizo a su madre y cómo contestó ella?

O Parafraseando Expresa lo siguiente en tus propias palabras.
«Algo como la hoja fina de un puñal penetró en mi cerebro; les faltó a mis ojos luz y a mi pecho aire. Era la muerte que me hería... Ella, tan cruel e implacable, ¿por qué no supo herir?»

P Contrastando
Hoy en día se puede ir de Londres a Colombia en avión en unas diez horas. En los años 1870 era un viaje de no solo días sino de semanas o hasta meses en barco y a caballo. Usa tu imaginación y escribe un cuento en que describes el viaje que hizo Efraín para volver a estar con María en Cali. No olvides que después de cruzar el mar en barco tuvo que pasar por selvas tropicales y cruzar montañas antes de llegar a su destino. Imagina sus emociones y angustia tratando de terminar el viaje y volver a ver a María. Luego, presenta tu escrito a la clase.

CULTURA
Fusugasugá, Colombia

Go Online!

You may wish to remind students to go online for additional reading comprehension practice.

ASSESS

Students are now ready to take the Reading and Writing Test for Lección 4: Literatura.

Answers

instrucciones del doctor. Nada de hacer promesas a María para no tener tratos más íntimos.

2. Era el momento de la despedida.

J *Answers will vary but may include:* Al momento que Emma entró, abrazó a María y con la mano me indicó que me fuese. Y yo lo hice.

K

1. Correcto, dos al mes.
2. Correcto.
3. Correcto.

L *Answers will vary.*

M *Answers will vary.*

N

1. *Answers will vary.*
2. Efraín escuchó un grito y alguien lo abrazó. Le preguntó a su madre donde estaba María y ella le contestó que estaba en el cielo.

O
Answers will vary but may include: Me dio un dolor muy fuerte en la cabeza; se me nubló la vista y la respiración se me iba. Era una fuerza muy pesada que me aplastaba. Era de hierro inquebrantable, ¿por qué no supo lastimar?

P *Answers will vary.*

Videopaseo

The Video Program for Chapter 7 includes three documentary segments of some interesting aspects of life in Venezuela. You may wish to have students answer the **Antes de mirar** questions orally or in writing.

Episodio 1: Simón Bolívar, el Libertador, es el héroe de la independencia no solamente de su nativa Venezuela pero de otros países de la América del Sur. Su sueño era crear una confederación de países sudamericanos. En 1810 declaró la independencia de Venezuela y luchó contra los españoles. Hoy en casi todos los pueblos de Venezuela hay una Plaza Bolívar y hasta el dinero lleva su nombre. La moneda nacional es el «bolívar».

Episodio 2: En la chocolatería San Moritz se prepara el chocolate, ricos dulces de chocolate, chocolate de excelentísima calidad. Se prepara a base de recetas europeas y de cacao venezolano. El cacao es el ingrediente más importante y no hay mejor cacao que el venezolano. En el siglo XIX el chocolate venezolano gozaba de fama mundial. Venezuela dominaba el mercado de chocolate. Se ha dicho que el chocolate hasta hace que la gente se enamore. Por algo lo llaman **comida de los dioses.**

Episodio 3: Este joven, Romel Junior, es locutor de radio. Trabaja en la emisora Radio Chuspa, 99.9 casi 100, la estación del pueblecito de Chuspa en la costa caribeña de Venezuela. Radio Chuspa emite las veinticuatro horas todos los días. Es la voz del pueblo para esta comunidad de mil personas. Hay programas de música, noticias locales, programas educativos y deportes, sobre todo el béisbol que es el deporte favorito de todo Chuspa.

Videopaseo

¡Un viaje virtual a Venezuela!

Antes de mirar los episodios, completen las actividades que siguen.

Episodio 1: El Libertador

Antes de mirar Con unos compañeros de clase, contesten las siguientes preguntas para prepararse para lo que van a ver en el video.

1. Según el título del episodio, ¿de qué se tratará?
2. ¿Qué significa «libertador»?
3. Piensen en lo que han aprendido en la lección de cultura de este capítulo. ¿Qué saben ustedes de Venezuela? ¿Dónde está? ¿Cuál es su capital? Compartan todo lo que pueden recordar de Venezuela.
4. ¿Cuáles fueron algunos eventos y personajes importantes en la historia de Venezuela? Compartan sus ideas.
5. Miren la foto del video. ¿Reconocen ustedes al hombre en la valla publicitaria?

Episodio 2: La fábrica de chocolate

Antes de mirar Con unos compañeros de clase, contesten las siguientes preguntas para prepararse para lo que van a ver en el video.

1. Según el título del episodio, ¿de qué se tratará?
2. ¿Les gusta el chocolate? ¿Lo comen ustedes mucho?
3. ¿Qué saben ustedes del chocolate? ¿Saben de dónde viene? ¿Saben cómo se fabrica?
4. ¿Han visitado alguna vez una fábrica de chocolate? ¿Les gustaría trabajar en una fábrica de chocolate?

Episodio 3: Radio Chuspa

Antes de mirar Con unos compañeros de clase, contesten las siguientes preguntas para prepararse para lo que van a ver en el video.

1. Según el título del episodio, ¿de qué se tratará?
2. ¿Saben qué es «Chuspa»? ¿Será una persona, un pueblo o el nombre de un programa (una emisión)?
3. ¿Escuchan ustedes la radio? ¿Qué estaciones escuchan?
4. ¿Prefieren ustedes escuchar música, noticias o programas de entrevistas en la radio?

Repaso de vocabulario

Cultura

un bohío
una caleta
la desembocadura
la deuda
la empresa
un salto

la sequía
espeso(a)
fluvial
imperante
inolvidable
lacustre

asemejarse a
enriquecerse
oprimir
sellar
surgir

Literatura

Poesía

el desengaño
mudo(a)
yerto(a)

Prosa

el aliento
el apoyo
la butaca
la demora
los pesares
la pestaña
las pisadas
el porvenir
el párpado

la sien
los sollozos
la sortija
la vereda
predilecto(a)
de súbito
averiguar
botar
compadecer

Enzo Figueres/Flickr/Getty Images

Repaso de vocabulario

Online Resources

Customizable Lesson Plans

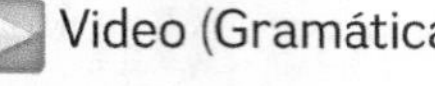

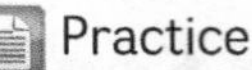

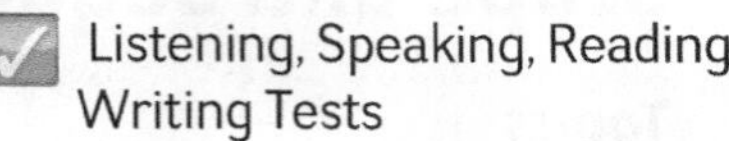

Video (Gramática) (Cultura)

Practice

Listening, Speaking, Reading, Writing Tests

Vocabulary Review

The words and phrases from Lessons 1 and 4 have been taught for productive use in this chapter. They are summarized here as a resource for both student and teacher.

Teaching Options

This vocabulary reference list has not been translated into English. If it is your preference to give students the English translations, please refer to Vocabulary V7.1.

ASSESS

Students are now ready to take any of the Listening, Speaking, Reading, Writing Tests you choose to administer.

Chapter Overview

Estados Unidos

Scope and Sequence

Topics

- Latinos in the United States, past and present
- Your own ethnicity

Culture

- Various street festivals and parades celebrating Latinos in the U.S.
- History of the term **hispano**
- Hispanic celebrities in the U.S.
- Hispanic cuisine in the U.S.
- Latin and Spanish architectural influences
- **Cinco de mayo**
- *Desde la nieve* by Eugenio Florit
- *El caballo mago* by Sabine Ulibarrí

Functions

- How to form the pluperfect subjunctive
- How to discuss contrary-to-fact situations
- How to use definite and indefinite articles

Structure

- Pluperfect subjunctive
- Clauses with **si**
- Subjunctive in adverbial clauses
- Shortened forms of adjectives
- Definite and indefinite articles

Leveling

The activities within each chapter are marked in the Wraparound section of the Teacher Edition according to level of difficulty.

E indicates easy
A indicates average
CH indicates challenging

The readings in **Lección 4: Literatura** are also leveled to help you individualize instruction to best meet your students' needs. Please note that the material does not become progressively more difficult. Within each chapter there are easy and challenging sections.

Correlations to ACTFL World-Readiness Standards for Learning Languages

COMMUNICATION Communicate effectively in more than one language in order to function in a variety of situations and for multiple purposes		
Interpersonal Communication	Learners interact and negotiate meaning in spoken, signed, or written conversations to share information, reactions, feelings, and opinions.	pp. 344, 347, 352, 356, 359, 360, 362, 367, 374
Interpretive Communication	Learners understand, interpret, and analyze what is heard, read, or viewed on a variety of topics.	pp. 347, 348, 349, 350, 351, 353, 356, 359, 361, 362, 365, 369, 373
Presentational Communication	Learners present information, concepts, and ideas to inform, explain, persuade, and narrate on a variety of topics using appropriate media and adapting to various audiences of listeners, readers, or viewers.	pp. 349, 361, 363, 365, 368, 373
CULTURES Interact with cultural competence and understanding		
Relating Cultural Practices to Perspectives	Learners use the language to investigate, explain, and reflect on the relationship between the practices and perspectives of the cultures studied.	pp. 347, 348, 360, 363, 374
Relating Cultural Products to Perspectives	Learners use the language to investigate, explain, and reflect on the relationship between the products and perspectives of the cultures studied.	pp. 350, 362, 374
CONNECTIONS Connect with other disciplines and acquire information and diverse perspectives in order to use the language to function in academic and career-related situations		
Making Connections	Learners build, reinforce, and expand their knowledge of other disciplines while using the language to develop critical thinking and to solve problems creatively.	pp. 356, 360, 362, 368, 374
Acquiring Information and Diverse Perspectives	Learners access and evaluate information and diverse perspectives that are available through the language and its cultures.	pp. 351, 353, 360, 361, 362, 364, 365, 373
COMPARISONS Develop insight into the nature of language and culture in order to interact with cultural competence		
Language Comparisons	Learners use the language to investigate, explain, and reflect on the nature of language through comparisons of the language studied and their own.	pp. 350, 351, 353, 354, 355
Cultural Comparisons	Learners use the language to investigate, explain, and reflect on the concept of culture through comparisons of the cultures studied and their own.	pp. 344, 347, 349, 360, 363, 374
COMMUNITIES Communicate and interact with cultural competence in order to participate in multilingual communities at home and around the world		
School and Global Communities	Learners use the language both within and beyond the classroom to interact and collaborate in their community and the globalized world.	pp. 362, 363
Lifelong Learning	Learners set goals and reflect on their progress in using languages for enjoyment, enrichment, and advancement.	pp. 351, 353, 363, 374

Preview

In this chapter, students will learn about the Latino population in the United States. They will read an article translated into Spanish about Latino history, which focuses on the terms Hispanic and Latino. Students will read newspaper articles and discuss current events. They will read a poem by the Cuban Eugenio Florit, who spent most of his life in New York City. They will also read a short story by the New Mexican writer Sabine Ulibarrí. In this chapter students will complete their review of Spanish grammar.

Pacing

Cultura	4–5 days
Gramática	4–5 days
Periodismo	4–5 days
Literatura	4–5 days
Videopaseo	2 days

CAPÍTULO 8

Estados Unidos

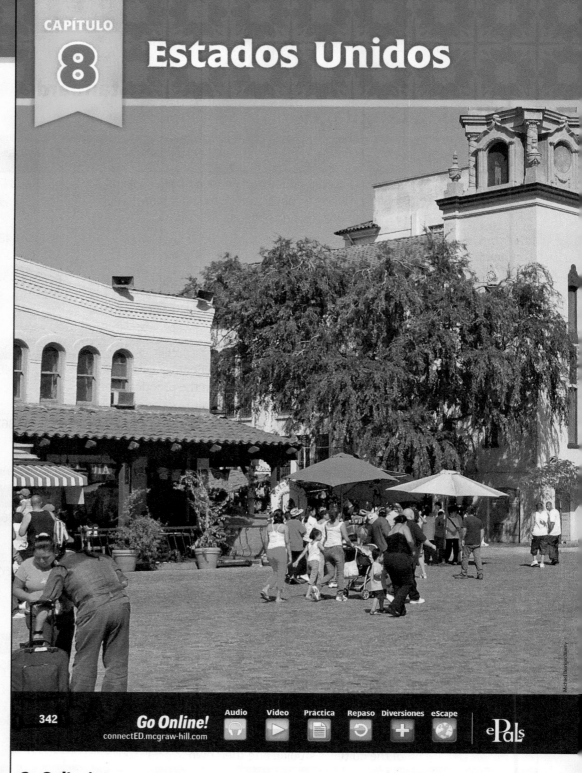

Go Online! connectED.mcgraw-hill.com

Audio Video Práctica Repaso Diversiones eScape

ePals

Go Online!

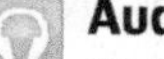
Audio
Listen to spoken Spanish.

Video
Watch and learn about the Spanish-speaking world.

Práctica
Practice your skills.

Repaso
Review what you've learned.

Diversiones
Go beyond the classroom.

eScape
Read about current events in the Spanish-speaking world.

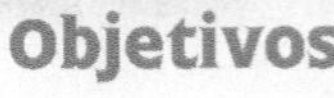

Objetivos

You will:

- learn about Latinos (Hispanics) in the United States
- discuss your own ethnicity
- read and discuss newspaper articles
- read a poem by Eugenio Florit and a short story by Sabine Ulibarrí

You will review:

- pluperfect subjunctive
- clauses with **si**
- subjunctive in adverbial clauses
- shortened forms of adjectives
- definite and indefinite articles

Hay mucha gente caminando por la calle Olvera en Los Ángeles.

Contenido

Lección 1: Cultura

Los latinos o hispanos en Estados Unidos

Lección 2: Gramática

Pluscuamperfecto del subjuntivo

Cláusulas con si

El subjuntivo en cláusulas adverbiales

Adjetivos apocopados

Usos especiales de los artículos

Lección 3: Periodismo

Lección 4: Literatura

Poesía

Desde la nieve de Eugenio Florit

Prosa

El caballo mago de Sabine Ulibarrí

CAPÍTULO 8

Cultural Snapshot

La calle Olvera está ubicada en el monumento histórico del Pueblo de Los Ángeles. Se abrió al público en 1930 y cada año hay celebraciones, fiestas y eventos culturales. Es también un mercado con muchas tiendas y restaurantes.

Assessment
Check student progress.

Connect with Spanish-speaking students around the world.

Online Resources

Customizable Lesson Plans
Audio Activities
Student Workbook
Quizzes

TEACH

Core Instruction

Step 1 You may wish to have students repeat the new words after the audio recording.

Step 2 You may wish to ask the following questions to have students use their new words. **¿Con cuánta frecuencia toma el gobierno el censo? ¿Hay que indicar la etnia de uno en un documento del censo? ¿Hay ilustres autores latinos que escriben en Estados Unidos? ¿Quiénes son algunos? ¿Alberga Estados Unidos a gente de muchos países del mundo? Cuando uno cocina con ajo, ¿huele todo a ajo por unos momentos?**

Differentiation

Advanced Learners

Call on more advanced learners to make up original sentences using **albergar, proveer, apoderarse de,** and **oler a.**

Interpersonal

You may wish to have students discuss in class the meaning of the word **etnia.**

Vocabulario

Estudia las siguientes palabras para ayudarte a entender la lectura.

el censo lista de la población de un país, estado o municipio
la etnia comunidad humana definida por afinidades raciales, lingüísticas, culturales, etc.
autóctono(a) se dice de los pueblos originarios del mismo país en que viven
ilustre famoso, renombrado
albergar alojar, hospedar, servir de vivienda
proveer dar lo que se necesita, dar provisiones
oler a (huele) tener (el) olor de
apoderarse de tomar el control y poder por fuerza

Práctica

HABLAR

1 Contesta.

1. Según el censo, ¿cuántos habitantes tiene tu pueblo o ciudad?
2. ¿Hay algunos graduados ilustres de tu escuela? ¿Quiénes?
3. ¿Alberga Estados Unidos a gente de diversas etnias?
4. ¿Huele a pescado el salmón?

LEER • ESCRIBIR

2 Completa con una palabra apropiada.

1. Los invasores querían _____ de todo el país.
2. Es necesario _____ lo que los trabajadores necesitan.
3. Un hotel grande puede _____ a muchos clientes.
4. El náhuatl y el quechua son dos lenguas _____ de las Américas.
5. Todos nosotros tenemos nuestra propia _____.

HABLAR • ESCRIBIR

3 Da una palabra relacionada.

1. el olor
2. la provisión
3. étnico
4. el poder
5. el albergue

CULTURA
Un anuncio del gobierno estadounidense aconsejándoles a los residentes latinos que participen en el censo

Barry Barker/McGraw-Hill Education

Answers

1. Según el censo, mi pueblo o ciudad tiene ___ habitantes.
2. Sí, hay algunos graduados ilustres de mi escuela. (No, no hay ningún graduado ilustre de mi escuela.)
3. Sí, Estados Unidos alberga a gente de diversas etnias.
4. Sí, el salmón huele a pescado.

1. apoderarse
2. proveer
3. albergar
4. autóctonas
5. etnia

3

1. oler a
2. proveer
3. la etnia
4. apoderarse de
5. albergar

Go Online!

connectED.mcgraw-hill.com

Latinos en Estados Unidos

Actualmente hay más de cincuenta millones de latinos o hispanos en Estados Unidos. Viven en todas partes del país y ejercen todas las profesiones y oficios—en zonas urbanas y rurales. Están tomando una parte activa en la política de la nación. Hay muchos alcaldes, gobernadores, congresistas, senadores y jueces hispanos.

El grupo mayoritario son los mexicanoamericanos. Hay también muchos cubanoamericanos, puertorriqueños y dominicanos. El número de centroamericanos y sudamericanos—sobre todo colombianos, venezolanos, ecuatorianos y peruanos—está en aumento.

La lectura que sigue es una traducción de unos párrafos del libro *Everything You Need to Know About Latino History* de Himilce Novas.

¿Qué significa el término «hispano»? Pues, significa muchas cosas. La palabra se deriva de «Hispania», nombre que los romanos dieron a lo que es hoy «España», el nombre del país que conquistó y colonizó una gran parte de las Américas. Muchos de los indígenas que encontraron los españoles en las Américas se adaptaron a la lengua, cultura y religión que los españoles les impusieron, a veces por la fuerza. Los indígenas se mezclaron con los conquistadores y los colonos. Y a fines del siglo XV empezaron a llegar los africanos esclavizados a las orillas de las Américas y ellos también se mezclaron con los indígenas, conquistadores y colonos añadiendo otra dimensión importante a lo que se define por «hispano».

Dentro de la población estadounidense ningún grupo es tan diverso en su cultura, apariencia y tradiciones como los «hispanos». Los otros grupos que forman la población estadounidense son categorizados por el lugar geográfico de su origen—los irlandeses de Irlanda, los italianos de Italia, los afroamericanos de África. Pero los hispanos son clasificados no por su lugar de origen sino por su lengua materna o la de sus antecedentes. Por consiguiente, el término «hispano» incluye a gente de España y unas veintiuna repúblicas, cada una con su propia historia y cultura, sus propias tradiciones, costumbres y comidas y sus propias etnias e influencias raciales.

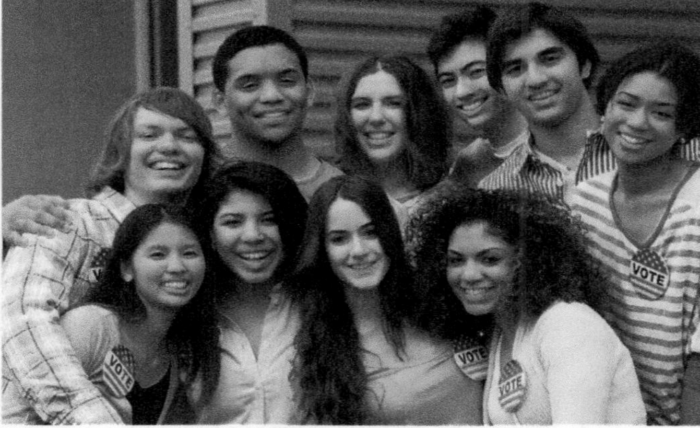

Blend Images/Ariel Skelley/Getty Images

CULTURA

Los jóvenes también tienen interés en la política. ¿Qué mensaje tiene el botón que lleva cada uno?

Cultura

Leveling EACH Activity

Easy Activities 1, 3
Average Activity 2

PRACTICE

ASSESS

Students are now ready to take Quiz 1.

Online Resources

Customizable Lesson Plans

 Audio Activities

 Student Workbook

 Quizzes

TEACH

Core Instruction

This reading selection contains some important information. It is suggested that it be read by all students. You may wish to ask the following comprehension questions. **¿De dónde se deriva el término «hispano»? ¿Cuál es un factor histórico de mucha importancia que uno tiene que tomar en cuenta cuando se define «hispano»? ¿Por qué no son clasificados los hispanos por su lugar de origen?**

    You may wish to remind students to go online for additional vocabulary practice. They can also download audio files of all vocabulary.

TEACH

Core Instruction

You may wish to ask the following comprehension questions. **¿Qué tienen en común los latinoamericanos con los estadounidenses? ¿De qué se dan cuenta los hispanohablantes que viven en Estados Unidos? ¿Cómo consideran muchos hispanohablantes en Estados Unidos la palabra «hispano»? ¿Por qué? ¿Quiénes en su mayoría rechazan el término «hispano»? ¿Qué término prefieren?**

Note that both terms **hispanohablantes** and **hispanoparlantes** are used. According to Manuel Seco in his *Diccionario de Dudas y Dificultades de la Lengua Española*, **hispanohablante** is the preferred word since **hispanoparlante** comes from the French verb **parler.**

Go Online!

You may wish to remind students to go online for additional reading and listening comprehension practice.

Latinoamérica es la tierra natal de la mayoría de la gente conocida como «hispanos» en Estados Unidos. Pero cuando están en México se llaman «mexicanos», en Cuba «cubanos», en Puerto Rico «puertorriqueños» y en Colombia «colombianos».

Los latinoamericanos, igual que los estadounidenses, lucharon valientemente para liberarse y ganar su independencia de un poder europeo—en el caso de Latinoamérica, del Imperio español. La identidad de la gente se deriva de su tierra natal y de las culturas heterogéneas que viven allí. Como cada país latinoamericano alberga diversas culturas multiétnicas una sola palabra como «hispano» ni cualquier otra podría proveer una descripción adecuada. En muchos países latinoamericanos hay gente que habla una lengua autóctona y para ellos el español es solo la lengua oficial del país.

Los hispanohablantes o hispanoparlantes que viven en Estados Unidos se dan cuenta de que no son solo nicaragüenses, mexicanos o dominicanos. Pertenecen también a un grupo mucho más grande y más heterogéneo—al grupo «hispano».

Pero en Estados Unidos muchos hispanohablantes consideran la palabra «hispano» solo un término burocrático usado por el gobierno para el censo. Prefieren llamarse «latinos» o «mexicanoamericanos», «cubanoamericanos», etc. Muchos latinos, sobre todo escritores y artistas, se oponen firmemente al uso de «hispano» y prefieren el término «latino».

La ilustre novelista mexicanoamericana Sandra Cisneros dice que el término «hispano» huele a colonización. John Leguizamo, el escritor y actor colombiano-puertorriqueño, también prefiere «latino» pero no considera «hispano» ofensivo. Raúl Yzaguirre, expresidente del Consejo Nacional de la Raza, y el excongresista de Nueva York Herman Badillo creen que «hispano» promueve la unidad. Enrique Fernández, el exeditor de la revista latina, o hispana, *Más* prefiere «hispano» a «latino». Dice el señor Fernández, que hoy es periodista con el *Miami Herald*, que al tomar en cuenta la raíz de la palabra «latino», el término se refiere a un imperio más antiguo—un imperio que conquistó un enorme territorio y que se apoderó de España.

CULTURA

El desfile puertorriqueño es un evento anual en la Ciudad de Nueva York.

Answers

A

1. no
2. sí
3. no
4. no
5. sí

B

1. La palabra «hispano» se deriva de «Hispania», nombre que los romanos dieron a lo que es hoy «España».
2. Unas de las diversas influencias en el término «hispano» son los indígenas (que se mezclaron con los conquistadores y los colonos), los africanos esclavizados (que también mezclaron con los indígenas, los conquistadores y los colonos) y a toda la gente de España y veintiuna otras repúblicas de habla español.

Go Online!

connectED.mcgraw-hill.com

A Confirmando información Indica si la información es correcta o no.

1. El término «hispano» tiene solo un significado.
2. Muchos indígenas de las Américas se adaptaron a la lengua, cultura y religión que los españoles les impusieron, frecuentemente por la fuerza.
3. Hay muy poca diversidad cultural entre los diferentes grupos hispanohablantes en Estados Unidos.
4. España es la tierra natal de la mayoría de la gente conocida como «hispanos» en Estados Unidos.
5. Los latinoamericanos igual que los estadounidenses tuvieron que luchar por su independencia de un poder europeo.

B Explicando Explica.

1. la derivación de la palabra «hispano»
2. las diversas influencias en el término «hispano»
3. a quienes incluye el término «hispano» en Estados Unidos
4. lo que alberga cada país de Latinoamérica
5. el significado que tiene el término «hispano» para muchos hispanohablantes

C Analizando Contesta.

1. ¿Por qué existe un término como «hispano» o «latino» en Estados Unidos y no existe en los países hispanohablantes?
2. ¿Cuáles son las diferentes opiniones de los hispanohablantes en cuanto a los términos «hispano» y «latino»?

D ***Comunidades***

Si hay alumnos hispanos o latinos en tu escuela, entrevístalos para determinar si la mayoría prefiere el término «hispano» o «latino». Pregúntales las razones por su preferencia.

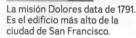

CULTURA

La misión Dolores data de 1791. Es el edificio más alto de la ciudad de San Francisco.

CULTURA

El Carnaval de la Calle Ocho en la Pequeña Habana en la ciudad de Miami

Cultura

PRACTICE

A and **B** These activities can be done as factual recall activities or you may permit students to look up answers.

B This activity can be oral or written.

C This activity can be done as an entire class discussion.

Heritage Speakers

D If you have any heritage speakers in class, have them give their opinions about the topic. You may even wish to have them prepare a debate if opinions seem divided.

Differentiation

Advanced Learners

Have advanced learners correct the false information in Activity A.

ASSESS

Students are now ready to take Quiz 2.

Answers

3. En Estados Unidos el término «hispano» incluye a todos los hispanohablantes o hispanoparlantes.
4. Cada país de Latinoamérica alberga diversas culturas multiétnicas.
5. Para muchos hispanohablantes el término «hispano» es un término burocrático usado para el censo.

C *Answers will vary but may include:*

1. El término «hispano» o «latino» no existe en los países hispanohablantes porque este término ni cualquier otro puede proveer una descripción adecuada de toda la diversidad que hay en el país. Tal vez exista en Estados Unidos porque unifica a los hispanohablantes o tal vez porque sea más simple que usar un término diferente para cada grupo de hispanohablantes.
2. Algunos creen que el término «hispano» huele a colonización y lo consideran ofensivo. Otros creen que este término promueve la unidad. Hay muchas personas (sobre todo los escritores y artistas) que prefieren el término «latino» al término «hispano».

D *Answers will vary.*

Online Resources

- Customizable Lesson Plans
- Audio Activities
- Student Workbook
- Reading, Writing Test

Self-check for achievement

This is a pre-test for students to take before you administer the lesson test. Note that each section is cross-referenced so students can easily find the material they feel they need to review. You may wish to use Self-Check Worksheet SC8.1 to have students complete this assessment in class or at home. You can correct the assessment yourself, or you may prefer to display the answers in class using Self-Check Answers SC8.1A.

Differentiation

Slower Paced Learners

Encourage students who need extra help to refer to the margin notes and review any section before answering the questions.

Interpersonal

Have students recall what they learned about el Día de San Juan in Chapter 5, **¡Así se dice!** Level 2 and tell about it.

Prepárate para el examen

Self-check for **ACHIEVEMENT**

Vocabulario

Para repasar, ve el vocabulario de esta sección.

1 Da la palabra cuya definición sigue.

1. indígena, originario
2. que tiene fama
3. tiene (el) olor de
4. lista que da el número de habitantes
5. grupo que comparte los mismos rasgos raciales, lingüísticos y culturales
6. tomar algo por fuerza
7. servir de residencia
8. dar lo que se necesita

CULTURA

Los puertorriqueños celebran el Día de San Juan en la playa de Jacksonville igual que en la de San Juan.

James Quine/Alamy

Lectura y cultura

Para repasar, ve la información cultural sobre Estados Unidos.

2 ¿Sí o no?

9. La mayoría de los hispanohablantes en Estados Unidos son puertorriqueños.
10. Los hispanos o latinos en grandes números viven solamente en el nordeste y el sudoeste.
11. Hoy en día está llegando gente de muchos países sudamericanos.
12. El término «Hispania» originó con los romanos.
13. Todos los latinoamericanos son de la misma etnia.
14. España es la tierra natal de la mayoría de la gente conocida como «hispanos» en Estados Unidos.
15. Los latinoamericanos igual que los estadounidenses tuvieron que luchar por su independencia de un poder extranjero.
16. En partes de Latinoamérica hay gente que no habla mucho español.

3 Contesta.

17. ¿Con quiénes se mezclaron los indígenas en Latinoamérica?
18. Dentro de Estados Unidos, ¿por qué es el grupo «latino» o «hispano» el grupo más diverso en su cultura, apariencia y tradiciones?
19. ¿Por qué a muchos hispanohablantes en Estados Unidos no les gusta el término «hispano»?
20. Para el señor Enrique Fernández, ¿a qué se refiere el término «latino»?

Answers

1

1. autóctono
2. ilustre
3. huele a
4. el censo
5. la etnia
6. apoderarse de
7. albergar
8. proveer

2

9. no
10. no
11. sí
12. sí
13. no
14. no
15. sí
16. sí

3

17. Los indígenas en Latinoamérica se mezclaron con los conquistadores, los colonos y los africanos esclavizados.
18. Dentro de Estados Unidos el grupo «latino» o «hispano» es el grupo más diverso en su cultura, apariencia y tradiciones porque son clasificados no por su lugar de origen sino por su lengua materna o la de sus antecedentes. Estos términos incluyen a gente de España y unas veintiuna repúblicas, cada una con su propia historia y cultura y sus propias tradiciones, costumbres, comidas, etnias e influencias raciales.
19. A muchos hispanohablantes en Estados Unidos no les gusta el término «hispano» porque huele a colonización y lo consideran ofensivo.
20. Para el señor Enrique Fernández, el término «latino» se refiere al Imperio que conquistó un enorme territorio y que se apoderó de España.

Go Online!

connectED.mcgraw-hill.com

Prepárate para el examen

Practice for **PROFICIENCY**

1 Mi etnia

Di todo lo que sabes de tu ascendencia étnica.

2 Los latinoamericanos de hoy

Basado en lo que has aprendido en tus cursos de español, explica todo lo que sabes de las diversas etnias en Latinoamérica. ¿Por qué es la población latinoamericana una población tan heterogénea?

3 Donde vivo yo

Describe a los grupos hispanohablantes que viven en tu región. Si no hay muchos hispanohablantes, ¿cuáles son otros grupos étnicos que residen en la región donde vives?

4 Carreras

Según la información del censo más reciente, el número de hispanohablantes en Estados Unidos está creciendo rápidamente. Haz unas investigaciones en línea o en unos periódicos publicados en español para aprender de las oportunidades de encontrar trabajos que requieren un conocimiento del español.

CULTURA

La carroza de Univisión durante el desfile dominicano en la Ciudad de Nueva York

Un escrito personal

La etnia de una persona puede tener una gran influencia en su vida porque la etnia consiste en tradiciones, costumbres, creencias, comportamiento, etc. Muchos estadounidenses no son de una sola etnia. Tienen antepasados que vienen de muchas partes del mundo.

Vas a preparar un escrito personal sobre tu etnia. Un escrito personal no tiene que ser formal. Puedes reflexionar y escribir lo que te dé la gana en forma abierta y sincera.

Reflexiona sobre el origen de tus abuelos, de tus padres y de otros miembros de tu familia. ¿Cuáles son unas costumbres o tradiciones de su lugar de origen que han tenido una influencia en tu vida y en la de tu familia? ¿Hay un(a) pariente que haya tenido más influencia que otro(a)? ¿Quién?

Consulta la tabla de al lado para ayudarte a puntualizar los temas sobre los cuales quieres escribir.

Después de revisar y corregir tu borrador, escribe de nuevo tu escrito en forma final.

gestos
quiénes eran
idioma
religión
antepasados
influencias
comidas
de dónde eran
fiestas
enlaces familiares
celebraciones o ritos familiares

Cultura

Tips for Success

Encourage students to say as much as possible when they do these open-ended activities. Tell them not to be afraid to make mistakes, since the goal of the activities is real-life communication. Encourage students to self-correct and to use words and phrases they know to get their meaning across. If someone in the group makes an error that impedes comprehension, encourage the others to ask questions to clarify or, if necessary, to politely correct the speaker. Let students choose the activities they would like to do.

Tell students to feel free to elaborate on the basic theme and to be creative. They may use props, pictures, or posters if they wish.

Pre-AP These oral and written activities will give students the opportunity to develop and improve their speaking and writing skills so that they may succeed on the speaking and writing portions of the AP exam.

Go Online!

   You may wish to remind students to go online for additional reading comprehension practice.

ASSESS

Students are now ready to take the Reading and Writing Test for Lección 1: Cultura.

Online Resources

Customizable Lesson Plans
Audio Activities
Video (Gramática)
Student Workbook
Quizzes

TEACH

Core Instruction

Step 1 The important thing students should know is that the first verb is either in the past or conditional. The action of the verb in the second clause took place prior to action of the first verb—that is to say if it ever did take place, which is the reason for the subjunctive.

Step 2 Have students analyze the model sentences in Item 2. I doubted (Friday) that they would have done it (before Friday) and it's not known if they did it or not. It would surprise me (at any time) if he (previously, before my being surprised) would have said such a thing and there's no indication he said it, therefore the use of the subjunctive.

PRACTICE

Leveling EACH Activity

Easy Activity 1
Average Activities 2, 3

Go Online!

You may wish to remind students to go online for additional grammar review and practice.

ASSESS

Students are now ready to take Quiz 3.

CULTURA

Un mural en una calle de San Francisco. ¿Te habría sorprendido si hubieras visto un menú en inglés y español en un restaurante de San Francisco?

Pluscuamperfecto del subjuntivo

1. The pluperfect subjunctive is formed with the imperfect subjunctive of the auxiliary verb **haber** and the past participle.

que hubiera comido	**que hubiéramos comido**
que hubieras comido	***que hubierais comido***
que hubiera comido	**que hubieran comido**
que hubiera vuelto	**que hubiéramos vuelto**
que hubieras vuelto	***que hubierais vuelto***
que hubiera vuelto	**que hubieran vuelto**

2. The pluperfect subjunctive is used after a verb in a past tense or in the conditional that requires the subjunctive when the action of the verb in the dependent clause precedes that of the verb in the main clause.

Dudé que ellos lo hubieran hecho.
I doubted that they had (would have) done it.

Me sorprendería que él hubiera dicho tal cosa.
It would surprise me that he (would have) said such a thing.

Práctica

ESCUCHAR • HABLAR

1 Forma una frase según el modelo.

MODELO **hacerlo →**
Dudé que él lo hubiera hecho.

1. terminarlo
2. leerlo
3. venderlo
4. decirlo
5. enviarlo
6. devolverlo
7. abrirlo
8. escribirlo

LEER • ESCRIBIR

2 Cambia *Me sorprende* a *Me sorprendería* y haz los cambios necesarios.

1. Me sorprende que tú hayas hecho tal cosa.
2. Me sorprende que ellos no hayan llegado.
3. Me sorprende que ustedes no hayan recibido una invitación.
4. Me soprende que ella no te haya dicho nada.

LEER • ESCRIBIR

3 Completa con el pluscuamperfecto del subjuntivo.

1. Temíamos que ellos no ____ a tiempo. (llegar)
2. Preferiría que ella no ____ nada del asunto. (saber)
3. Ellos no creían que tú me lo ____. (decir)
4. Me sorprendería que ellos ____ antes de que saliéramos. (volver)

Answers

1

1. Dudé que él lo hubiera terminado.
2. Dudé que él lo hubiera leído.
3. Dudé que él lo hubiera vendido.
4. Dudé que él lo hubiera dicho.
5. Dudé que él lo hubiera enviado.
6. Dudé que él lo hubiera devuelto.
7. Dudé que él lo hubiera abierto.
8. Dudé que él lo hubiera escrito.

1. Me sorprendería que tú hubieras hecho tal cosa.
2. Me sorprendería que ellos no hubieran llegado.
3. Me sorprendería que ustedes no hubieran recibido una invitación.
4. Me sorprendería que ella no te hubiera dicho nada.

1. hubieran llegado
2. hubiera sabido
3. hubieras dicho
4. hubieran vuelto

Cláusulas con si

1. **Si** clauses are used to express contrary-to-fact conditions—what would or could happen if it were not for something else. **Si** clauses conform to a specific sequence of tenses.

   Si tengo bastante dinero, lo haré.
   If I have enough money, I'll do it.

   Si tuviera bastante dinero, lo haría.
   If I had enough money, I would do it.

   Si hubiera tenido bastante dinero, lo habría hecho.
   If I had had enough money, I would have done it.

2. The sequence of tenses for **si** clauses is as follows:

MAIN CLAUSE	SI CLAUSE
future	**present indicative**
conditional	**imperfect subjunctive**
conditional perfect	**pluperfect subjunctive**

CULTURA

Publicidad en una tienda de comestibles en Orlando. Si vas al mercado, ¿me comprarás una libra de tortillas, por favor?

Práctica

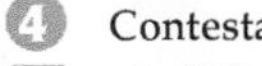

ESCUCHAR • HABLAR

4 Contesta.

1. Si José tiene bastante dinero, ¿irá a Puerto Rico con sus amigos?
2. Si José tuviera bastante dinero, ¿iría a Puerto Rico con sus amigos?
3. Si José hubiera tenido bastante dinero, ¿habría ido a Puerto Rico con sus amigos?
4. Si vas a Puerto Rico, ¿viajarás por toda la isla?
5. Si fueras a Puerto Rico, ¿viajarías por toda la isla?
6. Si hubieras ido a Puerto Rico, ¿habrías viajado por toda la isla?

CULTURA

Si fueras a Puerto Rico, ¿te gustaría alojarte en este hotel en San Juan que tiene renombre de tener la forma de un barco?

Gramática

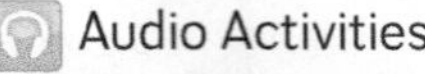

Online Resources

Customizable Lesson Plans
Audio Activities
Video (Gramática)
Student Workbook
Quizzes

TEACH

Core Instruction

Step 1 Write the sequence of tenses on the board.

Step 2 Call on students to make up as many sentences as possible as they look at the sequence of tenses.

PRACTICE

Leveling EACH Activity

Average Activity 4

Go Online!

Gramática en vivo: *The pluperfect subjunctive and* ***si*** *clauses* Enliven learning with the animated world of Professor Cruz! **Gramática en vivo** is a fun and effective tool for additional instruction and/or review.

Answers

4

1. Sí (No), si José tiene bastante dinero, (no) irá a Puerto Rico con sus amigos.
2. Sí (No), si José tuviera bastante dinero, (no) iría a Puerto Rico con sus amigos.
3. Sí (No), si José hubiera tenido bastante dinero, (no) habría ido a Puerto Rico con sus amigos.
4. Sí (No), si voy a Puerto Rico, (no) viajaré por toda la isla.
5. Sí (No), si fuera a Puerto Rico, (no) viajaría por toda la isla.
6. Sí (No), si hubiera ido a Puerto Rico, (no) habría viajado por toda la isla.

Gramática

Leveling EACH Activity

Average Activities 5, 6

PRACTICE

Go Online!

You may wish to remind students to go online for additional grammar review and practice.

ASSESS

Students are now ready to take Quiz 4.

CULTURA

Mucha gente aquí en Estados Unidos usa tarjetas telefónicas para llamar a sus familiares en muchos países de las Américas.

HABLAR

5 Da respuestas personales.

1. Si cierran la escuela la semana que viene, ¿qué harás?
2. Si te dieran un carro nuevo, ¿adónde irías?
3. Si tú fueras un(a) gran atleta, ¿con qué equipo jugarías?
4. Si tú no hubieras decidido estudiar español, ¿qué otra asignatura habrías escogido?
5. Si cualquier persona aceptara tu invitación a un baile, ¿a quién invitarías?
6. Si encuentras un millón de dólares en la calle, ¿qué harás?

LEER • ESCRIBIR

6 Completa.

1. **tener**
   Yo iré si ____ tiempo.
   Yo iría si ____ tiempo.
   Yo habría ido si ____ tiempo.
2. **ir**
   Ellos ____ si los invitas.
   Ellos ____ si los invitaras.
   Ellos ____ si los hubieras invitado.
3. **dar**
   Yo podré asistir si tú me ____ una entrada.
   Yo podría asistir si tú me ____ una entrada.
   Yo habría podido asistir si tú me ____ una entrada.

CULTURA

Si tuvieras la oportunidad de ir a la Florida, tendrías que visitar San Agustín, una ciudad fundada por los españoles. Es la ciudad más antigua de Estados Unidos.

(t)Emily Lowry, (b)Glowimages/age fotostock

Answers

5

1. Si cierran la escuela la semana que viene, yo ____.
2. Si me dieran un carro nuevo, iría a ____.
3. Si yo fuera un(a) gran atleta, jugaría con ____.
4. Si yo no hubiera decidido estudiar el español, habría escogido ____.
5. Si cualquier persona aceptara mi invitación a un baile, invitaría a ____.
6. Si encuentro un millón de dólares en la calle, ____.

6

1. tengo, tuviera, hubiera tenido
2. irán, irían, habrían ido
3. das, dieras, hubieras dado

7

1. Sí, los estudiantes estudian mucho para que salgan bien en sus exámenes.
2. Sí, los estudiantes estudiaron mucho para que salieran bien en sus exámenes.
3. Sí, la profesora explica la lección de manera que sus estudiantes la comprendan.

(continued on page 353)

El subjuntivo en cláusulas adverbiales

1. The subjunctive is used after the following conjunctions because the information that follows is not necessarily real.

para que **de modo que** **de manera que**	*so that*	**con tal de que** **sin que** **a menos que**	*provided that* *unless, without* *unless*

2. If the verb in the main clause is in the present or future, the present subjunctive is used in the adverbial clause. The imperfect subjunctive is used if the main verb is in the past or conditional.

Él no va a menos que tú lo acompañes.
Él no irá a menos que tú lo acompañes.
Él no iría a menos que tú lo acompañaras.

Ellos no hacen nada sin que lo sepamos.
Ellos no harán nada sin que lo sepamos.
Ellos no harían nada sin que lo supiéramos.

Práctica

ESCUCHAR • HABLAR

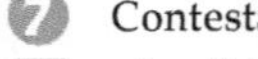

7 Contesta.

1. ¿Estudian mucho los estudiantes para que salgan bien en sus exámenes?
2. ¿Estudiaron mucho los estudiantes para que salieran bien en sus exámenes?
3. ¿Explica la profesora la lección de manera que sus estudiantes la comprendan?
4. ¿Explicó la profesora la lección de manera que sus estudiantes la comprendieran?
5. ¿No irá Roberto a estudiar en México a menos que vaya su hermano también?
6. ¿No iría Roberto a estudiar en México a menos que fuera su hermano también?

LEER • ESCRIBIR

8 Completa.

1. La doctora Ramírez siempre presenta la lección de modo que todos nosotros ____. (comprender)
2. Nadie entiende a menos que ella la ____ claramente. (presentar)
3. Ella siempre nos explica todo de manera que ____ bien claro. (estar)
4. Ella nos enseña de manera que (nosotros) ____ aprender más. (querer)
5. Ella ayudaría a sus alumnos con tal de que le ____ atención. (prestar)
6. Ella te ayudaría a menos que no ____. (estudiar)
7. Nuestros padres trabajan para que nosotros ____ éxito. (tener)
8. Nuestros padres trabajarán para que nosotros ____ éxito. (tener)

CULTURA
Este profesor ayuda a sus estudiantes en su clase de inglés como segundo idioma para que lleguen a dominar el idioma.

Hill Street Studios/Getty Images

Go Online!
connectED.mcgraw-hill.com

Gramática

Online Resources

Customizable Lesson Plans

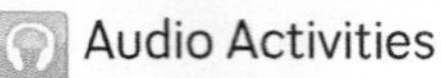

Audio Activities

Video (Gramática)

Student Workbook

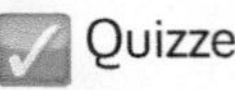

Quizzes

TEACH

Core Instruction

Step 1 Once again, explain to students that the use of the subjunctive after these expressions is logical because one does not know if the action or information expressed in the subjunctive verb is an actual fact.

Step 2 Explain to students that the sequence of tenses is quite fixed. When the present or future is used in the main clause, the present subjunctive is used in the adverbial clause. When the past or conditional is used in the main clause, the imperfect subjunctive is used.

PRACTICE

Leveling EACH Activity

Average Activities 7, 8

Go Online!

Gramática en vivo: *The subjunctive in adverbial clauses* Enliven learning with the animated world of Professor Cruz! **Gramática en vivo** is a fun and effective tool for additional instruction and/or review.

Answers

4. Sí, la profesora explicó la lección de manera que sus estudiantes la comprendieran.
5. No, Roberto no irá a estudiar en México a menos que vaya su hermano también.
6. No, Roberto no iría a estudiar en México a menos que fuera su hermano también.

8

1. comprendamos
2. presente
3. esté
4. queramos
5. prestaran
6. estudiaras
7. tengamos
8. tengamos

Online Resources

Customizable Lesson Plans
Audio Activities
Video (Gramática)
Student Workbook
Quizzes
Reading, Writing Test

TEACH

Core Instruction

Step 1 Students should be quite familiar with this point since they have been using shortened adjective forms for quite a while. It is, nonetheless, a point that needs constant reinforcement.

Step 2 Read the explanation to students and have the entire class say the model expressions and adjective forms aloud.

Differentiation

Slower Paced Learners

You may wish to have slower paced learners give additional nouns and use the shortened adjectives with them.

Teaching Options

To avoid doing large segments of grammar at one time, you may wish to intersperse the grammar points as you are doing other lessons. If you prefer, however, you can spend four or five class periods in succession doing the review grammar.

PRACTICE

Leveling EACH Activity

Average Activity 9

CULTURA
El paseo del río San Antonio es una gran atracción turística.

Adjetivos apocopados

1. Several adjectives in Spanish have a shortened form when they precede a masculine singular noun. The **o** of the ending is dropped.

bueno	**La expedición tenía un buen jefe.**
malo	**Esa zona tenía muy mal aspecto.**
primero	**Pero allí establecieron el primer pueblo.**
tercero	**Fue el tercer intento de establecer un pueblo.**

2. The adjective **grande** becomes **gran** when it precedes a singular masculine or feminine noun. The form **gran** conveys the meaning of *great* or *famous* rather than *big* or *large.*

una gran mujer	*a great woman*	**una mujer grande**	*a big woman*
un gran hombre	*a great man*	**un hombre grande**	*a big man*

3. **Alguno** and **ninguno** also drop the **o** before a masculine singular noun.

Algún día serán independientes. Ningún dictador tendrá el poder.

Note that when **alguno** follows the noun it has a negative meaning.

No tiene idea alguna.
No tiene ninguna idea.

4. The word **Santo** becomes **San** before a masculine saint's name unless the name begins with **To-** or **Do-**.

San Pedro	**Santo Domingo**	**Santa Marta**
San Diego	**Santo Tomás**	**Santa Teresa**

Nota

The number **ciento** is shortened before a masculine or feminine noun.

El rascacielos tiene más de cien pisos.
Y más de cien compañías tienen oficinas allí.

CULTURA
Estos rascacielos en Chicago tienen más de cien pisos.

Práctica

LEER • ESCRIBIR

9 Completa con la forma apropiada del adjetivo.

1. Bolívar no es solo un ____ general, es también un ____ héroe. (bueno, grande)
2. Pero el ____ héroe de la Independencia es Francisco de Miranda. (primero)
3. La Revolución francesa fue la ____ revolución del siglo XIX. (primero)
4. Entre sus tropas había ____ traidor. (alguno)
5. Pero no tuvo ____ oportunidad de hacer daño. (ninguno)
6. En el ____ día de la batalla lo descubrieron. (tercero)
7. Y aunque fue un hombre ____ y fuerte, lo tomaron preso. (grande)
8. Lo llevaron a ____ Fernando. (Santo)
9. Él era un ____ hombre y tuvo muy ____ suerte. (malo, malo)
10. Lástima, porque él era de una familia ____. (bueno)

Go Online!

You may wish to remind students to go online for additional grammar review and practice.

Answers

9

1. buen, gran
2. primer
3. primera
4. algún
5. ninguna
6. tercer
7. grande
8. San
9. mal, mala
10. buena

ASSESS

Students are now ready to take Quizzes 5–6.

Go Online!

connectED.mcgraw-hill.com

Usos especiales de los artículos

Artículos definidos

1. In English the article is not used with an abstract noun or a noun used in a general sense. In Spanish, however, the definite article is used.

Me gusta el café.	*I like coffee.*
El café colombiano es delicioso.	*Colombian coffee is delicious.*
El valor es una virtud.	*Bravery is a virtue.*

2. The definite article must be used with titles in Spanish when speaking about someone. The article is not used when addressing the person.

El señor (doctor) Salas salió victorioso.
—Buenos días, señor (doctor) Salas.

3. In Spanish the definite article is used with days of the week to convey *on.*

Lunes es el primer día de la semana.	*Monday is the first day of the week.*
Tengo clases los lunes.	*I have classes on Mondays.*
Así no te puedo ver el lunes.	*So, I can't see you on Monday.*

4. You have already learned that the definite article replaces the possessive adjective with parts of the body and articles of clothing with a reflexive verb.

Me lavo la cara.
Nos ponemos el casco cuando andamos en bicicleta.

5. In Spanish the definite article rather than the indefinite article is used with quantities, weights, and measures.

El biftec está a cien pesos el kilo.
La tela cuesta doscientos pesos el metro.

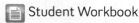

CULTURA

¡Qué simpático! Esta tienda en la Florida les da la bienvenida a sus clientes en inglés y español. Pero, ¡cuidado! No vayas allí los lunes porque está cerrada.

CULTURA

Las papas están a 4.50 el kilo y la lechuga a 2.90 la pieza.

Artículos indefinidos

6. In Spanish, unlike English, the indefinite article is omitted after the verb **ser** when the verb is followed by an unmodified noun. The indefinite article is used when the noun is modified.

El doctor López es cirujano.	**El doctor López es un cirujano conocido.**
Doña Elvira es profesora.	**Doña Elvira es una profesora buena.**

Gramática

Online Resources

Customizable Lesson Plans
Student Workbook
Quizzes

TEACH

Core Instruction

Step 1 Read each explanation to the class. Have students read model sentences aloud.

Step 2 Some of these points are easy for the students, but they do need constant reinforcement. Students may need to pay particular attention to articles replacing possessive adjectives and the use of the definite article with quantities.

Leveling EACH Activity

Easy Activities 10, 11, 13
Average Activities 12, 14, 15, 16

PRACTICE

Differentiation

Multiple Intelligences

Have **verbal-linguistic** learners present Activity 12 orally using as much expression as possible.

Go Online!

You may wish to remind students to go online for additional grammar review and practice.

CULTURA

La tecnología está haciendo avances increíbles.

Práctica

ESCUCHAR • HABLAR

10 Contesta.

1. ¿Te gusta el café?
2. ¿Es buena para la salud la sopa?
3. ¿Tienen las frutas muchas vitaminas?
4. ¿Te interesa la filosofía?
5. ¿Es el verano tu estación favorita? Si no, ¿cuál es tu estación favorita?

LEER • ESCRIBIR

11 **Completa el párrafo sobre las ciencias.**

En __1__ clases de ciencias aprendemos mucho. En __2__ clase de biología, por ejemplo, estudiamos __3__ amebas y __4__ paramecios. En la clase de química aprendemos algo sobre __5__ sustancias químicas y como afectan a __6__ seres humanos. Por ejemplo, __7__ hidrógeno y __8__ oxígeno son necesarios para la vida humana. En la clase de física estudiamos __9__ materia y __10__ energía.

HABLAR • LEER

12 **Completa con el artículo cuando necesario.**

—Buenos días, __1__ señor Guzmán.
—Buenos días, __2__ señorita Álvarez.
—¿Cómo se siente usted hoy?
—Bastante bien, gracias. ¿Está __3__ doctora Olivera?
—Lo siento. En este momento __4__ doctora Olivera no está. Tuvo que ir a la clínica para una reunión con __5__ doctor Centeno.
—¿Sabe usted a qué hora va a volver?
—Por lo general, __6__ doctora Olivera vuelve de la reunión a las dos y media. Voy a llamarla por teléfono.
—¡Aló! __7__ señorita Valdés, ¿me puede hacer un favor? Cuando salga __8__ doctora Olivera, dígale que me llame. Ah, está. Le hablaré. Soy yo, Marta Álvarez, __9__ doctora Olivera. Estoy con __10__ señor Guzmán. Quiere saber si usted vuelve… Bien. Se lo diré. Lo siento, __11__ señor Guzmán, pero __12__ doctora Olivera no vuelve esta tarde. Pero lo puede atender mañana a las dos.
—Entonces vuelvo mañana. Muchas gracias, __13__ señorita Álvarez.
—Hasta mañana, __14__ señor Guzmán.

CULTURA

Estos jóvenes pasan un rato libre tomando un café, usando sus computadoras y hablando en su móvil en un cibercafé.

Answers

10

1. Sí, (No, no) me gusta el café.
2. Sí, la sopa es buena para la salud.
3. Sí, las frutas tienen muchas vitaminas.
4. Sí, (No, no) me interesa la filosofía.
5. Sí (No), el verano (no) es mi estación favorita. (Mi estación favorita es el [la] ____.)

11

1. las
2. la
3. las
4. los
5. las
6. los
7. el
8. el
9. la
10. la

12

1. –
2. –
3. la
4. la
5. el
6. la
7. –
8. la
9. –
10. el
11. –
12. la
13. –
14. –

13

1. Tengo clase de español los ____ y los ____.
2. No tengo clase los ____.
3. Los sábados yo ____.
4. Los domingos voy a ____.
5. Esta semana, ____ el sábado.
6. El domingo voy a ____.
7. Creo que debemos tener clases los sábados. (No creo que debamos tener clases los sábados.)

Go Online!

connectED.mcgraw-hill.com

HABLAR

13 Da respuestas personales.

1. ¿Qué días tienes clase de español?
2. ¿Y qué días no tienes clases?
3. ¿Qué haces los sábados?
4. ¿Adónde vas los domingos?
5. Y esta semana, ¿qué haces el sábado?
6. Y, ¿adónde vas el domingo?
7. Algunas personas dicen que debemos tener clases los sábados. Y tú, ¿qué crees?

LEER • ESCRIBIR

14 Completa.

1. Cuando me levanto, me lavo ____.
2. Y me cepillo ____.
3. Cuando hace frío, todos nos ponemos ____ para salir.
4. Cuando llegamos a la escuela, mi hermano y yo nos quitamos ____.
5. El profesor Pérez no ve muy bien y tiene que ponerse ____.

HABLAR • ESCRIBIR

15 Sigue el modelo.

MODELO **una lata de atún / un euro →**
—¿Cuál es el precio del atún?
—Un euro la lata.

1. una docena de huevos / dos mil bolívares
2. un kilo de chuletas de cerdo / cien pesos
3. una botella de agua mineral / ochenta centavos
4. un rollo de toallas de papel / un quetzal

HABLAR

16 Con un(a) compañero(a), haz una conversación según el modelo.

MODELO **doctora Rosas / médica →**
—¿Qué es la doctora Rosas?
—¿La doctora Rosas? Es médica. Y es una médica excelente.

1. señor García / arquitecto
2. señorita Valdés / bióloga
3. señor Martín / contable
4. licenciada Morales / periodista
5. doctor Ruíz / profesor

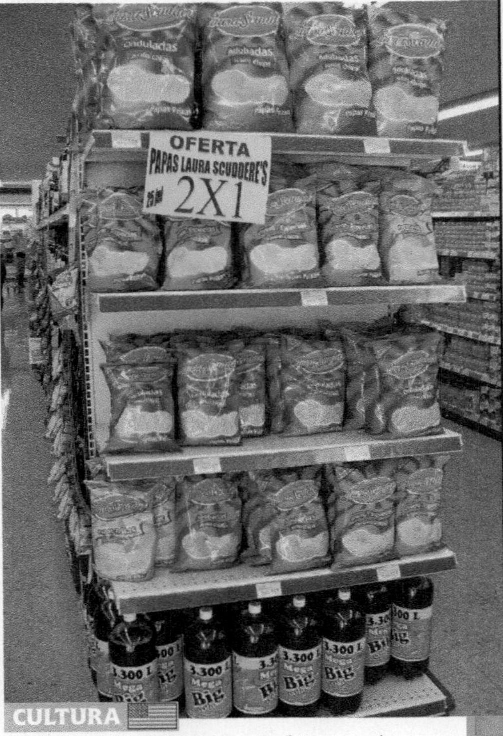

CULTURA

¡Qué oferta! Dos bolsas de papas fritas por el precio de una.

Kerri Galloway

Gramática

Activities 13, 15, and 16 These activities can be gone over orally in class.

Activities 15 and 16 These activities can be done as very short skits by pairs of students.

ASSESS

Students are now ready to take Quiz 7.

Answers

14 *Answers will vary but may include:*

1. las manos (la cara)
2. los dientes (el pelo, el cabello)
3. el abrigo (la chaqueta, los guantes)
4. el abrigo (la chaqueta, las botas, los guantes)
5. los anteojos (las gafas, los lentes)

15

1. —¿Cuál es el precio de los huevos? / —Dos mil bolívares la docena.
2. —¿Cuál es el precio de las chuletas de cerdo? / —Cien pesos el kilo.
3. —¿Cuál es el precio del agua mineral? / —Ochenta centavos la botella.
4. —¿Cuál es el precio de las toallas de papel? / —Un quetzal el rollo.

16

1. —¿Qué es el señor García? / —¿El señor García? Es arquitecto. Y es un arquitecto excelente.
2. —¿Qué es la señorita Valdés? / —¿La señorita Valdés? Es bióloga. Y es una bióloga excelente.
3. —¿Qué es el señor Martín? / —¿El señor Martín? Es contable. Y es un contable excelente.
4. —¿Qué es la licenciada Morales? / —¿La licenciada Morales? Es periodista. Y es una periodista excelente.
5. —¿Qué es el doctor Ruíz? / —¿El doctor Ruíz? Es profesor. Y es un profesor excelente.

Online Resources

Customizable Lesson Plans
Audio Activities
Video (Gramática)
Student Workbook
Quizzes
Reading, Writing Test

Self-check for achievement

This is a pre-test for students to take before you administer the lesson test. Note that each section is cross-referenced so students can easily find the material they feel they need to review. You may wish to use Self-Check Worksheet SC8.2 to have students complete this assessment in class or at home. You can correct the assessment yourself, or you may prefer to display the answers in class using Self-Check Answers SC8.2A.

Differentiation

Slower Paced Learners

Encourage students who need extra help to refer to the margin notes and review any section before answering the questions.

Go Online!

You may wish to remind students to go online for additional grammar review and practice.

Prepárate para el examen

Self-check for ACHIEVEMENT

Gramática

1 Escoge.

Para repasar, ve **Cláusulas con si.**

1. Nosotros iremos si ellos nos _____.
   a. acompañan b. acompañaran c. hubieran acompañado
2. Pero Eloísa habría ido solamente si Paco la _____.
   a. acompaña b. acompañara c. hubiera acompañado
3. Y tú, ¿volverías temprano si yo _____ contigo?
   a. vuelvo b. volviera c. hubiera vuelto
4. Él me _____ el dinero si me hiciera falta.
   a. dará b. daría c. diera
5. Yo sé que tú me lo _____ si lo hubieras sabido.
   a. dirás b. dirías c. habrías dicho

2 Completa.

Para repasar, ve **El subjuntivo en cláusulas adverbiales.**

6. Él te lo explicará para que (tú) lo _____. (entender)
7. Él te lo explicaría para que lo _____. (entender)
8. Ellos no irán a menos que _____ yo. (ir)
9. Ellos no irían a menos que _____ yo. (ir)
10. Él lo hacía con tal de que nosotros lo _____. (ayudar)
11. Él lo haría con tal de que nosotros lo _____. (ayudar)

3 Completa con la forma apropiada del adjetivo.

Para repasar, ve **Adjetivos apocopados.**

12–13. Él es un _____ señor y su esposa es una _____ señora. (grande)
14–15. La novela tiene más de _____ páginas pero no tiene más de _____ capítulos. (ciento)
16–17. No hay _____ diferencia porque no tiene _____ valor. (ninguno)
18–20. _____ José, _____ Bárbara y _____ Domingo son nombres de ciudades. (Santo)

4 Completa con el artículo apropiado cuando necesario.

Para repasar, ve **Usos especiales de los artículos.**

21–22. Los tomates hoy están a cincuenta pesos _____ kilo y los huevos a veinte pesos _____ docena.
23–24. _____ domingo es un día de descanso y mucha gente va a la iglesia _____ domingos.
25. _____ petróleo es un producto importante de Venezuela.
26–27. —Hola, _____ señor González. ¿Está _____ doctora Menéndez, por favor?
28. Quítate _____ chaqueta. Está haciendo calor.
29–30. Él es _____ banquero pero francamente no sé si es _____ banquero bueno.
31. _____ leche es buena para los niños.
32. _____ estrés es la causa de muchas enfermedades.
33. En _____ guerra no gana nadie.

Answers

1
1. a
2. c
3. b
4. b
5. c

2
6. entiendas
7. entendieras
8. vaya
9. fuera
10. ayudáramos
11. ayudáramos

3
12–13. gran, gran
14–15. cien, cien
16–17. ninguna, ningún
18–20. San, Santa, Santo

4
21–22. el, la
23–24. –, los
25. El
26–27. –, la
28. la
29–30. –, un
31. La
32. El
33. la

Prepárate para el examen

Practice for PROFICIENCY

1. **Un millón de dólares**
   Di todo lo que harías si tuvieras un millón de dólares. Piensa en todas las posibilidades.
2. **Lo habría hecho si no...**
   Di unas cosas que te habría gustado hacer o que habrías hecho si no hubiera sido por otra cosa. Explica lo que había ocurrido.
3. **Me sorprende o me sorprendió**
   Di algunas cosas que hacen tus amigos que te sorprenden. Luego di unas cosas que hizo cierto(a) amigo(a) que te sorprendieron y luego di unas cosas que te sorprenderían que hubieran hecho tus amigos. Empieza con:
   Me sorprende que...
   Me sorprendió que...
   Me sorprendería que...

CULTURA

Me sorprendería que no nos diera miedo practicar el parasail.

Tips for Success

Encourage students to say as much as possible when they do these open-ended activities. Tell them not to be afraid to make mistakes, since the goal of the activities is real-life communication. Encourage students to self-correct and to use words and phrases they know to get their meaning across. If someone in the group makes an error that impedes comprehension, encourage the others to ask questions to clarify or, if necessary, to politely correct the speaker. Let students choose the activities they would like to do.

Tell students to feel free to elaborate on the basic theme and to be creative. They may use props, pictures, or posters if they wish.

Pre-AP These oral and written activities will give students the opportunity to develop and improve their speaking and writing skills so that they may succeed on the speaking and writing portions of the AP exam.

ASSESS

Students are now ready to take the Reading and Writing Test for Lección 2: Gramática.

Introduction

Each chapter of **¡Así se dice!** Level 4 has a journalism section that corresponds to the same geographical area as the chapter. Each section gives students a list of the important newspapers that they will find online for the countries in that particular geographical area. In putting this section together, we spent approximately one month perusing the newspapers from each area to determine topics that seem to occur frequently in the news of those countries. Hopefully, this will assist students to find articles that relate to the activities provided. However, we recommend that you tell students that they can also pick articles and prepare something about them even if the topic does not appear in a specific activity if it is something of interest to them.

TEACH

Core Instruction

We suggest that you not just dedicate a day or two to the journalism section. As you begin each chapter, tell students to consult the journalism section and spend a few minutes at home each day perusing the appropriate Web sites of the newspapers. As each student finds a pertinent article, he or she can prepare the activity that pertains to it. Needless to say, the topics of all activities will not appear on one given day.

There may also be some debate or discussion activities that you wish to assign to a group or groups of students and give them a time limit to complete them. As you are finishing the chapter, you may want to spend one day having students share with other students the work they did.

La prensa en línea

En todas partes de Estados Unidos hay una proliferación de periódicos que se dedican a los lectores latinos. Se publican en todas partes del país. Además algunos de los periódicos en inglés tienen también una sección en español. Algunos entre los muchos periódicos son:

- *El Nuevo Heraldo* (Miami)
- *La Opinión* (Los Ángeles)
- *Hoy* (Chicago)
- *La Prensa* (Houston)
- *El Sentinel* (el sur de la Florida)
- *El Diario* (Nueva York)
- *El Comercio de Colorado*

Actividades

A En los periódicos publicados en español en Estados Unidos, se encuentran artículos que son de interés particular para ciertos grupos latinos de Estados Unidos según su país de origen. Habrá, por ejemplo, un artículo sobre Nicaragua que a los nicaragüenses les interesará mucho. A las otras nacionalidades les interesará menos. Hojea los periódicos y selecciona artículos que le interesarían a un grupo específico. No hay que leer los artículos detalladamente pero dales una ojeada para tener una idea general de lo que están diciendo y determina por qué cada uno es de interés específico a cierto grupo.

titular	a quien(es) le(s) interesa
1.	
2.	

B Mira la sección «Cine» y determina si en la región donde tú vives hay estrenos de la pantalla (películas) que son de interés especial a la comunidad latina.

C Frecuentemente hay artículos que tratan de la reforma migratoria, o sea, cambios legislativos sobre la migración y los medios que hay que tomar para solicitar la ciudadanía estadounidense. Escribe un reportaje sobre la reforma migratoria que actualmente es un asunto importante en la política de Estados Unidos.

EXPANSIÓN

Después de preparar tu reportaje, trabaja con unos(as) dos o tres compañeros(as) y compartan sus reportajes. Sin duda unas de sus opiniones sobre las reformas variarán. Escoge uno de los reportajes de un(a) compañero(a) cuyas opiniones son bastante contrarias a las tuyas. Escribe un ensayo persuasivo tratando de convencerle de entender y posiblemente aceptar tus opiniones. No olvides argumentar tu posición con razones específicas y objetivas.

Current event

If there is something of particular interest in the United States or any Spanish-speaking countries that is of current concern, you may wish to inform the class of the situation and tell them to frequently consult the foreign newspapers online and have them compare the reporting with that which appears in the U.S. press.

Videos

Inform students that many articles are accompanied by interviews or videos. Tell students to make as much use of these audio and visual components as possible, since it will enable them to hear a wide variety of native speakers and see events happening in real places and in real time.

D Hojea la sección «Vida y Estilo» y escoge una persona famosa de origen latino. Lee unos artículos o mira unos videos sobre él o ella o escucha una entrevista con él o ella. Escribe una corta biografía de la persona y explica lo que ha hecho para la cultura latina y estadounidense.

E Lee un artículo sobre un asunto nacional (de Estados Unidos) en un periódico local en inglés y en un periódico local en español. Si no hay un periódico local en español en tu área, busca un artículo sobre el mismo asunto en uno de los periódicos sugeridos. Determina si los dos dan más o menos los mismos informes.

F Lee uno o más artículos que tratan de organizaciones establecidas en tu área local para ayudar a la comunidad latina. Si conoces tal organización, prepara un reportaje sobre el trabajo que hace y preséntalo a la clase. Si no hay tal organización, explica por qué y consulta uno de los periódicos sugeridos para dar un resumen de a lo menos un programa mencionado en el periódico que ayuda a la comunidad latina.

CULTURA

Nuevos ciudadanos estadounidenses durante la ceremonia de naturalización

CULTURA

Un retrato de Sonia Sotomayor, una juez de ascendencia puertorriqueña en la Corte Suprema de los Estados Unidos

Comunidades

Have students determine if there is a Spanish-language newspaper sold in your area. If not, find out where the nearest one is.

PRACTICE

Activity C

Have students discuss if they have been seeing much in the news or in newspapers about immigration issues in the United States. You may wish to have them share some of their opinions about this topic.

Cultural Snapshot

(bottom) Have students give some information about Sonia Sotomayor. If they seem not to know anything about her, have them do some research.

PRACTICE

Activity G

If you have any Latino students in class, have them discuss some of their holidays. Have the non-Latino students participate by recalling what they learned in their Spanish courses about **fiestas latinas.**

G A veces en la sección «Vida y Estilo» hay un anuncio o una descripción sobre un típico día de fiesta latino. Si encuentras uno, da tantos detalles posibles sobre la fiesta. Por ejemplo, ¿cómo se celebra y cuándo? Si hay hispanohablantes en tu escuela o comunidad, tu profesor(a) puede invitarlos a la clase para que hablen de su fiesta favorita y para darles à ustedes la oportunidad de hacerles preguntas.

H Busca una publicidad para algunos restaurantes latinos cerca de donde tú vives. Determina la nacionalidad específica y describe el tipo de cocina que se sirve en el restaurante. ¿Lo conoces o no? ¿Qué tal te gusta la comida? Si no hay un restaurante latino cerca de donde tú vives, busca un anuncio publicitario para un restaurante en otra área. Da un resumen de los detalles y explica si piensas que el restaurante sería popular donde tú vives.

I Habrás notado que casi todos los periódicos latinos tienen una sección dedicada a obras o asuntos literarios incluyendo poesías—un género literario muy apreciado en las comunidades latinas. Tu clase seleccionará a dos o tres estudiantes que servirán de miembros de un comité literario. Cada miembro de la clase escribirá un cuento corto o una poesía empleando lo más posible un lenguaje figurativo. Cada uno tratará de usar un ritmo verbal que coincide con el tono del asunto u opinión de su obra. Al terminar la obra cada estudiante la entregará al comité literario que decidirá cuales de las obras presentadas serán publicadas en «La hoja literaria» de la clase. Si quieren, pueden distribuir «La hoja literaria» a otras clases de español o al periódico local.

J Lee la sección de empleos. Haz una lista de algunos trabajos que a ti te interesan. ¿Hay muchas compañías que están buscando gente bilingüe? Comparte tu lista con un(a) compañero(a) de clase. ¿Les interesan los mismos trabajos?

EXPANSIÓN

En grupos, hablen de los beneficios y ventajas de hablar inglés y español.

CULTURA

Un camión que sirve también de restaurante en Orlando. Tiene un menú muy variado de comida caribeña.

Emily Lowry

Go Online!

connectED.mcgraw-hill.com

CULTURA

Una tienda de abarrotes (una bodega) mexicana en Orlando

Entrevista y artículo

Vas a entrevistar a un miembro de la comunidad latina. Antes tienes que tomar en consideración lo que le será de interés al público porque después de dar la entrevista vas a preparar un reportaje sobre los resultados.

Escoge el tema o los temas que quieres cubrir. Prepara una serie de preguntas. Evita preguntas que se puedan contestar sencillamente con **sí** o **no.** Recuerda que necesitas más detalles. Algunos ejemplos son:

¿De dónde es usted y cómo llegó a Estados Unidos?
¿Cómo era su vida en su país de origen?
¿Qué le sorprendió más de Estados Unidos?
¿Cómo ha cambiado su vida aquí en Estados Unidos?

Al terminar la entrevista toma tus apuntes y prepara una versión escrita de tu entrevista. En tu escrito incluye:

Prepara un borrador del escrito. Léelo y haz correcciones antes de preparar tu versión final.

Periodismo

Composición

You may wish to collect this work from students and correct as a composition assignment.

Online Resources

Customizable Lesson Plans
Audio
Practice
Review

Introducción

You may wish to ask the following comprehension questions. **¿Dónde nació Eugenio Florit? ¿Dónde se doctoró? ¿Cuándo fue a Nueva York? ¿A qué profesión se dedicó? ¿Dónde enseñó? ¿Cuándo murió y dónde? ¿Con qué acento habló español? ¿Dónde vivió más de la mitad de su vida? ¿Qué se consideraba? De esta introducción corta, ¿qué te hace pensar que Florit era una persona muy religiosa?**

CULTURA
Nueva York en invierno

Desde la nieve

de Eugenio Florit

INTRODUCCIÓN

Eugenio Florit nació en España en 1908 de madre cubana y padre español. Pasó su niñez en España pero a los catorce años fue a Cuba donde se doctoró en derecho en la Universidad de La Habana. En 1940 se trasladó a Nueva York donde ejerció la carrera diplomática durante unos años antes de abandonarla definitivamente para dedicarse a enseñar literatura hispana en Columbia University y Barnard en la Ciudad de Nueva York. Enseñaba también en la Escuela Española de Verano de Middlebury College en Vermont. Florit murió en Nueva York en el año 2000. Pese a que nunca perdió su acento español y vivió más de la mitad de su vida en Estados Unidos aseguró que se consideraba cubano.

Florit era un poeta sereno, meditativo y humano. Un hombre religioso, hay en unas de sus poesías monólogos íntimos con su soledad y con Dios.

Desde la nieve

Desde la nieve convertida en agua,
desde el sucio periódico sin dueño,
desde la niebla, desde el tren hundido[1]
con sus cientos de manos que buscan asidero[2];
desde la fantasía de los anuncios luminosos
y el ruido sin piedad de las bombas de incendio[3];
desde la noche que nos cae encima
—losa[4] de cielo sin estrellas—;
desde cada momento perdido entre las calles
donde todos los solos del mundo pasan desconocidos;
desde el árbol sin hojas y el camino sin gente,
otra vez, como ayer, como mañana,
acaso ya como todos los días que vendrán, si es que vienen,
entro al silencio.

[1] tren hundido *metro*
[2] asidero *handle*
[3] bombas de incendio *fire engines*
[4] losa *covering*

Go Online!

connectED.mcgraw-hill.com

Antes de leer

Antes de leer este poema reflexiona sobre una noche invernal (de invierno) en una gran ciudad norteamericana. Reflexiona también sobre la anonimidad de la vida urbana.

Después de leer

A Buscando información Contesta.

1. ¿En qué se convierte la nieve?
2. ¿Qué botó alguien?
3. ¿Qué buscan los usuarios del metro?
4. ¿Es una noche nublada?
5. ¿Se conoce la gente que pasa por las calles?

B Interpretando ¿Cómo nos lo dice el poeta?

1. Alguién botó (tiró) el periódico que había leído en la calle.
2. Mucha gente toma el metro.
3. Siempre se oyen las sirenas de los bomberos.
4. La Ciudad de Nueva York puede ser muy anónima.
5. El tiempo va y viene.
6. Nunca se sabe si mañana vendrá.

C Describiendo ¿Cuáles son las alusiones que hace el poeta al tiempo en Nueva York? Presenta tus ideas a la clase.

D Interpretando ¿Cómo interpretas los siguientes versos?

otra vez, como ayer, como mañana
acaso ya como todos los días que vendrán, si es que vienen,
entro al silencio

CULTURA

Los peatones en Times Square en Nueva York representan muchas nacionalidades.

Leveling EACH Activity

Reading Level **A**verage

TEACH

Core Instruction

Step 1 Have students listen to the audio recording of the poem.

Step 2 Tell students to concentrate on what they see and hear as they read the poem.

Step 3 Have students look at Activities A and B before they read the poem on their own. These activities will help students understand the poem.

Go Online!

You may wish to remind students to go online for additional reading comprehension practice.

Answers

A

1. La nieve se convierte en agua.
2. Alguien botó un periódico.
3. Los usuarios del metro buscan asidero.
4. Sí, es una noche nublada.
5. No, la gente que pasa por las calles no se conoce.

B

1. el sucio periódico sin dueño
2. el tren hundido con sus cientos de manos (que buscan asidero)
3. el ruido sin piedad de las bombas de incendio
4. todos los solos del mundo pasan desconocidos
5. otra vez, como ayer, como mañana, acaso ya como todos los días que vendrán
6. si es que vienen

C *Answers will vary but may include:* la nieve, la niebla, cielo sin estrellas.

D *Answers will vary.*

Online Resources

Customizable Lesson Plans

Audio

Practice

Review

Vocabulario

TEACH

Core Instruction

Step 1 Have students listen to the audio recording and repeat the new words.

Step 2 Call on students to read the new words and their definitions.

Teaching Options

You may wish to have students use the new words in original sentences. The following is a guide to the difficulty of using each word in a new sentence.

Easy **la fogata, la charla, la trampa, las reses, la hoguera, la manada, un manojo, turbio(a)**

Average **el regocijo, la yegua, la huella, el rastro, brujo(a), detenerse, dar con, estropear**

CHallenging **el paradero, enmudecerse, soñar, desatar**

Parte 2: Prosa

El caballo mago **de Sabine Ulibarrí**

CULTURA

Vista cerca de Tres Piedras, Nuevo México

National Geographic/Getty Images

Vocabulario

Estudia las siguientes palabras para ayudarte a entender la lectura.

la fogata fuego

la charla conversación, plática

el regocijo la alegría

la trampa cualquier cosa que se usa para atrapar a los animales

las reses ganado

la hoguera fogata grande

la manada grupo de animales de una misma especie

el paradero sitio donde alguien está o donde se va a parar

la yegua hembra de caballo

un manojo cantidad que le cabe en la mano

la huella señal que deja el pie del hombre o del animal

el rastro indicio o pista que se deja en un sitio

turbio(a) revuelto, turbulento; confuso, poco claro

brujo(a) mágico

enmudecer(se) hacer callar, silenciar

detenerse (ie) pararse

soñar (ue) imaginar escenas o sucesos mientras duermes

dar con encontrar de manera abrupta

desatar soltarle las cuerdas a algo

estropear echar a perder, dañar, arruinar

de diestra a siniestra de la derecha a la izquierda

Práctica

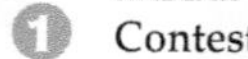
HABLAR
1 Contesta.

1. Si has ido de camping, ¿has hecho una fogata o una hoguera para cocinar la comida?
2. Si has ido al campo, ¿has visto una manada de reses o caballos que pacen en el campo?
3. ¿Pueden las huellas de un animal servir de rastro para determinar su paradero?
4. A veces, ¿tienen que poner una trampa los vaqueros para atrapar un animal?
5. ¿Sueñas de vez en cuando mientras duermes? ¿Con qué sueñas? ¿Te gustan los sueños o no?

LEER • ESCRIBIR
2 Expresa de otra manera.

1. Ellos miraron de *la derecha a la izquierda*.
2. ¡Cuidado! Lo vas a *dañar*.
3. Tienes que *quitarle la soga* al caballo.
4. Es un caballo *mágico*.
5. Ella *encontró a* su perro perdido *por casualidad*.
6. No sabíamos *dónde estaba*.
7. Ellos *se pararon* en el corral.
8. *No dijeron nada*.
9. ¡Qué *alegría*!
10. Tenían una *conversación* sentados alrededor de una *hoguera*.

FogStock LLC/age fotostock

CULTURA
Dos vaqueros y dos yeguas alrededor de una fogata

Go Online!
connectED.mcgraw-hill.com

Leveling EACH Activity

Easy Activity 1
Average Activity 2

PRACTICE

Comunicación

Have students discuss and describe the photo.

Go Online!

You may wish to remind students to go online to download audio files of all vocabulary.

Answers

1. Sí, (No, no) he hecho una fogata o una hoguera para cocinar la comida.
2. Sí, (No, no) he visto una manada de reses o caballos que pacen en el campo.
3. Sí, las huellas de un animal pueden servir de rastro para determinar su paradero.
4. Sí, a veces los vaqueros tienen que poner una trampa para atrapar un animal.
5. Sí, sueño de vez en cuando mientras duermo. Sueño con ____. Sí, (No, no) me gustan los sueños. (No, no sueño nunca mientras duermo.)

1. Ellos miraron de diestra a siniestra.
2. ¡Cuidado! Lo vas a estropear.
3. Tienes que desatar al caballo.
4. Es un caballo brujo.
5. Ella dio con su perro perdido.
6. No sabíamos su paradero.
7. Ellos se detuvieron en el corral.
8. Se enmudecieron.
9. ¡Qué regocijo!
10. Tenían una charla sentados alrededor de una fogata grande.

Online Resources

Customizable Lesson Plans
- Audio
- Practice
- Review
- Reading, Writing Test

Introducción

Have students read the **Introducción** silently. Then call on one or two students to give a brief review of the author's life.

Leveling EACH Activity

Reading Level **CHallenging**

Note: This short story contains a great deal of relatively low frequency vocabulary which has been sidenoted. The Spanish is not difficult, but for some students the imagery can complicate comprehension.

Antes de leer

You may wish to go over this orally. Emphasize with students how important it will be to follow the short sentences closely and to identify the tone and sentiments.

El caballo mago

de Sabine Ulibarrí

INTRODUCCIÓN

Sabine Ulibarrí nació en Nuevo México en 1919. Es allí donde cultivó un gran interés en la cultura de los mexicanoamericanos y rancheros que poblaban el estado.

Ulibarrí sirvió en la Segunda Guerra mundial y ganó la Cruz de Servicio Distinguido por haber completado treinta y cinco misiones sobre Europa. Al terminar su servicio militar volvió a su estado natal e ingresó en la Universidad de Nuevo México donde estudió literatura inglesa y española. Más tarde recibió su doctorado de la Universidad de California en Los Ángeles. Pasó la mayoría de su vida dictando cursos de español en varias universidades incluyendo la de Nuevo México. Durante los años sesenta vivió en Quito, Ecuador, donde estableció el centro para estudios andinos de la Universidad de Nuevo México. Sabine Ulibarrí murió en 2003.

Su producción literaria incluye cuentos, novelas y poemas.

Antes de leer

Al leer el cuento *El caballo mago* fíjate en el estilo del autor quien utiliza muchas frases cortas. Identifícate con el tono y los sentimientos que crean estas frases cortas.

Imagina que vives en las llanuras y serranías de Nuevo México. Trata de visualizar al caballo de quien hablan todos. ¿Por qué tendría el protagonista adolescente la obsesión de darse con este caballo?

CULTURA

Paisaje montañoso, Nuevo México

Go Online!

connectED.mcgraw-hill.com

El caballo mago

Era blanco. Blanco como el olvido. Era libre. Libre como la alegría. Era la ilusión, la libertad y la emoción. Poblaba y dominaba las serranías y las llanuras de las cercanías. Era un caballo blanco que llenó mi juventud de fantasía y poesía.

Alrededor de las fogatas del campo y en las resolanas° del pueblo los vaqueros de esas tierras hablaban de él con entusiasmo y admiración. Y la mirada se volvía turbia y borrosa de ensueño. La animada charla se apagaba. Todos atentos a la visión evocada. Mito del reino animal. Poema del mundo viril.

resolanas *places*

Blanco y arcano°. Paseaba su harén por el bosque de verano en regocijo imperial. El invierno decretaba el llano y la ladera° para sus hembras. Veraneaba como rey de oriente en su jardín silvestre. Invernaba como guerrero ilustre que celebra la victoria ganada.

arcano *secret, hidden*
ladera *slope, hillside*

Era leyenda. Eran sin fin las historias que se contaban del caballo brujo. Unas verdad, otras invención. Tantas trampas, tantas redes°, tantas expediciones. Todas venidas a menos. El caballo siempre se escapaba, siempre se burlaba, siempre se alzaba por encima del dominio de los hombres. ¡Cuánto valedor° no juró ponerle su jáquima° y su marca para confesar después que el brujo había sido más hombre que él!

redes *nets, snares*
valedor *friend, companion (Mexico)*
jáquima *rope*

Yo tenía quince años. Y sin haberlo visto nunca el brujo me llenaba ya la imaginación y la esperanza. Escuchaba embobado° a mi padre y a sus vaqueros hablar del caballo fantasma que al atraparlo se volvía espuma° y aire y nada. Participaba de la obsesión de todos, ambición de lotería, de algún día ponerle yo mi lazo°, de hacerlo mío, y lucirlo° los domingos por la tarde cuando las muchachas salen a paseo por la calle.

embobado *enthralled*
espuma *foam*
lazo *lasso*
lucirlo *show him off*

Pleno el verano. Los bosques verdes, frescos y alegres. Las reses lentas, gordas y luminosas en la sombra y en el sol de agosto. Dormitaba yo en un caballo brioso°, lánguido y sutil en el sopor del atardecer. Era hora ya de acercarse a la majada°, al buen pan y al rancho del rodeo. Ya los compañeros estarían alrededor de la hoguera agitando la guitarra, contando cuentos del pasado o de hoy o entregándose al cansancio de la tarde. El sol se ponía ya, detrás de mí, en escándalos de rayo y color. Silencio orgánico y denso.

brioso *spirited*
majada *flock*

Sigo insensible a las reses al abra°. De pronto el bosque se calla. El silencio enmudece. La tarde se detiene. La brisa deja de respirar, pero tiembla. El sol se excita. El planeta, la vida y el tiempo se han detenido de una manera inexplicable. Por un instante no sé lo que pasa.

abra *dale, valley*

Luego mis ojos aciertan. ¡Allí está! ¡El caballo mago! Al extremo del abra, en un promontorio, rodeado de verde. Hecho estatua, hecho estampa. Línea y forma y mancha blanca en fondo verde. Orgullo, fama y arte en carne animal. Cuadro de belleza encendida y libertad varonil. Ideal invicto° y limpio de la eterna ilusión humana. Hoy palpito todo aún al recordarlo.

invicto *unbeaten*

Pre-AP This short story is on the AP reading list.

TEACH

Core Instruction

Step 1 Have students listen to the recording in segments.

Step 2 Tell them to pay close attention to each short sentence.

Step 3 Select certain sections that you consider important to be read aloud in class.

Step 4 Have students read the story silently. Tell them to do so slowly so they can reflect on the true meaning of each sentence.

Note: Because of the need for a great deal of sidenoted vocabulary, this selection has no Reading Checks. Alternatively, the Reading Checks appear in this Teacher Wraparound Edition.

Reading Check

Line 20 **¿Qué dice el autor sobre la vida del caballo?**

Line 35 **¿Cuál es el gran deseo del joven?**

Line 46 **¿Qué crees? ¿Ve el joven al caballo?**

Reading Check

Line 51 Have students discuss their interpretation of **«El momento es eterno. La eternidad momentánea. Ya no está, pero siempre estará.»** What is the concept of time?

Line 68 **¿Qué significa «Iba en busca de la blanca luz que galopaba en mis sueños.»?**

Line 78 **¿Cuáles son unas características del caballo? ¿Qué hace?**

Reto *challenge, dare*
Orejas lanzas *Ears like spears*
desafío *challenge*
Pezuña tersa *Smooth, shining hoof*
cañadas *ravines*
indagaba *investigated*
alforjas *saddlebags*
grieta *crevice, split*
cana *snow-white*
jadeante *panting*
fuga *flight*
cebado a sus anchas *well-fed*
zanja *ditch, gully*

Silbido. Reto° trascendental que sube y rompe la tela virginal de las nubes rojas. Orejas lanzas°. Ojos rayos. Cola viva y ondulante, desafío° movedizo. Pezuña tersa° y destructiva. Arrogante majestad de los campos.

El momento es eterno. La eternidad momentánea. Ya no está, pero siempre estará. Debió de haber yeguas. Yo no las vi. Las reses siguen indiferentes. Mi caballo las sigue y yo vuelvo lentamente del mundo del sueño a la tierra del sudor. Pero ya la vida no volverá a ser lo que antes fue.

Aquella noche bajo las estrellas no dormí. Soñé. Cuánto soñé despierto y cuánto soñé dormido yo no sé. Sólo sé que un caballo blanco pobló mis sueños y los llenó de resonancia y de luz y de violencia.

Pasó el verano y entró el invierno. El verde pasto dio lugar a la blanca nieve. Las manadas bajaron de las sierras a los valles y cañadas°. Y en el pueblo se comentaba que el brujo andaba por este o aquel rincón. Yo indagaba° por todas partes su paradero. Cada día se me hacía más ideal, más imagen, más misterio.

Domingo. Apenas rayaba el sol de la sierra nevada. Aliento vaporoso. Caballo tembloroso de frío y de ansias. Como yo. Salí sin ir a misa. Sin desayunarme siquiera. Sin pan y sardinas en las alforjas°. Había dormido mal y velado bien. Iba en busca de la blanca luz que galopaba en mis sueños.

Al salir del pueblo al campo libre desaparecen los caminos. No hay rastro humano o animal. Silencio blanco, hondo y rutilante. Mi caballo corta el camino con el pecho y deja estela eterna, grieta° abierta, en la mar cana°. La mirada diestra y atenta puebla el paisaje hasta cada horizonte buscando el noble perfil del caballo místico.

Sería mediodía. No sé. El tiempo había perdido su rigor. Di con él. En una ladera contaminada de sol. Nos vimos al mismo tiempo. Juntos nos hicimos piedra. Inmóvil, absorto y jadeante° contemplé su belleza, su arrogancia, su nobleza. Esculpido en mármol, se dejó admirar.

Silbido violento que rompe el silencio. Guante arrojado a la cara. Desafío y decreto a la vez. Asombro nuevo. El caballo que en verano se coloca entre la amenaza y la manada, oscilando a distancia de diestra a siniestra, ahora se lanza a la nieve. Más fuerte que ellas, abre la vereda a las yeguas y ellas lo siguen. Su fuga° es lenta para conservar sus fuerzas.

Sigo. Despacio. Palpitante. Pensando en su inteligencia. Admirando su valentía. Apreciando su cortesía. La tarde se alarga. Mi caballo cebado a sus anchas°.

Una a una las yeguas se van cansando. Una a una se van quedando a un lado. ¡Solos! Él y yo. La agitación interna reboza a los labios. Le hablo. Me escucha y calla.

Él abre el camino y yo sigo por la vereda que me deja. Detrás de nosotros una larga y honda zanja° blanca que cruza la llanura. El caballo que ha comido grano y buen pasto sigue fuerte. A él, mal nutrido, se la han agotado las fuerzas. Pero sigue porque es él y porque no sabe ceder.

Encuentro negro y manchas negras por el cuerpo. La nieve y el sudor han revelado la piel negra bajo el pelo. Mecheros° violentos de vapor rompen el aire. Espumarajos° blancos sobre la blanca nieve. Sudor, espuma y vapor. Ansia.

Me sentí verdugo°. Pero ya no había retorno. La distancia entre nosotros se acortaba implacablemente. Dios y la naturaleza indiferentes.

Me siento seguro. Desato el cabestro°. Abro el lazo. Las riendas° tirantes. Cada nervio, cada músculo alerta y el alma en la boca. Espuelas° tensas en ijares° temblorosos. Arranca el caballo. Remolineo° el cabestro y lanzo el lazo obediente.

Vértigo de furia y rabia. Remolinos de luz y abanicos de transparente nieve. Cabestro que silba y quema en la teja° de la silla. Guantes violentos que humean. Ojos ardientes en sus pozos. Boca seca. Frente caliente. Y el mundo se sacude° y se estremece. Y se acaba la larga zanja blanca en un ancho charco° blanco.

Sosiego jadeante y denso. El caballo mago es mío. Temblorosos ambos, nos miramos de hito en hito° por un largo rato. Inteligente y realista, deja de forcejar y hasta toma un paso hacia mí. Yo le hablo. Hablándole me acerco. Primero recula°. Luego me espera. Hasta que los dos caballos se saludan a la manera suya. Y por fin llego a alisarle la crin°. Le digo muchas cosas, y parece que me entiende.

Por delante y por las huellas de antes lo dirigí hacia el pueblo. Triunfante. Exaltado. Una risa infantil me brotaba. Yo, varonil, la dominaba. Quería cantar y pronto me olvidaba. Quería gritar pero callaba. Era un manojo de alegría. Era el orgullo del hombre adolescente. Me sentí conquistador.

El Mago ensayaba la libertad una y otra vez, arrancándome° de mis meditaciones abruptamente. Por unos instantes se armaba la lucha otra vez. Luego seguíamos.

Fue necesario pasar por el pueblo. No había remedio. Sol poniente. Calles de hielo y gente en los portales. El Mago lleno de terror y pánico por la primera vez. Huía y mi caballo herrado° lo detenía. Se resbalaba° y caía de costalazo°. Yo lloré por él. La indignidad. La humillación. La alteza venida a menos. Le rogaba que no forcejara°, que se dejara llevar. ¡Cómo me dolió que lo vieran así los otros!

Por fin llegamos a la casa. «¿Qué hacer contigo, Mago? Si te meto en el establo o en el corral, de seguro te haces daño. Además sería un insulto. No eres esclavo. No eres criado. Ni siquiera eres animal». Decidí soltarlo en el potrero°. Allí podría el Mago irse acostumbrando poco a poco a mi amistad y compañía. De ese potrero no se había escapado nunca un animal.

Mi padre me vio llegar y me esperó sin hablar. En la cara le jugaba una sonrisa y en los ojos le bailaba una chispa. Me vio quitarle el cabestro al Mago y los dos lo vimos alejarse, pensativos. Me estrechó la mano un poco más fuerte que de

Mecheros *burners*
Espumarajos *froth*
verdugo *executioner*
cabestro *halter, lead*
riendas *reins*
Espuelas *spurs*
ijares *flanks*
Remolineo *I whirl*
teja *part of a saddle*
se sacude *jolts, jars*
charco *puddle*
hito en hito *fixedly*
recula *it recoils*
alisarle la crin *to smooth its mane*
arrancándome *jolting me*
herrado *shoed*
Se resbalaba *It slipped*
de costalazo *on its side*
forcejara *struggle*
potrero *type of corral or pasture*

CULTURA
¿Es este el caballo mago?

Reading Check

Line 100 **¿Por qué dice el joven «Me sentí verdugo.»?**

Line 120 **¿Cómo se sentía el joven al dirigirse hacia el pueblo?**

Line 134 **¿Por qué lloró el joven por el caballo? ¿Qué le pasó? ¿Por qué?**

Reading Check

Line 148 **¿Cómo reaccionó el padre cuando vio a su hijo con el caballo?**

Line 163 **¿Cómo había pasado la noche el caballo?**

Line 170 **¿Qué le hizo llorar tanto al joven?**

Line 176 **¿Por qué dice el joven «A mí me había enriquecido la vida para siempre.»?**

ordinario y me dijo: «Esos son hombres». Nada más. Ni hacía falta. Nos entendíamos mi padre y yo muy bien. Yo hacía el papel de *muy hombre* pero aquella risa infantil y aquel grito que me andaban por dentro por poco estropean la impresión que yo quería dar.

Aquella noche casi no dormí y cuando dormí no supe que dormía. Pues el soñar es igual, cuando se sueña de veras, dormido o despierto. Al amanecer yo ya estaba de pie. Tenía que ir a ver al Mago. En cuanto aclaró salí al frío a buscarlo.

El potrero era grande. Tenía un bosque y una cañada. No se veía el Mago en ninguna parte pero yo me sentía seguro. Caminaba despacio, la cabeza toda llena de los acontecimientos de ayer y de los proyectos de mañana. De pronto me di cuenta que había andado mucho. Aprieto el paso. Miro aprensivo a todos lados. Empieza a entrarme el miedo. Sin saber voy corriendo. Cada vez más rápido.

No está. El Mago se ha escapado. Recorro cada rincón donde pudiera haberse agazapado°. Sigo la huella. Veo que durante toda la noche el Mago anduvo sin cesar buscando, olfateando, una salida. No la encontró. La inventó.

Seguí la huella que se dirigía directamente a la cerca. Y vi como el rastro no se detenía sino continuaba del otro lado. El alambre era de púa°. Y había pelos blancos en el alambre. Había sangre en las púas. Había manchas rojas en la nieve y gotitas rojas en las huellas del otro lado de la cerca.

Allí me detuve. No fui más allá. Sol rayante en la cara. Ojos nublados y llenos de luz. Lágrimas infantiles en mejillas varoniles. Grito hecho nudo° en la garganta. Sollozos° despacios y silenciosos.

Allí me quedé y me olvidé de mí y del mundo y del tiempo. No sé cómo estuvo, pero mi tristeza era gusto. Lloraba de alegría. Estaba celebrando, por mucho que me dolía, la fuga y la libertad del Mago, la transcendencia de ese espíritu indomable. Ahora seguiría siendo el ideal, la ilusión y la emoción. El Mago era un absoluto. A mí me había enriquecido la vida para siempre.

Allí me halló mi padre. Se acercó sin decir nada y me puso el brazo sobre el hombro. Nos quedamos mirando la zanja blanca con flecos° de rojo que se dirigía al sol rayante.

agazapado *crouched*

alambre... de púa *barbed wire*

nudo *knot*

Sollozos *Sighs*

flecos *specks*

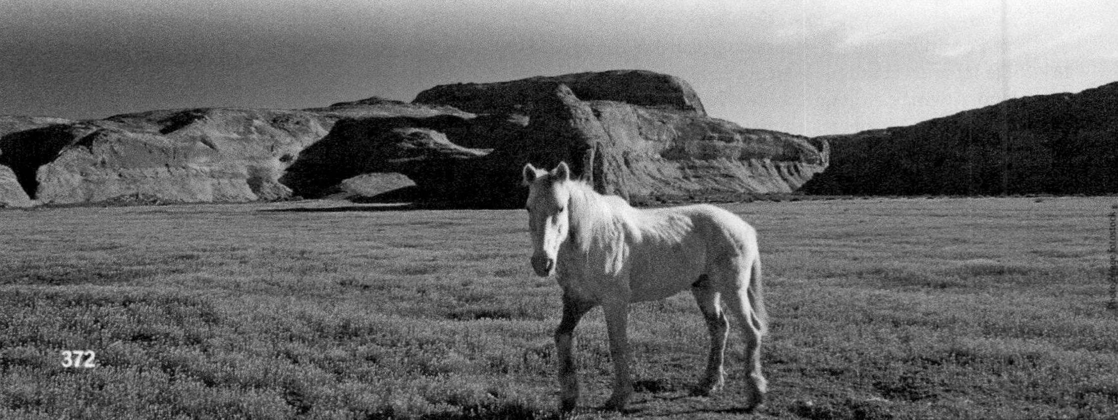

Answers

A *Answers will vary but may include:*
El mito es de un caballo blanco y libre que paseaba con alegría imperial; nadie pudo atraparlo.

B *Answers will vary but may include:*

1. El autor indica la tranquilidad del lugar por palabras como «los bosques verdes, frescos y alegres... el sopor del atardecer... el sol se ponía ya... en escándolos de rayo y color... silencio orgánico y denso... el bosque se calla... el silencio enmudece... desaparecen los caminos... no hay rastro humano o animal... silencio blanco, hondo y rutilante».
2. Expresa el paso del tiempo por decir que «pasó el verano y entró el invierno».

Después de leer

A Resumiendo Resume el mito del caballo mago que surge siempre en las charlas de los rancheros de Nuevo México.

B Interpretando Contesta.

1. ¿Cómo indica el autor la tranquilidad del lugar?
2. ¿Cómo expresa el paso del tiempo?

C Describiendo Describe.

1. Describe unas escenas que presenta Ulibarrí de las costumbres y folclore de la región.
2. Describe el clímax del cuento.

D Analizando Contesta.

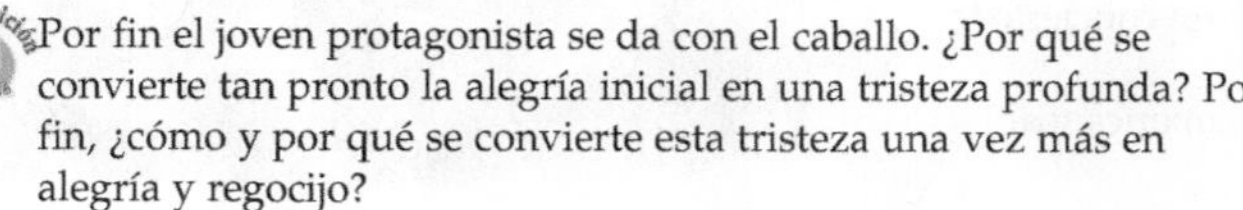

Por fin el joven protagonista se da con el caballo. ¿Por qué se convierte tan pronto la alegría inicial en una tristeza profunda? Por fin, ¿cómo y por qué se convierte esta tristeza una vez más en alegría y regocijo?

E Explicando En tus propias palabras explica el significado de lo siguiente.

«El protagonista funciona como el punto central de la obra y todo el relato está cargado de una sensibilidad de las descripciones».

F Interpretando Contesta.

En un nivel (plano) Ulibarrí nos presenta en su cuento el folclore y las costumbres de los rancheros de Nuevo México. ¿Cómo? En otro nivel más amplio nos presenta con un tema mucho más universal—la conducta humana. ¿Cómo?

Go Online!

connectED.mcgraw-hill.com

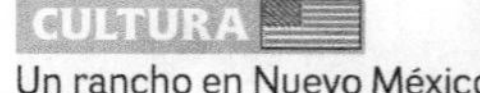

CULTURA

Un rancho en Nuevo México

Witold Skrypczak/Alamy

Answers

C *Answers will vary but may include:*

1. las reuniones de los vaqueros alrededor de las fogatas del campo y en las resolanas del pueblo; los compañeros alrededor de la hoguera agitando la guitarra, contando cuentos del pasado o de hoy; la gente en las portales
2. El clímax del cuento es cuando el joven va al potrero el día después de haber capturado al caballo mago y descubre que se había escapado.

D *Answers will vary but may include:*

La alegría se convierte tan pronto en una tristeza profunda porque el caballo se escapó. Esta tristeza se convierte una vez más en alegría y regocijo pensando en la fuga y la libertad del Mago, la transcendencia de su espíritu indomable. Así el Mago puede seguir siendo el ideal, la ilusión y la emoción.

E *Answers will vary.*

F *Answers will vary.*

PRACTICE

Después de leer

A–F These activities can be done orally, in writing, or both. All of these activities can be used for entire-class discussions or they can be prepared by individual students.

ASSESS

Students are now ready to take the Reading and Writing Test for Lección 4: Literatura.

Videopaseo

The Video Program for Chapter 8 includes three documentary segments of some interesting aspects of life in the United States. You may wish to have students answer the **Antes de mirar** questions orally or in writing.

Episodio 1: Justo Lamas es argentino. Él viaja por todo Estados Unidos dando conciertos de su música en escuelas a través del continente. Los muchachos aprenden las canciones en las clases de español. En los conciertos los chicos participan y cantan con Justo, son parte del espectáculo. Justo cree que estudiar otros idiomas es maravilloso, nos ayuda a conocer a otra gente y otras culturas.

Episodio 2: Poli da clases en *Self-help Graphics,* una organización que fomenta las artes en la comunidad en Los Ángeles Este. Ellos tienen talleres para artistas establecidos y clases para principiantes. *Self-help Graphics* se fundó en 1973 cuando solo tenían un camión. Hoy presentan exposiciones en todo el país y hasta en Europa y Japón. Ellos creen que las artes son importantes para dar una voz a los jóvenes latinos.

Episodio 3: Este señor es Alberto Torres. Él se crió en Puerto Rico y Nueva York. Su pasión es salsa, un tipo de música y baile que viene del Caribe, con raíces en Cuba, Puerto Rico y África. Salsa es cada día más y más popular en Estados Unidos. Hay diferentes estilos de salsa, estilo Nueva York, Los Ángeles y hasta un estilo que incorpora el *Hip Hop* y *R & B.* Pero sobre todo, ¡salsa es para bailar!

Videopaseo

¡Un viaje virtual en Estados Unidos!

Antes de mirar los episodios, completen las actividades que siguen.

Episodio 1: Justo Lamas en concierto

Antes de mirar Con unos compañeros de clase, contesten las siguientes preguntas para prepararse para lo que van a ver en el video.

1. Según el título del episodio, ¿de qué se tratará?
2. ¿Saben ustedes quién es Justo Lamas?
3. ¿Han asistido ustedes alguna vez a un concierto? Compartan los detalles.
4. ¿Conocen a algunos músicos latinoamericanos? ¿Cuáles? ¿De dónde son?

Episodio 2: Arte e identidad

Antes de mirar Con unos compañeros de clase, contesten las siguientes preguntas para prepararse para lo que van a ver en el video.

1. Según el título del episodio, ¿de qué se tratará?
2. ¿Les gusta el arte? ¿Siguen tomando ustedes cursos de arte en la escuela?
3. Ya han aprendido vocabulario relacionado con el arte en sus estudios del español. ¿Cuáles son algunos términos que conocen que tienen que ver con el arte?
4. ¿Se ofrecen en su ciudad cursos de arte?
5. ¿Han tomado alguna vez un(os) curso(s) fuera de la escuela? ¿Qué curso(s)?

Episodio 3: Espíritu salsero

Antes de mirar Con unos compañeros de clase, contesten las siguientes preguntas para prepararse para lo que van a ver en el video.

1. Según el título del episodio, ¿de qué se tratará?
2. ¿Qué significará «Espíritu salsero»?
3. ¿Es popular el baile latino en Estados Unidos?
4. ¿Saben ustedes bailar salsa? ¿Les gusta bailar? Y si no saben bailar, ¿les gustaría aprender?

Repaso de vocabulario

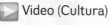

Cultura

el censo
la etnia
autóctono(a)
ilustre
albergar
apoderarse de
oler a (huele)
proveer

Literatura

Prosa

la charla
la fogata
la hoguera
la huella
la manada
un manojo
el paradero
el rastro
el regocijo
las reses
la trampa
la yegua
brujo(a)
turbio(a)
dar con
desatar
detenerse (ie)
enmudecer(se)
estropear
soñar (ue)
de diestra a siniestra

ELLER
Es nuestro futuro
HAGASE CONTAR
United States
Census

Barry Barker/McGraw-Hill Education

Repaso de vocabulario

Online Resources

Customizable Lesson Plans
Video (Cultura)
Practice
Listening, Speaking, Reading, Writing Tests

Vocabulary Review

The words and phrases from Lessons 1 and 4 have been taught for productive use in this chapter. They are summarized here as a resource for both student and teacher.

Teaching Options

This vocabulary reference list has not been translated into English. If it is your preference to give students the English translations, please refer to Vocabulary V8.1.

ASSESS

Students are now ready to take any of the Listening, Speaking, Reading, Writing Tests you choose to administer.

Student Resources

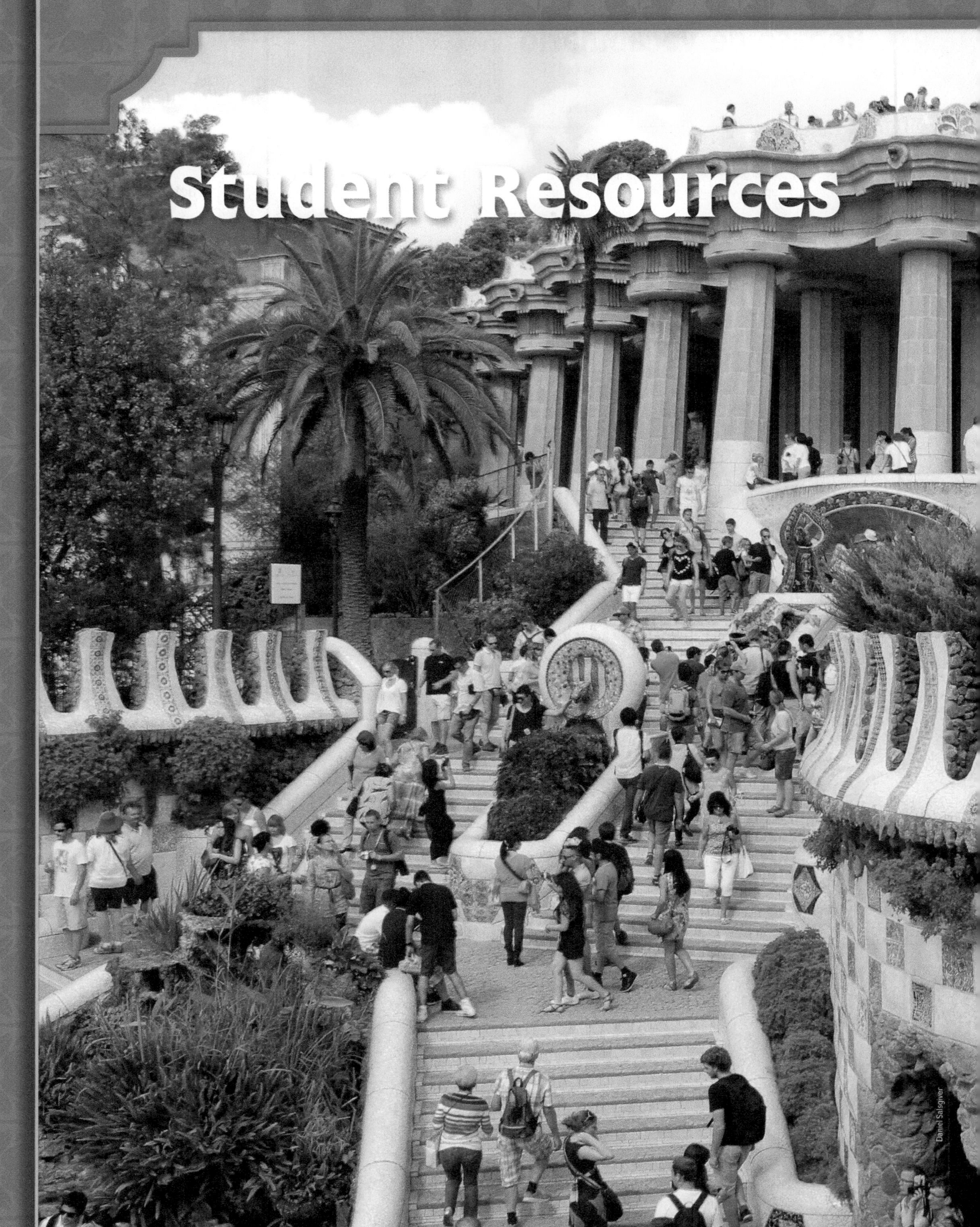

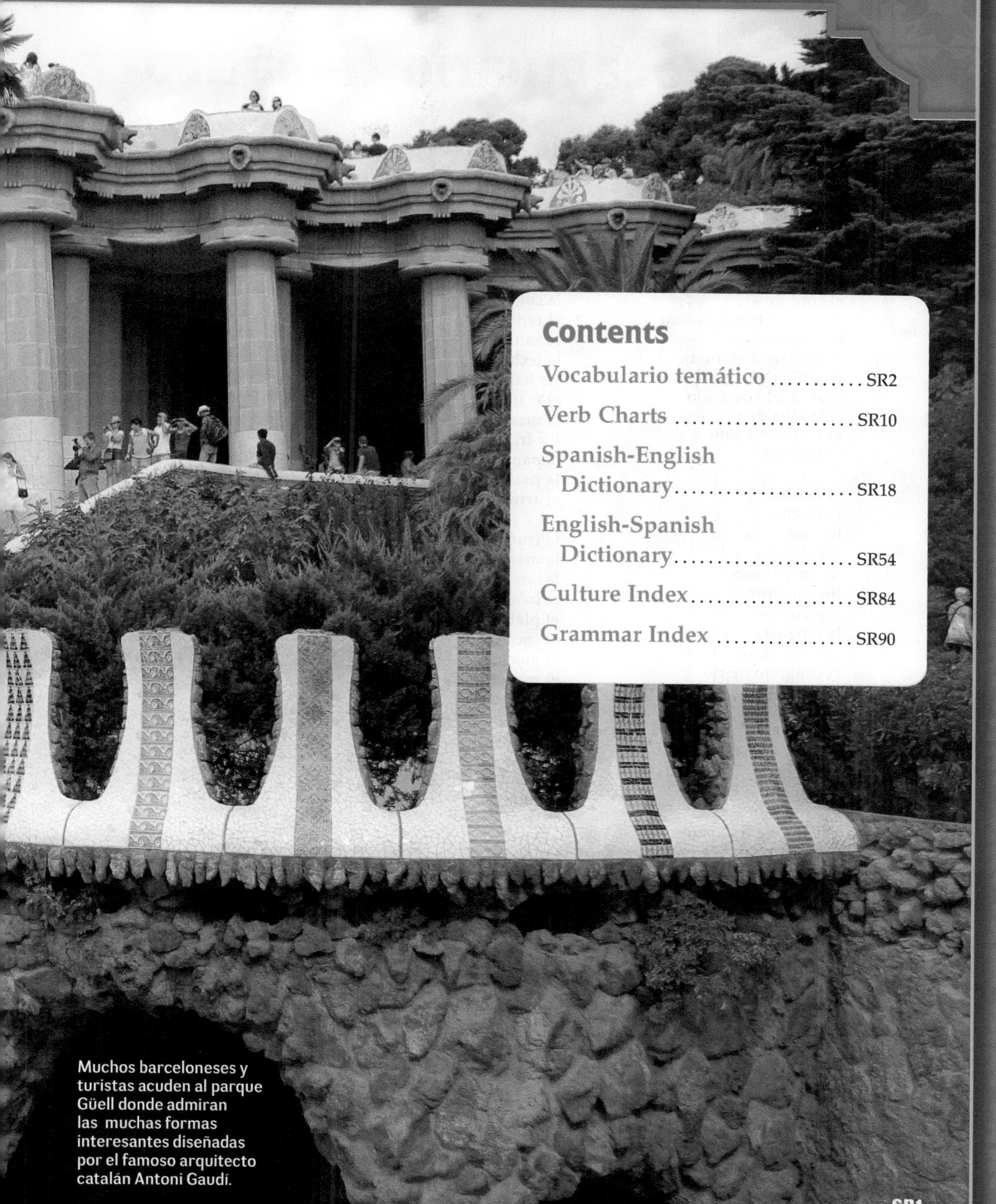

Muchos barceloneses y turistas acuden al parque Güell donde admiran las muchas formas interesantes diseñadas por el famoso arquitecto catalán Antoni Gaudí.

Contents

Vocabulario temático SR2
Verb Charts SR10
Spanish-English Dictionary SR18
English-Spanish Dictionary SR54
Culture Index SR84
Grammar Index SR90

Vocabulario temático

Comida (Comestibles)

la carne
la carne de res (vaca)
el bife
el biftec, el bistec
el cerdo
  la chuleta de cerdo
el cordero
  la chuleta de cordero
la ternera
  el filete de ternera
el pollo
  el muslo de pollo
  la alita de pollo
el jamón serrano
el chorizo

el pescado
la trucha
los mariscos
las almejas
los mejillones
los camarones
las gambas
la langosta
el langostino
el cangrejo de río

la legumbre, el vegetal
la verdura
las judías verdes
el guisante
el pimentón
el pimiento
el chipotle (jalapeño)
el chile

el morrón
el ají
la cebolla
el aguacate
la alcachofa
la berenjena
la col
el repollo
la zanahoria
la lechuga
las habichuelas
el maíz
la mazorca de maíz
los frijoles
la papa
la patata
el arroz

la fruta
la manzana
la naranja
la banana
el plátano
el coco
la guayaba
el mango
el melón
el limón
la papaya
la piña
la uva
el tomate

el huevo
el bacón, el tocino, el lacón
el pan dulce
la tostada, el pan tostado
el cereal
el churro
el panecillo

el bocadillo, el sándwich
el pan
el jamón
el queso
la hamburguesa
la pizza
el atún
la ensalada
la sopa

las galletas
el cacahuate (cacahuete),
  el maní
la almendra
los vegetales crudos

el aceite (de oliva)
el vinagre
la mantequilla
la sal
la pimienta
el orégano
el ajo
la mermelada
la miel

el postre
el bizcocho
el pastel
la torta
los bombones
el dulce
el flan
el chocolate
el helado

Comprando comida

el mercado
el puesto, el tenderete
el/la vendedor(a)
el supermercado
el carrito
el hipermercado
la bodega, el colmado

los productos congelados
un bote, una lata
un paquete

una botella
un frasco
una tajada
un kilo
  gramos

la carnicería
la pescadería
la marisquería
la panadería
la pastelería

la lechería
la verdulería
la frutería

¿Cuál es el precio?
¿A cuánto está(n)?
¿Algo más?
Sí, ____, por favor.
No, nada más, gracias.

Preparando comida

la cocina
el/la cocinero(a)
el refrigerador, la nevera
el congelador
la estufa, la cocina
el horno de microondas
la parrilla
el lavaplatos

el/la sartén
la olla
la cacerola
la cazuela
la tapa

la receta
la elaboración
la cocción
el sabor
los condimentos
las especias
una pizca de sal

pelar
picar
  en pedacitos
cortar
  en rebanadas
  en tajadas
  en tiras

añadir, agregar
cocinar, cocer
  a fuego lento
hervir
llevar a la ebullición
freír
asar
  en el horno
  a la parrilla
revolver
rellenar
rebozar
empanar

El restaurante y el café

el restaurante
el café
la mesa
  libre
  ocupada
el/la mesero(a)
el/la camarero(a)
el menú
el menú del día
los entremeses
las tapas
el plato combinado
el plato principal
  (fuerte)
la especialidad de la casa
la cuenta
la propina

casi crudo
a término medio
bien hecho
caliente
frío
salado

la taza
el platillo
el plato
el tenedor
el cuchillo
la cucharita
la cuchara
la servilleta
el mantel
  limpio
  sucio

tener hambre
tener sed
comer algo
tomar algo
una merienda
un refresco

¿Qué desean tomar?
¿Está incluido el servicio?
dejar una propina
¿Te (Le) apetece... ?
¡Buen provecho!

Ropa (Prendas de vestir)

el traje
la corbata
el pantalón
  corto
  largo
la camisa
la blusa
la falda
el vestido

el blue jean
el T-shirt
la camiseta
el buzo

los calcetines
las medias
el par de zapatos
los tenis
las zapatillas
los zapatos

el abrigo
la chaqueta, el saco
el impermeable
el anorak
el suéter
el sombrero
el/la gorro(a)

el bañador
el traje de baño

Comprando ropa

la tienda de ropa
  para señores, caballeros
  para señoras, damas
  para niños
el escaparate
el mostrador
el/la empleado(a), el/la
  dependiente(a)
la caja
el/la cajero(a)
pagar
  con tarjeta de crédito

el saldo
la liquidación
el descuento
  Se rebajan los precios.

  Todo te sale más barato.

¿Qué talla usa usted?
¿Qué número calza usted?
¿Qué color quiere usted?
¿Cuánto es?
¿Cuánto cuesta?
probarse
Te queda bien.
  pequeño
  grande
una camisa
  de manga larga
  de manga corta

barato
caro

corto
largo
estrecho
ancho

blanco
negro
gris
azul
rojo
rosado
anaranjado
verde
marrón
beige
crema
violeta

Computadoras y tecnología

la computadora, el ordenador
la pantalla
  de escritorio
la alfombrilla
el ratón
el teclado
el icono
la barra de herramientas
un sitio Web
la página de inicio
  inicial
  frontal
  de hogar
el botón
  regresar, retroceder
  borrador
el archivo
la carpeta
la impresora
una copia dura

el correo electrónico, el e-mail
el/la destinatario(a)
la dirección
la libreta de direcciones
la bandeja
  de entradas
  de enviados
el documento adjunto
arroba
punto

prender la computadora
apagar
entrar en línea
hacer clic
oprimir, pulsar
guardar
borrar
navegar la red (el Internet)

bajar, descargar
imprimir

el móvil, el celular
el timbre, el sonoro
una llamada
  perdida
  caída
la cámara digital
el MP3

sonar
asignar

Estás cortando.
Se nos cortó la línea.
¿Me escuchas?

El tren y la estación de ferrocarril

la estación de ferrocarril (tren)
el hall
la sala de espera
el horario
la llegada
la salida
la ventanilla, la boletería
el billete, el boleto
  sencillo, de ida solamente
  de ida y vuelta
  de ida y regreso
  retorno
en segunda (primera) clase

la tarifa
  escolar, estudiantil
la tarjeta de identidad
el distribuidor automático
el tren
  de cercanías
  de largo recorrido, de larga distancia
el destino
la parada
  próxima
subir al tren
bajar(se) del tren
transbordar, cambiar de tren

comprar un boleto, sacar un billete
el asiento, la plaza
  libre
  ocupado(a)
el pasillo
el revisor
el coche comedor, la cafetería
revisar los billetes (boletos)

a tiempo
tarde
con una demora de

El avión y el aeropuerto

el aeropuerto
el avión
el/la agente
el mostrador
la línea aérea
el vuelo
el boleto (el billete) electrónico
el distribuidor automático
la pantalla
  de salidas
  de llegadas
la tarjeta de embarque, el pasabordo
el nombre
el/la pasajero(a)
el número del vuelo
la hora de embarque
la hora de salida
la puerta de salida
el vuelo
  directo
  sin escala
  internacional
  nacional, doméstico

el control de seguridad
la forma de identidad
la inmigración
la aduana

la maleta
la mochila
el equipaje
  de mano
el/la maletero(a)
el talón
la etiqueta
el peso
el límite de peso

esperar
hacer fila
estar en cola
embarcar, abordar
desembarcar, bajar(se)
confirmar un vuelo
anular un vuelo
perder el vuelo
reclamar (recoger) el equipaje en la correa
abordo
con destino a
procedente de

el/la asistente(a) de vuelo
el asiento, la plaza
la ventanilla
el pasillo
el compartimiento superior
  debajo del asiento
la máscara de oxígeno
el cinturón de seguridad
  abrochado
la señal de no fumar
el servicio
un retraso, una demora
el despegue
el aterrizaje
la pista

abrocharse el cinturón de seguridad
despegar
aterrizar

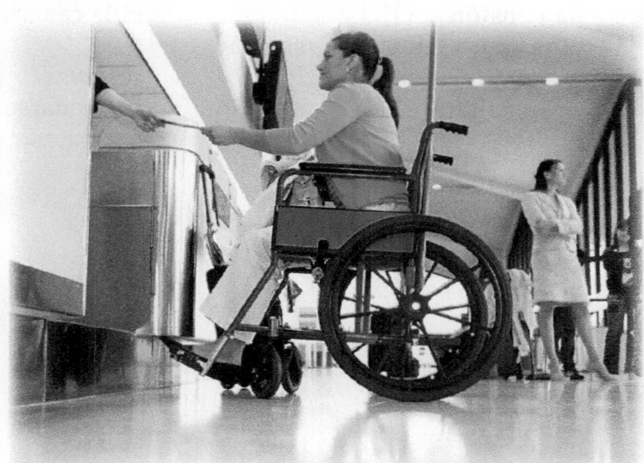

El carro y la carretera

el carro, el coche
deportivo
descapotable
sedán
el camión
el/la conductor(a)
el permiso de conducir, la licencia, el carnet
conducir, manejar

el capó
la puerta
la guantera, la secreta
el volante
las frenos
la maletera, el baúl
el parabrisas
el limpiaparabrisas
las luces, los faros
las direccionales, las intermitentes
el retrovisor
un rayón
una abolladura
la llanta, la goma, el neumático
de repuesto, de recambio
la transmisión
manual
automática

la agencia de alquiler
el/la agente
el contrato
la póliza
los seguros
contra todo riesgo
la tarifa
el kilometraje
ilimitado
el mapa
el plano de la ciudad

alquilar, rentar
firmar
aceptar
verificar, inspeccionar
la estación de servicio, la gasolinera
el tanque
vacío
lleno
Llene el tanque, por favor.
Verifique la presión del aire.

la carretera, la autopista
el carril
el sentido
el peaje, la cuota
la garita (cabina) de peaje
el arcén, el acotamiento
el rótulo

la velocidad máxima
una línea continua
la salida de la autopista

la calle
de sentido único
peatonal
la avenida
el paseo
la cuadra
el cruce, la bocacalle
el estacionamiento, el parking
el parquímetro
la luz de tránsito
la luz roja
prender el motor
ir en reverso
en retro
seguir derecho
doblar
a la derecha
a la izquierda
dar la vuelta
adelantar, pasar, repasar
quedarse en el carril
reducir la velocidad
pararse
estacionar(se), aparcar, parquear
cambiar la llanta

El hotel

el hotel
el albergue
juvenil
el hostal
la pensión
una reservación, una reserva
un cuarto, una habitación
sencillo(a)
doble
la recepción
el/la recepcionista

la llave
magnética
el mozo, el botones
el ascensor, el elevador
el/la camarero(a)

reservar
hospedarse
abandonar el cuarto

Necesitamos...
más
otro(a)
¿Nos podría limpiar (arreglar) el cuarto, por favor?
¿Está(n) incluido(s)...
el desayuno?
los impuestos?

La escuela

la escuela
  primaria
  elemental
  intermedia
  secundaria
  superior
el colegio
la preparatoria
el instituto
la academia
la universidad
el/la maestro(a)
el/la profesor(a)
el curso
la sala de clase, el aula
el gimnasio
el auditorio
la biblioteca, el centro de recursos
la cafetería
el pupitre
el horario escolar

los materiales escolares
el libro
el cuaderno
la carpeta
el lápiz
el bolígrafo, el lapicero
una hoja de papel
una calculadora

las lenguas
la matemáticas
  el álgebra
  la geometría
  la trigonometría
  el cálculo
las ciencias
  la ciencia física
  la biología
  la química
  la física
la historia
la geografía
la música
el arte
la educación física
las ciencias domésticas

estudiar
aprender
hablar
comprender, entender
leer
escribir
prestar atención
escuchar
tomar, sacar
  notas, apuntes
levantar la mano
hacer una pregunta
contestar
tomar un examen
  una prueba
salir
  bien
  mal
sacar (recibir) notas
  buenas, altas
  malas, bajas
tomar un curso
dar una conferencia
enseñar
hacer tareas
matricularse
especializarse
graduarse
recibir un título (diploma)

La casa

la casa
  privada (particular)
el apartamento, el departamento, el piso
la terraza

los cuartos
la sala, el salón
la cocina
el comedor
el cuarto de dormir, el dormitorio, la recámara, la alcoba
el cuarto de baño
el jardín
las plantas
las flores
los árboles
el garaje
el carro, el coche

en las afueras
en los suburbios
en el centro

al lado de
delante de
detrás de
alrededor de

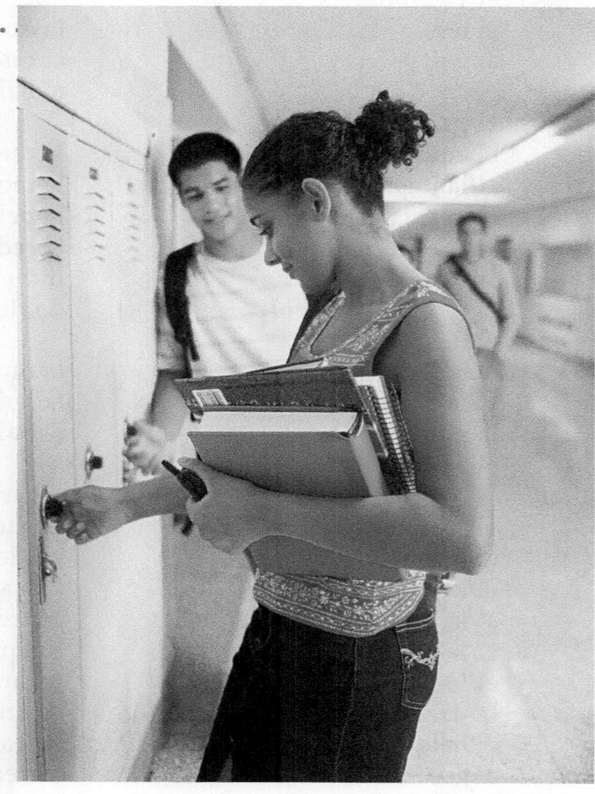

Vocabulario temático

La familia

el miembro
los parientes
el/la abuelo(a)
el padre
la madre
los padres
el marido, el esposo
la mujer, la esposa
el/la hijo(a)
único(a)
el/la hermano(a)
el/la tío(a)
el/la primo(a)
el/la nieto(a)
el/la sobrino(a)
el/la gemelo(a)
la madrastra
el padrastro
el/la hermanastro(a)

el nacimiento
el bautizo
el recién nacido
el padrino
la madrina
la pila

la comunión
el bar mitzvah
bat mitzvah
la confirmación
el matrimonio, el casamiento
la boda
la ceremonia
religiosa
civil
el/la novio(a)
la pareja
la dama de honor
el padrino
el paje

el/la recién casado(a)
la esquela, el obituario
la muerte, el fallecimiento
el velorio
el ataúd
el cementerio, el camposanto
el entierro, el sepelio

nacer
bautizar
cumplir... años
celebrar el cumpleaños
comprometerse
casarse
divorciarse
morir, fallecer

Los deportes y otras actividades físicas

el fútbol
el béisbol
el básquetbol, el baloncesto
el voleibol
el tenis
el golf

el partido, el juego
el equipo
el/la jugador(a)
el/la aficionado(a) a
el/la espectador(a)

el campo de fútbol
el tiempo
el balón
el/la portero(a)
la portería
el gol

el campo de béisbol
el/la beisbolista
el/la bateador(a)
el/la lanzador(a), el/la pícher
el/la cátcher, el/la receptor(a)
el/la jardinero(a)
la pelota
el bate
el guante

el platillo
la base
el jonrón

la cancha de básquetbol
el cesto, la canasta
el balón

la cancha de tenis
la raqueta
la pelota
la red
individuales
dobles

la cancha de voleibol
la red
el balón

jugar
ganar
perder
lanzar
guardar
bloquear
parar
meter (un gol)
batear
correr

atrapar
tirar
driblar
encestar
golpear
devolver

por encima de la red
El tanto queda empatado
en...

el gimnasio
los ejercicios
las pesas
el monopatín
el patinaje en línea
el jogging
una carrera
una vuelta
un maratón
levantar pesas
hacer planchas
jogging
correr
estirarse
hacer calentamiento
patinar en línea
andar en bicicleta

Actividades de verano

el verano
el balneario
la arena
el mar
el océano
la ola
el sol
el surfing

la plancha de vela
la tabla hawaiana
el buceo
el esquí acuático (náutico)
la piscina, la alberca

nadar
tirarse al agua

hacer surfing
correr las olas
esquiar en el agua
alquilar (rentar) un barquito
remar

Actividades de invierno

el invierno
el esquí
el/la alpinista
el/la andinista
una estación de esquí
la montaña
el pico
la pista
el telesquí, el telesilla
el/la esquiador(a)

el/la snowboarder
el hielo
el patinaje sobre el hielo
la pista de patinaje
al aire libre
cubierta
el/la patinador(a)
el/la principiante
el/la experto(a)

esquiar
hacer slalom
subir
bajar
patinar
hacer snowboarding

Vocabulario temático

Verb Charts

REGULAR VERBS			
INFINITIVO	hablar *to speak*	comer *to eat*	vivir *to live*
PARTICIPIO PRESENTE	hablando	comiendo	viviendo
PARTICIPIO PASADO	hablado	comido	vivido
Simple Tenses			
INDICATIVO			
PRESENTE	hablo hablas habla hablamos *habláis* hablan	como comes come comemos *coméis* comen	vivo vives vive vivimos *vivís* viven
IMPERFECTO	hablaba hablabas hablaba hablábamos *hablabais* hablaban	comía comías comía comíamos *comíais* comían	vivía vivías vivía vivíamos *vivíais* vivían
PRETÉRITO	hablé hablaste habló hablamos *hablasteis* hablaron	comí comiste comió comimos *comisteis* comieron	viví viviste vivió vivimos *vivisteis* vivieron
FUTURO	hablaré hablarás hablará hablaremos *hablaréis* hablarán	comeré comerás comerá comeremos *comeréis* comerán	viviré vivirás vivirá viviremos *viviréis* vivirán
CONDICIONAL	hablaría hablarías hablaría hablaríamos *hablaríais* hablarían	comería comerías comería comeríamos *comeríais* comerían	viviría vivirías viviría viviríamos *viviríais* vivirían

REGULAR VERBS *(continued)*

SUBJUNTIVO	hablar *to speak*	comer *to eat*	vivir *to live*
PRESENTE	hable hables hable hablemos *habléis* hablen	coma comas coma comamos *comáis* coman	viva vivas viva vivamos *viváis* vivan
IMPERFECTO	hablara hablaras hablara habláramos *hablarais* hablaran	comiera comieras comiera comiéramos *comierais* comieran	viviera vivieras viviera viviéramos *vivierais* vivieran

Compound Tenses

INDICATIVO			
PRESENTE PERFECTO	he hablado has hablado ha hablado hemos hablado *habéis hablado* han hablado	he comido has comido ha comido hemos comido *habéis comido* han comido	he vivido has vivido ha vivido hemos vivido *habéis vivido* han vivido
PLUSCUAMPERFECTO	había hablado habías hablado había hablado habíamos hablado *habíais hablado* habían hablado	había comido habías comido había comido habíamos comido *habíais comido* habían comido	había vivido habías vivido había vivido habíamos vivido *habíais vivido* habían vivido
FUTURO PERFECTO	habré hablado habrás hablado habrá hablado habremos hablado *habréis hablado* habrán hablado	habré comido habrás comido habrá comido habremos comido *habréis comido* habrán comido	habré vivido habrás vivido habrá vivido habremos vivido *habréis vivido* habrán vivido
CONDICIONAL PERFECTO	habría hablado habrías hablado habría hablado habríamos hablado *habríais hablado* habrían hablado	habría comido habrías comido habría comido habríamos comido *habríais comido* habrían comido	habría vivido habrías vivido habría vivido habríamos vivido *habríais vivido* habrían vivido

Verb Charts

REGULAR VERBS *(continued)*			
SUBJUNTIVO			
PRESENTE PERFECTO	**haya hablado** **hayas hablado** **haya hablado** **hayamos hablado** ***hayáis hablado*** **hayan hablado**	**haya comido** **hayas comido** **haya comido** **hayamos comido** ***hayáis comido*** **hayan comido**	**haya vivido** **hayas vivido** **haya vivido** **hayamos vivido** ***hayáis vivido*** **hayan vivido**
PLUSCUAM-PERFECTO	**hubiera hablado** **hubieras hablado** **hubiera hablado** **hubiéramos hablado** ***hubierais hablado*** **hubieran hablado**	**hubiera comido** **hubieras comido** **hubiera comido** **hubiéramos comido** ***hubierais comido*** **hubieran comido**	**hubiera vivido** **hubieras vivido** **hubiera vivido** **hubiéramos vivido** ***hubierais vivido*** **hubieran vivido**

Stem-changing verbs (-ar and -er verbs)				
INFINITIVO	empezar (e→ie) *to begin*	perder (e→ie) *to lose*	recordar (o→ue) *to remember*	volver (o→ue) *to return*
INDICATIVO				
PRESENTE	**empiezo** **empiezas** **empieza** **empezamos** ***empezáis*** **empiezan**	**pierdo** **pierdes** **pierde** **perdemos** ***perdéis*** **pierden**	**recuerdo** **recuerdas** **recuerda** **recordamos** ***recordáis*** **recuerdan**	**vuelvo** **vuelves** **vuelve** **volvemos** ***volvéis*** **vuelven**
SUBJUNTIVO				
PRESENTE	**empiece** **empieces** **empiece** **empecemos** ***empecéis*** **empiecen**	**pierda** **pierdas** **pierda** **perdamos** ***perdáis*** **pierdan**	**recuerde** **recuerdes** **recuerde** **recordemos** ***recordéis*** **recuerden**	**vuelva** **vuelvas** **vuelva** **volvamos** ***volváis*** **vuelvan**

e→ie

Other verbs conjugated like **empezar** and **perder** are: **cerrar, comenzar, sentar**(se), **despertar**(se), **recomendar, pensar, defender, entender, querer, encender.**

o→ue

Other verbs conjugated like **recordar** and **volver** are: **acordar, almorzar, contar, costar, probar, encontrar, mostrar, soñar, acostar**(se), **devolver, mover, poder, jugar** (**u→ue**).

Stem-changing verbs (-ir verbs)			
INFINITIVO	preferir (e→ie, i) *to prefer*	dormir (o→ue, u) *to sleep*	pedir (e→i, i) *to ask for*
PARTICIPIO PRESENTE	**prefiriendo**	**durmiendo**	**pidiendo**
INDICATIVO			
PRESENTE	**prefiero** **prefieres** **prefiere** **preferimos** ***preferís*** **prefieren**	**duermo** **duermes** **duerme** **dormimos** ***dormís*** **duermen**	**pido** **pides** **pide** **pedimos** ***pedís*** **piden**
PRETÉRITO	**preferí** **preferiste** **prefirió** **preferimos** ***preferisteis*** **prefirieron**	**dormí** **dormiste** **durmió** **dormimos** ***dormisteis*** **durmieron**	**pedí** **pediste** **pidió** **pedimos** ***pedisteis*** **pidieron**
SUBJUNTIVO			
PRESENTE	**prefiera** **prefieras** **prefiera** **prefiramos** ***prefiráis*** **prefieran**	**duerma** **duermas** **duerma** **durmamos** ***durmáis*** **duerman**	**pida** **pidas** **pida** **pidamos** ***pidáis*** **pidan**

e→ie, i

Other verbs conjugated like **preferir** are: **sentir(se), sugerir, mentir, divertir(se), advertir, invertir.**

o→ue

Another verb conjugated like **dormir** is **morir.**

e→i, i

Other verbs conjugated like **pedir** are: **repetir, servir, seguir, vestirse, freír, reír, sonreír, despedir(se).**

IRREGULAR VERBS						
	abrir *to open*					
PARTICIPIO PASADO	**abierto**					
	andar *to walk*					
PRETÉRITO	**anduve**	**anduviste**	**anduvo**	**anduvimos**	***anduvisteis***	**anduvieron**
	conocer *to know, to be familiar with*					
PRESENTE	**conozco**	**conoces**	**conoce**	**conocemos**	***conocéis***	**conocen**
	cubrir *to cover*					
PARTICIPIO PASADO	**cubierto**					
	dar *to give*					
PRESENTE	**doy**	**das**	**da**	**damos**	***dais***	**dan**
PRETÉRITO	**di**	**diste**	**dio**	**dimos**	***disteis***	**dieron**
SUBJUNTIVO: PRESENTE	**dé**	**des**	**dé**	**demos**	***deis***	**den**
	decir *to say*					
PARTICIPIO PRESENTE	**diciendo**					
PARTICIPIO PASADO	**dicho**					
PRESENTE	**digo**	**dices**	**dice**	**decimos**	***decís***	**dicen**
PRETÉRITO	**dije**	**dijiste**	**dijo**	**dijimos**	***dijisteis***	**dijeron**
FUTURO	**diré**	**dirás**	**dirá**	**diremos**	***diréis***	**dirán**
CONDICIONAL	**diría**	**dirías**	**diría**	**diríamos**	***diríais***	**dirían**
IMPERATIVO FAMILIAR	**di**					
	devolver *to return (bring back)*					
PARTICIPIO PASADO	**devuelto**					
	escribir *to write*					
PARTICIPIO PASADO	**escrito**					
	estar *to be*					
PRESENTE	**estoy**	**estás**	**está**	**estamos**	***estáis***	**están**
PRETÉRITO	**estuve**	**estuviste**	**estuvo**	**estuvimos**	***estuvisteis***	**estuvieron**
SUBJUNTIVO: PRESENTE	**esté**	**estés**	**esté**	**estemos**	***estéis***	**estén**
	freír *to fry*					
PARTICIPIO PASADO	**frito**					

IRREGULAR VERBS *(continued)*						
	haber *to have (in compound tenses)*					
PRESENTE	**he**	**has**	**ha**	**hemos**	***habéis***	**han**
PRETÉRITO	**hube**	**hubiste**	**hubo**	**hubimos**	***hubisteis***	**hubieron**
IMPERFECTO	**había**	**habías**	**había**	**habíamos**	***habíais***	**habían**
FUTURO	**habré**	**habrás**	**habrá**	**habremos**	***habréis***	**habrán**
CONDICIONAL	**habría**	**habrías**	**habría**	**habríamos**	***habríais***	**habrían**
SUBJUNTIVO: PRESENTE	**haya**	**hayas**	**haya**	**hayamos**	***hayáis***	**hayan**
	hacer *to do, to make*					
PARTICIPIO PASADO	**hecho**					
PRESENTE	**hago**	**haces**	**hace**	**hacemos**	***hacéis***	**hacen**
PRETÉRITO	**hice**	**hiciste**	**hizo**	**hicimos**	***hicisteis***	**hicieron**
FUTURO	**haré**	**harás**	**hará**	**haremos**	***haréis***	**harán**
CONDICIONAL	**haría**	**harías**	**haría**	**haríamos**	***haríais***	**harían**
IMPERATIVO FAMILIAR	**haz**					
	ir *to go*					
PARTICIPIO PRESENTE	**yendo**					
PRESENTE	**voy**	**vas**	**va**	**vamos**	***vais***	**van**
PRETÉRITO	**fui**	**fuiste**	**fue**	**fuimos**	***fuisteis***	**fueron**
IMPERFECTO	**iba**	**ibas**	**iba**	**íbamos**	***ibais***	**iban**
SUBJUNTIVO: PRESENTE	**vaya**	**vayas**	**vaya**	**vayamos**	***vayáis***	**vayan**
IMPERATIVO FAMILIAR	**ve**					
	morir *to die*					
PARTICIPIO PASADO	**muerto**					
	oír *to hear*					
PRESENTE	**oigo**	**oyes**	**oye**	**oímos**	***oís***	**oyen**
	poder *to be able to*					
PARTICIPIO PRESENTE	**pudiendo**					
PRETÉRITO	**pude**	**pudiste**	**pudo**	**pudimos**	***pudisteis***	**pudieron**
FUTURO	**podré**	**podrás**	**podrá**	**podremos**	***podréis***	**podrán**
CONDICIONAL	**podría**	**podrías**	**podría**	**podríamos**	***podríais***	**podrían**
	poner *to put*					
PARTICIPIO PASADO	**puesto**					
PRESENTE	**pongo**	**pones**	**pone**	**ponemos**	***ponéis***	**ponen**
PRETÉRITO	**puse**	**pusiste**	**puso**	**pusimos**	***pusisteis***	**pusieron**
FUTURO	**pondré**	**pondrás**	**pondrá**	**pondremos**	***pondréis***	**pondrán**

IRREGULAR VERBS *(continued)*						
	querer *to want*					
PRETÉRITO	**quise**	**quisiste**	**quiso**	**quisimos**	***quisisteis***	**quisieron**
FUTURO	**querré**	**querrás**	**querrá**	**querremos**	***querréis***	**querrán**
CONDICIONAL	**querría**	**querrías**	**querría**	**querríamos**	***querríais***	**querrían**
	romper *to break*					
PARTICIPIO PASADO	**roto**					
	saber *to know (how)*					
PRESENTE	**sé**	**sabes**	**sabe**	**sabemos**	***sabéis***	**saben**
PRETÉRITO	**supe**	**supiste**	**supo**	**supimos**	***supisteis***	**supieron**
FUTURO	**sabré**	**sabrás**	**sabrá**	**sabremos**	***sabréis***	**sabrán**
CONDICIONAL	**sabría**	**sabrías**	**sabría**	**sabríamos**	***sabríais***	**sabrían**
SUBJUNTIVO: PRESENTE	**sepa**	**sepas**	**sepa**	**sepamos**	***sepáis***	**sepan**
	ser *to be*					
PRESENTE	**soy**	**eres**	**es**	**somos**	***sois***	**son**
PRETÉRITO	**fui**	**fuiste**	**fue**	**fuimos**	***fuisteis***	**fueron**
IMPERFECTO	**era**	**eras**	**era**	**éramos**	***erais***	**eran**
SUBJUNTIVO: PRESENTE	**sea**	**seas**	**sea**	**seamos**	***seáis***	**sean**
IMPERATIVO FAMILIAR	**sé**					
	tener *to have*					
PRESENTE	**tengo**	**tienes**	**tiene**	**tenemos**	***tenéis***	**tienen**
PRETÉRITO	**tuve**	**tuviste**	**tuvo**	**tuvimos**	***tuvisteis***	**tuvieron**
FUTURO	**tendré**	**tendrás**	**tendrá**	**tendremos**	***tendréis***	**tendrán**
CONDICIONAL	**tendría**	**tendrías**	**tendría**	**tendríamos**	***tendríais***	**tendrían**
IMPERATIVO FAMILIAR	**ten**					
	traer *to bring*					
PRESENTE	**traigo**	**traes**	**trae**	**traemos**	***traéis***	**traen**
PRETÉRITO	**traje**	**trajiste**	**trajo**	**trajimos**	***trajisteis***	**trajeron**

IRREGULAR VERBS *(continued)*						
	venir *to come*					
PARTICIPIO PRESENTE	**viniendo**					
PRETÉRITO	**vine**	**viniste**	**vino**	**vinimos**	***vinisteis***	**vinieron**
FUTURO	**vendré**	**vendrás**	**vendrá**	**vendremos**	***vendréis***	**vendrán**
CONDICIONAL	**vendría**	**vendrías**	**vendría**	**vendríamos**	***vendríais***	**vendrían**
IMPERATIVO FAMILIAR	**ven**					
	ver *to see*					
PARTICIPIO PASADO	**visto**					
PRESENTE	**veo**	**ves**	**ve**	**vemos**	***veis***	**ven**
PRETÉRITO	**vi**	**viste**	**vio**	**vimos**	***visteis***	**vieron**
IMPERFECTO	**veía**	**veías**	**veía**	**veíamos**	***veíais***	**veían**
	volver *to return*					
PARTICIPIO PASADO	**vuelto**					

Verb Charts

Spanish-English Dictionary

a at; to
a cargo de in charge of, responsible for
a eso de las tres (cuatro, diez, etc.) at around three (four, ten, etc.) o'clock
a fin de cuentas in the end
a fines de at the end of
a la una (a las dos, a las tres, etc.) at one o'clock (two o'clock, three o'clock, etc.)
a la vez at the same time
a lo lejos in the distance
a lo menos at least
a menos que unless
a menudo often
a pesar de in spite of
a pie on foot
¡A propósito! By the way!
¿a qué hora? at what time?
a solas alone
a tiempo on time
a través de across, over, through
a veces at times, sometimes
a ver let's see
al cabo de after, finally
abajo down; below
de abajo below
(ir) para abajo (to go) down
abandonar el cuarto to check out *(hotel)*
el **abanico** fan *(handheld)*
abarcar to contain, to comprise, to cover
abdicar to abdicate, to give up power
el **abismo** abyss
el/la **abogado(a)** lawyer
la **abolladura** dent
el **abono** fertilizer
abordar to board
abordo (de) aboard, on board
abotonarse to button
abrazar(se) to hug (each other)
el **abrazo** hug
abreviado(a) abbreviated, shortened
abrigado(a) wrapped up
el **abrigo** coat
abril April
abrir to open
abrochado(a) fastened
absorber to absorb
absorto(a) absorbed, engrossed
el/la **abuelo(a)** grandfather (grandmother)
los **abuelos** grandparents
abundar to abound, to be plentiful
abundoso(a) abundant
aburrido(a) boring
aburrir to bore
acá here
acabar de to have just *(done something)*
la **academia** school
acaso perhaps
por si acaso just in case
acceder to access
el **accidente** accident
el **aceite** oil
el aceite de oliva olive oil
la **aceituna** olive
el **acento** accent
la **aceptación** acceptance, success
aceptar to accept
la **acera** sidewalk
acercarse (a) to approach
acertar (ie) to get (be) right
aclarar to clarify, to explain
acomodado(a) wealthy, well-off
acomodar to set *(bone)*
acompañar to accompany
aconsejable advisable
aconsejar to advise
acontecer to happen
el **acontecimiento** event, happening
acordarse (ue) to remember
¿Te acuerdas? Do you remember?
acostarse (ue) to go to bed
acostumbrarse to get used to
el **acotamiento** shoulder *(road)*
la **actitud** attitude
la **actividad** activity
actual present-day, current
la **actualidad** present time, here and now
en la actualidad nowadays
actualmente nowadays, currently
actuar to act, to take action
la **acuarela** watercolor
acudir to go to
el **acuerdo** agreement *(treaty, etc.)*
acuerdo: de acuerdo okay, agreed; **estar de acuerdo con** to agree with, to be in agreement with
adecuado(a) appropriate, suitable
adelantar(se) to pass *(car)*
adelante ahead
ir hacia adelante to move forward, ahead
además furthermore, what's more, besides
además de in addition to, besides
adinerado(a) wealthy, well-off
¡Adiós! Good-bye!
adivinar to guess
adjunto: el documento adjunto attached file
admitir to admit
la **adolescencia** adolescence
¿adónde? (to) where?
los **adoquines** cobblestones
adornado(a) adorned, decorated
adquirir (ie, i) to acquire
la **aduana** customs
la **advertencia** warning
advertir (ie, i) to warn
aérea: la línea aérea airline
aeróbico(a) aerobic
el **aerodeslizador** hovercraft, hydrofoil
el **aeropuerto** airport
afamado(a) famous, well-known
el **afán** strong wish, desire
afeitarse to shave
afición: tener (mucha) afición a to be (very) fond of
aficionado(a): ser aficionado(a) a to like, to be a fan of
el/la **aficionado(a)** fan
el/la **afiliado(a)** member, affiliate
afine: la palabra afine cognate
la **afinidad** affinity; kinship
afirmar to declare, to state
el **afluente** tributary

afortunados: los menos afortunados the less fortunate, the needy
las **afueras** suburbs; outskirts
agarrar velocidad to pick up speed
la **agencia** agency
la agencia de alquiler car rental agency
el/la **agente** agent
ágil agile, quick
la **aglomeración** big city
agosto August
agotar to exhaust, to wear out, to use up
agradable pleasant, friendly, agreeable
agradar to please, to be pleasing to
agradecido(a) grateful
agrario(a) agrarian
agregar to add
agresivo(a) aggressive
agrícola agricultural
agrio(a) sour
el **agua** *(f.)* water
el agua corriente running water
el agua mineral (con gas) (sparkling) mineral water
el **aguacate** avocado
el **aguacero** shower, downpour
el **águila** *(f.)* eagle
el **aguinaldo** Christmas gift
el/la **ahijado(a)** godchild
ahora now
el **aire** air
al aire libre open-air, outdoor
el **aire acondicionado** air conditioning
aislado(a) isolated
ajeno(a) different, strange
el **ají** chili pepper
el **ajo** garlic
al to the, on the, in the
al aire libre open-air, outdoor
al borde mismo de right on the edge of
al contrario on the contrary
al lado de beside, next to
la **alacena** cupboard
el **alambre** wire
la **alameda** poplar grove; tree-lined avenue, boulevard
alargar to lengthen, to stretch
el **albañil** mason
la **alberca** swimming pool
albergar to house, to accommodate
el **albergue juvenil** youth hostel
la **albóndiga** meatball
el **álbum** album
la **alcachofa** artichoke
las alcachofas salteadas sautéed artichokes
el/la **alcalde(sa)** mayor
el **alcance** reach
al alcance within reach
alcanzar to reach; to achieve
el **alcázar** fortress, castle
la **alcoba** bedroom
la **aldea** small village
alegrarse to rejoice
alegre happy
la **alegría** happiness, joy
alejarse de to go away from
alemán(ana) German
los **alemanes** Germans
la **alfombra** carpet, rug
la **alfombrilla** mouse pad
el **álgebra** *(f.)* algebra
algo something; anything
¿Algo más? Anything else?
alguien someone, somebody
algunos(as) some
el/la **aliado(a)** ally
el **aliento** breath
el **alimento** food
alisios: vientos alisios trade winds
las **alitas** wings
aliviado(a) relieved
el **alivio** relief
allá over there
allí there
el **alma** *(f.)* soul
almacenar to store
las **almejas** clams
las **almendras** almonds
la **almohada** pillow
el **almuerzo** lunch
tomar el almuerzo to have lunch
¡Aló! Hello! *(on the phone)*
alojar to lodge, to accommodate
alpino: el esquí alpino downhill skiing
alquilar to rent
alrededor de around
los **alrededores** outskirts, surroundings
la **altiplanicie** high plateau
el **altiplano** high plateau
altivo(a) arrogant
alto(a) tall; high; upper
la clase alta upper class
la nota alta high grade
la **altura** altitude; height
el/la **alumno(a)** student
los **alzados** rebels, insurgents
alzarse to rise
amanecer to dawn
el **amanecer** dawn, daybreak
amargo(a) bitter
la **amargura** bitterness
amarillo(a) yellow
la **ambición** ambition
ambicioso(a) hardworking
el **ambiente** atmosphere, environment
el medio ambiente environment *(ecology)*
la **ambulancia** ambulance
la **amenaza** threat
la **América del Sur** South America
americano(a) American
el/la **amigo(a)** friend
la **amistad** friendship
el **amo** owner
el **amor** love
amurallado(a) walled
anaranjado(a) orange *(color)*
ancho(a) wide, broad
el **ancla** anchor *(television)*
andar to go, to walk; to ride
andar a caballo to ride a horse
andar en bicicleta to ride a bike
el **andén** *(railway)* platform
andino(a) Andean, of the Andes
la **anécdota** anecdote, story
angosto(a) narrow
la **angustia** distress, anguish
el **anillo de boda** wedding ring
animado(a) lively
el **animal** animal
animar to cheer *(somebody, something)* on; to liven up
ánimo: estado de ánimo frame of mind
anoche last night
anochecer to grow dark *(night)*
el **anochecer** nightfall, dusk
anónimo(a) anonymous
el **anorak** anorak, ski jacket
anotar to note
ansioso(a) anxious, worried
ante before; in the presence of
los **anteojos de sol** sunglasses
el/la **antepasado(a)** ancestor
el **antepecho** parapet
anterior previous
antes de before
antes de que before *(doing something)*

Spanish-English Dictionary

Spanish-English Dictionary

los **antibióticos** antibiotics
antiguo(a) ancient, old; former
  el casco (barrio) antiguo the old city
la **antipatía** antipathy, hatred
antipático(a) unpleasant, not nice
los **antojitos** snacks, nibbles
la **antorcha** torch
anular to cancel
anunciar to announce
el **anuncio** announcement
  el anuncio clasificado classified ad
añadir to add
el **año** year
  el Año Nuevo New Year
  el año pasado last year
  ¿Cuántos años tiene? How old is he (she)?
  cumplir... años to be (turn) . . . years old
apacible mild, calm
apagado(a) put out, extinguished
apagar to turn off *(lights, power)*; to put out *(fire)*
el **aparato** device
aparcar to park
aparentado(a) related
la **apariencia** appearance, looks
  ¿Qué apariencia tiene? What does he (she) look like?
apartado(a) isolated, remote
el **apartamento** apartment
  la casa de apartamentos apartment house
el **apartamiento** apartment
aparte apart, on the side
apenas scarcely, hardly
apetecer to feel like, to crave
apetito: ¡Buen apetito! Bon appétit! Enjoy your meal!
aplastante overwhelming, crushing
aplaudir to applaud, to clap
el **aplauso** applause
  recibir aplausos to be applauded
la **aplicación de empleo** job application
aplicar to apply
apoderarse de to take by force
el **apodo** nickname
el **apogeo** apogee, height, peak
apoyar to lean, to support
el **apoyo** support, help
apreciado(a) appreciated, liked
aprender to learn
el **aprendizaje** learning
apresado(a) captured, imprisoned
apresurado(a) hurried
apresurarse to be in a hurry
apretar (ie) to clench
el **apretón de manos** handshake
apropiado(a) appropriate
aprovechar to make the most of; to take advantage of *(an opportunity, etc.)*
aproximadamente approximately
aquel(la) that
aquí here
  Aquí lo (las, etc.) tienes. Here it (they) is (are).
árabe Arabic
aragonés(esa) from Aragon *(Spain)*
el **árbol** tree
  el árbol de Navidad Christmas tree
la **arboleda** grove
arcaico(a) archaic, ancient
el **arcén** shoulder *(road)*
el **archivo** file
ardiente burning
el **área** *(f.)* area
la **arena** sand
el **arete** earring
argentino(a) Argentine
el **argumento** plot
árido(a) dry, arid
la **aritmética** arithmetic
el **arma** *(f.)* weapon
armar to put up *(tent)*
el **armario** closet
la **arqueología** archaeology
el/la **arquitecto(a)** architect
arrancar to uproot, to pull up; to start *(car)*
arrastrar to pull (along), to drag (along)
arreglar to fix, to repair
arrendamiento: la agencia de arrendamiento car rental agency
arrendar (ie) to rent
arriba above, overhead
arriesgado(a) risky
arriesgar to risk
la **arroba** the @ sign
arrojar to throw, to fling
el **arroyo** brook, stream
el **arroz** rice
arrugado(a) wrinkled
el **arte** art
arterial: la tensión arterial blood pressure
la **artesanía** crafts
el **artículo** article
el/la **artista** artist
asar to grill, to roast
la **ascendencia** heritage, background
el **ascensor** elevator
asegurar to assure
asegurarse to make sure
asemejarse a to be alike, to be similar *(to something, someone)*
así thus, so, in this way
asiduo(a) assiduous, regular, habitual
el **asiento** seat
  el número del asiento seat number
asignar to assign
la **asistencia médica** medical care
el/la **asistente(a) de vuelo** flight attendant
el/la **asistente(a) ejecutivo(a)** executive assistant
asistir (a) to attend
el **asno** donkey
asomar to come up, to appear
asombrado(a) amazed, astonished
el **aspa** *(f.)* sail *(windmill)*
áspero(a) rough, harsh
el/la **aspirante** (job) candidate
astuto(a) astute, smart
asumir to assume
el **asunto** business, affair
asustar to frighten, to scare
atacar to attack
atado(a) tied
atar to tie
atardecer to grow dark *(evening)*
el **atardecer** late afternoon, dusk, evening
el **ataúd** coffin
la **atención** attention
  ¡Atención! Careful!
  llamar la atención to attract attention
  prestar atención to pay attention

el **aterrizaje** landing
aterrizar to land
el/la **atleta** athlete
atónito(a) amazed, astonished
las **atracciones** rides *(amusement park)*
el parque de atracciones amusement park
el **atractivo** attraction, appeal
atraer to attract
atraído(a) attracted
atrapar to catch; to trap
atrás at the back *(place)*, behind
hacia atrás backwards
atreverse to dare
el **atributo** attribute, positive feature
el **atún** tuna
aturdido(a) stunned, dazed
audaz audacious, bold
el **auge** peak; boom *(economic)*
aumentar to grow, to increase, to enlarge
aun even
aún still
aunque although, even though
el **auricular** (phone) receiver
ausente absent
el/la **ausente** absent (missing) person
austral southern
auténtico(a) authentic, real
el **autobús** bus
perder el autobús to miss the bus
autóctono(a) indigenous, native
automático(a) automatic
el distribuidor automático boarding pass kiosk; automatic dispenser
autónomo(a) autonomous, independent
la **autopista** highway
el/la **autor(a)** author
el **autoservicio** self-service *(restaurant, gas station)*
la **autovía** highway
avanzado(a) difficult; advanced
avaro(a) stingy
el **ave** *(f.)* bird
la **avenida** avenue
la **aventura** adventure
la **avería** breakdown
averiado(a) broken-down
averiguar to ascertain, to find out
el **avión** airplane
la **avioneta** small airplane, light aircraft
avisar (de) to advise; to warn; to notify; to announce
el **aviso** notice, warning
ayer yesterday
ayer por la tarde yesterday afternoon
el **ayllu** community of families in Incan society
la **ayuda** help, assistance
ayudar to help
el **ayuntamiento** city hall
el **azafrán** saffron
el **azúcar** sugar
azul blue
el **azulejo** glazed tile, floor tile

el **bache** pothole
el **bacón** bacon
el/la **bailador(a)** dancer
bailar to dance
bajar to go down; to download
bajar(se) to get off *(train)*
la **bajeza** baseness
bajo(a) short; low; poor, lower-class
la nota baja low grade
el **balcón** balcony
el **balneario** seaside resort, beach resort
el **balón** ball
el **baloncesto** basketball
el **banco** bank
la **banda** band; lane *(highway)*
la banda municipal municipal band
la **bandeja de entradas** inbox *(e-mail)*
la **bandeja de enviados** sent mailbox *(e-mail)*
la **bandera** flag
el/la **banquero(a)** banker
el **banquete** banquet
el **bañador** swimsuit
bañarse to take a bath, to bathe oneself; to go for a swim
la **bañera** bathtub
el **baño** bath; bathroom
el cuarto de baño bathroom
el **bar (bas/bat) mitzvah** bar (bas/bat) mitzvah
la **baraja** deck (pack) of cards
barato(a) inexpensive, cheap
Todo te sale más barato. It's all a lot cheaper (less expensive).
la **barba** beard
la **barbacoa** barbecue
barbaridad: ¡Qué barbaridad! That's awful!
¡Bárbaro! Great!, Awesome!
el **barbero** barber
el **barco** boat
el **barquito** small boat
la **barra** bar *(soap)*; counter, bar *(restaurant)*
la barra de jabón bar of soap
la barra de herramientas toolbar
el **barril** barrel
el **barrio** neighborhood, area, quarter, district
basado(a) en based on
base: a base de composed of
la **base** base *(baseball)*; basis, foundation
el **básquetbol** basketball
la cancha de básquetbol basketball court
¡Basta! That's enough!
bastante rather, quite; enough
bastar to be enough
el **bastión** bastion, stronghold
el **bastón** ski pole
la **batalla** battle
el **bate** bat
el/la **bateador(a)** batter
batear to hit, to bat
batear un jonrón to hit a home run
el **batido** shake, smoothie
el huevo batido scrambled egg
batir to beat
el **baúl** trunk *(car)*
bautizar to baptize
el **bautizo** baptism
el **bebé** baby
beber to drink
la **bebida** beverage, drink
la **beca** scholarship, grant
el **béisbol** baseball
el/la beisbolista baseball player
el campo de béisbol baseball field
el/la jugador(a) de béisbol baseball player

Spanish-English Dictionary

Spanish-English Dictionary

bélico(a) related to war
belicoso(a) warlike; bellicose
la **belleza** beauty
bello(a) beautiful
bendecir to bless
la **benzina** gas(oline)
la **berenjena** eggplant
besar to kiss
el **besito** little kiss *(usually on the cheek)*
el **beso** kiss
la **bestia** beast, animal
los **biafranos** people from Biafra
la **biblioteca** library
la **bicicleta** bicycle
andar en bicicleta to ride a bike
bien well, fine
bien educado(a) polite, well-mannered
bien hecho(a) well-done *(meat)*
estar bien to be (feel) well, fine
Muy bien. Very well.
el **bienestar** well-being
la **bienvenida: dar la bienvenida** to greet, to welcome
bienvenido(a) welcome
el **bife** beef
el **biftec** steak
el **bigote** mustache
el **billete** ticket; bill
el billete de ida y vuelta round-trip ticket
el billete electrónico e-ticket
el billete sencillo one-way ticket
la **biología** biology
el/la **biólogo(a)** biologist
el **bizcocho** cake
blanco(a) white
la **blancura** whiteness
blando(a) soft
bloquear to block
el **blue jean** jeans
la **blusa** blouse
la **boca** mouth
la **boca del metro** subway entrance
la **bocacalle** intersection
el **bocadillo** sandwich
los **bocaditos** snacks
la **boda** wedding
la **bodega** grocery store
el **bohío** hut
la(s) **boleadora(s)** lasso with balls used by gauchos
la **boletería** ticket window
el **boleto** ticket
el boleto de ida y regreso round-trip ticket
el boleto electrónico e-ticket
el boleto sencillo one-way ticket
el **bolígrafo** pen
el **bolívar** bolivar *(currency of Venezuela)*
la **bolsa** bag; handbag
la **bolsa de dormir** sleeping bag
el **bolsillo** pocket
bolsillo: el libro de bolsillo paperback
las **bombachas** baggy trousers worn by gauchos
el **bombardeo** bombing
la **bombilla** *(drinking)* container
los **bombones** candy
bondadoso(a) kind-hearted, good-natured
bonito(a) pretty
el **borde** side *(of a street, sidewalk)*; edge
al borde mismo de right on the edge of
bordear to go along (round) the edge of; to border, to line
el **borrador** rough (first) draft
borrador: el botón borrador delete key
borrar to delete
borroso(a) blurred, fuzzy *(image)*
el **bosque** woods; forest
el bosque (la selva) tropical rain forest
el **bosquejo** sketch; outline, draft
la **bota** boot
botar to throw out
botar la casa por la ventana to splurge
el **bote** can
la **botella** bottle
el **botón** button, key *(computer)*
el botón borrador delete key
el botón regresar (retroceder) back button
Brasil Brazil
brasileño(a) Brazilian
bravo(a) rough, stormy
el/la **bravucón(ona)** braggart
el **brazo** arm
breve brief
la **brevedad** brevity
brillar to shine
el **brillo** brightness, shine
brincar to jump; to bounce
la **brisa** breeze
la **broma** joke *(prank.)*
bronce: de bronce bronze *(adj.)*
bronceador(a): la loción bronceadora suntan lotion
brotar to sprout, to bud
brujo(a) enchanting; magic
bucear to go snorkeling; to scuba dive
el **buceo** snorkeling; scuba diving
buen good
estar de buen humor to be in a good mood
Hace buen tiempo. The weather is nice.
tener un buen sentido de humor to have a good sense of humor
bueno(a) good; Hello! *(on the phone)*
Buenas noches. Good evening.
Buenas tardes. Good afternoon.
Buenos días. Good morning., Hello.
sacar notas buenas to get good grades
el **buey** ox
el **bufé** buffet
el **bufete del abogado** lawyer's office
la **bufetería** dining car
el **bulto** size, bulk, volume
la **burla** mockery, joke
burlar: burlarse de to mock, to make fun of
el **burrito** burrito
el **bus** bus
el bus escolar school bus
perder el autobús to miss the bus
tomar el autobús to take the bus
busca: en busca de seeking, in search of
buscar to look for, to seek
el **buzo** sweat suit, warm-ups
el **buzón** mailbox

el **caballero** gentleman
el caballero andante knight errant
el **caballete** easel
el **caballo** horse
andar a caballo to ride a horse
montar a caballo to go horseback riding
la **cabaña** cabin
caber to fit
la **cabeza** head
tener dolor de cabeza to have a headache
el **cabezal** headrest
la **cabina** cabin
la **cabina de mando** cockpit *(airplane)*
la **cabina de peaje** tollbooth
cabo: al cabo de after
el **cacahuate** peanut
el **cacahuete** peanut
la **cacerola** saucepan
el **cachorro** pup, puppy
el **cacique** leader, chief
el **cacto** cactus
cada each, every
la **cadena** chain
la cadena de montañas mountain range
caer to fall
caerse to fall
el **café** café; coffee
el **cafetal** coffee plantation
la **cafetería** cafeteria
el coche cafetería dining car
la **caída** drop
la llamada caída dropped call *(cell phone)*
la **caja** cash register; box
el/la **cajero(a)** cashier, teller
el **cajero automático** ATM
el **cajón** box
la **calabaza** pumpkin, gourd
la **calavera** skull; sweet cake made for the Day of the Dead
los **calcetines** socks
la **calculadora** calculator
el **caldo** broth
la **calefacción** heat, heating
el **calentamiento** warm-up
calentar (ie) to heat
la **caleta** cove, small inlet
cálido(a) warm

caliente hot
el chocolate caliente hot chocolate
la **calle** street
la calle de sentido único one-way street
la **callejuela** narrow street
la callejuela de adoquines cobblestone street
calmo(a) calm
el **calor** heat
Hace calor. It's hot.
tener calor to be hot
caluroso(a) hot
calzar to wear, to take *(shoe size)*
¿Qué número calzas? What size shoe do you wear (take)?
los **calzoncillos** men's underwear
la **cama** bed
guardar cama to stay in bed *(illness)*
hacer la cama to make the bed
quedarse en la cama to stay in bed
la **cámara digital** digital camera
el/la **camarero(a)** server, waiter (waitress); *(hotel)* housekeeper
los **camarones** shrimp
cambiar to change
el **cambio** change
cambio: en cambio on the other hand
el **camello** camel
la **camilla** stretcher
caminar to walk
caminata: dar una caminata to take a hike
el **camino** road
ponerse en camino to set off
tomar el camino to set out (for)
el **camión** bus *(Mexico)*; truck
la **camisa** shirt
la camisa de manga corta (larga) short- (long-) sleeved shirt
la **camiseta** T-shirt
el **camisón** nightgown
el **campamento** camp
la **campana** bell *(church, town, school)*
la **campanada** peal of the bell
el **campanario** bell tower, belfry
la **campaña** campaign
el/la **campeón(ona)** champion
el/la **campesino(a)** farmer, peasant
el **camping** camping; campsite

ir de camping to go camping
el **campo** field; country, countryside
el campo de béisbol baseball field
el campo de fútbol soccer field
la carrera a campo traviesa cross-country race
la casa de campo country house
el **camposanto** cemetery
canadiense Canadian
el **canal** lane *(highway)*
la **canasta** basket
la **cancha** court
la cancha de básquetbol (tenis) basketball (tennis) court
la cancha de voleibol volleyball court
la **candela** candle
el **cangrejo de río** crayfish
la **canoa** canoe
cansado(a) tired
el **cansancio** tiredness, weariness
cansar to tire
cansarse to get (be) tired
el/la **cantante** singer
cantar to sing
la **cantera** (rock) quarry
la **cantidad** quantity, amount, number of
la **cantina** cafeteria
el **canto** singing, chanting; song *(bird)*
la **caña** reed, cane
la **cañada** gully, ravine
el **cañón** canyon
capaz capable
la **capital** capital
el **capítulo** chapter
el **capó** hood *(car)*
la **cara** face
la **carabela** caravel, sailing ship
el **carácter** character *(nature of something; moral)*
la **característica** feature, trait
¡Caramba! Good heavens!
el **carbón** coal
el/la **candidato(a)** candidate
la **cárcel** prison, jail
el **cardo** thistle
cargado(a) thrown (over one's shoulders); loaded
cargado de full of
el **Caribe** Caribbean
el mar Caribe Caribbean Sea

Spanish-English Dictionary

Spanish-English Dictionary

el **cariño** affection
cariñoso(a) adorable, affectionate
caritativo(a) charitable
la **carne** meat
la carne picada ground meat
la **carne de res** beef
el **carnero** ram
el **carnet** driver's license
el **carnet de identidad** ID card
la **carnicería** butcher shop
caro(a) expensive
la **carpa** tent
armar (montar) una carpa to put up a tent
la **carpeta** folder
la **carrera** race; career
la carrera a campo traviesa cross-country race
la carrera de larga distancia long-distance race
la carrera de relevos relay race
la **carretera** highway
el **carril** lane *(highway)*; rail, track *(train)*
el **carrito** shopping cart
el **carro** car
en carro by car
la **carroza** coach, carriage; float *(parade)*
la **carta** letter
la **casa** house
la casa de apartamentos apartment building
la casa de campo country house
en casa at home
regresar a casa to go home
el **casamiento** marriage
casarse to get married
el **cascabel** (little) bell
el **casco** helmet
el **casco antiguo** the old city
el **caserío** country house
casero(a) homemade
casi almost, practically
casi crudo rare *(meat)*
el **caso** case
hacer caso to pay attention
castaño(a) brown, chestnut *(eyes, hair)*
castellano(a) Castilian
el **castellano** Spanish spoken in Spain
castigar to punish
el **castillo** castle
la **casucha** shack
catarro: tener catarro to have a cold
el/la **cátcher** catcher
la **catedral** cathedral
la **categoría** category
catorce fourteen
el **caucho** tire
el **caudal** flow *(of a river, etc.)*; plenty, abundance, wealth
causa: a causa de because of, on account of
cautivar to captivate, to charm
el **cayo** islet, key
la **caza** hunting, hunt
el/la **cazador(a)** hunter
la **cazuela** saucepan, pot
el **CD** CD
la **cebolla** onion
ceder to cede, to hand over
la **cédula** ID chip; identity card
celebrar to celebrate
el **celular** cell phone
el **cementerio** cemetery
la **cena** dinner
cenar to have dinner
la **ceniza** ash
el **cenote** natural water well
el **censo** census
el **centenario** centenary, hundredth anniversary
el **centro** downtown; center
el **centro comercial** shopping center, mall
cepillarse to brush
cepillarse los dientes to brush one's teeth
el **cepillo** brush
el cepillo de dientes toothbrush
las **cerámicas** ceramics
la **cerca** fence; wall
cerca (de) near
cercanías: el tren de cercanías suburban train
cercano(a) near, nearby, close
el **cerdo** pig; pork
la chuleta de cerdo pork chop
el **cereal** cereal
la **ceremonia** ceremony
la ceremonia civil civil ceremony *(wedding)*
cero zero
cerrar (ie) to close
el **cerro** hill
la **cesación** cessation, stoppage
cesar to stop, to cease
la **cesta** basket
el **cesto** basket
la **chacra** farm
el **champán** champagne
el **champú** shampoo
¡Chao! Good-bye!, Bye!
el **chaparrón** downpour, heavy shower
la **chaqueta** jacket
la chaqueta de esquí ski jacket, anorak
la **charla** conversation, chat
charlar to converse, to chat
el **charqui** jerky; dried (cured) meat
el **charro** Mexican cowboy *(rodeo)*
el **chasqui** messenger, courier
las **chauchas** green beans
chico(a) little
A chico pajarillo, chico nidillo. Little bird, little nest.
el/la **chico(a)** boy, girl
chileno(a) Chilean
la **chimenea** fireplace
el **chipotle** smoked jalapeño pepper
el **chiringuito** refreshment stand
el **chisme** rumor, gossip
la **chispa** spark
el **chiste** joke *(story)*
chistoso(a) funny
chocar to crash, to collide
el **choclo** corn
el **chocolate** chocolate
el chocolate caliente hot chocolate
el **chorizo** Spanish sausage
la **choza** hut, shack
el **chubasco** heavy shower, squall
la **chuleta de cerdo** pork chop
el **chuño** potato starch
el **churro** (type of) doughnut
ciego(a) blind
el/la **ciego(a)** blind man (woman)
el **cielo** sky; heaven
cien(to) one hundred
la **ciencia** science
cierto(a) true, certain
la **cifra** number

el **cilantro** cilantro
los **cimientos** foundation *(architecture)*
el **cincel** chisel
cinco five
cincuenta fifty
el **cine** movie theater, movies
ir al cine to go to the movies
el **cinturón** belt
el cinturón de seguridad seat belt
la **circunstancia** circumstance
el/la **cirujano(a) ortopédico(a)** orthopedic surgeon
la **ciudad** city
la **ciudadanía** citizenship
civil: por (el, lo) civil civil
la **civilización** civilization
clamar to cry out for, to clamor for
claro(a) clear
claro que of course
la **clase** class *(school);* class *(ticket)*
en primera (segunda) clase first-class (second-class)
la sala de clase classroom
clavar to hammer, to nail; to drive in
clavar con una multa to give (someone) a ticket
la **clave de área** area code
el **clero** clergy
clic: hacer clic to click *(computer)*
el/la **cliente(a)** customer
el **clima** climate
la **clínica** clinic
el **coatí** type of raccoon common to Central and South America
el **cobarde** coward
la **cobertura** cover, covering *(top)*
cobrar to cash; to charge *(price);* to collect *(payment)*
la **cocción** cooking
cocer (ue) to cook
el **coche** car; train car
el coche comedor (cafetería) dining car
el coche deportivo sports car
el **cochinillo asado** roast suckling pig
la **cocina** kitchen; stove; cooking, cuisine
cocinar to cook
el/la **cocinero(a)** cook

el **cocodrilo** crocodile
la **codicia** greed
el **código** code
el **codo** elbow
cogido(a) picked up, taken
la **col** cabbage
la **cola** cola (soda); line *(of people);* tail
hacer cola to wait in line
el **colegio** secondary school, high school
el **colgador** hanger
colgar (ue) to hang up
la **colina** hill
la **colocación** placement
colocar to place, to put
colombiano(a) Colombian
la **colonia** colony
colonial colonial
el/la **colonizador(a)** colonizer
colonizar to colonize
los **colonos** settlers
el **color** color
de color marrón brown
¿De qué color es? What color is it?
el **comando** command
combinado: el plato combinado combination plate
el **comedor** dining room
el coche comedor dining car
el/la **comensal** diner
comenzar (ie) to begin
comer to eat
dar de comer a to feed
el/la **comerciante** businessperson
los **comestibles** food
cometer to make *(mistake);* to commit
cómico(a) funny, comical
la **comida** meal; food
la **comitiva** procession; escort, entourage
como like, as; since
¿cómo? how?; what?
¿Cómo es él? What's he like? What does he look like?
¿Cómo está... ? How is . . . ?
¡Cómo no! Sure! Of course!
las **comodidades** comforts, amenities
cómodo(a) comfortable
comoquiera however
el/la **compañero(a)** companion
los compañeros de clase classmates
la **compañía** company
comparar to compare

el **compartimiento superior** overhead bin
compartir to share
completar to complete, to fill in
completo(a) full
componer to compose, to make up
el **comportamiento** behavior, conduct
comportarse to behave
la **composición** composition
la **compra** purchase
el/la **comprador(a)** shopper, customer
comprar to buy
compras: ir de compras to shop, to go shopping
comprender to understand; to include
la **comprensión** understanding
comprobar (ue) to check, to verify
compuesto(a) composed
la **computadora** computer
comunicarse to communicate with each other
la **comunión** communion
con with
con frecuencia often
con retraso (una demora) late, delayed
concertado(a) methodical, systematic
el **concierto** concert
concordar (ue) to agree
concurrido(a) crowded, busy
el **conde** count
condenar to condemn
el **condimento** condiment
el **condominio** condominium
conducir to drive; to lead
la **conducta** conduct, behavior
tener buena conducta to be well-behaved
el/la **conductor(a)** driver
conectado(a) on-line, connected
conectar to connect
la **conexión** connection
confeccionar to make, to prepare
la **conferencia** lecture
confesar (ie) to confess, to tell the truth
confiabilidad reliability
confiable reliable, trustworthy
confiar to entrust
el **confín** limit, boundary, horizon
la **confirmación** confirmation

Spanish-English Dictionary

Spanish-English Dictionary

confirmar to confirm *(seat on a flight)*
conforme: estar conforme to agree, to be in agreement
confortar to soothe
confundir to mix up, to confuse
congelado(a) frozen
  los productos congelados frozen food
el **congelador** freezer
el **conjunto** band, musical group; group, set
conmovedor(a) moving
conmoverse (ue) to be moved, to be touched *(emotion)*
conocer to know, to be familiar with; to meet
conocido(a) known
el/la **conocido(a)** acquaintance
el **conocimiento** knowledge
el **conquistador** conqueror
conquistar to conquer
consciente conscious, aware
consecuencia: por consecuencia as a result, consequently
conseguir (i, i) to get; to achieve; to manage *(to do something)*
el/la **consejero(a)** counselor
el **consejo** advice
conservador(a) conservative
considerar to consider
consiguiente: por consiguiente consequently
el **consomé** bouillon, consommé
la **consonante** consonant
constar (de) to consist of, to be made up of
la **consulta del médico** doctor's office
consultar to consult
el **consultorio** doctor's office
el/la **consumidor(a)** consumer
el/la **contable** accountant
contagioso(a) contagious
la **contaminación del aire** air pollution
contaminar to pollute
contar (ue) to tell; to count
contemporáneo(a) contemporary
contener (ie) to contain
el **contenido** contents
contento(a) happy
contestar to answer
continental: el desayuno continental Continental breakfast
el **continente** continent
continua: la línea continua solid line *(road)*
continuar to continue
contra against
contraer matrimonio to get married
contrario(a) opposite; opposing
  al contrario on the contrary
  el equipo contrario opposing team
contrastar to contrast
el **contrato** contract
contribuir to contribute
el **control de pasaportes** passport inspection
el **control de seguridad** security (checkpoint)
  pasar por el control de seguridad to go through security
controvertido(a) controversial
convencer to convince
convenir (ie) (en) to agree
la **conversación** conversation
conversar to converse
converso(a) converted
el **convertible** convertible
convertir (ie, i) to convert, to transform
copa: la Copa Mundial World Cup
la **copia** copy
  la copia dura hard copy
el **corazón** heart
la **corbata** tie
el **cordero** lamb
la **cordillera** mountain chain, range
la **corona** wreath; crown
el **coronel** colonel
el **corral** corral
la **correa** conveyor belt
el/la **corredor(a)** runner
el **correo** mail
el **correo electrónico** e-mail
correr to run
corresponder to correspond; to respond
corrido(a) unbolted; opened
la **corriente** current *(water)*; trend
cortar to cut off; to cut, to chop
  cortar en pedacitos to cut in small pieces, to dice
  cortar en rebanadas to slice
  Estás cortando. You're breaking up. *(telephone)*
  Se nos cortó la línea. We've been cut off. *(telephone)*
cortarse to cut oneself
el **corte de pelo** haircut
el **cortejo fúnebre** funeral procession
cortés polite
la **cortesía** courtesy, politeness
cortesano(a) of the court, courtly
la **cortesía** courtesy
corto(a) short
  a corto plazo short-term
  de manga corta short-sleeved
  el pantalón corto shorts
la **corvina** corbina, drumfish
la **cosa** thing
la **cosecha** harvest
cosechar to harvest
cosmopolita cosmopolitan
la **costa** coast
costar (ue) to cost
  ¿Cuánto cuesta? How much does it cost?
costero(a) coastal
costarricense Costa Rican
la **costumbre** custom
costumbrista related to local customs and manners
cotidiano(a) daily, everyday
el **cráneo** skull
crear to create
crecer to grow; to increase
el **crecimiento** growth
la **creencia** belief
creer to believe, to think
  Creo que sí (que no). I (don't) think so.
la **crema dental** toothpaste
la **crema solar** suntan lotion
el **crepúsculo** twilight, dusk
el/la **criado(a)** housekeeper; maid
la **criatura** creature; baby, child
el/la **criollo(a)** person of Spanish origin born in the Americas
cristalino(a) crystalline, crystal clear
cristiano(a) Christian
la **crítica** criticism; critique, review

criticar to criticize
el **cruce** crosswalk, pedestrian crossing; intersection
el **crucero** cruise; cruise ship
crudo(a) raw
casi crudo rare *(meat)*
los vegetales crudos raw vegetables, crudités
cruzar to cross; to intersect
el **cuaderno** notebook
la **cuadra** *(city)* block
el **cuadro** painting
¿cuál? which?; what?
¿Cuál es la fecha de hoy? What is today's date?
¿cuáles? which ones?; what?
cualquier(a) any
cualquier otro(a) any other
cualquiera whichever, whatever
cuando when
¿cuándo? when?
cuanto: en cuanto as soon as; **en cuanto a** in terms of, as far as . . . is concerned
¿cuánto? how much?
¿A cuánto está(n)... ? How much is (are) . . . ?
¿Cuánto es? How much is it (does it cost)?
¿cuántos(as)? how many?
¿Cuántos años tiene? How old is he (she)?
cuarenta forty
el **cuarto** room; quarter
el cuarto de baño bathroom
el cuarto de dormir bedroom
el cuarto sencillo (doble) single (double) room
y cuarto quarter past (the hour)
cuatro four
cuatrocientos(as) four hundred
el/la **cubano(a)** Cuban
el/la **cubanoamericano(a)** Cuban American
cubierto(a) covered; indoor
cubrir to cover
la **cuchara** tablespoon
la **cucharada** tablespoonful
la **cucharadita** teaspoonful
la **cucharita** teaspoon
el **cuchillo** knife
el **cuello** neck; collar
la **cuenca** basin *(river)*
la **cuenta** check *(restaurant);* account
la cuenta corriente checking account
darse cuenta de to realize
por su cuenta on its (one's) own
tomar en cuenta to take into account
a fin de cuentas in the end
el **cuento** story
el cuento de hadas fairy tale
la **cuerda** rope, string
el **cuero** leather
el **cuerpo** body
la **cuesta** slope, incline, hill
la **cueva** cave
¡Cuidado Look out! Watch out!
con (mucho) cuidado (very) carefully
tener cuidado to be careful
cuidadoso(a) careful
cuidar to take care of, to care for
¡Cuídate! Take care of yourself!
la **culebra** snake
la **culpa** blame, guilt
culpable guilty
cultivar to work *(land);* to grow
el **cultivo** crop
culto(a) cultured
la **cultura** culture
la **cumbre** summit, peak, pinnacle
el **cumpleaños** birthday
cumplir... años to be (turn) . . . years old
cumplir un sueño to fulfill a wish, to make a wish come true
la **cuota** toll
la **cúpula** dome
el **cura** priest
curarse to get better, to recover
el **currículo** curriculum vitae
el **currículum vitae** résumé, curriculum vitae
el **curso** class, course
cuyo(a) whose

D

la **dama de honor** maid of honor
dañar to damage, to harm
el **daño** harm
hacerse daño to harm oneself, to get hurt
dar to give
dar con to find, to come (run) across *(something)*
dar de comer a to feed
dar la vuelta to turn around
dar un examen (una prueba) to give a test
dar una caminata to take a hike
dar una fiesta to throw a party
darse con to bump (crash) into *(someone, something)*
darse cuenta de to realize
dar(se) la mano to shake hands
datar to date *(time)*
los **datos** data, facts
de of, from
de diestra a siniestra from right to left
¿de dónde? from where?
de manera que so that, in such a way that
de modo que so that, in such a way that
De nada. You're welcome.
de palabra orally, by word of mouth
¿De parte de quién, por favor? Who's calling, please?
¿de qué nacionalidad? what nationality?
de veras really, truly
de vez en cuando from time to time
No hay de qué. You're welcome.
debajo de below, underneath
deber should; to owe
el **deber** duty
debido a owing to
débil weak
la **debilidad** weakness
debilitar to weaken
la **década** decade
decidir to decide
decir (i) to say, to tell
la **decisión** decision
tomar una decisión to make a decision
declinar to decline
decorar to decorate
decretar to decree, to order, to declare
dedicado(a) devoted
el **dedo** finger

Spanish-English Dictionary

el **dedo del pie** toe
deducirse to deduct
el **defecto** defect
defender (ie) to defend
el/la **defensor(a)** defender
definido(a) definite
dejar to leave (something); to let, to allow
dejar con to put an end to
dejar de to stop, to give up
dejar un mensaje to leave a message
dejar una propina to leave a tip
del of the, from the
delante de in front of
delantero(a) front *(adj.)*
delgado(a) thin
el **delito** crime, offense
demás: lo(s) demás the rest
los demás other people
demasiado too *(adv.)*, too much
la **demora** delay
con una demora late
denominado(a) named, designated
la **densidad** density
dental: el tubo de crema dental tube of toothpaste
dentífrica: la pasta dentífrica toothpaste
dentro de within
dentro de poco soon, shortly thereafter
la **denuncia** condemnation, denunciation
el **departamento** apartment *(Latin America)*; department *(school, territory, etc.)*
el departamento de orientación guidance office
el departamento de personal human resources (personnel) department
el departamento de recursos humanos human resources department
el/la **dependiente(a)** salesperson, employee
el **deporte** sport
el deporte de equipo team sport
el deporte individual individual sport

deportivo(a) *(related to)* sports
el coche deportivo sports car
depositar to deposit
deprimido(a) sad, depressed
derecho straight (ahead)
derecho(a) right
a la derecha on the right
el **derecho** right, privilege; law; justice
los derechos rights
derribar to knock down, to destroy
derrocar to bring down
la **derrota** defeat
derrotar to defeat
desafortunadamente unfortunately
desagradable unpleasant, not nice
desaparecer to disappear
la **desaparición** disappearance
desarrollarse to develop
el **desastre** disaster
desastroso(a) disastrous, catastrophic
desatar to untie
el **desayuno** breakfast
el desayuno americano American breakfast
el desayuno continental Continental breakfast
tomar el desayuno to have breakfast
desbocado(a) runaway
descalzo(a) barefoot
descansar to rest
el **descanso** rest, break
el **descapotable** convertible
descargar to download; to unload
descargado(a) carrying no load
el **descenso** descent; fall, drop; decline
descolgar (ue) (el auricular) to unhook (the telephone receiver)
desconocido(a) unknown
desconsolado(a) very sad
descortés discourteous, rude
describir to describe
la **descripción** description
el **descubrimiento** discovery
el **descuento** discount
desde since; from

desear to want, to wish
¿Qué desean tomar? What would you like *(to eat, drink)?*
desembarcar to deplane, to disembark
la **desembocadura** mouth *(of a river)*
desembocar to lead, to go (from one street into another), to come out onto
el **desencanto** disillusionment, disenchantment
el **desengaño** disappointment, disillusionment
el **desenlace** result, outcome; ending *(literature, cinema)*
el **deseo** wish, desire
desesperado(a) desperate
la **desesperanza** despair
desfilar to walk (in a parade or procession)
el **desfile** parade
la **desgracia** disgrace
desgraciadamente unfortunately
deshidratar dehydrate
deshuesado(a) deboned
el **desierto** desert
desinflada: la llanta desinflada flat tire
desinteresado(a) unselfish
desnudar to strip, to lay bare
desnudo(a) naked
el **despacho** office
despacio slow, slowly
despedirse (i, i) to say good-bye to, to take leave
despegar to take off *(plane)*
el **despegue** takeoff *(plane)*
despeinar to ruffle
despejado(a) clear, cloudless
desperdiciar to waste
despertarse (ie) to wake up
despiadado(a) merciless, ruthless
después (de) after; later
después de que after (doing something)
destacar to emphasize, to stress
destemplado(a) sharp, unpleasant
el/la **destinatario(a)** addressee, recipient
el **destino** destination
con destino a (going) to; for

destrozar to destroy, to demolish
desvanecer to dissipate, to evaporate
las **desventajas** disadvantages
desvestir (i, i) to undress
desviarse to go (stray) off course
el **detalle** detail
detenerse (ie) to stop, to halt
detenidamente thoroughly
el **detergente** detergent
detrás de in back of, behind
la **deuda** debt
devolver (ue) to return *(something)*
el **día** day
Buenos días. Good morning.
el Día de los Muertos Day of the Dead
el Día de los Reyes Epiphany (January 6)
hoy en día nowadays
¿Qué día es hoy? What day is it today?
el **diablo** devil
el **diagnóstico** diagnosis
el **diálogo** dialogue
diario(a) daily
a diario on a daily basis
la rutina diaria daily routine
el **diario** daily newspaper
dibujar to draw, to illustrate
el **dibujo** drawing, illustration
el **dicho** saying
dichoso(a) fortunate, lucky
diciembre December
el **dictado** dictation
dictar to dictate
dictar cursos to give (teach) classes *(school)*
diecinueve nineteen
dieciocho eighteen
dieciséis sixteen
diecisiete seventeen
el **diente** clove (of garlic)
los **dientes** teeth
cepillarse (lavarse) los dientes to brush one's teeth
diestro(a) skillful
la **dieta** diet
diez ten
de diez en diez by tens
la **diferencia** difference
diferente different

difícil difficult
la **dificultad** difficulty
sin dificultad easily
difunto(a) dead, deceased
el/la **difunto(a)** deceased, dead person
¡Diga! Hello! *(on the phone)*
¡Dígame! Hello! *(on the phone)*
digno(a) honorable, dignified
diluvial torrential
dinámico(a) dynamic
el **dinero** money
el dinero en efectivo cash
el/la **diputado(a)** delegate, representative
dirán: el «qué dirán» what people might say
la **dirección** address; direction
la dirección de correo electrónico (e-mail) e-mail address
las **direccionales** turn signals
dirigirse to head toward
el **disco** record
discreto(a) discrete
el **discurso** speech *(to an audience)*; discourse
discutir to argue
diseñar to design
el **disfraz** disguise, costume
disfrutar (de) to enjoy
disimular to hide, to conceal *(emotion)*
disminuir to reduce, diminish
displicente indifferent
disponerse to prepare *(to do something)*
disponible available
dispuesto(a) disposed, laid out; ready
distancia: de larga distancia long-distance *(race)*
distinguir to distinguish
distinto(a) different
distraer to distract
el **distribuidor automático** boarding pass kiosk; ticket dispenser
el **distrito** district, area, section
divertido(a) fun, funny, amusing
divertir (ie, i) to amuse
divertirse (ie, i) to have a good time, to have fun
dividirse to divide, to separate
divino(a) divine, heavenly
doblar to turn

doble: el cuarto doble double *(hotel room)*
dobles doubles *(tennis)*
doce twelve
la **docena** dozen
el **documento adjunto** attached file
el **dólar** dollar
doler (ue) to ache, to hurt
Le (Me, etc.) duele mucho. It hurts him (me, etc.) a lot.
Me duele(n)... My . . . ache(s).
el **dolor** pain, ache
tener dolor de cabeza to have a headache
tener dolor de estómago to have a stomachache
tener dolor de garganta to have a sore throat
doloroso(a) painful
el **domenical** Sunday newspaper
domesticado(a) domesticated
dominar to speak very well
el **domingo** Sunday
dominicano(a) Dominican
la República Dominicana Dominican Republic
el **dominio** rule
el **dominó** dominos
el **don** gift, talent *(ability)*
donde where
¿dónde? where?
¿de dónde? from where?
dondequiera wherever
dorado(a) golden, (made of) gold
dormir (ue, u) to sleep
la bolsa de dormir sleeping bag
el cuarto de dormir bedroom
el saco de dormir sleeping bag
dormirse (ue, u) to fall asleep
el **dormitorio** bedroom
dos two
doscientos(as) two hundred
el **drama** drama
el/la **dramaturgo(a)** playwright
driblar to dribble
la **ducha** shower
tomar una ducha to take a shower
la **duda** doubt
sin duda without a doubt, doubtless
duele(n): Me duele(n)... My . . . hurts (aches).

Spanish-English Dictionary

Spanish-English Dictionary

Me duele que... It hurts me that . . .
el **duelo** duel
el/la **dueño(a)** owner
dulce sweet
el pan dulce pastry
el **dulce** sweet
durante during
durar to last
duro(a) hard, difficult
la copia dura hard copy
el **DVD** DVD

la **ebullición** boiling
echar to throw; to expel
echar abajo to demolish
echar de menos to miss, to long for
echar raíces to put down roots
echar una carta to mail a letter
echar(se) a to start to *(do something)*
económico(a) inexpensive
ecuatoriano(a) Ecuadoran
la **edad** age
la Edad Media Middle Ages
el **edificio** building
la **educación** education
la educación física physical education
educado(a) mannered
estar bien (mal) educado(a) to be polite (rude)
efectuarse to take place
egoísta selfish, egotistical
el/la **egresado(a)** graduate
ejecutar to execute
el/la **ejecutivo(a)** executive
ejemplar exemplary
el **ejemplo** example
por ejemplo for example
ejercer to practice *(profession);* to exert *(influence);* to wield *(power)*
los **ejercicios** exercises
ejercicios de respiración breathing exercises
hacer ejercicios to exercise
el **ejército** army

los **ejotes** green beans
el the
él he
elaborar to make, to produce
electrónico(a) electronic
el boleto (billete) electrónico e-ticket
el correo electrónico e-mail
el **elefante** elephant
elegante elegant, fancy
elegir (i, i) to elect, to pick
elemental elementary
la **élite** elite social class
ella she
ellos(as) they
el **elote** corn
el **e-mail** e-mail
la **embajada** embassy
el/la **embajador(a)** ambassador
la **embarcación** boat, craft
embarcar to board
embargo: sin embargo however, nevertheless
el **embarque** boarding
el **embotellamiento** traffic jam
emergencia: la sala de emergencia emergency room
la **emisión televisiva** television program
la **emisora de televisión** television station
emitir to broadcast
emocionante moving; exciting
emotivo(a) emotional, sensitive
la **empanada** meat pie
empeñarse (en) to insist (on)
empeorar to make worse, to worsen
empezar (ie) to begin
el/la **empleado(a)** salesperson, employee
emprender to undertake; to embark, to set out
la **empresa** company; undertaking, task
empujar to push
en in; on; at
en casa at home
en directo live *(broadcast, concert, etc.)*
en vivo live *(broadcast, concert, etc.)*
enamorado(a) in love

el/la **enamorado(a)** sweetheart
enamorado(a) de in love with
enamorarse to fall in love
el **encabezamiento** heading *(letter)*
encaminarse to head toward
encantador(a) enchanting, charming, lovely
encantar to love, to adore
el **encanto** enchantment
encarcelado(a) imprisoned, jailed
encargar to put in charge
encargarse to take it upon oneself
encender (ie) to light *(fire);* to turn on *(lights)*
encerrar (ie) to enclose; to lock up
encestar to make a basket *(basketball)*
la **enchilada** enchilada
encima: por encima de above, over
encomendar (ie) to entrust
la **encomienda** land and inhabitants granted to a conquistador
encontrar (ue) to find, to encounter
encontrarse (ue) to be found; to meet
el **encuentro** encounter, meeting
la **encuesta** survey
endosar to endorse
el/la **enemigo(a)** enemy
energético(a) energetic
la **energía** energy
enero January
enfadado(a) angry, mad
enfadar to make angry
enfadarse to get angry
la **enfermedad** illness
el/la **enfermero(a)** nurse
enfermizo(a) sickly
enfermo(a) ill, sick
el/la **enfermo(a)** sick person, patient
enfocar to focus
el **enfrentamiento** confrontation
enfrentar to face (up to), to confront
enfrente de in front of
enganchar to hook, to hitch
el **engaño** deception, trick
¡Enhorabuena! Congratulations!
el **enjambre** swarm

Spanish-English Dictionary

enjuto(a) thin, skinny
enlatado(a) canned
enlazar to connect
enloquecer to go (drive) mad
enmudecer(se) to make silent, to silence
enojado(a) angry, mad, annoyed
enojar to make angry, to annoy
enorgullecerse to be filled with pride
enorme enormous
enredarse to be entangled
enriquecerse to get (become) rich, to prosper
la ensalada salad
ensayar to test, to try out; to rehearse
el ensayo essay; rehearsal
enseguida right away
enseñar to teach; to show
ensordecedor(a) deafening
el ensueño dream, fantasy
entender (ie) to understand
enterarse to find out; to understand *(Spain)*
entero(a) entire, whole
enterrado(a) buried
enterrar (ie) to bury
el entierro burial
entonces then
en aquel entonces at that time
la entrada ticket; entrée *(meal)*; entrance
entradas: la bandeja de entradas e-mail inbox
entrar to enter, to go into
entrar en línea to go online
entre between, among
entregar to hand over, to deliver
el/la entrenador(a) coach, manager
el entrenamiento training
entretanto meanwhile
la entrevista interview
el/la entrevistador(a) interviewer
entusiasmado(a) enthusiastic
el entusiasmo enthusiasm
enviados: la bandeja de enviados sent mailbox
enviar to send
la envidia envy
envidiar to envy
enviudar to be widowed
la epidemia epidemic
el episodio episode
la época times, period
el equilibrio balance
el equipaje luggage, baggage
el equipaje de mano hand luggage, carry-on bags
el equipo team; equipment
el deporte de equipo team sport
la equitación horseback riding
equivocado(a) mistaken, wrong
errante wandering, nomadic
erróneo(a) mistaken, wrong
escala: hacer escala to stop over, to make a stop
la escalera stairs, staircase
la escalera mecánica escalator
el escalofrío shiver
el escalón step, stair
el escalope de ternera veal cutlet
el escaño bench
el escaparate store window
escaso(a) scarce, scant
la escena scene
esclavizar to enslave
el/la esclavo(a) slave
escoger to choose
escolar *(adj.)* school
el bus escolar school bus
los materiales escolares school supplies
la tarifa escolar student fare
esconder(se) to hide (oneself)
escribir to write
escrito(a) written
el escrito document, paper
el/la escritor(a) writer
escritorio: la pantalla de escritorio *(computer)* screen
la escritura writing; handwriting
escuchar to listen (to)
¿Me escuchas? Can you hear me? *(telephone)*
el escudero squire
la escuela school
la escuela primaria elementary school
la escuela secundaria secondary school, high school
esculpir to sculpt, to carve
el/la escultor(a) sculptor
la escultura sculpture
ese(a) that, that one
esforzarse (ue) to exert oneself, to make an effort
la esmeralda emerald
eso: a eso de at about *(time)*
por eso for this reason, that is why
esos(as) those
la espada sword
la espalda back
espantable horrendous
el espanto terror, fright
estar curado(a) de espantos to grow accustomed to something
España Spain
español(a) Spanish *(adj.)*
el español Spanish *(language)*
el/la español(a) Spaniard
la especia spice
la especialidad specialty
especialmente especially
la especie species
específico(a) specific
espectacular spectacular
el espectáculo show, spectacle
el/la espectador(a) spectator
el espejo mirror
espera: la sala de espera waiting room
esperar to wait (for); to hope; to expect
la esperanza hope
espeso(a) dense, thick
el espíritu mind, spirit
la esplendidez splendor
espontáneo(a) spontaneous
la esposa wife
el esposo husband
la espuma foam; surf
la esquela obituary
el esqueleto skeleton
el esquí ski; skiing
el esquí acuático (náutico) waterskiing
el esquí alpino downhill skiing
el esquí nórdico cross-country skiing
el/la esquiador(a) skier
esquiar to ski
esquiar en el agua to water-ski
la esquina corner *(street)*
¿Está… , por favor? Is . . . there, please?
establecer(se) to establish; to settle
el establecimiento establishment, settling
el establo stable; manger
la estación season; resort; station

Spanish-English Dictionary

Spanish-English Dictionary

la estación de esquí ski resort
la estación de ferrocarril (tren) railroad (train) station
la estación de metro subway (metro) station
la estación de servicio gas station
¿Qué estación es? What season is it?
estacionar to park
la **estadía** stay
el **estadio** stadium
el **estado financiero** financial statement
Estados Unidos United States
estadounidense from the United States
estallar to break out, to burst, to explode
la **estampilla** stamp
la **estancia** ranch; stay
estar to be
¿Está… ? Is . . . there?
estar a cargo de to be in charge of, to be responsible for
estar al tanto to be up-to-date, informed
estar bien to feel fine
estar cansado(a) to be tired
estar contento(a) (triste, nervioso[a], etc.) to be happy (sad, nervous, etc.)
estar de buen (mal) humor to be in a good (bad) mood
estar enfermo(a) to be sick
estar para (+ infinitivo) to be about to (do something)
la **estatua** statue
la **estatura** stature, height
este(a) this, this one
el **este** east
la **estela** commemorative pedestal; wake *(sea)*; trail *(sky)*
estereofónico(a) stereo
el **estilo** style
estimado(a) esteemed
estirarse to stretch
el **estómago** stomach
el dolor de estómago stomachache
estos(as) these
la **estrategia** strategy
estrechamente closely
estrecho(a) narrow
el **estrecho** strait *(geography)*
la **estrella** star
estremecerse to shake
estrenar to premiere *(cinema)*
el **estrépito** noise, racket
el **estrés** stress
la **estrofa** stanza
estropear to damage, to ruin
la **estructura** structure
el **estruendo** din, roar, racket
el/la **estudiante** student
el/la estudiante universitario(a) university student
estudiantil: la tarifa estudiantil student fare
estudiar to study
el **estudio** study
los estudios sociales social studies
la **estufa** stove
estupendo(a) terrific, stupendous
la **etiqueta** luggage identification tag
la **etnia** ethnicity, ethnic group
étnico(a) ethnic
el **euro** euro *(currency of most of the countries of the European Union)*
Europa Europe
el **evento** event
evitar to avoid
el **examen** test, exam
el examen físico physical
examinar to examine
exceder to go over *(speed limit)*
excelente excellent
la **excepción** exception
la **excursión** excursion, outing
el/la **excursionista** hiker
la **exigencia** demand
exigente demanding
exigir to demand, to require
existir exist
el **éxito** success
tener éxito to succeed, to be successful
exótico(a) exotic
experimentar to try, to try out; to experience
el/la **experto(a)** expert
la **explicación** explanation
explicar to explain
el/la **explorador(a)** explorer
la **explotación** exploitation
la **exposición de arte** art show, exhibition
el/la **expositor(a)** exhibitor *(art)*; exponent
la **expresión** expression
expulsar to expel
extenderse (ie) to extend
extraer to extract
extranjero(a) foreign
al extranjero abroad
extrañar to miss, to long for
extraño(a) strange
extraordinario(a) extraordinary
extraviarse to become lost
el **extravío** loss, misplacement

la **fábrica** factory
fabuloso(a) fabulous
fácil easy
la **facilidad** easiness, facility
facilitar to facilitate, to make easy
el **facón** long knife used by gauchos
la **factura** bill
facturar el equipaje to check luggage
la **facultad** faculty, department *(school)*
la **falda** skirt
fallar to fail *(stop working)*
el **fallecimiento** death, demise
fallido(a) unsuccessful, vain *(attempt)*
falso(a) false
la **falta** lack
faltar to lack, not to have
Le falta paciencia. He (She) has no patience.
la **familia** family
familiar *(related to)* family
los **familiares** family members
famoso(a) famous
la **fantasía** fantasy
el **fantasma** ghost
fantástico(a) fantastic
el/la **farmacéutico(a)** druggist, pharmacist
la **farmacia** pharmacy, drugstore
el **faro** lighthouse; beacon
el **favor** favor
Favor de (+ infinitivo). Please (do something).

Spanish-English Dictionary

por favor please
favorito(a) favorite
la faz face, surface
la fe faith
febrero February
la fecha date
¿Cuál es la fecha de hoy? What is today's date?
fecundo(a) prolific
la felicidad happiness
feliz happy
¡Felices Pascuas! Happy Easter!
¡Feliz Hanuka! Happy Hanukkah!
¡Feliz Navidad! Merry Christmas!
feo(a) unattractive, ugly
la feria festival, fair; fairground
feroz ferocious, fierce
ferrocarril: la estación de ferrocarril train station, railroad station
ferroviario(a) related to trains
festejar to celebrate
el festejo celebration, party
festivo: el día festivo holiday
la fiebre fever
tener fiebre to have a fever
fiel loyal, faithful
el fierro iron *(metal)*
la fiesta party; holiday
dar una fiesta to throw a party
la fiesta de las luces festival of lights (Hanukkah)
fijarse to pay attention to, to concentrate on
fijo(a) fixed, unchanging
la fila line *(of people)*; row *(of seats)*
estar en fila to wait in line
el film film, movie
el filme film, movie
el fin end; death
en fin in short
el fin de semana weekend
por fin finally
final: al final de at the end of
financiero(a) financial
la finca farm
fines: a fines de at the end of
fingir to pretend
fingido(a) feigned, false
firmar to sign
físico(a) physical
la apariencia física physical appearance, looks

la educación física physical education
flaco(a) thin
flamante brand-new; fabulous, luxurious
el flan flan, custard
la flauta flute
la flecha arrow
flexible open-minded, flexible
la flor flower
florecer to flourish; to bloom
fluvial related to a river
el foco center, focal point
la fogata bonfire, campfire
el fondo background
al fondo to (at) the bottom
los fondos funds, money
el/la fontanero(a) plumber
forastero(a) alien, strange, exotic
el/la forastero(a) outsider, stranger
forjar to forge
la forma form, piece; shape
la forma de identidad piece of ID
formal formal
formar to form, to make up; to put together
el formulario form
forrado(a) lined
la fortaleza fort, fortress
el fortín small fort
forzado(a) forced
la foto(grafía) photo
el/la fotógrafo(a) photographer
fracasar to fail, to be unsuccessful
el fracaso failure
la fractura fracture
el francés French
el franciscano Franciscan
franco(a) frank, sincere, candid
el frasco jar
la frase sentence
la frazada blanket
frecuencia: con frecuencia often, frequently
frecuentemente frequently
freír (i, i) to fry
los frenos brakes
el frente front
la frente forehead
frente a in front of
fresco(a) cool; fresh
Hace fresco. It's cool *(weather)*.
los frijoles beans
el frío cold
frío(a) cold

Hace frío. It's cold *(weather)*.
tener frío to be cold
frito(a) fried
las patatas (papas) fritas french fries
frontal: la página frontal home page
la frontera border
la fruta fruit
el puesto de frutas fruit stand
la frutería fruit stand
el fruto benefit; result; fruit
el fuego fire; flame, heat
a fuego lento on low heat
los fuegos artificiales fireworks
la fuente fountain; source
fuera de outside
fuerte strong; substantial
el fuerte fort
la fuerza force, strength
las fuerzas (armed) forces
la fuga escape, flight
la fugacidad fleetingness
fugarse to escape
fugaz fleeting, brief
fumar: la señal de no fumar no-smoking sign
el/la funcionario(a) gubernamental (de gobierno) government official
fundar to found
fundir to unite, to join
el fútbol soccer
el campo de fútbol soccer field
el fútbol americano football
el/la futbolista soccer player
el futuro future

el gabinete del dentista dentist's office
las gafas para el sol sunglasses
el galán elegant man, heartthrob
gallardo(a) brave, dashing
las galletas crackers, cookies
la gallina hen
el gallinero henhouse, chicken coop
el gallo rooster
galope: a galope galloping
la gamba shrimp, prawn
la ganadería cattle farming

Spanish-English Dictionary

Spanish-English Dictionary

el **ganado** cattle, livestock
ganar to win; to earn
ganas: tener ganas de to feel like
el **garaje** garage
la **garganta** throat
  el dolor de garganta sore throat
la **garita de peaje** tollbooth
gas: el agua mineral con gas carbonated (sparkling) mineral water
la **gaseosa** soda, carbonated drink
la **gasolina** gas
la **gasolinera** gas station
gastar to spend; to waste
el **gasto** expense
el/la **gato(a)** cat; jack *(car)*
la **gaveta** drawer
el/la **gemelo(a)** twin
general general
  en general in general
  por lo general usually, as a rule
generalmente usually, generally
el **género** genre
generoso(a) generous
la **gente** people
la **geografía** geography
la **geometría** geometry
la **gesticulación** gesture
el **gesto** gesture
el **gigante** giant
el **gimnasio** gym(nasium)
girar to turn, to swivel
la **gitanilla** little gypsy
glacial glacial *(era)*; icy, bitter *(wind)*
el **globo** balloon
el/la **gobernador(a)** governor
el **gobierno** government
el **gol** goal
  meter un gol to score a goal
el **golpe** blow; pat *(on the back)*
golpear to hit *(ball)*
la **goma** tire; rubber
gordo(a) fat
el **gorro** ski hat
la **gota** drop *(rain)*
gozar de to enjoy
grabar to record
Gracias. Thank you.
  dar gracias a to thank
  Mil gracias. Thanks a million.
gracioso(a) funny
el **grado** degree *(level)*; rank; grade
la **gramática** grammar
gran, grande big, large
la **grandeza** greatness, grandeur
grandote huge
el **granero** barn
la **granja** farm
el **grano** grain; bean *(coffee)*
gratis for free
gratuito(a) free
grave serious
gris gray
gritar to yell, to shout
el **grito** scream, shout
gritos: a gritos at the top of one's voice
el **grosor** thickness
grueso(a) thick, stout
el **grupo** group
la **guagua** bus *(Puerto Rico, Cuba)*
el **guante** glove
la **guantera** glove compartment
guapetón(ona) good-looking, dashing
guapo(a) attractive, good-looking
guardar to guard; to save, to keep
  guardar cama to stay in bed *(illness)*
la **guardería** shelter
guatemalteco(a) Guatemalan
la **guerra** war
guerrero(a) warlike
el **guerrero** warrior
la **guía** guidebook
  la guía telefónica phone book
guiar to guide
el **guisado** stew
el **guisante** pea
la **guitarra** guitar
gustar to like, to be pleasing to
el **gusto** pleasure; like; taste
  Mucho gusto. Nice (It's a pleasure) to meet you.

H

haber to have *(in compound tenses)*
  en su haber in his/her/their/your favor
haber de (+ infinitivo) to have to (do something)
las **habichuelas** beans
  las habichuelas tiernas green beans, string beans
la **habitación** bedroom; hotel room
el/la **habitante** inhabitant
habitar to inhabit
el/la **hablante** speaker
hablar to speak, to talk
  hablar en el móvil to talk on the cell phone
  hablar por teléfono to talk on the phone
  ¿Hablas en serio? Are you serious?
Habría de (+ infinitivo). I (He, She) was supposed to (do something).
hace: Hace... años . . . years ago
  Hace buen tiempo. The weather is nice.
  ¿Hace cuánto tiempo... ? How long . . . ?
  Hace fresco. It's cool *(weather)*.
  Hace frío. It's cold *(weather)*.
  Hace mal tiempo. The weather is bad.
  Hace (mucho) calor. It's (very) hot *(weather)*.
  Hace sol. It's sunny.
  Hace viento. It's windy.
hacer to do, to make
  hacer clic to click *(computer)*
  hacer cola to stand (wait) in line
  hacer ejercicios to exercise
  hacer jogging to go jogging
  hacer la cama to make the bed
  hacer la maleta to pack
  hacer planchas to do push-ups
  hacer un viaje to take a trip
hacerle caso to pay attention
hacerse to become
hacerse daño to hurt oneself
el **hacha** *(f.)* ax
hacia toward
hacia atrás backwards
la **hacienda** ranch
el **hall** concourse *(train station)*
hallar to find

el **hambre** *(f.)* hunger
Me muero de hambre. I'm starving.
tener hambre to be hungry
la **hamburguesa** hamburger
el **Hanuka** Hanukkah
¡Feliz Hanuka! Happy Hanukkah!
la **harina** flour
hasta until; up to; as far as; even
¡Hasta luego! See you later!
¡Hasta mañana! See you tomorrow!
¡Hasta pronto! See you soon!
hasta que until
hay there is, there are
hay que it's necessary to *(do something),* one must
Hay sol. It's sunny.
No hay de qué. You're welcome.
¿Qué hay? What's new (up)?
la **hazaña** achievement
hebreo(a) Jewish, Hebrew
el **hecho** fact
hecho(a): bien hecho(a) well-done *(meat)*
de hecho in fact
hecho(a) a mano handmade
la **helada** frost
el **helado** ice cream
la **hembra** female
el **heno** hay
la **herencia** heritage, heredity; inheritance
la **herida** wound, injury
herido(a) wounded
el/la **herido(a)** injured person
herir (ie, i) to injure, to wound
el/la **hermanastro(a)** stepbrother (stepsister)
el/la **hermano(a)** brother (sister)
hermoso(a) beautiful
el **héroe** hero
la **heroína** heroine
la **herramienta** tool
herramientas: la barra de herramientas toolbar
hervir (ie, i) to boil
la **hiel** bitterness, resentment
el **hielo** ice
el patinaje sobre el hielo ice-skating
la **hierba** grass
las **hierbas** herbs
el **hierro** iron *(metal)*
el **hígado** liver
higiénico: el rollo de papel higiénico roll of toilet paper
el/la **hijo(a)** son (daughter), child
el/la hijo(a) único(a) only child
los **hijos** children
hinchado(a) swollen
hincharse to get swollen, to swell
hispano(a) Hispanic
hispanohablante Spanish-speaking
el/la **hispanohablante** Spanish speaker
hispanoparlante Spanish-speaking
el/la **hispanoparlante** Spanish speaker
la **historia** history
el/la **historiador(a)** historian
el **hocico** snout
el **hogar** home
la **hoguera** bonfire
la **hoja** sheet (of paper); leaf (of lettuce, tree)
la **hojalata** tin
hojear to skim, to scan
¡Hola! Hello!
el **hombre** man
el **hombro** shoulder
el **homenaje** homage, tribute
hondo(a) deep
honesto(a) honest
el **hongo** mushroom
honor: en honor de in honor of
honrado honest, upright
honroso(a) honorable
la **hora** hour; time
¿a qué hora? at what time?
la hora de embarque boarding time
la hora de salida departure time
¿Qué hora es? What time is it?
el **horario** *(train)* schedule, timetable
el **horizonte** horizon
el **horno** oven
el **horno de microondas** microwave oven
la **hortaliza** vegetable
hospedarse to stay *(in a hotel)*
el **hospital** hospital
el **hostal** hostel, small (inexpensive) hotel
el **hotel** hotel
hoy today
¿Cuál es la fecha de hoy? What's today's date?
hoy en día nowadays
¿Qué día es hoy? What day is it today?
la **huella** footprint, track; trace, sign
la **huerta** large vegetable garden
el **huerto** small vegetable garden; orchard
el **hueso** bone
el/la **huésped(a)** guest
el **huevo** egg
el huevo batido scrambled egg
los huevos pasados por agua soft-boiled eggs
los huevos revueltos scrambled eggs
poner huevos to lay eggs
huir to flee
humanitario(a) humanitarian
humano(a) human
el ser humano human being
la **humedad** humidity
húmedo(a) humid
humilde humble
el **humo** smoke
el **humor** mood; humor
estar de buen (mal) humor to be in a good (bad) mood
tener un buen sentido de humor to have a good sense of humor
hundir(se) to sink
hurtadillas: a hurtadillas stealthily, on the sly
el **huso horario** time zone

el **icono** icon
ida y vuelta (regreso): un boleto (billete) de ida y vuelta (regreso) round-trip ticket
la **idea** idea
idear to devise; to invent
la **identidad** identification
el carnet de identidad ID card
identificar to identify
el **idioma** language
la **iglesia** church
igual que as well as; like; just as
iluminar to light up, to illuminate

Spanish-English Dictionary

Spanish-English Dictionary

ilustre illustrious, distinguished
la **imagen** picture, image
impaciente impatient
impar odd *(numeric)*
impedir (i, i) to prevent, to stop, to impede
imperante ruling, prevailing
impermeable waterproof
el **impermeable** raincoat
la **implicación** involvement *(crime)*
imponente imposing
imponer to impose
importa: No importa. It doesn't matter.
la **importancia** importance
importante important
imposible impossible
la **impresora** printer
imprimir to print
el **impuesto** tax
incaico(a) related to the Incas
incapaz incapable
el **incendio** fire
la **incertidumbre** uncertainty, doubt
la **inclemencia** inclemency, harshness
incluir to include
¿Está incluido el servicio? Is the tip included?
incluso even
incomodar to inconvenience
increíble incredible
indagar to investigate, to inquire into
indicar to indicate
indígena native, indigenous
el/la **indígena** indigenous person
individual: el deporte individual individual sport
individuales singles *(tennis)*
la **índole** character, nature
indomable untameable
la **indumentaria** clothing, clothes
industrializado(a) industrialized
inesperado(a) unexpected
la **inestabilidad** instability
inestable unstable
inexplicable unexplainable
la **infancia** infancy
infantil childlike
inferior bottom
el **infierno** hell
la **infinidad** infinity
la **influencia** influence
la **información** information
la **informática** information technology
el **informe** report
infundir to instill
ingeniar: ingeniárselas para hacer algo to manage to do something
el/la **ingeniero(a)** engineer
ingenioso(a) ingenious, clever
ingerir (ie, i) to ingest, to consume
el **inglés** English
la **Inglaterra** England
ingrato(a) ungrateful *(person)*; unpleasant *(situation)*
el **ingrediente** ingredient
ingresar to deposit *(bank)*; to enter *(school, army)*
inhóspito(a) inhospitable, desolate
inicial: la página inicial home page
la **iniciativa** initiative
inicio: la página de inicio home page
inmenso(a) immense
inmerecido(a) undeserved, unmerited
la **inmigración** immigration
el **inodoro** toilet
inolvidable unforgettable
la **inquietud** restlessness, agitation
la **insensatez** foolishness, folly
insertar to insert
insoportable unbearable, intolerable
inspeccionar to inspect
inteligente intelligent
intercambiar to exchange
el **interés** interest
interesado(a) interested; selfish
interesante interesting
interesar to interest
interminable endless, never-ending
intermitente intermittent, sporadic
internacional international
el **Internet** Internet
navegar el Internet to surf the Net
interurbano(a) city-to-city
intervenir (ie) to intervene
íntimo(a) close
la **introducción** introduction
introducir to insert
inútil useless
los **invasores** invaders
invertir (ie, i) to invest
la **investigación** research
invicto(a) unconquered, unbeaten
el **invierno** winter
la **invitación** invitation
el/la **invitado(a)** guest
invitar to invite
involucrar to involve
ir to go
ir a (+ infinitivo) to be going to (do something)
ir a casa to go home
ir a pie to go on foot
ir al cine to go to the movies
ir de camping to go camping
ir de compras to go shopping
irlandés(esa) Irish
la **isla** island
el **islote** islet
el **istmo** isthmus
italiano(a) Italian
izquierdo(a) left
a la izquierda to the left

el **jabón** soap
la barra (pastilla) de jabón bar of soap
el jabón en polvo powdered detergent
jadeante panting, gasping
un **jalón de orejas** reprimand, scolding *(informal)*
jamás never
el **jamón** ham
el sándwich de jamón y queso ham and cheese sandwich
el **jardín** garden
el/la **jardinero(a)** outfielder
la **jaula** cage
el **jinete** horse rider
jogging: hacer jogging to go jogging

el **jonrón** home run
batear un jonrón to hit a home run
joven young
el/la **joven** young person
la **joya** jewel, piece of jewelry
el **júbilo** joy, jubilation
las **judías verdes** green beans
judío(a) Jewish
los **judíos** Jews
el **juego** game
el **jueves** Thursday
el/la **juez** judge
la **jugada** play, move *(in cards, chess, soccer, etc.)*
el/la **jugador(a)** player
jugar (ue) to play
jugar (al) fútbol (béisbol, básquetbol) to play soccer (baseball, basketball)
el **jugo** juice
el jugo de naranja orange juice
el **juguete** toy
juguetón(ona) playful
juicio: a tu juicio in your opinion
a juicio de in the opinion of
julio July
la **jungla** jungle
junio June
junto a next to
juntos(as) together
la **juventud** youth
juzgar to judge

el **kilo** kilo(gram) (2.2 lbs.)
el **kilometraje** mileage
el **kilómetro** kilometer

la the; it, her *(pron.)*
el **labio** lip
la **labor** job, task
laborable: el día laborable working day
el **laboratorio** laboratory
laborioso(a) hardworking
el/la **labrador(a)** farm worker
labrar to work *(land)*
labrar la tierra to work the land
el **lacón** bacon
lácteo(a): productos lácteos dairy products
lacustre related to lakes; marshy
la **ladera** hillside
el/la **ladino(a)** indigenous person who speaks Spanish and is accustomed to city life
el **lado** side
al lado de beside, next to
ladrar to bark
el/la **ladrón(ona)** thief
el **lago** lake
la **lágrima** tear
lamentar to lament, to regret
la **lámpara** lamp
la **lana** wool
la **lancha** small boat
la **langosta** lobster
la **lanza** lance
el/la **lanzador(a)** pitcher
lanzar to kick, to throw
el **lapicero** ballpoint pen
el **lápiz** pencil
largo(a) long
a largo plazo long-term
a lo largo de along
el tren de largo recorrido long-distance train
las the; them *(pron.)*
lástima: ser una lástima to be a shame
lastimado(a) injured, hurt
lastimarse to harm oneself, to get hurt
la **lata** can
latino(a) Latino
Latinoamérica Latin America
el/la **latinoamericano(a)** Latin American
latir to beat *(heart)*
el **lavabo** washbasin, sink
el **lavado** laundry
la **lavadora** washing machine
la **lavandería** laundromat
el **lavaplatos** dishwasher
lavar to wash
lavarse to wash oneself
lavarse el pelo (la cara, las manos) to wash one's hair (face, hands)
lavarse los dientes to clean *(brush)* one's teeth
le to him, to her; to you *(formal) (pron.)*
leal loyal
la **lección** lesson
la **leche** milk
el café con leche coffee with milk, café au lait
el **lecho** bed
el **lechón asado** roast suckling pig
la **lechuga** lettuce
la hoja de lechuga leaf of lettuce
el/la **lector(a)** reader
la **lectura** reading
leer to read
la **legumbre** vegetable
la **lejanía** (far-off) distance
lejano(a) distant; far-off
lejos (de) far (from)
a lo lejos in the distance
la **lengua** tongue; language
lentamente slowly
lento(a) slow; low *(heat)*
a fuego lento on low heat
el **leño** log
el **león** lion
les to them; to you *(formal) (pron.)*
la **letra** letter *(of alphabet)*
las **letras** literature
el **levantamiento** uprising, insurrection
levantar to raise; to clear; to lift
levantar la mano to raise one's hand
levantar la mesa to clear the table
levantar pesas to lift weights
levantarse to get up; to rise up against, to rebel *(political)*
la **ley** law, rule
la **leyenda** legend
liberar to free, to rid
la **libertad** freedom
la **libra** pound *(weight)*
libre free, unoccupied
al aire libre outdoor, open-air
el tiempo libre spare time
la **librería** bookstore
la **libreta de direcciones** (e-mail) address book
el **libro** book
el libro de bolsillo paperback
la **licencia** driver's license
el **líder** leader
el **liderazgo** leadership
el **lienzo** canvas
la **liga** league
las Grandes Ligas Major Leagues
ligeramente lightly
ligero(a) light
el **límite de velocidad** speed limit

Spanish-English Dictionary

Spanish-English Dictionary

el **limón** lemon
la **limonada** lemonade
el/la **limosnero(a)** beggar
los **limpiaparabrisas** windshield wipers
limpiar to clean
limpio(a) clean
lindo(a) beautiful
la **línea** *(telephone)* line; *(road)* line
la línea continua solid line
Se nos cortó la línea. We've been cut off. *(phone)*
línea: en línea online
entrar en línea to go online
la **línea aérea** airline
lío: ¡Qué lío! What a mess!
la **liquidación** sale
listo(a) ready
la **litera** bunk
la **literatura** literature
el **litoral** coast
la **llama** llama
la **llamada** *(telephone)* call
la llamada perdida (caída) dropped call *(cell phone)*
llamar to call
llamar la atención to attract attention
llamarse to call oneself, to be called, named
Me llamo... My name is . . .
las **llamas** flames
los **llaneros** people of the plains
llano(a) flat
el **llano** plains
la **llanta** tire
la llanta de repuesto (recambio) spare tire
las **llanuras** plains
la **llave** key
la llave magnética magnetic key
la **llegada** arrival
llegar to arrive
llegar a ser to become
llenar to fill
lleno(a) de full of
llevar to carry; to wear; to take; to bear; to have
llorar to cry
llover (ue) to rain
Llueve. It's raining.
la **lluvia** rain
lluvioso(a) rainy
lo it, him, you *(formal) (pron.)*
lo que what, that which

la **loción bronceadora** suntan lotion, sunblock
loco(a) crazy
locuaz talkative, loquacious
el **lodo** mud
lógico(a) logical
lograr to achieve, to get
el **lomo** back, loin
la **loncha** slice *(ham)*
la **lonja** slice *(ham)*
el **loro** parrot
los them *(pron.)*
el **lote** lot, site
las **lozanías** times of vigor, liveliness, strength
las **luces** lights; headlights
la fiesta de las luces festival of lights (Hanukkah)
la **lucha** battle, fight
luchar to fight
lucir to shine
luego later; then
¡Hasta luego! See you later!
el **lugar** place; setting
en lugar de instead of
tener lugar to take place
el **lujo** luxury
lujoso(a) luxurious
la **luna** moon
la luna de miel honeymoon
el **lunes** Monday
la **luz** light
la luz roja red light

M

la **madera** wood
de madera wooden
la **madrastra** stepmother
la **madre** mother
los **madrileños** citizens of Madrid
la **madrina** godmother
el/la **madrugador(a)** early riser
madurar to ripen *(fruit)*; to mature *(person)*
la **madurez** ripeness *(fruit)*; maturity *(person)*
maduro(a) ripe *(fruit)*; mature *(person)*
los **maduros** fried sweet bananas
el/la **maestro(a)** teacher; master
magnético(a) magnetic
magnífico(a) magnificent, splendid

Magos: los Reyes Magos the Three Wise Men
magrebí Maghribian, related to North Africa
el **maíz** corn
la mazorca de maíz ear of corn
mal bad
estar de mal humor to be in a bad mood
Hace mal tiempo. The weather is bad.
mal educado(a) ill-mannered, rude
la **malabarista** juggler
la **maldad** evil, wickedness
maldecir (i) to curse; to speak ill of, to disparage
el **malecón** boardwalk (seafront)
malentender (ie) to misunderstand
el **malentendido** misunderstanding
los **males** the evil (things), the ills
la **maleta** suitcase
hacer la maleta to pack
la **maletera** trunk *(of a car)*
el **maletín** briefcase
malicioso(a) malicious
malo(a) bad
sacar notas malas to get bad grades
malquerer (ie) to dislike
el **maltrato** mistreatment
mamá mom, mommy
el **mamífero** mammal
la **manada** herd
mandar to send
el **mandato** command
la **mandíbula** jaw
el **mando** command, charge
la cabina de mando cockpit
manejar to drive
el **manejo** handling, use
la **manera** manner, way
de ninguna manera in no way, by no means
manga: de manga corta (larga) short- (long-) sleeved
el **maní** peanut
la **manía** habit, obsession
la **manifestación** demonstration, protest
manifestar (ie) to show, to demonstrate; to declare
el **manjar** especially tasty dish

la **mano** hand
el equipaje de mano carry-on luggage
levantar la mano to raise one's hand
el **manojo** handful, bunch
manso(a) gentle
la **manta** blanket
el **mantel** tablecloth
mantener (ie) to maintain
mantenerse en forma to stay in shape
el **mantenimiento** maintenance, upkeep
la **mantequilla** butter
la **manzana** apple; (city) block
mañana tomorrow
¡Hasta mañana! See you tomorrow!
la **mañana** morning
de la mañana A.M.
por la mañana in the morning
el **mapa** map
la **máquina** machine
la **maquinaria** machinery, equipment
el **mar** sea, ocean
el mar Caribe Caribbean Sea
el **maratón** marathon
maravilloso(a) wonderful, marvelous
marcar to score; to dial
marcar el número to dial the number
marcar un tanto to score a point
la **marcha** march
en marcha working
marchar to march
marchito(a) withered, shriveled
marginado(a) marginalized
el **marido** husband
el **marinero** sailor
la **mariposa** butterfly
el **mariscal** marshal
los **mariscos** shellfish, seafood
marrón: de color marrón brown
el **martes** Tuesday
marzo March
mas but
más more
¡Qué… más…! What a . . . !
la **masa** dough; mass
las masas the masses
la **máscara** mask
la máscara de oxígeno oxygen mask

la **mascota** pet
matar to kill
las **matemáticas** mathematics, math
la **materia prima** raw material
los **materiales escolares** school supplies
la **matrícula universitaria** tuition, fee
el **matrimonio** marriage
el **mausoleo** mausoleum
máximo(a) highest, top
la velocidad máxima speed limit, top speed
mayo May
la **mayonesa** mayonnaise
mayor older
hacerse mayor to grow older
el/la **mayor** the oldest; the greatest
el **mayordomo** butler
la **mayoría** majority
mayoritario(a) *(related to)* majority
la **mayúscula** capital letter, uppercase letter
mazorca: la mazorca de maíz ear of corn
me me *(pron.)*
mediados: a mediados de in the middle *(of the month, year, etc.)*
mediano(a) medium, medium-size
la **medianoche** midnight
las **medias** stockings; socks *(Latin America)*
el **medicamento** medicine
la **medicina** medicine
el/la **médico(a)** doctor
la **medida** measurement
las **medidas** measures
medio(a) half; middle
a término medio medium *(meat)*
la clase media middle class
y media half past (the hour)
el **medio** means; ways; middle
el medio de transporte means of transport
el **mediodía** noon
el **Medio Oriente** Middle East
medios: los medios de comunicación media
la **mejilla** cheek
los **mejillones** mussels
mejor better
el/la **mejor** the best
la **mejora** improvement
el **mejoramiento** improvement

mejorar to make better, to improve
melancólico(a) sad, gloomy
menester: ser menester to be necessary
menor younger; lesser
el/la **menor** the youngest; the least
la **menora** menorah
menos less
a lo menos at least
menos cuarto a quarter to (the hour)
el **mensaje** message
el mensaje de texto text message
el mensaje instantáneo instant message
el/la **mensajero(a)** messenger
mentir (ie, i) to lie
la **mentira** deceit, lie
el **mentón** chin
el **menú** menu
menudo: a menudo often
el **mercado** market
la **mercancía** merchandise
merecer to deserve
la **merienda** snack
la **mermelada** jam, marmalade
el **mes** month
la **mesa** table
levantar la mesa to clear the table
poner la mesa to set the table
quitar la mesa to clear the table
la **mesada** monthly allowance
el/la **mesero(a)** waiter (waitress), server
la **meseta** meseta, plateau
la **mesita** table
el **mesón** old-style bar, tavern
mestizo(a) of mixed race
la **meta** goal, aim, objective
la **metáfora** metaphor
meter to put, to place
meter un gol to score a goal
el **metro** subway, metro; meter
la boca del metro subway station entrance
la estación de metro subway station
el **metrópoli** metropolis, big city
mexicano(a) Mexican
la **mezcla** mixture
mezclado(a) mixed *(blended)*
mezclar to mix
la **mezquita** mosque
mi(s) my
mí me

Spanish-English Dictionary

Spanish-English Dictionary

el **miedo** fear
tener miedo to be afraid
la **miel** honey
el **miembro** member
mientras while
el **miércoles** Wednesday
la **migración** migration
mil (one) thousand
el **milagro** miracle
milagroso(a) miraculous
la **milla** mile
el **millón** million
el/la **millonario(a)** millionaire
la **milpa** cornfield
mimado(a) spoiled *(person)*
el/la **mimbre** reed; wicker *(material)*
el **mimo** mime
la **mina** mine
minero(a) mining *(adj.)*
el/la **minero(a)** miner
la **minoría** minority
minuciosamente thoroughly, meticulously
la **minúscula** small letter, lowercase letter
el **minuto** minute
¡Mira! Look!
la **mirada** gaze, look
tener la mirada fijada to keep one's eyes fixed on
mirar to look at
mirarse to look at oneself
la **misa** mass
la **miseria** poverty
la **misión** mission
mismo(a) same; own; very
misterioso(a) mysterious
la **mitad** half
el **mito** myth
mixto(a) co-ed
la **mochila** backpack, knapsack
el/la **mochilero(a)** backpacker, hiker
viajar de mochilero to go backpacking, hiking
la **moda** fashion
los **modales** manners
tener buenos (malos) modales to have good (bad) manners, to be well-behaved (rude)
moderno(a) modern
modesto(a) inexpensive
el/la **modista** fashion designer
el **modo** way
la **mola** decorative blouse worn by indigenous women of San Blas, Panama
moler (ue) to grind
molestar to bother, to annoy
la **molestia** nuisance, trouble, bother
el **molino de viento** windmill
el **monasterio** monastery
la **moneda** coin
la **monja** nun
el **mono** monkey
el **monopatín** skateboard
el **monstruo** monster
la **montaña** mountain
la montaña rusa roller coaster
la cadena de montañas mountain range
montañoso(a) mountainous
montar to put up *(tent)*; to ride
montar a caballo to go horseback riding
el **monte** mountain
el **montón** bunch, heap
el **monumento** monument
la **moraleja** moral
mórbido(a) morbid
morder (ue) to bite
la **mordida** bite
el **mordisco** bite
deshacer algo a mordiscos to bite something to pieces
moreno(a) dark-haired, brunette
morir (ue, u) to die
los **moros** Moors
el **morrón** sweet red pepper
el **mostrador** (ticket) counter
mostrar (ue) to show
el **motivo** theme; reason, motive
el **móvil** cell phone
el **movimiento** movement
el **mozo** bellhop; young boy, lad
el **MP3** MP3 player
la **muchacha** girl
el **muchacho** boy
mucho a lot, many, much; very
Hace mucho calor (frío). It's very hot (cold).
Mucho gusto. Nice to meet you.
¡Mucho ojo! Careful!
mudarse to move
mudo(a) mute
los **muebles** furniture
la **muela** molar
la **muerte** death
muerto(a) dead
el/la **muerto(a)** dead person, deceased
el Día de los Muertos the Day of the Dead
la **mujer** wife
la **mula** mule
las **muletas** crutches
andar con muletas to walk on crutches
la **multa** fine
mundial: la Copa Mundial World Cup
el **mundo** world
todo el mundo everyone
la **muñeca** wrist
el **mural** mural
el/la **muralista** muralist
la **muralla** wall; city walls
el **muro** wall
el **museo** museum
la **música** music
el/la **músico(a)** musician
musitar to murmur, whisper
el **muslo** thigh
musulmán(a) Muslim
los **musulmanes** Muslims
muy very
muy bien very well

nacer to be born
el **nacimiento** birth
nacional national
la **nacionalidad** nationality
¿de qué nacionalidad? what nationality?
nada nothing, not anything
De nada. You're welcome.
Nada más. Nothing else.
Por nada. You're welcome.; for no reason
nadar to swim
nadie nobody, not anybody
la **nafta** gasoline
la **naranja** orange *(fruit)*
la **narrativa** narrative
natal pertaining to where someone was born

la **naturaleza** nature
la naturaleza muerta still life
naufragar to sink, be shipwrecked
el **naufragio** shipwreck
el/la **navegador(a)** navigator
navegar la red (el Internet) to surf the Web (the Internet)
la **Navidad** Christmas
el árbol de Navidad Christmas tree
¡Feliz Navidad! Merry Christmas!
el **navío** large sailing ship
la **neblina** mist, thin fog
necesario: Es necesario. It's necessary.
necesitar to need
negar (ie) to deny
negativo(a) negative
el **negocio** store, business
el hombre (la mujer) de negocios businessman (woman)
negro(a) black
negroide negroid
nervioso(a) nervous
nervudo(a) tough, sinewy
el **neumático** tire
nevado(a) snowy, snow covered
nevar (ie) to snow
Nieva. It's snowing.
la **nevera** refrigerator
ni neither, nor
Ni idea. No idea.
nicaragüense Nicaraguan
el **nido** nest
la **niebla** fog
el/la **nieto(a)** grandson (granddaughter), grandchild
la **nieve** snow
ninguno(a) none, not any
de ninguna manera in no way, by no means
la **niñez** childhood
el/la **niño(a)** boy, girl, child
el **nivel** level
no no
No hay de qué. You're welcome.
no obstante nevertheless
la **nobleza** nobility, aristocracy
la **noche** night, evening
Buenas noches. Good evening.
esta noche tonight
por la noche in the evening
la **Nochebuena** Christmas Eve
la **Nochevieja** New Year's Eve
nombrar to name
el **nombre** name
la **noria** Ferris wheel
la **norma** norm, standard
normal normal
el **norte** north
norteamericano(a) American, North American
norteño(a) northern
nos us
nosotros(as) we
la **nota** grade, mark
sacar notas buenas (malas) to get good (bad) grades
las **noticias** news, piece of news
el **noticiero** news report, program
el/la **noticiero(a)** newscaster
novecientos(as) nine hundred
la **novela** novel
el/la **novelista** novelist
noventa ninety
la **novia** bride; girlfriend
noviembre November
el **novio** groom; boyfriend
los **novios** sweethearts
la **nube** cloud
nublado(a) cloudy
la **nubosidad** cloudiness
el **nudo** knot
nuestro(a)(os)(as) our
las **nuevas** news, piece of news
nueve nine
nuevo(a) new
de nuevo again
el **número** shoe size; number
el número del asiento seat number
el número de teléfono telephone number
el número del vuelo flight number
¿Qué número calzas? What size shoe do you wear (take)?
nunca never, not ever
nupcial nuptial, wedding

O

o or
oaxaqueño(a) from Oaxaca, Mexico
el **obituario** obituary
el **objetivo** objective
obligatorio(a) required, obligatory
la **obra** work; work of art
la obra abstracta abstract work (of art)
la obra figurativa figurative work (of art)
obrero(a) related to work, labor
el/la **obrero(a)** worker
observar to observe, to notice
el **obstáculo** obstacle
obstinado(a) obstinate, stubborn
el **ocaso** sunset, twilight; *(fig.)* toward the end of one's life
occidental western
el **océano** ocean
ochenta eighty
ocho eight
ochocientos(as) eight hundred
el **ocio** free time, leisure
octubre October
ocultar to conceal, to hide from
oculto(a) hidden
ocupado(a) occupied
ocurrir to happen
la **oda** ode
odiar to hate
el **odio** hatred
el **oeste** west
la **oficina** office
ofrecer to offer
la **ofrenda** offering
el **oído** ear
oír to hear
Ojalá que... Would that . . . , I hope . . .
la **ojeada** glance
dar una ojeada to take a look at
¡Ojo! Watch out! Be careful!
¡Mucho ojo! Careful!
el **ojo** eye
tener mucho ojo to be very careful
tener ojos azules (castaños, verdes) to have blue (brown, green) eyes
la **ola** wave
el **óleo** oil paint
oler a (ue) to smell of, like
olfatear to sniff, to smell
el **olfato** smell *(sense)*
oliva: el aceite de oliva olive oil
el **olivar** olive grove
la **olla** pot

Spanish-English Dictionary

el **olor** smell *(odor, aroma)*
olvidar to forget
el **olvido** oblivion; forgetfulness
once eleven
la **onza** ounce
opinar to think, to have an opinion
la **opinión** opinion
oponerse to be opposed
la **oportunidad** opportunity
oportuno(a) appropriate
el/la **opresor(a)** oppressor
oprimir to press, to push *(button, key)*; to oppress
optar to choose; to decide
opuesto(a) opposite
la **oración** sentence; prayer
el **orden** order
la **orden** order *(restaurant)*
el **ordenador** computer
ordenar to order; to arrange
el **orégano** oregano
la **orfebrería** craftsmanship in precious metals
organizar to organize, to set up
el **órgano** organ
el **orgullo** pride
orgulloso(a) proud
oriental eastern
el **origen** origin, background
originarse to come from
las **orillas** banks, shores
a orillas de on the shores of
el **oro** gold
la **orquesta** orchestra, band
la **orquídea** orchid
la **ortografía** spelling
ortopédico(a): el/la cirujano(a) ortopédico(a) orthopedic surgeon
oscilar to vary, to fluctuate
la **oscuridad** darkness
oscuro(a) dark
óseo(a) bony; bone-related
ostentar to flaunt; to exhibit
el **otoño** autumn, fall
otorgar to give, to grant
otro(a) other, another
otros(as) others
la **oveja** sheep
el **oxígeno** oxygen
la máscara de oxígeno oxygen mask
¡Oye! Listen!

P

paceño(a) of, from La Paz
pacer to graze
la **paciencia** patience
paciente patient *(adj.)*
el/la **paciente** patient
pacífico(a) calm, peaceful
padecer to suffer from; to endure
el **padrastro** stepfather
el **padre** father
los **padres** parents
el **padrino** best man; godfather
pagar to pay
la **página** page
la página de inicio (inicial, frontal) home page
el **pago** pay, wages
el **país** country
el **paisaje** landscape
la **paja** straw
el **pájaro** bird
el **paje** page
la **palabra** word
de palabra orally, by word of mouth
la palabra afine cognate
el **palacio** palace
pálido(a) pale
la **palma** palm tree
el **palo** stick
la **paloma** pigeon
palpitante palpitating, throbbing
la **palta** avocado
la **pampa** pampa, prairie
el **pan** bread
el pan dulce pastry
el pan rallado bread crumbs
el pan tostado toast
la **panadería** bakery
el **panecillo** roll
el **panqueque** pancake
la **pantalla** screen
la pantalla de escritorio (computer) screen, monitor
el **pantalón** pants
el pantalón corto shorts
el pantalón largo long pants
la **panza** belly
el **pañuelo** handkerchief
la **papa** potato
las papas fritas french fries
el **papel** paper; role
la hoja de papel sheet of paper
el rollo de papel higiénico roll of toilet paper
el **paquete** package
par even *(numeric)*
el **par** pair
el par de zapatos pair of shoes
para for; in order to
el **parabrisas** windshield
la **parada** stop, station
la parada de autobús bus stop
el **paradero** whereabouts
el **parador** inn
el **paraguas** umbrella
el **paraíso** paradise
parar(se) to stop
parear to match
parecer to seem, to look like
a mi (tu, su) parecer in my (your, his) opinion
parecerse a to look alike, to resemble
¿Qué te parece? What do you think?
parecido(a) similar
la **pared** wall
la **pareja** couple
parentesco(a): una relación parentesca a relationship of kinship
el/la **pariente** relative
el **parking** parking lot
el **parque** park
el parque de atracciones amusement park
parquear to park
el **parqueo** parking lot
el **parquímetro** parking meter
el **párrafo** paragraph
la **parrilla** grill
la **parte** part; place
¿De parte de quién, por favor? Who's calling, please?
en muchas partes in many places
la mayor parte the greatest part, the most
participar to participate, to take part in
el **partido** game

el **pasabordo** boarding pass
pasado(a) last
el año pasado last year
la semana pasada last week
el **pasaje de la vida** life passage
el/la **pasajero(a)** passenger
el **pasaporte** passport
pasar to pass, to go; to spend *(time)*; to pass *(car)*
pasar de largo to pass by, to go by (without stopping)
pasar un rato to spend some time
pasar por el control de seguridad to go through security
pasarlo bien to have a good time, to have fun
¿Qué pasa? What's going on? What's happening?
¿Qué te pasa? What's the matter (with you)?
la **Pascua (Florida)** Easter
pascual *(related to)* Easter
el **paseo** avenue, walk
dar un paseo to take a walk
dar un paseo en bicicleta to take a (bike) ride
el **pasillo** aisle
la **pasta dentífrica** toothpaste
el **pastel** cake
la **pastilla** bar *(soap)*
el **pasto** pasture; grazing
el/la **pastor(a)** shepherd (shepherdess)
la **pata** foot, leg, or paw of an animal
los **patacones** slices of fried plantain
patada: dar una patada to stamp
la **patata** potato
las patatas fritas french fries
el **patín** ice skate
el/la **patinador(a)** ice-skater
el **patinaje** skating
el patinaje en línea in-line skating
el patinaje sobre hielo ice-skating
patinar to skate, to go skating
patinar en línea to go in-line skating
patinar sobre el hielo to ice-skate
la **patria** country, fatherland
el **patrimonio** heritage; inheritance
el/la **patrón(ona)** patron
el/la santo(a) patrón(ona) patron saint
patronal pertaining to a patron saint
la **patrulla** patrol
pausado(a) slow, deliberate
pavimentado(a) paved
el **pavimento** pavement
el **pavor** dread, terror
el **peaje** toll
la cabina (garita) de peaje tollbooth
el/la **peatón(ona)** pedestrian
peatonal related to pedestrians
el **pecho** chest
la **pechuga (de pollo)** (chicken) breast
el **pedacito** little piece
pedalear to pedal
el **pedazo** piece
pedir (i, i) to ask for, to request
peinarse to comb one's hair
el **peine** comb
pelar to peel
la **pelea** fight
pelear to fight
la **película** movie, film
el **peligro** danger
peligroso(a) dangerous
pelirrojo(a) redheaded
el **pelo** hair
tener el pelo rubio (castaño, negro) to have blond (brown, black) hair
la **pelota** ball *(baseball, tennis)*
la pelota vasca jai alai
la **peluquería** hair salon
el/la **peluquero(a)** hair stylist
la **pena** pain, sorrow; pity
¡Qué pena! What a shame!
pendiente steep
el **pendiente** earring *(long)*
la **pendiente** incline, slope *(geology)*
el **pendón** banner, flag
el **pensamiento** thought
pensar (ie) to think
pensar en to think about
¿Qué piensas? What do you think?
la **penumbra** half-light, semidarkness
la **peña** large rock
el **peón** peasant, farm laborer
el **peonaje** group of laborers
peor worse
el/la **peor** worst
el **pepino** cucumber
pequeño(a) small, little
la **percha** hanger
percibir to perceive
perder (ie) to lose; to miss
perder el vuelo to miss the flight
perdida: la llamada perdida dropped call *(cell phone)*
la **pérdida** loss
perdón pardon me, excuse me
perdurar to last, to endure
la **peregrinación** pilgrimage
perezoso(a) lazy
el **perfil** profile
el **periódico** newspaper
el/la **periodista** journalist
permanecer to remain
permiso: Con permiso. Excuse me.
el **permiso de conducir** driver's license
permitir to permit
pero but
el/la **perro(a)** dog
perseguir (i, i) to pursue, to chase; to persecute
la **persona** person
el **personaje** character *(in a novel, play)*
la **personalidad** personality
la **perspectiva** perspective
pertenecer to belong
peruano(a) Peruvian
la **pesa** weight
levantar pesas to lift weights
pesar to weigh
a pesar de in spite of
la **pescadería** fish market
el **pescado** fish
pescar to fish
pésimo(a) dreadful, terrible
el **peso** peso *(monetary unit of several Latin American countries)*; weight
picada: la carne picada ground meat
el **picadillo** ground meat
picante spicy
picar to nibble on; to chop; to mince; to bite *(insect)*
picaresco(a) picaresque
pícaro(a) sly, crafty, mischievous
el/la **pícher** pitcher
el **pico** mountain top, peak; beak *(bird)*
el **pie** foot
a pie on foot
de pie standing
piedad: sin piedad mercilessly

Spanish-English Dictionary

Spanish-English Dictionary

la **piedra** stone
la **pierna** leg
la **pieza** bedroom; piece; part
la **pila** swimming pool; baptismal font
el **pimentón** pepper *(vegetable)*
la **pimienta** pepper *(spice)*
el **pimiento** bell pepper
el **pin** PIN
el **pincel** paintbrush
el **pinchazo** flat tire
los **pinchitos** kebabs
pinta: tener buena pinta to look good
pintado(a) painted
pintar to paint
el/la **pintor(a)** painter, artist
pintoresco(a) picturesque
la **pintura** paint; painting
las **pinzas** tongs
la **piña** pineapple
pisar to step on
la **piscina** swimming pool
el **piso** floor; apartment *(Spain)*
la **pista** ski slope; runway; lane *(highway)*
  la pista de patinaje ice-skating rink
la **pizca** pinch
la **pizza** pizza
placentero(a) pleasant
el **placer** pleasure
el **plan** structure, layout
la **plancha de vela** windsurfing; sailboard
  practicar la plancha de vela to windsurf, to go windsurfing
planchar to iron
planchas: hacer planchas to do push-ups
planear to plan
el **planeta** planet
plano: el primer plano foreground
plano(a) flat
el **plano** map
la **planta** plant
la **plata** silver
el **plátano** banana
el **platillo** saucer
el **plato** dish *(food)*; plate; course *(meal)*; home plate
la **playa** beach
la **plaza** square, plaza; seat *(train, plane)*
la **plazuela** small square or plaza

pleno(a) full, complete
el/la **plomero(a)** plumber
la **pluma** (fountain) pen
la **población** population
el/la **poblador(a)** inhabitant
poblar (ue) to populate; to inhabit
pobre poor
el/la **pobre** poor boy (girl)
la **pobreza** poverty
poco(a) a little; few
  dentro de poco soon; shortly thereafter
  un poco más a little more
poder (ue) to be able
el **poder** power
poderoso(a) powerful
el **poema** poem
la **poesía** poetry, poem
  la poesía lírica lyric poetry
el/la **poeta** poet
la **polémica** controversy
el/la **policía** police officer
policíacas: novelas policíacas mysteries, detective fiction
la **política** politics
el/la **político(a)** politician
la **póliza** policy
el **pollo** chicken
la **poltrona** easy chair
el **polvo** dust
polvoriento(a) dusty
poner to put, to place, to set; to make *(someone something)*
  poner al día (al corriente, al tanto) to inform, to keep up-to-date
  poner al fuego to heat
  poner fin a to put an end to *(something)*
  poner la mesa to set the table
  poner unos puntos (unas suturas) to give (someone) stitches
ponerse to put on *(clothes)*; to become, to turn
  ponerse a to begin *(to do something)*
  ponerse de acuerdo to agree *(on something)*
  ponerse de pie to stand up
  ponerse en marcha to start moving
la **popa** stern *(boat)*
popular popular

por for, by
  por consiguiente therefore, consequently
  por ejemplo for example
  por encima de over
  por eso that's why, for this reason
  por favor please
  por fin finally
  por hora per hour
  por la mañana in the morning
  por la noche at night, in the evening
  por la tarde in the afternoon
  por lo general in general
  Por nada. You're welcome.; for no reason
  ¿por qué? why?
  ¡Por supuesto! Of course!
el **poro** pore *(skin)*
los **porotos** green beans *(Chile)*
porque because
el/la **porrista** cheerleader
el/la **portador(a)** bearer
el **portal** main door; gateway
portátil: la computadora portátil laptop computer
el/la **porteño(a)** person from Buenos Aires
la **portería** goal (box)
el/la **portero(a)** goalie
portugués(esa) Portuguese
poseer to possess
posible possible
positivo(a) positive
el **pósito** granary
el **postre** dessert
el **potrero** pasture; cattle ranch
practicar to practice *(sport)*
  practicar la plancha de vela (la tabla hawaiana) to go windsurfing (surfing)
  practicar yoga to do yoga
precario(a) precarious, unstable
el **precio** price
la **precipitación** precipitation, rain
precolombino(a) pre-Columbian
precoz precocious
la **preferencia** preference
preferir (ie, i) to prefer
el **prefijo del país** country code
la **pregunta** question
preguntar to ask (a question)

el **premio** prize, award
la **prenda interior** undergarment
prender to turn on
la **prensa** press
preparar to prepare; to get ready
la **prepa(ratoria)** high school
presenciar to witness; to attend
presentar to introduce
los **presentes** those present, the attendees
la **presión** pressure
presionar to press, to put pressure on
el/la **preso(a)** prisoner
el **préstamo** loan
el préstamo a corto (largo) plazo short- (long-) term loan
prestar to lend, to loan
pedir prestado (a) to borrow (from)
prestar: prestar atención to pay attention
presumir to presume
el **presupuesto** estimate, quote *(cost)*; budget
pretender (ie) to expect; to try to
el **pretendiente** suitor
prevenir (ie) to prevent; to foresee
previo(a) previous, prior
previsto(a) predicted, anticipated, foreseen
primario(a): la escuela primaria elementary school
la **primavera** spring
primero(a) first
el primer plano foreground
el primero de enero (febrero, etc.) January (February, etc.) 1
en primera clase first class
el/la **primo(a)** cousin
primordial essential, fundamental, very important
la **princesa** princess
principal main
el/la **principiante** beginner
el **principio** beginning
a principios de in (at) the beginning of *(year, decade, century, etc.)*
prisa: de prisa fast, hurriedly
a toda prisa with full speed
privado(a) private
probable probable, likely

probarse (ue) to try on
el **problema** problem
No hay problema. No problem.
procedente de coming, arriving from
el **procedimiento** step *(recipe)*
la **procesión** procession, parade
producir to produce
el **producto** product; food
los productos congelados frozen food
la **profesión** profession, occupation
profesional professional
el/la **profesor(a)** teacher
profundo(a) deep
el **programa de televisión** television program
el/la **programador(a) de computadoras** computer programmer
prohibido(a) forbidden
prometer to promise
la **promoción** (sales) promotion
promover (ue) to promote; to bring about
la **promulgación** enactment *(constitution, law, etc.)*
el **pronombre** pronoun
el **pronóstico** forecast; prediction
el pronóstico meteorológico weather forecast
pronto: ¡Hasta pronto! See you soon!
la **propaganda** advertising
propenso(a) prone to
propicio(a) favorable
el/la **propietario(a)** owner
la **propina** tip *(restaurant)*
propio(a) own
proporcionar to provide with, to supply
el **propósito** purpose, intention
propósito: ¡A propósito! By the way!
el propósito benévelo charitable purpose
la **propuesta** proposal, offer
la **prosa** prose
el/la **protagonista** protagonist
protectora: la loción protectora sunblock
el **provecho** benefit
provechoso(a) beneficial, useful
proveer to supply, to provide
próximo(a) next

la **prudencia** care, caution; wisdom, prudence
la **prueba** test, exam
publicar to publish
la **publicidad** advertising
el **público** audience
el **pueblo** town
el **puente** bridge
la **puerta** gate *(airport)*; door
la puerta de salida gate *(airport)*
la puerta delantera (trasera) front (back) door *(bus)*
el **puerto** port
puertorriqueño(a) Puerto Rican
pues well
el **puesto** market stall; position
puesto que since
el **pulgar** thumb
pulido(a) polished
los **pulmones** lungs
la **pulpería** general store, food store
pulsar to press *(button, key)*
la **pulsera** bracelet
el **pulso: tomar el pulso** to take someone's pulse
la **punta de los dedos** fingertips
el **punto** point; dot *(Internet)*; stitch
poner puntos (a alguien) to give (somebody) stitches
puntual punctual
el **puñado** handful
el **puñal** dagger
las **pupilas** pupils *(eye)*
el **pupitre** desk
el **puré** purée, thick soup

Q

que that; who
¿qué? what?; how?
¿a qué hora? at what time?
¿de qué nacionalidad? what nationality?
No hay de qué. You're welcome.
¿Qué desean tomar? What would you like (to eat)?
¿Qué día es hoy? What day is it today?
¿Qué hay? What's new (up)?
¿Qué hora es? What time is it?
¡Qué lío! What a mess!

Spanish-English Dictionary

Spanish-English Dictionary

¡Qué... más... ! What a . . . !
¿Qué pasa? What's going on? What's happening?
¡Qué pena! What a shame!
¿Qué tal? How are things? How are you?
¿Qué tal le gustó? How did you like it? *(formal)*
¿Qué tiempo hace? What's the weather like?
quebrarse (ie) to break
quedar (bien) to fit, to look good on
Esta chaqueta no te queda bien. This jacket doesn't fit you.
quedar(se) to remain, to stay
la **queja** complaint
quejarse (de) to complain (about)
quemarse to burn
querer (ie) to want, to wish; to love
querido(a) dear, beloved
el **queso** cheese
el sándwich de jamón y queso ham and cheese sandwich
el **quetzal** quetzal *(currency of Guatemala)*
el **quicio** doorjamb
¿quién? who?
¿De parte de quién, por favor? Who's calling, please?
¿quiénes? who? *(pl.)*
quince fifteen
la **quinceañera** fifteen-year-old girl
quinientos(as) five hundred
el **quiosco** kiosk, newsstand
el **quipu** series of strings with knots used by Incas to count
quisiera I'd like
quitar to take away, to remove
quitar la mesa to clear the table
quitarse to take off *(clothes)*
quizá(s) maybe, perhaps

R

la **rabia** fury, anger
rabiosamente furiously, in a rage
el **racimo** bunch *(grapes, flowers)*
la **ración** portion *(food)*
radicar (en) to be situated (in)
el/la **radio** radio
la **radiografía** X ray
Le toman (hacen) una radiografía. They're taking an X ray of him (her).
la **ráfaga** gust *(wind)*
las **raíces** roots
raído(a) frayed, shabby
la **raja** slice *(melon)*
la **rama** branch
el **ramo** bunch, bouquet
el **rancho** ranch
el **rango** rank, status
la **ranura** slot
rápidamente quickly
rápido(a) fast
la **raqueta** *(tennis)* racket
raro(a) rare
el **rascacielos** skyscraper
el **rastro** trace, sign; trail, track *(animal)*
el **rato** time, while
pasar un rato to spend some time
el **ratón** mouse
rayas: a rayas striped
el **rayón** scratch
la **raza** breed
la **razón** reason
tener razón to be right
realista royalist
el/la **realista** realist
realizar to carry out, to make happen
realizarse to happen, to come to pass
reanudar to resume
rebajar to lower *(prices)*
la **rebanada** slice *(bread)*
cortar en rebanadas to slice
el **rebaño** flock, herd
rebasar to pass *(car)*
rebelarse to rebel
rebelde rebellious
el/la **rebelde** rebel
la **rebeldía** rebelliousness
rebotar to bounce *(a ball)*
rebozar to coat (with batter)
el **recado** message
la **recámara** bedroom
recambio: la rueda (llanta) de recambio spare tire
recaudar to collect, to take in *(money)*
recaudar fondos to raise funds
el **recaudo** message *(archaic form of* recado*)*
la **recepción** front desk *(hotel)*; reception
el/la **recepcionista** hotel clerk
el/la **receptor(a)** catcher
la **receta** prescription; recipe
recetar to prescribe
rechazar to reject
recibir to receive; to catch
recibir aplausos to be applauded
recién recently, newly
los recién casados newlyweds
el/la recién llegado(a) person who has just arrived
el/la recién nacido(a) newborn
reciente recent
reclamar to claim
el **reclamo de equipaje** baggage claim
recoger to collect, to gather, to pick up
la **recolección** harvesting; collection
recomendar (ie) to recommend
reconocer to recognize
el **reconocimiento** recognition
recordar (ue) to remember
recorrer to cover, to travel *(distance)*
el **recorrido** trip, route
el tren de largo recorrido long-distance train
el **recorte** trim *(hair)*
los **recuerdos** memories
recuperar to claim, to get back
la **red** the Web; net; network
navegar la red to surf the Web
pasar por encima de la red to go over the net
reducido(a) reduced
reducir to reduce; to set *(bone)*
reducir la velocidad to reduce speed
reemplazar to replace

Spanish-English Dictionary

refacción: la rueda (llanta) de refacción spare tire
reflejar to reflect
reflexionar to think about, to reflect on
reforzar (ue) to reinforce, to strengthen
el **refrán** proverb, saying
el **refresco** soft drink
el **refrigerador** refrigerator
refrito(a) refried
refugiarse to take refuge
el **refugio** refuge
regalar to give (as a gift)
el **regalo** gift, present
regatear to bargain
el **régimen** diet; regime *(political)*
la **región** region
el **registro de matrimonio** wedding register
la **regla** rule
el **regocijo** delight, joy
regresar to go back, to return
el botón regresar back button, back key
regresar a casa to go home
el **regreso** return
regreso: el boleto de ida y regreso round-trip ticket
regular regular, average
rehusar to refuse
la **reina** queen
el **reinado** reign
reinar to rule, to reign; to prevail
reír (i, i) to laugh
relacionado(a) related
relacionar to relate, to connect
relacionarse to mix with, to have contact with
relatar to relate, to recount, to tell *(a story)*
el **relato** story, tale
relevos: la carrera de relevos relay race
religioso(a) religious
rellenar to fill, to put filling in
el **reloj** watch
relucir to shine; to glitter, to sparkle
el **remedio** choice, alternative; remedy, cure
rememorar to remember, to recall
el **remolino** whirlpool; whirlwind
el **renacimiento** rebirth, revival
el **rencor** resentment
rendido(a) exhausted, worn out
rendir (i, i) culto to worship
rendir (i, i) honor to honor
renombrado(a) famous, renowned
el **renombre** renown, fame
renovar (ue) to renew; to renovate
rentar to rent
repartido(a) distributed, split up
repasar to review
el **repaso** review
repente: de repente suddenly, all of a sudden
repentino(a) sudden
repetir (i, i) to repeat; to have seconds *(meal)*
repleto(a) replete, full
replicar to answer back, to retort
el **repliegue** withdrawal, retreat *(military)*; fold, crease
el **repollo** cabbage
el **reportaje** report
el **reposo** rest, repose, break
el/la **representante** representative
la **república** republic
la República Dominicana Dominican Republic
repuesto: la rueda (llanta) de repuesto spare tire
requerir (ie, i) to require
rescatar to rescue
el **rescate** rescue
la **reserva** reservation
la **reservación** reservation
reservar to reserve
las **reses** cattle, livestock
resfriado(a) stuffed up *(cold)*
la **resolución** decision; resolution *(ending)*; solution; determination
resonar (ue) to resonate, to echo, to resound
el **resorte** spring *(mechanical)*
el **respaldo** back *(of a chair)*
respetado(a) respected
respetar to respect
respetuoso(a) respectful
la **respiración** breathing
respirar to breathe
responsable responsible
la **respuesta** answer
el **restaurante** restaurant
el **resto** rest, remainder
los restos remains
resuelto(a) resolute, determined
el **resultado** result
resultar to turn out to be
el **resumen** summary
resumirse to be summed up
retirar to withdraw
el **retorno** return
el **retraso** delay
con retraso late
el **retrato** portrait
retroceder: el botón retroceder back button, back key
el **retrovisor** rearview mirror
reubicar to move, to relocate
la **reunión** meeting, get-together
reunirse to meet, to get together
revisar to check *(ticket)*
el/la **revisor(a)** conductor
la **revista** magazine
revolver (ue) to stir
revueltos: los huevos revueltos scrambled eggs
el **rey** king
el Día de los Reyes Epiphany (January 6)
los Reyes Magos the Three Wise Men
rezar to pray
rico(a) rich; delicious
¡Qué rico! How delicious!
los **rieles** rails *(train)*
el **riesgo** risk
rígido(a) stiff
el **rigor** severity, toughness; rigor
la **rima** rhyme
el **rincón** corner *(interior)*
los **riñones** kidneys
el **río** river
la **riqueza** wealth; richness
las riquezas riches
el **risco** cliff
el **ritmo** rhythm
el **rito** rite
robar to steal
la **roca** rock, stone
rocoso(a) rocky
el **rocín** donkey; nag
la **rodaja** slice *(lemon, cucumber)*
rodar (ue) to roll
rodeado(a) surrounded
rodear to surround
rodear con los brazos to put one's arms around
la **rodilla** knee
la **rodillera** kneepad
rogar (ue) to beg
rojo(a) red
la luz roja red light

Spanish-English Dictionary

Spanish-English Dictionary

el **rol** role
el **rollo de papel higiénico** roll of toilet paper
el **rompecabezas** puzzle
romperse to break
Se rompió la pierna. He (She) broke his (her) leg.
la **ropa** clothing
la ropa para lavar dirty clothes
la ropa sucia dirty clothes
el **ropaje** wardrobe
la **rosa** rose
rosado(a) pink
el **rosal** rosebush
el **rostro** face
roto(a) broken
el **rótulo** sign
rubio(a) blonde
rudo(a) rough, coarse *(person, material)*; tough, rigorous *(job, journey, etc.)*
la **rueda** tire
la rueda de repuesto (recambio) spare tire
la silla de ruedas wheelchair
el **ruego** request
rugir to roar
el **ruido** noise
las **ruinas** ruins
el **rumbo** direction, course
la **ruta** route
rutilante shining, sparkling, gleaming
la **rutina diaria** daily routine

S

el **sábado** Saturday
la **sabana** savannah
la **sábana** sheet
saber to know
sabio(a) wise
el **sabor** flavor; taste
sabroso(a) tasty, flavorful
sacar to get; to take
sacar fotos to take pictures
sacar notas buenas (malas) to get good (bad) grades
el **sacerdote** priest
el **saco de dormir** sleeping bag
el **sacrificio** sacrifice
sacudir to shake
sagrado(a) sacred
la **sal** salt
la **sala** living room
la sala de clase classroom
la sala de emergencia emergency room
la sala de espera waiting room
salado(a) salty
el **salchichón** salami-like sausage
el **saldo** sale; balance *(bank)*
la **salida** departure; exit
la hora de salida time of departure
la puerta de salida gate *(airport)*
salir to leave; to go out; to turn out, to result
Todo te sale más barato. Everything costs a lot less.; It's all a lot less expensive.
el **salón** room *(museum)*
la **salsa** sauce, gravy; dressing
saltar to jump (over)
salteado(a) sautéed
el **salto** fall *(water)*; jump, leap
la **salud** health
saludar to greet
el **saludo** greeting
salvar to save
la **sandalia** sandal
el **sándwich** sandwich
el sándwich de jamón y queso ham and cheese sandwich
la **sangre** blood
sangriento(a) bloody
sano(a) healthy
el/la **santo(a)** saint
el/la santo(a) patrón(ona) patron saint
saquear to sack, to plunder, to loot
el **sarape** blanket
el/la **sartén** skillet, frying pan
satisfacer to satisfy
el **sato** a type of dog from Puerto Rico
sea: o sea or, in other words
la **secadora** dryer
secarse to dry oneself
seco(a) dry
secundario(a): la escuela secundaria high school
la **sed** thirst
tener sed to be thirsty
el **sedán** sedan
sedante soothing, calming
seguir (i, i) to follow; to continue
según according to
segundo(a) second
en segunda clase second class *(ticket)*
el segundo tiempo second half *(soccer)*
seguramente surely, certainly
seguridad: el control de seguridad security *(airport)*
el cinturón de seguridad seat belt
seguro que certainly
seguro(a) sure; safe
los **seguros contra todo riesgo** comprehensive insurance
seis six
seiscientos(as) six hundred
seleccionar to choose
sellar to stamp, to seal; to bring to a conclusion
el **sello** stamp
la **selva** jungle, forest
la selva (el bosque) tropical rain forest
el **semáforo** traffic light
la **semana** week; weekly allowance
el fin de semana weekend
la semana pasada last week
sembrar (ie) to plant, to sow
semejante similar
el **seminómada** seminomad
el/la **senador(a)** senator
sencillo(a) one-way; single *(hotel room)*; simple
el billete (boleto) sencillo one-way ticket
el cuarto sencillo single room
la **senda** path
el **sendero** path
sentado(a) seated
sentarse (ie) to sit down
el **sentido** direction; sense
la calle de sentido único one-way street
sentir (ie, i) to be sorry; to feel
Lo siento mucho. I'm very sorry.
sentirse (ie, i) to feel
la **señal** sign
la señal de no fumar no-smoking sign
señalar to point out
el **señor** sir, Mr., gentleman

la **señora** Ms., Mrs., madam
los **señores** Mr. and Mrs.
el **señorío** majesty, stateliness
la **señorita** Miss, Ms.
el **sepelio** burial
septiembre September
la **sequía** drought
ser to be
el **ser** being
los seres humanos human beings
los seres vivientes living beings
la **serie** series
serio(a) serious
¿Hablas en serio? Are you serious?
la **serpiente** snake, serpent
la **serranía** mountainous region
el **servicio** tip; restroom; service
¿Está incluido el servicio? Is the tip included?
la estación de servicio gas station, service station
la **servilleta** napkin
servir (i, i) to serve
servir de to serve as
servirse (i, i) de to use
sesenta sixty
setecientos(as) seven hundred
setenta seventy
severo(a) harsh, strict
si if
sí yes
el/la **sicólogo(a)** psychologist
siempre always
la **sien** temple *(anatomy)*
siento: Lo siento mucho. I'm very sorry.
la **sierra** mountain range
el/la **siervo(a)** slave, serf
la **siesta** nap
siete seven
las **siglas** acronym
el **siglo** century
el **significado** meaning
significar to mean
siguiente following
el **silbido** whistle, hiss
la **silla** chair
la silla de ruedas wheelchair
el **sillón** armchair
silvestre wild
el **símbolo** symbol
el **símil** simile
similar similar
simpático(a) nice
simpatizar con to sympathize with

sin without
la **sinagoga** synagogue
sincero(a) sincere
siniestro(a) sinister, evil
sino but rather
el **síntoma** symptom
el **sistema** system
el **sitio** space *(parking)*
el **sitio Web** Web site
el/la **snowboarder** snowboarder
el/la **soberano(a)** sovereign (ruler)
soberbio(a) superb, splendid
las **sobras** leftovers
sobre on, on top of; about
sobre las cuatro around four o'clock
sobre todo above all, especially
el **sobre** envelope
la **sobremesa** dessert; after-dinner conversation
sobrepasar to surpass
la **sobrepoblación** overpopulation
sobrevivir to survive
sobrevolar (ue) to fly over
el/la **sobrino(a)** nephew (niece)
sobrio(a) sober; plain
social social
los estudios sociales social studies
la **sociedad** society; company, corporation
el/la **socio(a)** member, partner
socorrer to help
el/la **socorrista** paramedic
el **sofá** sofa
la **soga** rope
el **sol** sun
Hace (Hay) sol. It's sunny.
tomar el sol to sunbathe
solamente only
solar: la crema solar suntan lotion
solar solar
solas: a solas alone
el **soldado** soldier
soleado(a) sunny
soler (ue) to be used to, to do something usually
solicitar to apply for; to request
la **solicitud de empleo** job application
solo only
solo(a) single; alone; lonely
soltar (ue) to release
el/la **soltero(a)** single, unmarried person
la **sombra** shadow
el **sombrero** hat

someter to conquer, to subdue
el **son** sound
sonar (ue) to ring
el **sonido** sound
la **sonrisa** smile
soñar (ue) to dream
la **sopa** soup
soplar to blow *(wind)*
el **sopor** drowsiness, lethargy
sordo(a) deaf
sorprender to surprise
la **sorpresa** surprise
el **sosiego** calmness, tranquility
la **sospecha** suspicion
sospechar to suspect
sospechas: tener sospechas to be suspicious
sostener (ie) to support; to hold up
su(s) his, her, their, your *(formal)*
suavemente softly
suavizar to smooth out, to make soft; to mellow
el/la **súbdito(a)** subject *(person);* citizen
subir to go up; to get on *(train, etc.)*
sublevarse to revolt, to rebel
el **subsuelo** subsoil
subterráneo(a) underground
los **suburbios** suburbs
subyugar to subjugate, to subdue
suceder to happen
el **suceso** event
sucio(a) dirty
Sudamérica South America
sudamericano(a) South American
sudar to sweat
el **sudor** sweat
el/la **suegro(a)** father- (mother-) in-law
el **sueldo** pay, wages, salary
suele(n): *see* **soler**
el **suelo** ground, floor
suelto(a) free; loose
el **suelto** change *(money)*
el **sueño** dream
tener sueño to be sleepy
la **suerte** luck
¡Buena suerte! Good luck!
¡Qué suerte tengo! How lucky I am!
el **suéter** sweater
el **sufrimiento** suffering
sufrir to suffer
la **sugerencia** suggestion
sugerir (ie, i) to suggest
sujetar to subject, to subdue

Spanish-English Dictionary

sumergir to submerge, to immerse
sumergirse en to immerse oneself in
sumiso(a) submissive, docile
superar to overcome *(illness, obstacle, etc.)*
la superficie surface
superior upper, top
el compartimiento superior overhead bin *(airplane)*
el supermercado supermarket
suprimir to remove, to eliminate
suspirar to sigh
el suspiro breath, sigh
el sur south
la América del Sur South America
sureño(a) southern
el surfing surfing
surgir to come up, to arise; to rise up from
el surtido assortment
sus his, her, their, your *(formal)*
suspender to fail *(school)*
el suspenso failure *(school)*; suspense
sustentar to support, to maintain
el sustento sustenance *(food)*
sustituir to substitute (for)
el susto fear
sutil subtle
la sutura stitch
suturar to give (someone) stitches
el SUV SUV

el tabaquero cigar maker
la tabla chart, table; plank, board
la tabla hawaiana surfboard
practicar la tabla hawaiana to surf, to go surfing
el tablero board, plank
tacaño(a) stingy, cheap
tácito(a) tacit, unspoken; unwritten
taciturno(a) melancholic, gloomy
el taco taco
la tajada slice *(ham, meat)*
el tajo cut, slash

tal such
¿Qué tal? How are things? How are you?
¿Qué tal tu clase de español? How's your Spanish class?
tal como such as
tal vez maybe, perhaps
el talento talent
la talla size
¿Qué talla usas? What size do you take?
tallar to carve; to sculpt
el taller workshop
el talón heel *(of a shoe)*; luggage claim ticket
el tamaño size
también also, too
el tambor drum
el tamborín small drum
tampoco not . . . either, neither
tan so
tan... como as . . . as
tan pronto como as soon as
el tanque gas tank
el tanto score, point
estar al tanto to be up-to-date, informed
marcar un tanto to score a point
tanto(a) so much
tanto(a)... como as much . . . as
tantos(as)... como as many . . . as
la tapa lid
tapar to cover *(pot)*
las tapas snacks, nibbles
el tapón traffic jam
la taquilla box office, ticket window
tardar: no tardar en not to take long *(to do something)*
tarde late
la tarde afternoon
ayer por la tarde yesterday afternoon
Buenas tardes. Good afternoon.
la tarea homework; task
la tarifa fare; price
la tarjeta card; pass
la tarjeta de abordar boarding pass
la tarjeta de crédito credit card

la tarjeta de embarque boarding pass
la tarjeta postal postcard
la tarjeta telefónica telephone card
la tarta cake
la tasa de interés interest rate
el taxi taxi
el/la taxista taxi driver
la taza cup
te you *(fam. pron.)*
el té tea
el techo roof
el teclado keyboard
el/la técnico(a) technician
la tecnología technology
tejano(a) Texan
el/la tejedor(a) weaver
tejer to weave, to knit
los tejidos fabrics
la tela cloth, fabric
la tele TV
telefónico(a) *(related to)* phone
la guía telefónica phone book
la tarjeta telefónica phone card
el teléfono telephone
hablar por teléfono to speak on the phone
el número de teléfono phone number
el teléfono celular cell phone
el teléfono público pay phone
la telenovela serial, soap opera
el telesilla chairlift, ski lift
el telesquí ski lift
la televisión television
el tema theme
temblar (ie) to tremble, to shake
el temblor trembling, shaking
tembloroso(a) trembling
temer to fear
temible fearsome, frightful
temido(a) feared
el temor fear
la temperatura temperature
la tempestad tempest, storm
tempestuoso(a) stormy
templado(a) mild, temperate
temprano(a) early
tenaz tenacious, persistent
el tenderete market stall
el tenedor fork

tener (ie) to have
tener… años to be . . . years old
tener calor (frío) to be hot (cold)
tener catarro to have a cold
tener cuidado to be careful
tener dolor de… to have a(n) . . . -ache
tener el pelo rubio (castaño, negro) to have blond (brown, black) hair
tener éxito to be successful
tener fiebre to have a fever
tener ganas de to feel like
tener hambre to be hungry
tener lugar to take place
tener miedo to be afraid
tener ojos azules (castaños, verdes) to have blue (brown, green) eyes
tener que to have to (do something)
tener sed to be thirsty
el/la **teniente** deputy mayor
el **tenis** tennis
la cancha de tenis tennis court
jugar (al) tenis to play tennis
los **tenis** sneakers, tennis shoes
el/la **tenista** tennis player
la **tensión** tension, stress
la tensión arterial blood pressure
la **tentación** temptation
tentar (ie) to tempt
la **tentativa** attempt, try
tercer(o)(a) third
el **terciopelo** velvet
terco(a) stubborn
terminar to end, to finish
término: a término medio medium *(meat)*
el **término** term
la **ternera** veal
el escalope de ternera veal cutlet
la **ternura** tenderness
el/la **terrateniente** landowner
la **terraza** terrace, balcony
el **terremoto** earthquake
el **terreno** terrain; (piece of) land
el **tesoro** treasure
el **testigo** witness
ti you
tibio(a) lukewarm
el **ticket** ticket
el **tiempo** weather; half *(soccer)*
a tiempo on time
a tiempo completo full-time
a tiempo parcial part-time
Hace buen (mal) tiempo. The weather is nice (bad).
¿Qué tiempo hace? What's the weather like?
el segundo tiempo second half *(soccer)*
la **tienda** store
la tienda de ropa clothing store
la **tienda de campaña** tent
tierno(a) tender; affectionate
la **tierra** land
el **tigre** tiger
los **timbales** small drums, kettledrums
el **timbre (sonoro)** ringtone
tímido(a) shy
el/la **tío(a)** uncle (aunt)
los **tíos** aunt and uncle
el **tiovivo** merry-go-round
típico(a) typical
el **tipo** type
el **tiquete** ticket
tirante tight, taut, tense
tirar to throw
el **titular** headline
el **título** title; degree
la **toalla** towel
el **tobillo** ankle
el **tocadiscos** record player
tocar to touch; to play *(musical instrument)*
¡Te toca a ti! It's your turn!
el **tocino** bacon
todavía still; yet
todo(a) everything; all
sobre todo above all, especially
todo el mundo everyone
todos(as) everyone; everything; all
en todas partes everywhere
el **todoterreno** all-terrain vehicle
tomar to take; to have *(meal)*
tomar el almuerzo (el desayuno) to have lunch (breakfast)
tomar el bus to take the bus
tomar el pulso a alguien to take someone's pulse
tomar el sol to sunbathe
tomar en cuenta to take into account
tomar fotos to take pictures
tomar la tensión arterial a alguien to take someone's blood pressure
tomar un examen to take a test
tomar una ducha to take a shower
tomar una radiografía to take an X ray of someone
el **tomate** tomato
el **tomo** volume *(book)*
la **tonelada** ton
el **tono** dial tone
tontería: ¡Qué tontería! How silly! What nonsense!
las **tonterías** foolish things
tonto(a) foolish, crazy
torcerse (ue) to sprain, to twist
Se torció el tobillo. He (She) sprained his (her) ankle.
torcido(a) sprained, twisted
la **tormenta** storm
tormentoso(a) stormy
torno: en torno a around, near
la **torre** tower
el **torrente** torrent, rush; stream
la **torta** cake; sandwich
la **tortilla** tortilla
la **tos** cough
tener tos to have a cough
toser to cough
la **tostada** tostada
las **tostadas** toast
tostado(a) toasted
el pan tostado toast
los **tostones** slices of fried plantain
trabajar to work
el **trabajo** work
tradicional traditional
traducir to translate
traer to carry, to bring, to take
el **tráfico** traffic
tragar to swallow
traicionar to betray
el **traje** suit
el **traje de baño** swimsuit
el **traje de novia** wedding dress
la **trama** plot
la **trampa** trap
tranquilo(a) calm
transbordar to transfer *(trains)*
el **transcurso** passing; lapse
el **tránsito** traffic
la **transmisión manual** manual transmission

Spanish-English Dictionary

transpirar to perspire
transporte: los medios de transporte means of transportation
el tranvía tram, streetcar
tras behind; after
trasero(a) back
trasladar to move *(something)*; to transfer
el trasto piece of junk, rubbish
el tratamiento treatment
tratar to treat
tratar de to try to *(do something)*
tratar de desviar to try to dissuade
través: a través de through; over
la travesía crossing
traviesa: a campo traviesa cross-country *(race)*
el trayecto stretch (of road)
el trazado route, course
trece thirteen
el trecho stretch *(distance)*
la tregua truce
sin tregua non-stop, without a break
treinta thirty
treinta y uno thirty-one
trémulo(a) trembling, shaking
el tren train
el tren de cercanías suburban train
el tren de largo recorrido long-distance train
tres three
trescientos(as) three hundred
el trigo wheat
el trimestre period of three months
triste sad
la tristeza sadness, sorrow
el triunfo triumph, win, victory
el trocito little piece
la trompeta trumpet
el tronco trunk (of a tree)
las tropas troops
tropical tropical
el trotamundos globe-trotter
el trozo piece
la trucha trout
el T-shirt T-shirt
tu(s) your *(fam.)*
tú you *(sing.) (fam.)*
el tubo de crema dental tube of toothpaste
la tumba grave, tomb
el tumbo shake, jolt
turbarse to be disturbed; to get upset
turbio(a) cloudy, muddy, unclear
el turismo tourism
el/la turista tourist
tutear to use «tú» when addressing someone

u or *(used instead of* ***o*** *before words beginning with* ***o*** *or* ***ho****)*
ubicar to place; to locate; to situate
ubicarse to be located
Ud., usted you *(sing.) (formal)*
Uds., ustedes you *(pl.) (formal)*
último(a) last; final
un(a) a, an
la una one o'clock
único(a) only; one-way
la calle de sentido único one-way street
el/la hijo(a) único(a) only child
la unidad unit
el uniforme uniform
unir to join, to unite
la universidad university
universitario(a) *(related to)* university, college
el/la universitario(a) college student
uno(a) one
unos(as) some
urbano(a) urban
la urbe major city
usar to use; to wear *(size)*
¿Qué talla usas? What size do you wear (take)?
el uso use
el/la usuario(a) user
útil useful
la uva grape

la vaca cow
las vacaciones vacation
estar de vacaciones to be on vacation
vacante vacant
vacilar to hesitate
vacío(a) empty
el vacío void, empty space
vagar to wander, to roam
el vagón train car
la vainilla vanilla
las vainitas green beans
Vale. Okay.; It's a good idea.
más vale que... it is better that . . .
No vale. It's not worth it.
valer to cost; to be worth
valerse de to use
valeroso(a) brave
valiente brave, courageous, valiant
la valla fence; wall
el valle valley
el valor bravery, valor; value
¡Vamos! Let's go!
el vapor steam, vapor
varios(as) several
el varón man, boy
los vasallos vassals
vasco(a) Basque
la pelota vasca jai-alai
la vasija vessel, pot
el vaso glass
el váter toilet
veces: a veces at times, sometimes
el/la vecino(a) neighbor
el vegetal vegetable
los vegetales crudos raw vegetables, crudités
vegetariano(a) vegetarian
veinte twenty
veinticinco twenty-five
veinticuatro twenty-four
veintidós twenty-two
veintinueve twenty-nine
veintiocho twenty-eight
veintiséis twenty-six
veintisiete twenty-seven
veintitrés twenty-three
veintiuno twenty-one
la vejez old age
la vela candle; sail *(boat)*
vela: la plancha de vela windsurfing; sailboard
velar to keep watch
el velero sailboat
el velo veil
la velocidad speed
la velocidad máxima speed limit

Spanish-English Dictionary

el **velorio** wake
las **venas** veins
vencer to conquer, to defeat
la **venda** bandage
el/la **vendedor(a)** merchant
vender to sell
el **veneno** poison, venom
venenoso(a) poisonous, venomous
venezolano(a) Venezuelan
venir (ie) to come
  el verano (año, mes) que viene next summer (year, month)
la **venta** small hotel
las **ventajas** advantages
la **ventana** window
el **ventanal** large window
la **ventanilla** ticket window; window *(plane)*
ventoso(a) windy
ver to see
  no tener nada que ver con not to have anything to do with
veraniego(a) related to summer, summery
el **verano** summer
veras: de veras really, truly
el **verbo** verb
la **verdad** truth
  Es verdad. That's true (right).
  ¿Verdad? Right?
verdadero(a) real, true
verde green
  las judías verdes green beans
la **verdulería** greengrocer (vegetable) store
la **verdura** vegetable
la **vereda** lane, path
verificar to check
verosímil true-to-life
el **verso** verse
el **vestido** dress
  el vestido de novia wedding dress
el **vestigio** trace, vestige
la **vestimenta** clothes, clothing
vestirse (i, i) to get dressed, to dress
la **vez** time
  a veces at times, sometimes
  cada vez each time, every time
  de vez en cuando from time to time, occasionally
  en vez de instead of
  una vez más (once) again, one more time
la **vía** track; lane *(highway)*
viajar to travel
  viajar en avión (tren) to travel by plane (train)
el **viaje** trip, voyage
  hacer un viaje to take a trip
la **víbora** viper
la **víctima** victim
la **vid** grapevine
la **vida** life
el **video** video
el **vidrio** glass *(substance)*
viejo(a) old
el **viento** wind
  Hace viento. It's windy.
el **viernes** Friday
vigilar to keep watch, to guard
la **villa** small town
el **vinagre** vinegar
el **vínculo** link, bond, tie
el **vino** wine
la **viña** vineyard
el **viñedo** vineyard
el **violín** violin
el **virreinato** viceroyalty
la **virtud** virtue
visitar to visit
la **víspera de Año Nuevo** New Year's Eve
la **vista** view; sight
  perder la vista to lose sight (of)
la **viuda (del difunto)** widow
la **vivacidad** vivacity, liveliness
vivaz lively; keen, sharp
la **vivienda** housing, dwelling
vivir to live
vivo(a) lively
los **vivos** the living
la **vocal** vowel
el **volante** steering wheel
volar (ue) to fly
el **volcán** volcano
volcar (ue) to flip over
el **voleibol** volleyball
  la cancha de voleibol volleyball court
voluble fickle, changeable
la **voluntad** will, volition
volver (ue) to return
  volver a casa to go back (return) home
volver (ue) a (+ infinitivo) to do (something) again
volverse (ue) to turn around; to become, to turn
vosotros(as) you *(pl.)*
la **voz** voice
  en voz alta aloud
el **vuelo** flight
  el número del vuelo flight number
  el vuelo directo direct flight
  el vuelo sin escala non-stop flight
vuelta: un boleto (billete) de ida y vuelta round-trip ticket
la **vuelta** lap; return
Vuestra Merced Your Highness

y and
  y cuarto a quarter past (the hour)
  y media half past (the hour)
ya already
  ¡Ya voy! I'm coming!
la **yegua** mare
la **yerba** grass
yerto(a) stiff, rigid; dead
el **yeso** cast *(medical)*; plaster
yo I; me
el **yoga** yoga

Z

la **zanahoria** carrot
las **zapatillas** (sports) shoes, sneakers
los **zapatos** shoes
la **zona** area, zone
el **zoológico** zoo
el **zumo** juice *(Spain)*

English-Spanish Dictionary

@ la arroba
a, an un(a)
able: to be able poder (ue)
aboard abordo (de)
to **abound** abundar
about sobre; ***(time)*** a eso de
above por encima de
  above all sobre todo
abroad al extranjero
to **absorb** absorber
abstract work (of art) la obra abstracta
to **accept** aceptar
to **access** acceder
accident el accidente
accompanied by acompañado(a) de
according to según
accountant el/la contable
ache el dolor
to **ache** doler (ue)
  My . . . ache(s). Me duele(n)...
to **achieve** lograr, alcanzar, conseguir (i, i)
acquaintance el/la conocido(a)
to **acquire** adquirir (ie, i)
acronym las siglas
activity la actividad
to **add** añadir, agregar; ***(math)*** sumar
addition: in addition to además de
address la dirección
  address book la libreta de direcciones
  e-mail address la dirección de correo electrónico (e-mail)
addressee el/la destinatario(a)
adolescence la adolescencia
adorable cariñoso(a), adorable
advanced avanzado(a)
advantage la ventaja
advertising la propaganda, la publicidad
advice el consejo
advisable aconsejable
to **advise** aconsejar; avisar
afraid: to be afraid tener miedo
after después (de), al cabo de, después de que; ***(time)*** y
  It's ten after one. Es la una y diez.
afternoon la tarde
  Good afternoon. Buenas tardes.
  this afternoon esta tarde
  yesterday afternoon ayer por la tarde
again de nuevo
against contra
age la edad
agency la agencia
agent el/la agente
agile ágil
ago: . . . years (months, etc.) ago hace... años (meses, etc.)
to **agree *(on something)*** ponerse de acuerdo
agreement *(treaty, etc.)* el acuerdo; ***(harmony)*** la concordancia
agricultural agrícola
air el aire
  open-air (outdoor) café (market) el café (mercado) al aire libre
air conditioning el aire acondicionado
airline la línea aérea
airplane el avión
airport el aeropuerto
aisle el pasillo
album el álbum
algebra el álgebra (*f.*)
all todo(a); todos(as)
  above all sobre todo
to **allow** dejar
ally el/la aliado(a)
almonds las almendras
almost casi
alone solo(a); a solas
already ya
also también
although aunque
always siempre
A.M. de la mañana
amazed asombrado(a), sorprendido(a), atónito(a)
ambassador el/la embajador(a)
ambulance la ambulancia
American americano(a)
among entre
to **amuse** divertir (ie, i)
amusement park el parque de atracciones
  amusement park ride la atracción
amusing divertido(a)
ancestor el/la antepasado(a)
anchor *(television)* el ancla
ancient antiguo(a)
and y
Andean andino(a)
anger el enfado, la ira
angry enfadado(a), enojado(a)
  to get angry enfadarse
  to make angry enfadar
animal el animal
ankle el tobillo
announcement el anuncio
to **annoy** molestar, enojar
another otro(a)
answer la respuesta
to **answer** contestar
any cualquier(a)
  any other cualquier otro(a)
anybody alguien
anything algo
  Anything else? ¿Algo más?
apartment el apartamento, el apartamiento, el departamento, el piso
  apartment building la casa de apartamentos
appearance la apariencia
to **applaud** aplaudir
  to be applauded recibir aplausos
applause el aplauso
apple la manzana
appreciated apreciado(a)
to **approach** acercarse (a)
appropriate apropiado(a), adecuado(a); ***(convenient)*** oportuno(a)
April abril
archaeology la arqueología

English-Spanish Dictionary

architect el/la arquitecto(a)
area la zona; el área *(f.)*
area code la clave de área
Argentine argentino(a)
to **argue** discutir
arithmetic la aritmética
arm el brazo
army el ejército
around alrededor de; ***(time)*** a eso de
arrival la llegada
to **arrive** llegar
arriving from procedente de
art el arte
art show (exhibition) la exposición de arte
artichoke la alcachofa
sautéed artichoke la alcachofa salteada
article el artículo
artist el/la artista; el/la pintor(a)
as como
as . . . as tan... como
as many . . . as tantos(as)... como
as much . . . as tanto(a)... como
as soon . . . as en cuanto, tan pronto como
ash la ceniza
to **ask (a question)** preguntar
to **ask for** pedir (i, i)
assign asignar
assistance la ayuda
assistant: executive assistant el/la asistente(a) ejecutivo(a)
to **assume** asumir
at a, en
at (@) sign la arroba
at around *(time)* a eso de
at home en casa
at night por la noche; de noche
at one o'clock (two o'clock, three o'clock) a la una (a las dos, a las tres)
at times a veces
at what time? ¿a qué hora?
athlete el/la atleta
ATM el cajero automático
atmosphere el ambiente
attached file el documento adjunto
attempt el intento, la tentativa
to **attend** asistir (a)
attention: to pay attention prestar atención
attitude la actitud
attracted atraído(a)
attraction *(feeling)* la atracción; ***(interesting thing or place)*** el atractivo
attractive guapo(a)
August agosto
aunt la tía
aunt and uncle los tíos
author el/la autor(a)
automatic automático(a)
automatic dispenser el distribuidor automático
autonomous autónomo(a)
autumn el otoño
available disponible
avenue la avenida
average regular
avocado el aguacate; la palta
to **avoid** evitar
Awesome! ¡Bárbaro!
ax el hacha *(f.)*

B

back la espalda
back *(adj.)* trasero(a)
back button *(key)* el botón regresar (retroceder)
back door la puerta trasera
back: in back of detrás de
background la ascendencia; el fondo
backpack la mochila
backpacker el/la mochilero(a)
backwards hacia atrás
bacon el tocino, el bacón, el lacón
bad malo(a); mal
The weather is bad. Hace mal tiempo.
to be in a bad mood estar de mal humor
to get bad grades sacar notas malas
baggage el equipaje
baggage claim el reclamo de equipaje
baggage claim ticket el talón
carry-on baggage el equipaje de mano
bakery la panadería
balance *(bank)* el saldo
balcony el balcón
ball *(soccer, basketball)* el balón; ***(volleyball)*** el balón; ***(baseball, tennis)*** la pelota
to hit the ball batear, golpear
to kick (throw) the ball lanzar el balón
balloon el globo
ballpoint pen el bolígrafo, el lapicero, la pluma
banana el plátano
fried sweet bananas los maduros
band *(music)* la banda, el conjunto
city band la banda municipal
bandage la venda
bank el banco
banker el/la banquero(a)
banner el pendón; la pancarta
banquet el banquete
baptism el bautizo
baptismal font la pila
to **baptize** bautizar
bar: bar of soap la barra de jabón, la pastilla de jabón
barefoot descalzo(a)
to **bargain** regatear
to **bark** ladrar
barn el granero
base *(baseball)* la base
baseball el béisbol
baseball field el campo de béisbol
baseball game el juego (partido) de béisbol
baseball player el/la jugador(a) de béisbol, el/la beisbolista
basis la base
basket *(basketball)* el cesto, la cesta, la canasta
to make a basket encestar, meter el balón en la cesta
basketball el básquetbol, el baloncesto
basketball court la cancha de básquetbol
bat el bate
to **bat** batear
bath el baño
to **bathe (oneself)** bañar(se)
bathing suit el bañador, el traje de baño
bathroom el cuarto de baño
bathtub la bañera

English-Spanish Dictionary

English-Spanish Dictionary

batter el/la bateador(a)
battle la lucha, la batalla
to **be** ser; estar
to be able (to) poder (ue)
to be about to (do something) estar para (+ infinitivo)
to be afraid tener miedo
to be alike (similar to) asemejarse a
to be applauded recibir aplausos
to be born nacer
to be called (named) llamarse
to be careful tener cuidado
to be cold (hot) tener frío (calor)
to be cut off cortar la línea (a alguien)
to be familiar with conocer
to be fine (well) estar bien
to be going to (do something) ir a (+ infinitivo)
to be happy estar contento(a), alegre
to be hungry tener hambre
to be in a good (bad) mood estar de buen (mal) humor
to be in a hurry apresurarse
to be informed (up-to-date) estar al tanto
to be in the mood for estar por
to be necessary ser necesario, ser menester
to be pleasing (to someone) gustar
to be ready to (do something) estar para + infinitivo
to be sad estar triste, deprimido(a)
to be sick estar enfermo(a)
to be sorry sentir (ie, i)
to be successful tener éxito
to be thirsty tener sed
to be tired estar cansado(a)
to be (turn) . . . years old cumplir... años
to be . . . years old tener... años
beach la playa
beach resort el balneario
beak ***(bird)*** el pico
beans los frijoles
green beans (string beans) las judías verdes; las vainitas
beard la barba
bearer el/la portador(a)
to **beat** batir; ***(heart)*** latir
beautiful bello(a), hermoso(a), lindo(a)
because porque
to **become** hacerse; llegar a ser; ponerse; volverse
bed la cama, el lecho
to go to bed acostarse (ue)
to make the bed hacer la cama
to stay in bed guardar cama; quedarse en la cama
bedroom el cuarto de dormir, la recámara, el dormitorio, la alcoba, la pieza; la habitación
beef la carne de res; el bife
before antes de
beforehand antes
to **beg** rogar (ue)
beggar el/la mendigo(a), el/la limosnero(a)
to **begin** empezar (ie), comenzar (ie)
beginner el/la principiante
beginning el principio, el comienzo
in (at) the beginning of *(year, decade, century, etc.)* a principios de
to **behave** comportarse
behaved: to be well-behaved tener buena conducta
behavior la conducta, el comportamiento
behind detrás de
belief la creencia
to **believe** creer
bell *(church, town, school)* la campana
bell pepper el pimiento
bell tower el campanario
bellhop el mozo
to **belong** pertenecer
below debajo de
belt el cinturón
beneficial beneficioso(a), provechoso(a)
benefit el provecho
beside al lado de
besides además
best el/la mejor
best man el padrino
better mejor
between entre
beverage la bebida, el refresco
bicycle la bicicleta
to ride a bicycle andar en bicicleta
big gran, grande
bike ride: to go for a bike ride dar un paseo en bicicleta
bike riding: to go bike riding andar en bicicleta
bill la factura; el billete
biologist el/la biólogo(a)
biology la biología
bird el pájaro; el ave *(f.)*
birthday el cumpleaños
bite el mordisco, la mordida; ***(insect)*** la picadura
to **bite** morder (ue); ***(insect)*** picar
bitter amargo(a)
bitterness la armargura
black negro(a)
blanket la manta, la frazada
block *(city)* la cuadra, la manzana
to **block** bloquear
blond(e) rubio(a)
to have blond hair tener el pelo rubio
blood la sangre
blood pressure la tensión arterial
bloody sangriento(a)
blouse la blusa
to **blow *(wind)*** soplar
blue azul
blue jeans el blue jean
board *(plank)* el tablero, la tabla
to **board** embarcar, abordar
on board abordo (de)
boarding el embarque
boarding pass la tarjeta de embarque, el pasabordo, la tarjeta de abordar
boarding pass kiosk el distribuidor automático

English-Spanish Dictionary

boarding time la hora de embarque
boat *(small)* el barquito, la lancha, la embarcación; *(large)* el buque, el navío
body (human) el cuerpo (humano)
to boil hervir (ie, i)
boiling la ebullición
bold *(character)* valiente; audaz
to bomb bombardear
bombing el bombardeo
bone el hueso
to set the bone reducir, acomodar el hueso
bonfire la fogata, la hoguera
book el libro
boot la bota
border la frontera
to bore aburrir
boring aburrido(a)
born: to be born nacer
to borrow (from) pedir prestado (a)
to bother molestar, enfadar, enojar
bottle la botella
to bounce *(a ball)* rebotar
bouquet el ramo; el racimo
box office la taquilla
boy el muchacho, el niño, el chico, el mozo
boyfriend el novio
brakes los frenos
to put on (apply) the brakes poner los frenos
branch la rama
brave valeroso(a)
Brazilian brasileño(a)
bread el pan
bread crumbs el pan rallado
break *(vacation)* el descanso
to break romper; romperse, quebrarse (ie)
He (She) broke his (her) leg. Se rompió (Se quebró) la pierna.
breakdown *(car)* la avería
breakfast el desayuno
Continental breakfast el desayuno continental
to have breakfast tomar el desayuno, desayunarse
breaking: You're breaking up. *(telephone)* Estás cortando.
breast *(chicken)* la pechuga
breath el aliento
breathing la respiración
breathing exercises los ejercicios de respiración
breed la raza
breeze la brisa
bride la novia
brief breve
briefcase el maletín, la cartera
to bring traer
to bring down derrocar
broad ancho(a)
to broadcast emitir
broken roto(a), quebrado(a)
bronze *(adj.)* de bronce
brook el arroyo
brother el hermano
brown castaño(a); de color marrón
to have brown eyes tener ojos castaños
to have brown hair tener el pelo castaño
brunette moreno(a)
brush el cepillo
toothbrush el cepillo de dientes
to brush cepillar
to brush one's hair cepillarse
to brush one's teeth cepillarse (lavarse) los dientes
buffet el bufé
building el edificio
bunch *(flowers)* el ramo; el racimo
bunk la litera
burial el entierro, el sepelio
buried enterrado(a)
to burn quemarse
burrito el burrito
to bury enterrar (ie)
bus el autobús, el camión, la guagua; el bus
bus stop la parada de autobús (de camiones, de guaguas)
school bus el bus escolar
to miss the bus perder el autobús
businessman el hombre de negocios
businessperson el/la comerciante
businesswoman la mujer de negocios
but pero
butcher shop la carnicería
butter la mantequilla
butterfly la mariposa
button el botón
back button el botón regresar (retroceder)
delete button el botón borrador
to buy comprar
by por; en
by plane (car, bus) en avión (carro, autobús)
by tens de diez en diez
By the way! ¡A propósito!
Bye! ¡Chao!

C

cabbage el repollo, la col
cabin la cabaña; la cabina
cactus el cacto
café el café
outdoor café el café al aire libre
cafeteria la cafetería
cage la jaula
cake la torta; el bizcocho; el pastel, la tarta
calculator la calculadora
call *(phone)* la llamada
dropped call la llamada perdida (caída)
to call llamar
Who's calling, please? ¿De parte de quién, por favor?
calm calmo(a), tranquilo(a)
camel el camello
camera la cámara
digital camera la cámara digital
campaign la campaña
camping el camping
to go camping ir de camping
can el bote, la lata
Canadian canadiense
candidate el/la aspirante, el/la candidato(a)
candle la vela
canned enlatado(a)
canoe la canoa
canvas el lienzo
canyon el cañón
cap el gorro
capable capaz
capital la capital

English-Spanish Dictionary

capital letter la mayúscula
captured capturado(a), apresado(a)
car el carro; el coche; ***(train)*** el coche, el vagón
  dining car el coche comedor (cafetería), la bufetería
  sports car el coche deportivo
car rental agency la agencia de alquiler
carbonated drink la gaseosa
card la tarjeta; el carnet
  credit card la tarjeta de crédito
  ID card el carnet de identidad
  phone card la tarjeta telefónica
career la carrera
careful: to be careful tener cuidado
  Careful! ¡Cuidado!, ¡Mucho ojo!
carefully con cuidado
Caribbean Sea el mar Caribe
carpet la alfombra
carrot la zanahoria
to **carry** llevar; traer
carry-on luggage el equipaje de mano
cart el carrito
to **carve** tallar
case: in case en caso de; por si acaso
cash el dinero en efectivo
to **cash** cobrar
cash register la caja
cashier el/la cajero(a)
cast *(medical)* el yeso
castle el castillo; el alcázar
cat el/la gato(a)
to **catch** atrapar
catcher el/la cátcher, el/la receptor(a)
Catholic católico(a)
cattle el ganado
to **cause** causar
to **celebrate** celebrar; festejar
celebration la celebración; el festejo
cell phone el móvil, el celular
cemetery el cementerio, el camposanto
census el censo
century el siglo
ceramics las cerámicas
cereal el cereal
ceremony la ceremonia
  civil ceremony *(wedding)* la ceremonia civil
certain cierto(a)
chair la silla
chairlift el telesilla, el telesquí
change *(monetary)* el suelto; el cambio
to **change** cambiar
  to change trains *(transfer)* transbordar
chapter el capítulo
character *(literature)* el personaje; ***(moral)*** el carácter
charitable purpose el propósito benévolo
charming encantador(a)
to **chase** perseguir (i, i)
chat la charla; la plática
to **chat** charlar; platicar
cheap barato(a)
  It's all a lot cheaper. Todo te sale más barato.
check *(restaurant)* la cuenta
to **check *(ticket)*** revisar; ***(facts)*** verificar; comprobar (ue)
to **check luggage** facturar el equipaje
to **check out *(hotel room)*** abandonar el cuarto
checking account la cuenta corriente
cheek la mejilla
cheese el queso
  ham and cheese sandwich el sándwich de jamón y queso
chemistry la química
chest el pecho
chicken el pollo
  chicken breast la pechuga de pollo
  chicken thigh el muslo de pollo
  chicken wings las alitas de pollo
child el/la niño(a)
childhood la niñez
children los hijos
Chilean chileno(a)
chili pepper el ají
chin el mentón
chisel el cincel
chocolate el chocolate
  hot chocolate el chocolate caliente
to **choose** escoger, seleccionar, elegir (i, i); optar
chop: pork chop la chuleta de cerdo
to **chop** picar
Christian cristiano(a)
Christmas la Navidad, las Navidades
  Christmas Eve la Nochebuena
  Christmas gift el aguinaldo
  Christmas tree el árbol de Navidad
  Merry Christmas! ¡Feliz Navidad!
church la iglesia
cilantro el cilantro
citizenship la ciudadanía
city la ciudad; ***(major city)*** la urbe
city hall el ayuntamiento
civil civil
  civil ceremony *(wedding)* la ceremonia civil
civilization la civilización
to **claim** reclamar
clams las almejas
to **clap** aplaudir
to **clarify** aclarar, clarificar
clarinet el clarinete
class *(school)* la clase; el curso; ***(ticket)*** la clase
  first (second) class en primera (segunda) clase
classified ad anuncio clasificado
classmates los compañeros de clase
classroom la sala de clase
clean limpio(a)
to **clean** limpiar
clear *(sky)* despejado(a)
to **clear the table** levantar (quitar) la mesa
clergy el clero

English-Spanish Dictionary

clerk el/la empleado(a); el/la dependiente(a)
to **click** *(computer)* hacer clic
cliff el risco
climate el clima
close (to) cerca (de)
to **close** cerrar (ie)
closet el armario
clothes la ropa
dirty clothes la ropa para lavar, la ropa sucia
clothes hanger la percha, el colgador
clothing la ropa; la indumentaria; la vestimenta
clothing store la tienda de ropa
cloud la nube
cloudiness la nubosidad
cloudy nublado(a)
clove (of garlic) el diente
coach el/la entrenador(a)
coast la costa, el litoral
coastal costero(a), litoral
to **coat (with batter)** rebozar
cobblestones los adoquines
code: area code la clave de área
country code el prefijo del país
co-ed mixto(a)
coffee el café
coffin el ataúd
cognate la palabra afine
coin la moneda
cola la cola
cold el frío; *(adj.)* frío(a); *(illness)* el catarro
It's cold (weather). Hace frío.
to be cold tener frío
to have a cold tener catarro
to **collect** recoger
college la universidad
to **collide** chocar
Colombian colombiano(a)
colonel el coronel
colonial colonial
to **colonize** colonizar
colonizer el/la colonizador(a)
colony la colonia
color el color
comb el peine
to **comb one's hair** peinarse
to **come** venir (ie)
I'm coming ¡Ya voy!
to **come out onto** desembocar
comical cómico(a), gracioso(a)
coming from procedente de
companion el/la compañero(a)
company la compañía, la empresa, la sociedad
to **complain (about)** quejarse (de)
complaint la queja
to **complete** completar
completely totalmente
composition la composición
to **comprise** abarcar
computer la computadora, el ordenador
computer programmer el/la programador(a) de computadoras
concert el concierto
concourse *(train station)* el hall
to **condemn** condenar
condiment el condimento
condo(minium) el condominio
conduct la conducta, el comportamiento
conductor *(train)* el revisor
to **confirm** *(seat on a flight)* confirmar
confrontation el enfrentamiento
Congratulations! ¡Enhorabuena!
to **connect** enlazar
connected conectado(a)
connection la conexión
to **conquer** conquistar, vencer, someter
conscious consciente
conservative conservador(a)
consonant la consonante
to **consult** consultar
to **contain** contener (ie); abarcar
contemporary contemporáneo(a)
continent el continente
Continental breakfast el desayuno continental
to **continue** continuar; seguir (i, i)
contract el contrato
contrary: on the contrary al contrario
control *(power, rule)* el dominio, el control
controversial controvertido(a)
controversy la controversia, la polémica
conversation la conversación
convert el/la converso(a)
convertible el descapotable, el convertible
conveyor belt la correa
to **convince** convencer
cook el/la cocinero(a)
to **cook** cocinar, cocer (ue)
cookies las galletas
cooking la cocción
cool fresco(a)
It's cool ***(weather).*** Hace fresco.
copy la copia
hard copy la copia dura
corn el maíz, el elote, el choclo
ear of corn la mazorca de maíz
corner *(street)* la esquina; *(interior)* el rincón
to **conquer** conquistar
corporation la sociedad
corral el corral
to **cost** costar (ue); ***(to be worth)*** valer
How much does it cost? ¿Cuánto cuesta?
Costa Rican costarricense
costume el disfraz
cough la tos
to have a cough tener tos
to **cough** toser
counselor el/la consejero(a)
to **count** contar (ue)
counter *(airline)* el mostrador
country el país; el campo
country code el prefijo del país
country house la casa de campo; el caserío
Spanish-speaking countries los países hispanohablantes
countryside el campo
couple la pareja
course el curso
court la cancha
basketball (tennis) court la cancha de básquetbol (tenis)
volleyball court la cancha de voleibol
courtesy la cortesía
cousin el/la primo(a)

English-Spanish Dictionary

English-Spanish Dictionary

to **cover** cubrir, tapar
cow la vaca
cowboy el vaquero; ***(Argentina)*** el gaucho; ***(Mexico)*** el charro
crackers las galletas
crafts la artesanía
to **crash** chocar
crazy loco(a)
credit card la tarjeta de crédito
crime el crimen, el delito
crop el cultivo
to **cross** cruzar
cross-country ***(skiing)*** el esquí nórdico; ***(race)*** la carrera a campo traviesa
crosswalk el cruce
crowded ***(busy)*** concurrido(a)
crown la corona
cruise (cruise ship) el crucero
crutches las muletas
to walk on crutches andar con muletas
to **cry** llorar
crystal clear cristalino(a)
Cuban el/la cubano(a)
Cuban American el/la cubanoamericano(a)
cucumber el pepino
cuisine la cocina
culture la cultura
cup la taza
current ***(water)*** la corriente
curriculum vitae el currículum vitae
to **curse** maldecir (i)
custard el flan
custom la costumbre
customer el/la cliente(a)
customs la aduana
to **cut** cortar
to cut (up) in small pieces cortar en pedacitos
cut off: We've been cut off. ***(telephone)*** Se nos cortó la línea.
to **cut oneself** cortarse
cutlet: veal cutlet el escalope de ternera

D

dagger el puñal
daily diario(a), cotidiano(a)
daily routine la rutina diaria
dairy products los productos lácteos
to **damage** dañar, estropear
to **dance** bailar
danger el peligro
dangerous peligroso(a)
to **dare** atreverse
dark oscuro(a)
dark-haired moreno(a)
darkness la oscuridad
data los datos
date la fecha
What's today's date? ¿Cuál es la fecha de hoy?
daughter la hija
to **dawn** amanecer
day el día; la fiesta
the Day of the Dead el Día de los Muertos
patron saint's day la fiesta patronal
What day is it (today)? ¿Qué día es hoy?
dazed aturdido(a)
dead muerto(a), difunto(a)
dead person, deceased person el/la muerto(a), el/la difunto(a)
deaf sordo(a)
dear querido(a)
death la muerte
deboned deshuesado(a)
debt la deuda
decade la década
December diciembre
to **decide** decidir
decline ***(drop, fall)*** el descenso
to **decline** declinar
to **decorate** decorar
deep profundo(a), hondo(a)
defeat la derrota
to **defeat** derrotar, vencer
defender el/la defensor(a)
definition la definición
to **dehydrate** deshidratar
delay el retraso, la demora
delegate el/la diputado(a)
to **delete** borrar
delete key ***(computer)*** el botón borrador
delicious delicioso(a); rico(a)
to **deliver** entregar
demand la exigencia
to **demand** exigir
dense denso(a), espeso(a)
dent la abolladura
dentist's office el gabinete del dentista
departure la salida
departure gate la puerta de salida
departure time la hora de salida
to **depend (on)** depender (ie) (de)
to **deplane** desembarcar
to **deposit** depositar
to **describe** describir
description la descripción
desert el desierto
to **deserve** merecer
to **design** diseñar
desk el pupitre
desolate inhóspito(a)
despair la desesperanza, la desesperación
dessert el postre
destination el destino
to **destroy** destruir, destrozar; ***(knock down)*** derribar
detail el detalle
detergent el detergente
powdered detergent el jabón en polvo
to **develop** desarrollarse
device el aparato
to **devise** idear
diagnosis el diagnóstico
to **dial** marcar el número
dial tone el tono
to **dice** cortar en pedacitos
dictation el dictado
to **die** morir (ue, u)
diet la dieta; ***(dieting)*** el régimen
difference la diferencia
different diferente
difficult difícil; duro(a); avanzado(a)
difficulty la dificultad

digital camera la cámara digital
to **diminish** disminuir
diner el/la comensal
dining car el coche comedor (cafetería), la bufetería
dining room el comedor
dinner la cena
to have dinner cenar
direction *(road)* sentido; ***(course)*** rumbo
in each direction en cada sentido
directions las direcciones
dirty sucio(a)
disadvantage la desventaja
disagreeable desagradable
to **disappear** desaparecer
disappearance la desaparición
disappointment el desengaño
to **discover** descubrir
to **disembark** desembarcar
disguise el disfraz
dish el plato
dishwasher el lavaplatos
disillusionment la desilusión; el desencanto
dispenser: automatic boarding pass dispenser el distribuidor automático
distance *(measurement)* la distancia; ***(place)*** la lejanía
long distance de larga distancia
distant *(far-off)* lejano(a)
distinguished ilustre
district el casco, el barrio
to **dive** bucear
to **divide** dividirse
divine divino(a)
to **do** hacer
to do homework hacer las tareas
to do push-ups hacer planchas
to do yoga practicar yoga
doctor el/la médico(a)
doctor's office el consultorio, la consulta del médico
document el documento
attached document el documento adjunto
dog el/la perro(a)
dollar el dólar
Dominican dominicano(a)
Dominican Republic la República Dominicana
door la puerta
front (back) door la puerta delantera (trasera)
dot *(Internet)* el punto
double *(room)* el cuarto doble
doubles *(tennis)* dobles
doubt la duda
to **doubt** dudar
dough la masa
doughnut (type of) el churro
down: to go down bajar
downhill skiing el esquí alpino
to **download** bajar, descargar
downpour el aguacero, el chaparrón
downtown el centro
dozen la docena
draft *(rough draft)* el borrador
to **drag (along)** arrastrar
drama el drama
to **draw** dibujar
drawing el dibujo
dream el sueño; ***(fantasy)*** el ensueño
dress el vestido
to **dress** vestirse (i, i)
to **dribble** driblar (con el balón)
drink *(beverage)* la bebida; el refresco
to **drink** beber
to **drive** conducir, manejar
driver el/la conductor(a)
driver's license el permiso de conducir, la licencia, el carnet
drop *(rain)* la gota
dropped call la llamada caída (perdida)
drought la sequía
drugstore la farmacia
drum el tambor
drum set la batería
dry seco(a)
dryer la secadora
during durante
dusk el crepúsculo, el atardecer; ***(nightfall)*** el anochecer
dust el polvo
DVD el DVD
dynamic dinámico(a)

E

e-mail el correo electrónico, el e-mail
e-mail address la dirección de correo electrónico (e-mail)
e-mail inbox la bandeja de entradas
e-ticket el boleto (billete) electrónico
each cada
eagle el águila *(f.)*
ear el oído
early temprano
early riser el/la madrugador(a)
to **earn** ganar
earring *(long)* el pendiente; ***(round)*** el arete
earthquake el terremoto
easel el caballete
easily sin dificultad
easiness la facilidad
east el este
eastern oriental
easy fácil
to **eat** comer
to eat breakfast (lunch) tomar el desayuno (el almuerzo)
to eat dinner cenar
to **echo** resonar (ue), hacer eco
Ecuadoran ecuatoriano(a)
education la educación
physical education la educación física
egg el huevo
scrambled eggs los huevos revueltos, los huevos batidos
to lay eggs poner huevos
eggplant la berenjena
eight ocho
eight hundred ochocientos(as)
eighteen dieciocho
eighty ochenta
either tampoco *(after negation)*
elbow el codo
electronic electrónico(a)
elementary school la escuela primaria
elevator el ascensor
eleven once
to **eliminate** eliminar; suprimir

English-Spanish Dictionary

English-Spanish Dictionary

else: Anything else? ¿Algo más?; **Nothing else.** Nada más.
to **embark** embarcar; emprender *(un viaje)*
embassy la embajada
emerald la esmeralda
emergency room la sala de emergencia
to **emphasize** ***(to stress)*** destacar
employee el/la empleado(a); el/la dependiente(a)
empty vacío(a)
enchilada la enchilada
end el fin
at the end (of) al final (de); a fines de
to **end** terminar
endless interminable
to **endorse** endosar
enemy el/la enemigo(a)
energetic enérgico(a)
energy la energía
engine el motor
engineer el/la ingeniero(a)
English *(language)* el inglés
to **enjoy** disfrutar; gozar
to **enjoy oneself** divertirse (ie, i)
enormous enorme
enough bastante; suficiente
to **enslave** esclavizar
to **enter** entrar
enthusiasm el entusiasmo
enthusiastic lleno(a) de entusiasmo; entusiasmado(a)
entire entero(a)
entrance la entrada; ***(subway)*** la boca del metro
envelope el sobre
environment el ambiente, el entorno; ***(ecology)*** el medio ambiente
envy la envidia
to **envy** envidiar
epidemic la epidemia
Epiphany el Día de los Reyes
equal igual
escalator la escalera mecánica
to **escape** escaparse; fugarse
especially especialmente; sobre todo
essay el ensayo
to **establish** establecer(se)
estimate el cálculo; el presupuesto
ethnic étnico(a)
ethnicity la etnia
euro el euro
European europeo(a)
even aun; hasta
even *(numeric)* par
evening la noche
Good evening. Buenas noches.
in the evening por la noche
yesterday evening anoche
event el evento, el suceso, el acontecimiento
every cada; todos(as)
every day (year) todos los días (años)
everybody todo el mundo, todos(as)
everyone todo el mundo, todos(as)
everything todo
everywhere en todas partes
evil el mal, la maldad
exactly exactamente
exam el examen, la prueba
physical exam el examen físico
to take an exam tomar un examen
to **examine** examinar
example: for example por ejemplo
to **exceed** exceder
excellent excelente
exception la excepción
to **exchange** intercambiar
Excuse me. Con permiso.
to **execute** ejecutar
executive el/la ejecutivo(a)
executive assistant el/la asistente(a) ejecutivo(a)
exemplary ejemplar
exercise los ejercicios
to **exercise** hacer ejercicios
to **exhaust** agotar
exhausted agotado(a), rendido(a)
exhibition la exposición (de arte)
to **exist** existir
exit la salida
exotic exótico(a)
to **expect** esperar
to **expel** expulsar
expensive caro(a)
less expensive más barato
to **experience** experimentar
expert el/la experto(a)
to **explain** explicar; aclarar
explanation la explicación
to **explode** estallar, explotar
exploitation la explotación
expressway la autopista, la autovía
extraordinary extraordinario(a)
eye el ojo
to have blue (green, brown) eyes tener ojos azules (verdes, castaños)

fabrics los tejidos
fabulous fabuloso(a)
face la cara, el rostro
fact el hecho
to **fail *(school)*** suspender; ***(to be unsuccessful)*** fracasar; ***(to stop functioning)*** fallar
failure *(school)* el suspenso; ***(unsuccessful attempt)*** el fracaso
fair la feria
fairy tale el cuento de hadas
faith la fe
faithful fiel
fall el otoño
to **fall** caerse
to **fall asleep** dormirse (ue, u)
to **fall in love** enamorarse
false falso(a)
fame la fama, el renombre
family *(adj.)* familiar
family la familia
famous famoso(a), renombrado(a), célebre, ilustre, afamado(a)
fan *(sports, artist, etc.)* el/la aficionado(a), el/la admirador(a); ***(air) (handheld)*** el abanico; ***(machine)*** el ventilador
fantastic fantástico(a)

English-Spanish Dictionary

far lejos (de)
fare la tarifa
farm la finca, la granja, la chacra
farmer el/la campesino(a), el peón
farmhand el peón
to **fascinate** fascinar
fast rápido(a)
fastened abrochado(a)
fat gordo(a)
father el padre
favor el favor
favorite favorito(a)
fear el miedo, el temor
to **fear** temer, tener miedo (de)
feature la característica
February febrero
to **feel** sentirse (ie, i)
to **feel like (doing something)** tener ganas de (+ infinitivo)
female la hembra
fence la cerca, la valla
ferocious feroz
Ferris wheel la noria
fertilizer el abono
festival la feria
festival of lights (Hanukkah) la fiesta de las luces
fever la fiebre
to have a fever tener fiebre
few poco(a), pocos(as)
a few unos(as)
fewer menos
field el campo
baseball field el campo de béisbol
soccer field el campo de fútbol
fifteen quince
fifteen-year-old girl la quinceañera
fifty cincuenta
fight la lucha, la pelea
to **fight** luchar, pelear
figurative work (of art) la obra figurativa
file el archivo; el documento
attached file el documento adjunto
to **fill** llenar; ***(put filling in)*** rellenar
to fill up *(gas tank)* llenar el tanque
film el filme, la película, el film
finally por fin
financial financiero(a)
financial statement el estado financiero
to **find** encontrar (ue); hallar
fine *(adj.)* bien
to be fine estar bien
fine la multa
finger el dedo
to **finish** terminar
fire el fuego; el incendio; ***(bonfire)*** la fogata, la hoguera
fireplace la chimenea
fireworks los fuegos artificiales
first primero(a)
first class primera clase
first of January el primero de enero
fish el pescado
fish market la pescadería
to **fit** quedar
This jacket doesn't fit you. Esta chaqueta no te queda bien.
five cinco
five hundred quinientos(as)
to **fix *(repair)*** arreglar, reparar
flame el fuego
on a low flame (heat) a fuego lento
flames las llamas
flan el flan
flat plano(a); llano(a); **(tire)** el pinchazo
flavor el sabor
to **flee** huir
fleeting fugaz
flight el vuelo
direct flight el vuelo directo
flight attendant el/la asistente(a) de vuelo
flight number el número del vuelo
nonstop flight el vuelo sin escala
to **flip over** volcar (ue)
floor el piso
flower la flor
flute la flauta
to **fly** volar (ue)
to **focus** enfocar
fog la niebla
folder la carpeta
to **follow** seguir (i, i)
following siguiente
food la comida, los comestibles, el alimento
frozen food los productos congelados
foolishness la insensatez
foot el pie
on foot a pie
football el fútbol americano
footprint la huella
for por, para; con destino a
for example por ejemplo
forbidden prohibido(a)
force la fuerza
forecast el pronóstico
weather forecast el pronóstico meteorológico
foreground el primer plano
forehead la frente
foreign extranjero(a)
foreigner el/la extranjero(a)
forest el bosque, la selva
to **forget** olvidar
fork el tenedor
form la forma
formal formal
former antiguo(a)
fort la fortaleza, el fuerte; ***(small)*** el fortín
fortress el alcázar; la fortaleza
fortunate afortunado(a); dichoso(a)
forty cuarenta
fountain la fuente
fountain pen la pluma
four cuatro
four hundred cuatrocientos(as)
fourteen catorce
fracture la fractura
free libre
to **free** liberar
freezer el congelador
French el francés; *(adj.)* francés(esa)
french fries las papas (patatas) fritas
frequently con frecuencia, frecuentemente
fresh fresco(a)
Friday el viernes
fried frito(a)
friend el/la amigo(a); el/la compañero(a)
friendly agradable
friendship la amistad
to **frighten** asustar, espantar

English-Spanish Dictionary

English-Spanish Dictionary

from de; desde
from time to time de vez en cuando
from where? ¿de dónde?
front *(adj.)* delantero(a)
in front of delante de
front desk ***(hotel)*** la recepción
front door ***(car, bus)*** la puerta delantera
frost la helada
frozen congelado(a)
frozen food los productos congelados
fruit la fruta
fruit stand la frutería, el puesto de frutas
to **fry** freír (i, i)
frying pan el/la sartén
full completo(a)
full of lleno(a) de; cargado(a) de
full-time a tiempo completo
fun: to have fun divertirse (ie, i), pasarlo bien
funds los fondos
to raise funds recaudar fondos
funeral procession el cortejo fúnebre
funny cómico(a); gracioso(a); divertido(a); chistoso(a)
furious furioso(a)
furiously furiosamente, rabiosamente
fury la furia, la rabia
furniture los muebles
future el futuro

game el juego; ***(match)*** el partido
garage el garaje
garden ***(flower, park)*** el jardín; ***(small vegetable)*** el huerto; ***(large vegetable)*** la huerta
garlic el ajo
gasoline la gasolina, la nafta, la benzina
gas station la estación de servicio, la gasolinera
gas tank el tanque
gate ***(airport)*** la puerta de salida
to **gather** recoger
general general
generally, in general en general, por lo general
generous generoso(a)
genre el género
gentle manso(a)
gentleman el señor
geography la geografía
geometry la geometría
German alemán(ana)
gesture la gesticulación, el gesto, el ademán
to **get** sacar; lograr; conseguir (i, i)
to get angry enfadarse
to get good (bad) grades sacar notas buenas (malas)
to **get dressed** ponerse la ropa; vestirse (i, i)
to **get off** ***(train, bus)*** bajar(se)
to **get on** ***(train, bus)*** subir; ***(plane)*** abordar
to **get together** reunirse
to **get up** levantarse
ghost el fantasma
gift el regalo
Christmas gift el aguinaldo
girl la muchacha, la niña, la chica
fifteen-year-old girl la quinceañera
girlfriend la novia
to **give** dar; otorgar
to give an exam dar un examen (una prueba)
to give back devolver (ue)
to give (someone) stitches poner unos puntos (unas suturas) (a alguien)
to give (throw) a party dar una fiesta
to give up renunciar
glance la ojeada
glass ***(drinking)*** el vaso
glass ***(substance)*** el vidrio
glove el guante
glove compartment la guantera
to **go** ir; pasar; andar
Let's go! ¡Vamos!
to be going (to do something) ir a (+ infinitivo)
to go back regresar; volver (ue)
to go bike riding andar en bicicleta
to go camping ir de camping
to go down bajar
to go for a hike dar una caminata
to go home regresar a casa, ir a casa; volver a casa
to go horseback riding andar a caballo, montar a caballo
to go ice-skating patinar sobre el hielo
to go in-line skating patinar en línea
to go jogging hacer jogging
to go on a trip hacer un viaje
to go online entrar en línea
to go out salir
to go over the net pasar por encima de la red
to go rollerblading (inline skating) patinar en línea
to go scuba diving bucear
to go shopping ir de compras
to go skiing esquiar
to go snorkeling bucear
to go surfing practicar la tabla hawaiana
to go swimming nadar
to go through pasar por
to go to bed acostarse (ue)
to go to the movies ir al cine
to go up subir
to go waterskiing esquiar en el agua
to go windsurfing practicar la plancha de vela
goal el gol; ***(objective, aim)*** la meta
to score a goal meter un gol
goal (box) la portería
goalie el/la portero(a)
godchild el/la ahijado(a)

godfather el padrino
godmother la madrina
going to con destino a
gold el oro
good buen, bueno(a)
  to be in a good mood estar de buen humor
  to get good grades sacar notas buenas
  Good afternoon. Buenas tardes.
  Good evening. Buenas noches.
  Good morning. Buenos días.
  Good-bye! ¡Adiós!; ¡Chao!
  to say good-bye despedirse (i, i)
good-looking guapo(a), bonito(a)
government el gobierno
  government official el/la funcionario(a) gubernamental (de gobierno)
grade la nota
  high grade la nota alta
  low grade la nota baja
  to get good (bad) grades sacar notas buenas (malas)
graduate el/la egresado(a)
grandchildren los nietos
granddaughter la nieta
grandfather el abuelo
grandmother la abuela
grandparents los abuelos
grandson el nieto
to **grant** otorgar
grape la uva
grapevine la vid
grass la hierba
grave la tumba
gravy la salsa
gray gris
to **graze** pacer
great gran, grande
Great! ¡Bárbaro!
greater (greatest) part (la) mayor parte
greed la avaricia, la codicia
green verde
green beans las judías verdes; las vainitas
green pepper el pimiento
greengrocer (vegetable) store la verdulería
to **greet** saludar
greeting el saludo
grill la parrilla
to **grill** asar
groom el novio
ground el suelo
group *(musical)* el grupo, el conjunto
grove la arboleda
to **grow *(agriculture)*** cultivar; ***(age, size)*** crecer
growth el crecimiento
to **guard** guardar, vigilar
Guatemalan guatemalteco(a)
to **guess** adivinar
guest el/la invitado(a); ***(hotel)*** el/la cliente(a), el/la huésped(a)
guilt la culpa
guilty culpable
guitar la guitarra
gust *(wind)* la ráfaga
guy el tipo
gymnasium el gimnasio

habit la manía
hair el pelo
  to brush one's hair cepillarse
  to comb one's hair peinarse
  to have blond (brown, black) hair tener el pelo rubio (castaño, negro)
haircut el corte de pelo
hair salon la peluquería
hair stylist el/la peluquero(a)
half *(soccer)* el tiempo; ***(amount)*** la mitad
  second half *(soccer)* el segundo tiempo
half past *(hour)* y media
ham el jamón
  ham and cheese sandwich el sándwich de jamón y queso
hamburger la hamburguesa
hand la mano
  to raise one's hand levantar la mano
handful el puñado; el manojo
handmade hecho(a) a mano
to **hand over** entregar
handsome guapo(a)
hanger la percha, el colgador
Hanukkah el Hanuka
to **happen** pasar, ocurrir, suceder
  What's happening? ¿Qué pasa?
happiness la alegría, la felicidad, el regocijo
happy alegre, contento(a), feliz
  Happy Hanukkah! ¡Feliz Hanuka!
hard difícil, duro(a)
hard copy la copia dura
hardworking ambicioso(a)
harvest la cosecha
to **harvest** cosechar
hat el sombrero; ***(ski)*** el gorro
to **hate** odiar
hatred el odio; la antipatía
to **have** tener (ie); haber *(in compound tenses)*
  to have a cold tener catarro
  to have a cough tener tos
  to have a fever tener fiebre
  to have a good time pasarlo bien, divertirse (ie, i)
  to have a headache tener dolor de cabeza
  to have a party dar una fiesta
  to have a snack tomar una merienda
  to have a sore throat tener dolor de garganta
  to have a stomachache tener dolor de estómago
  to have blond (brown, black) hair tener el pelo rubio (castaño, negro)
  to have blue (brown, green) eyes tener ojos azules (castaños, verdes)
  to have breakfast (lunch) tomar el desayuno (el almuerzo)
  to have dinner cenar
  to have fun pasarlo bien, divertirse (ie, i)
  to have just (done something) acabar de (+ infinitivo)
  to have to *(do something)* tener que
hay el heno
he él
head la cabeza
headache: to have a headache tener dolor de cabeza
heading *(letter)* el encabezamiento
headlights las luces

English-Spanish Dictionary

English-Spanish Dictionary

headline el titular
health la salud
to **hear** oír
¿Can you hear me? *(telephone)* ¿Me escuchas?
heart el corazón
heat el calor; el fuego; *(heating)* la calefacción
on low heat a fuego lento
to **heat** poner en el fuego; calentar (ie)
heaven el cielo
heavy pesado(a)
heel *(of a shoe)* el talón
height la altura
hell el infierno
Hello! ¡Hola!; *(on the phone)* ¡Diga!, ¡Dígame!, ¡Aló!, ¡Bueno!
helmet el casco
help la ayuda
to **help** ayudar
hen la gallina
her *(pron.)* la
to her *(pron.)* le
her *(poss. adj.)* su(s)
herd la manada
here aquí; acá
Here it (they) is (are). Aquí lo (la, los, etc.) tienes.
heritage la herencia; el patrimonio
hero el héroe
heroine la heroína
Hi! ¡Hola!
hidden escondido(a), oculto(a), secreto(a)
to **hide** esconder(se), ocultar(se); *(emotion)* disimular
high alto(a)
high school la escuela secundaria; el colegio
highway la autopista, la autovía, la carretera
hike: to take (go for) a hike dar una caminata
hiker el/la mochilero(a)
hill el cerro, la colina; *(slope)* la cuesta
hillside la ladera
him *(pron.)* lo
to him *(pron.)* le
his su(s)

Hispanic hispano(a)
hiss el silbido
history la historia
to **hit** *(baseball)* batear; *(tennis, volleyball)* golpear
to hit a home run batear un jonrón
holiday la fiesta
home la casa; a casa; el hogar
at home en casa
to go home regresar a casa; volver (ue) a casa
homemade casero(a)
home page la página de inicio (inicial, frontal)
home plate el plato
home run el jonrón
to hit a home run batear un jonrón
homework las tareas
honest honesto(a)
honey la miel
honeymoon la luna de miel
honor: in honor of en honor de
hood *(car)* el capó
hope la esperanza
to **hope** esperar
I hope . . . Ojalá...
horizon el horizonte
horse el caballo
horseback riding la equitación
to go horseback riding andar a caballo, montar a caballo
hospital el hospital
hostel: youth hostel el albergue juvenil, el hostal
hot: to be hot tener calor
It's (very) hot *(weather).* Hace (mucho) calor.
hot caliente; caluroso(a)
hotel el hotel
small (inexpensive) hotel el hostal
hotel clerk el/la recepcionista
hour la hora
house la casa
apartment house la casa de apartamentos
private house la casa privada

to **house** albergar, alojar, hospedar
housekeeper la camarera; el/la criado(a)
how? ¿cómo?; ¿qué?
How are things going? ¿Qué tal?
How are you? ¿Qué tal?; ¿Cómo estás?
How much does it cost? ¿Cuánto cuesta?
How much is (are) . . . ? ¿A cuánto está(n)... ?
How much is it? ¿Cuánto es?
How old is he (she)? ¿Cuántos años tiene?
how long . . . ? ¿Hace cuánto tiempo... ?
how many? ¿cuántos(as)?
how much? ¿cuánto?
however comoquiera
hug el abrazo
to **hug (each other)** abrazar(se)
huge grandote, enorme, inmenso(a)
human humano(a)
human being el ser humano
human resources department el departamento de personal (de recursos humanos)
humble humilde
humid húmedo(a)
humidity la humedad
humor: to have a good sense of humor tener un buen sentido de humor
hundred cien(to)
hunger el hambre *(f.)*
hungry: to be hungry tener hambre
hunt *(hunting)* la caza
to **hunt** cazar
hunter el/la cazador(a)
hurried apresurado(a)
hurry: to be in a hurry apresurarse
to **hurt** doler (ue)
It hurts him (me, etc.) a lot. Le (Me, etc.) duele mucho.
My head (stomach, etc.) hurts. Me duele la cabeza (el estómago, etc.)

English-Spanish Dictionary

to **hurt (oneself)** hacerse daño
husband el esposo, el marido
hut el bohío, la choza

I yo
ice el hielo
ice cream el helado
ice skate el patín
to **ice-skate** patinar sobre el hielo
ice-skater el/la patinador(a)
ice-skating el patinaje sobre (el) hielo
ice-skating rink la pista de patinaje
icon el icono
ID card el carnet de identidad
idea la idea
idealist el/la idealista
identification la identidad
piece of identification la forma de identidad
to **identify** identificar
if si
ill enfermo(a)
ill-mannered mal educado(a)
illness la enfermedad
illustrious ilustre
to **imagine** imaginar
immediately enseguida, inmediatamente
immense inmenso
immigration la inmigración
impatient impaciente
important importante
impossible imposible
imprisoned aprisionado(a), encarcelado(a); apresado(a), capturado(a)
to **improve** mejorar
improvement la mejora, el mejoramiento
in en
in back of detrás de
in front of delante de
in general por lo general
inbox ***(e-mail)*** la bandeja de entradas
incapable incapaz
incline la pendiente, la cuesta
to **include** incluir
Is the tip included? ¿Está incluido el servicio?
to **increase** aumentar; crecer
incredible increíble
independent independiente; autónomo(a)
to **indicate** indicar
indigenous indígena
individual: individual sport el deporte individual
inexpensive barato(a)
infancy la infancia
influence la influencia
to **inform** informar
information la información
ingenious ingenioso(a)
to **ingest** ingerir (ie, i)
ingredient el ingrediente
to **inhabit** habitar; poblar (ue)
inhabitant el/la habitante; el/la poblador(a)
inhospitable inhóspito(a)
initiative la iniciativa
to **injure** herir (ie, i)
injured herido(a)
injury la herida
in-line skating el patinaje en línea
to go in-line skating patinar en línea
inn el parador
to **insert** insertar; introducir
to **insist (on)** insistir (en), empeñarse (en)
instead of en vez de
to **instill** infundir
instrument el instrumento
insurance: comprehensive insurance los seguros contra todo riesgo
intelligent inteligente
interest el interés
to **interest** interesar
interesting interesante
intermittent intermitente
international internacional
interest rate la tasa de interés
Internet el Internet
to surf the Net navegar el Internet
to **interrupt** interrumpir
to **intersect** cruzarse
intersection la bocacalle, el cruce
interview la entrevista
to **interview** entrevistar
interviewer el/la entrevistador(a)
to **invade** invadir
invaders los invasores
to **invest** invertir (ie, i)
to **invite** invitar
involvement ***(activity)*** la participación; ***(crime)*** la implicación; ***(emotional)*** la relación
Irish irlandés(esa)
iron ***(metal)*** el hierro, el fierro
to **iron** planchar
Is . . . there, please? ¿Está... , por favor?
island la isla
isolated aislado(a); apartado(a)
isthmus el istmo
it lo, la
Italian italiano(a)

jack ***(car)*** el/la gato(a)
jacket la chaqueta
ski jacket la chaqueta de esquí, el anorak
jail la cárcel, la prisión
jam la mermelada
January enero
Japonese japonés(esa)
jar el frasco
jeans el blue jean
Jewish judío(a), hebreo(a)
Jews los judíos
job el trabajo, el empleo; la labor
job application la aplicación (la solicitud) de empleo
jogging: to go jogging hacer jogging
to **join** juntar, unir; fundir
joke ***(story)*** el chiste; ***(prank)*** la broma, la burla
journalist el/la periodista
joy la alegría, el júbilo, el regocijo
judge el/la juez
to **judge** juzgar
juice el jugo, el zumo
orange juice el jugo de naranja
July julio
June junio
jungle la selva, la jungla
just: to have just (done something) acabar de (+ infinitivo)

English-Spanish Dictionary

English-Spanish Dictionary

just as (like) igual que

kebabs los pinchitos
to **keep** guardar
to keep watch vigilar
key la llave; ***(computer)*** el botón
back key el botón regresar (retroceder)
delete key el botón borrador
magnetic key la llave magnética
keyboard el teclado
to **kick** lanzar
kilogram el kilo
kilometer el kilómetro
kind la clase
king el rey
the Three Kings (Wise Men) los Reyes Magos
kiosk ***(newsstand)*** el quiosco; ***(ticket dispenser)*** el distribuidor automático
kiss el beso; ***(little, often on cheek)*** el besito
to **kiss** besar
kitchen la cocina
knapsack la mochila
knee la rodilla
kneepad la rodillera
knife el cuchillo
to **knit** tejer
to **knock down** derribar
knot el nudo
to **know** saber; conocer
to know how ***(to do something)*** saber

lack la falta
to **lack** faltar
He/She lacks . . . Le falta...
lamb el cordero
lamp la lámpara
land la tierra
to **land** aterrizar
landing el aterrizaje
landowner el/la terrateniente
landscape el paisaje
lane ***(highway)*** el carril, la pista, la vía, la banda, el canal
language la lengua, el idioma
lap ***(track)*** la vuelta
laptop computer la computadora portátil
large gran, grande
last pasado(a); último(a)
last night anoche
last week la semana pasada
last year el año pasado
to **last** durar
late tarde; con retraso (una demora)
later luego; más tarde; después
See you later! ¡Hasta luego!
Latin America Latinoamérica
Latin American latinoamericano(a)
Latino latino(a)
to **laugh** reír
laundromat la lavandería
laundry el lavado
law ***(rule)*** la ley; ***(justice)*** el derecho
lawyer el/la abogado(a)
lawyer's office el bufete del abogado
lazy perezoso(a)
to **lead** ***(from one street into another)*** desembocar
leader el líder
leadership el liderazgo
leaf ***(of lettuce, tree)*** la hoja
league la liga
to **learn** aprender
learning el aprendizaje
least: at least a lo menos
leather el cuero
to **leave** salir
to **leave** ***(something)*** dejar
to leave a message dejar un mensaje
to leave a tip dejar una propina
left izquierdo(a)
to the left a la izquierda
leftovers las sobras
leg la pierna
leisure el ocio
lemon el limón
lemonade la limonada
to **lend** prestar
less menos
lesson la lección
to **let** dejar; permitir
letter la carta
letter ***(of alphabet)*** la letra
lettuce la lechuga
la hoja de lechuga leaf of lettuce
lid la tapa
to **lie** mentir (ie, i)
life la vida
life passage el pasaje de la vida
to **lift** levantar
to lift weights levantar pesas
light la luz
red light la luz roja
traffic light el semáforo
to **light** encender (ie)
to **light up** iluminar
lighthouse el faro
lightly ligeramente
lights las luces; ***(headlights)*** las luces
festival of lights (Hanukkah) la fiesta de las luces
like como
to **like** gustar; encantar
What would you like ***(to eat)?*** ¿Qué desean tomar?
limit el límite; ***(boundary)*** el confín
line ***(of people)*** la cola; la fila
to wait in line hacer cola; estar en fila
line la línea
solid line ***(road)*** la línea continua
to **line up** hacer cola
lion el león
lip el labio
to **listen** escuchar
Listen! ¡Oye!
literary literario(a)
literature la literatura; las letras
little pequeño(a)
a little poco(a)

live *(broadcast, concert, etc.)* en directo, en vivo
to **live** vivir
livestock el ganado
living room la sala
loan el préstamo
short- (long-) term loan el préstamo a corto (largo) plazo
to **loan** prestar
lobster la langosta
to **locate** localizar, situar, ubicar
log el leño
logical lógico(a)
loin el lomo
long largo(a)
long-distance *(race)* de larga distancia
long-sleeved de manga larga
long-term a largo plazo
Look! ¡Mira!
to **look at** mirar
to **look at oneself** mirarse
to **look for** buscar
Look out! ¡Cuidado!
to **lose** perder (ie)
lot: a lot mucho(a); muchos(as)
lotion: suntan lotion la crema solar, la loción bronceadora
love el amor
in love with enamorado(a) de
loved one el/la amado(a)
to **love** encantar; querer (ie)
She loves the music. Le encanta la música.
low bajo(a)
low (heat) a fuego lento
to **lower** *(price)* rebajar
lowercase letter la minúscula
loyal leal
luck: How lucky I am! ¡Qué suerte tengo!
luggage el equipaje
carry-on luggage el equipaje de mano
luggage cart el carrito
luggage claim ticket el talón
luggage identification tag la etiqueta
to check luggage facturar el equipaje
lunch el almuerzo
to have lunch tomar el almuerzo
luxurious lujoso(a)
luxury el lujo

M

mad enojado(a), enfadado(a)
madam (la) señora
made hecho(a)
magazine la revista
magnetic magnético(a)
magnificent magnífico(a)
maid la camarera; el/la criado(a)
maid of honor la dama de honor
mail el correo
e-mail el correo electrónico, el e-mail
to **mail a letter** echar una carta
mailbox el buzón
main principal
to **maintain** mantener (ie)
maintenance el mantenimiento, la manutención
majority la mayoría; *(adj.)* mayoritario(a)
to **make** hacer; confeccionar, elaborar
to make a basket *(basketball)* encestar
to make a stopover hacer escala
to make better mejorar
to make the bed hacer la cama
mall el centro comercial
mammal el mamífero
man el hombre
to **manage** *(to do something)* conseguir (i, i)
manners los modales
to have good (bad) manners tener buenos (malos) modales
manual transmission la transmisión manual
many muchos(as)
as many . . . as tantos(as)... como
how many? ¿cuántos(as)?
map el plano; el mapa
marathon el maratón
March marzo
mare la yegua
mark la nota
bad (low) mark la nota mala (baja)
good (high) mark la nota buena (alta)
to get good (bad) marks sacar notas buenas (malas)
market el mercado
native market el mercado indígena
market stall el puesto, el tenderete
marmalade la mermelada
marriage el matrimonio, el casamiento
married: to get married (to) casarse (con)
marshal el mariscal
mask la máscara
mason el albañil
to **match** parear
mathematics las matemáticas
mature maduro(a)
to **mature** madurar
maturity la madurez
mausoleum el mausoleo
maximum máximo(a)
May mayo
maybe quizá, quizás, tal vez
mayonnaise la mayonesa
mayor el/la alcalde(sa)
me *(pron.)* me
to (for) me a (para) mí
meal la comida
to **mean** significar
means of transport el medio de transporte
meat la carne
ground meat la carne picada, el picadillo
meat pie la empanada
meatball la albóndiga
media los medios de comunicación
medicine el medicamento, la medicina
medium *(meat)* a término medio
medium-sized mediano(a)
to **meet** encontrarse (ue); conocer
melancholic melancólico(a); taciturno(a)
member el miembro; el/la socio(a)
menorah la menora
menu el menú
merchant el/la vendedor(a)

English-Spanish Dictionary

English-Spanish Dictionary

Merry Christmas! ¡Feliz Navidad!
merry-go-round el tiovivo
mess: What a mess! ¡Qué lío!
message el mensaje, el recado
metaphor la metáfora
meter el metro
Mexican mexicano(a)
Mexican American mexicanoamericano(a)
microwave oven el horno de microondas
Middle Ages la Edad Media
midnight la medianoche
mile la milla
mileage el kilometraje
milk la leche
million el millón
  a million dollars un millón de dólares
mime el mimo
to **mince** picar
mind el espíritu
mine ***(silver, gold, coal, etc.)*** la mina
miner el/la minero(a)
mineral water el agua mineral
minority la minoría
miracle el milagro
miraculous milagroso(a)
mirror el espejo
Miss (la) señorita
to **miss (the bus, the flight)** perder (ie) (el autobús, el vuelo); ***(to long for)*** extrañar, echar de menos
mist la neblina
mistaken equivocado(a); erróneo(a)
mistreatment el maltrato
to **misunderstand** malentender (ie)
misunderstanding el malentendido
mixed ***(race)*** mestizo(a); ***(blended)*** mezclado(a)
mixture la mezcla
mobile phone el móvil, el celular
modern moderno(a)
mom mamá
moment el momento
monastery el monasterio
Monday el lunes
money el dinero
monitor ***(computer)*** la pantalla de escritorio
month el mes
monument el monumento
mood el humor
  to be in a good (bad) mood estar de buen (mal) humor
moon la luna
Moors los moros
more más
morning la mañana
  Good morning. Buenos días.
  in the morning por la mañana; de la mañana
mosque la mezquita
mother la madre
motive el motivo
mountain la montaña, el monte
  mountain range la cordillera, la sierra, la cadena de montañas
mountaintop el pico, la cima, la cumbre
mouse el ratón
mousepad la alfombrilla
mouth la boca
to **move** mover (ue)
movement el movimiento
movie la película, el filme, el film
movie theater el cine
movies: to go to the movies ir al cine
MP3 player el MP3
Mr. (el) señor
Mr. and Mrs. (los) señores
Mrs. (la) señora
Ms. (la) señorita, (la) señora
much mucho(a)
  as much . . . as tan... como
  How much is it (does it cost)? ¿Cuánto es?; ¿Cuánto cuesta?
mud el lodo
to **murmur** musitar
museum el museo
mushroom ***(botanical)*** el hongo, la seta; ***(culinary)*** el champiñón
music la música
musician el/la músico(a)
Muslim musulmán(ana)
Muslims los musulmanes
mussels los mejillones
must deber
mustache el bigote
mute mudo(a)
my mi(s)
mysterious misterioso(a)
myth el mito

name el nombre
  My name is . . . Me llamo...
  What is your name? ¿Cómo te llamas?; ¿Cuál es su nombre?
napkin la servilleta
narrative la narrativa
narrow angosto(a), estrecho(a)
national nacional
nationality la nacionalidad
  what nationality? ¿de qué nacionalidad?
native indígena, autóctono(a)
native person el/la indígena
nature la naturaleza
navigator el/la navegador(a)
near cerca (de); cercano(a)
necessary necesario(a)
  It's necessary. Es necesario.
  it's necesssary to ***(do something)*** hay que
neck el cuello
necktie la corbata
to **need** necesitar
negative negativo(a)
neighbor el/la vecino(a)
neighborhood el casco, el barrio
neither tampoco
nephew el sobrino
nervous nervioso(a)
nest el nido
net ***(World Wide Web)*** la red; ***(tennis)*** la red
  to surf the Net navegar el Internet
network la red
never nunca; jamás
new nuevo(a)

New Year el Año Nuevo
New Year's Eve la Nochevieja, la víspera del Año Nuevo
newborn el/la recién nacido(a)
newlyweds los recién casados
news la(s) noticia(s)
newscaster el/la noticiero(a)
newspaper el periódico
newsstand el quiosco
next próximo(a); que viene
next stop la próxima parada
next summer (year, etc.) el verano (año, etc.) que viene
next to al lado de
Nicaraguan nicaragüense
nice simpático(a); ***(weather)*** buen (tiempo)
Nice to meet you. Mucho gusto.
The weather is nice. Hace buen tiempo.
nickname el apodo
niece la sobrina
night la noche
at night por la noche
Good night. Buenas noches.
last night anoche
nightgown el camisón
nine nueve
nine hundred novecientos(as)
nineteen diecinueve
ninety noventa
no no; ninguno(a)
by no means de ninguna manera
nobility la nobleza
nobody nadie
noise el ruido; ***(din)*** el estrépito, el estruendo
none ninguno(a)
noon el mediodía
no one nadie
normal normal
north el norte
North American norteamericano(a)
northern norteño(a); septentrional
no-smoking sign la señal de no fumar
not no
notebook el cuaderno
nothing nada
Nothing else. Nada más.
notice el aviso
novel la novela
novelist el/la novelista
November noviembre
now ahora
nowadays hoy en día; en la actualidad; actualmente
number el número; la cifra
flight number el número del vuelo
seat number el número del asiento
telephone number el número de teléfono
nun la monja
nuptial nupcial
nurse el/la enfermero(a)

O

obituary la esquela, el obituario
object el objeto
objective el objetivo
obligatory obligatorio(a)
to **observe** observar
obsession la manía
obstinate obstinado(a)
occasionally de vez en cuando
occupation la profesión
occupied ocupado(a)
ocean el océano
o'clock: It's two o'clock. Son las dos.
October octubre
odd *(numeric)* impar
of de
Of course! ¡Cómo no!; ¡Claro!
of the del, de la
offer la oferta; la propuesta
to **offer** ofrecer
offering la ofrenda
office la oficina; el despacho
doctor's office la consulta del médico
official: government official el/la funcionario(a) gubernamental (de gobierno)
often con frecuencia, a menudo
oil el aceite
olive oil el aceite de oliva
oil paint el óleo
okay de acuerdo
old viejo(a); antiguo(a)
How old is he (she)? ¿Cuántos años tiene?
old age la vejez
old city el casco (barrio) antiguo
older mayor
oldest el/la mayor
olive la aceituna
on sobre; en
on board abordo
on foot a pie
on the edge of al borde mismo de
on time a tiempo
on top of sobre
one uno; un(a)
one hundred cien(to)
one thousand mil
one-way (ticket) el boleto (billete) sencillo; **(street)** la calle de sentido único
onion la cebolla
online: to go online entrar en línea
only único(a); solo, solamente
to **open** abrir
open-air al aire libre
open-minded flexible
opinion la opinión
opponents el equipo contrario
opposite el contrario; *(adj.)* opuesto(a)
to **oppress** oprimir
or o, u *(used instead of o in front of words beginning with o or ho)*
orange *(color)* anaranjado(a)
orange *(fruit)* la naranja
orange juice el jugo (zumo) de naranja
orchard el huerto
order *(restaurant)* la orden
to **order *(restaurant)*** pedir (i, i)
oregano el orégano
to **organize** organizar
origin el origen
orthopedic surgeon el/la cirujano(a) ortopédico(a)
other otro(a)
any other cualquier otro(a)
other people los demás
our nuestro(a), nuestros(as)
outdoor al aire libre
outfielder el/la jardinero(a)
outline *(plan)* el esbozo, el bosquejo

English-Spanish Dictionary

English-Spanish Dictionary

outskirts los alrededores, las afueras
oven el horno
over por encima de
to **overcome** ***(illness, obstacle, etc.)*** superar
overhead bin el compartimiento superior
overpopulation la sobrepoblación
owing to debido a
own propio(a)
owner el amo, el/la dueño(a), el/la propietario(a)
ox el buey
oxygen mask la máscara de oxígeno

to **pack** hacer la maleta
package el paquete
page la página; el paje
  home page la página de inicio (inicial, frontal)
pain el dolor
painful doloroso(a)
paint la pintura
to **paint** pintar
paintbrush el pincel
painter el/la pintor(a)
painting el cuadro; la pintura
pair el par
  pair of shoes el par de zapatos
pale pálido(a)
pants el pantalón
  long pants el pantalón largo
paper el papel
  sheet of paper la hoja de papel
  toilet paper el papel higiénico
paperback (book) el libro de bolsillo
parade el desfile
  to walk in a parade desfilar
paramedic el/la socorrista
parents los padres
park el parque
to **park** aparcar, estacionar, parquear
parka el anorak
parking lot el parking, el parqueo
parking meter el parquímetro
part la parte
  the greatest part *(majority)* la mayor parte
part-time a tiempo parcial
party la fiesta
  to (have) throw a party dar una fiesta
to **pass** pasar; ***(car)*** adelantar(se), rebasar, pasar
passenger el/la pasajero(a)
passport el pasaporte
  passport inspection el control de pasaportes
past el pasado
pastry el pan dulce
path la senda, el sendero, la vereda
patience la paciencia
patient *(adj.)* paciente
patient el/la paciente
patrol la patrulla
patron saint el/la santo(a) patrón(ona)
  patron saint's day la fiesta patronal
pavement el pavimento
paw la pata
to **pay** pagar
  to pay attention prestar atención; hacerle caso
pay phone el teléfono público
pea el guisante
peaceful tranquilo(a); pacífico(a)
peak *(mountain)* el pico, la cima, la cumbre
peanut el cacahuate, el maní, el cacahuete
peasant el campesino, el peón
pedestrian el/la peatón(ona)
  pedestrian crossing el cruce peatonal
to **peel** pelar
pen el bolígrafo, el lapicero, la pluma
pencil el lápiz
people la gente
  other people los demás
pepper *(spice)* la pimienta; ***(bell pepper)*** el pimiento; el pimentón; el ají; el chipotle; el morrón
perhaps quizá, quizás, tal vez, acaso
to **permit** permitir
person la persona
  person who just arrived el/la recién llegado(a)
personality la personalidad
perspective la perspectiva
Peruvian el/la peruano(a)
peso el peso
pet la mascota
pharmacist el/la farmacéutico(a)
pharmacy la farmacia
phone el teléfono
  cell phone el móvil, el (teléfono) celular
  pay phone el teléfono público
  phone book la guía telefónica
  phone call la llamada telefónica
  phone card la tarjeta telefónica
  phone number el número de teléfono
  phone receiver el auricular
  public phone el teléfono público
  to pick up the phone descolgar (ue) el auricular
  to speak on the phone hablar por teléfono
photo(graph) la foto(grafía)
  to take photos sacar (tomar) fotos
photographer el/la fotógrafo(a)
physical *(exam)* el examen físico
  physical education la educación física
physics la física
piano el piano
to **pick up** recoger
to **pick up *(phone)*** descolgar el auricular; ***(speed)*** agarrar velocidad

English-Spanish Dictionary

picture la foto(grafía); la imagen
to take pictures sacar (tomar) fotos
picturesque pintoresco(a)
piece el pedazo, el trozo (trocito)
little piece el pedacito
pig el cerdo, el chancho; el cochinillo, el lechón
pillow la almohada
pinch la pizca
pineapple la piña
pink rosado(a)
pitcher ***(baseball)*** el/la pícher, el/la lanzador(a)
pizza la pizza
place el lugar; el sitio
to **place** poner, colocar; localizar, situar, ubicar
plains las llanuras
to **plan** planear
plane el avión
planet el planeta
plant la planta
to **plant** sembrar (ie)
plantain: slices of fried plantain los tostones, los patacones
plaster el yeso
plate el plato
plateau la meseta; **(high)** el altiplano, la altiplanicie
platform ***(railway)*** el andén
play ***(theater)*** la obra de teatro, la pieza; ***(sports)*** la jugada
to **play** ***(sport)*** jugar (ue); ***(musical instrument)*** tocar
to **play soccer (baseball, etc.)** jugar (al) fútbol (béisbol, etc.)
player el/la jugador(a)
baseball player el/la jugador(a) de béisbol, el/la beisbolista
playful juguetón(ona)
playwright el/la dramaturgo(a)
plaza la plaza
pleasant agradable, placentero(a)
please por favor; favor de (+ infinitivo)
pleasure el placer
It's a pleasure to meet you. Mucho gusto.
plot el argumento, la trama, la intriga
plumber el/la fontanero(a), el/la plomero(a)
P.M. de la tarde, de la noche
pocket el bolsillo
poem el poema, la poesía
poet el/la poeta
poetry la poesía
point el tanto; el punto
to score a point marcar un tanto
to **point out** señalar
poison el veneno
poisonous venenoso(a)
policy la póliza
polite bien educado(a); cortés
politician el/la político(a)
politics la política
polluted contaminado(a)
pollution la contaminación
pool la piscina, la alberca; la pila
poor pobre
popular popular
to **populate** poblar (ue)
population la población
porch el porche; la terraza
pore ***(skin)*** el poro
pork el cerdo
pork chop la chuleta de cerdo
portion ***(food)*** la ración
portrait el retrato
Portuguese portugués(esa)
position el puesto
to **possess** poseer
possibility la posibilidad
possible posible
postcard la tarjeta postal
pot la olla, la cacerola, la cazuela
potato la papa, la patata
french fried potatoes las papas (patatas) fritas
pothole el bache
poverty la pobreza
power el poder
powerful poderoso(a)
practically casi
to **practice** practicar
to **pray** rezar, orar
prayer la oración
precipitation la precipitación
to **prefer** preferir (ie, i)
to **prepare** preparar; confeccionar
to **prescribe** recetar
prescription la receta
present el regalo
Christmas present el aguinaldo
to **present** presentar
president el/la presidente(a)
press la prensa
to **press** ***(button)*** oprimir, pulsar; ***(to put pressure on)*** presionar
pressure la presión
pretty bonito(a); hermoso(a)
to **prevent** impedir (i, i); evitar; prevenir (ie)
previous anterior; previo(a)
price el precio, la tarifa
pride el orgullo
priest el cura, el sacerdote
primary primario(a)
to **print** imprimir
printer la impresora
prior anterior; previo(a)
prison la prisión, la cárcel
prisoner el/la prisionero(a), el/la preso(a)
private privado(a)
probable probable
problem el problema
procession la procesión
product el producto
profession la profesión
profile el perfil
promotion (sales) la promoción
proposal la propuesta
prose la prosa
protagonist el/la protagonista
proud orgulloso(a)
to **provide** proporcionar, proveer
psychologist el/la sicólogo(a)
public público(a)
Puerto Rican puertorriqueño(a)
to **pull (along)** arrastrar
pulse el pulso
pumpkin la calabaza
to **punish** castigar
pupils ***(eye)*** las pupilas
puppy (pup) el cachorro
purchase la compra
purpose ***(intention)*** el propósito
to **pursue** perseguir (i, i); seguir (i, i)
to **push** ***(button)*** oprimir, pulsar; ***(person)*** empujar
push-ups: to do push-ups hacer planchas
to **put** poner; meter; colocar

English-Spanish Dictionary

English-Spanish Dictionary

to **put in charge** encargar
to **put on** ***(clothes)*** ponerse; ***(brakes)*** poner los frenos
to **put up** ***(tent)*** armar, montar
puzzle el rompecabezas

quarry la cantera
quarter ***(city)*** el casco, el barrio; ***(time)*** el cuarto
a quarter past (the hour) y cuarto
question la pregunta
to ask a question preguntar
quickly rápidamente
quiet tranquilo(a), calmo(a)
quite bastante

race la carrera
cross-country race la carrera a campo traviesa
long-distance race la carrera de larga distancia
relay race la carrera de relevos
racket la raqueta
railroad el ferrocarril
railroad platform el andén
railroad station la estación de ferrocarril
rails ***(train)*** los rieles, los carriles
rain la lluvia; la precipitación
to **rain** llover (ue)
It's raining. Llueve.
raincoat el impermeable
rain forest la selva (el bosque) tropical
rainy lluvioso(a)
to **raise** levantar
to raise one's hand levantar la mano
ranch la hacienda, la estancia, el rancho
rare ***(meat)*** casi crudo
rate la tarifa; la tasa
rather bastante
raw crudo(a)
raw material la materia prima
raw vegetables los vegetales crudos
reach el alcance
within reach al alcance
to **reach** alcanzar; ***(place)*** llegar a
reaction la reacción
to **read** leer
reader el/la lector(a)
reading la lectura
ready listo(a)
to **realize** darse cuenta de
really realmente
rearview mirror el retrovisor
reason la razón, el motivo
rebel el/la rebelde
to **rebel** rebelarse, sublevarse
rebellious rebelde
rebelliousness la rebeldía
to **receive** recibir
receiver ***(telephone)*** el auricular
reception la recepción
recipe la receta
recipient el/la destinatario(a)
recognition el reconocimiento
to **recognize** reconocer
to **recommend** recomendar (ie)
record el disco
red rojo(a)
red light la luz roja
redheaded pelirrojo(a)
to **reduce** ***(price)*** rebajar; disminuir, reducir
to **reduce** ***(speed)*** reducir la velocidad
reduced reducido(a)
to **reflect** ***(light)*** reflejar; ***(mental)*** reflexionar
refrigerator el refrigerador, la nevera
to **refuse** rehusar
region la región
rehearsal el ensayo
to **rehearse** ensayar
reign el reinado
to **reign** reinar
to **reinforce** reforzar (ue)
to **reject** rechazar
to **rejoice** alegrarse
relative el/la pariente
relay: relay race la carrera de relevos
reliability la confiabilidad
reliable confiable
relief el alivio; ***(art, geography)*** el relieve
relieved aliviado(a)
religious religioso(a)
to **remain** quedarse
to **remember** recordar (ue)
remote ***(island, etc.)*** remoto(a), apartado(a)
to **renew** renovar (ue)
renowned renombrado(a), célebre
to **rent** alquilar, rentar, arrendar (ie)
to **repeat** repetir (i, i)
to **replace** reemplazar
report el reportaje
to **represent** representar
representative ***(political)*** el/la diputado(a); el/la representante
republic la república
Dominican Republic la República Dominicana
request la petición, la solicitud, el ruego
to **request** pedir (i, i); solicitar
to **require** exigir
required obligatorio(a)
rescue el rescate
to **rescue** rescatar
research la investigación
to **resemble** parecerse a
resentment el rencor, el resentimiento
reservation la reservación, la reserva
to **reserve** reservar
resort: seaside resort el balneario
ski resort la estación de esquí
rest ***(everything else)*** lo demás; ***(remainder)*** el resto
rest ***(break)*** el descanso, el reposo
to **rest** descansar; reposar

English-Spanish Dictionary

restaurant el restaurante
restroom el servicio
result el resultado
to resume reanudar
résumé el currículum vitae
return el regreso, la vuelta; el retorno
to return regresar, volver (ue); **to return *(something)*** devolver (ue)
review el repaso
to review repasar
to revolt sublevar
rhyme la rima
rice el arroz
rich rico(a)
riches las riquezas
richness la riqueza
to rid liberar
ride: to go for a (bike) ride dar un paseo en bicicleta
to ride *(horse)* andar a caballo; montar a caballo; *(bicycle)* andar en bicicleta
rides *(amusement park)* las atracciones
right derecho(a)
right on the edge of al borde mismo de
That's right! ¡Verdad!
to the right a la derecha
right away enseguida
rights los derechos
to ring sonar (ue)
ringtone el timbre (sonoro)
rink *(ice-skating)* la pista de patinaje
ripe maduro(a)
to ripen madurar
to rise alzarse
risk el riesgo
to risk arriesgar
risky arriesgado(a)
rite el rito
river el río
to roar rugir
roast asado(a)
roast suckling pig el cochinillo asado, el lechón asado, el chancho asado
to roast asar
rocky rocoso(a)
roll *(bread)* el panecillo
roll of toilet paper el rollo de papel higiénico

rollerblading el patinaje en línea
rollerblading: to go rollerblading patinar en línea
roller coaster la montaña rusa
romantic romántico(a)
roof el techo
room el cuarto; *(museum)* el salón
bathroom el cuarto de baño
bedroom el cuarto de dormir, la recámara, el dormitorio, la habitación, la alcoba, la pieza
classroom la sala de clase
dining room el comedor
emergency room la sala de emergencia
living room la sala
restroom el servicio
single (double) room el cuarto sencillo (doble)
waiting room la sala de espera
rooster el gallo
roots las raíces
rope la cuerda, la soga
round-trip (ticket) el boleto (billete) de ida y vuelta (regreso)
route la ruta, el trazado
routine la rutina
daily routine la rutina diaria
row (of seats) la fila
rubber la goma
rude mal educado(a)
rug la alfombra
to ruin arruinar; estropear
ruins las ruinas
rule la regla
to run correr
runner el/la corredor(a)
running water el agua corriente
runway la pista
rural rural

S

sacred sagrado(a)
sad triste, deprimido(a)

saffron el azafrán
sail la vela
sailboard la plancha de vela
sailboat el velero
saint el/la santo(a)
patron saint el/la santo(a) patrón(ona)
salad la ensalada
sale el saldo, la liquidación
salesperson el/la empleado(a); el/la dependiente(a)
salt la sal
salty salado(a)
same mismo(a)
sand la arena
sandal la sandalia
sandwich el sándwich, el bocadillo, la torta
ham and cheese sandwich el sándwich de jamón y queso
satisfied satisfecho(a)
to satisfy satisfacer
Saturday el sábado
sauce la salsa
saucepan la cacerola, la cazuela, la olla
saucer el platillo
sausage el chorizo
savannah la sabana
to save guardar
saxophone el saxófono
to say decir (i)
to say good-bye despedirse (i, i)
saying el refrán, el dicho
scarce escaso(a)
to scare asustar, espantar
scenery el paisaje
schedule *(train)* el horario
scholarship la beca
school la escuela; el colegio; la academia
elementary school la escuela primaria
high school la escuela secundaria; el colegio
school *(adj.)* escolar
school bus el bus escolar
school supplies los materiales escolares
science la ciencia
score el tanto
to score a goal meter un gol
to score a point marcar un tanto

English-Spanish Dictionary

English-Spanish Dictionary

scrambled: scrambled eggs los huevos revueltos, los huevos batidos
scratch el rayón
screen *(computer)* la pantalla de escritorio; la pantalla
scuba diving el buceo
  to go scuba diving bucear
to **sculpt** esculpir; tallar
sculptor el/la escultor(a)
sculpture la escultura
sea el mar
  Caribbean Sea el mar Caribe
seafood los mariscos
search: in search of en busca de
to **search** buscar
seaside resort el balneario
season la estación
  What season is it? ¿Qué estación es?
seat el asiento; la plaza
  seat number el número del asiento
seat belt el cinturón de seguridad
second segundo(a)
  second class segunda clase
  second half *(soccer)* el segundo tiempo
secondary secundario(a)
security *(checkpoint)* el control de seguridad
  to go through security pasar por el control de seguridad
sedan el sedán
  four-door sedan el sedán a cuatro puertas
to **see** ver
  let's see a ver
  See you later! ¡Hasta luego!
  See you soon! ¡Hasta pronto!
  See you tomorrow! ¡Hasta mañana!
to **seem** parecer
  It seems to me . . . Me parece...
to **select** seleccionar
selfish egoísta, interesado(a)
self-service *(restaurant, gas station)* el autoservicio
to **sell** vender
senator el/la senador(a)
to **send** enviar, mandar
sense: sense of humor el sentido de humor
  to have a good sense of humor tener un buen sentido de humor
sent mailbox la bandeja de enviados
sentence la frase, la oración
September septiembre
series la serie
serious serio(a)
to **serve** servir (i, i)
  to serve as servir de
server el/la mesero(a); el/la camarero(a)
service el servicio
to **set *(table)*** poner la mesa; ***(bone)*** reducir, acomodar el hueso
setting el lugar
to **settle** establecer(se)
settlers los colonos
seven siete
seven hundred setecientos(as)
seventeen diecisiete
seventy setenta
several varios(as)
shack la choza, la casucha
shadow la sombra
shake *(drink)* el batido
to **shake** sacudir; agitar; estremecer
to **shake hands** dar(se) la mano
shame: What a shame! ¡Qué pena!; **to be a shame** ser una lástima
shampoo el champú
shape la forma
to **share** compartir
she ella
sheep la oveja
sheet la sábana
sheet of paper la hoja de papel
shellfish los mariscos
shepherd, shepherdess el/la pastor(a)
to **shine** brillar, lucir, relucir
ship el navío, el buque; ***(sailing)*** el velero
shipwreck el naufragio
shirt la camisa
  short- (long-) sleeved shirt la camisa de manga corta (larga)
shoe size el número
  What size shoe do you wear (take)? ¿Qué número calzas?
shoes las zapatillas; los zapatos
to **shop** ir de compras
shopping cart el carrito
shopping center el centro comercial
short *(person)* bajo(a); ***(length)*** corto(a)
short-sleeved de manga corta
short-term a corto plazo
shorts el pantalón corto
should deber
shoulder *(road)* el acotamiento, el arcén; ***(body)*** el hombro
to **show** mostrar (ue), enseñar
shower la ducha
  to take a shower tomar una ducha
shrimp los camarones
shy tímido(a)
sick enfermo(a)
sick person el/la enfermo(a)
side el lado
sidewalk la acera
to **sigh** suspirar
sign la señal; ***(road)*** el rótulo
  no-smoking sign la señal de no fumar
to **sign** firmar
silver la plata
similar similar, semejante
simile el símil
since desde; como
sincere sincero(a); franco(a)
to **sing** cantar
singer el/la cantante
single solo(a); **(room)** un cuarto sencillo
singles *(tennis)* individuales
sink el lavabo
to **sink *(ship)*** naufragar; hundir(se)
sir (el) señor

sister la hermana
to **sit down** sentarse (ie)
site ***(Web site)*** el sitio
to **situate** situar, localizar, ubicar
six seis
six hundred seiscientos(as)
sixteen dieciséis
sixty sesenta
size ***(clothing)*** la talla; ***(shoes)*** el número
What size *(clothing)* do you wear (take)? ¿Qué talla usas?
What size *(shoe)* do you wear (take)? ¿Qué número calzas?
to **skate** patinar
to ice-skate patinar sobre el hielo
to in-line skate (rollerblade) patinar en línea
skateboard el monopatín
skating el patinaje
skeleton el esqueleto
ski el esquí
ski hat el gorro
ski jacket la chaqueta de esquí, el anorak
ski lift el telesilla, el telesquí
ski pole el bastón
ski resort la estación de esquí
ski slope la pista
to **ski** esquiar
to water-ski esquiar en el agua
skier el/la esquiador(a)
skiing el esquí
cross-country skiing el esquí nórdico
downhill skiing el esquí alpino
waterskiing el esquí acuático (náutico)
skillet el/la sartén
skillful diestro(a), hábil
skinny enjuto(a)
skirt la falda
skull el cráneo, la calavera
sky el cielo
skyscraper el rascacielos
slave el/la esclavo(a)
to **sleep** dormir (ue, u)
sleeping bag el saco (la bolsa) de dormir
sleeved: short- (long-) sleeved de manga corta (larga)
slice la tajada; la rebanada; ***(ham)*** la lonja, la loncha; ***(lemon, cucumber)*** la rodaja; ***(melon)*** la raja
to **slice** cortar en rebanadas
slope ***(ski)*** la pista; ***(incline)*** la pendiente, la cuesta
slot la ranura
slow lento(a)
slowly despacio
small pequeño(a)
smell ***(sense)*** el olfato; ***(odor, aroma)*** el olor
to **smell** olfatear; oler (ue)
to smell of (like) oler a
smile la sonrisa
smoke el humo
smoking: no-smoking sign la señal de no fumar
smoothie el batido
snack la merienda; las tapas, los antojitos; los bocaditos
snake la culebra, la serpiente, la víbora
sneakers las zapatillas, los tenis
to **sniff** olfatear
to **snorkel** bucear
snorkeling el buceo
snout el hocico
snow la nieve
to **snow** nevar (ie)
It's snowing. Nieva.
snowboarder el/la snowboarder
snowy (snow covered) nevado(a)
so tan; **(thus)** así
so that para que, de modo que, de manera que
soap el jabón
bar of soap la barra de jabón, la pastilla de jabón
soap opera la telenovela
sober sobrio(a)
soccer el fútbol
soccer field el campo de fútbol
social studies los estudios sociales
socks los calcetines; ***(Latin America)*** las medias
soda la cola; la gaseosa
sofa el sofá
soft blando(a)
soft drink el refresco
solar solar
soldier el soldado
some algunos(as); unos(as)
someone alguien
something algo
sometimes a veces; de vez en cuando
son el hijo
song la canción; ***(bird)*** el canto
soon pronto; dentro de poco
as soon as en cuanto
See you soon! ¡Hasta pronto!
sore throat: to have a sore throat tener dolor de garganta
sorry: to be sorry sentir (ie, i)
I'm very sorry. Lo siento mucho.
soul el alma *(f.)*
soup la sopa
sour agrio(a)
source la fuente
south el sur
South America la América del Sur, la Sudamérica
southern sureño(a); austral; meridional
to **sow** sembrar (ie)
space el espacio; ***(parking)*** el sitio (para estacionar)
Spain España
Spanish ***(language)*** el español; ***(person)*** el/la español(a)
Spanish *(adj.)* español(a)
Spanish speaker el/la hispanohablante, el/la hispanoparlante
Spanish-speaking hispanohablante, hispanoparlante
spare time el tiempo libre
spare tire la rueda (llanta) de repuesto (de recambio, de refacción)
to **speak** hablar
to **speak on the phone** hablar por teléfono
special especial
specialty la especialidad
species la especie
spectator el/la espectador(a)

English-Spanish Dictionary

speech ***(to an audience)*** el discurso; ***(language)*** el habla ***(f.)***

speed la velocidad

speed limit la velocidad máxima, el límite de velocidad

spelling la ortografía

to **spend** ***(time)*** pasar; ***(money)*** gastar

spice la especia

spicy picante

spirit el espíritu

to **splurge** botar la casa por la ventana

spoon ***(tablespoon)*** la cuchara; ***(teaspoon)*** la cucharita

sport el deporte

individual sport el deporte individual

team sport el deporte de equipo

sports ***(related to)*** deportivo(a)

sports car el coche deportivo

to **sprain** torcerse (ue)

He (She) sprained his (her) ankle. Se torció el tobillo.

spring la primavera

to **sprout** brotar

square ***(town)*** la plaza

stable el establo

stadium el estadio

stairs la escalera

stall ***(market)*** el puesto, el tenderete

stamp la estampilla, el sello

to **stand in line** hacer cola; estar en fila

to **stand up** ponerse de pie

standing de pie

stanza la estrofa

star la estrella

to **start to** ***(do something)*** echar(se) a

starving: I'm starving. Me muero de hambre.

state el estado

station ***(train)*** la estación de ferrocarril (tren); ***(subway)*** la estación de metro; ***(gas)*** la estación de servicio, la gasolinera

statue la estatua

stay la estadía, la estancia; la visita

to **stay** quedarse

to stay in bed ***(illness)*** guardar cama; **to stay in bed** ***(idleness)*** quedarse en la cama

to stay (*in a hotel*) hospedarse

steak el biftec

steam el vapor

steep pendiente

steering wheel el volante

stepbrother el hermanastro

stepfather el padrastro

stepmother la madrastra

stepsister la hermanastra

stern ***(boat)*** la popa

stew el guisado

stick el palo

still todavía

still life la naturaleza muerta

stingy tacaño(a)

to **stir** revolver (ue)

stitch el punto, la sutura

to give (someone) stitches poner unos puntos (unas suturas) (a alguien)

stockings las medias

stomach el estómago

to have a stomachache tener dolor de estómago

stone la piedra

stop la parada

next stop la próxima parada

to make a stopover hacer escala

to **stop** parar(se); detenerse (ie); ***(to cease)*** cesar

store la tienda

to **store** guardar; almacenar

storm la tormenta, la tempestad

stormy tormentoso(a), tempestuoso(a)

story el cuento; la historia; el relato

stove la cocina, la estufa

straight (ahead) derecho

to go straight (ahead) seguir derecho

strait ***(geography)*** el estrecho

stranger el/la desconocido(a), el/la forastero(a)

straw la paja

stream el arroyo

street la calle

one-way street la calle de sentido único

strength la fuerza

to **strengthen** reforzar (ue)

stress el estrés; las tensiones

stretch ***(distance)*** el trecho

to **stretch** estirarse

stretcher la camilla

string la cuerda

string beans las judías verdes

strong fuerte

stronghold el bastión

stubborn obstinado(a), terco(a)

student el/la alumno(a); el/la estudiante; *(adj.)* estudiantil, escolar

university student el/la (estudiante) universitario(a)

study el estudio

social studies los estudios sociales

to **study** estudiar

stuffed up ***(head cold)*** resfriado(a)

stupendous estupendo(a)

style el estilo

to **subdue** someter, subyugar

to **subject** sujetar

subtle sutil

suburbs las afueras; los suburbios

subway el metro

subway entrance la boca del metro

subway station la estación de metro

to **succeed** tener éxito

success el éxito

successful: to be successful tener éxito

such tal

sudden repentino(a); imprevisto(a)

suddenly de repente

English-Spanish Dictionary

to **suffer** sufrir
suffering el sufrimiento
sugar el azúcar
to **suggest** sugerir (ie, i)
suggestion la sugerencia
suitcase la maleta
to pack one's suitcase hacer la maleta
summary el resumen
summer el verano
summery veraniego(a)
summit la cima, la cumbre
sun el sol
to **sunbathe** tomar el sol
Sunday el domingo
sunglasses los anteojos de sol, las gafas para el sol
sunny soleado(a)
It's sunny. Hace (Hay) sol.
sunrise el amanecer
at sunrise al amanecer
sunset la puesta del sol, el ocaso, el atardecer
at sunset al atardecer
suntan lotion la crema solar, la loción bronceadora
superb espléndido(a), magnífico(a), soberbio(a)
supermarket el supermercado
supplies: school supplies los materiales escolares
to **supply** proporcionar
support el apoyo
to **support** apoyar; sustentar; sostener (ie)
supposed to: I (He, She) was supposed to (do something). Habría de (+ infinitivo).
sure seguro(a)
to **surf** practicar la tabla hawaiana
to **surf the Web (the Net)** navegar la red (el Internet)
surface la superficie
surfboard la tabla hawaiana
surfing la tabla hawaiana, el surfing
to go surfing practicar la tabla hawaiana, el surfing
surgeon: orthopedic surgeon el/la cirujano(a) ortopédico(a)
to **surpass** sobrepasar
surprise la sorpresa
to **surprise** sorprender
to **surround** rodear
survey la encuesta
to **suspect** sospechar
sustenance ***(food)*** el sustento
SUV el SUV
to **swallow** tragar
sweat el sudor
to **sweat** sudar; transpirar
sweat suit el buzo
sweater el suéter
sweet dulce
to **swim** nadar
swimming pool la piscina, la alberca; la pila
swimsuit el bañador, el traje de baño
swollen hinchado(a)
sword la espada
symbol el símbolo
symptom el síntoma
synagogue la sinagoga
system el sistema

T-shirt la camiseta; el T-shirt
table la mesa, la mesita
to clear the table levantar (quitar) la mesa
to set the table poner la mesa
tablecloth el mantel
tablespoon la cuchara; ***(in recipe)*** la cucharada
taco el taco
tail la cola, el rabo
to **take** tomar; traer; sacar
to take (by force) apoderarse de
to take *(size)* usar, calzar
to take a bath bañarse
to take a flight tomar un vuelo
to take a hike dar una caminata
to take a second helping repetir (i, i)
to take a shower tomar una ducha
to take a test tomar un examen
to take a trip hacer un viaje
to take an X ray (of someone) tomar(le) una radiografía
to take into account tomar en cuenta
to take pictures (photos) sacar (tomar) fotos
to take place tener lugar
to take someone's blood pressure tomar la tensión arterial
to take someone's pulse tomar el pulso
to take the (school) bus tomar el bus (escolar)
to **take off *(airplane)*** despegar; ***(clothes)*** quitarse
to **take out** sacar
taken ocupado(a)
takeoff el despegue
talent el talento
to **talk** hablar
to talk on a cell phone hablar en el móvil
to talk on the phone hablar por teléfono
tall alto(a)
tank *(car)* el tanque
taste el gusto
tasty sabroso(a)
tax el impuesto
taxi el taxi
taxi driver el/la taxista
tea el té
to **teach** enseñar
teacher el/la profesor(a)
team el equipo
team sport el deporte de equipo
tear la lágrima
teaspoon la cucharita; ***(in recipe)*** la cucharadita
teeth los dientes
to brush one's teeth cepillarse (lavarse) los dientes
telegram el telegrama
telephone el teléfono
pay telephone el teléfono público
(related to) **telephone** telefónico(a)
telephone book la guía telefónica
telephone call la llamada telefónica
telephone card la tarjeta telefónica
telephone line la línea
telephone number el número de teléfono
telephone receiver el auricular

English-Spanish Dictionary

English-Spanish Dictionary

to pick up the telephone descolgar (ue) el auricular
to speak on the telephone hablar por teléfono
television la televisión, la tele
television program la emisión televisiva, el programa de televisión
television station la emisora de televisión
to **tell** ***(a story)*** contar (ue); relatar
temperate templado(a)
temperature la temperatura
temple ***(religion)*** el templo; ***(anatomy)*** la sien
to **tempt** tentar (ie)
ten diez
tenacious tenaz
tender tierno(a)
tennis el tenis
tennis court la cancha de tenis
tennis player el/la tenista
tennis racket la raqueta (de tenis)
tennis shoes los tenis
to play tennis jugar (ue) (al) tenis
tension la tensión
tent la carpa, la tienda de campaña
to put up a tent armar, montar una carpa (una tienda de campaña)
terrace la terraza
terrain el terreno
terrible terrible; pésimo(a)
test el examen, la prueba
to give a test dar un examen (una prueba)
to take a test tomar un examen
Texan tejano(a)
text message el mensaje de texto
Thank you. Gracias.
that aquel, aquella; ese(a)
that ***(one)*** eso
the el, la, los, las
thief el/la ladrón(ona)
their su(s)
them las, los, les
to them les
theme el tema
then luego; entonces
there allí, allá
Is . . . there? ¿Está... ?
there is, there are hay
therefore por eso; ***(consequently)*** por consiguiente
these estos(as)
they ellos(as)
thick ***(solid)*** grueso(a); ***(liquid)*** espeso(a)
thickness el grosor
thigh el muslo
thin flaco(a); delgado(a); enjuto(a)
thing la cosa
to **think** pensar (ie)
What do you think? ¿Qué piensas?
thirsty: to be thirsty tener sed
thirteen trece
thirty treinta
thirty-one treinta y uno
this este(a)
those aquellos(as), esos(as)
thought el pensamiento
thousand mil
threat la amenaza
three tres
the Three Wise Men los Reyes Magos
three hundred trescientos(as)
throat la garganta
to have a sore throat tener dolor de garganta
to **throw** lanzar, tirar; ***(to fling)*** arrojar
to throw (give) a party dar una fiesta
thumb el pulgar
Thursday el jueves
thus así
ticket el boleto, el ticket; la entrada; el billete; el tiquet(e); ***(car)*** la multa
e-ticket el boleto (billete) electrónico
one-way ticket el boleto (billete) sencillo
round-trip ticket el boleto (billete) de ida y vuelta (regreso)
to give ***(someone)*** **a ticket** clavar con una multa
ticket counter ***(airport)*** el mostrador
ticket dispenser el distribuidor automático
ticket window la ventanilla, la boletería; la taquilla
tie la corbata
to **tie** atar
tiger el tigre
time la hora; el tiempo; la vez
at times (sometimes) a veces
at what time? ¿a qué hora?
boarding time la hora de embarque
departure time la hora de salida
from time to time de vez en cuando
full-time a tiempo completo
on time a tiempo
part-time a tiempo parcial
spare time el tiempo libre
What time is it? ¿Qué hora es?
timetable el horario
timid tímido(a)
tin la hojalata
tip el servicio, la propina
Is the tip included? ¿Está incluido el servicio?
tire la llanta, la goma, el neumático, la rueda; el caucho
flat tire el pinchazo
spare tire la rueda (llanta) de repuesto (recambio)
to **tire** cansar
to get (be) tired cansarse
tired cansado(a)
to a
toast las tostadas, el pan tostado
today hoy
What day is it today? ¿Qué día es hoy?
What is today's date? ¿Cuál es la fecha de hoy?
toe el dedo del pie
together juntos(as)
toilet el inodoro, el váter
toilet paper el papel higiénico

roll of toilet paper el rollo de papel higiénico
toll el peaje; la cuota
tollbooth la cabina (garita) de peaje
tomato el tomate
tomb la tumba
tomorrow mañana
See you tomorrow! ¡Hasta mañana!
tonight esta noche
too también
tool la herramienta
toolbar la barra de herramientas
toothbrush el cepillo de dientes
toothpaste la crema dental; la pasta dentífrica
tube of toothpaste el tubo de crema dental
to **touch** tocar
tourist el/la turista
toward hacia
towel la toalla
town el pueblo; la villa
town square la plaza
toy el juguete
track *(train)* la vía
traffic el tráfico; el tránsito
traffic jam el tapón
traffic light el semáforo; la luz roja
trail el camino; la senda
train el tren
long-distance train el tren de largo recorrido
suburban train el tren de cercanías
train car el coche, el vagón
train conductor el/la revisor(a)
train station la estación de ferrocarril (tren)
training el entrenamiento
to **transfer *(train)*** transbordar
to **translate** traducir
transmission: manual transmission la transmisión manual
transportation: means of transportation los medios de transporte
trap la trampa
to **trap** atrapar
to **travel** viajar; ***(distance)*** recorrerv
treasure el tesoro
tree el árbol
trend la corriente
trim *(hair)* el recorte
trip el viaje
to take a trip hacer un viaje
trombone el trombono
truce la tregua
truck el camión
true *(adj.)* verdadero(a); cierto(a)
That's true. Es verdad.
trunk *(car)* el baúl, la maletera; ***(tree)*** el tronco
trustworthy confiable
truth la verdad
to **try** tratar de
tube el tubo
Tuesday el martes
tuna el atún
to **turn** doblar
to **turn around** dar la vuelta
to **turn off *(lights, power, etc.)*** apagar
to **turn on *(lights, power, etc.)*** prender; encender (ie)
to **turn . . . years old** cumplir... años
turn signals las direccionales
TV la tele
twelve doce
twenty veinte
twenty-eight veintiocho
twenty-five veinticinco
twenty-four veinticuatro
twenty-nine veintinueve
twenty-one veintiuno
twenty-seven veintisiete
twenty-six veintiséis
twenty-three veintitrés
twenty-two veintidós
twilight el crepúsculo
twin el/la gemelo(a)
to **twist** torcerse
two dos
two hundred doscientos(as)
type el tipo
typical típico(a)

ugly feo(a)
unattractive feo(a)
unbearable insoportable
uncertainty la incertidumbre
uncle el tío
under debajo de
underneath debajo de
to **understand** comprender, entender (ie)
to **undertake** emprender
undertaking *(task)* la empresa
unexplainable inexplicable
unforgettable inolvidable
unfortunately desgraciadamente, desafortunadamente
to **unhook *(telephone receiver)*** descolgar (ue) el auricular
uniform el uniforme
to **unite** unir; fundir
United States Estados Unidos
from the United States estadounidense
university la universidad
university tuition, fee la matrícula universitaria
unless a menos que
unoccupied libre
unpleasant antipático(a); desagradable
unselfish desinteresado(a)
unstable inestable
to **untie** desatar
until hasta; hasta que
up: to go up subir
upper superior
uprising el levantamiento
urban urbano(a)
us *(pron.)* nos
to **use** usar
useful útil
useless inútil

V

vacation las vacaciones
valley el valle
value el valor
vanilla *(adj.)* de vainilla
various varios(as)
to **vary** variar; oscilar
veal la ternera
veal cutlet el escalope de ternera
vegetable la legumbre, la verdura, el vegetal; la hortaliza
vegetable garden el huerto
vegetable store (greengrocer) la verdulería
vegetarian vegetariano(a)
veil el velo
veins las venas

English-Spanish Dictionary

Venezuelan venezolano(a)
verse el verso
very muy; mucho
It's very hot (cold). Hace mucho calor (frío).
Very well. Muy bien.
vessel la vasija
view la vista
vinegar el vinagre
vineyard la viña, el viñedo
violin el violín
to **visit** visitar
voice la voz
volcano el volcán
volleyball el voleibol
volleyball court la cancha de voleibol
volume el volumen; ***(book)*** el tomo
vowel la vocal

W

to **wait (for)** esperar
to wait in line hacer cola; estar en fila
waiter (waitress) el/la mesero(a); el/la camarero(a)
waiting room la sala de espera
wake el velorio
to **wake up** despertarse (ie)
to **walk** caminar; andar
to walk in a procession desfilar
wall *(interior)* la pared; ***(exterior)*** el muro, la muralla, la cerca
to **want** querer (ie); desear
war la guerra
warlike belicoso(a), guerrero(a)
warm cálido(a)
warm-ups *(clothing)* el buzo; ***(exercise)*** los calentamientos
to **warn** advertir (ie, i); avisar
warning la advertencia; el aviso
to **wash** lavar
to **wash oneself** lavarse
to wash one's hair (face, hands) lavarse el pelo (la cara, las manos)
washbasin el lavabo
washing machine la lavadora
watch el reloj
to **watch** mirar; ver
Watch out! ¡Cuidado!
water el agua *(f.)*
running water el agua corriente
(sparkling) mineral water el agua mineral (con gas)
watercolor la acuarela
waterskiing el esquí acuático (náutico)
to water-ski esquiar en el agua
wave la ola
way la manera
to lose one's way perder el camino
we nosotros(as)
weak débil
to **weaken** debilitar
weakness la debilidad
wealth la riqueza
wealthy acomodado(a), adinerado(a)
weapon el arma *(f.)*
to **wear** llevar; ***(shoe size)*** calzar; ***(clothing size)*** usar
weariness el cansancio, el desánimo
weather el tiempo
It's cold *(weather)*. Hace frío.
It's cool *(weather)*. Hace fresco.
The weather is bad. Hace mal tiempo.
The weather is nice. Hace buen tiempo.
What's the weather like? ¿Qué tiempo hace?
to **weave** tejer
weaver el/la tejedor(a)
Web la red
to surf the Web navegar la red
Web site el sitio Web
wedding la boda
wedding dress el traje de novia
wedding register el registro de matrimonio
wedding ring el anillo de boda
Wednesday el miércoles
week la semana
last week la semana pasada
weekend el fin de semana
to **weigh** pesar
weight la pesa; ***(of something)*** el peso
weights: to lift weights levantar pesas
welcome: You're welcome. De nada., Por nada., No hay de qué.
well bien; pues
Very well. Muy bien.
well-being el bienestar
well-done *(meat)* bien hecho(a)
well-known renombrado(a), afamado(a)
well-mannered bien educado(a)
west el oeste
western occidental
what ¿qué?; ¿cuál?, ¿cuáles?; ¿cómo?
at what time? ¿a qué hora?
What a mess! ¡Qué lío!
What a shame! ¡Qué pena!
What day is it (today)? ¿Qué día es hoy?
What does he (she, it) look like? ¿Cómo es?
What's happening? What's going on? ¿Qué pasa?
What is he (she, it) like? ¿Cómo es?
What is today's date? ¿Cuál es la fecha de hoy?
what nationality? ¿de qué nacionalidad?
What's new (up)? ¿Qué hay?
What size *(clothing)* do you wear (take)? ¿Qué talla usas?
What size *(shoe)* do you wear (take)? ¿Qué número calzas?
What would you like (to eat)? ¿Qué desean tomar?
What time is it? ¿Qué hora es?
whatever cualquier(a)
wheat el trigo
wheelchair la silla de ruedas

when cuando
when? ¿cuándo?
whenever cuandoquiera
where donde
where? ¿dónde?; (to) where? ¿adónde?
from where? ¿de dónde?
wherever dondequiera
which? ¿cuál?, ¿cuáles?
whichever cualquier(a)
while mientras
to whisper musitar
white blanco(a)
who? ¿quién?; ¿quiénes?
Who's calling, please? ¿De parte de quién, por favor?
whoever quienquiera
whole entero(a)
whose cuyo(a)(os)(as)
why? ¿por qué?
wide ancho(a)
widow la viuda
wife la esposa, la mujer
to win ganar
wind el viento
window *(house)* la ventana; *(store)* el escaparate; *(plane)* la ventanilla
windshield el parabrisas
windshield wipers los limpiaparabrisas
windsurfing la plancha de vela
to go windsurfing practicar la plancha de vela
windy: It's windy. Hace viento.
wings las alitas
winter el invierno
wise sabio(a)
the Three Wise Men los Reyes Magos
wish el deseo; el afán
to wish desear
with con
to withdraw retirar
within dentro de
without sin
witness el testigo
woman la dama
wonderful maravilloso(a)
wood la madera
wooden de madera
wool la lana
word la palabra
work el trabajo; *(art)* la obra
abstract work (of art) la obra abstracta
figurative work (of art) la obra figurativa
to work trabajar; *(land)* cultivar, labrar
worker el/la trabajador(a), el/la obrero(a)
workshop el taller
world el mundo
World Cup la Copa Mundial
worldwide mundial
worse peor
to worship rendir culto; adorar; venerar
worst el/la peor
worth: It's not worth it. No vale.
Would that . . . Ojalá que...
wound la herida
wounded herido(a)
wreath la corona
wrinkled arrugado(a)
wrist la muñeca
to write escribir
writing la escritura
written escrito(a)
wrong erróneo(a); equivocado(a)

X

X ray la radiografía
They're taking an X ray (of him or her). Le toman (hacen) una radiografía.

Y

year el año
last year el año pasado
to be turning . . . years old cumplir... años
to be . . . years old tener... años
yellow amarillo(a)
yes sí
yesterday ayer
yesterday afternoon ayer por la tarde
yesterday evening anoche
yet aún *(with negation)*; todavía
yoga el yoga
to do yoga practicar yoga
you tú; *(sing. form.)* usted; *(pl. form.)* ustedes; *(pl. fam.)* vosotros(as); *(fam. pron.)* ti; te; *(form. pron.)* le
You're welcome. De (Por) nada.; No hay de qué.
young person el/la joven
younger menor
youngest el/la menor
your *(fam.)* tu(s); *(form.)* su(s)
It's your turn! ¡Te toca a ti!
youth la juventud
youth hostel el albergue juvenil, el hostal

Z

zero cero
zone la zona
zoo el zoológico

English-Spanish Dictionary

Culture Index

Acta Diurna 28

Alfinger, Ambrosio 300

Alonso, Manuel A. 285

Andes 60, 61, 63, 90, 92, 160

Argentina en general, 67, 108, 109, 111, 113, 114, 115, 119; Aconcagua, 109; Buenos Aires, 105, 109, 113, 114, 120, 123, 125, 129, 141; las cataratas del Iguazú, 146; el Calafate, 144; Estrecho de Magallanes, 109, 114; los Andes, 109; Mendoza, 107; Ombú, 107; La Patagonia, 109, 114; el Puente de la Mujer (Buenos Aires), 123; la Recoleta, 125; Rosario, 109; San Carlos de Bariloche, 128; Santa Fe, 109; Tierra del Fuego, 109, 114; Tierra del Humo, 114; Ushuaia, 109

arquitectura 1, 7, 10, 35, 100, 163

arte en general, 269, 374; arte azteca, 205, 206; arte de los olmecas, 204; arte peruana, 65, 71, 101; la comida en el arte, 11; Cristóbal Colón en el arte, 8, 9; Hernán Cortés en el arte, 206, 207, 239, 238; los incas en el arte, 58; la mola, 168; un mural de la Conquista española, 65; Moctezuma en el arte, 206; Napoleón Bonaparte en el arte, 15; el Palacio de Bellas Artes, 227; un pirata, 37

artesanía cerámicas, 76, 200; costarricense, 196; tejidos, 292

Asunción Silva, José 323

Atahualpa 64

aztecas 204, 205, 206, 219

baile 154, 227

bandera de Estados Unidos, 255; de México, 205, 226; de Puerto Rico, 255

Batista, Fulgencio 253

Belice 202

Benalcázar, Sebastián de 301

bienestar atención médica, 182; la salud, 88, 216

Bolívar, Simón 67, 141, 302

Bolivia en general, 67, 110; los Andes, 60, 61, 63, 90; la Guerra del Pacífico, 60; la historia de, 62–67; la Isla del Sol, 61, 62; el lago Titicaca, 61, 81, 92; Laguna Verde, 59; La Paz, 80, 86; el Monte Illimani, 80; Salar de Uyuni, 57

Bonaparte, Napoleón 15, 67

Brasil 111

El caballo mago 368–372

cafés y restaurantes 17, 18, 54, 77, 120, 217, 223, 225, 362

Calderón Hinojosa, Felipe

California Los Ángeles, 343; San Francisco, 347

campo, la vida en el 7, 34, 66, 67, 91, 93, 143, 298, 367, 373

Canción de otoño en primavera 187

Canción del pirata 34–38

Carlos I (Carlos V) 300

casas 3, 66, 96, 105, 112, 114, 115, 124, 164, 188, 220, 310

Castro, Fidel 253

Cervantes Saavedra, Miguel de 43–44

César, Julio 28

charrúas 111

Chile en general, 60, 62, 67, 108, 114, 115, 119; Arica, 133; la Guerra del Pacífico, 60; la isla de Pascua, 122; Laguna Verde, 59; la Patagonia, 108; Plaza de Armas (Santiago), 108; Puerto Montt, 108, 125; Puerto Varas, 118; Santiago, 115; Valparaíso, 120

ciudad, la vida en la 78, 79, 85, 86, 121, 123, 137, 179, 184, 209, 211, 222, 223, 228, 242, 263, 264, 273, 274, 299, 342–343, 346, 347, 349, 352, 354, 365

Colombia en general, 62, 67; Antigua, 294–295; Barranquilla, 311; Bogotá, 299, 326, 335; Cartagena, 302, 304, 310, 314, 315, 317, 320; Fusagasugá, 305, 339; la historia de, 300–303; la isla de Mompós, 297, 325; Medellín, 299, 309

Colón, Bartolomé 250

Colón, Cristóbal 8–9, 254

Colón, Diego 250

Los comentarios reales 98–99

comida asturiana, 11; de Argentina y Uruguay, 115; de Bolivia, 69; del Caribe, 257; de Chile, 115; de Colombia, 305; de Costa Rica, 169; de Ecuador, 69; española, 11, 13, 26; en Estados Unidos, 87; mexicana, 211, 217, 223; de Paraguay, 115; de Perú, 69; en Segovia, 11; las tapas, 11; de Venezuela, 305

compras 59, 68, 74, 75, 76, 85, 118, 126, 127, 129, 133, 165, 174, 216, 217, 218, 313, 355, 357

Cortés, Hernán 206, 235, 236–238, 239

Costa Rica en general, 184, 196; Cartago, 165; la Playa Negra (Puerto Viejo de Talamanca), 170; San José, 165; el volcán Poás, 161

Cuba en general, 206, 246, 248, 268; Castillo de la Real Fuerza (La Habana), 253; Cienfuegos, 252; la historia de, 252–253; La Habana, 244–245, 256, 264, 272, 273; Vieja Habana, 274, 276

Darío, Rubén 186, 191

deportes en general, 54, 114, 118, 130, 137, 154, 167; el béisbol, 272, 320; un maratón, 273; el parasail, 359

Desde la nieve 364–365

días festivos → ferias y fiestas

Díaz, Porfirio 208

Díaz del Castillo, Bernal 236–238

Don Quijote → *Quijote (El)*

Ecuador en general, 60, 61, 67; Baños, 59, 60, 72, 74, 85; Chimborazo, 66; las islas Galápagos, 97; Guayaquil, 67; la historia de, 62–67; la isla Española, 97; Latacunga, 63; Manta, 77; Otavalo, 74, 76, 78; Quito, 68, 75

El Salvador en general, 182

En paz 231

escuela 72, 102, 177, 200, 227, 311, 312, 353

España en general, 4–9, 11, 15, 67, 165, 219; el acueducto de Segovia, 10; el Alcázar, 10; la Alhambra (Granada), 8, 10; Andalucía, 4, 5, 10, 11; el Arco de la Victoria (Madrid), 15; Asturias, 4, 7; Ávila, 6; Barcelona, 10, 20; Cantabria, 4, 5; Carlos I de España (Carlos V de Austria), 19; Cartagena, 13, 38; Castilla, 4; Castilla de Águila (Andalucía), 5, 41; Cataluña, 7; Ceuta y Melilla, 5; Ciudad de las Artes y las Ciencias (Valencia), 14; Córdoba, 1, 5, 6; Costa del Sol, 16; Cristóbal Colón, 8–9; Estepona, 16, 20; Extremadura, 4, 34; Francisco Franco, 15; Galicia, 4; Gaucín (Andalucía), 5; el Generalife (Granada), 10; Guadalupe, 21; la Guerra Civil, 15, 39; Guipúzcoa, 7; la historia de España, 6–9; Ibiza (islas Baleares), 3, 5, 23; las islas Canarias, 5; Madrid, 4, 10, 15, 19, 22, 54; Mallorca (las islas Baleares), 40; la Mancha, 42–53; el Mediterráneo, 5; Mérida (Extremadura), 10; la Mezquita (Córdoba), 1, 7, 10; Navarra, 4, 39; País Vasco (Euskadi), 7; el Palacio Real, 19; los Picos de Europa, 4; los Pirineos, 4, 39; Plaza de España (Madrid), 42; el puente de Segovia (Madrid), 22; la Puerta de Moncloa (Madrid), 15; la Rambla (Barcelona), 20; el rey don Carlos y la reina doña Sofía, 2; los Reyes Católicos, 8; el río Guadalquivir, 12; el río Manzanares (Madrid), 22; Segovia, 4, 10, 11; Sevilla; la Sierra Morena, 5; la Sierra Nevada, 5; el teatro romano en Mérida, 10; el Torre del Oro (Sevilla), 12; Trujillo, 34; Valencia, 14, 25, 27

Española, La 252

Espronceda, José de 34

Federman, Nicolás de 300–301

ferias y fiestas el Carnaval de la Calle Ocho (Miami, Florida), 347; el Día de San Juan (Puerto Rico), 291, (Jacksonville, Florida), 348; la víspera del Año Nuevo,

Culture Index

Culture Index

294–295; la feria de las flores (Medellín, Colombia), 299

Florida Miami (la Pequeña Habana), 347; San Agustín, 254, 352

Foro Romano 28

Florit, Eugenio 364

Francia 67

Franco, Francisco 15

Garcilaso de la Vega, el Inca 98

gauchos 106, 112, 130, 141, 142

geografía del Caribe, 247; de Centroamérica, 160–161; de Chile, 108; de Colombia, 298–299; de Ecuador y Perú, 60; de España, 4–5; de Venezuela, 298

guaraníes 111, 133

Guatemala en general, 162–163, 166, 169, 202; Antigua, 163; el arco de Santa Catalina (Antigua), 157; la Ciudad de Guatemala, 164, 184; la Gran Pirámide (Tikal), 166; el Templo del Gran Jaguar (Tikal), 166; Tikal, 162, 163

Hatuey 252

Hernández, José 141

Historia de dos cachorros de coatí y dos cachorros de hombre 146–152

Historia verdadera de la conquista de la Nueva España 236–238

Honduras en general, 160, 162, 169; Comayagua, 164; Copán, 158, 166, 167; Plaza Morán (Tegucigalpa), 164; Tegucigalpa, 164

hoteles y hostales Granada (Nicaragua),176; Tepoztlán (México), 201, Vieques (Puerto Rico), 274

Huáscar 64

Huayna Capac 64

Huitzilopochtli 204

Illinois Chicago, 354

incas 58, 62–65, 92, 95, 98–99

El ingenioso hidalgo don Quijote de la Mancha 43–52

Inti 62

Isaacs, Jorge 327–328

Jiménez de Quesada, Gonzalo 300–301

Juan Carlos, don (rey de España) 2

Juárez, Benito 208, 220

La Llorona 240–241

Lamas, Justo 374

latinos en Estados Unidos, 345–346

lenguaje catalán, 27; comparaciones con inglés, 14, 16, 80, 132; expresiones, 29, 71, 73, 117, 178, 200; lenguas mayas, 163; de los siglos XVI y XVII, 44; quiché, 163; valenciano, 27; vosotros y tú, 14

literatura *El ave y el nido,* 281–282; *El caballo mago,* 368–372; *Canción del pirata,* 34–37; *Canción de otoño en primavera,* 188; *Los comentarios reales,* 98–99; *Desde la nieve,* 364–365; *En paz,* 231; *Historia de dos cachorros de coatí y dos cachorros de hombre,* 146–152; *Historia verdadera de la conquista de la Nueva España;* 236–238; *El ingenioso hidalgo don Quijote de la Mancha,* 43–52; *La Llorona,* 240–241; *Lo fatal,* 187; *Los maderos de San Juan,* 323–324; *María,* 327–337; *Martín Fierro,* 141–142; *Mis primeros versos,* 191–194; *Para entonces,* 233–234; *Perico Paciencia,* 285–290; *La primavera besaba,* 39–40; *¡Quién sabe!,* 92–93; *Versos sencillos,* 278–279

Lo fatal 187

Maceo, Antonio 252
Machado, Antonio 39
Los maderos de San Juan 323–324
La Malinche 235, 236, 237–238, 239, 240, 241
María 327–337
Martí, José 252, 278
Martín Fierro 141–142
mayas 158, 162–163, 166–167, 204, 210, 210
mercados 21, El Rastro (Madrid); 74, Otavalo (Ecuador), 76; 115, Puerto Montt (Chile), 126; Chichicastenango (Guatemala), 174; Oaxaca (México) 216; Mérida, México, 217
México en general, 162, 202, 204, 208, 210, 211, 226, 231, 236, 240; Akumal, 215; la batalla de Puebla, 208; el Bosque de Chapultepec, 214, 222; Chiapas, 164; Chichén Itzá, 199, 210; la Ciudad de México, 202, 203 204, 208, 210, 217, 219, 222, 233; el día de la Independencia, 208; Guadalajara, 202, 218; Guanajuato, 210; la historia de México, 204–208; Mérida, 217; Monte Albán, 210, 219; monumento a los Héroes de la Independencia (la Ciudad de México), 217; monumento a la Revolución (la Ciudad de México), 201; Museo Nacional de Antropología, 221; Oaxaca, 200, 210, 216, 219; el Palacio de Bellas Artes (la Ciudad de México), 227; Palacio Nacional en el Zócalo (la Ciudad de México), 210; Parque de la Alameda (la Ciudad de México), 208; la pirámide del Sol (Teotihuacán), 204; la Playa del Carmen, 222; Puebla, 204, 211, 228; Puerto Vallarta, 213; la Revolución mexicana, 210; el Templo de la Serpiente Emplumada (Teotihuacán), 206; Tenochtitlán, 204, 206, 207; Teotihuacán, 242; Tepoztlán, 201; Tula, 205; el volcán Iztaccíhuatl (Puebla), 202
Mis primeros versos 191–194
Moctezuma 206
monumentos estatua de Simón Bolívar (Cartagena, Colombia), 302, (Mérida, Venezuela), 303; estatua de José Martí (La Habana, Cuba), 278; estatua de Ponce de León (San Agustín, Florida), 254; Faro a Colón (Santo Domingo, República Dominicana), 256; monumento a Colón (Santo Domingo, República Dominicana), 249; monumento a Cristóbal Colón (Viejo San Juan, Puerto Rico), 255; monumento a los Héroes de la Independencia (la Ciudad de México), 217; monumento a la Revolución (la Ciudad de México), 201
moros 6–7
muerte 102, 113, 189
museos Museo Nacional de Antropología (México, D.F), 221; Museo del Oro (Bogotá, Colombia), 301; el Museo San Telmo, 124
música 121, 271, 374

Nájera, Manuel Gutiérrez 233
Nervo, Amado 231
Nicaragua en general, 169, 186, 187; la Calzada (Granada), 172; Granada, 165, 176; el lago Managua, 165; la laguna Tiscapa, 165; León, 165, 188, 189; Managua, 165, 190, 191; el Parque Nacional Volcán Masaya (Masaya), 160, 175; Teatro Rubén Darío (Managua), 188
Nueva York Ciudad de Nueva York, 346, 349, 365
Nuevo México en general, 368, 373; Tres Piedras, 366

Ojeda, Alonso de 300
olmecas 204

Pachamama 62
Panamá en general, 159, 160, 161, 164, 168, 171; los Chocó, 160; la Ciudad de Panamá, 159, 179; Darién, 160; el Puente de las Américas, 175;

Culture Index

Culture Index

el Río Chagres, 159; las islas de San Blas, 158, 168

Para entonces 233–234

Paraguay en general, 111; Basílica de Nuestra Señora de los Milagros (Caacupé), 133; las cataratas del Iguazú, 146; Chaco, 110; Montevideo, 110; Plaza de la Independencia, 110; Trinidad, 111

Pelayo, don 7

Pérez de Tolosa, Juan 301

Perico Paciencia 285–290

Perón, Eva 113

Perón, Juan 113

Perú en general, 60, 66–67, 91, 92, 98, 102; Ayacucho, 67; Chan Chan, 68, 73; el Convento de Santa Catalina (Arequipa), 68; Cuzco, 64, 65, 98, 99, 101; la historia de, 62–67; Ica, 60, 82; Lima, 64, 66; Machu Picchu, 62, 63, 68, 90, 96; Ollantaytambo, 62; el Palacio Tschudi, 73; Paracas, 70; Pisac, 67, 94, 95; Plaza de Armas (Arequipa), 66; Plaza de Armas (Cuzco, Perú), 68; Plaza de Armas (Lima, Perú), 64; Plaza de Armas (Trujillo, Perú), 66; Puno, 93; Sacsayhuamán, 99; el Valle Sagrado (Cuzco), 58

Pizarro, Francisco 21, 64

plazas en general, 68; La Gran Plaza (Copán, Honduras), 167; Ibiza, España, 23; Plaza de Armas (Arequipa, Perú), 66; Plaza de Armas (Lima, Perú), 64; Plaza de Armas (Santiago, Chile), 108; Plaza de Armas (Trujillo, Perú), 66; Plaza de España (Madrid, España), 42; Plaza de la Independencia (Montevideo), 110, 125; Plaza Mayor (Trujillo, España), 21; Plaza Morazán (Tegucigalpa, Honduras), 164; Plaza de la Revolución (La Habana, Cuba), 278; Plaza de Santa Teresa (Cartagena, Colombia), 317; Valencia (España), 25

Ponce de León, Juan 254

Popol Vuh 163

La primavera besaba 39–40

Puerto Rico en general, 291; El Yunque, 247, 261; la historia de, 254–255; San Juan, 284, 351; Viejo San Juan, 254, 259, 292; Vieques, 274

Quetzalcóatl 206

¡Quién sabe! 92–93

Quijote, El 43–52

Quiroga, Horacio 146

refranes 6

República Dominicana en general, 264; Cabarete, 262; la historia de, 249–250; Puerto Plata, 251; Santo Domingo, 256, 281

restaurantes y cafés → cafés y restaurantes

Reyes Católicos 8–9

Rosas, Manuel de 112, 141

San Martín, José de 67

Santos Chocano, José 92

Sofía, doña (reina de España) 2

Sotomayor, Sonia 361

Sucre, Antonio José de 141

taínos 249

tapas 11

tecnología 120, 173, 225, 356

tejidos 58, 59

Texas (Tejas) San Antonio, 354

toltecas 204, 206

trabajo 93, 102, 122, 127, 133, 168, 216

tren 102

Trujillo Molina, Rafael 250

Turquía Estambul, 35

Ulibarrí, Sabine 368

Ureña, Salomé 281

Uruguay en general, 109, 110, 111, 124; las cataratas del Iguazú, 146; Montevideo, 125, 126; Plaza de la Independencia (Montevideo), 125; Teatro Solís (Montevideo), 126

vaqueros 112

Vázquez de Ayllón, Lucas

Velázquez de Cuéllar, Diego 206, 252

Venezuela en general, 67, 298; la Cara de Indio, 298; la historia de, 300–303; Mérida, 306; el río Orinoco, 298; el Salto Angel, 304

Versos sencillos 278–279

viajes y vacaciones 27, 79, 128, 213

Viracocha 62

zapotecas 210

Grammar Index

abrir past participle, 218 (5)

adjectives demonstrative adjectives, 264 (6); possessive adjectives, 265 (6); shortened (apocopated) adjectives, 354 (8)

affirmative and negative words 132 (3)

andar preterite tense, 20 (1); imperfect subjunctive, 308 (7)

articles definite and indefinite, 22 (1); agreement in gender and number with nouns, 22 (1); special uses of definite and indefinite articles, 355 (8)

buscar preterite tense, 14 (1)

caer preterite tense, 20 (1); present participle, 78 (2); present subjunctive, 172 (4)

commands direct and indirect, 178 (4); formal **(usted, ustedes)** commands and familiar **(tú)** commands 178 (4); irregular affirmative **tú** commands, 178 (4); commands with object pronouns, 222 (5) (*See also* subjunctive mood)

comparative comparative and superlative, 80 (2); comparison of equality, 82 (2)

conditional perfect tense 284 (6)

conditional tense 262 (6)

conducir preterite tense, 20 (1); present indicative, 119 (3); present subjunctive, 172 (4); imperfect subjunctive, 308 (7)

conjunctions **y / e** and **o / u**, 269 (6); subjunctive with adverbial conjunctions of time, 311 (7); adverbial clauses, 353 (8) (*See also* subjunctive mood)

conocer present indicative, 119 (3); present subjunctive, 172 (4)

construir preterite tense, 20 (1); present participle, 78 (2); present indicative, 119 (3); present subjunctive, 172 (4); imperfect subjunctive, 308 (7)

cubrir past participle, 218 (5)

dar preterite tense, 14 (1); present indicative, 119 (3); present subjunctive, 173 (4)

decir preterite tense, 20 (1); present participle, 78 (2); present indicative, 119 (3); present subjunctive, 172 (4); affirmative **tú** command, 178 (4); past participle, 218 (5); future tense and conditional tense, 260 (6); imperfect subjunctive, 308 (7)

demonstratives adjectives and pronouns, 264 (6)

descubrir past participle, 218 (5)

direct object pronouns 127 (3), 222 (5) (*See also* pronouns)

dormir preterite tense, 17 (1); present participle, 78 (2); present indicative, 118 (3); present subjunctive, 173 (4); imperfect subjunctive, 308 (7)

empezar preterite tense, 14 (1); present indicative, 118 (3)

escribir past participle 218 (5)

estar preterite tense, 20 (1); used with present participle to form progressive tenses, 78 (2); present indicative, 119 (3); **ser** vs. **estar,** 123 (3); present subjunctive, 173 (4); imperfect subjunctive, 308 (7)

freír preterite tense, 17 (1); present indicative, 119 (3); past participle, 218 (5)

future perfect tense 262 (6)

future tense 260 (6)

gustar to express likes and dislikes, 130 (3); verbs like **gustar: aburrir, asustar, encantar, enfurecer, enojar, faltar, fascinar, hacer falta, importar, interesar, molestar, sorprender,** 130 (3)

haber present subjunctive, 173 (4); used with past participle to form present perfect and pluperfect tenses, 218 (5); present tense and imperfect tense, 218 (5); used with past participle to form present perfect subjunctive, 220 (5); used with past participle to form conditional perfect and future perfect tenses, 262 (6); imperfect subjunctive, 308 (7); used with past participle to form pluperfect subjunctive, 350 (8)

hacer preterite tense, 20 (1); present indicative, 119 (3); present subjunctive, 172 (4); affirmative **tú** command, 178 (4); past participle, 218 (5); future tense and conditional tense, 260 (6); imperfect subjunctive, 308 (7)

imperfect subjunctive formation, 308 (7); use, 309 (7) (*See also* subjunctive mood)

imperfect tense of regular and irregular verbs, 72 (2); time expressions used with the imperfect, 72 (2); uses of the imperfect, 72, 73 (2); uses of the preterite and the imperfect, 74 (2); two past actions in the same sentence, 76 (2); imperfect subjunctive, 308 (7)

indicative mood 174 (4); indicative with **aunque,** 313 (7) (*See also* subjunctive mood)

indirect object pronouns 127 (3); 222 (5) (*See also* pronouns)

ir preterite tense, 20 (1); imperfect tense, 72 (2); used with present participle to form progressive tenses, 78 (2); present indicative, 119 (3); present subjunctive, 173 (4); affirmative **tú** command, 178 (4); imperfect subjunctive, 308 (7)

irregular verbs preterite: **dar, ver,** 14 (1); **andar, caer, conducir, construir, decir, estar, hacer, ir, leer, oír, poder, poner, querer, saber, ser, tener, traer, venir,** 20 (1); imperfect: **ir, ser, ver,** 72 (2); present indicative: **conducir, conocer, contribuir, dar, decir, estar, hacer, huir, ir, oír, poner, producir, saber, salir, seguir, ser, tener, traducir, traer, venir,** 119 (3); present subjunctive: **dar, estar, haber, ir, saber, ser,** 173 (4); future and conditional: **decir, hacer, poder, poner, querer, saber, salir, tener, valer, venir,** 260 (6); **haber,** 262 (6)

jugar preterite tense, 14 (1)

leer preterite tense, 20 (1); present participle, 78 (2); imperfect subjunctive, 308 (7)

medir preterite tense, 17 (1); present indicative, 119 (3)

morir preterite tense, 17 (1); present indicative, 118 (3); past participle, 218 (5)

negative and affirmative words 132 (3)

nouns singular and plural, 22 (1); agreement in gender and number with articles, 22 (1); feminine nouns that begin with **a** or **ha,** 24 (1); irregular nouns, 24 (1)

oír preterite tense, 20 (1); present participle, 78 (2); present indicative, 119 (3); present subjunctive, 172 (4); imperfect subjunctive, 308 (7)

para vs. por 314–315 (7)

passive voice 216 (5)

past participle used with **ser** to form true passive voice, 216 (5); regular and irregular forms, 218 (5); used with **haber** to form present perfect and pluperfect tenses, 218 (5); used with **haber** to form present perfect subjunctive, 220 (5); used with **haber** to form future perfect and conditional perfect tenses, 262 (6); used with **haber** to form pluperfect subjunctive, 350 (8)

pedir preterite tense, 17 (1); present participle, 78 (2); present indicative, 119 (3); present subjunctive, 173 (4); imperfect subjunctive, 308 (7)

pluperfect tense 218 (5); pluperfect subjunctive, 350 (8)

poder preterite tense, 20 (1); present indicative, 118 (3); future tense and conditional tense, 260 (6); imperfect subjunctive, 308 (7); **pudiera,** 308 (7)

poner preterite tense, 20 (1); present indicative, 119 (3); present subjunctive, 172 (4); affirmative **tú** command, 178 (4); past participle, 218 (5); future tense and conditional tense, 260 (6); imperfect subjunctive, 308 (7)

por vs. para 314–315 (7)

possessives adjectives and pronouns, 265 (6)

preferir preterite tense, 17 (1); present participle, 78 (2); present indicative, 118 (3); present subjunctive, 173 (4)

present participle used with **estar, ir,** or **seguir** to form progressive tenses, 78 (2); irregular forms, 78 (2)

present perfect tense 218 (5); present perfect subjunctive, 220 (5)

present tense of regular verbs, 118 (3); of stem-changing verbs, 118–119 (3); of irregular verbs, 119 (3); subjunctive mood, 172 (4) (*See also* irregular verbs; stem-changing verbs; subjunctive mood)

Grammar Index

preterite tense of regular verbs, 14 (1); of verbs with spelling changes **(-car, -gar, -zar),** 14 (1); of **dar** and **ver,** 14 (1); time expressions used with the preterite, 14 (1); of **e → i** and **o → u** stem-changing verbs, 17 (1); of irregular verbs, 20 (1); uses of the preterite and the imperfect, 74 (2); two past actions in the same sentence, 76 (2)

producir present indicative, 119 (3)

progressive tenses 78 (2)

pronouns indirect and direct object pronouns, 127 (3), 222 (5); double object pronouns, 127 (3), 222 (5); reflexive pronouns, 214 (5); the pronoun **se** to express passive voice, 216 (5); object pronouns with infinitive, present participle, and commands, 222 (5); demonstrative pronouns, 264 (6); possessive pronouns, 265 (6); relative pronouns, 267 (6)

querer preterite tense, 20 (1); present indicative, 118 (3); future tense and conditional tense, 260 (6); imperfect subjunctive, 308 (7); **quisiera,** 308 (7)

reflexive pronouns 214 (5)

reflexive verbs 214 (5)

relative pronouns 267 (6)

repetir preterite tense, 17 (1); present indicative, 119 (3); present subjunctive, 173 (4)

romper past participle 218 (5)

saber preterite tense, 20 (1); present indicative, 119 (3); present subjunctive, 173 (4); future tense and conditional tense, 260 (6); imperfect subjunctive, 308 (7)

salir present indicative, 119 (3); present subjunctive, 172 (4); affirmative **tú** command, 178 (4); future tense and conditional tense, 260 (6)

seguir preterite tense, 17 (1); used with present participle to form progressive tenses, 78 (2); present indicative, 119 (3)

ser preterite tense, 20 (1); imperfect tense, 72 (2); present indicative, 119 (3); **ser** vs. **estar,** 123 (3); present subjunctive, 173 (4); affirmative **tú** command, 178 (4); used with past participle to express true passive voice, 216 (5); imperfect subjunctive, 308 (7)

servir preterite tense, 17 (1); present indicative, 119 (3)

si clauses *if* clauses and sequence of tenses, 351 (8)

sonreír preterite tense, 17 (1); present indicative, 119 (3)

stem-changing verbs preterite tense **e → i** and **o → u**, 17 (1); present indicative **e → ie** and **o → ue,** 118 (3); present indicative **e → i,** 119 (3); present subjunctive, 173 (4)

subjunctive mood present subjunctive: regular forms, 172 (4); irregular forms, 173 (4); stem-changing verbs, 173 (4); uses of the subjunctive, 174 (4), 177 (4); subjunctive form used as formal **(usted, ustedes)** command and negative familiar **(tú)** command, 178 (4); using **nosotros** form to express *let's*, 178 (4); subjunctive to express the idea *let* or *may*, 178 (4); present perfect subjunctive, 220 (5); imperfect subjunctive: formation, 308 (7); use, 309 (7); sequence of tenses for using present and imperfect subjunctive, 309 (7); subjunctive with adverbial conjunctions of time, 311 (7); sequence of tenses with adverbial conjunctions of time, 311 (7); subjunctive with **aunque,** 313 (7); subjunctive after **¡Ojalá (que)!, ¡Quizá(s)!,** and **¡Tal vez!,** 313, (7); pluperfect subjunctive, 350 (8); *if* clauses, 351 (8); subjunctive in adverbial clauses, 353 (8)

superlative superlative and comparative, 80 (2)

tener preterite tense, 20 (1); present indicative, 119 (3); present subjunctive, 172 (4); affirmative **tú** command, 178 (4); future tense and conditional tense, 260 (6); imperfect subjunctive, 308 (7)

traducir present indicative, 119 (3); present subjunctive, 172(4)

traer preterite tense, 20 (1); present participle, 78 (2); present indicative, 119 (3); present subjunctive, 172 (4); imperfect subjunctive, 308 (7)

venir preterite tense, 20 (1); present indicative, 119 (3); present subjunctive, 172 (4); affirmative **tú** command, 178 (4); future tense and conditional tense, 260 (6)

ver preterite tense, 14 (1); imperfect tense, 72 (2); past participle, 218 (5)

volver present indicative, 118 (3); present subjunctive, 173 (4); past participle, 218 (5)